Dictionnaire
européen
des affaires

Agnès SCHMIDT — Marie-Cécile REVEL

Dictionnaire européen des affaires

Saxifrage Éditions

L'Europe des affaires est en marche...

Il lui manquait jusqu'ici un outil de communication essentiel : un dictionnaire multilangues qui permette aux hommes et aux femmes de s'exprimer avec justesse et certitude. Aisance linguistique et efficacité économique vont en effet de pair et ce dictionnaire a été conçu à cet effet.

Il ne prétend pas être exhaustif, mais les 15 000 entrées sélectionnées correspondent cependant aux termes les plus usités du vocabulaire économique international. De même, près de 1000 mots ou formules font l'objet d'une brève définition pour permettre à l'utilisateur d'être certain de ses choix.

Enfin, ce dictionnaire est composé de 5 parties, chacune d'elle correspondant à une langue prioritaire : le français, puis l'anglais, l'allemand, l'espagnol, et enfin l'italien.

Nous espérons donc que ce nouveau dictionnaire contribuera à sa manière à faciliter les échanges économiques internationaux.

L'éditeur

Dictionnaire
français

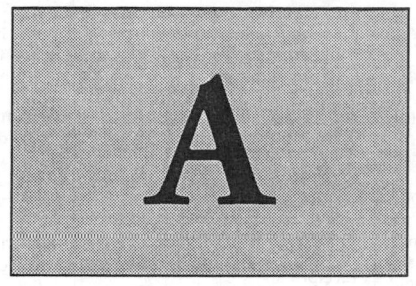

ABATTEMENT
 GB : discount, tax credit
 D : *Abschlag*
 E : bonificación
 I : *deduzione*
Minoration conventionnelle de la
base d'imposition

ABONNEMENT
 GB : subscription
 D : *Abonnement*
 E : abono
 I : *abbonamento*

ABROGER
 GB : rescind, repeal
 D : *aufheben*
 E : abrogar
 I : *abrogare*

ABSENTÉISME
 GB : absenteeism
 D : *unerlaubte abwesenheit*
 E : ausentismo
 I : *assenteismo*

ABSTENIR (S')
 GB : abstain
 D : *seine Stimme enthalten*
 E : abstenerse
 I : *astenersi*

ABSCISSE
 GB : abscissa
 D : *Abszisse*
 E : abscisa
 I : *ascissa*
Coordonnée horizontale qui permet,
avec l'ordonnée (coordonnée verti-
cale), de situer un point dans un
plan

ACCEPTATION
 GB : acceptance
 D : *Akzept*
 E : aceptacion
 I : *accettazione*
Engagement exprès d'un débiteur à
observer une échéance

ACCEPTATION CONDITIONNELLE
 GB : qualifed acceptance
 D : *Annahme unter Vorbehalt*
 E : aceptacion condicionada
 I : *accettazione con riserva*

ACCEPTATION COMMERCIALE
 GB : trade acceptance
 D : *Handelsakzept*
 E : acceptacion comercial
 I : *accettazione commerciale*
Acceptation par une banque d'un
effet de commerce tiré par le four-
nisseur d'un de ses clients pour faci-
liter une opération commerciale

ACCEPTATION (NON)
 GB : nonacceptance
 D : *Nichtannahme*
 E : rechazo
 I : *mancata accettazione*

ACCEPTER (UNE OFFRE)
 GB : accept an offer
 D : *ein Angebot annehmen*
 E : aceptar una oferta
 I : *accettare una offerta*

ACCEPTER (UNE TRAITE)
 GB : accept
 D : *annehmen*
 E : aceptar
 I : *accettare*

ACCES
 GB : access (to)
 D : *Zugang*
 E : acceso
 I : *accesso*

ACCIDENT DE TRAVAIL
 GB : industrial accident
 D : *Arbeitsunfall*
 E : accidente de trabajo
 I : *infortunio sul lavoro*

ACCORD
 GB : settlement (agreement)
 D : *Vereinbarung*
 E : acuerdo
 I : *accordo*

ACCORD AVEC (D')
 GB : in agreement with
 D : *im Einvermehmen mit*
 E : de acuerdo con
 I : *d'accordo con*

ACCORD CADRE
 GB : outline agreement (USA
framework accord)
 D : *Rahmenabkommen*
 E : acuerdo marco
 I : *accordo quadro*
Accord général conclu entre des par-
tenaires sociaux et destiné à être pré-
cisé ultérieurement

**ACCORD DE COMMERCE BILATÉ-
RAL**
 GB : bilateral trade agreement
 D : *bilateraler Handelsvertrag*
 E : contrato comercial bilateral
 I : *accordo di commercio bila-
terale*

**ACCORD DE COMMERCIALISA-
TION**
 GB : marketing agreement
 D : *Absatzübereinkommen*
 E : acuerdo mercantil
 I : *accordo di mercato*

ACCORD RÉSERVÉ
 GB : stand-by agreement
 D : *Notvereinbarung*
 E : contrato de reserva
 I : *accordo di riserva*

**ACCORD GÉNÉRAL SUR LES
TARIFS DOUANIERS ET LE COM-
MERCE**
 GB : General agreement on
tariffs and trade (GATT)
 D : *Allgemeines Zoll-und Han-
delsabkommen*
 E : Acuerdo general sobre tari-
fas aduaneras y comercio
 I : *Accordo generale sulle
tariffe doganali e sul commercio*
Accord multilatéral et international
sur l'harmonisation des politiques
douanières. L'OMC - Organisation
mondiale du commerce le remplace
à partir de 1995

ACCORD MONÉTAIRE EUROPÉEN — AME
GB : European monetary agreement
D : *Europäisches Währungsabkommen (EWA)*
E : Acuerdo monetario europeo (AME)
I : *Accordo monetario europeo (AME)*
A pris fin juridiquement en 1972. Remplacé par l'UEM - Union économique et monétaire : prévue par le traité de Maastricht, une monnaie unique doit voir le jour en 1997 ou 1999 au plus tard

ACCORD MULTILATÉRAL
GB : multilateral agreement
D : *multilaterales Abkommen*
E : acuerdo multilateral
I : *accordo multilaterale*

ACCORD MUTUEL
GB : mutual agreement
D : *gegenseitiges Einvermehmen*
E : acuerdo comun
I : *comune accordo*

ACCORD OCCULTE
GB : secret agreement
D : *Geheimvertrag*
E : acuerdo secreto
I : *accordo secreto*

ACCORD RESTRICTIF
GB : restrictive covenant
D : *einschränkende Bestimmung*
E : convenio restrictivo
I : *accordo restrittivo*

ACCORD TARIFAIRE
GB : tariff agreement
D : *Zollabkommen*
E : acuerdo tarifario
I : *accordo tariffario*

ACCROCHER (UNE COMMANDE)
GB : pull off (an order)
D : *(eine Bestellung) ergattern*
E : conseguir (un pedido)
I : *ottenere (un'ordinazione, una commessa)*

ACCROISSEMENT
GB : increase, increment
D : *Erhöhung, Wertzuwachs*
E : aumento, incremento
I : *aumento, incremento*

ACCROISSEMENT DES COUTS
GB : increased costs
D : *erthöhte Kosten*
E : costes incrementados
I : *costi aumentati*

ACCUEIL
GB : welcome
D : *Aufnahme*
E : atención
I : *accoglienza*

ACCUMULATION
GB : accrual
D : *Auflaufen*
E : acumulacion
I : *maturazione*

ACCUMULER
GB : accrue
D : *auflaufen*
E : acumular
I : *accumularsi*

ACCUSÉ DE RÉCEPTION
GB : acknowledgment of receipt
D : *Empfangsbestätigung*
E : aviso de reception
I : *awiso di recezione*

ACCUSER RÉCEPTION DE
GB : acknowledge receipt of
D : *Empfang bestätigen*
E : acusar recibo de
I : *accusare ricevuta di*

ACHAT
GB : purchase
D : *Kauf, Einkauf*
E : compra adquisitiones (pl.)
I : *compra acquisti (pl.)*

ACHEMINEMENT
GB : dispatching, forwarding
D : *Beförderung*
E : encaminamiento
I : *inoltro*

ACHETER
GB : buy
D : *kaufen*
E : comprar
I : *comprare*

ACHETEUR
GB : buyer
D : *Käufer*
E : comprador
I : *compratore*

ACIERIE
GB : steel mill (USA steel plant)
D : *Stahlwerk*
E : acería
I : *acciaieria*

ACOMPTE
GB : down-payment
D : *Sofortzahlung*
E : pago de entrada
I : *acconto*
Paiement anticipé et partiel à valoir sur le montant d'une dette

ACQUET
GB : acquest
D : *Erwerb*
E : adquisición
I : *acquisti*
Bien ou valeur achetés pendant le mariage par l'un, l'autre ou les deux époux

ACQUISITION
GB : purchase
D : *Erwerb*
E : *adquisicion*
I : acquisizione

ACQUITTÉ (DOUANE)
GB : duty-paid
D : *verzollt*
E : derechos pagados
I : *dazio pagato*

ACQUITTER UNE DETTE
GB : discharge a debt
D : *eine Schuld begleichen*
E : descargar una deuda
I : *estinguere un debito*

ACTE
GB : deed, document
D : *Urkunde*
E : titulo, escritura
I : *atto*
Ecrit authentifiant un fait, une convention

ACTE ATTRIBUTIF
GB : deed of assignment
D : *Abtretungsvertrag*
E : titulo de asignacion
I : *atto di cessione*

ACTE DE CESSION
GB : transfer ded
D : *Übertragungsvertrag*
E : escritura de transferencia
I : *atto di trapasso*
Authentifie la transmission d'un bien ou d'un droit dont on est propriétaire ou titulaire

ACTE DE VENTE
GB : bill of sale
D : *Kaufvertrag*
E : escritura de venta
I : *contratto di vendita*
Authentifie l'échange d'un bien contre de la monnaie

ACTEUR ÉCONOMIQUE
GB : economic agent
D : *wirtschaftlicher Akteur*
E : actor económico
I : *operatore economico*

ACTIF NM
GB : asset
D : *Aktivposten*
E : activo
I : *attivo*
Ensemble des biens et créances appartenant à une personne physique ou morale

ACTIF ADJ
GB : operative
D : *wirksam*
E : operativo, activo
I : *attivo, operativo*

ACTIF CIRCULANT
GB : current assets
D : *Umlaufvermögen*
E : activo realizable
I : *attivo liquido*
Eléments d'actif d'exploitation (stocks, créances clients...) + actifs financiers (valeurs mobilières de placement et disponibilités)

ACTIF ET PASSIF
GB : assets and liabilities
D : *Aktiva und Passiva*
E : activo y passivo
I : *attivo e passivo*
Etat du patrimoine et des dettes d'une entreprise à une date donnée

ACTIF FICTIF
GB : fictitious assets
D : *unechte Aktiva*
E : activo ficticio
I : *attivo fittizio*
Actif immobilisé dont la valeur est nulle et qui conditionne l'existence, l'activité ou le développement de l'entreprise (frais d'établissement essentiellement)

ACTIF IMMOBILISÉ
GB : capital asset (USA : fixed asset)
D : *Vermögensanlage*
E : activo fijo
I : *capitale fisso*
Eléments d'actif dont l'entreprise se sert de manière durable pour exercer son activité (matériels, brevets, titres de participation...)

ACTIF INCORPOREL
GB : intangible assets
D : *nich greifbare Aktiven*
E : activo intangible
I : *beni incorporali*
Actif immobilisé n'ayant pas d'existence physique (brevets, licences...)

ACTIF LIQUIDE (OU DISPONIBLE)
GB : liquid assets
D : *flüssige Aktiven*
E : activo liquido
I : *disponibilità, attività liquida*
Fonds détenus en caisse, sur les comptes, et toutes valeurs immédiatement convertibles en espèces pour leur valeur nominale

ACTIF NET
GB : net assets
D : *Reinvermögen*
E : activo neto
I : *attivo netto*
Situation comptable nette de l'entreprise à une date donnée (valeur comptable nette de l'actif diminuée des dettes à court terme)

ACTION
GB : share
D : *Aktie*
E : accion
I : *azione*
Titre de propriété d'une fraction du capital d'une société qui procure une quote-part des bénéfices variable et des droits spécifiques en cas de liquidation

ACTION JURIDIQUE
GB : legal action
D : *Prozeß, Klage*
E : pleito
I : *processo*

ACTIONNAIRE
GB : shareholder (USA : stockholder)
D : *Aktionär*
E : accionista
I : *azionista*

ACTION ORDINAIRE
GB : ordinary share
D : *Stammaketie*
E : accion ordinaria
I : *azione ordinaria*
Confère à son détenteur des droits normaux de participation

ACTION PRIVILÉGIÉE (OU PRIORITAIRE)
GB : preference share
D : *Vorzugsaktie*
E : accion preferente
I : *azione privilegiata*
Action qui confère à son propriétaire un droit de priorité, par exemple dans la distribution des bénéfices

ACTIONS AVEC DROIT DE VOTE
GB : voting shares
D : *stimmberechtigte Aktien*
E : acciones con derecho de voto
I : *azioni con diritto a voto*
Permettent de participer aux assemblées générales et de prendre part aux votes

ACTIONS D'ATTRIBUTION (OU DE JOUISSANCE)
GB : bonus shares (USA : stock dividend)
D : *Gratisaktien*
E : acciones dadas como primas
I : *azioni di godimento*
Dont la valeur nominale a été entièrement remboursée à l'actionnaire par prélèvement sur les bénéfices ou les réserves de la société

ACTIONS (OU PARTS) DE FONDATEUR
GB : founder's shares
D : *Gründeraktien*
E : acciones del fundador
I : *azioni del fondatore*
Titres négociables sans valeur nominale donnant certains droits aux fondateurs d'une société sans leur conférer la qualité d'associés (leur émission est interdite en France depuis 1966)

ACTIONS DE PRIORITÉ CUMULATIVES
GB : cumulative preference shares
D : *kumulative Vorzugsaktien*
E : valores privilegiados cumulativos
I : *azioni preferenziali cumulative*
Actions de priorité dont le dividende non payé est reporté d'un exercice à l'autre lorsque les bénéfices sont insuffisants

ACTIONS DIFFÉRÉES
GB : deferred shares
D : *Nachzugsaktien*
E : acciones aplazados
I : *azioni postergate*
Ne sont rémunérées que lorsque d'autres types d'actions (privilégiées, ordinaires) l'ont été

ACTIONS PRIVILÉGIÉES AMORTISSABLES
GB : redeemable preference shares
D : *ablösbare Vorzugsaktien*
E : acciones preferentes amortizables
I : *azioni preferenziali redimibili*
Actions privilégiées dont la valeur nominale peut être remboursée à l'actionnaire par la société émettrice

ACTIONS SANS DROIT DE VOTE
GB : non-voting shares
D : *Aktien ohne stimmrecht*
E : acciones sin derecho de voto
I : *azioni senza diritto a voto*
Ne donnent pas le droit de voter lors des assemblées générales

ACTUAIRE
GB : actuary
D : *Aktuar*
E : actuario
I : *attuario*
Spécialiste de la statistique et du calcul des probabilités appliqués à l'assurance et aux opérations financières

ACTUARIEL (TAUX)
GB : actuarial
D : *versicherungsmathematisch*
E : actuarial
I : *attuariale*
Pour une période donnée, rapport coût effectif d'un emprunt (ou rendement effectif d'un pret)/montant du capital

ACTUEL
GB : current
D : *aktueller*
E : actual
I : *attuale*

ADDITIF
GB : additional clause, rider
D : *Zusatz*
E : aditivo
I : *attuale*
Complément d'un texte

ADDITION
GB : addition
D : *Aufschlag*
E : adicion
I : *addizione*

ADJUDICATION
GB : awarding, allocation
D : *Ausschreibung*
E : adjudicación
I : *aggiudicazione*
Mise en libre concurrence de personnes ou d'entreprises candidates à l'acquisition d'un bien ou à la prise en charge de travaux, de fournitures

ADJUGER DES DOMMAGES-INTÉRETS
GB : award damages
D : *Schadenersatz zugestehen*
E : conceder danos
I : *concedere i danni*
Attribuer par jugement une indemnité en réparation d'un préjudice causé

ADMETTRE UNE CAUTION
GB : grant bail
D : *gegen Haftkaution freigeben*
E : conceder fianza
I : *concedere la libertà provvisoria su cauzione*
Accepter qu'une personne physique ou morale se porte caution d'une autre

ADMINISTRATEUR
GB : director, administrator
D : *Direktor, Verwalter*
E : director, administrador
I : *amministratore*
Membre du conseil d'administration d'une société anonyme

ADMINISTRATEUR DÉLÉGUÉ
GB : managing director (USA president)
D : *geschäftsleitender Direktor*
E : director gerente
I : *amministratore delegato*
Remplit les fonctions du président en cas d'empêchement (ou de décès) de celui-ci

ADMINISTRATEUR DIRIGEANT
GB : executive director (USA corporate officer)
D : *geschäftsführender Direktor*
E : director ejecutivo
I : *amministratore dirigente*
Salarié, il occupe un poste de direction

ADMINISTRATION
GB : management
D : *Vorstand*
E : direccion
I : *direzione, amministrazione*

ADMINISTRATION CENTRALE
GB : central government
D : *Hauptverwaltung*
E : administración central
I : *amministrazione centrale*

ADMINISTRER
GB : administer
D : *verwalten*
E : administrar
I : *amministrare*

ADMISSION EN FRANCHISE
GB : duty-free admission
D : *zollfreie Einfuhr*
E : admision libre de impuestos
I : *ammissione in franchigia doganale*

ADRESSAGE
GB : (marketing) mailing, addressing
D : *Adressierung*
E : direccionamiento
I : *indirizzamento*

ADRESSE
GB : address
D : *Adresse*
E : direcçion
I : *indirizzo*

ADRESSE TÉLÉGRAPHIQUE
GB : telegraphic address
D : *Telegrammadresse*
E : direccion telegrafica
I : *indirizzo telegrafico*

AÉROGARE
GB : air terminal
D : *Luftterminal*
E : terminal de aeropuerto
I : *aerostazione*

AÉROGRAMME
GB : air letter
D : *Luftpostbrief*
E : carta por avion
I : *lettera aerea*
Lettre envoyée par avion à un tarif forfaitaire

AÉROPORT
GB : airport
D : *Flughafen*
E : aeropuerto
I : *aeroporto*

AFFACTURAGE
GB : factoring
D : *Zuweisung*
E : factoring
I : *riscossione crediti*
Gestion des créances des comptes clients d'une entreprise par un organisme extérieur

AFFAIRE (C'EST UNE)
GB : deal
D : *Abschluß*
E : negocio
I : *affare*

AFFAIRE ÉQUITABLE
GB : fair deal
D : *anständige Abmachung*
E : trato equitativo
I : *affare giusto*

AFFAIRES
GB : business
D : *Geschäft*
E : negocios
I : *affari*

AFFECTATION
GB : appropriation
D : *Zuführung*
E : apropiacion
I : *stanziamento*
Destinations de moyens ou ressources à un usage déterminé

AFFECTER
GB : allocate (credits), (nommer) post, (avoir un impact) affect
D : *zuweisen*
E : asignar
I : *stanziare*

AFFICHE
GB : (publicité) poster, (information) notice
D : *Plakat*
E : anuncio
I : *cartellone, manifesto*

AFFRETEMENT
GB : chartering
D : *Befrachtung*
E : fletamento
I : *noleggio*
Le loueur (fréteur) met à la disposition d'un affréteur un moyen de transport de marchandises ou de personnes, contre rémunération et pour un temps donné

AFFRÉTEUR
GB : charterer
D : *Befrachter*
E : fletador
I : *noleggiatore*

AGENCE
GB : agency
D : *Agentur*
E : agencia
I : *agenzia*

AGENCE DE PLACEMENT
GB : employment agency
D : *Stellenvermittlungsbüro*
E : agencia de colocaciones
I : *agenzia di collocamento*

AGENCE DE PRESSE
GB : news agency
D : *Nachrichtenbüro*
E : agencia de prensa
I : *agenzia d'informazioni*

AGENCE DE PUBLICITÉ
GB : advertising agency
D : *Werbebüro*
E : agencia de publicidad
I : *agenzia pubblicitaria*

AGENCE DE VOYAGES
GB : travel agent
D : *Reisebüro*
E : agencia de viajes
I : *agenzia di viaggi*

AGENCE IMMOBILIÈRE
GB : estate agency (USA real estate agency)
D : *Immobilienbüro*
E : correduria de fincas
I : *agenzia immobiliare*

AGENDA
D : *diary*
D : Agenda
E : agenda
I : *agenda*

AGENT
GB : agent
D : *Agent*
E : agente
I : *agente*

AGENT ACCRÉDITÉ
GB : accredited agent
D : *Handelsbevollmächtigte(r)*
E : agente acreditudo
I : *agente accreditato*
Qui a reçu la garantie d'un organisme, d'une autorité

AGENT ATTITRÉ
GB : appointed agent
D : *Handelsvertreter*
E : agente nombrado
I : *agente ufficiale*
En titre, titulaire d'une fonction

AGENT COMMERCIAL
GB : mercantile agent (USA sales agent)
D : *Handelsvertreter*
E : agente mercantil
I : *agente di commercio*
Mandataire indépendant qui négocie des actes commerciaux pour le compte d'une entreprise

AGENT D'ASSURANCES
GB : insurance agent
D : *Versicherungsvertreter*
E : agente de seguros
I : *agenzia di assicurazioni*

AGENT DE CHANGE
GB : stockbroker
D : *Börsenmakler*
E : agente de cambio y bolsa
I : *agente di cambio*
Officier ministériel nommé par décret, exerçant, dans le cadre d'un monopole, le courtage des opérations de Bourse; il est remplacé par les sociétés de Bourse depuis le 1 janvier 1988

AGENT DE RECOUVREMENT
GB : debt collector
D : *Inkassobeauftragte(r)*
E : agente recaudador
I : *agente di ricupero crediti*
Chargé d'apurer une dette pour le compte du créancier

AGENT DUCROIRE
GB : del credere agent
D : *Delkrederevertreter*
E : agente del crédere
I : *agente con del credere*
Spécialiste d'une technique de crédit concernant, en général, le commerce extérieur, qui garantit le vendeur contre le risque d'insolvabilité de l'acheteur

AGENT EXCLUSIF
GB : sole agent
D : *Alleinvertreter*
E : agente exclusivo
I : *rappresentante esclusivo*

AGIO
GB : bank commission
D : *Agio*
E : agio
I : *aggio*
Rémunération de l'intermédiaire financier qui assure une opération d'escompte. Coût total d'un crédit

AGRÉMENT
GB : consent (to)
D : *Zustimmung*
E : aprobación
I : *consenso, autorizzazione*
Autorisation de faire, accordée par l'administration

AGRICULTURE
GB : agriculture
D : *Landwirtschaft*
E : agricultura
I : *agricoltura*

AJOURNEMENT
GB : adjoumment
D : *Vertagug*
E : aplazamiento
I : *aggiomamento*

AJOURNER
GB : adjoum
D : *vertagen*
E : aplazar
I : *aggiomare*

AJOUTER
GB : add
D : *hinzufügen*
E : anadir
I : *aggiungere*

AJUSTEMENT SAISONNIER
GB : seasonal adjustment
D : *saisonale Bereinigung*
E : ajuste estacional
I : *aggiustamento, variazione stagionale*
Correction d'une grandeur statistique tendant à se reproduire de manière régulière pour obtenir une certaine continuité

ACQUITTÉ (DE DROITS DE DOUANE)
GB : ex bond
D : *verzollt*
E : fuera de aduanas
I : *sdoganato*

AIDE-COMPTABLE
GB : bookkeeper
D : *Buchhaltungsgehilfe*
E : auxiliar de contabilidad
I : *aiuto contabile*

ALÉATOIRE
GB : (statistique) random, (résultat) hazardous
D : *zufällig*
E : aleatorio
I : *aleatorio*
Lié à un événement imprévisible venant perturber un programme, une prévision

ALGORITHME
GB : algorithm
D : *Algorithmus*
E : algoritmo
I : *algoritmo*
Processus de calcul permettant de résoudre un problème au moyen d'un nombre limité d'opérations

ALIMENTATION
GB : foodstuffs
D : *Eßwaren*
E : comestibles
I : *generi alimentari*

ALLEGE
GB : lighter
D : *Leichter*
E : barcaza, gabarra
I : *chiatta*

AMÉLIORATION
GB : improvement
D : *Verbesserung*
E : mejora
I : *miglioramento*

AMORTIR UNE CRÉANCE
GB : write off a debt
D : *eine Schuld erlassen*
E : cancelar una deuda
I : *cancellare un credito*
Annuler une créance

AMORTIR UNE PERTE
GB : write off a loss
D : *eine Verlust abschreiben*
E : cancelar una pérdida
I : *cancellare una perdita*
Etaler celle-ci sur plusieurs années pour éviter un déficit important lorsqu'une entreprise démarre (tolérance de l'administration fiscale)

AMORTISSEMENT
GB : redemption, amortization
D : *Tilgung, Amortisation*
E : amortizacion
I : *ammortamento*
Echelonnement d'une charge dans le temps jusqu'à disparition de celle-ci

AMORTISSEMENT ACCÉLÉRÉ
GB : accelerated depreciation
D : *beschleunigte Abschreibung*
E : depreciacion acelerada
I : *deprezzamento accelerato*
Amortissement effectué à un taux plus élevé qu'à l'ordinaire, ou rendu plus rapide par l'augmentation des charges perçues au cours des premières années

AMORTISSEMENT CUMULÉ
GB : accumulated depreciation
D : *kumulierte Abschreibung*
E : amortización acumulada
I : *ammortamento cumulato*
Amortissement combinant annuités dégressives et annuités constantes

AMORTISSEMENT DÉGRESSIF
GB : depreciation on a reducing balance
D : *degressive Abschreibung*
E : amortización decreciente
I : *ammortamento per quote decrescenti*
Amortissement par annuités décroissantes (permet de récupérer rapidement une partie importante des capitaux investis)

AMORTISSEMENT LINÉAIRE
GB : straight line depreciation
D : *lineare Abschreibung*
E : amortización lineal
I : *ammortamento fisso*
Le taux appliqué est constant (montant de l'immobilisation divisé par le nombre d'années)

ANALYSE
GB : analysis
D : *Analyse*
E : analisis
I : *analisi*

ANALYSE DE PLACEMENT
GB : investment analysis
D : *Anlagenanalyse*
E : análisis de inversión
I : *analisi d'investimento*

ANALYSE DE VARIANCE
GB : variance analysis
D : *Varianzanalyse*
E : analisis de variaciones
I : *analisi della variazione*
Analyse de la dispersion, ou mesure de l'écart entre les valeurs extrêmes d'une donnée relative à une population statistique

ANALYSE DES COUTS
GB : cost analysis
D : *Kostenanalyse*
E : analisis de costes
I : *analisi dei costi*

ANALYSE DES COUTS ET RENDE-MENTS
GB : cost benefit analysis
D : *Gewinnanalyse*
E : analisis de costes y beneficios
I : *analisi dei costi e benefici*

ANALYSE DES VENTES
GB : sales analysis
D : *Verkaufsanalyse*
E : analisis de ventas
I : *analisi delle vendite*

ANALYSE DE SYSTEMES
GB : systems analysis
D : *Systemanalyse*
E : analisis de sistemas
I : *analisi di sistemi*
Etude et formalisation, séparément et par couple, des interactions directes au sein d'un grand nombre de phénomènes

ANALYSE DU CHEMIN CRITIQUE
GB : critical path analysis (c.p.a.)
D : *Netzplantechnik*
E : analisis de recorrido critico
I : *analisi della linea critica*
Analyse d'un ordonnancement de tâches pour définir celles qui détermineront la durée de l'ensemble d'un projet

ANALYSE DU MARCHÉ
GB : market report
D : *Marktbericht*
E : informe del mercado
I : *relazione sul mercato*

ANALYSE FONCTIONNELLE
GB : functional job analysis
D : *Funktionsanalyse*
E : análisis funcional
I : *analisi funzionale*
Recensement, ordonnancement, valorisation et hiérarchisation des fonctions remplies par un produit ou un service

ANALYSE MARGINALE
GB : marginal analysis
D : *Randanalyse*
E : analisis marginal
I : *analisi marginale*
Analyse des bénéfices en fonction des marges

ANALYSE TRANSACTIONNELLE
GB : transactional analysis, AT
D : *Transaktionsanalyse*
E : análisis transaccional
I : *analisi transazionale*
Technique de développement personnel basée sur l'analyse des processus de communication

ANALYSTE D'INVESTISSEMENTS
GB : investment analyst
D : *Investitionsanalyst*
E : analizador de inversiones
I : *analizzatore d'investimenti*

ANNÉE CIVILE
GB : calendar year
D : *Kalenderjahr*
E : ano civil
I : *anno solare*

ANNÉE EN COURS
GB : current year
D : *laufendes Jahr*
E : ano en curso
I : *anno in corso*

ANNEXE
GB : enclosure
D : *Beilage*
E : anexo
I : *allegato*

ANNONCE
GB : advertisement
D : *Anzeige*
E : anuncio
I : *annunzio*

ANNONCEUR
GB : advertiser
D : *Anzeiger*
E : anunciante
I : *inserzionista*
Tout individu ou organisme qui achète de la publicité pour se faire connaître ou promouvoir son activité. Acheteur d'espaces médias

ANNUEL
GB : annual
D : *jährlich*
E : anual
I : *annuale*

ANNUITÉ
GB : annuity
D : *Annuität*
E : anualidad
I : *annualita*
Charge annuelle : remboursement d'un capital emprunté ou placé (amortissement) + paiement des intérêts

ANNUITÉ DIFFÉRÉE
GB : deferred annuity
D : *Anwartschaff auf Leibrente*
E : anualidad aplazada
I : *rendita vitalizia differita*

ANNULATION
GB : annulment, cancellation
D : *Annullierung*
E : anulacion, cancelacion
I : *annullamento*

ANNULER
GB : cancel
D : *annullieren*
E : cancelar
I : *cancellare*

ANNULER UN CHEQUE
GB : cancel a cheque (USA cancel a check)
D : *einen Scheck rückgängig machen*
E : anular un cheque
I : *annullare um cheque*

ANONYME
GB : (société) public limited company
D : *anonym*
E : anónimo
I : *anonimo*

ANTICIPÉ
GB : anticipated
D : *vorzeitig (bezahlt)*
E : anticipado
I : *anticipato*

ANTICIPER
GB : anticipate
D : *vorgreifen*
E : anticipar
I : *anticipare*

APOSTILLE
GB : footnote
D : *Fußnote*
E : apostilla
I : *postilla*
Addition faite en marge d'un acte

APPAREIL
GB : appliance, plant (industrial)
D : *Gerät, Anlage*
E : aparato, planta
I : *apparecchio, impianto*

APPAREILLAGE
GB : machinery
D : *Ausrüstung*
E : equipo
I : *apparecchiatura*

APPARTEMENT
GB : flat (USA apartment)
D : *Etagenwohnung*
E : apartamento
I : *appartamento*

APPARTEMENT INDÉPENDANT
GB : self-contained flat
D : *Einfamilienwohnung*
E : piso independiente completo
I : *appartemento indipendente*

APPARTEMENT MEUBLÉ
GB : furnished flat (USA furnished apartment)
D : *möblierte Mietwohnung*
E : piso amueblado
I : *appartamento ammobiliato*

APPEL (DE FONDS)
GB : call (for funds)
D : *Kündigung (von Geldern)*
E : llamada (de fonds)
I : *richiesta (di fondi)*
Demande de fonds supplémentaires (à des actionnaires, des associés...)

APPEL D'OFFRE
GB : call for tenders
D : *Angebotsausschreibung*
E : licitación
I : *gara d'appalto*
Mise en concurrence de plusieurs entreprises avant la passation d'un marché

APPEL TÉLÉPHONIQUE
GB : telephone call
D : *Anruf*
E : llamada telefonica
I : *chiamata telefonica*

APPEL TÉLÉPHONIQUE DE LONGUE DISTANCE
GB : long distance phone call
D : *Ferngespräch*
E : llamada telefónica de larga distancia
I : *telefonata intercontinentale (chiamata telefonica a lunga distanza)*

APPEL TÉLÉPHONIQUE INTERURBAIN
GB : trunk call (USA long distance call)
D : *Ferngespräch*
E : llamada interurbana
I : *comunicazione interurbana*

APPOINTÉ
GB : salaried employee
D : *Angestellte(r)*
E : empleado a sueldo
I : *stipendiato*

APPORT
GB : contribution
D : *Beitrag*
E : aporte
I : *apporto*

APPRÉCIATION
GB : appreciation, betterment
D : *Wertsteigerung, Planungsgewinn*
F : subida (en valor), plusvalia
I : *aumento, plus-valore*
Hausse continue du cours d'une monnaie sur le marché des changes

APPRÉCIER
GB : appreciate (in value)
D : *im Wert steigen*
E : subir (en valor)
I : *aumentare (di valore)*

APPRENTI
GB : apprentice USA trainee
D : *Lehrling*
E : aprendiz
I : *apprendista*

APPRENTISSAGE
GB : apprenticeship (USA trainee period)
D : *Lehre*
E : aprendizaje
I : *tirocinio*

APRES-DEMAIN
GB : day after tomorrow
D : *übermorgen*
E : pasado manana
I : *dopodomani*

APPROVISIONNEMENT
GB : procurement, (financier) money paid into
D : *Belieferung*
E : abastecimiento
I : *approvvigionamento*

APURER (DES DETTES)
GB : discharge, wipe off
D : *(Schulden) bereingen*
E : recontar (deudas)
I : *verificare (dei debiti)*

À QUI DE DROIT
GB : to whom it may concern
D : *an alle,die es angeht*
E : a quien concierma
I : *a tutti gli interessati*
À la personne compétente

ARBITRAGE
GB : arbitrage, arbitration
D : *Kursvergleich, Schiedsge-richtsverfahren*
E : arbitraje, arbitramento
I : *arbitraggio, arbitrato*
Substitution d'un titre à un autre dans un portefeuille dans l'espoir de bénéficier d'un rendement supérieur ou d'une plus-value par le jeu des différences de cours

ARBITRE
GB : arbitrator
D : *Schiedsrichter*
E : arbitrador
I : *rabitro*

ARBORESCENCE
GB : tree structure
D : *baumartige Form*
E : arborescencia
I : *arborescenza*
Arbre dont l'un des sommets est relié à tous les autres par un seul chemin. Informatique : structure de données, de programmes, en forme d'arbre

ARBRE DE DÉCISION
GB : decision tree
D : *Entscheidungsbaum*
E : árbol de decisiones
I : *albero di decisioni*
Représentation graphique d'une suite d'actions alternatives et de leurs conséquences

ARCHITECTE
GB : architect
D : *Architekt*
E : arquitecto
I : *architetto*

ARGENT
GB : money
D : *Geld*
E : dinero
I : *denaro*

ARGENT À VUE
GB : money on call
D : *Sichtgelder*
E : dinero a la vista
I : *denaro a la vista*
Voir A vue

ARGENT BON MARCHÉ
GB : cheap money
D : *billiges Geld*
E : dinero barato
I : *denaro a basso interesse*

ARGENT CHER
GB : dear money
D : *teures Geld*
E : dinero caro
I : *denaro ad alto interesse*

ARGENT COMPTANT
GB : cash
D : *Bargeld*
E : dinhero contante
I : *denaro contante*

ARGUMENT
GB : argument
D : *Argument*
E : argumento
I : *argomento*

ARRANGEMENT
GB : agreement, arrangement
D : *Vereinbarung*
E : arreglo
I : *arrangiamento*

ARRÉRAGES
GB : arrears
D : *Rückstand*
E : atrasos
I : *arretrati*
Versements périodiques d'une personne morale ou physique (débirentier) au bénéficiaire d'une rente viagère ou d'une pension (crédirentier)

ARRHES
GB : deposit
D : *Anzahlung*
E : desembolso inicial
I : *caparra*
Lors d'une commande, somme partielle versée par l'acheteur au vendeur en garantie du marché

ARRIÉRÉ
GB : overdue
D : *rückständig*
E : vencido
I : *scaduto*
Ce qui reste dû

ARRIMER
GB : stow
D : *verstauen*
E : estibar
I : *stivare*

ARRIVÉE
GB : arrival
D : *Ankunft*
E : llegada
I : *arrivo*

ARRONDIR
GB : round up/down
D : *aufrunden*
E : redondear
I : *arrotondare*

ARROSER (UN PERSONNAGE INFLUENT)
GB : bribe
D : *(eine wichtige Persönlichkeit) berieseln*
E : sobornar (a una persona influyente)
I : *corrompere (un personaggio influente)*

ART DE L'ÉTALAGE
GB : window-dressing
D : *Schaufensterdekoration*
E : preparacion de escaparates
I : *allestimento delle vetrine*

ARTICLES DE LUXE
GB : luxury goods
D : *Luxuswaren*
E : articulos de lujo
I : *articoli di lusso*

ARTICLES DE MARQUE
GB : branded goods
D : *Markenwaren*
E : articulos de marca
I : *articoli di marca*

ARTISANAL
GB : (profession) craft industry, (stade) small scale
D : *handwerklich*
E : artesanal
I : *artigianale*

ASCENSEUR
GB : lift (USA elevator)
D : *Aufzug*
E : ascensor
I : *ascensore*

ASSAINIR (UNE BRANCHE D'ACTIVITÉ)
GB : turn around, stabilize
D : *(einen Wirtschaftszweig) sanieren*
E : sanear (una rama de actividad)
I : *risanare (un settore d'attività)*

ASSEMBLÉE D'ACTIONNAIRES ANNUELLE
GB : annual general meeting USA stockholder's meeting)
D : *Jahreshauptversammlung*
E : asambla general anual
I : *assemblea generale annuale*
Assemblée générale ordinaire chargée d'examiner et approuver les comptes de l'exercice précédent, de décider de l'affectation du résultat, de nommer les administrateurs

ASSEMBLÉE GÉNÉRALE
GB : general meeting, ordinary general meeting
D : *Hauptversammlung, ordentliche Generalversammlung*
E : asamblea general, asamblea general ordinaria
I : *assemblea generale, assemblea generale ordinaria*
Réunion des actionnaires ou des associés d'une société, ou des membres d'une association

ASSEMBLÉE GÉNÉRALE EXTRAOR-DINAIRE
GB : extraordinary general meting
D : *außerordentiche General-versammlung*
E : asamblea general extraordinaria
I : *assemblea generale straordinaria*
Convoquée expressément entre deux assemblées générales ordinaires, souvent pour modifier les statuts de la société

ASSEMBLÉE (TENIR UNE)
GB : hold a meeting
D : *eine versammlung abhalten*
E : celebrar una reunion
I : *tenere una riunione*

ASSIETTE DE L'IMPOT
GB : tax base
D : *Steuerveranlagung*
E : base contributiva
I : *ripartizione della tassazione*
Base de calcul de l'imposition

ASSIGNATION
GB : writ
D : *Vorladung*
E : auto, orden
I : *citazione*
Sommation, délivrée par huissier, à comparaître à date fixe devant une juridiction. Fixation des parts quand il y a partage

ASSISTANT
GB : assistant
D : *Assistent*
E : asistente
I : *assistente*

ASSOCIATION
GB : association
D : *Verband*
E : *asociacion*
I : *associazione*

ASSOCIATION LATINO-AMÉRICAINE DE LIBRE-ÉCHANGE
GB : Latin american free trade association (LAFTA)
D : *Lateinamerikanische Freihandelszone*
E : Asociacion de mercado libre de América Latina
I : *Associazione di libero scambio dell'America Latina*
Devenue ALADI — Association latino-américaine d'intégration, en 1980. Regroupe Argentine, Bolivie, Brésil, Chili, Colombie, Equateur, Mexique, Paraguay, Pérou, Uruguay, Vénézuela

ASSOCIÉ
GB : partner
D : *Teilhaber*
E : socio
I : *socio*

ASSOCIÉ ACTIF
GB : working partner
D : *aktiver Teilhaber*
E : socio activo
I : *socio attivo*
Participe au capital d'une entreprise et à la direction de celle-ci

ASSOCIÉ MAJORITAIRE
GB : senior partner
D : *Mehrheitsteilhaber*
E : asociado mayoritario
I : *socio maggioritario*
Détient la majorité des parts du capital d'une entreprise

ASSOCIÉ MINORITAIRE
GB : junior partner
D : *Minderheitsteilhaber*
E : asociado minoritario
I : *socio minoritario*

ASSOLEMENT
GB : rotation of crops
D : *Fruchtwechsel*
E : rotacion de cultivos
I : *rotazione delle coltivazioni*

ASSORTIMENT
GB : assortment, range, package
D : *Auswahl*
E : juego
I : *assortimento*

ASSUJETTIR (À UNE TAXE)
GD : subject to
D : *(mit einer Steuer) belegen*
E : someter (a una tasa)
I : *sottomettere*
Astreindre quelqu'un à payer une taxe

ASSURABLE
GB : insurable
D : *versicherbar*
E : *asegurable*
I : *assicurabile*

ASSURANCE
GB : insurance, assurance
D : *Versicherung*
E : seguro
I : *assicurazione*

ASSURANCE À TERME FIXE
GB : endowment policy
D : *Erlebensversicherung*
E : poliza dotal
I : *assicurazione dotale*

ASSURANCE COMBINÉE
GB : comprehensive insurance
D : *Kombinierte Versicherung*
E : seguro combinado
I : *assicurazione mista*

ASSURANCE CRÉDIT
GB : gredit insurance
D : *Kreditvresicherung*
E : seguro crediticio
I : *assicurazion credito*
Permet à un créancier d'être indemnisé en cas de non-paiement de son débiteur

ASSURANCE DE GROUPE
GB : group insurance
D : *Gruppenversicherung*
E : seguro de grupo
I : *assicurazione di gruppo*

ASSURANCE RISQUE DE GUERRE
GB : war-risk insurance
D : *Kriegsrisikoversicherung*
E : seguro contra riesgo de guerra
I : *assicurazione contro rischi di guerra*

ASSURANCE INCENDIE
GB : fire insurance
D : *Feuerversicherung*
E : seguro de incendios
I : *assicurazione incendio*

ASSURANCE MALADIE
GB : health insurance
D : *Krankenversicherung*
E : seguro de enfermedad
I : *assicurazione malattia*

ASSURANCE FAMILIALE (DOMIOILE)
GB : household insurance
D : *Wohnungsversicherung*
E : seguro de casa
I : *assicurazione domestica*

ASSURANCE MUTUELLE
GB : mutual insurance
D : *Versicherung auf Gegenseitigkeit*
E : coaseguro
I : *mutua assicurazione*

ASSURANCE RESPONSABILITÉ CIVILE — RO
GB : third-party insurance
D : *Haftpflichtversicherung*
E : seguro contra responsabilidad civil
I : *assicurazione contro terzi*

ASSURANCE VIE
GB : life assurance (USA life insurance)
D : *Lebenversicherung*
E : seguro de vida
I : *assicurazione sulla vita*

ASSURÉ
GB : insured
D : *Versicherter*
E : asegurado
I : *assicurato*

ASSURER
GB : insure
D : *versichen*
E : asegurar
I : *assicurare*

ASSUREUR
GB : insurer, underwriter
D : *Versicherer*
E : asegurador
I : *assicuratore*

ATTACHÉ-CASE
GB : attaché-case
D : *Aktenkoffer*
E : maletín
I : *valigetta, ventiquattr'ore*

ATTRIBUER
GB : allot
D : *verteilen*
E : asignar
I : *assegnare*

ATTRIBUTION
GB : allotment
D : *Verteilung*
E : adjudicacion
I : *ripartizione*
Octroi d'actions supplémentaires à un actionnaire lorsqu'une augmentation de capital se fait par incorporation de réserves

AUDIO-VISUEL
GB : audio-visual
D : *audiovisuell*
E : audio-visual
I : *audio-visivo*

AUDIT
GB : audit
D : *Wirtschaftsprüfung*
E : auditoría
I : *controllo (es. dei conti, del bilancio...)*
Activité de contrôle et de conseil destinée, par la vérification de documents ou de processus, à mesurer l'efficacité d'une entreprise et/ou de ses dirigeants

AUDITEUR
GB : auditor
D : *Wirtschaftsprüfer*
E : auditor
I : *controllore (es. dei conti...)*
Responsable d'un audit (salarié de l'entreprise ou conseil externe)

AUGMENTATION
GB : accrual
D : *Zugang*
E : incremento
I : *incremento*

AUGMENTATION DE CAPITAL
GB : increase of capital
D : *Kapitalerhöhung*
E : aumento de capital
I : *aumento di capitale*

AUGMENTER
GB : incrase, rise
D : *steigen, zunehmen*
E : aumentar, encarecer
I : *aumentare, crescere*

AU JOUR LE JOUR
GB : day-to-day
D : *täglich*
E : dia a dia
I : *di giomo in giomo*

AUTHENTIQUE (ACTE)
GB : notarial (deed)
D : *urkundlich*
E : auténtico (documento)
I : *autentico (atto)*
Ecrit présentant les formes légales requises

AUTOFINANCEMENT
GB : internal financing
D : *Selbstfinanzierung*
E : autofinanciación
I : *autofinanziamento*
Epargne d'une entreprise utilisée pour financer ses investissements

AUTOMATION
GB : automation
D : *Automation*
E : automatizacion
I : *automazione*
Fonctionnement automatique d'un système de production sous le contrôle d'un programme unique

AUTORISATION D'EXPORTER
GB : export permit
D : *Ausfuhrgenehmigung*
E : permiso de exportacion
I : *permesso d'esportazione*

AUTORISÉ (NON)
GB : unauthorized
D : *unbefugt*
E : inautorizado
I : *non autorizzato*

AVAL
GB : endorsement
D : *Wechselbürgschaft*
E : aval
I : *avallo*
Signature par laquelle un tiers garantit à un bénéficiaire tout ou partie du paiement d'un effet de commerce

AVALISER (UNE TRAITE)
GB : back
D : *gegenzeichnen*
E : avalar
I : *avallare*
Donner son aval

À VALOIR
GB : on account
D : *a conto, auf Abschlag*
E : a cuenta
I : *in acconto*
Voir Acompte

AVANCE
GB : advance (USA prepayment)
D : *Vorschuß*
E : adelanto
I : *anticipazione*

AVANCE EN COMPTE COURANT
GB : overdraft
D : *Kontokorrentvorschuß*
E : adelanto en cuenta corriente
I : *credito in conto corrente*
Somme apportée par un tiers à une entreprise et portée au crédit d'un compte ouvert à son nom

AVANCER
GB : advance (USA prepay)
D : *vorschießen*
E : anticipar
I : *anticipare*

AVANTAGES ACCESSOIRES
GB : fringe benefits
D : *Sozialleistungen*
E : beneficios suplementarios
I : *vantaggi accessori*

AVANTAGEUX
GB : profitable, advantageous
D : *vorteilhaft*
E : ventajoso
I : *vantaggioso, redditizio*

AVANT-HIER
GB : day before yesterday
D : *vorgestern*
E : anteayer
I : *avantieri*

AVARIE
GB : average (marine insurance)
D : *Havarie*
E : averia
I : *avaria*

AVARIÉ
GB : with average (WA)
D : *havariert*
E : con averia
I : *con averia*

AVARIES DE ROUTE
GB : damage in transit
D : *Beschädigung beim Transport*
E : danos en ruta
I : *danno durante trasporto*

AVION À RÉACTION
GB : jet aircraft
D : *Düsenflugzeug*
E : avion jet
I : *aviogetto*

AVION (PAR)
GB : by air
D : *per Luftpost*
E : por avion
I : *per via aerea*

AVIS
GB : notice
D : *Benachrichtung*
E : aviso
I : *awiso, preawiso*

AVIS D'ATTRIBUTION
GB : allotment letter
D : *Verteilungsbrief*
E : letra de adjudicacion
I : *lettera da ripartizione*

AVIS DE CRÉDIT
GB : credit note
D : *Gutschriftanzeige*
E : nota de crédito
I : *nota di credito*

AVIS DE DÉBIT
GB : debit note
D : *Lastschrift*
E : nota de débito
I : *nota di addebito*

AVITAILLER
GB : (re)fuel (ship, etc)
D : *bestücken*
E : abastecer
I : *approvvigionare*
Approvisionner navires et avions en matières consommables à bord

AVOCAT
GB : lawyer, barrister, counsel (USA attorney)
D : *Anwalt*
E : abogado
I : *awocato*

AVOIR (FINANCIER)
GB : credit
D : *Finanzvermögen*
E : haber (financiero)
I : *attivo, avere (finanziario)*
Créance reconnue par un vendeur à un acheteur et qui ne peut servir qu'à un nouvel achat ou qui se déduit d'une créance existante

AVOIR FISCAL
GB : tax credit
D : *Steuerguthaben*
E : haber fiscal
I : *credito d'imposta*
Crédit d'impôt qui ne s'applique qu'aux seules actions (50 % du dividende net) et qui, ajouté au revenu imposable, est ensuite déduit du montant de l'impôt exigible

À VUE
GB : at sight
D : *bei Sicht*
E : a la vista
I : *a vista*
Clause qui, apposée sur un effet de commerce, le rend payable sur simple présentation

BAC (BATEAU)
GB : ferry-boat
D : *Fährboot*
E : transbordador
I : *nave traghetto*

BACCALAURÉAT
GB : French university-entrance exam
D : *Abitur*
E : bachillerato
I : *licenza liceale, maturità*

BAGAGES À MAIN
GB : hand-luggage
D : *Handgepäck*
E : equipaje de mano
I : *bagaglio a mano*

BAIL
GB : lease
D : *Verpachtung*
E : alquiler
I : *affitto*
Contrat par lequel le propriétaire d'un bien en concède la jouissance à un tiers pour une durée et un prix déterminés

BAIL COMMERCIAL
GB : regular lease
D : *Pacht*
E : arrendamiento comercial
I : *affitto di locazione commerciale*
Concerne un local à usage artisanal, industriel ou commercial

BAILLEUR
GB : lessor
D : *Vermieter*
E : arrendador
I : *locatore*
Propriétaire, celui qui donne à bail

BAISSE
GB : fall
D : *Sturz*
E : baja, caida
I : *caduta, ribasso*

BAISSER
GB : fall
D : *stüzen*
E : caer, bajar
I : *cadere, ribassare*

BALANCE
GB : balance, scales
D : *Saldo, Waage*
E : balance, saldo, balanza
I : *bilancio, saldo, bilancia*
Tableau récapitulatif et périodique des comptes créditeurs et débiteurs de l'entreprise

BALANCE COMMERCIALE
GB : trade balance
D : *Handelsbilanz*
E : balanza comercial
I : *bilancia commerciale*
Solde importations/exportations de marchandises d'un pays pour une période donnée

BALANCE DÉFICITAIRE
GB : adverse balance (USA negative balance)
D : *Passivaldo*
E : saldo adverso
I : *saldo passivo*
Balance qui fait apparaître un solde négatif

BALANCE DES PAIEMENTS (OU DES COMPTES)
GB : balance of payments
D : *Zahlungsbilanz*
E : balanza de pagos
I : *bilancia dei pagamenti*
Balance de tous les mouvements monétaires qui accompagnent les transactions

BALANCE EXCÉDENTAIRE
GB : active balance
D : *Aktivsaldo*
E : saldo acreedor
I : *saldo attivo*
Balance qui fait apparaître un solde positif

BALANCER UN COMPTE
GB : balance an account
D : *eine Rechnung ausgleichen*
E : saldar una cuenta
I : *pareggiare un conto*
Etablir la balance débits/crédits d'une comptabilité

BANDE SON
GB : sound track
D : *Tonband*
E : banda sonora
I : *colonna sonora*

BANLIEUE
GB : suburb
D : *Vorort*
E : afueras
I : *periferia*

BANQUE
GB : bank
D : *Bank*
E : banco
I : *banca*

BANQUE AGRICOLE
GB : land bank
D : *Landbank*
E : banco agricola
I : *banca agricola*

BANQUE COMMERCIALE
GB : merchant bank
D : *Handelsbank*
E : banco mercantil
I : *banca commerciale*
Banque dont les principales fonctions sont de recevoir des dépôts et d'accorder des crédits aux entreprises

BANQUE D'AFFAIRES
GB : investment bank
D : *Finanzbank*
E : banco de inversiones
I : *banca d'investimenti*
Essentiellement chargée de monter des opérations financières (prise et gestion de participations, émission d'obligations...) et rémunérée par les commissions

BANQUE DE DONNÉES
GB : databank
D : *Datenbank*
E : banco de datos
I : *banca (di) dati*
Stock centralisé d'informations thématiques, organisées et accessibles directement par ordinateur

BANQUE D'ÉMISSION
GB : issuing bank
D : *Notenbank*
E : banco emisor
I : *banca di emissione*
Etablissement doté du privilège d'émettre des billets de banque

BANQUE DE PRETS
GB : lending bank
D : *Kreditbank*
E : banco de préstamos
I : *banca di prestiti*

BANQUE DE VIREMENT
GB : clearing-bank
D : *Girobank*
E : banco de compensacion
I : *banca assiociata alla stanza di compensaçäo*

BANQUE EUROPÉENNE D'INVESTISSEMENT — BEI
GB : European investment bank
D : *Europäische Investitionsbank*
E : Banco europeo e inversiones
I : *Banca europea d'investimenti*
Institution de la CEE chargée de favoriser, par l'octroi de prêts, le développement, l'intégration et la coopération

BANQUE INTERNATIONALE POUR LA RECONSTRUCTION ET LE DÉVELOPPEMENT — BIRD OU BANQUE MONDIALE
GB : International bank for reconstruction and development
D : *Internationale Bank für Wiederaufbau und Wirtschaftsförderung*
E : Banco internacional para reconstruccion y desarrollo
I : Banca internazionale per la ricostruzione e lo sviluppo
Institution internationale qui finance essentiellement les grands travaux d'infrastructure industrielle dans les pays en voie de développement

BANQUE PRIVÉE
GB : private bank
D : *Privatbank*
E : banco privado
I : *banca privata*

BANQUE (SUCCURSALE DE)
GB : branch bank
D : *Filialbank, Zweigbank*
E : sucursal del banco
I : *banca succursale*

BANQUEROUTE
GB : bankruptcy
D : *Konkurs*
E : bancarrota
I : *bancarotta*

BANQUIER
GB : banker
D : *Bankier*
E : banquero
I : *banchiere*

BARATERIE
GB : barratry
D : *Baratterie*
E : barateria
I : *baratteria*
Préjudice volontairement causé aux armateurs, chargeurs ou assureurs d'un navire par le patron ou un membre de l'équipage

BAREME
GB : scale (of fees, charges, etc.)
D : *Tarif*
E : tarifa
I : *tariffa*
Tableau des banques intervenant dans les opérations financières d'une société

BARIL
GB : barrel
D : *Faß*
E : barril
I : *barile*
Unité de volume (159 litres) utilisée surtout pour le pétrole

BARRIERE COMMERCIALE
GB : trade barrier
D : *Handelsschranke*
E : barreira comercial
I : *barreira commerciale*
Tout obstacle à la libre circulation des biens et des services

BARRIERE DOUANIERE
GB : customs barrier
D : *Zollschranke*
E : barrera aduanera
I : *barriera doganale*
Ensemble des taxes qui frappent les marchandises à l'entrée ou à la sortie d'un territoire et permettent d'en réglementer la circulation

BAROMETRE
GB : barometer
D : *Barometer*
E : barómetro
I : *barometro*

BASE
GB : base
D : *Basis*
E : base
I : *base*
Référence. Différence cours à terme/cours au comptant d'un titre coté sur un marché à terme (Bourse). Infrastructure

BASE DE DONNÉES
GB : database
D : *Angabensammlung*
E : base de datos
I : *base di dati*
Ensemble de références automatisées permettant d'accéder ensuite aux informations elles-mêmes

BASSIN HOUILLER
GB : coal field
D : *Kohlenrevier*
E : yacimiento de carbon
I : *bacino carbonifero*

BÉNÉFICE
GB : profit
D : *Gewinn*
E : ganancia, beneficio
I : *utile, profitto*
Résultat final d'un exercice venant augmenter la richesse de l'entreprise

BÉNÉFICE AVANT (APRES) IMPOT
GB : pre-tax (after-tax) profit
D : *Nettogewinn vor (nach) Steuern*
E : beneficio antes (después) de impuestos
I : *risultato prima (dopo) delle Imposte*
Bénéfice avant (ou après) paiement de l'impôt sur les sociétés

BÉNÉFICE BRUT
GB : gross profit
D : *Bruttogewinn*
E : ganancia bruta
I : *utile lordo*
Excédent global des ventes sur les achats

BÉNÉFICE NET
GB : net profit
D : *Reingewinn*
E : ganancia neta
I : *utile netto*
Bénéfice brut diminué des frais généraux, charges, amortissement de l'actif social et provisions pour dépréciation. Se calcule avant ou après impôts

BÉNÉFICE PAR TITRE
GB : earnings per share
D : *Gewinn pro Aktie*
E : beneficios por accion
I : *profitti per azione*

BÉNÉFICES NON COMMERCIAUX — BNC
GB : non commercial profit
D : *Unhandelsgewunn*
E : beneficios no comerciales (BNC)
I : *profitti non commerciali*
Ceux des professions libérales, des charges et offices dont les titulaires n'ont pas qualité de commerçants, de toutes occupations lucratives

BÉNÉFICES NON DISTRIBUÉS
GB : undistributed profits
D : *unverteilte Gewinne*
E : beneficios no distribuidos
I : *profitti non distribuiti*
Dividendes que ne perçoivent pas les actionnaires et qui sont réinvestis dans l'entreprise

BÉNÉFICIAIRE
GB : beneficiary, payee
D : *Begünstigte(r), Zahlungsberechtigte(r)*
E : beneficiario
I : *beneficiario*
Personne physique ou morale au profit de qui est émis un effet de commerce ou un prêt

BESOIN EN FOND DE ROULEMENT
GB : increase in working capital, excluding cash
D : *Bedarf an Betriebskapital*
E : necesidades en fondo de operaciones
I : *fabbisogno di fondo di rotazione*
Besoin de financement permanent à court terme dû au décalage décaissement des dettes/encaissement des créances

BIEN
GB : estate, property
D : *Vermögen*
E : finca
I : *proprietà*
Produit matériel (objet de consommation ou moyen de production) de l'activité économique

BIENS D'ÉQUIPEMENT
GB : capital goods
D : *Anlagegüter*
E : bienes de produccion
I : *beni strumentali*
Biens durables (machines et matériels divers) achetés par l'entreprise pour assurer la production courante

BIENS DE CONSOMMATION
GB : consumer goods
D : *Konsumgüter*
E : bienes de consumo
I : *beni di consumo*
Produits et services destinés à la satisfaction directe des consommateurs

BIENS IMMOBILIERS
GB : real estate, tangible assets
D : *unbwegliches Vermögen, Immobilien*
E : bienes inmuebles
I : *beni immobili*

BIENS MOBILIERS
GB : movable assets
D : *bewegliche Güter*
E : mobiliario
I : *proprietà mobiliare*
Les meubles

BIENS SAISIS
GB : distressed goods
D : *gepfändete Güter*
E : mercancias embargadas
I : *merce sequestrata*
Biens ayant fait l'objet d'une saisie

BI-HEBDOMADAIRE
GB : twice-weekly
D : *zweimal wöchentlich*
E : bisemanal
I : *bisettimanale*
Qui paraît ou qui a lieu deux fois par semaine

BILAN
GB : balance sheet
D : *Bilanz*
E : balance
I : *bilancio*
Balance établie périodiquement entre l'actif et le passif d'une entreprise

BILAN ANNUEL
GB : annual accounts
D : *Jahresabschluß*
E : balance anual
I : *balancio annuale*

BILAN CONSOLIDÉ
GB : consolidated balance sheet
D : *konsolidierte Bilanz*
E : hoja de balance
I : *bilancio consolidato*
Bilan globalisé obtenu par agrégation des comptes de toutes les sociétés d'un groupe

BILAN INTERMÉDIAIRE
GB : interim financial statement
D : *Zwischenbilanz*
E : extrato financiero provisional
I : *rendiconto finanziario provisorio*
Bilan indicatif dressé à une date quelconque de l'exercice sans tenir compte des opérations d'inventaire

BILAN PRÉVISIONNEL
GB : forecasted balance sheet
D : *Bilanzhochrechnung*
E : balance previsible
I : *bilancio preventivo*
Prévision de situation financière à une date future compte tenu des objectifs et des contraintes de l'entreprise

BILAN SOCIAL
GB : social report
D : *soziale Bilanz*
E : balance social
I : *bilancio sociale*
Ensemble d'indicateurs sociaux relatifs à la vie de l'entreprise présentés et diffusés conformément à la loi (12 juillet 1977)

BILLET ALLER
GB : single fare, single ticket (USA one way fare)
D : *einfache Fahrkarte*
E : pasaje de ida
I : *biglietto d'andata*

BILLET ALLER ET RETOUR
GB : return fare, return ticket (USA roundtrip fare)
D : *Rückfahrkarte*
E : pasaje de ida y vuelta
I : *biglietto di andata e ritorno*

BILLET À ORDRE
GB : promissory note
D : *Schuldschein*
E : pagaré
I : *paghero*
Effet de commerce par lequel un souscripteur s'engage à payer à un bénéficiaire une certaine somme à une date déterminée

BILLET DE BANQUE
GB : banknote (USA bill)
D : *Banknote*
E : billete de banco
I : *biglietto di banca*

BILLET DE COMPLAISANCE (OU EFFET DE CAVALERIE)
GB : accommodation
D : *Gefälligkeitswechsel*
E : pagaré de favor
I : *cambiale di favor*
Effet de commerce irrégulier émis pour obtenir frauduleusement des fonds par escompte

BILLET DE FAVEUR
GB : free ticket
D : *Freikarte*
E : billete gratuito
I : *biglietto gratuito*
Qui confère certains droits ou avantages

BI-MENSUEL
GB : fortnightly
D : *Halbmonatlich*
E : bisemanal
I : *due settimanale*
Qui paraît ou qui a lieu deux fois par mois

BIMESTRIEL
GB : twice monthly
D : *Zweimonatlich*
E : bimensual
I : *bimensuale*
Qui paraît ou qui a lieu tous les deux mois

BLANC-SEING
GB : blank signature
D : *Blankounterschriff*
E : firma en blanco
I : *firma in bianco*
Papier dont le signataire laisse à quelqu'un d'autre le soin de le remplir à sa volonté

BLOCAGE DES DIVIDENDES
GB : dividend limitation
D : *Dividendenstopp*
E : bloqueo de dividendos
I : *blocco dei dividendi*
Non distribution de dividendes

BLOCAGE DES SALAIRES
GB : wage-freeze
D : *Lohnstopp*
E : bloqueo de salarios
I : *blocco dei salari*

BLOC COMMERCIAL
GB : trade bloc
D : *Handelsblock*
E : bloque comercial
I : *unione commerciale*

BLOCUS
GB : blockade
D : *Blockade*
F : bloqueo
I : *blocco*
Investissement d'une ville, d'une position, d'un pays afin de lui interdire toute communication avec l'extérieur

BLOQUER UN CHEQUE
GB : stop a cheque (USA stop a check)
D : *einen Scheck sperren*
E : suspender el pago de un cheque
I : *fermare un assegno*

BOITE AUX LETTRES
GB : letter-box (USA mail-box)
D : *Briefkasten*
E : buzon
I : *cassetta postale*

BON
GB : bond, voucher
D : *Obligation, Gutschein*
E : bono, obligacion
I : *buono, obligazione*
Billet qui autorise à toucher de l'argent ou des objets en nature

BON AU PORTEUR
GB : bearer bond
D : *Inhaberobligation*
E : titulo al portador
I : *titolo al portatore*
Bon dont le bénéficiaire n'est pas désigné nominativement

BON D'ACHAT
GB : contract note
D : *Schlußschein*
E : nota de contrato
I : *nota di contratto*

BON DE COMMANDE
GB : order-form
D : *Bestellformular*
E : solicitud de pedido
I : *foglio d'ordinazione*

BON DE LIVRAISON
GB : delivery note
D : *Lieferschein*
E : aviso de entrega
I : *nota di consegna*
Document remis par le vendeur à l'acheteur avec la marchandise livrée, sans mention de prix

BON DE RÉCEPTION
GB : delivery slip
D : *Empfangsschein*
E : vale de recibo
I : *bolla, buono di ricevuta*
L'exemplaire du bon de livraison signé par l'acheteur (et conservé par le vendeur) en tient lieu

BON D'EXPÉDITION
GB : despatch note
D : *Versandschein*
E : aviso de expedicion
I : *bollettino di spedizione*

BON DU TRÉSOR
GB : exchequer bond (USA treasury bond)
D : *Schatzwechsel*
E : bono de tesoreria
I : *buono del tesoro*
Effet émis par l'Etat, représentatif d'une dette contractée par lui

BON MARCHÉ
GB : cheap
D : *billig*
E : barato
I : *a buon mercato*

BONNE FOI (DE)
GB : in good faith
D : *auf Treu und Glauben*
E : de buena fé
I : *in buona fede*

BONNE GARDE
GB : safe custody
D : *sichere Verwahrung*
E : custodia
I : *custodia*

BONNETERIE
GB : knitted goods
D : *Strickwaren*
E : géneros de punto
I : *maglieria*

BONS OFFICES
GB : good offices
D : *Freundschaftsdienste*
E : buenos servicios
I : *buoni uffici*
Services, assistance

BONUS
GB : bonus, premium
D : *Bonus*
E : bonificación
I : *bonus, credito d'imposta*
Remise consentie dans la pratique commerciale, ainsi que lors du paiement d'une prime d'assurance

BONUS DE LIQUIDATION
GB : premium
D : *Bonus*
E : borrador
I : *credito d'imposta*
Lors de la liquidation d'une société, surplus de la valeur de cession de l'actif sur la valeur des dettes et du capital social. En général réparti entre les associés

BON VOULOIR
GB : goodwill
D : *Geschäftswert*
E : valor de la clientela
I : *awiamento*

BORD (A)
GB : aboard
D : *an Bord*
E : a bordo
I : *a bordo*
Se dit d'une marchandise prise en charge à bord d'un navire au port de déchargement

BOUCHE-TROU
GB : stop-gap
D : *Überbrückung*
E : recurso provisional
I : *prowedimento temporaneo*

BOURSE
GB : stock exchange
D : *Börse*
E : bolsa
I : *borsa*

BOURSE (JOUER EN)
GB : gamble on the stock exchange
D : *an der Börse spekulieren*
E : jugar a la Bolsa
I : *giocare in Borsa*

BOURSE (OU CAISSE) NOIRE
GB : black maket (securities)
D : *schwarse Börse*
E : bolsa negra
I : *borsa nera*
Fonds utilisables sans contrôle et qui n'apparaissent pas en comptabilité

BOYCOTTAGE
GB : boycott, blacking
D : *Boykott*
E : boicoteo
I : *boicottaggio*
Refus collectif et systématique d'entretenir des relations économiques avec un groupe de personnes, une nation, afin d'exercer sur eux une pression ou des représailles

BRADER
GB : sell cheaply/off
D : *verschleudern*
E : saldar
I : *svendere*
Se débarrasser à bas prix de marchandises

BRASSERIE
GB : brewery
D : *Brauerei*
E : cervecería
I : *fabbrica di birra*

BREVET
GB : letters patent (USA patent)

D : *Patentukunde*
E : patente de invencion
I : *brevetto*
Droit de propriété d'une entreprise sur l'exploitation d'un procédé, d'une technique

BREVET D'INVENTION
GB : patent
D : *Erfindungspatent*
E : patente
I : *brevetto*
Délivré par l'Etat à l'auteur d'une invention pour lui en assurer l'exploitation exclusive pendant un temps déterminé

BROUILLARD COMPTABLE (OU BROUILLON OU MAIN-COURANTE)
GB : day book
D : *Kladde*
E : borrador contable
I : *brogliaccio contabile*
Registre où on inscrit les opérations comptables dans l'ordre où elles se présentent

BROUILLON
GB : rough copy (USA draft)
D : *Entwurf*
E : borrador
I : *brutta copia*

BRUT
GB : gross
D : *brutto*
E : bruto
I : *lordo*
Qualifie une grandeur évaluée sans aucune déduction

BRUT (PÉTROLE)
GB : crude (oil)
D : *Rohöl*
E : crudo (petróleo)
I : *greggio (petrolio)*
Pétrole non raffiné

BUDGET
GB : budget
D : *Haushaltsplan*
E : presupuesto
I : *biancio preventivo*
Etat prévisionnel et limitatif des dépenses et recettes à réaliser au cours d'une période donnée par un individu ou une collectivité

BUREAU
GB : office, desk
D : *Büro, Schreibitsch*
E : oficina, mesa
I : *ufficio, scrittoio*

BUREAU DE PLACEMENT
GB : employment exchange (USA state employment agency)
D : *Arbeitsnachweisstelle*
E : bolsa de trabajo
I : *ufficio di collocamento*

BUREAU DE POSTE
GB : post office
D : *Postamt*
E : oficina de correos
I : *ufficio postale*

BUREAU PAYSAGER
GB : open-plan office
D : *Großraumbüro*
E : oficina sin particiones
I : *ufficio senza divisioni*

BUT
GB : target, purpose
D : *Ziel, Zweck*
E : objetivo
I : *bersaglio, scopo*

CABINET (MINISTERE)
GB : minister's departmental staff
D : *Kabinett*
E : gabinete (ministerio)
I : *gabinetto (ministeriale)*
Ensemble des ministres groupés autour du chef du gouvernement

CABOTAGE
GB : cabotage
D : *Küstenschiffahrt*
E : cabotaje
I : *cabotaggio*
Navigation marchande de port en port et à proximité des côtes

CACHET (D'ARTISTE)
GB : fee (artist's)
D : *Honorar*
E : remuneración (artista)
I : *cachet, compenso (artista)*
Rétribution d'une prestation

CADASTRE
GB : land registry
D : *Kataster*
E : catastro
I : *catasto*
Administration et ensemble des documents qui permettent de déterminer les propriétés foncières d'un territoire

CADRES
GB : managerial staff
D : *leitende Angestellte*
E : mandos
I : *management*
Catégorie socio-professionnelle de salariés exerçant un poste de responsabilité dans une entreprise ou la fonction publique

CAFÉ
GB : coffee
D : *Kaffee*
E : café
I : *caffè*

CAISSE
GB : cash-desk, cash-box
D : *Kasse, Geldkassette*
E : caja
I : *cassa, cassetta*
Compte retraçant les opérations effectuées en espèces ou en numéraire

CAISSE D'ÉPARGNE
GB : savings bank
D : *Sparkasse*
E : caja de ahorros
I : *cassa di risparmio*

CAISSIER
GB : cashier (USA teller)
D : *Kassierer*
E : cajero
I : *cassiere*

CALCUL
GB : calculation
D : *Berechnung*
E : calculo
I : *calcolazione*

CALCUL DE RENTABILITÉ
GB : profitability allocation
D : *Rentabilitätsrechnung*
E : cálculo de rentabilidad
I : *calcolo di redditività*
Evolution, exprimée en termes financiers, de la capacité d'un capital à procurer des revenus

CALCUL DE COUT DE REVIENT
GB : costing
D : *Ertragskalkulation*
E : cálculo de precio de coste
I : *calcolo del prezzo di costo*

CALCUL DE RENTABILITÉ
GB : profitability allocation
D : *Rentabilitätsrechnung*
E : calculo de rentabilidad
I : *calcolo di redditività*
Evolution, exprimée en termes financiers, de la capacité d'un capital à procurer des revenus

CALCULER
GB : calculate
D : *berechnen*
E : calcular
I : *calcolare*

CALE
GB : hold
D : *Laaderaum*
E : bodega
I : *stiva*

CALENDRIER
GB : calendar
D : *Kalender*
E : calendario
I : *calendario*

CALIBRER
GB : calibrate
D : *kalibrieren*
E : calibrar
I : *calibrare*
Mesurer le diamètre d'un objet sphérique pour pouvoir le classer

CAMBISTE
GB : foreign exchange dealer/broker
D : *Wechselmakler*
E : cambista
I : *cambiavalute*
Agent d'établissement bancaire spécialisé dans le commerce des devises

CAMPAGNE
GB : campaign
D : *Kampagne*
E : campana
I : *campagna*

CAMPAGNE PUBLICITAIRE
GB : advertising campaign, publicity campaign
D : *Werbefeldzug*
E : campana publicitaria
I : *campagna pubbicitaria*

CANAL
GB : canal
D : *Kanal*
E : canal
I : *canale*

CANDIDAT
GB : applicant
D : *Bewerber*
E : candidato
I : *candidato*

CAPACITÉ
GB : capacity
D : *Fähigkeit, Inhalt*
E : capacidad
I : *capacita*

CAPACITÉ D'ENDETTEMENT
GB : borrowing power
D : *Verschuldungskapazität*
E : capacidad de endeuda-miento
I : *capacità d'indebitamento*
Capacité à rembourser des dettes mesurée notamment par la capacité d'autofinancement

CAPACITÉ EXCÉDENTAIRE
GB : excess capacity
D : *übrige Ladefähigkeit*
E : capacidad en exceso
I : *capacita in eccesso*
Capacité d'autofinancement. Excédents et besoins en fonds de roulement

CAPITAINE
GB : master of a ship
D : *Kapitän*
E : capitan de navio
I : *capitano di nave*

CAPITAL
GB : capital
D : *Kapital*
E : capital
I : *capitale*
Elément principal d'une dette. Patrimoine possédé susceptible de rapporter un revenu

CAPITAL APPELÉ
GB : called-up capital
D : *eingefordertes Kapital*
E : capital llamado
I : *capitale richiamato*
Montant du capital fixé par les statuts lors de la constitution d'une société

CAPITAL AUTORISÉ
GB : authorized capital
D : *genehmigtes Kapital*
E : capital autorizado
I : *capitale autorizzado*
Nombre d'actions que le conseil d'administration d'une société peut émettre conformément à ses statuts lors de sa constitution

CAPITALISATION
GB : capitalization
D : *Kapitalisierung*
E : capitalizacion
I : *capitalizzazione*
Incorporation d'intérêts pour la constitution ou l'accroissement d'un capital existant

CAPITALISER
GB : capitalize
D : *Kapitalisieren*
E : capitalizar
I : *capitalizzare*

CAPITALISME
GB : capitalism
D : *Kapitalismus*
E : capitalismo
I : *capitalismo*
Système économique fondé sur la dissociation entre les propriétaires des moyens de production (dont le but est la réalisation d'un profit), et les travailleurs qui les mettent en œuvre contre un salaire, les « lois du marché » assurant la régulation du système

CAPITAL NOMINAL
GB : nominal capital
D : *Nennkapital*
E : capital nominal
I : *capitale nominale*
Voir Capital social

CAPITAL NON APPELÉ
GB : uncalled capital
D : *nicht eingerufenes Kapital*
E : capital de reserva
I : *capitale non richiamato*
Montant des apports qu'une société anonyme n'a pas encore demandé à ses actionnaires de verser mais que le conseil d'administration ou le directoire peuvent réclamer à tout moment

CAPITAL SOCIAL
GB : share capital (USA stock capital)
D : *Aktienkapital*
E : capital en acciones
I : *capitale azionario*
Montant des apports prévus par les propiétaires d'une société par actions, égal à la valeur nominale de la totalité des actions émises

CAPITAL SOUSCRIT
GB : subscribed capital
D : *gezeichnetes Kapital*
E : capital subscrito
I : *capitale sottoscritto*
Montant des apports en numéraires que les associés s'engagent à verser à la demande de la société

CAPITAL VERSÉ (OU LIBÉRÉ)
GB : issued capital, paid-up capital
D : *ausgegebenes Kapital, eingezahltes Kapital*
E : capital emitido, capital desembolsado
I : *capitale emesso, capitale versato*
Capital souscrit effectivement versé par les associés d'une société

CAPITAUX À COURT TERME
GB : short-term capital
D : *kurzfristiges Kapital*
E : capital a corto plazo
I : *capitale a breve termine*
Balance des paiements : flux de créances et d'engagements au plus égaux à un an contractés à l'extérieur par différents secteurs économiques

CAPITAUX À LONG TERME
GB : long-term capital
D : *langfristiges Kapital*
E : capital a largo plazo
I : *capitale consolidato a lunga scadenza*
Balance des paiements : flux des crédits commerciaux d'une échéance initiale supérieure à un an et des investissements (directs et de portefeuille) des résidents séjournant à l'étranger ou des non résidents séjournant dans le pays

CAPITAUX EMPRUNTÉS
GB : borrowed capital
D : *Fremdkapital*
E : capital a préstamo
I : *capitale preso a prestito*
Dette financière d'une entreprise, fonds mis à sa disposition par des tiers

CAPITAUX NON ENCORE ÉMIS
GB : unissued capital
D : *nicht ausgegebenes Kapital*
E : capital no emitido
I : *capitale non emesso*
Qui ne font pas encore l'objet de transactions sur le marché des émissions

CAPITAUX PERMANENTS (OU RESSOURCES PERMANENTES)
GB : invested capital
D : *Festkapital*
E : capitales permanentes
I : *capitali permanenti*
Regroupent les capitaux dont l'entreprise dispose de manière définitive (apports des actionnaires) ou pour une longue période (emprunts à moyen et long terme)

CAPITAUX PROPRES (OU FONDS PROPRES)
GB : owners'/shareholders' equity
D : *Eigenkapital*
E : capitales propios
I : *capitali propri*
Ressources d'une entreprise qui appartiennent aux propriétaires ou aux associés, provenant de leurs apports et des profits non distribués mis en réserves

CAPITAUX SPÉCULATIFS (OU FÉBRILES)
GB : risk capital
D : *Spekulationskapital*
E : capital de speculacion
I : *capitale di speculazione*
Qui passent d'une place financière à l'autre, prêts à se placer à court terme suivant la variation des taux d'intérêt et l'appréciation des risques de change

CARAT
GB : carat
D : *Karat*
E : quilate
I : *carato, azione, caratura di società*
Quantité d'or fin contenue dans un alliage de ce métal (1/24ème de la masse totale)

CARENCE
GB : shortage, deficiency, (débiteur) insolvency
D : *Mangel*
E : carencia
I : *carenza*

CARGAISON
GB : cargo
D : *Ladung*
E : carga
I : *carico*

CARGAISON EN VRAC
GD : bulk cargo
D : *Schüttgut*
E : carga en granel
I : *carico alla rinfusa*
Marchandises transportées sans arrimage ni emballage

CARNET DE CHEQUES
GB : cheque book (USA check book)
D : *Scheckheft*
E : libro de cheques
I : *libretto assegni*

CARRIÈRE
GB : career
D : *Karriere*
E : carrera
I : *carriera*

CARTE
GB : card
D : *Karte*
E : tarjeta
I : *scheda*

CARTE À PUCE (OU À MÉMOIRE)
GB : chip card
D : *Chip-Karte*
E : tarjeta de memoria
I : *chip card*
Carte accréditive où l'identification du titulaire et les opérations qu'il effectue sont inscrites sous forme codée dans un microprocesseur

CARTE D'IDENTITÉ
GB : identity card
D : *Personalausweis*
E : carnet de identidad
I : *carta d'identità*

CARTE DE CRÉDIT
GB : credit card
D : *Kredikarte*
E : tarjeta de crédito
I : *carta di credito*

CARTEL
GB : cartel
D : *Kartell*
E : cartel
I : *cartello*
Entente entre des entreprises indépendantes les unes des autres en vue de limiter ou supprimer les risques de la concurrence

CARTE MAGNÉTIQUE
GB : magnetic card
D : *Magnetkarte*
E : tarjeta magnética
I : *scheda magnetica*
Carte accréditive dont les informations sur l'identification du titulaire sont inscrites sous forme codée sur une ou plusieurs pistes magnétiques

CARTON
GB : carton
D : *Karton*
E : carton
I : *cartone*

CATALOGUE
GB : catalogue
D : *Katalog*
E : catalogo
I : *catalogo*

CASH FLOW
GB : cash flow
D : *Cash Flow*
E : cash flow
I : *cash flow, flusso delle disponibilità*
Solde recettes courantes/dépenses courantes de l'entreprise

CAUTION
GB : bail, surety
D : *Haftkaution, Bürgschaft*
E : fianza, fiador
I : *cauzione, garante*
Personne physique ou morale qui accepte de se substituer à une autre (cautionnée) au cas où celle-ci ne respecterait pas l'engagement pris vis-à-vis d'un bénéficiaire. Bien garantissant le respect de cet engagement

CAUTION SOLIDAIRE
GB : joint and several security
D : *Solidarkaution*
E : fianza solidaria
I : *fideiussore (garante) solidale*
Caution qui peut être directement poursuivie par le créancier en cas de défaillance du débiteur

CAUTIONNEMENT
GB : surety, letter of indemnity

D : *Bürge, Ausfallbürgschaft*
E : fianza, carta de indemnizacion
I : *cauzione, lettera di garanzia*
Engagement pris par une caution

CAVALERIE (EFFET DE)
GB : accomodation
D : *Reiterei*
E : favor
I : *giro di cambiali a vuoto*
Voir Billet de complaisance

CÉDANT
GB : assignor, transferor
D : *Überträger, Zedent*
E : cesionista
I : *cedente*
Détenteur d'un effet de commerce qui l'escompte auprès d'une banque

CÉDER
GB : give up, transfer
D : *aufgeben, überweisen*
E : renuciar, transferir
I : *cedere, trasferire*

CENT (POUR) %
GB : per cent
D : *Prozent*
E : por ciento
I : *per cento*

CENTRALE D'ACHATS
GB : central buying office
D : *Einkaufszentrale*
E : oficina central de compras
I : *ufficio centrale d'acquisti*

CENTRALISATION
GB : centralization
D : *Zentralisierung*
E : centralizacion
I : *centralizzazione*

CENTRAL TÉLÉPHONIQUE
GB : telephone exchange
D : *Fernsprechamt*
E : central telephonica
I : *centrale telefonica*

CENTRE
GB : centre (USA center)
D : *Mitte*
E : centro
I : *centro*

CENTRE COMMERCIAL
GB : shopping centre
D : *Geschäftszentrum*
E : centro de negocios
I : *zona degli acquisiti*

CENTRE DE GESTION AGRÉÉ
GB : chartered financial management agency
D : *anerkanntes Verwaltungsbüro*
E : centro de gestión autorizado
I : *centro di gestione accreditato*
Association d'aide aux PME pour la tenue de leur comptabilité et qui leur permet de bénéficier d'avantages fiscaux

CENTRE DE PROFIT
GB : profit centre
D : *Profit Center*
E : centro de beneficio
I : *centro di profitto*
Centre de responsabilité pour lequel a été fixé un objectif de profit. Regroupement réel ou fictif d'activités d'une entreprise permettant d'en déterminer le résultat

CERCLE DE QUALITÉ
GB : quality circle
D : *Qualitätszirkel*
E : círculo de calidad
I : *circolo di qualità*
Structure permanente ou temporaire de cinq à dix salariés volontaires chargés de résoudre les problèmes d'amélioration de la qualité des produits et des conditions de travail

CERTIFICAT
GB : certificate, warrant
D : *Bescheinigung*
E : certificado
I : *certificato*

CERTIFICAT D'ACTIONS
GB : share certificate (USA certificate of stock)
D : *Aktienzertifikat*
E : titulo de accion
I : *certificato azionario*
Titre délivré par une société attestant le dépôt d'un certain nombre de titres

CERTIFICAT D'ASSURANCE
GB : insurance certificate
D : *Versicherungsschein*
E : certificado de seguro
I : *certificato di assicurazione*

CERTIFICAT D'ORIGINE
GB : certificate of origin
D : *Ursprungszeugnis*
E : certificado de origen
I : *certificato d'origine*
Document émanant d'une autorité qualifiée et attestant l'origine d'une marchandise (utilisé surtout en matière de commerce extérieur)

CERTIFICATION
GB : certification, auditing
D : *Zertifizierung*
E : certificación
I : *autenticazione*
Attestation de conformité à des normes délivrée à un produit, une organisation, par un organisme indépendant

CERTIFIER (UN CHEQUE)
GB : certify
D : *bescheinigen*
E : certificar
I : *certificare*
Garantie donnée par une banque que la provision correspondante est affectée au paiement de ce chèque pendant le délai d'encaissement

CESSION
GB : assignment
D : *Übertragung*
E : cesion
I : *cessione*

CHAINE DE MONTAGE
GB : assembly line
D : *Montageband*
E : linea de montaje
I : *catene di montaggio*

CHAMBRE DE COMMERCE ET D'INDUSTRIE
GB : Chamber of commerce and industry
D : *Industrie-und-Handelskammer*
E : Cámara de comercio y de industria
I : *Camera di commercio, dell'industria*

CHAMBRE DE COMMERCE INTERNATIONALE
GB : International chamber of commerce
D : *Internationale Handelskammer*
E : Camara internacional de comercio
I : *Camera di Commercio iternazionale*

CHAMBRE DE COMPENSATION
GB : clearing house
D : *Verrechnungsstelle*
E : camara de compensaciones
I : *stanza di compensazione*
A Paris, elle effectue la grande majorité des opérations de compensation. En province, les succursales de la Banque de France en tiennent lieu

CHAMBRE DES MÉTIERS
GB : Chamber of trade
D : *Handwerkskammer*
E : Cámara de gremios
I : *Camera dell'artigianato*
Etablissement public départemental représentant les intérêts collectifs des artisans

CHANGE À TERME
GB : forward exchange
D : *Termindevisen*
E : divisas a término
I : *cambio a termine*
Sur le marché à terme, opération pour laquelle règlement et livraison ont lieu à une date postérieure à la négociation

CHARBON
GB : coal, charcoal
D : *Kohle, Holzkohle*
E : carbon, carbonde lena
I : *carbone*

CHARGE
GB : charge
D : *Kosten*
E : carga
I : *onere, carico*

CHARGE CONSTATÉE D'AVANCE
GB : prepaid expense
D : *kalkulierte Kosten*
E : carga comprobada con anticipación
I : *carico, onere previsto*
Charge enregistrée durant un exercice mais ne s'y rapportant pas (concerne l'activité de l'exercice suivant)

CHARGEMENT
GB : loading
D : *Ladung*
E : carga
I : *carico, caricamento*
Partie de la prime d'assurance servant à couvrir les frais pesant sur l'assureur

CHARGES ANNEXES
GB : incidental charges
D : *Nebenkosten*
E : cargos imprevitos
I : *spese accessorie*

CHARGES FIXES
GB : standing charges
D : *Fixkosten*
E : cargas fijas
I : *spese fisse*
Liées à l'existence même de l'outil de production, elles sont indépendantes du niveau d'activité de l'entreprise

CHARGES LOURDES
GB : heavy charges
D : *drückende Spesen*
E : gastos fuertes
I : *forti spese*

CHARGES SOCIALES
GB : payroll taxes
D : *soziale Kosten*
E : cargas sociales
I : *oneri sociali*
Cotisations patronales et salariales liées au salaire et imposées aux entreprises pour financer la protection sociale

CHAUFFAGE CENTRAL
GB : central heating
D : *Zentralheizung*
E : calefaccion central
I : *riscaldamento centrale*

CHEF COMPTABLE
GB : chief accountant
D : *Obertuchlalter*
E : jefe de contabilidad
I : *ragioniere capo*

CHEF D'ATELIER
GB : head foreman
D : *Werkmeister*
E : capataz jefe
I : *capo officina*

CHEF DE BUREAU
GB : office manager
D : *Bürovorsteher*
E : jefe de officina
I : *capo ufficio*

CHEF DE FAMILLE
GB : householder
D : *Hausherr*
E : jefe de familia
I : *capo-famiglia*

CHEF D'ENTREPRISE
GB : company manager
D : *Geschäftsführer*
E : empresario
I : *capo d'azienda, imprenditore*

CHEF DE PRODUIT
GB : product manager
D : *product manager*
E : jefe de producto
I : *capo di prodotto*
Responsable de la gestion stratégique d'un produit ou d'une ligne de produits

CHEF DES ACHATS
GB : head buyer
D : *Haupteinkäufer*
E : jefe del departamento de compras
I : *capo servizio acquisti*

CHEF DE SERVICE
GB : head of department
D : *Abteilungsleiter*
E : jefe de departamento
I : *capo reparto*

CHEF DU PERSONNEL
GB : personnel manager
D : *Personalchef*
E : jefe de personal
I : *direttore del personale*

CHEMIN CRITIQUE
GB : critical path
D : *kritischer Weg*
E : camino crítico
I : *schema critico*
Voir Analyse du chemin critique

CHEMIN DE FER
GB : raiway
D : *Eisenbahn*
E : ferrocarril
I : *ferrovia*

CHEMISE
GB : folder
D : *Mappe*
E : carpeta
I : *cartella*

CHEQUE
GB : cheque (USA check)
D : *Scheck*
E : cheque
I : *assegno*

CHEQUE ANTI-DATÉ
GB : antedated cheque
D : *vordatierter Scheck*
E : cheque con fecha adelantada
I : *assegno antidatato*

CHEQUE BARRÉ
GB : crossed cheque
D : *Verrechnungsscheck*
E : cheque cruzado
I : *assegno sbarrato*
Les deux traits parallèles signifient que son montant ne peut qu'être versé sur un compte bancaire

CHEQUE CERTIFIÉ
GB : certified cheque
D : *bestätigter Scheck*
E : cheque certificado
I : *assegno garantito*
Voir Certifier (un chèque)

CHEQUE DE VOYAGE
GB : traveller's cheque
D : *Reisescheck*
E : cheque de viajero
I : *assegno turistico*
A l'usage des touristes et payable partout où la banque émettrice a des correspondants

CHEQUE EN BLANC
GB : blank cheque
D : *Blankoscheck*
E : cheque en blanco
I : *assegno in bianco*

CHEQUE RESTAURANT AU PORTEUR
GB : cheque payable to bearer
D : *Inhaberscheck*
E : cheque al portador
I : *assegno al portatore*
Ticket-repas non nominatif cofinancé par l'entreprise et le salarié

CHER
GB : expensive
D : *kostspielig, teuer*
E : caro
I : *caro*

CHEVAL-VAPEUR (CV)
GB : horse-power (hp)
D : *Pferdestärke (PS)*
E : caballo de vapor (cv)
I : *cavallo*
Unité de puissance équivalant à 75 kilogrammètres/seconde (736 watts environ)

CHIFFRE
GB : figure
D : *Zahl*
E : cifra
I : *cifra*

CHIFFRE D'AFFAIRES
GB : turnover
D : *Umsatz*
E : volumen de ventas
I : *giro d'affari*
Total des ventes de biens et services effectuées par une entreprise au cours d'une période donnée

CHOMAGE
GB : unemployment
D : *Arbeitslosigkeit*
E : desempleo
I : *disoccupazione*

CHOMAGE (EN)
GB : unemployed
D : *arbeitsols*
E : sin trabajo, parado
I : *senza lavoro*

CHOMAGE SAISONNIER
GB : seasonal unemployment
D : *jahreszeitlich bedingte Arbeitslosigkeit*
E : paro de temporada
I : *disoccupazione stagionale*

CI-JOINT
GB : enclosed
D : *beiliegend*
E : adjunto
I : *accluso*

CIRCUIT DE DISTRIBUTION
GB : distribution channel
D : *Vertriebsweg*
E : circuito de distribución
I : *circuito di distribuzione*

CLASSER
GB : file
D : *aufreihen*
E : archivar
I : *archiviare*

CLASSEUR
GB : filing cabinet
D : *Aktenschrank*
E : fichero
I : *schedario*

CLAUSE
GB : clause
D : *Klausel*
E : clausula
I : *clausola*
Disposition particulière d'un acte, d'un contrat

CLAUSE DE DÉDIT
GB : forfeit clause
D : *Bußklausel*
E : clausula de decomiso
I : *clausola di penalità per inadempienza*
Clause prévoyant le versement d'une somme en cas de non respect d'un engagement

CLAUSE DE RÉSILIATION
GB : escape clause
D : *Rücktrittsklausel*
E : clausula evasiva
I : *clausola risolutiva*
Clause prévoyant l'annulation d'un contrat par la volonté de l'une ou des deux parties

CLAUSE PÉNALE
GB : penalty clause
D : *Strafklausel*
E : clausula de multa
I : *clausola penale*
Clause qui fixe le montant des dommages-intérêts dus en cas de non-exécution d'un contrat

CLAUSE RÉSOLUTOIRE
GB : determination clause
D : *Rückltrittsklausel*
E : clausula resolutiva
I : *clauso!a risolutiva*
Prévoit l'annulation automatique d'un acte en cas de non respect des engagements par l'une des parties ou si un événement imprévisible survient

CLÉ
GB : key, code
D : *Schlüssel*
E : llave, clave
I : *chiave, codice*

CLIENT
GB : client
D : *Kunde*
E : cliente
I : *cliente*

CLIENTELE
GB : custom, clientele
D : *Kundschaft*
E : clientela
I : *clientela*

CLIMATISATION
GB : air-conditioning
D : *Klimatidierung*
E : acondicionamiento de aire
I : *condizionamento dell'aria*

CLIMAT SOCIAL
GB : climat social
D : *soziales Klima*
E : ambiente laboral
I : *clima sociale*

CODE
GB : code
D : *Ordnung*
E : codigo
I : *codice*

CODE POSTAL
GB : postcode (USA zip code)
D : *Postleitzahl*
E : designacion postal
I : *codice postale*

COFFRE-FORT
GB : sale
D : *Geldschrank*
E : caja fuerte
I : *cassaforte*

COFFRE DE NUIT
GB : night safe
D : *Nachttresor*
E : caja de seguridad nocturna
I : *deposito notturno*

COGESTION
GB : co-management
D : *Gemeinverwaltung*
E : cogestión
I : *cogestione*
Forme de participation des salariés à la gestion de l'entreprise

COLLABORER
GB : collaborate
D : *mitarbeiten*
E : colaborar
I : *coliaborare*

COLONNE
GB : column
D : *Spalte*
E : columna
I : *colonna*

COMITÉ
GB : committee
D : *Kommission, Ausschuß*
E : comité
I : *comitato*
Réunion de personnes chargées d'étudier certains problèmes, d'exercer un certain pouvoir

COMITÉ CONSULTATIF
GB : advisory board
D : *Beratungsausschuß*
E : consejo consultivo
I : *consiglio consultivo*
Comité appelé seulement à donner un avis

COMITÉ D'ENTREPRISE
GB : works council
D : *Betriebsrat*
E : comité de empresa
I : *comitato d'azienda*

COMITÉ DE GESTION
GB : board of management
D : *Verwaltungsrat*
E : comité de gestión
I : *comitato di gestione*

COMMANDE
GB : order
D : *Bestellung*
E : pedido
I : *ordine*

COMMANDE (PASSER UNE)
GB : order
D : *bestellen*
E : hacer un pedido
I : *ordinare*

COMMANDE D'EXPORTATION
GB : export order
D : *Exportauftrag*
E : pedido de exportacion
I : *ordine per esportazione*

COMMANDITAIRE
GB : sleeping partner (USA silent partner)
D : *stiller Gesellschafter*
E : socio comanditario
I : *socio accomandante*
Bailleur de fonds

COMMANDITE (SOCIÉTÉ EN)
GB : limited partnership
D : *Kommanditgesellschaft*
E : comandita
I : *accomandita*
Société commerciale dans laquelle des associés apportent des capitaux sans prendre part à la gestion

COMMERÇANT (DÉTAILLANT)
GB : retailer
D : *Einzelhändler, Kleinhändler*
E : comerciante al por menor
I : *commerciante al minuto*

COMMERCE
GB : commerce
D : *Handel*
E : comercio
I : *commercio*

COMMERCE DE DÉTAIL
GB : retail trade
D : *Einzelhandel*
E : comercio al por menor
I : *commercio al minuto*

COMMERCE DE GROS
GB : wholesale trade
D : *Großhandel*
E : comercio al por mayor
I : *commercio all'ingrosso*

COMMERCE EXTÉRIEUR
GB : foreign trade
D : *Außenhandel*
E : comercio exterior
I : *commercio estero*

COMMERCE INTÉRIEUR
GB : home trade (USA domestic sales)
D : *Binnenhandel*
E : comercio interior
I : *commercio interno*

COMMERCE MULTILATÉRAL
GB : multilateral trade
D : *mehrseitiges-Handeln*
E : comercio multilateral
I : *commercio multilaterale*

COMMIS
GB : clerk, assistant
D : *Angestellte(r), Assistent*
E : oficinista, asistente
I : *impiegato, assistente*
Employé dans un bureau ou une maison de commerce

COMMIS-COMPTABLE
GB : ledger clerk (USA bookkeeper)
D : *Buchhalter*
E : contable
I : *contabile*

COMMIS-VOYAGEUR
GB : (commercial) traveller
D : *Geschäftsreisende(r)*
E : viajante
I : *viaggiatore di commercio*
Représentant de commerce

COMMISSAIRE-PRISEUR
GB : auctioneer
D : *Versteigerer*
E : subastador
I : *venditore all'asta*
Officier ministériel chargé de l'estimation et de la vente aux enchères publiques

COMMISSION
GB : commission
D : *Provision*
E : comision
I : *prowigione*

COMMISSION DES COMMUNAUTÉS EUROPÉENNES
GB : European commission
D : *Europäische Kommission*
E : Comision europea
I : *Commissione europea*
Organe exécutif de l'Union européenne

COMMISSIONNAIRE
GB : commission agent
D : *Kommissionär*
E : comisionista
I : *commissionario*

COMMUNAL
GB : municipal
D : *Kommunal-*
E : municipal
I : *municipale*

COMMUNAUTÉ
GB : community
D : *Gemeinschaft*
E : comunidad
I : *comunità*

COMMUNAUTÉ ÉCONOMIQUE EUROPÉENNE — CEE
GB : European economic community
D : *Europäische Wirtschaftsgermeinschaft*
E : Comunidad economica europea
I : *Comunità economica europeia*
Devenue l'Union européenne — UE (traité de Maastricht 7 révrier 92),elle passe de 12 à 15 membres avec l'adhésion de l'Autriche, de la Finlande et de la Suède début 1995

COMMUNAUTÉ EUROPÉENNE DE L'ÉNERGIE ATOMIQUE — EURATOM
GB : European atomic energy community
D : *Europäische Atomgemeinschaft*
E : Comunidad europea de energia atomica
I : *Comunita europea dell'energia atomica*
L'une des trois communautés européennes, créée en 1958 pour coordonner le développement des industries nucléaires de l'Union européenne

COMMUNAUTÉ EUROPÉENNE DU CHARBON ET DE L'ACIER — CECA
GB : European coal and steel community
D : *Europäische Gemeinschaft für Kohle und Stahl*
E : Comunidad europea de carbon y acero
I : *Comunita europea del carbone e acciaio*
La plus ancienne des communautés européennes, instituée pour 50 ans par le traité de Paris (1951)

COMMUNICATION
GB : communication
D : *Benachrichtigung*
E : comunicacion
I : *comuniciazione*

COMPAGNIE AÉRIENNE
GB : air line
D : *Fluggesellschaft*
E : linea aérea
I : *linea aerea*

COMPAGNIE D'ASSURANCES
GB : insurance compagny
D : *Versicherungsgesellschaft*
E : compania de seguros
I : *compagnia di assicurazione*

COMPAGNIE DE NAVIGATION
GB : shipping line
D : *Reederei*
E : compania navièra
I : *società di navigazione*

COMPENSATION
GB : compensation
D : *Entschädigung*
E : compensacion
I : *compenso*
Comptabilisation du solde final, donnant lieu à règlement, des dettes et créances échangées mutuellement par deux ou plusieurs banques pendant une période donnée

COMPENSER
GB : compensate
D : *vergüten*
E : compensar
I : *compensare*

COMPÉTITIF
GB : competitive
D : *wetteifernd*
E : competidor
I : *in concorrenza*

COMPLAISANCE
GB : convenience
D : *Entgegenkommen*
E : complacencia
I : *compiacenza, favore*

COMPLEXE (MILITARO-INDUSTRIEL)
GB : military-industrial complex
D : *militärisch-industrieller Komplex*
E : complejo (militarindustrial)
I : *complesso (militare-industriale)*
Champ des relations armée/industries d'armement

COMPTABILITÉ
GB : book-keeping, accountancy
D : *Buchhaltung*
E : contabilidad
I : *contabilità*

COMPTABILITÉ ANALYTIQUE
GB : cost accounting
D : *analytische Buchführung*
E : comptabilidad analitica
I : *contabilità analitica*
Saisie et traitement de l'information permettant l'analyse et le contrôle des coûts dans l'entreprise, à l'aide des documents internes qui en suivent les flux

COMPTABILITÉ MATIERE
GB : stock accounting
D : *Bestandsbuchführung*
E : contabilidad materiales
I : *contabilità per materia*
Porte sur les matières premières, les produits finis et semi-finis

COMPTABILITÉ (TENIR LA)
GB : keep the accounts
D : *Konto führen*
E : llevar la contabilidad
I : *tenere la contabilità*

COMPTABLE
GB : accountant
D : *Bucchalter*
E : contador
I : *contabile*

COMPTANT CONTRE DOCUMENTS
GB : cash against documents (c.a.d.)
D : *bar gegen Versandpapiere*
E : al contado contra documentos
I : *contanti contro documenti*

COMPTE (EN BANQUE)
GB : account
D : *Konto*
E : cuenta
I : *conto*

COMPTE (NOTE)
GB : bill, account
D : *Rechnung*
E : cuenta, nota
I : *conto, nota*

COMPTE BLOQUÉ
GB : blocked account
D : *gesperrtes Konto*
E : cuenta bloqeada
I : *conto bloccato*

COMPTE DE CAPITAL
GB : capital account
D : *Kapitalkonto*
E : cuenta de capital
I : *conto capitale*
Décrit la structure qu'un agent économique a donnée à la variation de son patrimoine

COMPTE COMMERCIAL
GB : trade account
D : *Handelskonto*
E : cuenta comercial
I : *conto commerciale*
Balance commerciale, enregistrement des importations et des exportations de marchandises d'un pays au cours d'une période donnée

COMPTE COURANT
GB : current account (USA checking account)
D : *Kontokorrent*
E : cuenta corriente
I : *conto corrente*

COMPTE D'AFFECTATION
GB : appropriation account
D : *Rückstellungskonto*
E : cuenta de apropiacion
I : *conto di stanziamento*
Eclaté en deux comptes, Revenu et Utilisation du revenu, il reprend le résultat brut d'exploitation et les ressources liées à la redistribution des revenus

COMPTE D'AGIOS
GB : agio account
D : *Agiokonto*
E : cuenta de agio
I : *conto d'aggio*

COMPTE D'AVANCES
GB : advance account
D : *Darlehenskonto*
E : cuenta de anticipos
I : *conto anticipo*

COMPTE D'ORDRE
GB : suspense account
D : *Übergangskonto*
E : cuenta suspensa
I : *conto sospeso*

COMPTE DE DÉPOT
GB : deposit account (USA interest-bearing account)
D : *Depositenkonto*
E : cuenta de ahorras
I : *conto di deposito*

COMPTE DE PRETS
GB : loan account
D : *Anleihekonto*
E : cuenta de préstamos
I : *conto anticipazioni*

COMPTE D'EXPLOITATION GÉNÉRALE
GB : operating statement
D : *Betriebskonto*
E : cuenta de explotación general
I : *conto di esercizio generale*
Devenu en 1982 Compte de résultat

COMPTE DE PERTES ET PROFITS
GB : profit and loss account
D : *Gewinn-und Verlustkonto*
E : cuenta de ganacias y péridas
I : *conto profitti e perdite*
Ses opérations sont maintenant enregistrées dans le compte de résultat (Nouveau Plan comptable 1984). Résultat d'exploitation corrigé par la prise en considération de tout ce qui n'est pas dû à la gestion normale de l'exercice

COMPTE DE RÉGULARISATION
GB : accruals
D : *Wertberichtigungskonto*
E : cuenta de regularización
I : *risconti*
Affectation à un exercice donné des dettes et des créances qui le concernent

COMPTE DE RÉSULTAT
GB : income statement
D : *Ergebniskonto*
E : cuenta de resultados
I : *conto spese e rendite*
Regroupe les produits et les charges et permet de dégager le résultat net comptable d'un exercice

COMPTE EN BANQUE
GB : bank account
D : *Bankkonto*
E : cuenta bancaria
I : *conto in banca*

COMPTE IDENTIFIÉ PAR NUMÉRO
GB : numbered account
D : *numeriertes Konto*
E : cuenta identificada con numero
I : *conto identificato da numero*

COMPTE JOINT
GB : joint account
D : *Gemeinschaftskonto*
E : cuenta comun
I : *conto in comune*
Compte dont deux titulaires se partagent également la jouissance

COMPTE NOMINAL
GB : nominal account
D : *Firmenkonto*
E : cuenta de resultado
I : *conto d'ordine*

COMPTE PERSONNEL
GB : charge account
D : *Kundenkonto*
E : cuenta personal
I : *conto personale*

COMPTE RENDU
GB : account rendered
D : *zur Begleichung vorgelegte Rechnung*
E : cuenta rendida
I : *conto reso*

COMPTES À PAYER
GB : accounts payable
D : *Kreditoren*
E : cuentas a pagar
I : *conti passivi*

COMPTES À RECEVOIR
GB : outstanding accounts
D : *ausstehende Schulden*
E : cuentas pendientes
I : *conti aperti*

COMPTES CONSOLIDÉS
GB : consolidated accounts
D : *Konsolidierter Kontenaschluß*
E : cuentas consolidadas
I : *conti consolidati*
Décrivent l'activité et le patrimoine d'un groupe d'entreprises ou d'un ensemble d'agents en annulant les opérations qu'ils effectuent entre eux

COMPTOIR
GB : counter
D : *Handelskontor*
E : mostrador
I : *succursale*

CONCENTRATION
GB : concentration
D : *Konzentration*
E : concentración
I : *concentrazione*

CONCEPT
GB : concept
D : *Konzept*
E : concepto
I : *concetto*

CONCEPTEUR-RÉDACTEUR
GB : copywriter
D : *Textverfasser*
E : redactor
I : *redattore pubblicitario*

CONCEPTION ET FABRICATION ASSISTÉES PAR ORDINATEUR
GB : computer-aided design (CAD)
D : *Computer-Aided Manufac-toring (CAM)*
E : diseño y fabricación asistidos por ordenardor
I : *progettazione/fabbricazione assistita da calcolatore (CAD/CAM)*

CONCESSION
GB : concession
D : *Konzession*
E : concession
I : *concessione*
Autorisation d'exploitation ou de gestion, représentation exclusive

CONCESSIONNAIRE
GB : assignee, transferee
D : *Zessionar*
E : cesionario
I : *assegnatario, cessionario*

CONCESSION MINIERE
GB : mineral concession
D : *Bergwerkskonzession*
E : concession minera
I : *concessione mineraria*
Gisement qu'une personne physique ou morale a reçu l'autorisation d'exploiter pour une période déterminée

CONCESSIONS MUTUELLES
GB : give and take
D : *Geben und Nehmen*
E : concesion reciproca
I : *concessione reciproca*

CONCIERGE
GB : hall-porter
D : *Hausmeister*
E : conserje
I : *portiere*

CONCILIATION
GB : concillation
D : *Schlichtung*
E : conciliacion
I : *conciliazione*

CONCORDAT
GB : deed of composition
D : *Vergleichsabkommen*
E : concordato
I : *atto di concordato*
Accord amiable ou judiciaire par lequel des créanciers consentent à leur débiteur un délai de paiement et/ou la remise partielle de sa dette

CONCURRENCE
GB : competition
D : *Wettbewerb*
E : competicion
I : *concorrenza*

CONCURRENCE DE (À)
GB : amounting to
D : *hinauslaufend auf*
E : ascendiendo a
I : *ammontante a*

CONCURRENCER
GB : compete
D : *Konkurrenz machen*
E : competir
I : *competere*

CONDITIONNEL
GB : conditional
D : *bedingt*
E : condicional
I : *condizionale*

CONDITIONS
GB : terms
D : *Bedingungen*
E : condiciones
I : *condizioni*

CONDITIONS DE PAIEMENT
GB : payment terms
D : *Zahlungsbedingungen*
E : condiciones de pago
I : *condizioni di pagamento*

CONDITIONS DE TRAVAIL
GB : working conditions
D : *Arbeitsbedingungen*
E : conditiciones de trabajo
I : *condizioni di lavoro*

CONDITION SUSPENSIVE
GB : condition precedent
D : *aufschiebende Bedingung*
E : previa condicion
I : *condizione sospensiva*
Qui suspend l'exécution d'un jugement, d'un contrat

CONFÉRENCE
GB : conference
D : *Kongreß*
E : conferencia
I : *conferenza*

CONFÉRER LES PLEINS POUVOIRS
GB : execute a power of attorney
D : *eine Vollmacht erteilen*
E : otorgar poder notarial
I : *conferire una procura*

CONFIER
GB : entrust
D : *anvertrauen*
E : confiar
I : *affidare*

CONFIRMATION
GB : confirmation
D : *Bestätigung*
E : confirmacion
I : *conferma*

CONFIRMER
GB : confirm
D : *bestätigen*
E : confirmar
I : *confermare*

CONFIRMER PAR ÉCRIT
GB : confirm in writing
D : *schriftlich bestätigen*
E : confirmar por escrito
I : *confermare per iscritto*

CONFLIT
GB : conflict
D : *Konflikt*
E : conflicto
I : *conflitto*

CONFLIT DU TRAVAIL
GB : trade dispute
D : *Arbeitsstreitigkeit*
E : conflicto loboral
I : *vertenza di lavoro*

CONFORME À
GB : in accordance with
D : *in Übereinstimmung mit*
E : en conformidad con
I : *in conformità con*

CONGÉDIER
GB : dismiss (USA fire)
D : *entlassen*
E : despedir
I : *congedar*

CONGÉDIER UN EMPLOYÉ
GB : discharge an employee (USA fire an employee)
D : *einren Arbeitnehmer entlassen*
E : despedir a un empleado
I : *licenziare un impiegato*

CONGÉS PAYÉS
GB : holidays with pay
D : *bezahlter Urlaub*
E : vacaciones retribuidas
I : *vacanze retribuite*
Vacances accordées par la loi à tout salarié qui a travaillé au moins un mois en continu

CONJECTURE
GB : guess-work
D : *Mutmaßung*
E : conjetura
I : *congettura*
Supposition plus ou moins fondée, hypothèse

CONJONCTURE
GB : overall economic situation
D : *Konjunktur*
E : coyuntura
I : *congiuntura*
Situation (économique ou autre) d'un secteur, d'une branche ou d'un pays à un moment donné

CONNAISSANCE
GB : knowledge
D : *Kenntnis*
E : conocimientos
I : *conoscenza*

CONNAISSEMENT
GB : bill of lading
D : *Konnossement*
E : conocimiento
   (de embarque)
I : *polizza di carico*
Document maritime qui vaut reçu de marchandises et contrat de transport

CONSEIL
GB : council, consultant
D : *Rat, Berater*
E : consejo, consultor
I : *consiglio, consulente*

CONSEIL D'ADMINISTRATION
GB : board of directors
D : *Vorstand*
E : consejo de administracion
I : *consiglio d'amministrazione*

CONSEIL DE SURVEILLANCE
GB : watchdog committee/(créancier) committee of inspection
D : *Aufsichtsrat*
E : consejo de vigilancia
I : *consiglio di sorveglianza*
Elu par l'assemblée générale, chargé de contrôler (non de gérer) le directoire d'une société anonyme

CONSEIL DU DIRECTOIRE
GB : board of directors
D : *Vorstand*
E : consejo de directorio
I : *consiglio di direttorio*
Organisme collégial de 5 membres au plus (pas nécessairement actionnaires), il remplace le conseil d'administration dans certaines sociétés anonymes

CONSEIL EN BREVETS
GB : patent agent
D : *Patentanwalt*
E : agente de patentes
I : *agente di brevetti*

CONSEIL EN PUBLICITÉ
GB : advertising consultant
D : *Werbeberater*
E : consultor de publicidad
I : *consulente di pubblicità*

CONSENTIR (UNE REMISE)
GB : allow (a discount)
D : *gewähren (einen Rabatt)*
E : conceder (un descuento)
I : *concedere (un sconto)*

CONSIGNATION (EN)
GB : on consignment
D : *in Kommission*
E : en consignacion
I : *in conto deposito*
En dépôt à titre de garantie ou en attendant la solution d'un litige

CONSIGNER
GB : consign
D : *konsignieren, übersenden*
E : consignar
I : *consegnare*

CONSOLIDÉ
GB : consolidated
D : *konsolidiert*
E : consolidado
I : *consolidato*

CONSOMMATEUR
GB : consumer
D : *Verbraucher, Konsument*
E : consumidor
I : *consumatore*

CONSOMMATION
GB : consumption
D : *Verbrauch*
E : consumicion
I : *consumo*

CONSORTIUM
GB : consortium
D : *Konsortium*
E : consorcio
I : *consorzio*
Entreprises ou banques regroupées pour réaliser des opérations qui dépassent les possibilités et les compétences de chacune

CONSTITUER
GB : form, constitute
D : *bilden*
E : constituir
I : *costituire*

CONSTRUCTION MÉCANIQUE
GB : mechanical engineering
D : *Maschinenbau*
E : ingenieria mecanica
I : *ingegneria meccanica*

CONSUL
GB : consul
D : *Konsul*
E : consul
I : *console*
Fonctionnaire chargé à l'étranger de la protection des ressortissants de son pays (dont il n'est pas le représentant)

CONSULAT
GB : consulate
D : *Konsulat*
E : consulado
I : *consolato*

CONSULTATIF
GB : advisory
D : *Beratung*
E : consultivo
I : *consultivo*

CONTAINERISATION
GB : containerization
D : *Containerisation*
E : contenedorizacion
I : *containerization*

CONTENU
GB : contents
D : *Inhalt*
E : contenido
I : *contenuto*

CONTESTATION
GB : dispute
D : *Streit*
E : disputa
I : *disputa*

CONTINGENCE
GB : contingency
D : *Eventualität*
E : contingencia
I : *contingenza*
Corrélation entre deux caractères qualitatifs ou quantitatifs

CONTINGENT D'IMPORTATION
GB : import quota
D : *Einfuhrkontingent*
E : cupo de importacion
I : *contingente d'importazione*

CONTRACTUEL ADJ
GB : contractual
D : *vertraglich*
E : contractual
I : *contrattuale*

CONTRAINTE
GB : duress
D : *Zwang*
E : compulsion
I : *costrizione*

CONTRAT
GB : contract
D : *Vertrag*
E : contrato
I : *contratto*

CONTRAT DE SERVICE
GB : service agreement
D : *Dienstvertrag*
E : contrato de servicio
I : *accordo di servizio*

CONTRAT DE SOCIÉTÉ
GB : articles of association
(USA articles of incorporation)
D : *Gesellschaftsvertrag*
E : articulos de associacion
I : *statuto sociale*
Des associés conviennent de mettre en commun des apports en vue de partager un bénéfice ou de profiter d'une économie

CONTREBANDE
GB : contraband
D : *Schmuggelware*
E : contrabando
I : *contrabbando*

CONTREFAÇON
GB : forgery
D : *Fälschung*
E : falsificacion
I : *falsificazione*

CONTREFAÇON LITTÉRAIRE
GB : infringement of copyright
D : *Urheberrechtsverletzung*
E : infraccion de los derechos de autor
I : *infrazione dei diritti d'autore*

CONTREMAITRE
GB : foreman
D : *Vorarbeiter*
E : capataz
I : *capo operaio, capo squadra*
Personne qui dirige le travail d'un groupe d'ouvriers

CONTREPARTIE (BOURSE)
GB : counterpart
D : *Gegenzug*
E : contrapartida
I : *contropartita*
Offre correspondant à une demande déterminée ou inversement. Ne peut être effectuée que par un contrepartiste

CONTREPARTIE (EN)
GB : per contra
D : *als Gegenrechnung*
E : en contrapartida
I : *in contropartita*

CONTRESIGNER
GB : countersign
D : *gegenzeichnen*
E : refrendar
I : *controfirmare*
Signer après celui dont l'acte émane

CONTRIBUABLE
GB : tax payer
D : *Steuezahler*
E : contribuyente
I : *contribuente fiscale*

CONTRIBUER
GB : contribute
D : *beitragen*
E : contribuir
I : *contribuire*

CONTRIBUTION
GB : contribution
D : *Beitrag*
E : contribuccion
I : *contributo*
Impôt

CONTRIBUTIONS DIRECTES
GB : direct taxation
D : *direkte Steuern*
E : contribuciones directas
I : *imposte dirette*

CONTRIBUTIONS INDIRECTES
GB : indirect taxation
D : *indirekte Steuern*
E : contribuciones indirectas
I : *imposte indirette*

CONTROLE
GB : control
D : *Aufsicht*
E : control
I : *controllo*

CONTROLE BUDGÉTAIRE
GB : budgetary control
D : *Haushaltskontrolle*
E : control presupuestario
I : *controllo a bilancio preventivo*
Contrôle de gestion par comparaison objectifs/résultats

CONTROLE DE GESTION
GB : management audit
D : *Controlling*
E : control de gestión
I : *controllo di gestione*
Etude, préparation et coordination des décisions de gestion permettant à l'entreprise d'atteindre efficacement ses objectifs

CONTROLE DE QUALITÉ
GB : quality control
D : *Qualitätskontrolle*
E : control de calidad
I : *controllo di qualità*

CONTROLE DES CHANGES
GB : exchange control (USA currency control)
D : *Devisenkontrolle*
E : fiscalizacion de cambios
I : *controllo sui cambi*
Subordination de toute conversion en devises à une autorisation administrative

CONTROLE DES PRIX
GB : price control
D : *Preiskontrolle*
E : control de precios
I : *controllo sui prezzi*

CONTROLEUR
GB : controller
D : *Kontrolleur*
E : interventor
I : *controllore*

CONVENTION
GB : agreement
D : *Abkommen*
E : acuerdo
I : *accordo*
Accord officiel passé entre des individus ou des groupes

CONVENTION COLLECTIVE
GB : labour agreement
D : *Tarifvertrag*
E : convenio colectivo
I : *contratto collettivo*
Accord relatif aux conditions de travail conclu entre syndicats de travailleurs et employeurs

CONVENTION IRRÉVOCABLE
GB : binding agreement
D : *bindender Vertrag*
E : obligacion irrevocable
I : *contratto vincolante*

CONVENTION TACITE
GB : tacit agreement
D : *stillschweigendes Übereinkommen*
E : acuerdo tacito
I : *accordo tacito*
Accord implicite

CONVENTION VERBALE
GB : gentleman's agreement
D : *Kavaliersabkommen*
E : acuerdo sobre palabra
I : *accordo sulla parola*

CONVERSION
GB : conversion
D : *Konversion*
E : conversion
I : *conversione*

CONVERTIBLE
GB : convertible
D : *konvertierbar*
E : convertible
I : *convertibile*
S'applique à une monnaie qu'on peut échanger légalement contre de l'or ou toute autre devise

CONVERTIR
GB : convert
D : *konvertieren*
E : convertir
I : *convertire*

CONVOQUER
GB : convene
D : *einberufen*
E : convenir
I : *convocare*

COOPÉRATION
GB : cooperation
D : *Zusammenarbeit*
E : cooperacion
I : *cooperazione*

COOPÉRATIVE
GB : co-op
D : *Genossenschaft*
E : cooperativa
I : *cooperativa*
Association de personnes (à droits et obligations égales) qui conduisent et gèrent à leurs risques une entreprise commune

COOPTER
GB : co-opt
D : *hinzuwählen*
E : cooptar
I : *cooptare*
Admettre dans une assemblée de nouveaux membres désignés par elle-même

COPIE
GB : copy
D : *Abschrift, Kopie*
E : copia
I : *copia*

COPIE CERTIFIÉE
GB : certified true copy
D : *beglaubigte Abschrift*
E : copia auténtica
I : *copia conforme*
Copie authentifiée par l'administration

COPROPRIÉTÉ
GB : joint ownership
D : *Miteigentum*
E : copropriedad
I : *comproprietà*

CORPORATIF
GB : corporate
D : *köperschaftlich*
E : corporativo
I : *corporativo*
Relatif à une corporation

CORPORATION
GB : corporation
D : *Körperschaft*
E : corporacion
I : *corporazione*

CORPORATISME
GB : corporatism
D : *Körperschaftstum*
E : corporativismo
I : *corporativismo*
Défense exclusive des intérêts d'une catégorie sociale ou socio-professionnelle

CORRECTION
GB : correction
D : *Berichtigung*
E : correccion
I : *correzione*

CORRÉLATION
GB : correlation
D : *Zusammenhang*
E : correlación
I : *correlazione*
Variations de même sens ou de sens opposé entre deux ou plusieurs grandeurs

CORRESPONDANCE
GB : correspondence
D : *Briefwechsel*
E : correspondencia
I : *corrispondenza*
Concordance de deux phénomènes qui varient symétriquement dans le même sens

CORRIGER
GB : correct
D : *korrigieren*
E : corregir
I : *correggere*

CORROMPRE
GB : bribe
D : *bestechen*
E : sobomar
I : *corrompere*

CORRUPTION
GB : bribery, corruption
D : *Bestechung*
E : soborno
I : *corruzione*

COTATION
GB : quotation
D : *Kostenanschlag*
E : cotizacion
I : *quotazione*
Détermination du prix auquel les transactions se font sur un marché. Bourse : inscription à la cote du cours constaté pour une valeur mobilière

COTER
GB : quote
D : *(den Preis) angeben*
E : cotizar
I : *quotare*

COTISATION SOCIALE
GB : payroll tax
D : *Sozialbeitrag*
E : cotización social
I : *versamento di oneri sociali*
Versement obligatoire effectué à la Sécurité sociale ou à l'Etat par les employeurs et les travailleurs pour financer la protection sociale

COUPON
GB : coupon
D : *Kupon*
E : cupon
I : *cedola*
Partie détachable d'une valeur mobilière et droit d'en encaisser le dividende ou l'intérêt du revenu

COURANT
GB : current
D : *laufend*
E : corriente
I : *corrente*

COURANT ALTERNATIF
GB : alternating current (A.C.)
D : *alternativer Strom*
E : corriente alterna
I : *corrente alternata*
Courant électrique au sens de circulation alterné, dont l'intensité est fonction périodique du temps

COURANT CONTINU
GB : direct current
D : *Gleichstrom*
E : corriente continua
I : *corrente continua*
Courant électrique d'intensité constante circulant toujours dans le même sens

COURBE DE LA DEMANDE
GB : demand curve
D : *Nachfragehurve*
E : curva de relacion demanda
I : *curva della domanda*
Représentation de l'évolution de quantités susceptibles d'être achetées pendant un temps donné

COUR D'APPEL
GB : court of appeal
D : *Berufungsgericht*
E : tribunal de apelacion
I : *corte d'appello*
Tribunal chargé de juger en appel les décisions des juridictions de droit commun ou d'exception

COUR D'ARBITRAGE
GB : court of abitration
D : *Schiedsgericht*
E : tribunal arbitral
I : *corte arbitrale*

COURS À TERME
GB : forward price
D : *Terminnotierung*
E : precio a término
I : *prezzo per futura consegna*
Cours sur un marché à terme

COURS DE BOURSE
GB : stock-exchange quotation
D : *Börsenkurs*
E : curso de bolsa
I : *quotazione di borsa*

COURS DE CHANGE
GB : rate of exchange
D : *Umrechnungskurs*
E : tipo de cambio
I : *corso del cambio*
Taux de change

COURS DE CLOTURE
GB : closing price
D : *Schlußnotierung*
E : precio de cierre
I : *prezzo di chiusura*
Cours de Bourse pratiqué en fin de séance journalière

COURS DU MARCHÉ
GB : market price
D : *Marktpreis*
E : precio de mercado
I : *prezzo del mercato*
Cours déterminé par l'offre et la demande sur un marché

COURS MOYEN
GB : middle price
D : *Mittelpreis, Mittelkurs*
E : precio medio
I : *prezzo medio*

COURTAGE
GB : brokerage
D : *Maklergebühr*
E : corretaje
I : *senseria*
Rémunération ou fonction du courtier

COURTE ÉCHÉANCE (À)
GB : short-dated
D : *kurzfristig*
E : a corto plazo
I : *a breve scadenza*

COURTIER
GB : broker
D : *Makler*
E : corredor
I : *sensale*
Intermédiaire commercial qui met en relation, contre rémunération, deux personnes désirant conclure un contrat

COURTIER D'ASSURANCES
GB : insurance broker
D : *Versicherungsmakler*
E : corredor de seguros
I : *mediatore di assicurazioni*

COURTIER EN BOURSE
GB : stockbroker
D : *Börsenmakler*
E : corredor de bolsa
I : *agente di borsa*

COURTIER EN MARCHANDISES
GB : commodity broker
D : *Makler für Verbrauchsgüter*
E : corredor de mercaderias
I : *sensale di merci*

COURT TERME (À)
GB : short-term
D : *kurzfristig*
E : a corto plazo
I : *a breve termine*

COUT
GB : cost
D : *Kosten*
E : coste
I : *costo*

COUT, ASSURANCE, FRET (CAF)
GB : cost, insurance, and freight (cif)
D : *Kosten, Versicherung, Fracht*
E : coste, seguro, y flete
I : *costo, assicurazione, nolo*
Qualifie le prix d'une marchandise dont l'exportateur prend en charge la totalité des frais (assurances comprises) jusqu'à sa destination

COUT D'ACQUISITION
GB : acquisition cost
D : *Anschaffungskosten*
E : precio de compra
I : *costo d'acquisto, prezzo di costo*

COUT DE LA MAIN-D'ŒUVRE
GB : cost of labour
D : *Lohnkosten*
E : coste de la mano de obra
I : *costo di mano d'opera*

COUT DE LA VIE
GB : cost of living
D : *Lebenshaltungskosten*
E : coste de vida
I : *costo della vita*

COUT UNITAIRE
GB : unit cost
D : *Einheitskosten, Stückkosten*
E : coste pur unidad, coste unitario
I : *costo unitario*

COUT DE REMPLACEMENT
GB : replacement cost
D : *Wiederanschaffungskosten*
E : coste de repuesto
I : *costo di rimpiazzo*
Prix d'achat d'un équipement à payer pour une satisfaction équivalente à celle procurée par celui qui est usagé

COUT DE REVIENT
GB : (production) cost
D : *Herstellungskosten*
E : coste de produccion
I : *costo d'acquisto, prezzo di costo*
Coût total de produits ou services vendus

COUTER
GB : cost
D : *Kosten*
E : costar
I : *costare*

COUT ET FRET
GB : cost and freight (c&f)
D : *Kosten und Fracht*
E : coste y flete
I : *costo e nolo*
En matière de commerce extérieur, qualifie le prix total d'une marchandise dont l'exportateur assume les frais (sauf les assurances) jusqu'à sa destination

COUT FIXE
GB : fixed cost
D : *Fixkosten*
E : coste fijo
I : *costo fisso*
Coût indépendant d'une activité, dans une structure ou pour une période donnée

COUT MARGINAL
GB : marginal cost
D : *Randkosten*
E : coste marginal
I : *costo marginale*
Coût supplémentaire ou additionnel d'une unité entraîné par une augmentation de la production

COUT MOYEN
GB : average cost
D : *Durchschnittskosten*
E : coste promedio
I : *costo medio*
Coût unitaire total à long terme, prix de revient unitaire

COUT SOCIAL
GB : social cost
D : *Sozialkosten*
E : coste social
I : *costo sociale*

COUT VARIABLE
GB : variable cost
D : *variable Kosten*
E : coste variable
I : *costo variabile*
Composé de charges variables en fonction d'une activité

COUVERTURE
GB : cover
D : *Deckung*
E : cobertura
I : *copertura*
Montant d'une transaction consignée en garantie jusqu'au dénouement ultérieur de celle-ci (sur un marché à terme)

COUVERTURE TEMPORAIRE
GB : temporary cover
D : *temporäre Deckung*
E : cobertura provisional
I : *copertura provvisoria*

CRÉANCE
GB : debt
D : *Schuld*
E : deuda
I : *debito*
Contrepartie d'une dette

CRÉANCE DOUTEUSE
GB : doubtful debt
D : *zweifelhafte Forderung*
E : deuda de pago dudoso
I : *credito dubbio*
Dont le recouvrement est incertain

CRÉANCE IRRÉCOUVRABLE
GB : bad debt
D : *uneinbringliche Schuld*
E : deuda incobrable
I : *credito inesigibile*

CRÉANCES (COMPTABILITÉ)
GB : accounts receivable
D : *Debitoren*
E : cuentas a recibir
I : *conti attivi*
Inscrites au débit des comptes de tiers, elles apparaissent à l'actif du bilan

CRÉANCIER
GB : creditor
D : *Gläubiger*
E : acreedor
I : *creditore*

CRÉANCIER CHIROGRAPHAIRE
GB : unsecured creditor
D : *nicht gesicherter Gläubiger*
E : acreedor no garantizado
I : *creditore non garantito*
Qui ne possède aucune garantie pour le recouvrement de son dû

CRÉANCIER PRIVILÉGIÉ
GB : preferential creditor
D : *bevorrechtigter Gläubiger*
E : acreedor privilegiado
I : *creditore privilegiato*
Créancier bénéficiant d'une priorité de paiement

CRÉATIVITÉ
GB : creativity
D : *Kreativität*
E : creatividad
I : *creatività*

CRÉDIT
GB : credit
D : *Kredit*
E : crédito
I : *credito*

CRÉDIT ACHETEUR
GB : buyer credit
D : *Käuferkredit*
E : crédito de comprador
I : *credito d'acquisto*
Crédit à l'export octroyé par la banque du pays exportateur à l'importateur, qui peut payer comptant l'exportateur

CRÉDIT À COURT TERME
GB : short-term credit
D : *kurzfristiger Kredit*
E : crédito a corto plazo
I : *credito a breve termine*

CRÉDIT À DÉCOUVERT
GB : open credit
D : *offener Kredit*
E : crédito en descubierto
I : *credito allo scoperto*

CRÉDIT À LONG TERME
GB : long-term credit
D : *langfristiger Kredit*
E : crédito a largo plazo
I : *credito a lungo termine*

CRÉDIT À MOYEN TERME
GB : medium-term credit
D : *mittelfristiger Kredit*
E : crédito a mediano plazo
I : *credito a medio termine*

CRÉDIT BAIL
GB : leasing
D : *Pachtkredit*
E : arrendamiento financiero
I : *leasing*
Location assortie d'une promesse de vente au profit du locataire à l'échéance du contrat

CRÉDIT BANCAIRE
GB : bank credit
D : *Bankkredit*
E : crédito bancario
I : *credito bancario*

CRÉDIT DE CAMPAGNE
GB : campaign credit
D : *Kampagnekredit*
E : crédito de campaña
I : *finanziamento per acquisti agricoli*
Crédit de trésorerie couvrant les besoins liés à la saisonnalité de l'activité d'une entreprise

CRÉDIT DOCUMENTAIRE
GB : documentary credit
D : *Dokumenten-Akkreditiv*
E : crédito documentario
I : *credito documentario*
Technique de paiement à l'exportation. Le correspondant de la banque de l'importateur règle l'exportateur contre remise de documents prouvant l'opération

CRÉDITEUR
GB : creditor
D : *Gläubiger*
E : acreedor
I : *creditore*

CRÉDITEURS DIVERS
GB : sundry creditors
D : *Kreditoren*
E : acreedores varios
I : *creditori diversi*

CRÉDIT FOURNISSEUR
GB : trading credit
D : *Lieferantenkredit*
E : crédito de proveedores
I : *credito fornitore*
Accordé à un exportateur par une banque de son pays pour lui permettre d'être payé dès la livraison à son importateur étranger

CRÉDITS BLOQUÉS
GB : frozen credits
D : *eingefrorene Kredite*
E : creditos congelados
I : *crediti bloccati*

CRISE ÉCONOMIQUE
GB : depression
D : *Wirtschaftskrise*
E : crisis economica
I : *crisi*

CROISSANCE
GB : growth
D : *Entwicklung, Wachstum*
E : crecimiento
I : *crescita, sviluppo*

CROISSANCE ÉCONOMIQUE
GB : economic growth
D : *Wirtschaftswachstum*
E : crecimiento economico
I : *sviluppo enonomico*

CURATEUR
GB : administrator (of an estate)
D : *Nachlaßverwalter*
E : administrador
I : *curatore*
Nommé par le juge des tutelles qui détermine sa mission, il assiste le majeur sous curatelle (incapacité partielle ou réduite) pour les opérations importantes

CYBERNÉTIQUE
GB : cybernetics
D : *Kybernetik*
E : cibermética
I : *cibernetica*
Science des mécanismes de la communication et du contrôle

CYCLE DE COMMERCE
GB : trade cycle
D : *Handelszyklus*
E : ciclo del negocio
I : *ciclo degli affari*

CYCLE ÉCONOMIQUE
GB : business cycle
D : *Konjunkturzyklus*
E : ciclo economico
I : *ciclo d'affari*
Alternance de périodes d'expansion et de récession ou de dépression, entrecoupés de crises économiques

CYLINDRÉE
GB : cubic capacity
D : *Hubraum*
E : cilindrada
I : *cilindrata*

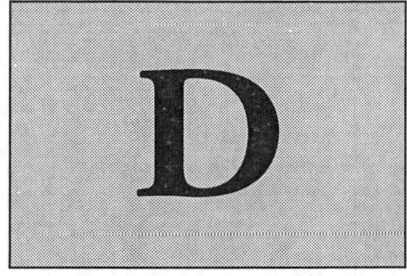

DACTYLO
GB : copy typist (USA transcriber)
D : *Abschreibtypistin*
E : mecanografa
I : *dattilografa*

DATE
GB : date
D : *Datum*
E : fecha
I : *data*

DATE D'ÉCHÉANCE
GB : date of maturity
D : *Fälligkeitstag*
E : fecha de vencimiento
I : *data di scadenza*
Date ultime de paiement d'une dette

DATE DE DÉPART
GB : sailing date
D : *Abgangstag*
E : dia de salida
I : *data di partenza*

DATE DE LIVRAISON
GB : delivery date
D : *Liefertermin*
E : fecha de entrega
I : *data di consegna*

DATE DU REMBOURSEMENT
GB : redemption date
D : *Einlösungstag*
E : fecha de reembolso
I : *data di rimborso*

DATE LIMITE
GB : deadline
D : *Verfallstermin*
E : fecha tope
I : *ultima data o ora possibile*

DATEUR
GB : date-stamp
D : *Tagesstempel*
E : sello de fecha
I : *timbro a data*

DÉBIT
GB : debit
D : *Debel, Soll*
E : débito
I : *debito, dare*

DÉBITEUR
GB : debtor
D : *Schuldner*
E : deudor
I : *debitore*

DÉCENTRALISER
GB : decentralize
D : *dezentralisieren*
E : decentralizar
I : *decentralizzare*

DÉCHETS
GB : waste products
D : *Abfallprodukt*
E : desperdicios
I : *produtto di rifiuto*

DÉCHETS TOXIQUES
GB : toxic waste
D : *giftiger Abfall*
E : efluentes toxicos
I : *rifius tossici*

DÉCIDER
GB : decide
D : *entscheiden*
E : decidir
I : *decidere*

DÉCIMAL
GB : decimal
D : *dezimal*
E : decimal
I : *decimale*

DÉCISION
GB : decision
D : *Entscheidung*
E : decision
I : *decisione*

DÉCLARATION
GB : declaration
D : *Erklärung*
E : declaracion
I : *dichiarazione*

DÉCLARATION D'IMPOT
GB : tax return
D : *Steuererklärung*
E : declaracion de ingresos
I : *dichiarazione fiscale*

DÉCLARATION D'EXPÉDITION
GB : declaration of shipment
D : *Absendungserklärung*
E : declaracion de expedicion
I : *dichiarazione d'imbarco*

DÉCLARATION DE REVENU
GB : income-tax return
D : *Einkommensteuererklärung*
E : declaracion fiscal
I : *dichiarazione del reddito*

DÉCLARATION D'INTENTION
GB : declaration of intent
D : *Willenserklärung*
E : declaracion de intencion
I : *dichiarazione d'intenzione*

DÉCLARATION EN DOUANE
GB : customs declaration
D : *Zollerklärung*
E : declaracion de aduana
I : *dichiarazione doganale*
Document déposé à l'administration des Douanes pour toute marchandise importée ou exportée

DÉCLARATION INEXACTE
GB : misrepresentation
D : *Verdrehung*
E : declaracion falsa
I : *dichiarazione falsa*

DÉCLARATION SOUS SERMENT
GB : affidavit
D : *beeidigte Erklärung*
E : declaracion jurada
I : *dichiarazione giurata*
Affirmation écrite attestant la sincérité d'une déclaration

DÉCLARER
GB : declare
D : *erklären*
E : declarar
I : *dichiarare*

DÉCLIN
GB : decline
D : *Niedergang*
E : decadencia
I : *declino*

DÉCOTE
GB : tax deduction
D : *Unterbewertung*
E : deducción
I : *esonero degressivo*
Abattement opéré par rapport à la valeur nominale d'un bien pour la rapprocher de la réalité du marché

DÉCOUVERT
GB : overdraft
D : *Überziehung*
E : sobregiro, saldo deudor
I : *scoperto*
Compte bancaire débiteur; autorisation donnée par la banque de tirer des chèques pour un montant supérieur à la provision d'un compte

DÉCROISSANT
GB : diminishing
D : *abnehmend*
E : decreciente
I : *decrescente*

DÉDOMMAGER
GB : indemnify
D : *entschädigen*
E : indemnizar, resarcir
I : *indemnizzare, risarcire*

DÉDOUANEMENT
GB : customs clearance
D : *Zollabfertigung*
E : paso de aduanas
I : *sdoganamento*

DÉDOUANER
GB : clear through customs
D : *verzollen*
E : retirar de aduanas
I : *sdoganare*
Acquitter les droits ou taxes qui frappent une marchandise

DÉDUCTIBLE DE L'IMPOT
GB : tax deductible
D : *steuerabsetzbar*
E : deductible de impuestos
I : *deductible da tassa*

DÉDUCTIONS FISCALES SUR INVESTISSEMENTS
GB : capital allowances
D : *Steuerbegünstigung auf Anlagen*
E : deducciones fiscales sobre inversiones
I : *deduzioni fiscali sugli investimenti*

DÉDUIRE
GB : deduct
D : *abziehen*
E : deducir
I : *dedurre*

DÉFAILLANCE
GB : default
D : *Nichteinhaltung*
E : falta
I : *mancanza*
Carence de paiement d'un débiteur. Situation d'une entreprise qui ne peut faire face à ses échéances

DÉFAILLANCE (EN CAS DE)
GB : in case of default
D : *bei Nichterfüllung*
E : en caso de incumplimiento
I : *in caso di inadempienza*

DÉFAUT
GB : default, defect
D : *Nichteinhaltung, Mangel*
E : falta, defecto
I : *mancanza, difetto*

DÉFAUT DE PAIEMENT
GB : failure to pay
D : *Nichtzahlung*
E : falta de pago
I : *mancato pagamento*
Non-exécution d'une obligation, non acquittement d'une dette

DÉFECTUEUX
GB : faulty
D : *fehlerhaft*
E : defectuoso
I : *difettoso*

DÉFICIT
GB : deficit
D : *Defizit*
E : déficit
I : *deficit*

DÉFLATION
GB : deflation
D : *Deflation*
E : deflacion
I : *deflazione*
Politique de restriction de la demande visant à freiner la hausse ou provoquer la baisse des prix

DÉGATS DES EAUX
GB : water damage
D : *Wasserschaden*
E : dano causado por el agua
I : *danno causato dall'acqua*

DEGRÉ DE SOLVABILITÉ
GB : credit rating
D : *Kreditwürdigkeit*
E : limite de crédito
I : *stima del credito*
Aptitude à tenir ses engagements sur l'ensemble de son patrimoine ou de son actif

DÉGREVEMENT
GB : tax relief
D : *Steuereleichterung*
E : desgravacion
I : *sgravio fiscale*
Suppression ou diminution de l'impôt accordées à titre contentieux (réduction) ou gracieux (remise)

DÉJEUNER (PAUSE)
GB : lunch-hour
D : *Mittagspause*
E : hora del almuerzo
I : *ora di colazione*

DÉLAI DE PAIEMENT
GB : extention of payment time
D : *Verlängerung einer Zahlungsfrist*
E : prorroga de pago
I : *proroga di pagamento*

DÉLAI SUPPLÉMENTAIRE
GB : days of grace
D : *Nachfrist*
E : dias de gracia
I : *giorni di grazia*

DÉLÉGATION
GB : delegation
D : *Delegierung*
E : delegacion
I : *delegazione*
Décentralisation du pouvoir de décision aux échelons hiérarchiques inférieurs

DÉLÉGUÉ
GB : delegate
D : *Delegierte(r)*
E : delegado
I : *delegato*

DÉLÉGUÉ SYNDICAL
GB : shop steward
D : *Unterbewertung*
E : delegado sindical
I : *rappresentante sindacale*

DÉLOCALISATION
GB : delocalization
D : *Entlokalisierung*
E : cambio de sitio
I : *delocalizzazione*
Changement d'implantation géographique de tout ou partie des activités d'une entreprise

DÉLIVRANCE (D'UN BREVET)
GB : grat (of a patent)
D : *Erteilung (eines Patentes)*
E : concesion (de una patente)
I : *concessione (di brevetto)*

DEMAIN
GB : tomorrow
D : *morgen*
E : manana
I : *domani*

DEMANDE
GB : inquiry, application
D : *Nachfrage, Antrag*
E : demanda, solicitud
I : *domanda*

DEMANDÉ
GB : in demand
D : *gefragt*
E : solicitado
I : *ricercato*

DEMANDE (SUR)
GB : on demand
D : *auf Verlangen*
E : a vista
I : *a vista*

DÉMARQUE INCONNUE
GB : shrinkage
D : *unbekannte Nachahmung*
E : precio rebajado desconocido
I : *rubata o danneggiata (es: in un supermercato)*
Différence entre inventaires théoriques et inventaires physiques due aux vols ou aux erreurs de gestion

DÉMETTRE (SE)
GB : resign
D : *zurücktreten*
E : dimitir
I : *dimettersi*

DEMI-SALAIRE
GB : half-pay
D : *Halbsold*
E : medio salario
I : *mezza paga*

DÉMISSION (REMETTRE SA)
GB : hand in one's resignation
D : *den Rücktritt einreichen*
E : presentar la dimision
I : *rassegnare le dimission*

DÉMONTER
GB : establish, prove
D : *beweisen*
E : demonstrar, probar
I : *dimostrare, provare*

DÉNI
GB : disclaimer
D : *Ablehnung*
E : renuncia
I : *rinunzia*
Refus de reconnaître un droit

DÉPARTEMENT
GB : department
D : *Abteilung*
E : departamento
I : *dipartimento*

DÉPART USINE
GB : ex works
D : *ab Werk*
E : de fabrica
I : *franco fabbrica*

DÉPENSE DÉDUCTIBLE
GB : allowable expense
D : *abziehbare Unkosten*
E : gastos deducibles
I : *spesa permessa*

DÉPENSES DE PUBLICITÉ
GB : advertising expenditure
D : *Werbekosten*
E : gastos publicitarios
I : *spese di pubblicità*

DÉPLACEMENT
GB : displacement
D : *Tonnengehalt*
E : desplazamiento
I : *dislocamento*

DÉPORT
GB : backwardation
D : *Kursabschlag*
E : prima de aplazamiento
I : *deporto*
Différence entre le cours au comptant d'un actif et son cours à terme lorsque ce dernier est inférieur

DÉPOSANT
GB : depositor
D : *Einzahler*
E : *depositante*
I : *depositante*

DÉPOSER
GB : file
D : *einlegen*
E : interponer
I : *depositare*

DÉPOSER (À LA BANQUE)
GB : bank
D : *einlegen, einzahlen*
E : depositar (en el banco)
I : *depositare (in una banca)*

DÉPOSITAIRE
GB : depositary, bailee
D : *Verwahrer, Gewahrsaminhaber*
E : depositario
I : *depositario*

DÉPÔT
GB : deposit
D : *Depot*
E : deposito
I : *deposito*

DÉPÔT (EN)
GB : at warehouse
D : *auf Lager*
E : en almacén
I : *in deposito*

DÉPÔT À TERME (FIXE)
GB : fixed deposit
D : *Depositeneinlage*
E : deposito a plazo fijo
I : *deposito a termine fisso*
Fonds que le déposant s'engage à réclamer à échéances fixes moyennant le versement d'un intérêt par la banque

DÉPÔT BANCAIRE
GB : bank deposit
D : *Bankeinlage*
E : deposito bancario
I : *deposito bancario*

DÉPÔT DE BILAN
GB : petition in bankruptcy
D : *Konkursanmeldung*
E : declaración de quiebra
I : *deposito di bilancio*

DÉPÔT EN COFFRE-FORT
GB : safe deposit
D : *Verwahrung im Stahlfach*
E : deposito en caja fuerte
I : *servizio de cassette di sicurezza*

DÉPRÉCIATION
GB : depreciation
D : *Entwertung, Abschreibung*
E : depreciacion
I : *ammortamento*

DÉPRÉCIATION DE LA MONNAIE
GB : depreciation of money
D : *Geldabwertung*
E : desvalorizacion de la moneda
I : *svalutazione della moneta*
Diminution, perte de sa valeur en terme de pouvoir d'achat

DÉPRÉCIER
GB : depreciate
D : *entwerten*
E : depreciar
I : *deprezzare*

DERNIER JOUR
GB : closing date
D : *Schlußtermin*
E : ultimo dia
I : *ultima data*

DERNIER VERSEMENT
GB : final instalment
D : *letzte Rate*
E : ultimo plazo
I : *ultima rata*

DESCRIPTION
GB : description
D : *Beschreibung*
E : descripcion
I : *descrizione*

DESCRIPTION DU TRAVAIL
GB : job description
D : *Arbeitsbeschreibung*
E : descripcion del trabajo
I : *descrizione del lavoro*

DÉSHYPOTHÉQUÉ
GB : free from mortgage
D : *von Hypothek befreit*
E : deshipotecado
I : *libero d'ipoteca*
Bien dont on a levé l'hypothèque

DESIGN
GB : design
D : *Design*
E : diseño
I : *design*
Conciliant l'esthétique et le fonctionnel, toutes les activités d'harmonisation des formes dans ce qui fait notre environnement et notre cadre de vie

41

DESSEIN
GB : design
D : *Zeichnung*
E : diseno
I : *disegno*

DESSINATEUR
GB : draughtsman
D : *Entwerfer*
E : dibujante
I : *disegnatore*

DESTINATAIRE
GB : addressee consignee
D : *Adressat, Empfänger*
E : destinatario consignatario
I : *destinatario consegnatario*

DESTINATION
GB : destination
D : *Bestimmungsort*
E : destino
I : *destinazione*

DÉTAILLÉ
GB : intemized
D : *postenmäßig dargestellt*
E : detallado
I : *dettagliato*

DÉTAILS
GB : particulars
D : *Einzelheiten, Angaben*
E : detalles
I : *particolari*

DÉTENIR DES ACTIONS
GB : hold shares
D : *beteiligt sein, Aktien besitzen*
E : tener acciones
I : *tenere azioni*

DÉTENTEUR
GB : holder
D : *Inhaber*
E : titular
I : *titolare*

DÉTENTEUR DE TITRES
GB : stockholder
D : *Aktieninhaber*
E : accionista
I : *azionista*

DÉTOURNEMENT DE FONDS
GB : embezzlement
D : *Unterschlagung*
E : defalco
I : *appropriazione indebita*

DÉTOURNER
GB : embezzle
D : *unterschlagen*
E : defalcar
I : *appropriarsi indebitamenle*

DETTE COMPTABLE
GB : book debt
D : *Buchschuld*
E : deuda contrabilizada
I : *debito attivo*
Dettes monétaires inscrites au passif du bilan

DETTE PUBLIQUE
GB : national debt
D : *Staatsschuld*
E : deuda publica
I : *debito pubblico*
Ensemble des engagements à la charge de l'Etat

DETTES À COURT TERME
GB : short-term debts
D : *kurzfristige Schulden*
E : deudas a corto plazo
I : *debiti a breve scadenza*

DETTES À LONG TERME
GB : long-term debts
D : *langfristige Schulden*
E : deudas a largo plazo
I : *debiti a lunga scadenza*

DÉVALUATION
GB : devaluation
D : *Währungsabwertung*
E : devaluacion
I : *svalutazione*
Diminution de la valeur-or d'une monnaie et de sa valeur de change

DEVIS
GB : estimate
D : *Kostenvoranschlag*
E : presupuesto
I : *preventivo*
Description détaillée et montant estimatif de travaux à accomplir

DEVISES
GB : foreign exchange, currencies
D : *Devisen*
E : divisas extranjeras
I : *valuta estera*
Moyens de paiement libellés dans une monnaie étrangère

DEVIS RECTIFIÉ
GB : revised estimate
D : *überarbeitete Schätzung*
E : calculo revisado
I : *preventivo riveduto*

DEVIS SUPPLÉMENTAIRE
GB : supplementary estimate
D : *Nachschätzung*
E : calculo suplementario
I : *preventivo supplementare*

DIAGNOSTIC
GB : diagnosis
D : *Diagnose*
E : diagnóstico
I : *diagnosi*

DIAGRAMME
GB : diagram
D : *graphische Darstellung*
E : diagrama
I : *diagramma*
Graphique permettant de représenter un phénomène déterminé

DICTAPHONISTE
GB : audio-typist (USA dictaphone operator)
D : *Audiotypistin*
E : audio-mecanografa
I : *dittafonista*
Personne qui transcrit sous la dictée d'un magnétophone

DICTÉE
GB : dictation
D : *Diktat*
E : diciado
I : *dettato, dettatura*

DICTER
GB : dictate
D : *diktieren*
E : dictar
I : *dettare*

DIFFÉRENCE
GB : difference
D : *Unterschied*
E : diferencia
I : *differenza*

DIFFÉRENCE DE PRIX
GB : difference in price
D : *Preisunterschied*
E : diferencia de precio
I : *differenza di prezzo*

DIFFÉRENTIEL
GB : differential
D : *Differenz, Differential*
E : diferencial
I : *differenziale*

DIFFÉRER
GB : hold over, defer
D : *aufschieben, zurückstellen*
E : aplazar, diferir
I : *differire*

DIFFICILE
GB : difficult
D : *schwierig*
E : dificil
I : *difficile*

DIGNE DE CONFIANCE
GB : reliable
D : *zuverlässig*
E : digno de confianza
I : *fidato, attendibile*

DIPLOME
GB : diploma
D : *Diplom*
E : diploma
I : *diploma*

DIRECTEUR (VOIR AUSSI CHEF)
GB : manager, director
D : *Geschäftsleiter, Direktor*
E : director
I : *direttore*

DIRECTEUR COMMERCIAL
GB : sales manager
D : *Verkaufsleiter*
E : jefe de ventas
I : *direttore commerciale*
Responsable de la commercialisation
de produits ou services

DIRECTEUR DU MARKETING
GB : marketing director
D : *Absatzdirektor*
E : director mercantil
I : *direttore di mercato*
Responsable de la détection des
besoins et de l'adaptation en
continu de la production et de la
commercialisation afin de dévelop
per les ventes

DIRECTEUR GÉNÉRAL
GB : chief executive
D : *Geschäftsführer*
E : jefe ejecutivo
I : *direttore generale*

DIRECTION GÉNÉRALE
GB : top management
D : *Direktion*
E : direccion superior
I : *direzione superiore*

DIRECTIVE
GB : directive
D : *verordnung*
E : directiva
I : *direttivo*
Ensemble d'indications générales
exprimées par une autorité à ses
subordonnés

DIRIGEANT
GB : executive
D : *Geschäftsleiter*
E : directivo
I : *dirigente*

DISCRIMINATOIRE
GB : discriminatory
D : *unterschiedlich*
E : discriminatorio
I : *discriminatorio*

DISCOUNT
GB : discount
D : *Discount*
E : descuento
I : *ribasso, sconto*
Escompte, remise, rabais

DISCUSSION (ROUVRIR LA)
GB : re-open discussions
D : *Verhandlungen wiederauf-
nehmen*
E : reabrir la discusion
I : *riaprire la discussione*

DISPONIBILITÉS
GB : funds available
D : *flüssige Mittel*
E : fondos disponibles
I : *fondi disponibili, disponibi-
lità*
Voir Actif liquide (ou disponible)

DISPOSITION
GB : disposal
D : *Verfügung*
E : disposicion
I : *disposizione*
Point que règle une loi, un contrat

DISSIDENT
GB : dissenting
D : *abweichend*
E : disitente
I : *dissidente*

DISSOLUTION
GB : dissolution
D : *Auflösung*
E : *dissolucion*
I : *scioglimento*
Séparation, annulation légales

DISTANCE
GB : distance
D : *Entfernung*
E : distancia
I : *distanza*

DISTILLERIE
GB : distillery
D : *Brennerei*
E : destileria
I : *distilleria*

DISTRIBUER
GB : distribute
D : *vertreiben, verteilen*
E : distribuir
I : *distribuire*

DISTRIBUTEUR
GB : distributor
D : *Verkaufsagent, Konzes-
sionär*
E : distribuidor concesionario
I : *distributore, concessionario*

DISTRIBUTEUR AUTOMATIQUE
GB : vending machine
D : *Verkaufsautomat*
E : maquina expendedora
I : *macchina venditrice auto-
matica*

**DISTRIBUTEUR AUTOMATIQUE
BANCAIRE**
GB : cash dispenser
D : *Bargeldauszahlungsauto-
mat*
E : caja automatica
I : *cassa automatica*

DISTRIBUTION
GB : distribution
D : *Verteilung, Vertrieb*
E : reparto, distribucion
I : *ripartizione, distribuzione*

DISTRIBUTION EXCLUSIVE
GB : sole distribution
D : *Ausschliesslichkeitsver-
trieb*
E : distribución exclusiva
I : *distribuzione esclusiva*

DISTRIBUTION DE FRÉQUENCES
GB : frequency distribution
D : *Häufigkeitsverteilung*
E : distribucion de las frecuen-
cias
I : *distribuzione delle fre-
quenze*

DIVERSIFICATION
GB : diversification
D : *Vervielfältigung der Pro-
dukte*
E : diversificacion
I : *diversificazione*
Activité nouvelle ou implantation
sur un nouveau marché

DIVIDENDE
GB : dividend
D : *Dividende*
E : dividendo
I : *dividendo*
Bénéfice éventuellement distribué
chaque année aux actionnaires d'une
société de capitaux

DIVIDENDE INTÉRIMAIRE
GB : intern dividend
D : *vorläufige Dividende*
E : dividendo provisional
I : *acconto di dividendo*
Dividende distribué périodiquement
aux actionnaires en acompte sur
celui de l'exercice (dividende final)

DIVIDENDE SEMESTRIEL
GB : half-yearly dividend
D : *halbjährliche Dividende*
E : dividendo semestral
I : *dividendo semestrale*

DIVIDENDE-WARRANT
GB : dividend warrant
D : *Gewinnanteilschein*
E : cupon de dividendos
I : *cedola di dividendo*
Dividende assorti d'un bon de sous-
cription permettant l'achat ultérieur
d'actions à un prix égal ou supérieur

DIVISION
GB : division
D : *Teilung, Abteilung*
E : division, seccion
I : *divisione*

DIVISION DU TRAVAIL
GB : division of labour
D : *Arbeitsteilung*
E : division del trabajo
I : *divisione del lavoro*

DOCK
GB : dock
D : *Dock*
E : muelle
I : *dock*
Quai de déchargement pour les
navires, ou entrepôt destiné à rece-
voir leur cargaison

DOCKER
GB : docker (USA longshore-man)
D : *Hafenarbeiter*
E : gargador de muelle
I : *lavoratore del porto*

DOCUMENT
GB : document
D : *Urkunde*
E : documento
I : *documento*

DOIT
GB : debit
D : *Debet, Soll*
E : *débito*
I : *debito, dare*

DOMAINE INDUSTRIEL
GB : industrial estate (USA industrial park)
D : *Industriegebiet*
E : precinto industrial
I : *centro industriale*

DOMICILIATION
GB : domiciliation
D : *Sitz*
E : domiciliación
I : *domiciliazione*
Inscription sur un effet de commerce qui permet à un tiers (souvent une banque) d'en régler le montant au bénéficiaire. Lieu de paiement de l'effet de commerce

DOMMAGE
GB : damage, injury
D : *Beschädigung, Schaden*
E : dano
I : *danno*

DOMMAGES-INTÉRETS
GB : damages
D : *Schadenersatz*
E : danos
I : *danni*
Indemnité de réparation d'un préjudice assortie des intérêts accumulés depuis qu'il a été subi

DON
GB : gift
D : *Geschenk*
E : regalo
I : *dono, donazione*

DONNÉES
GB : data
D : *Daten*
E : datos
I : *dati*
Eléments de base servant de point de départ à un raisonnement

DONNER DE L'AVANCEMENT À
GB : promote
D : *befördem*
E : ascender
I : *promuovere*

DOSSIER
GB : file
D : *Akte*
E : archivo
I : *archivio*

DOTATION AUX AMORTISSE-MENTS
GB : depreciation allowance
D : *Abschreibung auf Ausstattungen*
E : dotación para amortizaciones
I : *dotazione destinata agli ammortamenti*
Estimation de la perte irréversible de valeur subie par les éléments d'actif (charges correspondant en général à un amortissement annuel)

DOTER
GB : endow
D : *ausstatten*
E : dotar
I : *dotare*

DOUANE
GB : customs
D : *Zoll*
E : aduana
I : *dogana*

DOUBLE
GB : duplicate
D : *Duplikat*
E : duplicaro
I : *duplicato*

DOUBLE OPTION
GB : double option
D : *Stellagegeschäft*
E : opcion doble
I : *opzione doppia*
Option du double. Type d'option supprimé en 1989 par la SBF

DROIT ACQUIS
GB : vested interest
D : *festbegründetes Recht*
E : interés creado
I : *diritto acquisito*

DROIT ATTACHÉ
GB : cum dividend
D : *mit Dividende*
E : con dividendo
I : *con dividendo*
Valeur mobilière sur laquelle le droit d'attribution ou de souscription qui l'accompagne n'a pas encore été exercé

DROITS D'AUTEUR
GB : copyright
D : *Urheberrech*
E : derechos de autor
I : *diritti d'autore*

DROIT DE DOUANE
GB : customs duty
D : *Zoll*
E : derechos de aduanas
I : *diritti doganale*

DROIT D'ENREGISTREMENT
GB : registration free
D : *Anmeldegebühr*
E : derechos de registro
I : *tassa di registrazione*
Impôt dû à l'occasion de certaines opérations donnant lieu à un acte écrit

DROIT D'ENTRÉE
GB : entrance free
D : *Eintrittsgebühr*
E : derecho de entrada
I : *tassa d'entrata*
Droit d'importation, impôt à acquitter pour les marchandises à l'entrée dans un pays

DROIT DE RETENTION
GB : lien
D : *Pfandrecht*
E : derecho de retencion
I : *diritti di sequestro*
Pour un créancier, droit de refuser de restituer un bien appartenant à son débiteur tant que celui-ci ne s'est pas acquitté de sa dette

DROIT DE TIMBRE
GB : stamp duty
D : *Stempelgebühr*
E : impuesto del timbre
I : *tassa di bollo*
Impôt indirect auquel sont soumis certains actes

DROITS
GB : rights
D : *Rechte*
E : derechos
I : *diritti*

DROITS DE RECOURS (AVEC)
GB : with recourse
D : *mit Rückgriff*
E : con recurso
I : *con risorso*
Qui comporte une disposition permettant de déférer une décision administrative à son auteur

DROITS DE RECOURS (SANS)
GB : without recourse
D : *ohne Rückgriff*
E : sin recurso
I : *senza ricorso*

DROITS DE SUCCESSION
GB : estate duty (USA estate tax)
D : *Nachlaßsteuer*
E : derechos de sucession
I : *diritti successione*

DROITS DE SOUSCRIPTION
GB : application rights
D : *Zeichnungsberechtigung*
E : derechos de suscripción
I : *diritti di sottoscrizione*
Faculté ouverte à un actionnaire de recevoir des actions supplémentaires à l'occasion d'une augmentation de capital en numéraires

DROITS PORTUAIRES
GB : port charges
D : *Hafengebühren*
E : derechos portuarios
I : *diritti portuali*

DUCROIRE
GB : decredere
D : *Delkredere*
E : delcredere
I : *del credere*

DUMPING
GB : dumping
D : *Dumping*
E : inundacion de mercancia barata
I : *dumping*
Ensemble de mesures destinées à abaisser les prix de produits exportés pour les rendre plus concurrentiels

DUPLICATA
GB : duplicate
D : *Duplikat*
E : duplicado
I : *duplicato*

DURÉE
GB : duration
D : *Dauer*
E : duracion
I : *durata*

DURÉE DU TRAVAIL
GB : hours of work
D : *Arbeitszeit*
E : jormada laboral
I : *ore lavorative*

DYNAMIQUE DE GROUPE
GB : group dynamism
D : *Gruppendynamik*
E : dinámica de grupo
I : *dinamica di gruppo*
Etude expérimentale de l'évolution de petits groupes sous différents aspects : décision, productivité, communication etc.

EAUX TERRITORIALES
GB : territorial waters
D : *Hoheitsgewässer*
E : aguas territoriales
I : *acque territoriali*
Zone maritime appartenant à un
Etat et soumise à sa juridiction

ÉCART
GB : discrepancy
D : *Abweichung*
E : desacuerdo
I : *divergenza*

ÉCART TYPE
GB : standard deviation
D : *Streuung*
E : desviación estándar
I : *scarto quadratico medio*
Le plus utilisé des indicateurs de dis-
persion dans l'étude de la répartition
d'une population statistique (la dis-
persion permet de mesurer l'écart
entre les valeurs extrêmes prises par
un caractère statistique)

ÉCHANGE
GB : exchange
D : *Tausch*
E : cambio
I : *cambio*

ÉCHANTILLON
GB : sample
D : *Probe, Muster*
E : muestra
I : *campione*

ÉCHANTILLON EXHAUSTIF
GB : exhaustive sample
D : *Komplettmuster*
E : muestra exhaustiva
I : *campione esauriente*
Echantillon qui n'a pas été prélevé
dans une population mère

ÉCHANTILLON GRATUIT
GB : free sample
D : *Kostenlose Probe*
E : muestra gratuita
I : *campione gratuito*

ÉCHANTILLON SANS VALEUR
GB : sample on no value
D : *Muster ohne Wert*
E : muestra sin valor
I : *campione senza valore*

ÉCHÉANCE
GB : maturity
D : *Fälligkeit*
E : vencimiento
I : *scadenza*

ÉCHELLE
GB : scale
D : *Maßstab*
E : escala
I : *scala*

ÉCHELLE MOBILE
GB : sliding scale
D : *gleitende Skala*
E : escala movil
I : *scala mobile*

ÉCHOIR
GB : fall due
D : *faïllig dein*
E : vencer
I : *scadere, essere pagabile*
Arriver à échéance

ÉCHOUER
GB : fail
D : *versagen, durchfallen*
E : fallar, faltar
I : *mancare, fallire*

ÉCONOMÉTRIE
GB : econometrics
D : *Ökonometrie*
E : econometria
I : *econometria*
Application des mathématiques à
l'analyse des mécanismes écono-
miques

ÉCONOMIE, ÉCONOMIE POLITIQUE
GB : (the) economy, economics
D : *Wirtschaft, Volkswirt-
schaftslehre*
E : economia
I : *economia*
La conception dominante l'assimile
à la science économique, science des
moyens, la politique étant le choix
des fins

ÉCONOMIE MIXTE
GB : mixed economy
D : *Gemischwirtschaft*
E : economia mixta
I : *economia mista*
Système dans lequel collaborent col-
lectivités publiques et industrie pri-
vée

ÉCONOMIE PLANIFIÉE
GB : planned economy
D : *Planwirtschaft*
E : economia planificada
I : *economia pianificata*

ÉCONOMIE D'ÉCHELLE
GB : economies of scale
D : *System der degressiven
Koten*
E : economia en funcion de
volumen
I : *economie in funzione della
grandezza*
Réduction des coûts unitaires par
augmentation de la production et
meilleure répartition des coûts fixes

**ÉCONOMIE SOCIALE (OU TIERS-
SECTEUR)**
GB : tertiary sector
D : *Sozialwirtschaft*
E : economía social
I : *economia sociale*
Regroupe principalement le secteur
des coopératives, celui des mutuelles
et celui des associations

ÉCONOMIQUE
GB : economic
D : *wirtschaftlich*
E : *economico*
I : *economico*

EFFECTIFS
GB : work force
D : *Belegschaft*
E : masa obrera
I : *massa lavoratrice*

EFFET DE COMMERCE
GB : negotiable instrument
D : *begebbares Wertpapier*
E : titulo negociable
I : *titulo negoziabile*
Titre de créance négociable et cessible par endossement (voir ce mot)

EFFET ESCOMPTÉ
GB : discounted bill
D : *Diskontwechsel*
E : efecto descontato
I : *cambiale scontata*
Effet de commerce qui permet à son détenteur d'obtenir immédiatement des fonds en échange de sa créance

EFFET EXIGIBLE À VUE
GB : bill payable at sight
D : *Sichttratte*
E : letra a la vista
I : *effecto pagabile a vista*
Effet payable immédiatement dès qu'il est présenté

EFFETS
GB : effects, securities
D : *Effekten*
E : efectos
I : *effetti*

EFFETS À PAYER
GB : bills payable
D : *Wechselschulden*
E : letras pagaderas
I : *effetti passivi*
Compte enregistrant des dettes représentées par des effets de commerce

EFFETS À RECEVOIR
GB : bills receivable
D : *Wechselforderungen*
E : letras a cobrar
I : *effetti attivi*
Compte enregistrant des créances représentées par des effets de commerce

EFFICACITÉ
GB : effectiveness, efficiency
D : *Wirksamkeit, Leistungsfähigkeit*
E : eficacia, eficiencia
I : *efficacia, efficienza*

ÉLASTICITÉ DES PRIX
GB : price elasticity
D : *Preisdehnbarkeit*
E : elasticidad de precio
I : *elasticità di prezzo*

ÉLECTRICITÉ
GB : electricity
D : *Elektrizität*
E : electricidad
I : *elettricità*

ÉLECTROMÉNAGER
GB : household electrical goods
D : *elektrische Haushaltsgüter*
E : aparatos eléctricos de casa
I : *elettrodomestici*

ÉLECTRONIQUE ADJ
GB : electronic
D : *elektronisch*
E : electronico
I : *elettronico*

ÉLECTRONIQUE NM
GB : electronics
D : *Elektronik*
E : electronica
I : *elettronica*

EMBALLAGE
GB : packing
D : *Verpackung*
E : embalaje, envase
I : *imballaggio*

EMBALLAGE PERDU
GB : disposable wrapping
D : *wegwerfbare Verpackung*
E : envoltura desechable
I : *imballaggio a perdere*

EMBARQUEMENT
GB : embarcation, shipment
D : *Einschiffung, Verladung*
E : embarco, embarque
I : *imbarco*

ÉMETTRE
GB : issue
D : *ausgeben*
E : emitir
I : *emettere*

ÉMETTRE UN EMPRUNT
GB : float a loan (USA raise a loan)
D : *eine Anleihe begeben*
E : emitir un empréstito
I : *lanciare un prestito*

ÉMISSION NON COUVERTE
GB : undersubscribed issue
D : *nicht in voller Höhe gezeichnete Emission*
E : emision no totalmente subscrita
I : *emissione non interamente sottoscritta*
Emission dont les titres n'ont pas été entièrement souscrits

EMMAGASINAGE
GB : storage
D : *Lagerung*
E : almacenamiento
I : *magazzinaggio*

EMMAGASINER
GB : store
D : *lagern*
E : almacenar
I : *immagazzinare*

ÉMOLUMENTS
GB : emolument
D : *Bezüge*
E : emolumento
I : *emolumento*
Salaire

ÉMOLUMENTS DES ADMINISTRATEURS
GB : directors' emoluments
D : *Direktorenbezüge*
E : emolumentos de directores
I : *emolumenti degli amministratori*

EMPECHEMENT
GB : hindrance
D : *Hinderung*
E : impedimento
I : *impedimento*

EMPLOI
GB : employment, job
D : *Beschäftigung, Stellung*
E : empleo
I : *impiego*

EMPLOYÉ NM
GB : employee
D : *Angestellte(r), Arbeitnehmer*
E : empleado
I : *impiegato*
Catégorie socio-professionnelle de salariés de qualifications variées n'exerçant pas un travail manuel ou directement productif

EMPLOYER VB
GB : employ
D : *beschäftigen*
E : emplear
I : *impiegare*

EMPLOYEUR
GB : employer
D : *Arbeitgeber*
E : patrono
I : *datore di lavoro*

EMPRUNT
GB : loan
D : *Anleihe*
E : empréstito
I : *prestito*

EMPRUNTER
GB : borrow
D : *entleihen*
E : pedir un préstamo
I : *prestare*

EMPRUNTEUR
GB : borrower
D : *Kreditnehmer*
E : prestatario
I : *accattatore*

EMPRUNT INTERNATIONAL
GB : external loan
D : *Auslandsanleihe*
E : préstamo exterior
I : *presitio esterno*

EMPRUNT PUBLIC
GB : government loan
D : *Staatsanleihe*
E : empréstito publico
I : *prestito pubblico*
En général, obligations émises par les collectivités publiques (titres d'emprunt d'Etat, bons du Trésor...)

ENCADREMENT
GB : management/control
D : *Rahmen*
E : marco
I : *gruppo dirigente*

ENCAISSER
GB : cash
D : *einkassieren*
E : cobrar
I : *incassare*

ENCAISSEMENT
GB : collection
D : *Einkassieren*
E : cobro
I : *incasso*

ENCHERES
GB : auction sale
D : *Auktion*
E : subasta
I : *incanto*

ENCOMBREMENT DE CIRCULA-TION
GB : traffic jam
D : *Verkehrsstockung*
E : embotellamiento de trafico
I : *ingorgo stradale*

ENDETTEMENT
GB : indebtedness
D : *Verschuldung*
E : endeudamiento
I : *indebitamento*

ENDOSSEMENT
GB : endorsement
D : *Indossament*
E : endoso
I : *girata*
Apposition, par le porteur d'un effet de commerce à son ordre, de sa signature au dos pour le transmettre à un nouveau bénéficiaire

ENDOSSER
GB : endorse
D : *indossieren*
E : endosar
I : *girare*

ENGAGER
GB : engage (USA hire)
D : *anstellen*
E : apalabrar
I : *fissare*

ENGRENAGE
GB : gearing
D : *Getriebe*
E : engranaje
I : *ingranaggio*

ENNEMI
GB : enemy
D : *Feind*
E : enemigo
I : *nemico*

ENQUETE
GB : inquiry
D : *Untersuchung*
E : encuesta
I : *inchiesta*

ENREGISTREMENT
GB : registration
D : *Einschreiben*
E : registro
I : *registrazione (contabile)*
Inscription obligatoire dans les registres publics qui authentifie certains actes

ENREGISTRER
GB : register
D : *registrieren*
E : registrar
I : *registrare*

ENSEIGNEMENT SUPÉRIEUR
GB : higher education
D : *Fortbildung*
E : ensenanza superior
I : *insegnamento superiore*

ENSEIGNE
GB : sign/trade name
D : *Eintrague*
E : letrero
I : *insegna*

ENTENTE
GB : agreement
D : *Übereinkunft*
E : acuerdo
I : *cartello, intesa*

EN-TETE
GB : letterhead
D : *Briefkopf*
E : membrete
I : *intestazione*

ENTRÉE
GB : entry, admission
D : *Eintritt*
E : entrada
I : *entrata*

ENTRÉE GRATUITE
GB : admission free
D : *Eintritt frei*
E : entrada gratuita
I : *ingresso gratuito*

ENTREPOT
GB : warehouse
D : *Warenlager*
E : almacén
I : *magazzino*

ENTREPOT (EN)
GB : in bond
D : *uniter Zollverschluß*
E : en aduanas
I : *sotto vincolo doganale*

ENTREPOT (SOUS DOUANE)
GB : bonded warehouse
D : *Lager unter Zollverschluß*
E : almacén de aduanas
I : *magazzino doganale*
Lieu de dépôt temporaire des marchandises qui n'ont pas encore acquitté droits et taxes d'entrée. Régime douanier suspensif de ces droits

ENTREPRENEUR
GB : entrepreneur, contractor
D : *Unternehmer*
E : empresario, contrastista
I : *intraprenditore, impresario*

ENTREPRENEUR EN BATIMENT
GB : building contractor
D : *Bauunternehmer*
E : contratista de obras
I : *impresa edile*

ENTREPRISE
GB : enterprise
D : *Unternehmen*
E : negocio
I : *impresa*

ENTREPRISE D'UTILITÉ PUBLIQUE
GB : utility company
D : *gemeinnütziges Unternehmen*
E : empresa de servicios publicos
I : *società di servizi pubblici*
Qualité reconnue à certains organismes par l'administration qui leur donne une existence juridique

ENTREPRISE INDIVIDUELLE
GB : one-man business
D : *GbR, Einzelpersonengesellschaft*
E : empresa individual
I : *impresa individuale*
Entreprise dont l'activité est exercée par une personne physique pour son propre compte, patrimoine professionnel et personnel confondus

ENTREPRISE NATIONALISÉE
GB : nationalized company
D : *verstaatlichtes Unternehmen*
E : empresa nacionalizada
I : *impresa nazionalizzata*
Entreprise qui est la propriété exclusive de l'Etat

ENTREPRISE PRIVÉE
GB : private entreprise
D : *Privatunternehmen*
E : empresa privada
I : *impresa privata*

ENTREPRISE PUBLIQUE
GB : public sector company
D : *öffentliches Unternehmen*
E : *empresa pública*
I : *azienda pubblica*
Entreprise dont tout ou partie du capital social appartient à l'Etat (ou à une collectivité publique) et dont l'objectif n'est pas la réalisation d'un profit

ENTRER EN VIGUEUR
GB : become operative
D : *wirksam werden*
E : *entrar en vigor*
I : *entrare in vigore*

ENTRETIEN
GB : maintenance
D : *Instandhaltung*
E : *mantenimiento*
I : *manutenzione*
Conversation suivie entre des interlocuteurs en présence ou non l'un de l'autre

ENTREVUE
GB : appointment, interview
D : *Verabredung, Interview*
E : entrevista
I : *intervista*
Rencontre concertée entre deux ou plusieurs personnes

ENVELOPPE
GB : envelope
D : *Umschlag*
E : sobre
I : *busta*

ENVELOPPE À FENETRE
GB : window-envelope
D : *Fensterbriefumschlag*
E : sobre de ventanilla
I : *busta con finestra*

ENVOI
GB : despatch, consignment
D : *Versand, Versendung*
E : expedicion, consignacion
I : *spedizione, consegna*

ENVOYER
GB : send, forward
D : *expedieren, absenden*
E : expedir, remitir
I : *spedire*

ÉPARGNER
GB : save
D : *aufsparen*
E : ahorrar, economizar
I : *risparmiare, economizzare*

ÉQUILIBRE
GB : equilibrium
D : *Gleichgewicht*
E : equilibrio
I : *equilibrio*

ÉQUILIBRER UN BUDGET
GB : balance a budget
D : *einren Haushaltsplan ins Gleichgewicht bringen*
E : balancear el presupuesto
I : *pareggiare un bilancio*

ÉQUIPE
GB : shift
D : *Schicht*
E : turno
I : *turno*

ÉQUIPE DE NUIT
GB : night shift
D : *Nachtschicht*
E : turno de noche
I : *turno di notte*

ÉQUIPE DE JOUR
GB : day-shift
D : *Tagschicht*
E : turno de dia
I : *turno di giorno*

ÉQUIPEMENT
GB : equipment
D : *Ausrüstung*
E : equipo
I : *equipaggiamento*

ÉQUITABLE
GB : equitable
D : *billig*
E : equitativo
I : *equo*

ERGONOMIE
GB : ergonomics
D : *Ergonomik*
E : ergonomia
I : *ergonomica*
Science de l'adaptation des machines et du travail à l'homme

ERREUR
GB : error
D : *Fehler*
E : error
I : *errore*

ERREUR DE CALCUL
GB : miscalculation
D : *Rechenfehler*
E : calculo erroneo
I : *calcolo errato*

ERREUR OU OMISSION (SAUF)
GB : errors and omissions excepted (e & oe)
D : *Irrtum vorbehalten*
E : salvo error u omision
I : *salvo errori ed omissioni*

ESCOMPTE
GB : discount
D : *Skonto*
E : descuento
I : *sconto, ribasso*
Opération par laquelle une banque verse au porteur d'un effet de commerce le montant de sa créance avant son échéance

ESPACE PUBLICITAIRE
GB : advertising space
D : *Werbeplazierung*
E : espacio publicitario
I : *spazio pubblicitario*

ESPIONNAGE INDUSTRIEL
GB : industrial espionage
D : *Wirtschaftsspionage*
E : espionaje industrial
I : *spionaggio industriale*

ESSAI
GB : test, trial
D : *Probe*
E : ensayo, prueba
I : *saggio, prova*

ESSAI GRATUIT
GB : free trial
D : *kostenlose Probe*
E : prueba gratuita
I : *prova gratuita*

ESSAIMAGE
GB : spinning off
D : *spinning off, Zufallsbene-fit*
E : enjambrazón
I : *apertura di succursali specializzate in attività nuove*
Ensemble des aides financières, techniques, juridiques par lesquelles une entreprise encourage ceux de ses salariés qui le souhaitent à créer leur propre entreprise

ESSENTIEL
GB : material
D : *wesentlich*
E : material
I : *materiale*

ESSIEU (TAXE À L')
GB : axle tax
D : *Achsensteuer (Kfz-Steuer)*
E : eje (tasa por)
I : *asse di un veicolo (tassa proporzionale all')*
Destinée à financer l'entretien des routes, elle frappe tous les camions de marchandises d'un poids total en charge de plus de 16 tonnes

ESTIMER
GB : estimate
D : *einschätzen*
E : estimar
I : *stimare*

ÉTABLISSEMENT
GB : establishment
D : *Gesellschaft*
E : establecimiento
I : *azienda*
Unité de production, lieu physique (non doté de la personnalité juridique) où s'exerce l'activité d'une entreprise

ÉTALAGE
GB : window-display
D : *Fensterauslage*
E : exhibicion en vitrina
I : *mostra in vetrina*

ÉTALON-OR
GB : gold standard
D : *Goldobligation*
E : patron oro
I : *base aurea*
Système de changes fixes où chaque
monnaie est définie par rapport à un
poids d'or (parité-or)

ÉTAT (EN BON)
GB : good repair
D : *in gutem Zustand*
E : en buen estado
I : *in buone condizioni*

ÉTAT FINANCIER
GB : financial statement
D : *Finanzausweis*
E : extracto financiero
I : *relazione finanziaria*

ÉTAT DU MARCHÉ
GB : state of the market
D : *Marktumstände, Markt-
lage*
E : condiciones del mercado,
situación del mercado
I : *condizioni del mercato*

ÉTIQUETTE
GB : label
D : *Etikett*
E : etiqueta
I : *etichetta*

ÉTOFFE
GB : material, cloth
D : *Stoff*
E : tejido
I : *stoffa, tessuto*

ÉTRANGER ADJ
GB : foreign, alien
D : *ausländisch, fremd*
E : extranjero
I : *straniero, estero*

ÉTRANGER NM
GB : foreigner
D : *Ausländer*
E : extranjero
I : *straniero*

ÉTRANGER (À L')
GB : abroad
D : *im Ausland*
E : en el extranjero
I : *all'estero*

ETRE EN DÉSACCORD
GB : disagree
D : *nicht übereinstimmen*
E : no estar de acuerdo
I : *essere in disaccordo*

ÉTUDE DE MOTIVATION
GB : motivational research
D : *Motivforschung*
E : investigacion de motiva-
cion
I : *indagine sulle motivazioni*
Destinée à définir les mobiles domi-
nants qui influencent les comporte-
ments et les choix d'une clientèle
existante ou potentielle

ÉTUDE DE MARCHÉ
GB : market research, market
survey
D : *Marktforschung*
E : investigacion del mercado,
estudio de mercado
I : *indagine di mercato,
ricerca di mercato*

EURO-OBLIGATION
GB : eurobond
D : *Euroobligation*
E : eurobligación
I : *eurobbligazione*
Titre d'emprunt émis en dehors de
son pays d'origine (et libellé en
monnaie étrangère à ce pays) sur les
marchés financiers internationaux

ÉTUDE PROBATOIRE
GB : feasibility study
D : *Durchführbarkeitsanalyse*
E : estudio de viabilidad
I : *studio delle possibilità*
Destinée à démontrer la véracité
d'une proposition, l'exactitude
d'une hypothèse

ÉVALUATION
GB : appraisal, valuation
D : *Abschätzung, Wertbestim-
mung*
E : evaluacion
I : *valutazione*

ÉVALUATION DU TRAVAIL
GB : job evaluation
D : *Arbeitsbewertung*
E : valoracion del trabajo
I : *valutazione del lavoro*
Détermination de la valeur relative
de chaque poste de travail par rap-
port aux autres dans l'entreprise, et
affectation à chacun d'une rémuné-
ration convenable

ÉVALUATION PRUDENTE
GB : conservative estimate
D : *vorsichtige Schätzung*
E : presupuesto prudente
I : *valutazione prudente*

ÉVALUER
GB : evaluate
D : *bewerten*
E : evaluar
I : *valutare*

EXAMEN MÉDICAL
GB : medical examination
D : *ärztliche Untersuchung*
E : examen médico
I : *visita medical*

EXAMEN PLUS ATTENTIF
GB : further consideration
D : *Weiterüberlegung*
E : examen mas detallado
I : *essame piu attento*

EXAMINER
GB : examine
D : *untersuchen*
E : examinar
I : *esaminare*

EXCÉDENT
GB : surplus
D : *Überschuß*
E : excedente
I : *eccedenza*
Solde comptable produits/charges,
avoirs/dettes ou ressources/débou-
chés

EXCÉDENT DE BAGAGES
GB : excess luggage
D : *Ubergepäck*
E : exceso de equipaje
I : *bagaglio eccedente*

EXCÉDENT DE POIDS
GB : excess weight
D : *Übergewicht*
E : peso excedente
I : *eccedenza di peso*

EXCESSIF
GB : excessive
D : *übermäßig*
E : excesivo
I : *eccessivo*

EXCLURE
GB : exclude
D : *ausschließen*
E : excluir
I : *escludere*

EXCLUSION
GB : exclusion
D : *Ausschluß*
E : exclusion
I : *esclusione*

EX-COUPON
GB : ex coupon
D : *ohne Koupon*
E : sin cupon, ex cupón
I : *senza cedola, ex-cedola*
Titre qui ne comporte pas le mon-
tant du dividende à toucher (par
opposition au coupon attaché)

EX-DIVIDENDE
GB : ex dividend
D : *ohne Dividende*
E : sin dividendo, ex divi-
dendo
I : *senza dividendo, ex-divi-
dendo*
Voir Ex-coupon

EX-DROITS
GB : ex rights
D : *ohne Bezugsrecht*
E : *sin privilegio, ex derechos*
I : *senza diritti, ex-diritti*
S'appliquent à une valeur négociée après le détachement d'un droit d'attribution ou d'un droit de souscription

EXÉCUTER
GB : execute
D : *vollstrecken*
E : ejecutar
I : *eseguire*

EXÉCUTER UN TESTAMENT
GB : execute a will
D : *ein Testament vollstrecken*
E : *ejecutar un testamento*
I : *eseguire un testamento*
Accomplir les volontés de son auteur

EXÉCUTION
GB : execution
D : *Vollstreckung*
E : ejecucion
I : *esecuzione*

EXERCICE
GB : accounting period, financial year
D : *Abrechnungszeitraum, Geschäftsjahr*
E : ejercicio
I : *esercizio*
Période pour laquelle sont établies les prévisions ou dégagés les résultats financiers d'une organisation

EXERCICE BUDGÉTAIRE
GB : fiscal year
D : *Steuerjahr*
E : ano fiscal
I : *anno fiscale*
Période d'exécution du budget de l'Etat ou de l'administration

EXERCICE FISCAL
GB : tax year
D : *Steuerjahr*
E : ano fiscal
I : *anno fiscale*
Période pour laquelle les résultats d'exploitation sont arrêtés (pas nécessairement l'année civile)

EXIGIBLE
GB : payable
D : *forderlich*
E : exigible
I : *esigibile*
Ensemble des dettes à court terme apparaissant au passif d'un bilan

EXHAUSTIF
GB : comprehensive
D : *umfassend*
E : completo
I : *comprensivo*

EXORBITANT
GB : exorbitant, outrageous
D : *unmäßig, übertrieben*
E : exorbitante
I : *esorbitante*

EXONÉRATION
GB : exemption (from)
D : *Befreiung*
E : exoneración
I : *esonero*
Dispense légale, totale ou partielle, d'un impôt

EXPÉDIER
GB : dispatch, forward
D : *absenden, expedieren*
E : expedir, remitir
I : *spedire*

EXPÉDITEUR
GB : carrier, consignor
D : *Spediteur, Absender*
E : transportador, consignador
I : *vettore, speditore*

EXPÉDITIONNAIRE
GB : shipping clerk
D : *Expedient*
E : dependiente de muelle
I : *commesso di spedizioniere*
Qui se charge de l'expédition

EXPÉRIENCE
GB : experience
D : *Erfahrung*
E : experiencia
I : *esperienza*

EXPERT
GB : expert
D : *Sachkundige(r), Sachverständige(r)*
E : experto, especialista
I : *esperto, perito*

EXPERT-APPRÉCIATEUR
GB : assessor
D : *Schätzer*
E : asesor
I : *agente delle imposte*
Expert judiciaire nommé par le tribunal pour apprécier, évaluer un préjudice

EXPERT-COMPTABLE
GB : qualifed accountant
D : *Wirtschaftsprüfer*
E : contador habilitado
I : *ragioniere diplomato*
Professionnel spécialisé dans l'analyse, le contrôle et l'organisation des comptabilités

EXPERTISE
GB : expert's report
D : *Sachverständigengutachten*
E : informe del especialista
I : *perizia*

EXPIRATION
GB : expiry
D : *Ablauf*
E : expiracion
I : *termine*

EXPIRÉ
GB : expired
D : *verfallen*
E : vencido
I : *scaduto*

EXPLOITATION
GB : development
D : *Erschließung*
E : explotacion
I : *valorizzazione*

EXPLOITER
GB : exploit
D : *ausbeuten*
E : explotar
I : *sfruttare*

EXPONENTIEL
GB : exponential
D : *Exponential*
E : exponencial
I : *esponenziale*

EXPORTATEUR
GB : exporter
D : *Exporteur*
E : exportador
I : *exportatore*

EXPORTER
GB : export
D : *ausführen*
E : exportar
I : *esportare*

EXPOSANT
GB : exhibitor
D : *Aussteller*
E : exhibidor
I : *espositore*

EXPOSITION
GB : exhibition
D : *Ausstellung*
E : exposicion
I : *esposizione*

EXPROPRIATION
GB : expropriation
D : *Enteignung*
E : expropiacion
I : *espropriazione*

EXPULSER UN LOCATAIRE
GB : evict a tenant
D : *einren Mieter entfernen*
E : desalojar un inquilino
I : *sfrattare un lacatano*

EXTRAIT D'ACTE DE DÉCÈS
GB : death certificate
D : *Totenschein, Sterbeurkunde*
E : partida de defunción
I : *certificato di morte, estratto d'atto di morte*

51

EXTOURNER
GB : to reverse
D : *umgehen*
E : *anular*
I : *stornare*

Pour une banque, rembourser des agios à un client auquel elle a accordé une ristourne ou qui a été victime d'une erreur de sa part

EXTRAPOLATION
GB : extrapolation
D : *Vorausschau*
E : extrapolación
I : *estrapolazione*

Prolongation d'une série d'observations au-delà d'une période connue ou d'un domaine déjà exploré pour en estimer le résultat

EXTRAPOLER
GB : extrapolate
D : *extrapolieren*
E : extrapolar
I : *estrapolare*

FABRICANT
GB : manufacturer
D : *Erzeuger, Hersteller*
E : fabricante
I : *fabbricante*

FABRIQUE
GB : factory
D : *Fabrik*
E : fabrica
I : *fabbrica*

FAÇADE
GB : frontage
D : *Vorderfront*
E : fachada
I : *facciata*

FACILITÉS
GB : facilities
D : *Einrichtungen*
E : facilidades
I : *facilitazione*

FACILITÉS DE CAISSE
GB : overdraft facilities (USA overdraw facility)
D : *Überziehungsdisposition*
E : facilidades de descubierto
I : *facilitazione dio scoperto*
Avance sur un compte courant bancaire

FACTEUR
GB : factor
D : *Umstand*
E : factor
I : *fattore*

FACTEUR DE CONVERSION
GB : conversion factor
D : *Umrechnungskoeffizient*
E : factor de conversion
I : *fattore di conversione*

FACTEUR DE SÉCURITÉ
GB : safety factor
D : *Sicherheitskoeffizient*
E : factor de seguridad
I : *coefficiente di sicurezza*

FACTURE
GB : invoice
D : *Faktura, Rechnung*
E : factura
I : *fattura*

FACTURE COMMERCIALE
GB : commercial invoice
D : *Geschäftsfaktur*
E : factura comercial
I : *fattura commerciale*
Pièce comptable datée établie et adressée par le vendeur à l'acheteur qui mentionne les marchandises vendues, leur prix unitaire et leur prix total

FACTURE PRO-FORMA
GB : pro-forma invoice
D : *Pro-Forma-Rechnung*
E : factura proforma
I : *fattura proforma*
Précède la facture proprement dite (dont elle reprend la forme et les termes) et permet à l'acheteur d'obtenir certaines autorisations

FACTURE FICTIVE
GB : proforma invoice
D : *Proformarechnung*
E : factura proforma
I : *fattura proforma*

FACTURE FINALE
GB : final invoice
D : *Endrechnung*
E : factura final
I : *fattura finale*

FACTURER
GB : invoice
D : *fakturieren*
E : facturar
I : *fatturare*

FAILLI
GB : bankrupt
D : *Gemeinschuldner*
E : quebrado
I : *fallito*
Qui est déclaré en faillite

FAILLITE
GB : bankruptcy, insolvency
D : *Konkurs, Zahlungsunfähigkeit*
E : quiebra, insolvencia
I : *fallimento, insolvenza*
Constatation judiciaire et sanction personnelle d'un entrepreneur dont l'entreprise se trouve en cessation de paiement

FAIRE FAILLITE
GB : go bankrupt
D : *Konkurs anmelden*
E : caer en quiebra
I : *fallire*

FAIRE DE LA CONTREBANDE
GB : smuggle
D : *schmuggeln*
E : pasar de contrabando
I : *contrabbandare*

FAIRE UNE OFFRE
GB : make an offer
D : *eine Offerte machen*
E : hacer una oferta
I : *fare una offerta*

FAIRE PROTESTER (UNE LETTRE DE CHANGE)
GB : protest (a bill)
D : *(einen Wechsel) protestieren*
E : protestar (una letra)
I : *protestare (una cambiale)*
Faire constater par huissier le non-paiement d'un effet de commerce

FAIRE UNE CONTRE-OFFRE
GB : make a counteroffer
D : *ein Gegenangebot abgeben*
E : hacer una contraoerta
I : *fare una controfferta*
Faire une contre-proposition de contrat à quelqu'un

FAISABILITÉ
GB : feasibility
D : *Machbarkeit*
E : factibilidad
I : *fattibilità*
Ce qui est réalisable dans des conditions techniques et économiques définies

FAIT
GB : fact
D : *Tatsache*
E : hecho
I : *fatto*

FAUX
GB : false, counterfeit
D : *falsch, verfälscht*
E : falso, falsificado
I : *falso, contraffatto*
Ecrit imité pour porter préjudice

FAUX-MONNAYEUR
GB : forger
D : *Fälscher*
E : falsificador
I : *falsificatore*

FAUX CHEQUE (CHEQUE EN BOIS)

GB : forged cheque
D : *gefälschter Scheck*
E : cheque falsificado
I : *assegno falsificato*

FAUX FRAIS
GB : incidental expenses
D : *Nebenkosten*
E : gastos imprevistos
I : *spese impreviste*
Dépenses supplémentaires non prévisibles

FÉDÉRAL
GB : federal
D : *Bundes-*
E : federal
I : *federale*

FER
GB : iron
D : *Eisen*
E : hierro
I : *ferro*

FERME ADJ
GB : firm
D : *fest*
E : firme
I : *fermo*
Définitif

FERME ET NON RÉVISABLE
GB : firm and not subject to alteration
D : *fest und unveränderlich*
E : firme y no revisable
I : *fermo e non modificabile*

FEUILLE DE PAIE
GB : payroll
D : *Lohnbuch*
E : nomina de pago
I : *libro paga*

FEUILLE D'INSCRIPTION
GB : entry-form
D : *Antragsformular*
E : solicitud de inscripcion
I : *bolletta d'entrata*

FIABILITÉ
GB : reliability
D : *Zuverlässigkeit*
E : fiabilidad
I : *affidabilità*

FICHE
GB : index card
D : *Indexkarte*
E : ficha
I : *scheda*

FICHIER
GB : card-index file
D : *Kartei*
E : archivo de fichas
I : *schedario*

FICTIF
GB : fictitious
D : *unecht, Schein-*
E : ficticio
I : *fittizio*

FIDÉLITÉ
GB : fidelity
D : *Treue*
E : fidelidad
I : *fedeltà*

FIDUCIAIRE
GB : fiduciary
D : *treuhänderisch*
E : fiduciario
I : *fiduciario*
Voir Société fiduciaire

FILIALE
GB : subsidary company
D : *Tochtergesellschaft*
E : filial, empresa subsidiaria
I : *fialiale*

FIN NF
GB : end
D : *Ende*
E : fin
I : *fine*

FINAL
GB : final
D : *endgültig*
E : final
I : *finale*

FINANCE
GB : finance
D : *Finanz*
E : finanza
I : *finanza*

FINANCER
GB : finance
D : *finanzieren*
E : financiar
I : *finanziare*

FINANCIER ADJ
GB : financial
D : *finanziell*
E : financiero
I : *finanziario*

FIRME
GB : firm, company
D : *Firma*
E : firma, casa
I : *ditta*

FISCAL
GB : fiscal
D : *Finanz-*
E : fiscal
I : *fiscale*

FIXE
GB : fixed
D : *fest*
E : fijo
I : *fisso, fissato*

FLEXIBLE
GB : flexible
D : *flexibel, anpassungsfähig*
E : flexible
I : *flessibile*
Apte à s'adapter aux changements de l'environnement

FLUCTUANT
GB : fluctuating
D : *schwankend*
E : fluctuando
I : *fluttuante*
Soumis à une variation alternative

FLUCTUATION
GB : fluctuation
D : *Schwankung*

E : fluctua*cion*
I : *fluttuazione*

FLUCTUER
GB : fluctuate
D : *schwanken*
E : fluctuar
I : *fluttuare*

FLUIDITÉ
GB : fluidity
D : *Flüssigkeit*
E : fluidez
I : *fluidità*
Caractérise un marché où l'offre s'adapte à la demande sans difficulté

FLUX
GB : flow
D : *Strom*
E : flujo
I : *flusso*
Ce que retracent les comptes d'exploitation et de pertes et profits de l'entreprise

FLUX FINANCIER
GB : financial flow
D : *Finanzierungsfluß*
E : flujo financiero
I : *flusso di capitali*
Transfert de fonds engendré par une opération économique

FOIRE
GB : fair
D : *Messe*
E : feria
I : *fiera*

FOIRE COMMERCIALE
GB : trade fair
D : *Handelsmesse*
E : feria de muestras
I : *fiera commerciale*
Foire où ce qui est exposé est proposé à la vente

FONCTION
GB : function
D : *Aufgabe*
E : funcion
I : *funzione*
Rôle que joue une personne dans le fonctionnement d'une organisation. Ensemble des opérations permettant à l'entreprise d'atteindre ses objectifs

FONCTIONNAIRE
GB : civil servant (USA government employee)
D : *Beamte(r)*
E : funcionario del gobierno
I : *impiegato statale*

FONCTIONNEL ADJ
GB : functional
D : *sachlich, praktisch*
E : funcional
I : *funzionale*

FONCTIONNEL NM
GB : personal assistant (PA) (USA administrative assistant)
D : *persönlicher Assistent*
E : asistente privado
I : *assistente privato*
Qui occupe une fonction opérationnelle dans une organisation

FONDATEUR
GB : founder
D : *Gründer*
E : fundador
I : *fondatore*

FONDÉ DE POUVOIR
GB : authorized representative
D : *Prokurist*
E : apoderado
I : *procuratore (commerciale)*
Personne habilitée à agir au nom d'une autre ou au nom d'une entreprise

FONDER (ÉTABLIR)
GB : establish, found
D : *einrichten, gründen*
E : fundar, establecer
I : *fondare, istituire*

FONDER (UNE CRÉANCE)
GB : fund
D : *fundieren*
E : fundar, consolidar
I : *consolidare*
En justifier le bien-fondé

FONDS
GB : fund
D : *Fonds*
E : fondo
I : *fondo*
Organisme de gestion de fonds en vue d'une utilisation déterminée

FONDS BLOQUÉS
GB : frozen assets
D : *eingefroene Guthaben*
E : activos congelados
I : *attivo congelato*

FONDS COMMERCIAL (COMPTABILITÉ)
GB : business
D : *Laden*
E : comercio
I : *fondi patrimoniali*
Valeur de l'ensemble des éléments incorporels d'une entreprise, non isolée dans le bilan et qui concourent au maintien et au développement de son activité

FONDS COMMUN DE PLACEMENT
GB : mutual fund
D : *gemeinschaftlicher Anlagefonds*
E : fondo de inversión mobiliaria
I : *fondi comuni d'investimento*
Portefeuille de valeurs mobilières et de sommes placées à court ou long terme, détenu par une copropriété gérée par un dépositaire

FONDS D'AMORTISSEMENT
GB : sinking fund
D : *Tilgungsfonds*
E : fondo de amortizacion
I : *fondo di ammortamento*

FONDS DE COMMERCE
GB : business
D : *Laden*
E : comercio
I : *fondi patrimoniali*
Eléments mobiliers corporels (clientèle, droit au bail, licences...) ou incorporels (matériels, outillages...) servant à l'exploitation d'une entreprise

FONDS DE RÉGULARISATION
GB : equalization fund
D : *Ausgleichsfonds*
E : fondo de compensacion
I : *cassa di compensazione*

FONDS DE ROULEMENT
GB : trading capital
D : *Betriebskapital*
E : capital de explotacion
I : *capitale d'esercizio*
Partie des capitaux permanents utilisés pour le financement des actifs circulants de l'entreprise

FONDS EUROPÉEN
GB : European fund
D : *Europäischer Fonds*
E : Fondo europeo
I : *Fondo europeo*
Organisme de gestion de fonds européens

FONDS MONÉTAIRE INTERNATIONAL — FMI
GB : International monetary fund (IMF)
D : *Internationaler Währungsfonds (IWF)*
E : Fondo monetario internacional
I : *Fondo monetario internazionale*
Organisme (comprenant la plupart des Etats membres de l'ONU) créé pour favoriser la stabilité des changes, promouvoir la coopération monétaire internationale et soutenir la croissance de la production et du commerce mondial

FORCE
GB : force
D : *Gewalt*
E : fuerza
I : *forza*
Efficacité d'une campagne d'affichage publicitaire

FORCÉ
GB : forced
D : *Zwangs-*
E : forzado
I : *forzato*

FORCES DE VENTE
GB : sales force
D : *Verkaufspersonal*
E : personal de ventas
I : *forze di vendita*
Ensemble de l'organisation et des responsables de la vente

FORCES ARMÉES
GB : armed forces
D : *Streitkräfte*
E : fuerzas armadas
I : *forze armate*

FORFAIT
GB : lump sum
D : *Pauschalbetrag*
E : monto global
I : *forfait, prezzo forfettario*
Contrat dans lequel un prix est fixé à l'avance pour un montant invariable

FORFAIT (FISCALITÉ)
GB : lump sum
D : *Pauschalbetrag*
E : monto global
I : *prezzo forfettario*
Régime d'imposition des PME qui ne sont pas en mesure de tenir une comptabilité détaillée

FORMALITÉ
GB : formality
D : *Formalität*
E : formalidad
I : *formalità*

FORMALITÉS DOUANIERES
GB : customs clearance
D : *Verzollung*
E : despacho de aduana
I : *sdoganamento*

FORMALITÉS (SANS)
GB : informal
D : *formlos*
E : sin ceremonia
I : *senza formalità*

FORMATION CONTINUE
GB : continuing education
D : *Weiterbildung*
E : formación profesional ocupacional
I : *formazione continua*

FORMATION PROFESSIONNELLE
GB : vocational training
D : *Berufsausbildung*
E : formacion profesional
I : *addestramento professionale*

FORME
GB : form
D : *Form*
E : forma
I : *forma*

FORME DE PRET (SOUS)
GB : on loan
D : *darlehensweise*
E : en préstamo
I : *in prestito*

FORMEL
GB : formal
D : *formell*
E : formal
I : *formale*

FORMER
GB : form
D : *gründen*
E : establecer, formar
I : *formare*

FORMULAIRE
GB : printed form
D : *Vordruck*
E : formulario, impreso
I : *modulo stampato*
Recueil de formules

FORMULAIRE EN BLANC
GB : blank form
D : *Blankoformular*
E : formulario en blanco
I : *modulo in bianco*

FORMULE
GB : formula
D : *Formel*
E : formula
I : *formula*

FORMULE (IMPRIMÉE)
GB : form
D : *Formular*
E : formulario
I : *modulo*
Imprimé, formule administrative

FOUDRE
GB : lightning
D : *Blitz*
E : relampago
I : *fulmine*
Tonneau de grande capacité

FOURGON
GB : guard's van
D : *Packwagen*
E : furgon
I : *bagagliaio*

FOURNIR
GB : supply
D : *beliefern*
E : surtir
I : *fornire*

FOURNISSEUR
GB : supplier
D : *Lieferant*
E : proveedor
I : *fornitore*

FRACTION
GB : fraction
D : *Bruchteil*
E : fraccion
I : *frazione*

FRAGILE
GB : fragile
D : *zerbrechlich*
E : fragil
I : *fragile*

FRAIS
GB : charges, expenditure
D : *Kosten, Ausgaben*
E : costes, desembolso
I : *spesa, spese*

FRAIS BANCAIRES
GB : bank charges
D : *Bankspesen*
E : gastos de banco
I : *spese di banca*

FRAIS COMMERCIAUX
GB : business expenses
D : *Geschäftskosten*
E : gastos de los negocios
I : *spese generali*

FRAIS DE STOCKAGE
GB : storage charges
D : *Lagergeld*
E : gastos de almacenaje
I : *spese di magazzinaggio*

FRAIS DE MANUTENTION
GB : handling charges
D : *Umschlagspesen*
E : gastos de manutencion
I : *spese di gestione*

FRAIS D'ENCAISSEMENT
GB : collection charges
D : *Einzugskosten*
E : gastos de cobranza
I : *spese di riscossione*

FRAIS DE PORT
GB : postage, postal charges
D : *Postspesen*
E : gastos de correo
I : *spese postali*

FRAIS DE REPRÉSENTATION
GB : entertainment expenses
D : *Repräsentationskosten*
E : gastos de representacion
I : *spese di rappresentanza*

FRAIS DE DÉPLACEMENT
GB : travelling expenses
D : *Reisekosten*
E : dietas de viajes
I : *spese di viaggio*

FRAIS D'ÉTABLISSEMENT
GB : set-up costs
D : *Ansiedlungskosten*
E : gastos de establecimiento
I : *spese d'impianto*
Charges correspondant à des opérations qui conditionnent l'existence, l'activité ou le développement d'une société et dont la valeur réelle est nulle

FRAIS D'EXPLOITATION
GB : operating costs
D : *Betriebsausgaben*
E : costes operacionales
I : *spese di gestione*
Ensemble des dépenses engagées lors du processus de production

FRAIS DIRECTS
GB : direct expenses
D : *Einzelkosten*
E : gastos directos
I : *spese dirette*
Charges qu'on peut affecter sans calcul intermédiaire au coût d'un produit déterminé

FRAIS DIVERS
GB : sundry expenses
D : *verschiedene Ausgaben*
E : gastos varios
I : *spese varie*

FRAIS GÉNÉRAUX
GB : general expenses, over-heads
D : *allgemeine Unkosten, Generalunkosten*
E : gastos generales
I : *spese generali*
Ensemble des coûts se rapportant à l'activité d'une entreprise

FRAIS INDIRECTS
GB : indirect costs
D : *Gemeinkosten*
E : costes indirectos
I : *costi indiretti*
Charges qui nécessitent un calcul intermédiaire pour être imputées au coût d'un produit déterminé

FRANCHISE
GB : exemption
D : *Franchise*
E : franquicia
I : *franchigia*
Somme que l'assureur laisse à la charge de l'assuré pour certains dommages

FRANCO
GB : carriage free (USA FOB destination)
D : *frachtfrei*
E : franco de porte
I : *porto franco*
Sans frais pour le destinataire

FRANCO À BORD — FOB
GB : free on board
D : *frei an Bord*
E : franco a bordo
I : *franco a bordo*
Dans les contrats de commerce international, signifie que le prix d'une marchandise n'inclut pas les frais de transport et d'assurance

FRANCO COURTAGE
GB : free of commission
D : *marklergebührenfrei*
E : franco-comision
I : *franco mediazione*

FRANCO D'EMBALLAGE
GB : including packing
D : *Verpackung inbegriffen*
E : franco embalaje
I : *imballaggio incluso*

FRAUDE
GB : fraud
D : *Betrug*
E : fraude
I : *frode*

FRAUDE FISCALE
GB : evasion of tax
D : *Steuerhinterziehung*
E : evasion de pago de impuestos
I : *evasione d'imposta*

FRAUDULEUX
GB : fraudulent
D : *betrügerisch*
E : fraudulento
I : *fraudolento*

FRÉQUENCE
GB : frequency
D : *Häufigkeit*
E : frecuencia
I : *frequenza*

FRET
GB : freight
D : *Fracht*
E : flete
I : *nolo*

FRET AÉRIEN
GB : air freight
D : *Luftfracht*
E : flete aéreo
I : *trasporto aereo*

FRET MARITIME
GB : sea freight
D : *Seefracht*
E : flete marítimo
I : *trasporto marittimo di merce*

FRET PAYÉ D'AVANCE
GB : freight pre-paid
D : *Fracht vorausbezahlt*
E : flete pagado
I : *nolo prepagato*

FRONTIERE
GB : frontier
D : *Grenze*
E : frontera
I : *frontiera*

FUITE
GB : leakage
D : *Leck*
E : escape
I : *colaggio*

FUSION
GB : merger
D : *Verschmelzung*
E : fusion
I : *fusione*
Mise en commun de tous les biens ou activités de plusieurs sociétés qui disparaissent juridiquement pour en créer une nouvelle, ou absorption de toutes les autres par l'une d'entre elles (qui subsiste)

FUSIONNER
GB : amalgamate (USA merge)
D : *fusionieren*
E : amalgamar
I : *fondersi*

FUTUR ADJ
GB : future
D : *künftig*
E : futuro
I : *futuro, avvenire*

GAGE
GB : credit, pledge, security
D : *Pfand*
E : fianza
I : *pegno, garanzia*
Bien mobilier remis à un créancier
par son débiteur en garantie

GAGNER
GB : earn
D : *verdinen*
E : ganar
I : *guadagnare*

GAIN
GB : gain
D : *Gewinn*
E : ganancia
I : *guadagno*

GAINS DE PRODUCTIVITÉ
GB : productivity gains
D : *Produktivitätserträge*
E : ganancias de productividad
I : *ricavo di produttività*
Surplus de productivité

GARAGE
GB : garage
D : *Garage*
E : garaje
I : *autorimessa*

GARANT
GB : guarantor
D : *Bürge*
E : garante, fiador
I : *garante, avallante*

GARANT DE (SE PORTER)
GB : go bail for
D : *Haftkaution geben*
E : salir fiados por
I : *rendersi garante di*

GARANTIE
GB : guarantee, warranty
D : *Garantie*
E : garantia
I : *garanzia*

GARANTIE BANCAIRE
GB : banker's indemnity (USA
banker's guarantee)
D : *Bankgarantie*
E : garantia bancaria
I : *garanzia bancaria*
Cautionnement bancaire

GARANTIR
GB : guarantee
D : *Bürgschaft   leisten,
gewährleisten*
E : garantizar, avalar
I : *garantire, avallare*

GARDIEN DE NUIT
GB : nightwatchman
D : *Nachtwächter*
E : guarda de noche
I : *guardiano notturno*

GATT
GB : GATT
D : *GATT*
E : GATT
I : *GATT*
Voir Accord général sur les tarifs
douaniers et le commerce

GAZ
GB : gas
D : *Gas*
E : gas
I : *gas*

GAZ DE VILLE
GB : town gas
D : *Stadtgas*
E : gas de ciudad
I : *gas di carbon fossile*

GAZ NATUREL
GB : natural gas
D : *Erdgas*
E : gas natural
I : *gas naturale*

GÉNIE
GB : enginering
D : *Maschinenbau*
E : ingenieria
I : *ingegneria*
Arme et service de l'armée de terre
chargés de la construction et de
l'entretien des infrastructures ter-
restres

GÉNIE CIVIL
GB : civil engineering
D : *Ingenieurbau*
E : ingenieria civil
I : *ingegneria civile*
Construction civile et corps des
ingénieurs qui en a la responsabilité

GÉRANT
GB : business manager
D : *Geschäftsführer*
E : gerente de negocios
I : *direttore commerciale*
Dirigeant d'une société en nom col-
lectif, d'une SARL ou d'une société
en commandite

GÉRANT MAJORITAIRE
GB : majority-owner manager
D : *Mehrheitsverwalter*
E : gerente mayoritario
I : *gerente maggioritario*

GÉRANT MINORITAIRE
GB : minority-owner manager
D : *Minderheitsverwalter*
E : gerente minoritario
I : *gerente minoritario*

GESTION
GB : administration
D : *Verwaltung*
E : administracion
I : *gestione*

GESTION DES STOCKS
GB : stock control
D : *Lagerverwaltung*
E : administración de existen-
cias
I : *gestione delle scorte*
Gestion des approvisionnements et
de leurs conditions de stockage

GESTION PRÉVISIONNELLE
GB : previsionnal administration
D : voraussichtliche Bertriebsführung
E : gestión previsible
I : *gestione di previsione*

GISEMENT PÉTROLIFERE
GB : oilfield
D : *Ölfeld*
E : yacimiento de petroleo
I : *giacimento petrolifero*

GLOBAL
GB : global
D : *Global·*
E : global
I : *globale*

GOULOT D'ÉTRANGLEMENT
GB : bottle-neck
D : *Engpaß*
E : embotellamiento
I : *strozzatura*
Insuffisance ou inadaptation d'un facteur de production à la demande d'un marché

GOUVERNEMENT
GB : government
D : *Regierung*
E : gobierno
I : *governo*

GOOD WILL
GB : goodwill
D : *Geschäftswert*
E : goodwill
I : *avviamento, valore d'avviamento*
Survaleur(plus-value liée à l'image d'une entreprise ou élément qualitatif qui contribue à sa valeur)

GRAND LIVRE
GB : ledger
D : *Hauptbuch*
E : libro mayor
I : *libro mastro*
Ensemble des comptes ouverts dans l'entreprise où figurent toutes les opérations enregistrées par nature

GRAND LIVRE D'ACHATS
GB : bought ledger (USA purchase book)
D : *Einkaufsbuch*
E : libro mayor de compras
I : *mastro acquisti*

GRAND LIVRE DES VENTES
GB : sales ledger
D : *Verkaufskontenbuch*
E : libro mayor de ventas
I : *partitario delle vendite*

GRAND MAGASIN
GB : department store
D : *Warenhaus, Kaufhaus*
E : grandes almacenes
I : *grande magazzino*

GRAND PUBLIC
GB : general public
D : *Öffentlichkeit*
E : publico en general
I : *pubblico in genere*

GRANDE SURFACE
GB : supermarket
D : *SB-Warenmarkt*
E : grandes almacenes
I : *supermercato, ipermercato*

GRAPHIQUE
GB : chart, graph
D : *Tabelle, graphische Darstellung*
E : grafico
I : *grafico*

GRATIFICATION
GB : gratuity
D : *Gratifikation*
E : gratificacion
I : *gratifica*
Somme versée en plus d'une rémunération régulière

GREVE
GB : strike
D : *Streik*
E : huelga
I : *sciopero*

GREVE AVEC OCCUPATION DES LIEUX
GB : sit-down strike
D : *Sitzstreik*
E : huelga de brazos caidos
I : *sciopero bianco*

GREVE DU ZELE
GB : work-to-rule strike
D : *Dummelstreik*
E : huelga de celo
I : *sciopero bianco*
Application stricte du règlement dans une administration

GREVE (FAIRE)
GB : strike
D : *streiken*
E : declarar huelga
I : *scioperare*

GREVE GÉNÉRALE
GB : general strike
D : *Generalstreik*
E : huelga general
I : *sciopero generale*

GREVE PERLÉE
GB : go-slow strike (USA slow down)
D : *Bummelstreik*
E : huelga de produccion
I : *sciopero a singhiozzo*
Ralentissement concerté dans le travail

GREVE (PRÉAVIS DE)
GB : strike notice
D : *Streikankündigung*
E : huelga (preaviso de)
I : *sciopero (preavviso di)*
Avertissement et délai réglementaires précédant le démarrage d'une grève

GREVE TOURNANTE
GB : staggered strike
D : *Flackerstreik*
E : huelga alternativa
I : *sciopero articolato*
Affecte successivement divers ateliers, usines ou catégories de personnels

GREVE SAUVAGE
GB : wildcat strike
D : *wilder Streik*
E : huelga espontanea
I : *sciopero selvaggio*

GRÉVISTE
GB : striker
D : *Streikende(r)*
E : huelguista
I : *scioperante*

GRIFFE
GB : maker's label
D : *Marke*
E : rúbrica
I : *firma, griffe*

GRILLE DES SALAIRES
GB : wage scale
D : *Gehaltsstruktur*
E : escala de salarios
I : *tabella salariale*

GROSSISTE
GB : wholesaler
D : *Großhändler, Grossist*
E : mayorista
I : *grossista*

GROUPAGE (SERVICE DE)
GB : groupage service
D : *Groupagedienst*
E : servicio de agrupacion
I : *transporto a collettame*

GROUPE DE PROGRES
GB : progress group
D : *Fortschrittsgruppe*
E : grupo de progreso
I : *gruppo di progresso*
Voir Cercle de qualité

GROUPEMENT D'INTÉRET ÉCONO-MIQUE (GIE)

GB : economic interest grouping

D : *Interessenverband*

E : agrupación de interés económico

I : *gruppo d'interesse economico (GIE)*

Personne morale, sans capital social, constituée par des entreprises juridiquement indépendantes (mais solidairement responsables de leurs dettes) pour développer et améliorer leurs performances

GRUE

GB : crane

D : *Kran*

E : grua

I : *gru*

GUERRE

GB : war

D : *Krieg*

E : guerra

I : *guerra*

GUERRE DES PRIX

GB : price war

D : *Preiskrieg*

E : guerra de precios

I : *guerra dei prezzi*

GUIDE DU COMMERCE

GB : trade directory

D : *Handelsadreßbuch*

E : guia comercial

I : *guida commerciale*

HASARD
GB : hazard
D : *Wagnis*
E : azar, riesgo
I : *rischio*

HAUSSE
GB : increase, rise
D : *Steigen, Zunahme*
E : incremento, aumento
I : *incremento, crescita*

HAUSSIER ADJ
GB : bullish
D : *steigend*
E : alcista
I : *rialzista*
Opérateur boursier spéculant à la hausse

HAUT
GB : high
D : *hoch*
E : alto, elevado
I : *alto, elevato*

HAUSSE (FORTE)
GB : boom
D : *Hausse*
E : bonanza
I : *rialzo*

HÉRITIER
GB : heir
D : *Erbe*
E : heredero
I : *erede*

HEURE
GB : hour
D : *Stunde*
E : hora
I : *ora*

HEURE LÉGALE
GB : standard time
D : *Normalzeit*
E : hora oficial
I : *ora legale*
Heure officielle qui règle la vie civile, avant ou après laquelle certains actes ne peuvent être accomplis

HEURES D'AFFLUENCE
GB : rush hour
D : *Hauptverkehrszeit*
E : hora punta
I : *ora di punta*

HEURES DE BUREAU
GB : office hours
D : *Geschäftsstunden*
E : horario de oficina
I : *orario d'ufficio*

HEURES DE POINTE
GB : peak hours
D : *Verkehrsspitze*
E : horas punta
I : *ore di punta*
Moments où l'activité (consommation, intensité de la circulation, affluence) est à son maximum

HEURES D'OUVERTURE
GB : business hours
D : *Geschäftzeit*
E : horario de comercio
I : *orario d'apertura*

HEURES-HOMME
GB : man hours
D : *Erbeitsstunde pro Mann*
E : horas-hombre
I : *ore-uomo*
Heures de travail effectuées par individu

HEURES SUPPLÉMENTAIRES
GB : overtime
D : *Überstunden*
E : horas extraordinarias
I : *lavoro straordinario*

HIER
GB : yesterday
D : *gestern*
E : ayer
I : *ieri*

HISTOGRAMME
GB : histogram
D : *Histogramm*
E : histograma
I : *istogramma*
Graphique représentant une succession de rectangles de base égale et de hauteur variable, où figurent en abscisse des périodes de même importance et en ordonnée les différentes valeurs d'une variable

HOLDING
GB : holding
D : *Holdinggesellschaft*
E : holding
I : *holding*
Société financière ou industrielle dont l'objet consiste à prendre et détenir des participations dans des entreprises pour en contrôler l'activité

HOMME D'AFFAIRES
GB : businessman
D : *Geschäftsmann*
E : hombre de negocios
I : *uomo d'affari*

HONNETE
GB : honest
D : *ehrlich*
E : honesto
I : *onesto*

HONORAIRES
GB : fee
D : *Vergütung, Honorar*
E : honorario
I : *onorario*
Revenus des professions libérales

HONORER
GB : honour
D : *honorieren*
E : honrar
I : *onorare*
Respecter ses engagements

HONORER UN EFFET (NE PAS)
GB : dishonour a bill
D : *einen Wechsel nicht akzeptieren*
E : protestar una letra
I : *non onorare un effetto*
Ne pas s'acquitter d'une dette

HORAIRE ADJ
GB : honorary
D : *ehrenamtlich*
E : honorario
I : *onorario*

HORS COTE
GB : unlisted
D : *nicht amtlich notiert*
E : fuera de cotización
I : *non quotato*
Marché de la Bourse de Paris regroupant les valeurs mobilières non admises sur le Marché officiel

HORS TAXE (HT)
GB : excluding tax
D : *außer Steuer*
E : impuesto no incluido
I : *tassa esclusa*
Avant impôts

HOTEL
GB : hotel
D : *Hotel*
E : hotel
I : *albergo*

HOUILLE
GB : coal
D : *Kohle*
E : carbon
I : *carbone*

HYPOTHEQUE
GB : mortgage
D : *Hypothek*
E : hipoteca
I : *ipoteca*
Droit réel détenu par un créancier à titre de garantie sur le bien immobilier de son débiteur, sans qu'il en ait la propriété

HYPOTHÉQUER
GB : hypothecate
D : *verpfänden*
E : hipotecar
I : *ipotecare*

HYPOTHESE
GB : hypothesis
D : *Hypothese*
E : hipotesis
I : *ipotesi*

IDÉE
GB : idea
D : *Idee*
E : idea
I : *idea*

IDENTIFIER
GB : idntify
D : *identifizieren*
E : identificar
I : *identificare*

ILLÉGAL
GB : Illegal
D : *ungesetzlich*
E : ilegal
I : *ilegale*

ILLISIBLE
GB : illegible
D : *unleserlich*
E : ilegible
I : *ileggibile*

IMITATION
GB : imitation
D : *Nachahmung*
E : imitacion
I : *imitazione*

IMMEUBLE
GB : block of flats (USA apartment house)
D : *Wohnungsgebäude*
E : bloque de pisos
I : *fabbricato di appartamenti*

IMMIGRATION
GB : immigration
D : *Einwanderung*
E : inmigracion
I : *immigrazione*

IMMOBILISATIONS
GB : fixed assets
D : *Anlagevermögen*
E : activo fijo
I : *immobilizzazioni, attivo fisso*
Ensemble des biens de toute nature (hormis ceux destinés à être transformés ou vendus), acquis ou créés par l'entreprise qui les utilise pour exercer son activité

IMMOBILISATIONS CORPORELLES OU INCORPORELLES
GB : (tangible or intangible) assets
D : *immaterielle Vermögensgegenstände*
E : inmovilizaciones corporales o incorporales
I : *immobilizzazioni materiali o immmateriali*
Comptes enregistrant la valeur des terrains, constructions, matériels...(immobilisations corporelles) ou la valeur des frais d'établissement, du fonds commercial, des frais de recherche...(immobilisations incorporelles)

IMPACT
GB : impact
D : *Auswirkung*
E : impacto
I : *impatto*

IMPARTIAL
GB : impartial
D : *unparteiisch*
E : imparcial
I : *imparziale*

IMPLICITE
GB : implicit
D : *stillschweigend*
E : implicito
I : *implicito*

IMPLIQUER
GB : imply
D : *andeuten*
E : implicar
I : *implicare*

IMPORTATEUR
GB : importer
D : *Importeur*
E : importador
I : *importatore*

IMPORTATION
GB : importation
D : *Einfuhr*
E : importacion
I : *Importazione*

IMPOSITION
GB : taxation
D : *Besteuerung*
E : tributacion
I : *tassazione*

IMPOSITION DIFFÉRÉE
GB : deferred taxation
D : *latente Steuerpflich*
E : tasacion diferida
I : *tassazione differida*

IMPOSSIBLE
GB : impossible
D : *unmöglich*
E : imposible
I : *impossibile*

IMPOT
GB : tax
D : *Steuer*
E : impuesto
I : *imposta*

IMPOT DE SOLIDARITÉ SUR LA FORTUNE (ISF)
GB : wealth tax
D : *solidarische Vermögenssteuer*
E : impuesto sobre el patrimonio
I : *imposta patrimoniale (di solidarietà)*
Impôt direct perçu sur les patrimoines à partir d'un montant minimum de 4,26 MF

IMPOT SUR LES PRODUITS DE LUXE
GB : luxury tax
D : *Luxussteuer*
E : impuesto de lujo
I : *tassa sugli articoli di lusso*

IMPOT FONCIER
GB : property tax
D : *Grundsteuer*
E : impuesto sobre la propiedad
I : *imposta fondiaria*
Frappe les propriétaires de terrains, bâtis ou non

IMPOT SUR LE REVENU
GB : income tax
D : *Einkommensteuer*
E : impuesto sobre la renta
I : *imposta sul reddito*
Touche le revenu des personnes physiques et les salaires, les bénéfices industriels et commerciaux des entrepreneurs non assujettis à l'impôt sur les sociétés

IMPOT SUR LES PLUS-VALUES EN CAPITAL
GB : capital gains tax
D : *Kapitalertragsteuer*
E : impuesto sobre las ganancias de capital
I : *imposta sul plusvalore di capital*

IMPOT SUR LES SOCIÉTÉS
GB : corporation tax
D : *Körperschaftsteuer*
E : impuesto sobre renta de la sociedad
I : *imposta sui proventi delle società*
Concerne avant tout les sociétés de capitaux. Dû sur le bénéfice net, il est exigible même en cas de non distribution (autofinancement)

IMPRODUCTIF
GB : unproductive
D : *unproduktiv*
E : improductivo
I : *improduttivo*

IMPUTABLE
GB : chargeable
D : *anrechenbar*
E : imputable
I : *imputabile, imponibile*

IMPUTATION
GB : allocation/charging
D : *Anrechnung*
E : imputación
I : *imputazione*
Affectation d'une écriture ou d'une opération au compte dont elles relèvent

INCAPACITÉ
GB : inefficiency
D : *Unfähigkeit*
E : incompetencia
I : *inefficienza*

INCENDIE
GB : fire
D : *Brand*
E : fuego, incendio
I : *incendio*

INCERTITUDE
GB : uncertainty
D : *Unsicherheit*
E : incertidumbre
I : *incertezza*

INCITATION
GB : incentive
D : *Anreiz*
E : estimulo, incentivo
I : *incentivo*

INCLUS
GB : inclusive
D : *einschließlich*
E : incluido, inclusive
I : *incluso, compreso*

INCOMPLET
GB : incomplete
D : *unvollständig*
E : incompleto
I : *incompleto*

INCORPORATION (DE RÉSERVES OU DE BÉNÉFICES)
GB : incorporation
D : *Eintragung (einer Gesellschaft)*
E : incorporacion
I : *costituzione*
Augmentation du capital social d'une entreprise par intégration de tout ou partie des réserves ou des bénéfices réalisés

INDEMNITÉ
GB : indemnity
D : *Entschädigung*
E : indmnizacion
I : *indennità, garanzia*
Elément de rémunération ou de salaire destiné à rembourser des dépenses liées à l'exercice d'une profession ou à l'éxécution d'un travail

INDEMNITÉ D'ASSURANCE
GB : insurance claim
D : *Versicherungsanspruch*
E : reclamacion de seguro
I : *sinistro, reclamo d'indennizzo*

INDEMNITÉS DE CHOMAGE
GB : unemployment benefit
D : *Arbeitslosenunterstützung*
E : subsidio de paro
I : *indennità di disoccupazione*

INDÉPENDANT
GB : independent
D : *selbständig*
E : indpendiente
I : *indipendente*

INDEX
GB : index
D : *Index*
E : indice
I : *indice*
Repère mobile permettant de lier une valeur à une autre qui sert de référence

INDICATEUR DES CHEMINS DE FER
GB : raliway timetable
D : *Eisenbahnfahrplan*
E : honario de trenes
I : *orario ferroviario*

INDICATEURS SOCIAUX
GB : social indicators
D : *soziale Indikatoren*
E : indicadores sociales
I : *indicatori sociali*
Instruments de mesure des phénomènes sociaux, ils complètent les indicateurs économiques et permettent aux entreprises d'élaborer leur bilan social

INDICE
GB : index
D : *Index*
E : indice
I : *indice*
Mesure synthétique de l'évolution d'une grandeur dans le temps ou l'espace, ou du rapport de sa valeur par rapport à une valeur de base choisie comme référence

INDICE DES PRIX
GB : retail price index
D : *Preisindex*
E : índice de precios
I : *indice dei prezzi*

INDUIT
GB : induced
D : *induziert*
E : inducido
I : *indotto*
Se dit d'un phénomène entraîné par un autre

INDUSTRIE
GB : industry
D : *Industrie, Gewerbe*
E : industria
I : *industria*

INDUSTRIEL NM
GB : industrialist
D : *Industrielle(r)*
E : industrial
I : *industriale*

INDUSTRIEL ADJ
GB : industrial
D : *industriell, Gewerbe-*
E : industrial
I : *industriale*

INDUSTRIE LÉGERE
GB : light industry
D : *Leichtindustrie*
E : industria ligera
I : *industria leggera*
Transforme les matières premières brutes ou semi-ouvrées généralement en biens de consommation

INDUSTRIE LOURDE
GB : heavy industry
D : *Schwerindustrie*
E : industria peseda
I : *industria pesante*
Celle qui élabore et traite les matières premières, produit de l'énergie et des biens d'équipement

INEFFICACITÉ
GB : inefficiency
D : *Unfähigkeit*
E : incompetencia
I : *inefficienza*

INFLATION
GB : inflation
D : *Inflation*
E : inflacion
I : *inflazione*
Déséquilibre économique caractérisé
par la hausse du niveau général des
prix et la dépréciation de la monnaie

INFORMATION
GD : information
D : *Auskunft*
E : informacion
I : *informazione*

INFORMATIQUE
GB : IT
D : *EDV, Informatik*
E : informática
I : *informatica*

INFORMER
GB : inform
D : *benachrichtigen*
E : informar, avisar
I : *informare*

INFRACTION
GB : infringement
D : *Verltzung, Verstoß*
E : infraccion
I : *infrazione*

INGÉNIERIE
GB : engineering
D : *Werkzeugbau*
E : ingeniería
I : *ingegneria*
Activité de conception, d'étude et de
coordination qui précède la réalisa-
tion d'un projet ou la mise en ser-
vice d'un ouvrage

INGÉNIEUR
GB : engineer
D : *Ingenieur*
E : ingeniero
I : *ingegnere*

**INGÉNIEUR-CONSEIL EN ORGANI-
SATION**
GB : management consultant
D : *Geschäftsführungsberater*
E : aseor administrativo
I : *consultente di direzione
aziendale*
Spécialiste du conseil, de l'expertise,
qui intervient à titre personnel au
niveau de l'organisation de l'entre-
prise, du travail

INITIAL
GB : initial
D : *Anfangs-*
E : inicial, primario
I : *iniziale*

INITIÉ
GB : insider
D : *Eingeweihter*
E : iniciado
I : *iniziato*
Détenteur privilégié d'informations
sur le marché boursier

INJONCTION
GB : injuction
D : *gerichtliche Verfügung*
E : entredicho
I : *Inglunzione*

INNOVATION
GB : innovation
D : *Neuerung*
E : innovacion
I : *innovazione*

INSCRIPTION
GB : entry
D : *Eintragung*
E : asiento
I : *registrazione*

INSÉRER
GB : insert
D : *einsetzen, inserieren*
E : insertar
I : *inserire*

INSOLVABLE
GB : insolvent
D : *zahlungsunfähig*
E : insolvente, quebrado
I : *insolvente*

INSOLVABILITÉ
GB : insolvency
D : *Zahlungsunfähigkeit*
E : insolvencia
I : *insolvenza*

INSPECTEUR
GB : inspector
D : *Aufsichtsbeamte(r)*
E : inspector
I : *ispettore*

INSPECTEUR DU TRAVAIL
GB : factory inspector
D :
Gewerbeaufsichtsbeamte(r)
E : inspector de fabrica
I : *ispettore di fabbrica*
Fonctionnaire chargé de l'applica-
tion de la législation du travail

INSPECTION
GB : inspection
D : *Einsichtnahme*
E : inspeccion, examen
I : *ispezione*

INSTALLATION
GB : installation
D : *Anlage*
E : instalacion
I : *impianto, installazione*

INSTALLATION PILOTE
GB : pilot plant
D : *Musteranlage*
E : instalacion piloto
I : *impianto piloto*
Installation modèle

INSTALLATIONS PORTUAIRES
GB : harbour installations
D : *Hafenanlagen*
E : instalaciones portuarias
I : *impianti portuali*

INSTITUT
GB : institution
D : *Institut, Anstalt*
E : institucion, instituto
I : *istituzione, istituto*
Etablissement de recherche scienti-
fique ou d'enseignement; corps
constitué de gens de lettres,
d'artistes, de savants

INSTITUTIONNEL
GB : institutional
D : *institutionnell*
E : institucional
I : *istituzionale*
Relatif à une organisation, à la col-
lectivité

INSTRUCTION
GB : instruction
D : *Anleitung*
E : instruccion
I : *istruzione*

INSTRUMENT
GB : instrument
D : *Instrument*
E : instrumento
I : *strumento*

INSTRUMENT D'ANALYSE
GB : analytical tool
D : *Analysenwerkzeug*
E : instrumento de analisis
I : *strumento d'analisi*

INTÉGRATION
GB : integration
D : *Eingliederung*
E : integracion
I : *integrazione*
Voir Intégration verticale

INTÉGRATION HORIZONTALE
GB : horizontal integration
D : *horizontaler Zusammen-
schluß*
E : integracion horizontal
I : *integracione orizzontale*
Groupement d'entreprises interve-
nant à différents stades du processus
productif ou exerçant des activités
différentes mais complémentaires

INTÉGRATION VERTICALE
GB : vertical integration
D : *vertikaler Zusammen-schluß*
E : integracion vertical
I : *intgrazione verticale*
Concentration d'entreprises participant au même stade d'un processus de production

INTENTER UN PROCES À
GB : institute proceedings against
D : *gerichtlich vorgehen gegen*
E : iniciar un proceso contra
I : *intentare un'azione legale contro*

INTÉRESSEMENT
GB : incentive scheme
D : *Beteiligung*
E : participación en los beneficios
I : *(co)interessenza*
Participation des travailleurs aux fruits de l'expansion de leur entreprise

INTÉRET
GB : interest
D : *Zinsen*
E : interès
I : *interesse*

INTÉRETS BRUTS
GB : gross interest
D : *Bruttozins*
E : interés bruto
I : *interesse lordo*
Intérêts avant déduction de l'impôt sur la rémunération reçue

INTÉRETS COMPOSÉS
GB : compound interest
D : *Zinseszinsen*
E : interés compuesto
I : *interesse composto*
Intérêts simples additionnés de ceux qui s'appliquent à la somme capitalisée des intérêts déjà perçus

INTÉRETS CUMULÉS
GB : accrued interest
D : *aufgelaufene Zinsen*
E : interés acumulado
I : *interesse maturato*
Somme des intérêts perçus

INTÉRETS SIMPLES
GB : simple interest
D : *einfache Zinsen*
E : interés simple
I : *interesse semplice*
A la charge de l'emprunteur, ils correspondent au rapport entre le montant des intérêts dus pour l'année et le montant du capital prêté

INTERMÉDIAIRE
GB : middle man
D : *Zwischenhändler*
E : intermediario
I : *intermediario*

INTERNATIONAL
GB : international
D : *international*
E : internacional
I : *internazionale*

INTERNE ADJ
GB : internal
D : *innerlich, inländisch*
E : interno, interior
I : *interno*

INTERPOLATION
GB : interpolation
D : *Einschaltung*
E : interpolacion
I : *interpolazione*
Utilisation des résultats d'une série d'observations pour calculer le résultat d'une autre observation dans un même domaine d'exploration

INTERPRÉTATION
GB : interpretation
D : *Auslegung*
E : interpretacion
I : *interpretazione*

INTERVIEW
GB : interview
D : *Interview*
E : entrevista
I : *intervista, abboccamento*

INTERVIEWEUR
GB : interviewer
D : *Interviewer*
E : entrevistador
I : *intervistatore*

INTRINSEQUE
GB : intrinsic
D : *innerlich, wahr*
E : intrinseco
I : *intrinseco*
Voir Valeur intrinsèque

INVALIDE
GB : invalid
D : *ungültig*
E : invalido
I : *invalido*
Non valable, légalement nul

INVENTAIRE
GB : inventory
D : *Inventar*
E : inventario
I : *inventario*
Relevé en volume et en valeur des éléments d'actif et de passif d'une entreprise à la clôture d'un exercice

INVENTION
GB : invention
D : *Erfindung*
E : invento, invencion
I : *invenzione*

INVESTIGATION
GB : investigation
D : *Untersuchung*
E : investigacion
I : *inchiesta, investigazione*

INVESTIR
GB : invest
D : *anlegen, investieren*
E : invertir
I : *investire*

INVESTISSEMENT
GB : investment
D : *Kapitalanlage, Investierung*
E : inversion
I : *investimento*
Acquisition d'une immobilisation

INVESTISSEMENT ÉTRANGER
GB : foreign investment
D : *Fremdkapital*
E : inversión extranjera
I : *investimento estero*

INVESTISSEMENT PRIVÉ
GB : private investment
D : *Privatinvestition*
E : inversión privada
I : *investimento privato*

INVESTISSEMENT PRODUCTIF
GB : productive investment
D : *produktive Investition*
E : inversión productiva
I : *investimento produttivo*
Investissement destiné à accroître la capacité de production de l'entreprise

INVESTISSEMENT PUBLIC
GB : public investment
D : *gemeinwesen Investition*
E : inversión pública
I : *investimento pubblico*

INVESTISSEUR
GB : investor
D : *Geldgeber*
E : inversionista
I : *capitalista*

INVESTISSEUR INSTITUTIONNEL
GB : institutional investor
D : *institutioneller Anleger*
E : inversor institucional
I : *investitore istituzionale*
Organisme financier tenu, par sa nature ou son statut, de placer en valeurs mobilières la plus grande partie de l'épargne qu'il collecte

INVITATION
GB : invitation
D : *Einladung, Aufforderung*
E : invitacion
I : *invito*

INVITER
GB : invite
D : *einladen, auffordern*
E : invitar
I : *invitare*

IRRÉCOUVRABLE (CRÉANCE)
GB : irrecoverable
D : *unersetzlich, uneinbringlich*
E : irrecuperable
I : *irrecuperabile*
Créance qui ne peut être recouvrée

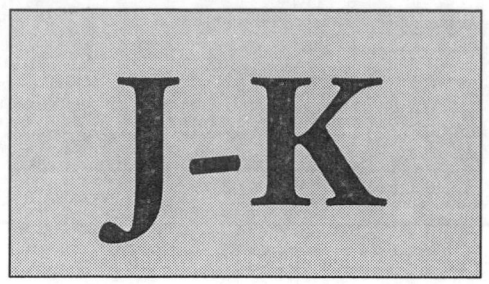

J-K

JETON DE PRÉSENCE
GB : director's fees
D : *Anwesenheitsmarke, Diäten*
E : ficha de asistencia
I : *gettone di presenza*
Rémunération annuelle éventuelle des membres du conseil d'administration ou du conseil de surveillance d'une société, votée par l'assemblée générale

JOUISSANCE
GB : right to interest/dividends
D : *Nutzungsrecht*
E : disfrute
I : *usufrutto*
Droit (et date à partir de laquelle il peut s'exercer) sur le revenu d'un capital

JOUR
GB : day
D : *Tag*
E : dia
I : *giomo*

JOUR DE CONGÉ
GB : day off
D : *dienstfreier Tag*
E : dia libre
I : *giorno di riposo*

JOUR DE LIQUIDATION
GB : account day (USA settlement date)
D : *Abrechnungstag*
E : dia de liquidacion
I : *giormo di liquidazione*
Voir Liquidation

JOUR DE MARCHÉ
GB : (local) market day
D : *Markttag*
E : dia de mercado
I : *giomo di mercato*

JOUR DE PAIEMENT
GB : pay day
D : *Zahltag, Abrechnungstag*
E : dia de pago
I : *giorno di paga*

JOUR DE REGLEMENT
GB : settlement day (USA due date)
D : *Abrechnungstag*
E : dia de liquidacion
I : *giorno della liquidazione*

JOUR DU TERME
GB : quarter day
D : *Quartalstag*
E : primer dia del trimestre
I : *giorno della pigione*
Jour de l'échéance

JOUR FÉRIÉ
GB : public holiday
D : *gesetzlicher Feiertag*
E : dia de fiesta
I : *giorno di festa*

JOURNAL
GB : journal
D : *Tagebuch*
E : diario
I : *giornale*

JOURNAL D'ANNONCES LÉGALES
GB : egal notice gazette
D : *Bundesanzeiger*
E : diario de anuncios legales
I : *gazzetta di annunci legali*
Journal habilité à publier des annonces administratives et judiciaires

JOURNAL D'ENTREPRISE
GB : company newspaper
D : *Betriebszeitung*
E : diario de empresa
I : *giornale d'azienda*

JOUR OUVRABLE
GB : working day
D : *Arbeitstag*
E : dia laborable
I : *giornata lavorativa*
Chaque jour de la semaine sauf les dimanches et jours fériés

JUGE
GB : judge
D : *Richter*
E : juez
I : *giudice*

JUGEMENT
GB : judgment
D : *Urteil*
E : juicio:adjudicacion
I : *giudizio*

JUGER
GB : judge
D : *urteilen*
E : juzgar
I : *giudicare*

JURIDICTION
GB : jurisdiction
D : *Rechtsprechung, Gerichtsbarkeit*
E : jurisdiccion
I : *giurisdizione*

JURY
GB : jury
D : *die Geschworenen, Jury*
E : jurado
I : *giuria*

JUSTE À TEMPS
GB : JIT (just in time)
D : *just in time*
E : justo a tiempo
I : *just in time, flusso teso*
Méthode qui consiste à acheter ou produire en fonction des stricts besoins du moment

JUSTICE
GB : justice
D : *Gerechtigkeit*
E : justicia
I : *giustizia*

KRACH D'UNE BANQUE
GB : bank crash
D : *Bankkrach*
E : quibra de banco
I : *crollo di banca*
Effondrement financier, banqueroute

LABEL
GB : label
D : *Marke*
E : etiqueta
I : *marchio*
Marque distinctive d'un produit ou d'un service qui en garantit l'origine et les qualités spécifiques, voire la conformité avec des normes

LABORATOIRE DE LANGUES
GB : language laboratory
D : *Sprachlador*
E : laboratorio de idiomas
I : *laboratorio di linguaggio*

LANCER SUR LE MARCHÉ
GB : launch
D : *auf den Markt bringen*
E : lanzar
I : *lanciare*

LANGAGE MACHINE
GB : machine language
D : *Maschinensprache*
E : lenguaje de maquina
I : *linguaggio di macchina*
Seul langage informatique à être directement utilisable par la machine, il décrit le fonctionnement binaire des circuits câblés

LANGUE
GB : language
D : *Sprache*
E : lingua
I : *lingua*

LEADER
GB : leader
D : *Markeleader : Marktführer*
E : líder
I : *leader*

LEASING
GB : leasing
D : *Leasing*
E : leasing
I : *leasing*
Voir Crédit-bail

LÉGAL
GB : legal
D : *rechtsgültig, legal*
E : legal, juridico
I : *legale, giuridico*

LÉGISLATION
GB : legislation
D : *Gesetzgebung*
E : legislacion
I : *legislazione*

LÉGITIME
GB : justifiable, lawful
D : *gerechtfrtigt, gesetzlich*
E : justificable, legitimo
I : *giustificabile, legittimo*

LETTRE
GB : letter
D : *Brief*
E : carta, letra
I : *lettera*

LETTRE DE CHANGE
GB : bill of exchange
D : *Wechsel, Tratte*
E : letra de cambio
I : *tratta cambiale*
Voir Effet de commerce

LETTRE DE CHANGE SUR L'ÉTRANGER
GB : foreign bill
D : *Auslandswechsel*
E : letra sobre el exterior
I : *cambiale sull' estero*

LETTRE DE CRÉDIT
GB : letter of credit
D : *Kreditbrief*
E : carta de crédito
I : *lettera di credito*
Document bancaire accréditant un client pour lui permettre d'accroître le volume de son crédit ou d'obtenir une avance

LETTRE DE CRÉDIT CONFIRMÉE
GB : confirmed letter of credit
D : *bestätigter Kreditbrief*
E : carta de crédito confirmada
I : *lettera di credito confermata*
Crédit documentaire dans lequel la banque du vendeur ajoute son propre engagement à payer ou à négocier les documents présentés

LETTRE DE CRÉDIT IRRÉVOCABLE
GB : irrevocable letter of credit
D : *unwiderruflicher Kreditbrief*
E : carta de credito irrevocable
I : *lettera di credito irrevocabile*
Pour laquelle la banque émettrice s'engage irrévocablement vis-à-vis du bénéficiaire à effectuer la prestation prévue par les termes du crédit

LETTRE DE CRÉDIT IRRÉVOCABLE CONFIRMÉE
GB : confirmed irrevocable letter of credit
D : *bestätigter unwiderruflicher Kreditbrief*
E : carta de crédito irrevocable confirmada
I : *lettera di credito confermata irrevocabile*
Lettre de crédit irrévocable pour laquelle la banque du vendeur assure une obligation de paiement indépendante et ferme en plus de celle de la banque émettrice

LETTRE DE VOITURE
GB : waybill
D : *Frachtbrief*
E : guia de carga
I : *lettera di vettura*
Lettre de transport lorsque celui-ci se fait par voie terrestre

LETTRE HYPOTHÉCAIRE
GB : letter of hypothecation
D : *Verpfändungsurkunde*
E : carta de hipoteca
I : *atto ipotecario*

LETTRE EXPRES
GB : express letter (USA special delivery)
D : *Eilbrief*
E : carta urgente
I : *lettera espresso*

LETTRE RECOMMANDÉE
GB : registered letter
D : *eingeschriebener Brief*
E : carta certificada
I : *lettera raccomandata*

LEVÉE D'INVENTAIRE
GB : stocktaking
D : *Bestandsaufnahme*
E : inventario, balance
I : *compilazione dell'inventario*

LIBÉRATION INTÉGRALE
GB : payment in full
D : *volle Zahlung*
E : pago en pleno
I : *pagamento in pieno*
Versement intégral d'un capital souscrit par des actionnaires

LIBÉRER
GB : free
D : *befreien*
E : liberar
I : *liberare*

LIBRE
GB : free
D : *frei*
E : libre
I : *libero*

LIBRE DE DROITS DE DOUANE
GB : duty-free
D : *abgabenfrei*
E : exento de impuestos
I : *esente da dazio*

LIBRE D'IMPOTS
GB : tax-free
D : *steuerfrei*
E : exento de impuestos
I : *esente da tassa*
Exempté de taxes

LIBRE-ÉCHANGE
GB : free trade
D : *Freihandel*
E : comercio libre
I : *libero scambio*
Organisation entre plusieurs pays de la libre circulation des marchandises produites sur leur territoire

LIBRE ENTREPRISE
GB : free entreprise
D : *freie Wirtschaft*
E : libre empresa
I : *libertà d'iniziativa*

LIBRE-SERVICE
GB : self-service
D : *Selbstbedienung*
E : auto-servicio
I : *servirsi da sè*

LICENCE
GB : licence
D : *Erlaubnis, Lizenz*
E : licencia, permiso
I : *licenza, permesso*
Autorisation administrative

LICENCE DE FABRICATION
GB : manufacturing licence
D : *Herstellungslizenz*
E : licencia de fabricación
I : *licenza di fabbricazione*

LICENCE D'IMPORTATION
GB : import licence
D : *Einfuhrerlaubnis*
E : permiso de importacion
I : *permesso d'importazione*

LICENCIEMENT
GB : layoff
D : *Entlassung*
E : despido
I : *licenziamento*

LICENCIER
GB : dismiss, fire
D : *Kündigen*
E : despedir
I : *licenziare*

LICITE
GB : lawful, legal
D : *gesetzlich, rechtlich*
E : licito, legitimo
I : *lecito, legittimo*
Permis par la loi

LIFO (LAST IN, LAST OUT)
GB : LIFO
D : *LIFO*
E : ultima entrada, primera salida
I : *ultimo a entrare, primo a uscire*
« Dernier entré, premier sorti ». Méthode de valorisation des sorties de stocks fondée sur l'inverse de la chronologie des entrées

LIGNE (DE CHEMIN DE FER)
GB : (railway) line
D : *Linie, Eisenbahnlinie*
E : linea (ferroviaria)
I : *linea (ferroviaria)*

LIGNE (DE TÉLÉPHONE)
GB : (telephone) line
D : *Leitung (Telefon)*
E : linea (telefoncia)
I : *linea (telefonica)*

LIGNE DE PRODUITS
GB : product range
D : *Produktlinie*
E : línea de productos
I : *linea di prodotti*
Ensemble des références de produits de même technologie visant la même application

LIMITE
GB : limit
D : *Grenze*
E : limite
I : *limite*

LIMITÉ
GB : limited
D : *beschränkt*
E : limitado
I : *limitato*

LINGOT
GB : ingot
D : *Barren*
E : lingote
I : *lingotto*

LIQUIDATEUR
GB : liquidator
D : *Masseverwalter, Sachwalter*
E : liquidador
I : *liquidatore*
Chargé d'effectuer toutes les opérations de liquidation d'une société

LIQUIDATION
GB : liquidation
D : *Liquidation, Auflösung*
E : liquidacion
I : *liquidazione*
Conséquence de la décision de dissolution d'une société en état de cessation de paiement, elle consiste à en réaliser l'actif, en régler les dettes selon un certain ordre et répartir entre les associés l'éventuel bonus de liquidation

LIQUIDATION (BOURSE)
GB : settlement
D : *Regulierung (der Differenzgeschäfte)*
E : liquidación (Bolsa)
I : *liquidazione (Borsa)*
Opérations de règlement et livraison sur un marché à terme

LIQUIDATION FORCÉE
GB : compulsory winding-up (USA forced liquidation)
D : *Zwangsliquidation*
E : liquidacion forzosa
I : *liquidazione forzata*

LIQUIDATION JUDICIAIRE
GB : liquidation
D : *gerichtliches Abwicklung*
E : liquidación judicial
I : *liquidazione giudiziaria*
Liquidation d'une société décidée par un tribunal

LIQUIDITÉ
GB : liquidity
D : *Liquidität*
E : liquidez
I : *liquidità*
Aptitude d'un bien à être transformé en espèces pour régler sans délai une dette. Aptitude d'une entreprise à faire face à ses engagements financiers

LISSAGE
GB : smoothing
D : *Glättung*
E : alisado
I : *eliminazione delle variabili aleatorie*
Méthode mathématique employée pour extraire d'une série statistique des variations dues à des phénomènes de faible importance ou aléatoires

LISTE
GB : list, schedule
D : *Liste, Tabelle*
E : lista, cuadro
I : *lista, tabella*

LISTE D'ATTENTE
GB : waiting list
D : *Warteliste*
E : lista de espra
I : *elenco delle prenotazioni*

LISTE NOIRE
GB : black list
D : *schwarze Liste*
E : lista negra
I : *lista nera*

LIVRAISON
GB : delivery
D : *Lieferung*
E : entrega
I : *consegna*

LIVRAISON IMMÉDIATE
GB : prompt delivery
D : *sofortige Lieferung*
E : entrega immediata
I : *pronta consegna*

LIVRAISON INCOMPLÈTE
GB : short delivery
D : *mangelhafte Lieferung*
E : entrega deficiente
I : *consegna deficiente*

LIVRE DE CAISSE
GB : cash book
D : *Kassenbuch*
E : libro de caja
I : *libro cassa*
Document comptable recensant à un moment donné les encaissements et décaissements effectués par une entreprise

LIVRE DE COMMANDES
GB : order book
D : *Auftragsbuch*
E : libro de pedidos
I : *libro degli ordini*

LIVRE DE COMPTES
GB : account book
D : *Kontobuch*
E : libro de cuentas
I : *libro di conti*

LIVRÉ FRANCO
GB : delivery free
D : *portofreie Lieferung*
E : libre entrega
I : *consegna franco*
Livré sans frais pour le destinataire

LIVRES COMPTABLES
GB : books of account
D : *Geschäftsbücher*
E : libros de cuentas
I : *libri contabili*
Ensemble de documents comptables

LIVRE STERLING
GB : pound sterling
D : *Pfund Sterling*
E : libra esterlina
I : *lira sterlina*

LOCATAIRE
GB : tenant, hirer, lessee
D : *Mieter*
E : inquilino, alquilador, arrendatario
I : *affittuario, locatario, no leggiatore*

LOCATION-VENTE
GB : hire-purchase
D : *Ratenkauf*
E : compra a plazos
I : *vendita a rate*
Voir Crédit-bail, Leasing

LOCK-OUT
GB : lock-out
D : *Aussperrung*
E : cierre
I : *serrata*
Fermeture momentanée d'une unité de production décidée par la direction au cours d'un conflit collectif

LOGICIEL
GB : software
D : *Software*
E : software
I : *software*

LOGIQUE
GB : logic
D : *Logik*
E : logica
I : *logica*

LOGISTIQUE
GB : logistics
D : *Logistik*
E : logistica
I : *logistica*
Au-delà du transport, c'est l'organisation de l'approvisionnement, de la production et de la distribution, à la croisée des grandes fonctions traditionnelles de l'entreprise

LOGOTYPE
GB : logotype
D : *Logo*
E : logotipo
I : *logo*
Représentation visuelle du nom d'une marque ou d'une organisation (logo)

LOI
GB : law
D : *Recht*
E : ley
I : *legge*

LOI ANTI-TRUST
GB : restrictive trade practices law
D : *Kartellgesetz*
E : ley antitrust
I : *legge antitrust*
Loi (nationale ou internationale) qui contrôle les ententes et pénalise l'abus des positions dominantes

LOISIR
GB : leisure
D : *Freizeit*
E : descanso
I : *svago*

LONG TERME (À)
GB : long-term
D : *langfristig*
E : a largo plazo
I : *a lunga scadenza*

LONGUE ÉCHÉANCE (À)
GB : long-dated
D : *langfristig*
E : a largo plazo
I : *a lunga scadenza*

LOT
GB : batch
D : *Stoß*
E : lote
I : *lotto*

LOUER
GB : hire, rent
D : *mieten, vermieten*
E : alquilar
I : *noleggiare, affittare*

LOURD
GB : heavy
D : *schwer*
E : pesado
I : *pesante*

LOURDE PERTE
GB : heavy loss
D : *schwere Verluste*
E : fuerte pérdida, pérdida sensible
I : *forte perdita*

LOYER
GB : rent
D : *Miete*
E : alquiler
I : *pigione, affitto*

LUCRATIF
GB : lucrative
D : *einträglich, gewinnbringend*
E : lucrativo
I : *lucrativo*

LUCRATIF (SANS BUT)
GB : nonprofitmarking
D : *ohne Gewinnabsicht*
E : sin finos lucrativos
I : *senza scopo di lucro*

MACHINE
GB : machine
D : *Maschine*
E : maquina
I : *macchina*

MACHINE À AFFRANCHIR
GB : franking machine
D : *Frankiermaschine*
E : maquina de franquear
I : *affrancatrice postale*

MACHINE À CALCULER
GB : calculator
D : *Rechenmaschine*
E : calculadora
I : *calcolatrice*

MACHINE À ÉCRIRE
GB : typewriter
D : *Schreibmaschine*
E : maquina de escribir
I : *macchina da scrivere*

MACHINERIE
GB : machinery
D : *Maschinerie*
E : maquinaria
I : *macchinario*

MAGASIN
GB : shop, store
D : *Laden, Lager*
E : tienda, almacén
I : *bottega, magazzino*

MAGASIN (EN)
GB : in stock
D : *vorrätig*
E : en almacén
I : *in magazzino*

MAGASIN À SUCCURSALES MULTIPLES
GB : chain store
D : *Kettengeschäft*
E : sucursal de cadena de almacenes
I : *negozio a catena*

MAIN-D'ŒUVRE
GB : manpower, labour force
D : *Arbeitskräfte, menschliche Arbeitskraft*
E : mano de obra
I : *mano d'opera*
Personne chargée de réaliser une opération pour le compte d'un maître d'ouvrage

MAIN-D'ŒUVRE ÉTRANGERE
GB : foreign labour
D : *Fremdarbeiterschaft*
E : mano de obra extranjera
I : *mano d'opera straniera*

MAINTENANCE
GB : maintenance
D : *Instandhaltung*
E : mantenimiento
I : *manutenzione*
Toutes les activités d'entretien de matériels et de machines (interventions préventives ou consécutives à une panne)

MAISON
GB : house
D : *Haus*
E : casa
I : *casa*

MAISON D'ÉDITION
GB : publishing house
D : *Verlag*
E : casa editorial
I : *casa editrice*

MAISON SOLIDE
GB : old-established business
D : *alteingeführtes Geschäft*
E : casa solida
I : *casa di vecchia fondazione*

MAITRE D'ŒUVRE
GB : general contractor
D : *Meister*
F : empresa responsable
I : *capo cantiere*

MALHONNETE
GB : dishonest
D : *unehrlich*
E : deshoneste
I : *disonesto*

MANAGEMENT
GB : management
D : *Management*
E : management
I : *management*
Ensemble des techniques d'organisation mises en œuvre pour la gestion d'une entité économique

MANAGER NM
GB : manager
D : *Manager*
E : manager
I : *manager*
Désigne le dirigeant d'une grande entreprise (PDG, directeur, etc.)

MANDANT
GB : principal
D : *Vollmachtgeber*
E : mandante
I : *mandante*
Qui donne à une autre personne, par mandat, le pouvoir d'agir en son nom

MANDANT NON DIVULGUÉ
GB : undisclosed principal
D : *nicht bekanntgegebener Auftraggeber*
E : mandante no nombrato
I : *mandante non nominato*

MANDAT
GB : authority, agency
D : *Vollmacht, Verretung*
E : autoridad, mandato
I : *autorità, mandato*
Pouvoir qu'une personne donne à une autre d'agir en son nom. Titre de représentation

MANDATAIRE
GB : attomey
D : *Bevollmächtigte(r)*
E : apoderado
I : *mandatario*
Qui a reçu mandat ou procuration pour agir au nom de quelqu'un d'autre

MANDAT-POSTE
GB : postal order
D : *Postanweisung*
E : giro postal
I : *vaglia postale*
Titre remis par La Poste pour faire parvenir une somme d'argent à quelqu'un sans transport matériel de fonds

MANIFESTE
GB : manifest
D : *Ladungsverzeichnis*
E : manifiesto
I : *manifesto*

MANIPULATION
GB : manipulation
D : *Schiebung*
E : manipulacion
I : *manipulazione*

MANQUANT
GB : absentee
D : *Abwesende(r)*
E : ausente
I : *assente*

MANQUE
GB : deficiency
D : *Mangel*
E : deficiencia
I : *ammanco, insufficienza*

MANQUE DE PRATIQUE
GB : inexperience
D : *Unerfahrenheit*
E : falta de experiencia
I : *inesperienza*

MANUEL NM
GB : handbook
D : *Handbuch*
E : manual
I : *manuale*

MANUEL ADJ
GB : manual
D : *Hand-*
E : manual
I : *manuale*

MANUSCRIT DACTYLOGRAPHIÉ
GB : typescript
D : *Maschinenschrift*
E : texto mecanografiado
I : *dattiloscritto*

MARCHANDER
GB : haggle (USA bargain)
D : *feilschen*
E : regatear
I : *mercanteggiare, cavillare*

MARCHANDISAGE
GB : merchandising
D : *Handel*
E : merchandising
I : *merchandising*
Rattaché au marketing, il contrôle toutes les techniques de présentation d'un produit : l'aspect extérieur, le conditionnement (en contact direct ou non avec la marchandise)

MARCHANDISE
GB : commodity, merchandise
D : *Gut, Ware*
E : mercaderia, mercancia
I : *merce, prodotto*

MARCHANDISES
GB : goods
D : *Güter*
E : mercancias
I : *merce*

MARCHANDISES AVARIÉES
GB : damaged goods
D : *beschädigte Waren*
E : mercancias averiadas
I : *merce avariata*

MARCHANDISES DANGEREUSES
GB : dangerous goods
D : *gefährliche Waren*
E : mercancias peligrosas
I : *merce pericolosa*

MARCHANDISES DE RETOUR
GB : returned goods
D : *Retourware*
E : mercancias devueltas
I : *merce di ritorno*
Qui n'ont pas été vendues

MARCHANDISES DISPONIBLES
GB : spot goods
D : *sofort lieferbare Waren*
E : mercancias prontas
I : *merce pronta*

MARCHANDISES SOUS DOUANE
GB : bonded goods
D : *Waren unter Zollverschluß*
E : mercancias en aduana
I : *merci sotto vincolo doganale*
Pour lesquelles les droits ou taxes n'ont pas été encore acquittés

MARCHANDISES EN MAGASIN
GB : stock in hand
D : *Vorrat auf Lager*
E : mercancias en almacén
I : *merce in magazzino*

MARCHANDISES PÉRISSABLES
GB : perishable goods
D : *leich verderbliche Waren*
E : mercancias perecederas
I : *merci deperibili*

MARCHÉ
GB : market, deal
D : *Markt, Handel*
E : mercado, negocio
I : *mercato, affare*

MARCHÉ À TERME
GB : futures market
D : *Terminmarkt*
E : meercado de futuros
I : *mercato a termine*
Marché sur lequel le jour de conclusion d'un contrat et celui de son exécution sont dissociés

MARCHÉ AU COMPTANT
GB : spot market
D : *Kassageschäft*
E : operación al contado
I : *mercato a contanti*
Marché boursier où les titres mobiliers échangés sont immédiatement payés au prix convenu

MARCHÉ COMMERCIAL
GB : produce market
D : *Warenmarkt*
E : mercado de productos
I : *mercato commerciale*

MARCHÉ COMMUN
GB : Common Market
D : *gemeinsamer Markt*
E : mercado comun
I : *mercado comune*
Voir Communauté économique européenne — CEE

MARCHÉ DE GRÉ À GRÉ
GB : mutual agreement
D : *freihändiger Handel*
E : acuerdo recíproco
I : *licitazione privata*
Contrat conclu sans adjudication préalable

MARCHÉ DE L'ESCOMPTE
GB : discount market
D : *Diskontmarkt*
E : mercado de descuentos
I : *mercato di sconto*

MARCHÉ DE MATIERES PRE-MIERES
GB : commodity market
D : *Rohstoffmarkt*
E : mercado de materias primas
I : *mercato di materie prime*

MARCHÉ DES VALEURS
GB : share market (USA stock market)
D : *Aktienmarkt*
E : mercado de valores
I : *mercato azionario*

MARCHÉ DU TRAVAIL
GB : labour market
D : *Arbeitsmarkt*
E : mercado de mano de obra
I : *mercato della mano d'opera*

MARCHÉ EXCLUSIF
GB : exclusive market
D : *ausschließlicher Markt*
E : mercado exclusivo
I : *mercato esclusivo*

MARCHÉ FERME
GB : closed market
D : *gesperrter Markt*
E : mercado cerrado
I : *mercato chiuso*

MARCHÉ GLOBAL
GB : package deal
D : *Globalgeschäft*
E : contrato global
I : *contratto globale*
Pratique des opérateurs qui consiste à négocier tout au long des 24 heures d'une journée

MARCHÉ LIBRE
GB : open market
D : *freier Markt*
E : mercado libre
I : *mercato libero*
Marché où se négocient librement des valeurs n'ayant pas de cotation officielle

MARCHÉ MONÉTAIRE
GB : money market
D : *Geldmarkt*
E : mercado de dinero
I : *mercato di denaro*
Marché des capitaux à court et à moyen terme, comprenant le marché interbancaire et le nouveau marché des titres de créances négociables

MARCHÉ NOIR
GB : black market
D : *schwarzer Markt*
E : mercado negro
I : *mercato nero*

MARCHÉ ORIENTÉ À LA BAISSE
GB : bear market, falling market
D : *Baissemarkt*
E : mercado bajista
I : *mercato tendente al ribasso*

MARCHÉ ORIENTÉ À LA HAUSSE
GB : bull market
D : *Haussemarkt*
E : mercado alcista
I : *mercato tendente al rialzo*

MARCHÉ PUBLIC
GB : procurement contract
D : *Vertrag über öffentlicher Arbeiten*
E : mercado público
I : *mercato pubblico*
Contrat liant une personne publique (Etat, administration, collectivité locale) à un entrepreneur ou un fournisseur de services

MARGE
GB : margin
D : *Spanne*
E : margen
I : *margine*

MARGE BRUTE
GB : gross margin
D : *Bruttoverdienstspanne*
E : margen bruto
I : *margine lordo*
Voir Bénéfice brut

MARGE COMMERCIALE
GB : trading margin
D : *Handelsspanne*
E : margen comercial
I : *margine commerciale*
Différence entre le chiffre d'affaires hors taxes et le coût d'achat hors taxes des marchandises vendues

MARGE NETTE
GB : net profit margin
D : *Reingewinnspanne*
E : margen de beneficio neto
I : *margine di utile netto*
Voir Bénéfice net

MARITIME
GB : maritime
D : *See-*
E : maritimo
I : *marittimo*

MARKETING
GB : marketing
D : *Marketing*
E : marketing
I : *marketing*
Englobe à la fois les techniques d'analyse des besoins pour définir le produit correspondant, et les techniques de faire-savoir

MARKETING DIRECT
GB : direct marketing
D : *Direktmarketing*
E : marketing directo
I : *marketing diretto*
Ensemble des techniques du marketing utilisant un mode de liaison direct avec le consommateur pour véhiculer un message ou un bien

MARQUE
GB : brand
D : *Handelsmarke*
E : marca
I : *marca*

MARQUE DE DESTINATION
GB : port mark
D : *Benennung des Bestimmungshafens*
E : marca de destino
I : *marche di destinazione*

MARQUE DE FABRIQUE
GB : trademark
D : *Warenzeichen*
E : marca de fabrica
I : *marchio di fabbrica*
Signe distinctif apposé sur un produit pour en indiquer l'origine, elle est protégée légalement par son inscription obligatoire à l'Institut national de la propriété industrielle

MATIERE
GB : material (substance)
D : *Material*
E : materia
I : *materia*

MATIERE PREMIERE
GB : raw material
D : *Rohstoff*
E : materia prima
I : *materia prima*

MATRICE
GB : matrix
D : *Matrix*
E : matriz
I : *ruolo d'imposta*
Tableau de nombres disposés en lignes et en colonnes permettant de faire de l'analyse stratégique ou d'étudier les possibilités de développement d'une entreprise

MAUVAIS PAYEUR
GB : slow payer
D : *schlechter Zahler*
E : deudor moroso
I : *cattivo pagatore*

MAXIMUM
GB : maximum
D : *maximal*
E : maximo
I : *massimo*

MAZOUT
GB : fuel oil
D : *Heizöl*
E : fuel-oil
I : *petrolio da ardere*

MÉCANICIEN
GB : mechanic
D : *Mechaniker*
E : mecanico
I : *meccanico*

MÉCÉNAT
GB : commercial sponsorship
D : *Mäzenatentum*
E : mecenazgo
I : *mecenatismo*
Forme de communication d'entreprise fondée sur le financement et le soutien d'entreprises, projets, opérations et manifestations à caractère artistique et culturel

MÉDIATION
GB : mediation
D : *Vermittlung*
E : intermediacion
I : *mediazione*

MEILLEUR MARCHÉ
GB : cheaper
D : *billiger*
E : mas barato
I : *meno caro*

MEMBRE
GB : member
D : *Mitglied*
E : miembro, socio
I : *membro, socio*

MEMBRE FONDATEUR
GB : founder member
D : *Gründemitglied*
E : miembro fundador
I : *socio fondatore*

MÉNAGE
GB : household
D : *Haushalt*
E : hogar
I : *famiglia*
Unité de consommation (une famille, un célibataire, une entreprise individuelle)

MÉNAGERE
GB : housewife
D : *Hausfrau*
E : ama de casa
I : *massaia*

MENSUALITÉ
GB : monthly instalment
D : *Monatsrate*
E : mensualidad
I : *mensilità*

MERCANTILE
GB : mercantile
D : *Handels-*
E : mercantil
I : *mercantile*

MESURE
GB : measure
D : *Maß*
E : medida
I : *misura*

MESURER
GB : measure
D : *messen*
E : medir
I : *misurar*

MÉTIER
GB : trade
D : *Beruf*
E : oficio
I : *mestiere*

MÉTREUR-VÉRIFICATEUR
GB : quantity surveyor
D : *Massenberechner*
E : medidor de contidades de obra
I : *perito misuratore*

MEUBLES NMP
GB : furniture
D : *Möbel*
E : muebles
I : *mobilia*

MICRO-ÉCONOMIE
GB : microeconomics
D : *Mikroökonomie*
E : microeconomía
I : *microeconomia*
Approche économique basée sur l'étude des comportements des unités individuelles (l'entreprise, le consommateur, l'entrepreneur individuel)

MINE
GB : mine
D : *Bergwerk*
E : mina
I : *minera*

MINERAI DE FER
GB : iron ore
D : *Eisenrz*
E : mineral de hierro
I : *minerale di ferro*

MINÉRAL
GB : mineral
D : *Mineral*
E : mineral
I : *minerale*

MINIMISER
GB : minimize
D : *minimieren*
E : minimizar
I : *minimizzare*

MINIMUM
GB : minimum
D : *minimal*
E : minimo
I : *minimo*

MINISTERE
GB : ministry
D : *Ministerium*
E : ministerio
I : *ministero*

MINORITÉ DE BLOCAGE
GB : blocking minority
D : *Sperrminorität*
E : minoría de bloqueo
I : *minoranza (dei soci) in grado di influenzare le decisioni dell'assemblea*
Fraction du capital social ou des droits de vote d'une société détenue par des actionnaires non majoritaires leur permettant de s'opposer à certaines décisions

MISE EN DEMEURE
GB : formal notice
D : *Inverzugsetzung*
E : aviso oficial
I : *intimazione*

MOBILISATION DE CRÉANCES COMMERCIALES
GB : assignment of trade receivables
D : *Refinanzierung von Forderungen*
E : movilización de créditos comerciales
I : *mobilitazione dei crediti commerciali*
Utilisation de la technique de l'escompte qui permet à une entreprise d'obtenir des fonds en cédant à une banque les titres représentant les créances sur ses clients

MOBILITÉ
GB : mobility
D : *Beweglichkeit*
E : movilidad
I : *mobilità*

MODE
GB : mode
D : *Mode, Modus*
E : modo
I : *moda*

MODE D'EMPLOI
GB : directions for use
D : *Gebrauchsanweisung*
E : modo de empleo
I : *istruzioni per l'uso*

MODELE
GB : model
D : *Modell*
E : modelo
I : *modello*

MOINS-VALUE
GB : capital loss
D : *Minderwert*
E : depreciación, minusvalía
I : *deprezzamento*
Différence négative entre le prix de cession et le prix d'achat d'un bien ou d'un titre

MOISSON
GB : harvest
D : *Ernte*
E : cosecha
I : *raccolto*

MOITIÉ (À)
GB : half
D : *halb*
E : medio
I : *mezzo*

MOITIÉ PRIX (À)
GB : half price
D : *zum halben Preis*
E : a miltad de precio
I : *metà prezzo*

MONNAIE
GB : currency
D : *Währung*
E : moneda
I : *valuta*

MONNAIE DE RÉSERVE
GB : reserve currency
D : *Reservewährung*
E : moneda de reserva
I : *valuta di riserva*
Détenue par les banques centrales et considérée comme réserve de change en raison de la confiance que lui attribue la communauté internationale

MONNAIE FAIBLE
GB : soft currency
D : *schwache Währung*
E : moneda débil
I : *valuta debole*

MONNAIE FORTE
GB : hard currency
D : *harte Währung*
E : moneda fuerta
I : *valuta forte*

MONNAIE LÉGALE
GB : legal tender
D : *gesetzliches Zahlungsmittel*
E : moneda legal
I : *denaro a corso legale*
Dont le cours est légal en vertu de dispositions légales

MONOPOLE
GB : monopoly
D : *Monopol*
E : *monopolio*
I : *monopolio*
Situation d'un marché sur lequel la concurrence n'existe pas du côté de l'offre (un seul vendeur)

MONTANT BRUT
GB : gross amount
D : *Bruttobetrag*
E : importe bruto
I : *Importo lordo*

MONTANT NET
GB : net amount
D : *Nettobetrag*
E : importe neto
I : *importo netto*

MONTANT NOMINAL
GB : nominal amount
D : *Nominalbetrag*
E : suma nominal
I : *importo nominale*
Inscrit sur un titre, il est définitif quelles que soient les fluctuations de la valeur réelle ou marchande de celui-ci

MORATOIRE
GB : moratorium
D : *Zahlungsaufschub*
E : moratorio
I : *moratoria*
Disposition suspendant l'application d'un délai fixé par la loi ou par contrat

MORT
GB : death
D : *Tod*
E : muerte
I : *morte*

MOTION
GB : motion
D : *Antrag*
E : mocion
I : *mozione*
Proposition faite dans une assemblée par un ou plusieurs de ses membres

MOTIVATION
GB : motivation
D : *Motivation*
E : motivación
I : *motivazione*

MOYENNE NF
GB : average
D : *Durchschnitt*
E : promedio
I : *media*

MOYENNE ARITHMÉTIQUE
GB : arithmetic mean
D : *arithmetisches Mittel*
E : media aritmética
I : *media aritmetica*

MOYENNE PONDÉRÉE
GB : weighted average
D : *gewogener Durchschnitt*
E : media ponderada
I : *media ponderata*
Moyenne arithmétique dans laquelle des coefficients sont attribués à certains nombres en fonction de leur valeur relative

MULTIPLICATEUR
GB : multiplier
D : *Vervielfältiger*
E : multiplicador
I : *moltiplicatore*

MULTIPLIER
GB : multiply
D : *vervielfältigen*
E : multiplicar
I : *moltiplicare*

MUTUELLE
GB : mutual benefit society
D : *Versicherungsgesellschaft auf Gegenseitigkeit*
E : mutualidad
I : *società mutualistica*
Organisme de prévoyance, de solidarité et d'entraide financée par les cotisations de ses membres

NANTISSEMENT
GB : security, hypothecation
D : *Nebenbürgschaft, Hypothek*
E : fianza, hipoteca
I : *pegno, ipoteca*
Ou hypothèque mobilière. Dépôt, par un débiteur, d'un bien mobilier lui appartenant entre les mains de son créancier pour garantir le paiement de sa dette

NATIONAL
GB : national
D : *national*
E : nacional
I : *nazionale*

NATIONALISATION
GB : nationalization
D : *Verstaatlichung*
E : nacionalizacion
I : *nazionalizzazione*
Transfert à la collectivité nationale de certaines entreprises ou de l'exercice de certaines activités

NATIONALITÉ
GB : nationality
D : *Staatsangehörigkeit*
E : nacionalidad
I : *nazionalità*

NATURE (EN)
GB : in kind
D : *in Waren*
E : en especie
I : *in natura*
En produits, objets, et non en espèces.

NAVIGABLE
GB : navigable
D : *schiffbar*
E : navegable
I : *navigabile*

NAVIRE
GB : ship
D : *Schiff*
E : barco
I : *nave*

NAVIRE MARCHAND
GB : merchant ship
D : *Handelsschiff*
E : barco mercante
I : *nave mercantile*

NAVIRE PORTE-CONTAINERS
GB : container ship
D : *Containerschiff*
E : barco de contenedores
I : *nave da contenitori*

NÉGLIGENCE
GB : negligence
D : *Fahrlässigkeit*
E : negligencia
I : *negligenza*

NÉGOCIABLE
GB : negotiable
D : *begebbar*
E : negociable
I : *negoziabile*
Transmissible sur un marché

NÉGOCIABLE (NON)
GB : not negotiable
D : *nicht übertragbar*
E : no negociable
I : *non negoziabile*

NÉGOCIANT
GB : dealer, merchant
D : *Händler, Kaufmann*
E : comerciante
I : *negoziante, commerciante*
Intermédiaire entre fabricants et utilisateurs, il cherche auprès de nombreux fournisseurs les meilleures conditions de prix. Il intervient en amont, en aval ou parallèlement au grossiste

NÉGOCIATION
GB : negotiation
D : *Verhandlung*
E : negociacion
I : *trattativa*

NÉGOCIATIONS DE CONVENTIONS COLLECTIVES
GB : collective bargaining
D : *Tarifvertragsverhandlung*
E : contratacion collectiva
I : *contrattazione collettivo*

NÉGOCIER
GB : negotiate
D : *verhandeln*
E : negociar
I : *negoziare*

NET
GB : net
D : *Netto-,Rein-*
E : neto
I : *netto*

NIVEAU DES PRIX
GB : price level
D : *Preisebene*
E : nivel de precios
I : *livello dei prezzi*

NIVEAU DE VIE
GB : standard of living
D : *Lebenshaltung*
E : nivel de vida
I : *tenore di vita*
Ensemble des biens et services à la disposition d'un individu, d'un ménage ou d'un groupe social

NŒUD
GB : knot
D : *Knoten*
E : nudo
I : *nodo*

NOMENCLATURE COMPTABLE
GB : accounting terminology
D : *buchhalterische Nomenklatur*
E : nomenclatura contable
I : *nomenclatura contabile*
Liste méthodique des éléments entrant dans le champ de la comptabilité de l'entreprise

NOMENCLATURE DE BRUXELLES (NDB)
GB : Brussels Nomenclature
D : *Brüsseler Verzeichnis*
E : Nomenclatura de Bruselas
I : *Nomenclatura di Bruxelles*
Classification méthodique des termes, produits et éléments divers employés dans la comptabilité européenne

NOMINAL
GB : nominal
D : *nominell*
E : nominal
I : *nominale*

NOMINATIF
GB : registered
D : *namentlich*
E : nominativo
I : *nominativo*

NOMMER
GB : appoint
D : *ernennen*
E : nombrar
I : *nominare*

NON-EXÉCUTION
GB : nonfulfilment
D : *Nichterfüllung*
E : incumplimiento
I : *inadempienza*

NORME
GB : standard, norm
D : *Standard, Norm*
E : norma, standard
I : *norma*
Prescription technique (qui peut être définie par la loi) relative à la qualité d'un produit, à son contrôle, à sa sécurité et à son aptitude à l'emploi

NOTAIRE
GB : notary public
D : *Notar*
E : notario publico
I : *notaio pubblico*
Officier public chargé de recevoir, rédiger, authentifier et conserver les actes et contrats des particuliers

NOTE
GB : bill, account
D : *Rechnung*
E : cuenta, nota
I : *conto, nota*

NOTIFICATION
GB : notification
D : *Mittelung*
E : notificación
I : *notifica*

NOTORIÉTÉ
GB : fame/recognition
D : *Bekanntheit*
E : notoriedad
I : *notorietà*

NOTORIÉTÉ SPONTANÉE ASSISTÉE
GB : attended spontaneous
D : *unterstützte Spontanbekanntheit*
E : notoriedad espontánea asistida
I : *notorietà spontanea guidata*
NOTORIETE ASSISTEE: Caractérise une marque citée lors d'une enquête après avoir été choisie dans une liste présentée au consommateur. NOTORIETE SPONTANEE: Caractérise une marque citée de mémoire par un consommateur sans aucune aide extérieure

NOUVEAUTÉS
GB : fancy goods
D : *Modeartikel*
E : articulos de fantasia
I : *articoli fantasia*

NOYAUX DURS
GB : hard core shareholders
D : *harte Kerne*
E : núcleo fuerte
I : *zoccolo duro*
Noyaux stables d'actionnaires des sociétés privatisées, soumis au respect de certaines contraintes pour protéger celles-ci d'éventuelles prises de contrôle

NUL
GB : void
D : *nichtig*
E : nulo
I : *nullo*

NUL ET NON AVENU
GB : null and void
D : *null und nichtig*
E : nulo y sin valor
I : *nullo e senza effetto*
Considéré comme n'ayant jamais existé

NUMÉRO
GB : number
D : *Nummer, Anzahl*
E : numero
I : *numero*

NUMÉRO DE TÉLÉPHONE
GB : telephone number
D : *Telefonnummer*
E : numero de téléfono
I : *numero di telefono*

OBLIGATAIRE
GB : bondholder
D : *Obligationär*
E : obligacionista
I : *portatore di obbligazioni*
Détenteur d'une obligation ou qualificatif d'un emprunt sous forme d'émission d'obligations

OBLIGATION
GB : debenture, bond
D : *Obligation, Schuldverschreibung*
E : obligacion
I : *obbligazione*
Valeur mobilière, titre représentatif d'un emprunt contracté par une personne morale, pour un montant et une durée déterminés, auprès d'un souscripteur (personne physique ou morale) qui perçoit éventuellement un intérêt fixe

OBLIGATION AMORTISSABLE
GB : redeemable bond
D : *Kündbare Obligation*
E : obligacion reembolsable
I : *obbligazione redimibile*
Obligation remboursable

OBLIGATION AU PORTEUR
GB : bearer debenture
D : *Inhaberobligation*
E : obligacion al portador
I : *obbligazione al portatore*
Titre non nominatif de créance négociable manuellement

OBLIGATION CONVERTIBLE EN ACTION
GB : bond convertible into equity
D : *Wandelanleihe,*
E : obligación convertible en acción
I : *obbligazione convertibile in azioni*
Obligation que le souscripteur peut, au terme d'un certain délai ou à une date déterminée, transformer en action

OBLIGATION D'ETAT
GB : government bond
D : *Staatsobligation*
E : obligacion del Estado
I : *obbligazione dello Stato*

OBLIGATION FONCIERE
GB : property bond
D : *Grund-und Gebäude-obligation*
E : cédula hipotecaria
I : *obbligazione fondiaria*
Obligation à revenu fixe émise par une banque de crédit hypothécaire et destinée à financer des prêts immobiliers

OBLIGATION GARANTIE (OU CAUTIONNÉE)
GB : secured debenture
D : *gesicherte Schuldverschreibung*
E : obligacion garantizada
I : *obbligazione garantita*
Cautionnement donné par une banque permettant le paiement à crédit de certains impôts indirects au Trésor public

OBLIGATION HYPOTHÉCAIRE
GB : mortgage debenture
D : *hypothekarisch gesicherte Schuldverschreibung*
E : obligacion hipotecaria
I : *obbligazione ipotecaria*
Obligation garantie par une hypothèque sur des biens immeubles

OBLIGATION IRREMBOURSABLE
GB : irredeemable debenture
D : *uneinlösbare Schuldverschreibung*
E : obligacion amortizable
I : *obbligazione irredimibile*

OBLIGATION PERPÉTUELLE
GB : perpetual debenture
D : *Dauerschuldverschreibung*
E : obligacion a perpetuidad
I : *obbligazione perpetua*
Emprunt à durée indéterminée n'ayant aucune échéance de remboursement

OBLIGATION SANS DATE D'ÉCHÉANCE
GB : undated bond
D : *Schuldverschreibung ohne Fälligkeitsdatum*
E : obligacion sin fecha de vencimiento
I : *obbligazione senza data discadenza*

OBLIGATIONS ASSIMILABLES DU TRÉSOR
GB : treasury bond
D : *Bundesschatzanleihen*
E : obligaciones asimilables del Tesoro
I : *obbligazioni assimilabili del Tesoro*
Ont pour caractéristiques un montant nominal de 2 000 F, une durée d'émission comprise entre 5 et 25 ans avec des échéances standards et des coupons annuels fixes ou variables

OBSOLESCENCE
GB : obsolescence
D : *Veralterung*
E : obsolescencia
I : *obsolescenza, invecchiamento dei mezzi produttivi*
Caractérise un matériel périmé par le progrès technique ou les produits nouveaux alors que le délai d'usure n'est pas atteint

OBLIGATOIRE
GB : compulsory
D : *verbindlich*
E : obligatorio
I : *obbligatorio*

OCCASION
GB : bargain
D : *Gelegenheitskauf*
E : ganga
I : *accasione*

OCCASION (D')
GB : second-hand
D : *aus zweiter Hand, Gebraucht-*
E : se segunda mano
I : *di seconda mano*

OCCUPATION
GB : occupation, job
D : *Beschäftigung*
E : ocupacion, empleo
I : *occupazione, impiego*

OCCUPER LE MARCHÉ
GB : corner a market
D : *den Markt beherrschen*
E : acaparar el mercado
I : *accaparrare il mercato*

OFFICIEL
GB : official
D : *amtlich*
E : oficial
I : *ufficiale*

OFFRE
GB : bid, offer
D : *Angebot, Offerte*
E : oferta
I : *offerta*
Mise à la disposition du marché de biens ou de services. Par extension, leur volume par rapport à la demande

OFFRE À PRIME
GB : premium offer
D : *Verkauf mit Zugaben*
E : oferta a prima
I : *offerta sopra la pari*
Forme de remise sur une vente ou de plus-value financière

OFFRE DE RACHAT
GB : take-over bid
D : *Übernahmeangebot*
E : oferta de adquisicion
I : *offerta di acquisto*

OFFRE ET DEMANDE
GB : supply and demand
D : *Angebot und Nachfrage*
E : oferta y demanda
I : *offerta e domanda*

OFFRE EXCEPTIONNELLE
GB : bargain offer
D : *Sonderangebot*
E : oferta de ocasion
I : *offerta di occasione*

OFFRE FERME
GB : firm offer
D : *festes Angebot*
E : oferta en firme
I : *offerta ferma*

OFFRE PUBLIQUE D'ACHAT — OPA
GB : takeover bid
D : *öffentliches Ankaufsangebot*
E : oferta pública de adquisición
I : *offerta pubblica di acquisto*
Procédure boursière qui permet à une personne physique ou morale de prendre le contrôle d'une société cotée en proposant à ses actionnaires le rachat de leurs actions à un cours supérieur au cours de Bourse ou à la valeur réelle du titre

OFFRE PUBLIQUE D'ÉCHANGE — OPE
GB : tender offer
D : *öffentliches Wechselangebot*
E : oferta pública de intercambio
I : *offerta pubblica di scambio*

OPA pour laquelle les actions des actionnaires de la société cible sont échangées contre des titres (actions ou obligations) de celle qui achète

OFFRE SPÉCIALE
GB : special offer
D : *Sonderangebot*
E : oferta especial
I : *offerta speciale*

OFFRIR
GB : offer
D : *anbieten*
E : ofrecer
I : *offrire*

OLIGOPOLE
GB : oligopoly
D : *Oligopol*
E : oligopolio
I : *oligopolio*
Situation d'un marché sur lequel la concurrence est imparfaite du fait que l'offre est réalisée par un petit nombre de grandes entreprises face à un grand nombre de demandeurs

OMISSION
GB : omission
D : *Auslassung, Unterlassung*
E : omision
I : *omissione*

OPÉRATION (AFFAIRE)
GB : transaction
D : *Transaktion, Abschluß*
E : operacion (mercantil)
I : *operazione*

OPÉRATION DE BOURSE
GB : stock market transaction
D : *Börsengeschäft*
E : operación de Bolsa
I : *operazione di Borsa*

OPÉRATIONNEL
GB : operational
D : *operativ*
E : operacional
I : *operativo*
Adapté à la tâche ou à la fonction à remplir. Désigne aussi une fonction se rapportant à l'activité principale de l'entreprise (par opposition aux tâches administratives)

OPÉRATIONS À TERME
GB : forward dealings
D : *Zeitgeschäfte*
E : negociaciones a término
I : *operazioni a termine*
Opérations réalisées sur un marché à terme

OPINION
GB : opinion
D : *Meinung*
E : opinion
I : *opinione*

OPPOSITION D'INTÉRETS
GB : conflict of interest
D : *widerstreitende Interessen*
E : pugna de intereses
I : *conflitto d'interessi*

OPTIMUM
GB : optimum
D : *Optimum*
E : óptimo
I : *ottimale*
Valeur d'une grandeur, ou d'un ensemble de grandeurs, jugée comme la plus adaptée à la réalisation d'un ou plusieurs objectifs

OPTION
GB : option
D : *Option*
E : opcion
I : *opzione*
Clause d'un contrat donnant à l'une des parties le droit de réaliser quelque chose à une date future et à des conditions fixées à la date du contrat

OPTION DE VENTE
GB : put option
D : *Verkaufsoption*
E : opcion de venta
I : *premio a vendere*

OPTION D'ACHAT
GB : call option
D : *Kaufoption*
E : opcion de compras
I : *premio d'acquisto*
Confère le droit (et non l'obligation) d'acheter des actifs à un prix fixé

OPTION DE VENTE
GB : put option
D : *Verkaufoption*
E : option de venta
I : *premio a vendere*
Confère le droit (et non l'obligation) de vendre des actifs à un prix fixé

OR
GB : gold
D : *Gold*
E : oro
I : *oro*

ORDINATEUR
GB : computer
D : *Rechner, Computer*
E : computadora
I : *elaboratore, calcolatore*

ORDINOGRAMME
GB : flow chart
D : *Flußdiagramm*
E : diagrama de flujo
I : *diagramma di flusso*
Schéma codifié représentant le déroulement d'un programme d'ordinateur

ORDONNANCE
GB : warrant
D : *Befugnis*
E : mandato
I : *mandato*

ORDONNANCEMENT
GB : (Administration) order to pay/ (industrie) production scheduling
D : *Zahlungsanweisung*
E : planificación
I : *ordinativo*
Organisation, agencement méthodique. Acte administratif par lequel ordre est donné de payer une dette contractée par un organisme public

ORDRE BANCAIRE
GB : banker's order
D : *Bankauftrag*
E : orden bancaria
I : *ordine bancario*
Endossement par une banque

ORDRE DU JOUR
GB : agenda
D : *Tagesordnung*
E : orden del dia
I : *ordine del giorno*

ORGANIGRAMME
GB : organization chart
D : *Organigramm*
E : organigrama
I : *organigramma*
Représentation graphique de la structure d'une organisation, montrant ses différents organes et leurs liaisons hiérarchiques

ORGANISATION
GB : organization
D : *Organisation*
E : organizacion
I : *organizzazione*

ORGANISATION DE COOPÉRATION ET DE DÉVELOPPEMENT ÉCONOMIQUES — OCDE
GB : Organization for economic cooperation and development (OECD)
D : *Organisation für wirtschaftliche Zusammenarbeit und Entwicklung (OECD)*
E : Organizacion para cooperacion y desarrollo economico
I : *Organizzazione per la cooperazione e lo sviluppo economico*
Regroupe à Paris 25 pays en majorité européens ainsi que les Etats-Unis, le Canada, le Japon, l'Australie et la Nouvelle-Zélande. Son rôle depuis 1961 : favoriser l'expansion économique de ses membres ainsi que celle des pays en développement

ORGANISATION INTERNATIONALE DU TRAVAIL — OIT
GB : International labour organization (ILO)
D : *Internationale Arbeitsorganisation (IAO)*
E : Organizacion laboral internacional
I : *Organizzazione internazionale del lavoro*

ORGANISATION MONDIALE DE LA SANTÉ — OMS
GB : World health organization (WHO)
D : *Weltgesundheitsorganisation (WHO)*
E : Organizacion mundial de la salud (OMS)
I : *Organizzazione mondiale della sanità (OMS)*

Organisation spécialisée de l'ONU dont le siège est à Genève, et qui a pour objet de créer les conditions pour « amener tous les peuples au degré de santé le plus élevé possible »

ORGANISATION MONDIALE DU COMMERCE — OMC
Voir Accord général sur les tarifs douaniers et le commerce — GATT

ORIENTÉ À LA BAISSE
GB : bearish
D : *flau*
E : bajista
I : *ribassista*

ORIGINAL (NM)
GB : top copy
D : *Original*
E : original
I : *originale*

ORIGINE
GB : origin
D : *Ursprung*
E : origen
I : *origine*

OUTPLACEMENT
GB : outplacement
D : *Umschulung*
E : reconversión externa
I : *outplacement*
Financé par l'entreprise qui se sépare de collaborateurs, il est effectué par des sociétés spécialisées qui mettent à la disposition des salariés, pendant un temps déterminé, conseils et moyens divers pour leur recherche d'emploi

OUVRAGE DE RÉFÉRENCE
GB : reference book
D : *Nachschlagewerk*
E : libro de consulta
I : *libro di consultazione*

OUVRIER
GB : worker, workman
D : *Arbeiter*
E : obrero, trabajador
I : *operaio, lavoratore*

PACKAGE
GB : package
D : *Paket*
E : package
I : *package*
Assemblage de produits offerts à la vente

PACTE
GB : deed of covenant
D : *Pakt*
E : pacto
I : *patto*

PAIEMENT À LA LIVRAISON
GB : cash on delivery (COD)
D : *Lieferung gegen Nachnahme*
E : entrega contra reembolso
I : *pagamento alla consegna*

PAIEMENT ANTICIPÉ
GB : prepayment
D : *Vorauszahlung*
E : pago andelantado
I : *pagamento anticipato*

PAIEMENT DIFFÉRÉ
GB : deferred payment
D : *gestundete Zahlung*
E : pago aplazado
I : *pagamento differito*

PAIEMENT LIBÉRATOIRE
GB : payment in full discharge
D : *Zahlung zum vollen Ausgleich*
E : pago de liberacion
I : *pagamento a completa tacitazione*
Qui a pour effet de libérer un débiteur de sa dette

PAIEMENT PAR ANTICIPATION
GB : advance payment
D : *Vorauszahlung*
E : anticipo
I : *pagamento anticipato*

PAIEMENT PARTIEL
GB : part payment
D : *Ratenzahlung*
E : pago parcial
I : *pagamento parziale*

PAIEMENT SOUS PROTET
GB : payment under protest
D : *Zahlung unter Protest*
E : pago sobre protesta
I : *pagamento sotto protesto*
Effectué sous la contrainte d'un huissier qui constate le non-paiement d'un chèque, d'un billet à ordre ou d'une lettre de change

PAIEMENTS TRIMESTRIELS
GB : quarterly payments
D : *vierteljährliche Zahlungen*
E : pagos trimestrales
I : *pagamenti trimestrali*

PAIR (AU)
GB : at par
D : *al pari*
E : al par
I : *alla pari*

PALETTE
GB : pallet
D : *Palette*
E : bandeja
I : *paletta*

PALETTISATION
GB : palletization
D : *Palettieren*
E : paletizacion
I : *palettizzazione*
Utiliser ou prévoir l'emploi de palettes pour la manutention de marchandises

PAPIER BANCABLE
GB : bankable bills
D : *diskontierbare Wechsel*
E : efectos negociables
I : *effetti scontabili*
Effet de commerce escomptable par la Banque Centrale, auprès de laquelle une banque peut le réescompter

PAPIER MILLIMÉTRÉ
GB : graph paper
D : *Millimeterpapier*
E : papel milimetrado
I : *carta millimetrata*

PAPIER-MONNAIE
GB : paper money
D : *Papiergeld*
E : papel monetario, papel moneda
I : *carta moneta*

PAQUET
GB : parcel, package
D : *Paket*
E : paquete
I : *pacco, collo*

PARADIGME
GB : paradigm
D : *Musterwort*
E : paradigma
I : *paradigma*
Ensemble de faits, de propositions et de méthodes qui, à un moment donné, sont admis par une communauté scientifique et oriente son activité

PARADIS FISCAL
GB : tax heaven
D : *Steuerparadies*
E : oasis tributario
I : *paradiso fiscale*

PARAMETRE
GB : parameter
D : *Parameter*
E : parámetro
I : *parametro*
Elément, coefficient constant attribué aux variables dans un modèle économétrique

PARAPHER
GB : initial
D : *paraphieren*
E : rubricar, poner iniciales a
I : *siglare*

PARCELLE
GB : parcel (of land) (USA plot)
D : *Parzelle*
E : parcela
I : *pezzo, lotto*

PARITÉ
GB : parity
D : *Parität*
E : paridad
I : *parità*
Taux de change

PARITÉ FIXE
GB : fixed parity
D : *feste Parität*
E : paridad fija
I : *parità fissa*

PAR LA PRÉSENTE
GB : hereby
D : *hiermit*
E : por esto
I : *col presente, con questo*

PART
GB : share
D : *Teil*
E : parte
I : *parte*

PARTAGER
GB : share
D : *teilen*
E : repartir
I : *dividere*

PARTAGER LA DIFFÉRENCE
GB : split the difference
D : *einen strittigen Preisunterschied teilen*
E : repartir la diferencia
I : *dividere a metà la differenza*

PAR TETE
GB : per capita
D : *pro Kopf*
E : por cabeza
I : *a testa*

PART DE MARCHÉ
GB : market share
D : *Marktanteil*
E : participacion del mercado
I : *quota del mercado*

PARTICIPATION AUX BÉNÉFICES
GB : profit-sharing
D : *Gewinnbeteiligung*
E : participacion en los beneficios
I : *partecipazione agli utili*

PARTICIPATION MINORITAIRE
GB : minority interest, minority stake
D : *Minoritätsbeteiligung, Minderheitsbeteiligung*
E : participacion de la minoria, participación minoritaria
I : *interessenza di minoranza*

PARTICIPATION DONNANT LE CONTROLE
GB : controlling interest
D : *Mehrheitsbeteiligung*
E : interés mayoritario
I : *intresse della parte maggioritaria*

PARTICIPATION MAJORITAIRE
GB : majority holding
D : *Mehrheitsbeteiligung*
E : tenencia de acciones por mayoria
I : *partecipazione maggioritaria*

PARTICIPER
GB : participate
D : *beteiligen*
E : participar
I : *partecipare*

PARTICULARITÉ
GB : feature
D : *Merkmal*
E : caracteristica
I : *caratteristica*

PARTIE LÉSÉE
GB : injured party
D : *Verletzte(r)*
E : parte lesionada
I : *parte lesa*

PAS-DE-PORTE
GB : key money
D : *Türschwelle*
E : traspaso
I : *avviamento commerciale*
Somme d'argent variable, et indépendante du loyer, versée par un locataire à celui qui l'a précédé ou au propriétaire d'un local commercial, lors de la conclusion du contrat de bail ou de cession de bail

PASSAGER
GB : passenger
D : *Reisende(r)*
E : pasajero
I : *passeggero*

PASSIF CIRCULANT
GB : current liabilities
D : *Umlaufvermögen*
E : pasivo circulante
I : *passivo circolante*
Total des dettes à moins d'un an, dont on peut retrancher les dettes sur immobilisations, sur acquisitions de valeurs mobilières, les dettes fiscales et sociales et les comptes courants d'associés

PASSIF DIFFÉRÉ
GB : deferred liabilities
D : *aufgeschobene Schulden*
E : pasivo transitorio
I : *passività differite*
Définition prévue non donnée

PASSIF EXIGIBLE
GB : current liabilities
D : *laufende Verbindlichkeiten*

E : pasivo exigible
I : *passività esigibili*
Dettes à court terme

PATENTE
GB : trading licence
D : *Gewerbeschein*
E : patente
I : *patente*
Voir Taxe professionnelle

PATRON
GB : employer, principal
D : *Arbeitgeber, Chef*
E : patrono, principal
I : *padrone, principale*

PAVILLON (DRAPEAU)
GB : flag
D : *Flage*
E : bandera
I : *bandiera*

PAYABLE
GB : payable
D : *zahlbar*
E : pagadero, pagable
I : *pagabile*

PAYABLE À LA COMMANDE
GB : cash with order
D : *gegen Barzahlung*
E : pagadero con el pedido
I : *pagamento con l'ordine*

PAYABLE AU PORTEUR
GB : payable to bearer
D : *an den Inhaber zahlbar*
E : pagadero al portador
I : *pagabile al portatore*
Document non nominatif payable à celui qui le présente

PAYABLE À VUE
GB : payable at sight
D : *zahlbar bei Sicht*
E : pagadero a la vista
I : *pagabile a vista*
Voir A vue

PAYÉ D'AVANCE
GB : prepaid
D : *vorausbezahlt*
E : pagado por adelantado
I : *pagato in anticipo*

PAYER
GB : pay
D : *zahlen*
E : pagar
I : *pagare*

PAYER PAR TERMES MENSUELS (HEBDOMADAIRES)
GB : pay by monthly (weekly) instalments
D : *monatlich (wöchentlich) in Raten zahlen*
E : pagar a plazos mensuales (semanales)
I : *pagare a rate mensili (settimanali)*

PAYER UNE LETTRE DE CHANGE
GB : retire a bill
D : *eine Wechsel einlösen*
E : recoger una letra
I : *ritirare un effetto*
S'acquitter d'une dette à une date
déterminée

PAYER AU PORTEUR
GB : pay to bearer
D : *zahlen bei Vorlage*
E : paguese al portador
I : *pagare al portatore*

PAYS
GB : country
D : *land*
E : pais
I : *paese*

PAYS DE PROVENANCE
GB : country of origin
D : *Herkunftsland*
E : pais de origen
I : *paese di origine*

PAYS EN VOIE DE DÉVELOPPE-MENT
GB : developing country
D : *Entwicklungsland*
E : pais en desarrollo
I : *paese in via di sviluppo*
Successivement sous-développés
(années 60) puis en voie de dévelop-
pement (années 70), les pays en
développement sont classés comme
tels par la Banque mondiale en fonc-
tion de leur revenu moyen annuel
par habitant. Les plus pauvres, appe-
lés pays moins avancés — PMA, ont
un revenu annuel inférieur à 300
dollars par habitant

PAYS SOUS-DÉVELOPPÉS
GB : underdeveloped countries
D : *unterentwickelte Länder*
E : paises en desarrollo
I : *paesi sottoviluppati*

PÉNALITÉ
GB : penalty
D : *Strafe*
E : multa
I : *penalità*
Sanction fiscale

PÉNALITÉ (AMENDE)
GB : fine
D : *Geldstrafe*
E : sancion, multa
I : *multa*
Amende recouvrée en cas de fraude
ou d'infraction fiscales

PÉNÉTRATION DU MARCHÉ
GB : market penetration
D : *Markteindringen*
E : penetracion en el mercado
I : *penetrazione nel mercado*

PÉNICHE
GB : barge
D : *Lastkahn*
E : barcaza
I : *chiatta*

PENSION
GB : pension
D : *Pension, Rente*
E : pension
I : *pensione*
Cession temporaire d'effets négo-
ciables (qui servent de garantie)
d'une banque à une autre pour obte-
nir des liquidités pour la durée
nécessaire

PENSIONNAIRE
GB : pensioner
D : *Rentner*
E : pensionado, pensionista
I : *pensionato*

PER (PRICE EARNING RATIO)
GB : p/e (price earnings ratio)
D : *Kurs/Gewinn Verhältnis*
E : PER (price earning ratio)
I : *rapporto cambio-utile*
Coefficient de capitalisation des
résultats — CCR, par lequel il faut
multiplier le bénéfice net par action
pour en trouver le cours coté

PERCEPTEUR (DES IMPOTS)
GB : tax collector
D : *Steuereinnehmer*
E : recaudador de impuestos
I : *esattore delle imposte*

PERFORMANCE
GB : performance
D : *Leistung*
E : resultado, prestación
I : *prestazione*

PÉRIL
GB : peril
D : *Gefahr*
E : peligro
I : *pericolo*

PÉRIMÉ
GB : out of date, expired
D : *verfallen*
E : vencido
I : *scaduto*

PERMIS
GB : permit
D : *Erlaubnis, Genehmigung*
E : permiso
I : *permesso*

PERMIS DE TRAVAIL
GB : work permit
D : *Arbeitserlaubnis*
E : permiso de trabajo
I : *permesso di lavoro*

PERSONNEL NM
GB : personnel
D : *Personal*
E : personal
I : *personale*

PERTE
GB : loss
D : *Verlust*
E : pérdida
I : *perdita*

PERTE DE BÉNÉFICES
GB : loss of profits
D : *Gewinnausfall*
E : lucro cesante
I : *perdita di utili*

PERTE DE CAPITAL
GB : capital loss
D : *Kapitalverlust*
E : pérdida de capital
I : *perdita di capitale*

PERTE FICTIVE
GB : paper loss
D : *imaginärer Verlust*
E : pérdida por realizar
I : *perdita sulla carta*
Définition prévue non donnée

PERTE FISCALE
GB : tax loss
D : *Steuerverlust*
E : pérdida fiscal
I : *perdita a scopi fiscali*
Définition prévue non donnée

PERTE INDIRECTE
GB : consequential loss
D : *Folgeschaden*
E : pérdida indirecta
I : *perdita indiretta*
Définition prévue non donnée

PERTE TOTALE EFFECTIVE
GB : actual total loss
D : *wirklicher Totalverlust*
E : pérdida total efectiva
I : *perdita totale assoluta*

PERTES ET PROFITS
GB : profit and loss
D : *Gewinne und Verluste*
E : pérdidas y ganancias
I : *profitti e perdite*
Voir Compte de pertes et profits

PESER
GB : weigh
D : *wiegen*
E : pesar
I : *pesare*

PETITE ANNONCE
GB : classified advertisement
D : *Kleinanzeige*
E : anuncio por palabras
I : *piccola pubblicità*

PETITES ET MOYENNES ENTRE-PRISES (PME)
GB : small and medium-sized companies
D : *kleine und mittlere Unternehmen*
E : pequeñas y medianas empresas (PME)
I : *piccole e medie imprese (PMI)*
Entreprises employant de 10 à 500 salariés

PETITE MONNAIE
E : small change
D : Kleingeld
E : moneda suelta
I : *spiccioli*

PICTOGRAMME
GB : pictogram
D : *Piktogramm*
E : pictograma
I : *pittogramma*
Signe ou dessin simplifié et normalisé utilisé pour fournir une information

PIECE (DE MONNAIE)
GB : coin
D : *Münze*
E : moneda
I : *moneta*

PIECE JUSTIFICATIVE
GB : voucher
D : *Belegstück*
E : pieza justificativa
I : *pezza d'appoggio*

PIQUET
GB : picket
D : *Posten*
E : piquete
I : *picchetto*
Pendant une grève, groupe de travailleurs placés à l'entrée du lieu de travail et qui veillent à l'exécution des consignes

PLACEMENT
GB : investment
D : *Anlage*
E : inversión
I : *investimento*
Affectation d'une épargne à un emploi (dissocié du processus de production) en vue d'en tirer profit

PLAFOND
GB : ceiling
D : *Decke, Volumen*
E : tope
I : *limite massimo,tetto*

PLAFOND D'ÉMISSION
GB : issue ceiling
D : *Notenkontingent*
E : tope de emisión
I : *limite massimo di emissione*
Montant maximum de monnaie que la Banque centrale est autorisée à émettre

PLAFOND D'ENCOURS
GB : debt ceiling
D : *Kreditgrenze*
E : tope de deudas
I : *limite massimo di responsabilità cambiaria*
Valeur totale maximum des titres représentatifs d'engagements financiers en circulation autorisée par une banque à un client

PLAN NM
GB : plan
D : *Plan*
E : plan
I : *progetto, piano*
Programmation macro-économique, au niveau national, d'un ensemble de prévisions et d'objectifs économiques et définition des moyens nécessaires à leur réalisation

PLAN COMPTABLE
GB : French accounting standards
D : *Kontenplan*
E : plan contable
I : *limite massimo di responsabilità cambiaria*
Regroupement des principes et des normes comptables

PLAN DE FINANCEMENT
GB : financing plan
D : *Finanzierungsplan*
E : plan de financiación
I : *programma di finanziamento*

PLAN D'INVESTISSEMENT
GB : investment plan
D : *Investitionsplan*
E : plan de inversión
I : *programma d'investimenti*

PLANIFIER
GB : schedule
D : *planen*
E : programar
I : *programmare*

PLAN MÉDIA
GB : advertising schedule
D : *Werbeplan*
E : plan de propaganda
I : *programma delle inserzioni*

Procédure de choix de média, puis de supports selon des critères définis

PLANNING
GB : schedule
D : *Terminierung*
E : planning
I : *pianificazione*
Schéma, plan représentant une prévision et son processus de réalisation

PLAQUÉ OR
GB : gold-plated
D : *vergoldet*
E : chapado en oro
I : *placcato in oro*

PLAQUETTE ANNUELLE
GB : annual report
D : *Geschäftsbericht*
E : folleto anual
I : *opuscolo pubblicitario annuale di un'azienda*

PLAT ADJ
GB : flat
D : *flach*
E : llano, plano
I : *piatto*

PLEIN ADJ
GB : full
D : *voll*
E : lleno
I : *pieno*

PLEIN EMPLOI
GB : full employment
D : *Vollbeschäftigung*
E : pleno empleo
I : *piena occupazione*
Situation d'un pays où la totalité de la main-d'œuvre disponible a la possibilité de trouver un emploi

PLI SÉPARÉ (SOUS)
GB : under separate cover
D : *mit getrennter Post*
E : por correo aparte
I : *in piego a parte*

PLUS OFFRANT
GB : highest bidder
D : *Meistbietende(r)*
E : ofertante mas alto
I : *miglior offerente*

PLUS-VALUE
GB : capital gain
D : *Mehrwert*
E : plusvalía
I : *plusvalore*
Différence positive entre le prix de cession et le prix d'acquisition d'un bien ou d'un titre

PLV
GB : POS advertising
D : *Verkaufsortwerbung*
E : PLV
I : *promozione sui luoghi di vendita*
Publi-promotion sur le lieu de vente pour inciter le consommateur à l'achat

POIDS
GB : weight
D : *Gewicht*
E : *peso*
I : *peso*

POIDS BRUT
GB : gross weight
D : *Bruttogewicht*
E : peso bruto
I : *peso lordo*

POIDS NET
GB : net weight
D : *Reingewicht*
E : peso neto
I : *peso netto*

POIDS OU MESURE
GB : weight or measurement
D : *Maß oder Gewicht*
E : peso o cubicaje
I : *peso o volume*

POINT MORT (RENTABILITÉ)
GB : break-even point
D : *Rentabilitätsgrenze*
E : punto de igualdad de ingresos y gastos
I : *punto di pareggio*
Seuil de rentabilité, niveau de chiffre d'affaires pour lequel il n'y a ni perte ni bénéfice

POLICE D'ASSURANCE
GB : insurance policy
D : *Versicherungspolice*
E : poliza de seguro
I : *polizza di assicurazione*

POLICE INCENDIE
GB : fire insurance policy
D : *Feuerversicherungspolice*
E : poliza de seguro de incendios
I : *polizza d'assicurazione incendio*

POLITIQUE
GB : policy
D : *Politik*
E : politica
I : *politica*

POLITIQUE AGRICOLE COMMUNE
GB : Common Agricultural Policy
D : *gemeinsame Agrarpolitik*
E : politica agricola comun
I : *politica agricola comune*

POLITIQUE COMMERCIALE COMMUNE
GB : Common Commercial Policy
D : *gemeinsame Handelspolitik*
E : politica comercial comun
I : *politica commerciale comune*

POLITIQUE COMMUNE DE LA PECHE
GB : Common Fisheries Policy
D : *gemeinsame Fischereipolitik*
E : politica comun de la pesca
I : *politica comune della pesca*

POLITIQUE DES SALAIRES
GB : incomes policy
D : *Lohnpolitik*
E : plan de renta
I : *politica dei redditi*

POLITIQUE MONÉTAIRE
GB : monetary policy
D : *Währungspolitik*
E : politica monetaria
I : *politica monetaria*

POOL BANCAIRE
GB : banking pool
D : *Bankenunion*
E : pool bancario
I : *pool bancario*
Association de plusieurs organismes bancaires nationaux et/ou étrangers pour financer un projet important ou exploiter en commun un service offert à leur clientèle

POPULATION
GB : population
D : *Bevölkerung*
E : poblacion
I : *popolazione*

PORT
GB : port
D : *Hafen*
E : puerto
I : *porto*

PORT D'ATTACHE
GB : port of registration
D : *Heimathafen*
E : puerto de matricula
I : *porto d'immatriculazione*

PORT DU (EN)
GB : carriage forward (USA FOB shipping point)
D : *Portonachnahme*
E : a porte debido
I : *porto assegnato*
Les frais de port sont à la charge du destinataire

PORTEFEUILLE (D'UN MINISTRE)
GB : portfolio
D : *Portefeuille, Geschäftsbereich*
E : cartera
I : *portafoglio*

PORTEFEUILLE D'INVESTISSEMENTS
GB : investment portfolio
D : *investitionsportefeuille*
E : cartera de inversiones
I : *portafoglio titoli*

PORTEUR
GB : bearer
D : *Inhaber*
E : portador
I : *portatore*
Détenteur de titres

PORTEUR À TITRE ONÉREUX
GB : holder for value
D : *entgeltigter Besitzer*
E : tenedor legitimo
I : *detentore legittimo*
Définition prévue non donnée

PORTEUR D'OBLIGATIONS
GB : debenture holder
D : *Obligationsinhaber*
E : obligacionista
I : *obbligazionista*

PORT FRANC
GB : free port
D : *Freihafen*
E : puerto libre
I : *porto franco*
Port où les marchandises étrangères pénètrent librement sans formalité ni paiement de droits

PORT PAYÉ
GB : carriage paid, postage paid
D : *franko, portofrei*
E : a porte pagado, franco de porte
I : *franco di porto, porto pagato*
Les frais de port sont acquittés au départ par l'expéditeur

POSTE
GB : mail
D : *Post*
E : correo
I : *posta*

POSTE AÉRIENNE
GB : airmail
D : *Luftpost*
E : correo aéreo
I : *posta aerea*

POSTE DE DÉPENSES
GB : items of expenditure
D : *Aufwendungsposten*
E : articulos de gasto
I : *articoli di spesa*

POST-SCRIPTUM
GB : postscript
D : *Nachschrift*
E : posdata
I : *poscritto*

POT-DE-VIN
GB : bribe
D : *Bestechungsgeld*
E : soborno
I : *dono per corrompere*

POTENTIEL ADJ
GB : potential
D : *möglich, potentiel*
E : potencial
I : *potenziale*

POTENTIEL NON UTILISÉ
GB : idle capacity
D : *ungenutzte Ladefähigkeit*
E : potencial no utilizado
I : *potenzale non utilizzato*

POURBOIRE
GB : tip gratuity
D : *Trinkgeld*
E : propina
I : *mancia*
Gratification, élément de la rémuné-ration dans certaines professions

POURCENTAGE
GB : percentage
D : *Prozentsatz*
E : porcentaje
I : *percentuale*

POURSUIVRE
GB : follow up
D : *weiterverfolgen*
E : perseguir
I : *seguitare*

POUVOIR D'ACHAT
GB : purchasing power
D : *Kaufkraft*
E : poder de compra
I : *potere d'acquisto*
Quantité de biens ou services qu'une somme d'argent permet d'acheter

POUVOIR DE NÉGOCIATION
GB : bargaining power
D : *Verhandlungsposition*
E : poder de negociacion
I : *potere di contrattare*

POUVOIRS
GB : power of attorney
D : *Vollmacht*
E : poder
I : *procura*
Documents écrits par lesquels des personnes donnent à des tiers la faculté de les représenter

PRATICABILITÉ
GB : feasibility
D : *Durchführbarkeit*
E : praticabilidad
I : *fattibilità*

PRÉAVIS
GB : advance notice
D : *Vorankündigung, Kündigung*
E : preaviso
I : *preavviso*
Lors de la rupture d'un contrat, avertissement que la partie qui prend l'initiative est tenue de donner à l'autre dans un délai et des conditions déterminés

PRÉCOMPTE
GB : estimate/deduction
D : *einbehaltener Betrag*
E : deducción
I : *previa deduzione*
Impôt payé par une société lorsqu'elle distribue des dividendes provenant de bénéfices n'ayant pas supporté l'impôt sur les sociétés

PRÉFABRIQUER
GB : prefabricate
D : *vorfabrizieren*
E : prefabricar
I : *prefabbricare*

PRÉJUDICE
GB : prejudice
D : *Nachteil*
E : prejuicio, perjuicio
I : *pregiudizio*

PRÉLEVEMENT
GB : levy
D : *Erthebung*
E : impuesto
I : *imposta*

PRÉLEVEMENT LIBÉRATOIRE
GB : standard deduction at source
D : *befreiender Abzug*
E : retención eximente
I : *prelievo liberatorio*
Retenue à la source

PRÉLEVER SUR LES RÉSERVES
GB : draw on reserves
D : *die Reserven angreifen*
E : sacar reservas
I : *prelevare dalle riserve*

PRÉLIMINAIRE ADJ
GB : preliminary
D : *vorläufig, einleitend*
E : preliminar
I : *preliminare*

PREMIERE CLASSE
GB : first class
D : *erste Klasse*
E : primera clase
I : *prima classe*

PREMIERE QUALITÉ (DE)
GB : top quality
D : *hochwertig*
E : de primera calidad
I : *de qualita superiore*

PRESCRIPTION (FISC)
GB : prescription
D : *Verjährung*
E : prescripción
I : *prescrizione*
Période à l'issue de laquelle une imposition ne peut plus être établie, une somme perçue, une restitution de droits accordée, des poursuites ou une instance engagées

PRÉSENTER UNE TRAITE À L'ACCEPTATION
GB : present a bill for acceptance
D : *einen Wechsel vortegen*
E : presentar una letra para aceptacion
I : *presentare una cambiale per accettazione*

PRÉSENTOIR
GB : display unit
D : *Schaukasten*
E : presentacion
I : *mostra*

PRÉSIDENT
GB : chairmain
D : *Vorsitzende(r)*
E : presidente
I : *presidente*

PRESSE-PAPIER
GB : paper clip
D : *Büroklammer*
E : sujetapapeles
I : *fermacarte*

PRESTATION
GB : allowance
D : *Beihilfe*
E : prestación
I : *prestazione*
Fourniture d'un bien ou d'un service en contrepartie d'une somme d'argent ou d'une contre-prestation en nature

PRET BANCAIRE
GB : bank loan
D : *Bankdarlehen*
E : préstamo bancario
I : *prestito bancario*

PRETER
GB : lend
D : *leihen*
E : prestar
I : *prestare*

PRETEUR SUR GAGE
GB : pawnbroker
D : *Pfandleiher*
E : prestamista
I : *prestatore su pegno*

PREUVE
GB : evidence
D : *Beweis*
E : evidencia
I : *prova*

PREUVE ÉCRITE
GB : documentary evidence
D : *Urkundenbeweis*
E : prueba documental
I : *prova scritta*

PRÉVISION
GB : forecasting
D : *Voraussage*
E : pronostico
I : *previsione*
Appréciation, chiffrée ou non, de l'évolution probable d'un phénomène, d'une grandeur ou d'un ensemble de grandeurs à plus ou moins long terme

PRÉVISION DES VENTES
GB : sales forecast
D : *Verkaufsvoraussage*
E : pronostico de ventas
I : *previsione delle vendite*

PRÉVOIR
GB : forecast
D : *vorhersehen*
E : pronosticar
I : *pronosticare*

PRIME
GB : premium, bonus
D : *Prämie*
E : prima, premio
I : *premio*
Forme de salaire destinée à encourager les travailleurs, ou de remise pour promouvoir une vente, ou encore de plus-value quand il s'agit de finance

PRIME À L'EXPORTATION
GB : export bonus
D : *Ausfuhrprämie*
E : subsidio a las exportaciones
I : *premio d'esportazione*
Subvention à l'exportation

PRIME D'ASSURANCE
GB : insurance premium
D : *Versicherungsprämie*
E : prima de poliza de seguro
I : *premio di assicurazione*

PRIME DE RISQUE
GB : danger money
D : *Gefahrenzulage*
E : suma para riesgos
I : *compenso per il rischio*
Prime octroyée en rémunération d'une prise de risque

PRINCIPAL (CAPITAL) NM
GB : principal (USA capital)
D : *Kapital*
E : principal
I : *capitale*
Elément principal d'une dette, par opposition aux intérêts

PRIORITÉ
GB : priority
D : *Vorrecht*
E : prioridad
I : *priorità*

PRISE DE BÉNÉFICES
GB : profit-taking
D : *Gewinnrealisation*
E : realizacion de utilidades
I : *realizzazione dell'utile*

PRIVATISATION
GB : privatization
D : *Privatisierung*
E : privatización
I : *privatizzazione*
Revente à des actionnaires privés des entreprises précédemment nationalisées ou créées par l'Etat

PRIX
GB : price
D : *Preis, Kurs*
E : precio
I : *prezzo*

PRIX-CATALOGUE
GB : catalogue price, list price
D : *Listenpreis, Katalogpreis*
E : precio de catalogo, precio catálogo
I : *prezzo di catalogo*

PRIX CONTRACTUEL
GB : contract price
D : *Vertragspreis*
E : precio contractual
I : *prezzo contrattuale*

PRIX COTÉ
GB : quoted price
D : *angegebener Preis*
E : precio cotizado
I : *prezzo quotato*
Prix d'une valeur boursière inscrite à la cote officielle

PRIX COURANT
GB : list price
D : *Listenpreis*
E : precio de tarifa
I : *prezzo di listino*
Prix de l'année en cours, dans une évaluation en valeur

PRIX COUTANT UNITAIRE
GB : unit cost
D : *Einheitskosten*
E : coste unitario
I : *costo unitario*
Coûts de fabrication et de distribution par unité produite

PRIX D'ACHAT
GB : purchase price
D : *Kaufpreis*
E : precio de compra
I : *prezzo d'acquisto*

PRIX DE CESSION INTERNE
GB : transfer price
D : *interner Abgabepreis*
E : precio de cesión interna
I : *prezzo di cessione interna*
Prix auquel sont facturées les cessions de produits ou services entre divisions d'une même entreprise ou établissements d'un même groupe

PRIX DE DÉTAIL
GB : retail price
D : *Einzelhandelspreis*
E : precio al por menor
I : *prezzo al minuto*

PRIX DE DÉTAIL RECOMMANDÉ
GB : recommended retail selling price
D : *empfohlener Ladenpreis*
E : precio detallista recomendado
I : *prezzo al minuto indicativo*

PRIX DE REVENTE
GB : resale price
D : *Wiederverkaufspreis*
E : precio de reventa
I : *prezzo di rivendita*

PRIX DE REVIENT
GB : cost price
D : *Einstandspreis*
E : precio de coste
I : *prezzo di costo*
Ensemble des coûts, directs et indirects, variables et fixes, de production d'un bien ou d'un service

PRIX DE REVIENT COMPTABLE
GB : book cost
D : *Buchwert der Einkäufe*
E : coste contable
I : *costo contabile*
Tient compte de tous les frais indirects rattachés au prix de revient d'un produit

PRIX DE REVIENT DIRECT
GB : direct cost
D : *direkte Kosten*
E : coste directo
I : *costo diretto*
Ensemble des coûts directs de production d'un produit ou d'un service

PRIX D'INTERVENTION
GB : intervention price
D : *Interventionspreis*
E : precio de intervención
I : *prezzo d'intervento*
Seuil de prix auquel les pouvoirs publics interviennent pour éviter qu'un marché ne s'effondre

PRIX DE PRODUCTION
GB : production price
D : *Produktionspreis*
E : precio de producción
I : *costo di produzione*

PRIX DU VOYAGE
GB : fare
D : *Fahrgeld*
E : pasaje
I : *prezzo di viaggio*

PRIX FACTURÉ
GB : invoice price
D : *fakturierter Preis*
E : precio facturado
I : *prezzo di fattura*

PRIX LIVRAISON INCLUSE
GB : delivered price
D : *Lieferpreis*
E : precio incluida entrega
I : *prezzo incluso consegna*

PRIX MARCHAND
GB : trade price
D : *Handelspreis*
E : precio al comerciante
I : *prezzo al commerciante*
Prix du marché ou prix de référence

PRIX MINIMAL
GB : reserve price
D : *Mindestpreis*
E : precio minimo fijado
I : *prezzo minimo*

PRIX MOYEN
GB : mean price
D : *Mittelkurs*
E : precio medio
I : *prezzo medio*

PRIX NET
GB : net price
D : *Nettopreis, Nettokurs*
E : precio neto
I : *prezzo netto*

PRIX RAISONNABLE
GB : fair price
D : *angemessener Preis*
E : precio razonable
I : *prezzo equo*

PRIX SOLDÉ
GB : bargain price
D : *Spottpreis*
E : precio de ocasion
I : *prezzo saldo*
Prix de vente réduit exceptionnellement

PROBABILITÉ
GB : probability
D : *Wahrscheinlichkeit*
E : probabilidad
I : *probabilità*

PROCÉDURE
GB : procedure
D : *Verfahren*
E : procedimiento
I : *procedura*
Ensemble des démarches à accomplir pour obtenir un certain résultat

PROCES
GB : lawsuit, trial
D : *Rechtsfall, Prozeß*
E : proceso, causa
I : *processo, causa*

PROCES-VERBAL
GB : minutes
D : *Protokoll*
E : actas
I : *verbale*

PROCESSUS
GB : process
D : *Prozeß*
E : proceso
I : *processo*
Déroulement dans le temps d'un phénomène, ou des différents stades dans la réalisation d'une opération

PROCURATION
GB : power of attorney, proxy
D : *Vollmacht, Stellvertretung*
E : poder, procuracion
I : *procura*

PRODUCTION
GB : production
D : *Erzeugung*
E : produccion
I : *produzione*

PRODUCTIQUE
GB : automated production technology
D : *Automatisierungstechnik*
E : tecnología de producción automatizada
I : *teoria applicata della produzione*
Ensemble des techniques concourant à l'automatisation de la production

PRODUCTIVITÉ
GB : productivity
D : *Produktivität*
E : productividad
I : *produttività*
Rapport entre la valeur d'un produit et le coût de ses facteurs de production

PRODUIT
GB : product
D : *Produkt*
E : producto
I : *prodotto*

PRODUIT D'APPEL
GB : loss leader
D : *Lockprodukt*
E : producto de atracción
I : *prodotto civetta*
Vendu à un prix très avantageux (avec un bénéfice réduit ou nul) pour attirer la clientèle

PRODUIT FINAL
GB : end-product
D : *Endprodukt*
E : producto final
I : *prodotto finale*

PRODUIT INTÉRIEUR BRUT (PIB)
GB : gross domestic product (GDP)
D : *Bruttoinlandsprodukt*
E : producto interior bruto
I : *prodotto interno lordo*
Ensemble des valeurs ajoutées créées en une année.par les entreprises et les administrations sur le territoire national

PRODUIT NATIONAL BRUT (PNB)
GB : gross national product (GNP)
D : *Bruttosozialprodukt*
E : producto nacional bruto
I : *prodotto nazionale lordo*
PIB augmenté des revenus perçus à l'étranger et tranférés en métropole, et diminué de ceux perçus en métropole et transférés à l'étranger

PRODUIT NET
GB : net proceeds
D : *Reinerlös*
E : rédito neto
I : *ricavo netto*

PRODUITS DÉRIVÉS
GB : by-products
D : *Derivate*
E : productos derivados
I : *prodotti derivati*

PRODUITS MANUFACTURÉS
GB : manufactured products
D : *Fabrikate*
E : productos manufacturados
I : *manufatti*

PROFESSION
GB : occupation
D : *Beruf*
E : profesión
I : *professione*

PROFIT
GB : profit
D : *Gewinn, Profit*
E : ganancia, beneficio
I : *utile, profitto*
Excédent de recettes sur des charges, bénéfice

PROFITEUR
GB : profiteer
D : *Gewinnler*
E : acaparador
I : *profitatore*

PROFIT FICTIF
GB : paper profit
D : *imaginärer Gewinn*
E : ganancia por realizar
I : *utile sulla carta*
Définition prévue non donnée

PROFIT (SANS)
GB : unprofitable
D : *unvorteilhaft*
E : nada lucrativo
I : *poco proficuo*

PROGICIEL
GB : software package
D : *Anwendersoftware*
E : paquete de programas
I : *pacchetto software*
Ensemble de logiciels standards répondant à une catégorie spécifique de besoins

PROGRAMME D'ORDINATEUR
GB : computer program
D : *Computerprogramm*
E : programa de computadora
I : *programma di elaboratore*

PROGRAMMER
GB : program
D : *programmieren*
E : programar
I : *programmare*

PROJET
GB : draft, plan
D : *Konzept, Plan*
E : borrador, plan
I : *bozza, progetto*

PROJET DE CONTRAT
GB : draft contract
D : *Vertragsentwurf*
E : proyecto de contrato
I : *progetto di contratto*

PROJET DE CONVENTION
GB : draft agreement
D : *Entwurf eines Überein-
kommens*
E : proyecto de convenio
I : *schema di contratto*

PROLONGATION D'UN CRÉDIT
GB : extension of credit
D : *Verlängerung eines Kre-
dites*
E : prorroga de crédito
I : *proroga di credito*

PROMOTEUR IMMOBILIER
GB : property developer
D : *Immobilienmakler*
E : promotor inmobiliario
I : *costruttore edile*

PROMOTION
GB : promotion
D : *Beförderung, Förderung*
E : promoçcion, ascenso
I : *promozione, avanzamento*

PROMOTION DE VENTES
GB : sales promotion
D : *Werbung, Verkaufsförde-
rung*
E : promocion de ventas
I : *sviluppo delle vendite*

PROMOUVOIR
GB : promote
D : *befördern, fördern*
E : promover, ascender
I : *promuovere, dare impulse*

PROPORTION
GB : proportion
D : *Verhältnis, Anteil*
E : proporcion
I : *proporzione*

**PROPORTIONNELLEMENT, AU
PRORATA**
GB : pro rata
D : *anteilsmäßig, pro rata*
E : proporcionalmente, a pro-
rata
I : *proporzionalemente, pro-
rata*

PROPOSITION
GB : proposal
D : *Vorschalg*
E : propuesta
I : *proposta*

PROPRIÉTAIRE
GB : owner, landlord
D : *Eigentümer, Vermieter*
E : proprietario, arrendador
I : *proprietario, locatore*

PROPRIÉTAIRE FONCIER
GB : ground-landlord
D : *Grundbesitzer*
E : proprietario del terreno
I : *proprietario del terreno*
Qui possède des terres, des terrains
bâtis ou non

PROPRIÉTÉ
GB : property, ownership
D : *Eigentum*
E : propiedad
I : *proprietà*

PROPRIÉTÉ PUBLIQUE
GB : public ownership
D : *Staatsbesitz*
E : propiedad estatal
I : *proprietà statale*

PROSPECT
GB : prospective customer
D : *Kundenakquisa*
E : cliente potencial
I : *cliente potenziale*
Client potentiel

PROSPECTUS
GB : prospectus
D : *Prospekt*
E : prospecto
I : *prospetto, programma*

PROSPECTUS PUBLICITAIRE
GB : advertising brochure
D : *Werbeschrift*
E : folleto publicitario
I : *opuscolo pubblicitario*

PROTET
GB : protest
D : *Protest*
E : protesta
I : *protesto*
Acte authentique extra-judiciaire
constatant le non-paiement à
l'échéance ou le refus d'acceptation
d'une traite

PROTOTYPE
GB : prototype
D : *Prototyp*
E : prototipo
I : *prototipo*

**PROVISION POUR AMORTISSE-
MENT**
GB : depreciation allowance
D : *Abschreibung für Abnut-
zung (AfA)*
E : provision para amortiza-
cion
I : *quota di ammortamento*

**PROVISION POUR CRÉANCES
DOUTEUSES**
GB : bad debt reserve
D : *Dubiosenreserve*
E : reserva para deudas inco-
brables
I : *riserva per crediti inesigi-
bili*
Somme que l'entreprise affecte à la
couverture de pertes éventuelles
dues au non recouvrement de ces
créances

PROVISOIRE
GB : temporary
D : *einstweilig*
E : temporal
I : *temporaneo*

PROVOQUER
GB : instigate
D : *anstiften*
E : instigar, provocar
I : *provocare, istigare*

PRUD'HOMMES
GB : industrial tribunal
D : *Obmänner*
E : tribunal de conciliación
laboral
I : *proboviri*
Juridiction d'exception paritaire de
jugement ou de conciliation des
litiges concernant le contrat indivi-
duel du travail

PUBLIC ADJ
GB : public
D : *Öffentlich*
E : publico
I : *pubblico*

PUBLIC NM
GB : public
D : *Öffentlichkeit*
E : publico
I : *pubblico*

PUBLICITÉ
GB : advertising, publicity
D : *Reklame, Werbung*
E : publicidad
I : *pubblicità*

PUBLICITÉ COMPARATIVE

GB : comparative advertising
D : *vergleichende Werbung*
E : publicidad comparativa
I : *pubblicità comparativa*

Compare les caractéristiques d'un produit d'une marque déterminée à celles d'un ou plusieurs produits de marques concurrentes, nommées ou identifiables

PUBLICITÉ DIRECTE (PUBLI-POSTAGE)

GB : direct mail
D : *Postversandwerbung*
E : propaganda directa por correo
I : *pubblicità diretta*

Expédition par voie postale de prospectus, brochures, lettres, échantillons, etc.

QUAI
GB : quay, wharf
D : *Kai*
E : muelle
I : *scalo*

QUALIFICATION
GB : qualification
D : *Qualifikation*
E : requisito
I : *qualifica, requisito*

QUALIFICATION PROFESSION-NELLE
GB : professional qualification
D : *Berufsausbildung*
E : capacitación profesional
I : *qualificazione professionale*
Ensemble des connaissances professionnelles d'un individu (formation, expérience, qualités personnelles)

QUALITÉ
GB : quality
D . *Qualität*
E : calidad
I : *qualità*

QUALITÉ INFÉRIEURE (DE)
GB : low-grade
D : *minderwertig*
E : baja calidad
I : *di qualità inferiore*

QUALITÉ (NON QUALITÉ)
GB : quality
D : *Qualität*
E : calidad
I : *qualità*
Ecart entre la qualité souhaitée par les utilisateurs et celle qu'a conçue l'entreprise et/ou entre la qualité conçue et la qualité effective d'un produit

QUANTITÉ
GB : quantity
D : *Menge*
E : cantidad
 : *quantità*

QUARANTAINE
GB : quarantine
D : *Quarantäne*
E : cuarentena
I : *quarantena*

QUESTIONNAIRE
GB : questionnaire
D : *Fragebogen*
E : cuestionario
I : *questionario*

QUINCAILLERIE
GB : hardware, ironmongery
D : *Eisenwaren*
E : ferreteria, quincalleria
I : *ferramenta*

QUITTANCE
GB : quittance
D : *Quittung*
E : recibo
I : *quietanza*
Document attestant qu'une dette a été payée

QUITUS
GB : quietus
D : *Schlußbescheinigung*
E : finiquito
I : *scarico, dichiarazione di scarico*
Décharge formelle de responsabilité donnée à un gestionnaire financier qui cesse ses fonctions. Approbation des comptes annuels d'une société par l'assemblée générale des actionnaires

QUOTA
GB : quota
D : *Quote*
E : cuota, contingente
I : *quota*
Limite quantitative, contingent

QUOTE-PART
GB : quota, share
D : *Quote, Anteil*
E : cuota, parte
I : *quota, parte*
Part qui revient à chacun (à payer ou à recevoir)

RABAIS
GB : rebate, allowance
D : *Nachlaß, Rabatt*
E : rebaja, bonificacion
I : *ribasso, abbuono*

RABAIS SUR LES PRIX
GB : price-cutting
D : *Preisherabsetzung*
E : reduccion de precios
I : *riduzione dei prezzi*

RAISON SOCIALE
GB : trade name
D : *Firmenname*
E : razon social
I : *denominazione commerciale*
Nom sous lequel une société exerce son activité

RAISONS SUPPLÉMENTAIRES
GB : further reasons
D : *weitere Gründe*
E : rasones adicionales
I : *ulteriori motivi*

RAPPEL DE TRAITEMENT
GB : back pay
D : *Lohnnachzahlung*
E : pago atrasado
I : *arretrati di paga*
Paiement d'une partie de salaire non encore versée

RAPPORT
GB : report, relation
D : *Bericht, Verhältnis*
E : informe, relacion
I : *relazione, rapporto*

RAPPORT ANNUEL
GB : annual report
D : *Jahresbericht*
E : memoria anual
I : *relazione annuale*
Bilan de l'activité passée et projection dans l'avenir, il présente en priorité aux actionnaires les résultats et la situation financière de l'entreprise conformément au plan comptable; sa publication est obligatoire pour les sociétés cotées en Bourse

RAPPORT DES ADMINISTRATEURS
GB : directors' report
D : *Vorstandsbericht*
E : informe de la administracion
I : *relazione degli amministratori*

RAPPORT DES COMMISSAIRES AUX COMPTES
GB : auditors' report
D : *Bericht des Abschlußprüfers*
E : informe de los interventores
I : *relazione sindici*

RATIFICATION
GB : ratification
D : *Ratifizierung*
E : ratificacion
I : *ratifica*

RATIFIER
GB : ratify
D : *ratifizieren*
E : ratificar
I : *ratificare*

RATIO
GB : ratio
D : *Verhältnis, Ratio*
E : ratio
I : *rapporto*
Rapport entre deux grandeurs tirées des documents comptables d'une entreprise pour en apprécier la structure et l'évolution

RATION
GB : ration
D : *Ration*
E : racion
I : *razione*

RATIONALISATION
GB : rationalization
D : *Rationalisierung*
E : racionalizacion
I : *razionalizzazione*
Procédure d'adaptation efficace des moyens aux objectifs basée sur le calcul économique

RAYER
GB : delete
D : *streichen*
E : tachar, anular
I : *cancellare*

RÉACTEUR
GB : jet engine
D : *Düsenmotor*
E : motor de propulsion a chorro
I : *motore a reazione*

RECENSEMENT
GB : census
D : *Volkszählung*
E : censo
I : *censimento*

RÉCÉPISSÉ DE DÉPÔT
GB : deposit receipt
D : *Depositenschein*
E : recibo de deposito
I : *certificato di deposito*
Certificat de dépôt de marchandises délivré par les Magasins généraux et transmissible par endossement

RÉCESSION
GB : recession
D : *Rezession*
E : recesion
I : *recessione*

RECETTES NETTES
GB : net revenue
D : *Nettoeinnahmen*
E : ingresos netos
I : *entrata netta*

RECHERCHE
GB : research
D : *Forschung*
E : investigacion
I : *ricerca*

RECHERCHE-DÉVELOPPEMENT
GB : research and development (R & D)
D : *Zweckforschung, Forschung und Entwicklung (F & E)*
E : investigacion y desarrollo
I : *studi e sviluppi*
S'applique aux phases de la recherche fondamentale, de la recherche appliquée, et du développement

RECHERCHE OPÉRATIONNELLE
GB : operational research (OR)
D : *Unternehmensforschung*
E : investigacion operacional
I : *indagine sul funzionamento*
Méthode d'analyse scientifique à dominante mathématique visant à définir une politique optimale de gestion

RÉCLAMATION
GB : claim
D : *Anspruch*
E : reclamacion
I : *reclamo*

RECLASSEMENT DU PERSONNEL
GB : staff resettlement
D : *Umstellung*
E : nueva clasificación del personal
I : *riqualificazione del personale*

RÉCOLTE
GB : harvest
D : *Ernte*
E : cosecha
I : *raccolto*

RECONNAISSANCE DE DETTE
GB : IOU (I owe you)
D : *Schuldschein*
E : pagaré
I : *paghero*

RECONSTRUCTION
GB : reconstruction
D : *Wiederaufbau*
E : reconstruccion
I : *ricostruzione*

RÉCUPÉRATION DE DONNÉES
GB : information retrieval
D : *Informationswiedergewinnung*
E : rebusca de informacion
I : *ricupero d'informazioni*

REDEVABLE
GB : indebted
D : *verbunden*
E : endeudado
I : *indebitato*
Qui est légalement tenu au paiement d'un impôt ou de toute autre redevance

REDEVANCE
GB : royalty, rental
D : *Tantieme, Miete*
E : derechos, alquier
I : *diritti, affitto*
Prix à payer en contrepartie de la concession d'un droit

RÉDIGER UN CONTRAT
GB : draw up a contract
D : *einen Vertrag formulieren*
E : redactar un contrato
I : *redigere un contratto*

REDRESSEMENT
GB : turnaround
D : *Aufschwung*
E : recuperación
I : *rettifica, risollevamento*
Rectification par l'administration d'une déclaration dont elle a constaté les erreurs, les omissions ou les insuffisances

REDRESSEMENT JUDICIAIRE
GB : tax adjustment
D : *zusätliche Steuererhöhung*
E : procedimiento de suspensión de pagos
I : *riparazione giudiziaria*
Procédure instituée pour les entreprises en état de cessation de paiement consistant à présenter un plan de redressement dont l'issue peut être la survie, la cession totale ou partielle, ou encore la liquidation judiciaire

RÉDUCTION DE CAPITAL
GB : reduction of capital
D : *Kapitalherabsetzung*
E : reduccion de capital
I : *riduzione del capitale*

RÉESCOMPTER
GB : rediscount
D : *rediskontieren*
E : redescontar
I : *riscontare*
Pour une banque (la Banque centrale, le plus souvent), c'est acheter des titres de crédit à court terme à une autre banque qui les a déjà elle-même escomptés

RÉÉVALUATION
GB : revaluation
D : *Neubewertung*
E : reevaluación
I : *rivalutazione*
Augmentation de la parité officielle d'une monnaie sur décision des autorités monétaires; comptabilité : prise en compte de la dépréciation monétaire des éléments d'actif d'un bilan

RÉEXPORTATION
GB : re-exportation
D : *Wiederausfuhr*
E : reexportacion
I : *riesporto*

RÉEXPORTER
GB : re-export
D : *wiederausführen*
E : rexportar
I : *riesportare*

RÉFÉRENCE
GB : reference
D : *Referenz*
E : referencia
I : *referenza*

RÉFÉRENCE COMMERCIALE
GB : trade reference
D : *Kreditauskunft*
E : referencia comercial
I : *referenze commerciali*
Ensemble des caractéristiques spécifiques d'un article ou d'une catégorie d'articles

RÉFÉRENCE BANCAIRE
GB : bankers' reference
D : *Bankauskunft*
E : referencia bancaria
I : *referenza bancaria*

REFINANCEMENT
GB : refunding
D : *Refinanzierung*
E : refinanciación
I : *rifinanziamento*
Reconstitution des liquidités des banques pour qu'elles puissent accorder de nouveaux crédits, soit par le réescompte, soit par le recours au marché monétaire

REFUS
GB : rejection
D : *Ablehnung*
E : rechazo
I : *rifiuto*

RÉGIE PUBLICITAIRE
GB : advertising agency
D : *Werberegie*
E : agencia, administración de publicidad
I : *brokeraggio pubblicitario*
Organisation dont le rôle est de commercialiser l'espace publicitaire des supports dont elle a la charge

RÉGION SINISTRÉE
GB : distressed area
D : *Notstandsgebiet*
E : region deprimida
I : *area indigente*

RÉGIONS AURIFERES
GB : gold fields
D : *Goldgrube*
E : yacimiento aurifero
I : *terreni auriferi*

REGISTRE DES ACTIONNAIRES
GB : share register
D : *Liste der Aktionäre*
E : registro de las acciones
I : *registro delle azioni*

REGLEMENT
GB : regulation, settlement
D : *Verordnung, Abrechnung*
E : reglamento, ajuste
I : *regolamento*

REGLEMENT MENSUEL
GB : monthly settlement
D : *monatliche Zahlung*
E : pago mensual
I : *saldo, pagamento mensile*
Marché à terme des valeurs mobilières

RELATIONS HUMAINES
GB : human relations
D : *zwischenmenschliche Beziehungen*
E : relaciones humanas
I : *relazioni umane*

RELATIONS HUMAINES DANS L'ENTREPRISE
GB : industrial relations
D : *Arbeitsbeziehungen*
E : relaciones humanas industriales
I : *relazioni nell'industria*

RELATIONS PUBLIQUES
GB : public relations
D : *Public Relations*
E : relaciones publicas
I : *pubbliche relazioni*
Ensemble des actions de diffusion de l'information à l'intérieur et à l'extérieur de l'entreprise, hors de toute préoccupation lucrative ou publicitaire

RELEVÉ DE COMPTE
GB : statement of account
D : *Kontoauszug*
E : extracto de cuenta
I : *estratto conto*

REMBOURSEMENT
GB : refund
D : *Rückerstattung*
E : reembolso
I : *rimborso*

REMBOURSEMENT DES DROITS D'IMPORTATION
GB : (customs) drawback
D : *Zollrückvergütung*
E : reembolso de derechos de aduana
I : *rimborso d'esportazione*

REMBOURSER
GB : redeem, reimburse
D : *tilgen, zurückzahlen*
E : redimir, reembolsar
I : *redimere, rimborsare*

REMISE
GB : remission
D : *Rabatt*
E : rebaja
I : *rimessa, sconto*
Réduction habituelle du prix courant d'une vente compte tenu de l'importance de son volume ou de la profession du client

REMPLIR
GB : fullfil
D : *erfüllen*
E : cumplir
I : *adempiere*

RÉMUNÉRATION
GB : remuneration
D : *Vergütung*
E : remuneracion
I : *rimunerazione*
Revenu en nature ou/et en espèces reçu pour prix d'un service ou d'un travail

RÉMUNÉRATION DU CAPITAL
GB : return on capital
D : *Kapitalertrag*
E : beneficio sobre capital
I : *reddito del capitale*
Intérêts du capital prêté

RENCHÉRIR
GB : advance in price
D : *teurer werden, steigen*
E : encarecer
I : *aumentare di prezzo*

RENCHÉRISSEMENT
GB : advance in price
D : *Preiserhöhung*
E : encarecimiento
I : *rialzo*
Augmentation de prix d'une marchandise

RENCHÉRISSEMENT DU COUT DE LA VIE
GB : increased cost of living
D : *erhöhte Lebenshaltungskosten*
E : coste de vida mas alto
I : *aumentato costo della vita*

RENDEMENT
GB : output, yield
D : *Erzeugung, Rendite*
E : rendimiento, rédito
I : *produzione, reddito*
Voir Productivité

RENDEMENT BRUT
GB : gross income
D : *Bruttoeinkommen*
E : ingreso bruto
I : *reddito lordo*
Rendement d'un capital investi
avant paiement des charges

RENDEMENT ÉQUITABLE
GB : fair return
D : *angemessener Ertrag*
E : beneficio razonable
I : *discreto profitto*

RENDEMENT NET
GB : net yield
D : *Nettoertrag*
E : rendimiento neto
I : *reddito netto*
Rendement d'un capital investi,
déduction faite de toutes les charges

RENDEMENTS DÉCROISSANTS
GB : diminishing returns
D : *abnehmender Ertrag*
E : rendimientos decrecientes
I : *proventi decrescenti*
Phase de diminution de la productivité qui intervient après une phase
de croissance lorsqu'on augmente la
quantité d'un facteur de production

RENDEZ-VOUS (PRENDRE UN)
GB : make an appointment
D : *eine Verabredung treffen*
E : hacer una cita
I : *fissare un appuntamento*

RENONCER À
GB : renounce
D : *verzichten auf*
E : renunciar
I : *rinunziare*

RENONCIATION
GB : renunciation
D : *Verzicht*
E : renuncia
I : *rinunzia*

RENSEIGNEMENTS COMPLÉMENTAIRES
GB : further information
D : *weitere Auskunft*
E : mas detalles
I : *ulteriori informazioni*

RENSEIGNEMENTS (PLUS AMPLES)
GB : further particulars
D : *nähere Umstände*
E : mas detalles
I : *ulteriori particolari*

RENTABILITÉ
GB : profitability
D : *Rentabilität*
E : rentabilidad
I : *redditività*
Capacité d'un capital placé ou
investi à procurer des revenus exprimés en termes financiers

RENTE FONCIERE
GB : ground-rent
D : *Grundpacht*
E : renta del terreno
I : *affitto di terreno*
Revenu tiré de la terre, lié au degré
de fertilité de celle-ci (rente différentielle)

RENTES
GB : unearned income
D : *Kapitaleinkommen*
E : rentas
I : *reddito di capitale*
Revenus assurés pour une longue
période

RÉPARATION
GB : repair
D : *Reparatur*
E : reparacion
I : *riparazione*

RÉPARER
GB : repair
D : *reparieren*
E : reparar, componer
I : *riparare, rifare*

RÉPARTIR
GB : distribute, apportion
D : *verteilen, zuteilen*
E : repartir
I : *ripartire*

RÉPERTOIRE
GB : directory
D : *Adreßbuch*
E : guia
I : *guida*

RÉPONSE
GB : answer
D : *Antwort*
E : respuesta
I : *risposta*

RÉPONSE PAYÉE
GB : reply paid (USA post paid)

D : *Rückantwort bezahlt*
E : respuesta pagada
I : *riposta pagata*

REPORT À NOUVEAU
GB : balance carried forward
D : *Saldovortrag, Gewinnvortrag, Verlustvortrag*
E : saldo de entrada
I : *riporto in conto nuovo*
Excédent (positif ou négatif) de
résultats non affectés à un exercice,
transférés en l'état dans les comptes
de l'exercice suivant

REPRÉSENTANT
GB : representative
D : *Vertreter*
E : representante
I : *rappresentante*

REPRÉSENTANT DU PERSONNEL
GB : staff representative
D : *Arbeiternehmervertreter*
E : representante del personal
I : *rappresentante del personale*

REPRÉSENTANT MANDATÉ
GB : legal representative
D : *Rechtsvertreter*
E : representante legal
I : *mandatario*

REPRÉSENTER
GB : represent
D : *vertreten*
E : representar
I : *rappresentare*

RÉQUISITIONNER
GB : request
D : *verlangen*
E : requisar
I : *requisire*

RÉSEAU
GB : network
D : *Netz*
E : red
I : *rete*

RÉSERVE DE CAPITAUX
GB : capital reserves
D : *Kapitalreserve*
E : reserva de capital
I : *riserva di capitale*

RÉSERVE EN ESPECES
GB : cash reserve
D : *Kassenreserve*
E : reserva en efectivo
I : *riserva in contanti*

RÉSERVER
GB : reserve
D : *vorbehalten*
E : reservar
I : *riservare*

RÉSERVES (SOUS)
GB : on condition
D : *vorausgesetzt*
E : a condicion
I : *a condizione*

RÉSERVES (SOUS TOUTES)
GB : without prejudice (USA
not binding)
D : *ohne Verbindlichkeit*
E : sin prejuicio
I : *senza pregiudizio*
Sans garantie, sans engagement formel

RÉSISTANCE À LA VENTE
GB : sales resistance
D : *Kaufabneigung*
E : dificultades de ventas
I : *difficoltà di vendita*

RÉSOLUTION
GB : resolution
D : *Beschluß*
E : resolucion
I : *deliberazione*
Dissolution d'un contrat pour inexécution des conditions; motion adoptée par une assemblée (simple vœu ou disposition d'un règlement)

RÉSOLUTION EXTRAORDINAIRE
GB : extraordinary resolution
D : *Sonderentschluß*
E : resolucion extraordinaria
I : *deliberazione straordinaria*

RESPONSABILITÉ
GB : responsibility, liability
D : *Verantwortlichkeit*
E : responsabilidad
I : *responsabilità*

RESPONSABILITÉ LÉGALE
GB : legal liability
D : *Rechtshaftung*
E : responsabilidad legal
I : *responsabilità legale*
Définie conformément à la loi

RESPONSABILITÉ PATRONALE
GB : employer's liability
D : *Haftpflicht des Arbeitgebers*
E : responsabilidad del patrono
I : *responsabilità del datore di lavoro*

RESSERREMENT DU CRÉDIT
GB : credit squeeze
D : *Kreditklemme*
E : escasez de créditos
I : *restrizione di credito*
Restriction du crédit (taux plus élevés) pour freiner la hausse des prix

RESSOURCES
GB : resources
D : *Mittel*
E : recursos
I : *risorse*
Biens, services ou capitaux dont on peut disposer; ensemble des capitaux et dettes inscrits au passif d'un bilan

RESSOURCES EXISTANTES
GB : supplies on hand
D : *lieferfertiges Angebot*
E : provisiones existentes
I : *forniture esistenti*

RESTRICTIONS D'IMPORTATION
GB : import restrictions
D : *Einfuhrbeschränkungen*
E : restricciones de importacion
I : *restrizioni delle importazioni*

RÉSULTAT
GB : result
D : *Ergebnis*
E : resultado
I : *risultato*
Différence positive ou négative entre un prix de vente et un coût de revient

RÉSULTAT D'EXPLOITATION
GB : operating income
D : *Betriebsergebnis*
E : resultado de la explotación
I : *utile d'esercizio*
Solde du compte d'exploitation

RÉSUMÉ
GB : abstract, summary
D : *Abriß*
E : resumen
I : *riassunto*

RETARD
GB : delay
D : *Verzug*
E : retraso
I : *ritardo*

RETENUE À LA SOURCE
GB : witholding at source
D : *an der Quelle besteuert*
E : retención en origen
I : *ritenuta diretta d'acconto*
Prélèvement et paiemet d'un impôt ou d'une charge par le distributeur d'un revenu au moment de son versement

RETRAITE
GB : retirement, pension
D : *Rücktritt, Rente*
E : retiro
I : *ritiro, pensione*

RETRAITE PAR COTISATIONS
GB : contributory pension
D : *Kassenpension*
E : retiro contributivo
I : *pensione a contributi*
Base du système de retraite par capitalisation (chaque actif finance sa propre retraite par le placement de ses cotisations) ou par répartition (celles-ci sont immédiatement reversées aux retraités)

RETRAITE VIEILLESSE
GB : old-age pension
D : *Altersversorgung*
E : retiro de vejez
I : *pensione per la vecchiaia*
Revenu de remplacement versé, par le régime général ou les régimes complémentaires, à quiconque peut prétendre à la perception d'une retraite

RÉTROACTIF
GB : retroactive
D : *rückwirkend*
E : retroactivo
I : *retroattivo*

RÉUNION
GB : meeting
D : *Versammlung*
E : reunion
I : *riunione, assemblea*

RÉUNION DE CONSEIL D'ADMINISTRATION
GB : board meeting
D : *Vorstandssitzung*
E : reunion del consejo de administracion
I : *riunione del consiglio d'amministrazione*

RÉUNION DE CRÉANCIERS
GB : meeting of creditors
D : *Gläubigerversammlung*
E : concurso de acreedores
I : *convocazione dei creditori*

REVALORISATION
GB : revaluation
D : *Aufwertung*
E : revalorizacion
I : *rivalutazione*

RÉVÉLATION
GB : disclosure
D : *Offenlegung*
E : revelacion
I : *rivelazione*

REVENDICATION SALARIALE
GB : wage claim
D : *Lohnforderung*
E : reclamacion de salario
I : *rivendicazione salariale*

REVENU
GB : income, revenue
D : *Einkommen, Einkünfte*
E : ingresos, rédito
I : *entrata, reddito*
Ce qui est perçu comme fruit du capital ou rémunération du travail

REVENU DE PLACEMENTS
GB : investment income
D : *Einkommen aus Kapitalanlagen*
E : renta de inversiones
I : *reddito degli investimenti*

REVENU DISPONIBLE
GB : disposable income
D : *verfügbares Einkommen*
E : renta disponible
I : *reddito disponibile*
Ensemble des salaires et des prestations sociales diminué des impôts et des cotisations sociales

REVENU DU TRAVAIL
GB : earned income
D : *Arbeitseinkommen*
E : renta del trabajo
I : *reddito di lavoro*
Traitements et salaires

REVENU IMPOSABLE
GB : taxable income
D : *steuerpflichtiges Einkommen*
E : renta imponible
I : *reddito tassabile*

REVENU NATIONAL
GB : national income
D : *Nationaleinkommen*
E : renta nacional
I : *reddito nazionale*
Ressources nationales en biens et services créées au cours d'une période donnée

REVENU NET
GB : net income
D : *Nettoeinkommen*
E : ingreso neto
I : *reddito netto*

REVENU NON IMPOSABLE
GB : non taxable income
D : *steuerfreies Einkommen*
E : ingresos no imponibles
I : *reddito non tassabile*

RÉVOCATION
GB : revocation
D : *Widerruf*
E : revocacion
I : *revoca*

RÉVOQUER
GB : revoke
D : *widerrufen*
E : revocar
I : *revocare*

REZ-DE-CHAUSSÉE
GB : ground floor
D : *Erdgeschoß*
E : planta baja
I : *pianterreno*

REVUE DE PRESSE
GB : press review
D : *Presseschau*
E : revista de prensa
I : *rassegna stampa*

RICHESSE
GB : wealth
D : *Wohlstand*
E : riqueza
I : *ricchezza*

RISQUE
GB : risk
D : *Risiko*
E : riesgo
I : *rischio*

RISQUE PROFESSIONNEL
GB : occupational hazard
D : *Berufsrisiko*
E : riesgo profesional
I : *rischio del lavoro*

RISTOURNE
GB : rebate
D : *Rückerstattung*
E : rebaja
I : *ristorno, sconto, rimborso*
Réduction de prix calculée en proportion d'un montant d'achats et pour une période déterminée

RIVAL
GB : rival
D : *Rivale*
E : rival
I : *rivale*

ROBOTIQUE
GB : robotics
D : *Robotik*
E : robótica
I : *robotica*

Ensemble des études et des techniques relatives à la conception et à la mise en œuvre de systèmes de production automatisés

ROTATION
GB : turnover
D : *Rotation*
E : rotación
I : *rotazione*
Son taux se mesure à la fréquence des reconstitutions d'un facteur déterminé (capitaux, stocks, main-d'œuvre...), en général au cours d'une année

RUPTURE DE CHARGE
GB : breaking bulk
D : *Löschen der Ladung*
E : fraccionamiento de la carga

I : *inizio scarico*
Changement de véhicule ou de mode de transport

RUPTURE DE CONTRAT
GB : breach of contract
D : *Vertragsverletzung*
E : incumplimiento del contrato
I : *rottura di contratto*

RUPTURE DE GARANTIE
GB : breach of warranty
D : *Verletzung der Gewährleistungspflich*
E : incumplimiento de la garantia
I : *violazione di garanzia*
Cessation de garantie

RUPTURE DE STOCK
GB : inventory shortage
D : *Ausverkauf*
E : ruptura de las existencias
I : *esaurimento delle scorte*

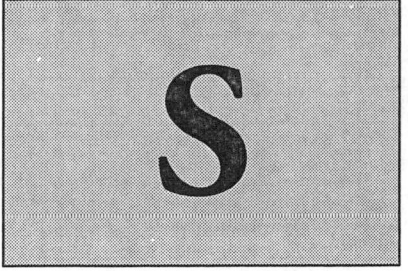

SAISIE DES DONNÉES
GB : data capture
D : *Datenerfassung*
E : recogida de datos
I : *raccolta dati*

SAISON
GB : season
D : *Jahreszeit*
E : estacion
I : *stagione*

SALAIRE
GB : wages, earnings
D : *Lohn*
E : salario
I : *guadagni*
Rémunération prévue par le contrat de louage de services qui lie le salarié à l'employeur

SALAIRE AU RENDEMENT
GB : payment by results
D : *Leistungslohn*
E : pago por resultados
I : *pagamento secondo risultati*

SALAIRE DE BASE
GB : basic pay (USA base pay)
D : *Grundlohn*
E : salario-base
I : *salario fondamentale*
Celui qui est prévu dans le contrat d'engagement

SALAIRE MINIMUM
GB : minimum wage
D : *Mindestgehalt*
E : salario mínimo
I : *salario minimo*
En France, le SMIC — Salaire Minimum Interprofessionnel de Croissance, fixé par voie réglementaire et dont l'évolution est fonction de la croissance et de la hausse des prix

SALAIRE NET
GB : take-home pay
D : *Nettolohn*
E : paga neta
I : *paga netta*
Rémunération après déduction des cotisations sociales

SALARIÉ
GB : wage earner
D : *Lohnempfänger*
E : asalariado
I : *salariato*

SANCTIONS ÉCONOMIQUES
GB : economic sanctions
D : *wirtschaftliche Sanktionen*
E : sanciones economicas
I : *sanzioni economiche*

SATISFACTION
GB : satisfaction
D : *Zufriedenstellung, Begleichung*
E : satisfaccion
I : *soddisfazione*

SAUVER
GB : save
D : *retten*
E : salvar
I : *salvare*

SAUVETAGE
GB : salvage
D : *Bergung*
E : salvamento
I : *salvataggio*

SCEAU
GB : seal
D : *Siegel*
E : sello
I : *sigillo*

SCÉNARIO
GB : scenario
D : *Szenario*
E : caso, argumento
I : *scenario*
Dans une démarche prospective, ensemble d'hypothèses pouvant servir de cadre à la définition d'options stratégiques

SECOND NM
GB : (ship's) mate
D : *Maat*
E : primer oficial
I : *primo ufficiale*

SECOND MARCHÉ
GB : French second-tier unlisted securities market with reduced reporting requirements
D : *Zweitmarkt*
E : segundo mercado
I : *mercato secondario*
Marché boursier créé par la loi du 3 janvier 1983 pour faciliter aux entreprises moyennes l'accès à l'épargne publique

SECOURS
GB : help
D : *Hilfe*
E : ayuda
I : *aiuto*

SECRÉTAIRE
GB : (male or female) secretary
D : *Sekretär, Sekretärin*
E : secretario, secretaria
I : *segretario, segretaria*

SECRET INDUSTRIEL
GB : trade secret
D : *Betriebsgeheimnis*
E : secreto comercial
I : *segreto commerciale*

SECTEUR PRIVÉ
GB : private sector
D : *Privatwirtschaft*
E : sector privado
I : *settore privato*

SECTEUR PUBLIC
GB : public sector
D : *öffentliche Hand*
E : sector publico
I : *settore statale*

SÉCURITÉ
GB : security, safety
D : *Sicherheit*
E : seguridad
I : *sicurezza*

SÉCURITÉ SOCIALE
GB : social security
D : *Sozialversicherung*
E : seguridad social
I : *sicurezza sociale*
Institution chargée de la protection sociale et ensemble des organismes chargés de prélever les cotisations et verser les prestations

SEMESTRE
GB : half-year
D : *Semester*
E : semestre
I : *semestre*

SEMESTRIEL
GB : half-yearly
D : *halbjährlich*
E : semestral
I : *semestrale*

SENTENCE ARBITRALE
GB : arbitration award
D : *Schiedsspruch*
E : sentencia arbitral
I : *lodo arbitrale*
Rendue dans le règlement à l'amiable d'un litige, elle permet de gagner du temps et de limiter l'engorgement des tribunaux en échappant au juge

SERVICE DE COMPTABILITÉ
GB : accounts department (USA accounting department)
D : *Buchhaltung*
E : departamento de contabilidad
I : *ufficio contabilità*

SERVICE DE SANTÉ
GB : health service
D : *Gesundheitsdienst*
E : servicio de sanidad
I : *servizio sanitario*

SERVICE VENTES
GB : sales department
D : *Verkaufsabteilung*
E : departamento de ventas
I : *ufficio vendite*

SEUIL DE RENTABILITÉ
GB : breakeven point
D : *Gewinnschwelle*
E : umbral de rentabilidad
I : *soglia di redditività*
Point mort d'une entreprise ou niveau d'activité à partir duquel, toutes charges couvertes, elle commence à faire des bénéfices

SICAV (SOCIÉTÉ D'INVESTISSE-MENT À CAPITAL VARIABLE)
GB : mutual fund
D : *Investitionsgesellschaft mit variablem Kapital*
E : sociedad gestora del fondo de inversión mobiliaria
I : *società d'investimento a capitale variabile*
Exclusivement destinée à la gestion collective des placements de ses actionnaires (valeurs mobilières ou biens immobiliers)

SIEGE SOCIAL
GB : head office
D : *Hauptbüro*
E : oficina central
I : *sede, ufficio centrale*
Domicile légal d'une personne morale

SIGNATURE
GB : signature
D : *Unterschrift*
E : firma
I : *firma*

SIMILI CUIR
GB : imitation leather
D : *Kunstleder*
E : piel de imitacion
I : *finta pelle*

SIMULATION
GB : simulation
D : *Simulation*
E : simulacion
I : *simulazione*
Réalisation d'expériences fictives permettant d'étudier l'évolution de phénomènes complexes aux facteurs explicatifs multiples

SITUATION NETTE
GB : net worth
D : *Nettolage*
E : situación neta
I : *situazione netta*

SITUATION PERMETTANT DE NÉGOCIER
GB : bargaining position
D : *Verhandlungslage*
E : situacion de negociar
I : *situazione permettente di trattare*

SOCIÉTÉ
GB : company
D : *Gesellschaft*
E : compania, sociedad
I : *società*
Association contractuelle de personnes physiques ou morales qui conviennent de mettre en commun des biens, des valeurs ou du travail dans un but lucratif

SOCIÉTÉ ANONYME (SA)
GB : public limited company
D : *Aktiengesellschaft (AG)*
E : sociedad anonima (SA)
I : *società anonima (SA)*
Dotée d'un capital social de 250 000 F, elle est composée de sept actionnaires au minimum et dirigée par un président issu du conseil d'administration ou par un directoire contrôlé par un conseil de surveillance

SOCIÉTÉ À RESPONSABILITÉ LIMITÉE — SARL
GB : private limited company
D : *Gesellschaft mit beschränkter Haftung (GMBH)*
E : compania privada
I : *società a responsabilità limitata (SRL)*
Dirigée par un ou des gérants, elle associe des personnes (1 à 50) qui ne sont responsables qu'à concurrence de leur apport, s'engagent personnellement et ne peuvent céder librement leur part

SOCIÉTÉ COOPÉRATIVE
GB : cooperative
D : *Genossenschaft*
E : cooperativa
I : *cooperativa*
Voir Coopérative

SOCIÉTÉ COTÉE EN BOURSE
GB : quoted company
D : *Gesellschaft notiert an der Börse*
E : compania cotizada en bolsa
I : *società quotata in borsa*

SOCIÉTÉ DE CAUTION MUTUELLE
GB : mutual guarantee insurance company
D : *gegenseitige Bürgschaftsgesellschaft*
E : sociedad de caución mutua
I : *società di mutua garanzia*
Société à capital variable dont l'objet est de garantir les crédits accordés à ses membres

SOCIÉTÉ DE FINANCEMENT
GB : finance company
D : *Finanzierungsgesellschaft*
E : compania de crédito comercial
I : *società finanziaria*

SOCIÉTÉ DE LEASING
GB : leasing company
D : *Leasinggesellschaft*
E : compania arrendataria
I : *società di leasing*
Société de crédit-bail

SOCIÉTÉ DE PERSONNES
GB : partnership
D : *Personengesellschaft*
E : sociedad de personas
I : *società di persone*
Dans laquelle les associés sont responsables des dettes; en font partie les sociétés en commandite simple ou en nom collectif, et les SARL

SOCIÉTÉ DE PLACEMENT
GB : investment company
D : *Investierungsgesellschaft*
E : compania inversionista
I : *società per investimenti*
Voir Placement

SOCIÉTÉ DE SECOURS MUTUEL
GB : friendly society (USA lodge)
D : *Versicherungsverein auf Gegenseitigkeit*
E : sociedad de socorro mutuo
I : *società di mutuo soccorso*
Voir Mutuelle

SOCIÉTÉ D'EXPLOITATION
GB : development company, operating company
D : *Erschließungsgesellschaft, Betrieb*
E : compania de explotacion
I : *società d'imprese*
Ou de gestion; SA créée pour diriger une ou plusieurs entreprises

SOCIÉTÉ DIRECTRICE
GB : controlling company
D : *Gesellschaft mit Kontrollbefugnis*
E : compania directriz
I : *società direttrice*

SOCIÉTÉ EN COMMANDITE
GB : limited partnership
D : *Kommanditgesellschaft*
E : sociedad en comandita
I : *società in accomandita semplice*
Forme de société exploitée par un entrepreneur (commanditaire) à laquelle un bailleur de fonds (commanditaire) a fait un apport en capital sans prendre part à sa gestion.

SOCIÉTÉ EN NOM COLLECTIF
GB : partnership
D : *offene Handelsgesellschaft (OHG)*
E : sociedad regular colectiva (SRC)
I : *società in nome collettivo*
Société de personnes, dont les parts sociales ne sont ni cessibles ni transmissibles librement, et qui sont indéfiniment et solidairement responsables des dettes

SOCIÉTÉ EN PARTICIPATION
GB : joint venture
D : *Gemeinschaftsbetrieb*
E : empresa en comun
I : *impresa in compartecipazione*
Contrat de société que l'on décide de ne pas faire immatriculer

SOCIÉTÉ FANTOME
GB : bogus company (USA phantom operation)
D : *Schwindelgesellschaft*
E : sociedad fantasma
I : *società fasulla*

SOCIÉTÉ FIDUCIAIRE
GB : trust company
D : *Treuhandgesellschaft*
E : banco fideicomisario
I : *società fiduciaria*
Gestion : société spécialisée dans l'administration de biens pour le compte de tiers; comptabilité : cacinet d'expertise comptable

SOCIÉTÉ FIDUCIAIRE DE PLACEMENTS
GB : investment trust
D : *Investment-Trust*
E : fideicomiso de inversiones
I : *consorzio per investimenti*

SOCIÉTÉ FINANCIERE INTERNATIONALE — SFI
GB : international finance corporation
D : *Internationale Finanzkorporation*
E : corporacion international de finanzas
I : *corporazione finanziaria internazionale*
Filiale de la BIRD créée en 1955 pour participer au financement des entreprises privées dans les pays en développement

SOCIÉTÉ HOLDING
GB : holding company
D : *Dachgesellschaft*
E : compania tenedora
I : *società holding*
Voir Holding

SOCIÉTÉ LIQUIDÉE
GB : defunct company
D : *erloschene Gesellschaft*
E : sociedad extinta
I : *società estinta*
Voir Liquidation

SOCIÉTÉ MERE
GB : parent company
D : *Muttergesellschaft*
E : compania matriz
I : *società madre*
Qui détient plus de la moitié du capital d'une ou plusieurs autres filiales

SOCIÉTÉ SŒUR (ASSOCIÉE)
GB : sister company
D : *Schwestergesellschaft*
E : compania asociada
I : *società sorella*
L'une des filiales de la société mère

SOLDE
GB : balance, odd lot
D : *Saldo, Restpartie*
E : saldo, lote suelto
I : *saldo, partita spaiata*

SOLDE À REPORTER
GB : balance carried forward
D : *Übertrag*
E : balance a cuerta nueva
I : *bilancio riportato*
Solde débiteur ou créditeur à la fin d'un exercice et qui est repris au début du suivant

SOLDE CRÉDITEUR
GB : credit balance
D : *Kreditsaldo*
E : saldo acreedor
I : *saldo creditore*

SOLDE DÉBITEUR
GB : debit balance
D : *Sollsaldo*
E : saldo en débito
I : *saldo debitore*

SOLDE DE DIVIDENDE
GB : final dividend
D : *Schlußdividende*
E : saldo del dividendo
I : *saldo del dividendo*

SOLDE DU
GB : balance due
D : *Ausgleichssaldo*
E : balance vencido
I : *saldo dovuto*
Ce qui reste à payer

SOLDE DE BANQUE
GB : bank balance
D : *Bankguthaben*
E : saldo de banco
I : *saldo in banca*
Situation d'un compte bancaire à un moment donné

SOLDE EN CAISSE
GB : balance in hand
D : *verfügbarer Saldo*
E : sobrante
I : *saldo in cassa*

SOLDE NET
GB : final balance
D : *Schlußbilanz*
E : saldo final
I : *saldo finale*
Bénéfices ou pertes dégagés à la ligne Résultat net de l'entreprise

SOLDE NUL
GB : nil balance (USA zero
balance)
D : *Nullsaldo*
E : saldo nulo
I : *saldo nullo*
Celui d'une balance commerciale ou
d'un budget équilibrés

SOLVABLE
GB : solvent
D : *zahlungsfähig*
E : solvente
I : *solvibile*

SOLVABILITÉ
GB : solvency
D : *Zahlungsfähigkeit*
E : solvencia
I : *solvibilità*

SOMME
GB : amount, sum
D : *Betrag, Summe*
E : suma
I : *ammontare*

SOMME GLOBALE
GB : lump sum
D : *Pauschalbetrag*
E : suma global
I : *somma globale*

SONDAGE
GB : survey
D : *Umfrage*
E : sondeo
I : *sondaggio*

SOUMISSION
GB : bid, tender
D : *Angebot*
E : oferta
I : *offerta*
Engagement d'un entrepreneur à
respecter le cahier des charges d'une
adjudication, au prix qu'il a lui-
même fixé.

SOUSCRIT (INTÉGRALEMENT)
GB : fully subscribed
D : *vollgezeichnet*
E : plenamente suscrito
I : *interamente sottoscritto*
Se dit d'un emprunt, d'une émission
dont tous les titres ont trouvé pre-
neur

SOUSCRIPTION
GB : subscription
D : *Zeichnung*
E : suscripcion
I : *sottoscrizione*
Engagement irrévocable à recevoir
des titres contre paiement à un prix
convenu d'avance; achat d'un titre
au moment de son émission

SOUS-DIRECTEUR
GB : assistant manager
D : *Unterdirektor*
E : sub-director
I : *vice-direttore*

SOUS-ESTIMATION
GB : under-estimate
D : *Unterschätzung*
E : presupuesto por defecto
I : *sottovalutazione*

SOUS-LOCATION
GB : sub-letting
D : *Untervermietung*
E : sub-alquiter
I : *subaffitto*

SOUS-PRODUIT
GB : by-product
D : *Nebenprodukt*
E : producto derivado
I : *sottoprodotto*

SOUSTRACTION
GB : substraction
D : *Subtraktion*
E : substraccion
I : *sottrazione*

SOUTE
GB : bunker
D : *Bunker*
E : carbonera
I : *carbonile*

SPÉCIALISTE
GB : specialist, expert
D : *Sachverständige(r)*
E : especialista
I : *specialista*

SPÉCULER
GB : speculate, job
D : *spekulieren*
E : especular
I : *speculare*
Acheter et revendre des biens ou des
valeurs pour tirer profit de la fluc-
tuation de leur cours

SPIRALE INFLATIONNISTE
GB : inflationary spiral
D : *Inflationsspirale*
E : espiral de inflacion
I : *inflazione a spirale*
Processus cumulatif et auto entre-
tenu de hausse générale des prix qui,
non maitrisé, débouche sur une
inflation galopante (2 chiffres) ou
une hyperinflation (3 chiffres)

STANDARDISER
GB : standardize
D : *standardisieren*
E : estandarizar
I : *standardizzare*

STATISTIQUE NF
GB : statistics
D : *Statistik*
E : estadistica
I : *statistica*
Ensemble des méthodes permettant
d'analyser et de synthétiser une
quantité importante de données
chiffrées

STATUT
GB : statute
D : *Gesetz*
E : estatuto
I : *statuto*
Disposition législative ou réglemen-
taire qui fixe la situation d'une caté-
gorie de personnes, d'entreprises ou
de collectivités

STATUTAIRE ADJ
GB : statutory
D : *gesetzlich*
E : estatutario
I : *statutario*

STATUTS
GB : Memorandum and Articles
of Association (USA articles of
incorporation)
D : *Statuten*
E : statutos, carta organica
I : *atto costitutivo e statuto
sociale*
Ensemble de dispositions fixant les
règles de fonctionnement interne
d'une organisation (sociétés civiles et
commerciales, en particulier)

STÉNODACTYLOGRAPHE
GB : shorthand typist
D : *Stenotypistin*
E : taquimecanografa
I : *stenodattilografa*

STÉNOGRAPHIE
GB : shorthand
D : *Kurzschrift*
E : taquigrafia
I : *stenografia*

STOCK
GB : stock
D : *Vorrat*
E : stock
I : *stock*
Ensemble des matières et produits
mis en œuvre dans d'une
entreprise et entreposés en attendant
d'être utilisés ou vendus

STOCKER
GB : stockpile
D : *Vorratslager anlegen*
E : acumular existencias
I : *ammassare*

STOCK DE RÉGULARISATION
GB : buffer stocks
D : *buffer-stocks*
E : existencias de regulariza-
cion
I : *scorte di equilibrio*

STRATÉGIE
GB : strategy
D : *Strategie*
E : estrategia
I : *strategia*

STYLE DE VIE
 GB : life style
 D : *Lebensstil*
 E : estilo de vida
 I : *stile di vita*

SUBALTERNE
 GB : subordinate
 D : *Untergebene(r)*
 E : subalterno
 I : *subalterno*

SUBROGATION
 GB : subrogation
 D : *Ersetzung*
 E : subrogacion
 I : *surrogazione*
Droit : substitution d'une personne
(subrogation personnelle) ou d'une
chose (subrogation réelle) à une
autre

SUBVENTION
 GB : subsidy
 D : *Subvention*
 E : subsidio
 I : *sussidio*
Aide ou prêt non remboursable de
l'Etat ou d'une collectivité publique

SUBVENTION D'ETAT
 GB : government subsidy
 D : *Staatszuschuß*
 E : subvencion del Estado
 I : *sovvenzione dello Stato*

SUBVENTIONS EN CAPITAL
 GB : capital grants
 D : *Kapitlhilfe*
 E : subvencion de capital
 I : *sovvenzioni di capitale*

SUCCESSION
 GB : inheritance, estate
 D : *Erbschaft, Nacklaß*
 E : sucesion
 I : *successione*

SUCCURSALE
 GB : branch, branch office
 D : *Filiale, Zweigstelle*
 E : sucursal, filial
 I : *succursale*
Etablissement sans individualité
juridique qui concourt au même
objet que celui dont il dépend

SUPER-DIVIDENDE
 GB : surplus dividend
 D : *Extradividende*
 E : superdividendo
 I : *dividendo straordinario*
Eventuellement décidé par l'assem-
blée générale, il s'ajoute au premier
dividende

SUPERMARCHÉ
 GB : supermarket
 D : *Supermarkt*
 E : supermercado
 I : *supermercato*

SUPPLÉMENT
 GB : extra charge
 D : *Zuschlagsgebühr*
 E : suplemento
 I : *spesa supplementare*

SUPPORT PUBLICITAIRE
 GB : advertising medium
 D : *Werbemittel*
 E : medio de publicidad
 I : *mezzo pubblicitario*

SUPPORTS
 GB : media
 D : *Werbeträger*
 E : medios de informacion
 I : *canali d'informazione*

SURCAPACITÉ
 GB : overcapacity
 D : *Überkapazität*
 E : exceso de capacidad
 I : *capacità in eccedenza*
Capacité de production supérieure
aux besoins

SURESTARIE
 GB : demurrage
 D : *Überliegezeit*
 E : sobreestadia
 I : *controstallia*
Indemnité due à un armateur en cas
de retard de chargement ou de
déchargement

SURESTIMATION
 GB : over-estimate
 D : *Überschätzung*
 E : presupuesto por exceso
 I : *valutazione eccessiva*

SURFACE AU SOL
 GB : floor space
 D : *Bodenfläche*
 E : superficie de piso
 I : *superficie di pavimento*

SURFACTURATION
 GB : overbilling
 D : *Überberechnung*
 E : sobrefacturación
 I : *fatturazione eccessiva*
Fixation par une entreprise multina-
tionale des prix des produits impor-
tés par une filiale de façon à rapa-
trier des profits

SURPLUS
 GB : surplus
 D : *Überschuß*
 E : excedente
 I : *eccesso*
Différence de croissance, exprimée
en valeur, entre le volume des pro-
duits et les facteurs de production, à
prix constants pour une période
donnée

SURPRODUCTION
 GB : overproduction
 D : *Überproduktion*
 E : exceso de produccion
 I : *sovrapproduzione*

SURTAXE
 GB : surtax
 D : *Steuerzuschlag*
 E : sobretasa
 I : *soprattassa*

SURVEILLANT
 GB : supervisor
 D : *Aufseher*
 E : supervisor
 I : *supervisore*

SUSMENTIONNÉ
 GB : above-mentioned
 D : *obenerwähnt*
 E : susodicho
 I : *suddetto*

SUSPENS (EN)
 GB : in abeyance
 D : *in der Schwebe*
 E : en suspenso
 I : *in sospeso*

SWAP
 GB : SWAP
 D : *SWAP*
 E : SWAP
 I : *SWAP*
Echange financier d'éléments de
créances ou de dettes opéré entre
deux ou plusieurs entités (banques,
entreprises, Etats...)

**SWIFT — SOCIETY FOR WORLD-
WIDE INTERBANK FINANCIAL
TELECOMMUNICATION**
 GB : SWIFT (Society for World-
 wide Interbank Financial Tele-
 communication)
 D : *SWIFT*
 E : SWIFT
 I : *Rete Internazionale di Tras-
 ferimento Fondi e Informazioni
 Fra Banche*
Réseau bancaire international (50
banques françaises y sont connec-
tées) permettant d'échanger des
informations et d'accélérer les opéra-
tions sur le marché monétaire inter-
national

SYMBOLE
 GB : symbol
 D : *Symbol*
 E : simbolo
 I : *simbolo*

SYNDICAT
 GB : syndicate, trade union
 D : *Syndikat, Gewerkschaft*
 E : sindicato
 I : *sindicato*

SYNDICAT D'ASSUREURS
 GB : underwriting syndicate
 (insurance)
 D : *Versicherungssyndikat*
 E : sindicato de seguros
 I : *sindicato di assicuratori*

SYNDIC DE FAILLITE
GB : (official) receiver
D : *Konkursverwalter*
E : sindico
I : *curatore*
Désigné par le tribunal, il représente les intérêts des créanciers d'une entreprise déclarée en faillite

SYNERGIE
GB : synergy
D : *Synergie*
E : sinergia
I : *sinergia*

SYSTEME
GB : system
D : *System*
E : sistema
I : *sistema*
Ensemble des dispositifs ou des solutions mis en œuvre pour atteindre un objectif donné

SYSTEME ÉCONOMIQUE DU LIBRE-ÉCHANGE
GB : free economy
D : *freie Marktwirtschaft*
E : economia del mercado libre
I : *economia de mercado libero*
Système qui vise à la suppression de tous les obstacles à la libre circulation des biens et des services

SYSTEME EXPERT
GB : expert system
D : *Expertensystem*
E : sistema experto
I : *sistema esperto*
Logiciel élaboré à partir d'expertises reconnues, pour simuler le raisonnement humain dans des domaines spécifiques de la connaissance

SYSTEME MÉTRIQUE
GB : metric system
D : *metrisches System*
E : sistema métrico
I : *sistema metrico*

TABLEAU DE BORD
GB : operating report
D : *Geschäftsbericht*
E : cuadro de mando
I : *quadro degli strumenti*

TABLEAU DE DISTRIBUTION
GB : switchboard
D : *Schalttafel*
E : cuadro de conexion
I : *quadro di comando*

TABLEUR
GB : spreadsheet
D : *Arbeitsblatt*
E : hoja electrónica de cálculo
I : *tabulatore*
Logiciel de création et de manipulation interactive de tableaux numériques visualisés

TAILLE
GB : size
D : *Größe*
F : tamaño
I : *taglia*

TALON
GB : counterfoil (USA stub)
D : *Talon*
E : talon
I : *matrice*

TAMPON
GB : stamp
D : *Stempel*
E : estampilla
I : *stampiglia*

TARE
GB : tare
D : *Tara*
E : tara
I : *tara*

TARIF
GB : tariff
D : *Tarif*
E : tarifa
I : *tariffa*

TARIF-CATALOGUE
GB : trade catalogue, catalogue rate
D : *Katalogpreis*
E : catalogo comercial, tarifa catálogo
I : *tariffa di listino*

TARIF DE FAVEUR
GB : preferential duty
D : *Vorzugssatz*
E : derechos preferenciales
I : *tariffa preferenziale*

TARIF DISCRIMINATOIRE
GB : discriminating tariff
D : *diskriminierender Tarif*
E : tarifa diferencial
I : *tariffa discriminante*

TARIF EXTÉRIEUR COMMUN (UE)
GB : common external tariff
D : *gemeinsamer Außentarif*
E : tarifa exterior comun
I : *tariffa estera comune*
Il s'applique aux importations sur le territoire communautaire de marchandises provenant des pays tiers

TARIFS DE PUBLICITÉ
GB : advertising rates
D : *Werbetarif*
E : tarifa para anuncios, tarifas de publicidad
I : *tariffe pubblicitarie*

TARIF UNIFORME
GB : flat rate
D : *Einheitssatz*
E : tarifa unificada
I : *tariffa uniforme*

TAUX
GB : rate
D : *Satz, Kurs*
E : tasa, tipo
I : *tasso, tariffa*
Expression arithmétique d'une variation dans le temps entre deux grandeurs (pourcentage, montant, coefficient)

TAUX ACTUARIEL
GB : redemption yield
D : *Rendite*
E : tasa actuarial
I : *tasso attuariale*
Rapport, pour une période donnée, entre le coût effectif d'un emprunt (ou le rendement effectif d'un prêt) et le montant du capital engagé

TAUX ANNUEL
GB : annual rate
D : *Jahreskurs*
E : tasa anual
I : *tasso annuale*

TAUX DE BASE BANCAIRE
GB : MLR (minimum lending rate)
D : *Lombardsatz*
E : tipo de base bancario
I : *tasso di base bancario*
Taux d'intérêt appliqué par une banque aux crédits consentis à ses meilleurs clients, qui constitue sa référence pour établir le barème de ses différents taux

TAUX DE CHANGE
GB : exchange rate
D : *Wechselkurs*
E : tipo de cambio
I : *tasso di cambio*
Valeur de la monnaie nationale exprimée en monnaie étrangère

TAUX DE CHANGE FLOTTANT
GB : floating exchange rate
D : *flexibler Wechselkurs*
E : tipo de cambio flotante
I : *tasso del cambio fluttuante*

TAUX D'ESCOMPTE
GB : discount rate
D : *Diskontsatz*
E : tasa de descuento
I : *tasso di sconto*
Taux auquel est consenti un escompte

TAUX DE MORTALITÉ
GB : death rate
D : *Sterblichkeitsziffer*
E : mortalidad
I : *tasso di mortalità*
Rapport entre le nombre de décès observés pendant un temps déterminé et l'effectif de la population au milieu de cette période

TAUX DE RENDEMENT
GB : rate of return
D : *Ertragsrate*
E : tipo de rédito
I : *tasso di reddito*
Rapport entre le revenu annuel que procure un placement et la valeur immédiate de celui-ci

TAUX DE SALAIRES
GB : wage rate
D : *Lohnsatz*
E : tarifa de salarios
I : *tariffa salariale*
Niveaux de salaires

TAUX D'INTÉRÊT
GB : interest rate
D : *Zinsfuß*
E : tipo de interés
I : *tasso d'interesse*
Prix d'un placement ou d'un emprunt, exprimé en pourcentage, qui est le rapport entre le montant de l'intérêt dû pour l'année et celui du capital engagé

TAUX VARIABLE
GB : fluctuating rate
D : *schwankender Kurs*
E : tipo oscilante
I : *tasso variabile*

TAXABLE
GB : dutiable
D : *abgabenpflichtig*
E : tasable
I : *tassabile*

TAXE
GB : duty, tax
D : *Gebühr, Abgabe*
E : derechos, impuesto
I : *tassa, imposta*
Impôt. Coût d'un service rendu par une collectivité (acception première)

TAXE SUR LES VENTES
GB : sales tax
D : *Warenumsatzsteuer*
E : impuesto sobre la venta
I : *imposta sulle vendite*

TAXES MUNICIPALES
GB : rates (USA realty tax)
D : *Gemeindesteuer*
E : contribucion municipal
I : *tassa comunale*

TAXE SUR LA VALEUR AJOUTÉE — TVA
GB : value added tax (VAT)
D : *Mehwertsteuer*
E : impuesto sobre valor anadido
I : *imposta sul valore aggiunto (IVA)*
Taxe sur le chiffre d'affaires qui concerne les entreprises industrielles et commerciales, les activités agricoles et libérales

TAXE SUR LES SALAIRES
GB : employment tax
D : *Lohnsummensteuer*
E : impuesto por empleado
I : *imposta sull'impiego*

TAXI
GB : taxi
D : *Taxi*
E : taxi
I : *tassi*

TECHNIQUE NF
GB : technique
D : *Technik*
E : técnica
I : *tecnica*
Procédé résultant de l'application de connaissances théoriques et scientifiques à une production

TECHNOLOGIE
GB : technology
D : *Technologie*
E : tecnologia
I : *tecnologia*
Etude des techniques. Savoir-faire

TÉLÉGRAMME
GB : telegram
D : *Telegramm*
E : telegrama
I : *telegramma*

TÉLÉGRAPHIER
GB : telegraph
D : *telegrafieren*
E : telégrafar
I : *telegrafare*

TÉLÉMATIQUE
GB : telematics
D : *Telematik*
E : telemática
I : *telematica*
Transmission d'informations à distance par l'utilisation conjointe de l'informatique et des télécommunications

TÉLÉPHONE
GB : telephone
D : *Fernsprecher, Telefon*
E : teléfono
I : *telefono*

TÉLÉPHONE (NE QUITTEZ PAS)
GB : hold the line
D : *am Apparat bleiben*
E : espere al aparato
I : *restare in linea*

TELEX
GB : Telex
D : *Fernschreiber*
E : télex
I : *telex*
Transmission à distance de messages dactylographiés

TÉMOIN
GB : witness
D : *Zeuge*
E : testigo
I : *testimone*

TEMPETE
GB : storm
D : *Sturm*
E : tormenta
I : *tempesta*

TEMPS D'ARRET
GB : down time
D : *Leelaufzeit*
E : tiempo improductivo
I : *tempo improduttivo*

TEMPS DE PANNE MACHINE
GB : machine down-time
D : *Maschinenstillstandzeit*
E : tiempo improductivo de la maquina
I : *tempo passivo di macchina*

TEMPS PARTIEL
GB : part-time
D : *Teilzeit*
E : tiempo parcial
I : *part-time*

TENEUR
GB : tenor
D : *Laufzeit*
E : tenor
I : *tenore*

TENIR
GB : hold
D : *halten*
E : tener
I : *tenere*

TERME
GB : due date
D : *Frist*
E : término
I : *termine*
Echéance

TERRAIN À BATIR
GB : building land
D : *Bauland*
E : solares
I : *terreno edile*

TETE DE GONDOLE
GB : gondola head
D : *Erstplatzierung*
E : encabezamiento de góndola
I : *lato più in vista dell'espositore (es. nei supermercati)*
Extrémité d'un meuble de présentation de produits dans un magasin en libre-service

TEXTILE
GB : textile
D : *Webware*
E : textil
I : *tessile*

THÉSAURISATION
GB : hoard
D : *Hortung*
E : atesoramiento
I : *ammasso*
Détention improductive de valeurs ou de créances soustraites aux circuits économiques et monétaires

TIERS
GB : third party
D . *Dritte(r)*
E : tercero
I : *terzi*

TIMBRE
GB : stamp
D : *Stempel, Marke*
E : sello
I : *timbro, francobollo*
Marque ou vignette qui garantit l'authenticité d'un document ou atteste le paiement d'un droit

TIMBRE-POSTE
GB : postage stamp
D : *Briefmarke*
E : sello de correos
I : *francobollo*

TIOP
GB : Paris Interbank Offered Rate
D : *Französische Bank-an-Bank Zinsenssatz*
E : MIBOR (precio del dinero en el mercado interbancario de Madrid)
I : *Tasso Interbancario Offerto a Parigi*
Taux interbancaire offert à Paris (en anglais : PIBOR). Indicateur quotidien des taux d'intérêt pratiqués entre banques sur le marché monétaire

TIRÉ NM
GB : drawee
D : *Bezogene(r)*
E : librado
I : *trattario*
Personne physique ou morale qui a reçu l'ordre de régler le montant d'un chèque ou d'une lettre de change à l'échéance

TIRER UN CHEQUE
GB : draw a cheque
D : *einen Scheck ausstellen*
E : extender un cheque
I : *emettere un assegno*
Emettre un chèque

TIREUR
GB : drawer
D : *Aussteller*
E : librador
I : *traente*
Personne physique ou morale qui émet un chèque ou une lettre de change et donne l'ordre de payer à l'échéance

TITRE
GB : (legal) title, security
D : *Titel, Wertpapier*
E : titulo
I : *titolo*
Document représentatif d'un droit de propriété ou d'une créance

TITRE À COURT TERME
GB : short-dated security
D : *kurzfristiges Wertpapier*
E : titulo a corto plazo
I : *titolo a breve scadenza*
Titre dont l'échéance est inférieure à deux ans

TITRE DE PROPRIÉTÉ
GB : title deed
D : *Eigentumstitel*
E : titulo de propiedad
I : *titolo di proprietà*

TITRES
GB : stock, securities
D : *Wertpapier, Effekten*
E : titulos, valores
I : *titoli, valori*

TITRES D'EMPRUNT
GB : loan stock
D : *Anteihewerte*
E : titulos de préstamo
I : *titoli di prestito*
Titres attestant l'existence d'une dette

TITRES D'ETAT
GB : Government securities
D : *Regierungsschuldver-schreibungen*
E : titulos publicos
I : *titoli di Stato*
Titres émis par l'Etat ou une collectivité publique

TONNAGE
GB : tonnage
D : *Tonnengehalt*
E : tonelaje
I : *tonnellaggio*

TONNE
GB : tonne
D : *Tonne*
E : tonelada
I : *tonnellata*

TONNE FORTE
GB : gross ton
D : *Bruttotonne*
E : tonelada bruta
I : *tonnellata lorda*

TOTALISER
GB : add up
D : *addieren*
E : sumar
I : *sommare*

TOUCHE (DE MACHINE À ÉCRIRE)
GB : key
D : *Taste*
E : tecla
I : *tasto*

TOUCHER UN CHEQUE
GB : cash a cheque (USA cash a check)
D : *einen Scheck einlösen*
E : cobrar un cheque
I : *incassare un assegno*

TOUS RISQUES
GB : all risks
D : *alle Gefahren*
E : todos los riesgos
I : *tutti rischi*

TOUT VENDU
GB : sold out
D : *ausverkauft*
E : agatado
I : *tutto venduto*

TRAFIC AÉRIEN
GB : air traffic
D : *Lufverkehr*
E : trafico aéreo
I : *traffico aereo*

TRAIN DE MARCHANDISES
GB : goods train (USA freight train)
D : *Güterzug*
E : tren de mercancias
I : *treno merci*

TRAIN EXPRESS
GB : express train
D : *D-Zug, Schnellzug*
E : tren expreso
I : *direttissimo, rapido*

TRAITE
GB : draft
D : *Tratto*
E : letra
I : *tratta*
Voir Lettre de change

TRAITE À VUE
GB : sight draft
D : *Sichttratte*
E : letra a la vista
I : *tratta a vista*
Payable aussitôt que le bénéficiaire désire en recouvrer le montant

TRAITE BANCAIRE
GB : banker's draft
D : *Banktratte*
E : giro bancario
I : *tratta bancaria*
Traite émise par une banque

FRANÇAIS

TRAITE DOCUMENTAIRE
GB : documentary bill
D : *Dokumentenwechsel*
E : efecto documentario
I : *tratta documentaria*
Lettre de change tirée par le vendeur sur l'acheteur, accompagnée des documents d'expédition

TRAITEMENT
GB : salary
D : *Gehalt*
E : sueldo
I : *stipendio*
Salaire

TRAITEMENT INFORMATIQUE
GB : data processing
D : *Datenverarbeitung*
E : tratamiento de datos
I : *elaborazione dei dati*

TRANSACTION
GB : transaction
D : *Transaktion*
E : transaccion
I : *transazione*
Echange, processus de négociation qui a abouti à un accord par concessions réciproques

TRANSACTION AU COMPTANT
GB : cash deal
D : *Bargeschäft*
E : trato al contado
I : *operazione a contanti*
Transaction qui a donné lieu à un règlement immédiat (en monnaie)

TRANSBORDEMENT
GB : transhipment
D : *Umladung*
E : transbordo
I : *trasbordo*
Transfert de marchandises ou de voyageurs d'un véhicule de transport à un autre

TRANSCRIRE
GB : copy
D : *Kopieren*
E : copiar
I : *copiare*

TRANSFÉRER
GB : transfer
D : *überweisen*
E : transferir
I : *trasferire*

TRANSFERT
GB : transfer
D : *Überweisung*
E : cesion
I : *cessione*

TRANSFORMATIONS ET RÉPARA-TIONS
GB : alterations and repairs
D : *Änderungen und Repara-turen*
E : reformas y reparaciones
I : *modifiche e riparazioni*

TRANSIT (EN)
GB : in transit
D : *im Durchgangsverkehr*
E : en transito
I : *in transito*
Se dit de personnes ou de marchandises (dispensées alors de droits de douane) qui traversent une région ou un pays au cours d'un voyage ou pendant un transport

TRANSITAIRE
GB : forwarding agent
D : *Spediteur*
E : agente expedidor
I : *spedizioniere*
Commerçant, commissionnaire en marchandises chargé des opérations de transit

TRANSMISSION DE BIENS
GB : conveyance of property
D : *Übertragung von Vermö-gen*
E : trapaso de propiedad
I : *trasferimento di beni*

TRANSPORT
GB : transport
D : *Beförderung, Transport*
E : transporte
I : *trasporto*

TRANSPORT AÉRIEN
GB : air transport
D : *Luftransport*
E : transporte aéreo
I : *trasporto aereo*

TRANSPORTEUR DE MARCHAN-DISES EN VRAC
GB : bulk carrier
D : *Massenfrachtführer*
E : transportador a grand
I : *trasportatore di merce alla rinfusa*

TRAVAIL
GB : work
D : *Arbeit*
E : trabajo
I : *lavoro*

TRAVAIL À LA TACHE
GB : piecework
D : *Akkordarbeit*
E : trabajo a destajo
I : *lavoro a cottimo*
Travail fixé d'avance à un prix convenu

TRAVAIL DE NUIT
GB : nightwork
D : *Nachtarbeit*
E : trabajo nocturno
I : *lavoro notturno*

TRAVAIL AU NOIR
GB : moonlighting
D : *Schwarzarbeit*
E : trabajo clandestino
I : *lavoro nero*
Qui est effectué au-delà de la durée maximum légale et dont la rémunération échappe aux cotisations sociales et à l'impôt

TRAVAIL PAR ÉQUIPES
GB : shifwork
D : *Schichtarbeit*
E : trabajo por torno
I : *lavoro a turno*
Pratiqué de façon continue ou prolongée par des équipes successives

TRAVAILLEUR INDÉPENDANT
GB : self-employed person
D : *selbständig Arbeitende(r)*
E : trabajador por cuenta propia
I : *lavoratore indipendente*

TRAVAIL (RELATIONS DU)
GB : labour relations
D : *Arbeitsverhältnisse*
E : relaciones patron-obrero
I : *relazioni con la mano d'opera*
Relations sociales salariés/employeur + relations industrielles + relations professionnelles

TRAVAIL TEMPORAIRE
GB : temporary work
D : *befristete Arbeit*
E : trabajo temporal
I : *lavoro temporaneo*
Travail intérimaire

TRAVAUX DE TRANSFORMATION
GB : alterations
D : *Umbau*
E : reformas
I : *modifiche*

TRAVAUX EN COURS
GB : work-in-progress (USA work in process)
D : *Arbeit in der Ausführung*
E : trabajo en curso
I : *lavoro in corso*
Non achevés au moment de la clôture de l'exercice, et dont la valeur figure dans les stocks

TRÉSORERIE
GB : exchequer (USA tresury)
D : *Schatzamt*
E : hacienda
I : *tesoro*
Moyens de financement liquides ou à court terme

TRIBUNAL
GB : court (of law)
D : *Gericht*
E : tribunal
I : *tribunale*

TRICHER
GB : cheat
D : *betrügen*
E : enganar
I : *truffare*

TRIMESTRIEL
GB : quarterly
D : *vierteljährlich*
E : trimestral
I : *trimestrale*

TROQUER
GB : barter
D : *Tauschhandel treiben*
E : trocar
I : *barattare*
Echanger directement un bien
contre un autre bien

TRUQUÉ
GB : fake
D : *gefälscht*
E : falso
I : *falso*

TUTEUR (D'UN MINEUR)
GB : guardian
D : *Vormund*
E : tutor
I : *tutore*

U-V

UNION DOUANIERE
GB : customs union
D : *Zollunion*
E : union aduanera
I : *unione doganale*

UNITÉ
GB : unit
D : *Stück*
E : unidad
I : *unità*

UNITÉ DE VISUALISATION
GB : visual-display unit (VDU)
D : *Bildschirmeinheit*
E : unidad de visualizacion
I : *unità di visualizzazione*

USAGE COMMERCIAL
GB : custom of the trade
D : *Handelsgebrauch*
E : uso comercial
I : *uso commerciale*

USINE
GB : factory (USA plant)
D : *Fabrik*
E : fábrica
I : *fabbrica*

USUFRUIT
GB : usufruct, beneficial interest
D : *Nießbrauchsrecht*
E : usufructo
I : *usufrutto*
Droit de jouir d'un bien et d'en percevoir les revenus pendant un temps déterminé (en général, la durée de vie de l'usufruitier)

USUFRUITIER
GB : beneficial owner
D : *Nießbrauchnutzer*
E : usufructuario
I : *usufruttuario*

USUFRUIT VIAGER
GB : life-interest
D : *lebenslängliche Nutz-nießung*
E : usufructo vitalicio
I : *usufruto vitalizio*
Usufruit converti en rente viagère

USURE
GB : usury
D : *Wucher*
E : usura
I : *usura*
Octroi d'un prêt à un taux supérieur à la coutume ou à la loi (délit)

USURE NORMALE
GB : fair wear and tear
D : *übliche Abnützung*
E : uso y desgaste razonable
I : *usura normale*

VACANCES
GB : vacation, holiday
D : *Ferien, Urlaub*
E : vacacion
I : *vacanza*

VACANCES D'ÉTÉ
GB : summer-holidays
D : *Sommerferien*
E : vacaciones de verano, veraneo
I : *vacanza estive*

VALABLE
GB : valid, good
D : *gültig, gut*
E : valido
I : *valido*

VALEUR
GB : value
D : *Wert*
E : valor
I : *valore*

VALEUR (DE)
GB : valuable
D : *wertvoll*
E : valioso
I : *di valore*

VALEUR AJOUTÉE
GB : added value
D : *Mehrwert*
E : valor agregado
I : *valore aggiunto*
Différence entre la valeur de la production et la valeur des biens utilisés à cet effet

VALEUR AU PORTEUR
GB : bearer security
D : *Inhabereffekten*
E : valor al portador
I : *valore al portatore*
Valeur qui appartient à celui qui la détient

VALEUR CAPITALISÉE
GB : capitalized value
D : *kapitalisierter Wert*
E : valor capitalizado
I : *valore capitalizzato*
Montant des intérêts transformés en capital

VALEUR COMPTABLE
GB : book value
D : *Buchwert*
E : valor contable
I : *valore d'inventario*
Valeur d'une entreprise égale à la différence entre son actif et ses dettes

VALEUR DÉCLARÉE
GB : declared value
D : *angegebener Zollwert*
E : valor declarado
I : *valore dichiarato*

VALEUR DE L'ACTIF
GB : asset value
D : *Aktiwert*
E : valor en activo
I : *valore in attivo*

VALEUR DE RACHAT
GB : surrender value
D : *Rückkaufswert*
E : valor de rescate
I : *valore di riscatto*

VALEUR INTRINSEQUE
GB : intrinsic value
D : *innerlicher Wert*
E : valor intrinseco
I : *valore intrinseco*
A un moment donné, écart entre le prix marché comptant d'un actif et le prix prévu si on fait jouer une option d'achat ou de vente

VALEUR MARCHANDE
GB : market value
D : *Marktwert*
E : valor de mercado
I : *valore di mercato*
Valeur de commercialisation

VALEUR NOMINALE
GB : nominal value, face value, denomination
D : *Nennwert, Stückelung*
E : valor, valor nominal
I : *valore nominale, taglio*
Valeur comptable invariable d'un titre au moment de sa première émission

VALEUR VÉNALE
GB : market value
D : *Verkaufswert*
E : valor venal
I : *valore venale*
Valeur comptable invariable d'un titre au moment de sa première émission

VALEURS BOURSIERES
GB : listed security
D : *an der Börse notierte Wertpapiere*
E : valores cotizables
I : *titoli quotati (in borsa)*

VALEURS AURIFERES
GB : gold shares, gold-bearing stock
D : *Aktien von Goldbergwerken, Goldwerte*
E : acciones auriferas, valores auríferos
I : *valori auriferi*

VALEURS NON COTÉES
GB : unquoted securities
D : *nicht notierte Wert*
E : titulos no cotizados
I : *titoli non quotati*

VALIDATION D'UN TESTAMENT
GB : probate
D : *Testamentseröffnung, Bestätigung*
E : validacion de los testamentos
I : *omologazione di testamento*
Testament considéré comme valable

VALORISATION
GB : valuation
D : *Aufwertung*
E : valorización
I : *valorizzazione*

VARIATION
GB : variation
D : *Veränderung*
E : variación
I : *variazione*

VARIATIONS SAISONNIERES
GB : seasonal fluctuations
D : *saisonbedingte Schwankungen*
E : fluctuaciones estacionales
I : *fluttuazioni stagionali*
Variations d'une grandeur qui tendent à se reproduire de manière régulière à un rythme inférieur ou égal à un an

VÉHICULE COMMERCIAL
GB : commercial vehicle
D : *Nutzfahrzeug*
E : vehiculo comercial
I : *veicolo commerciale*

VENDABLE
GB : marketable
D : *marktfähig*
E : vendible
I : *vendibile*

VENDEUR
GB : salesman, vender
D : *Verkaüfer*
E : vendedor
I : *venditore, commesso*

VENDRE
GB : sell
D : *verkaufen*
E : vender
I : *vendere*

VENTE
GB : sale
D : *Verkauf*
E : venta
I : *vendita*

VENTE À DOMICILE
GB : door-to-door selling
D : *Haus-zu-Haus-Verkauf*
E : venta a domicilio
I : *vendita a domicilio*

VENTE À TEMPÉRAMENT
GB : hire-purchase
D : *Ratenverkauf*
E : compra a plazos
I : *vendita a rate*
Vente à crédit

VENTE AU COMPTANT
GB : cash sale
D : *Kassageschäft*
E : venta al conta
I : *vendita a contanti*

VENTE AUX ENCHERES
GB : sale by auction
D : *Versteigerung*
E : venta a subasta
I : *vendita all'asta*

VENTE AVEC FACULTÉ DE RETOUR
GB : sale or return
D : *Rücksendung wenn unverkauft*
E : venta o devolucion
I : *da vendere o rimandare*

VENTE DIRECTE
GB : direct selling
D : *Direktverkauf*
E : venta directa
I : *vendita diretta*
Sans intermédiaire

VENTE FORCÉE
GB : forced sale
D : *Zwangsverkauf*
E : venta forzosa
I : *vendita forzosa*

VENTE PAR DES MOYENS DISCRETS
GB : soft sell
D : *unaufdringliches Verkaufen*
E : venta sencilla
I : *vendere senza forzare*

VENTES D'EXPORTATION
GB : export sales
D : *Ausfuhrverkäufe*
E : ventas de exportacion
I : *vendite per esportazione*

VÉRIFICATEUR DES COMPTES
GB : comptroller
D : *Rechnungsprüfer*
E : interventor
I : *controllore*

VÉRIFICATION COMPTABLE
GB : audit
D : *Bücherrevision*
E : revision (examen) de cuentas
I : *revisione dei conti*

VÉRIFICATION INTERNE
GB : internal audit
D : *interne Revision*
E : verificacion contable interna
I : *verifica contabile interna*
Audit pratiqué par un salarié de l'entreprise

VÉRIFIER
GB : verify
D : *nachprüfen*
E : verificar
I : *verificare*

VÉRIFIER ET CERTIFIER
GB : audit
D : *prüfen*
E : revisar
I : *rivedere*

VERSEMENT
GB : payment
D : *Zhlung*
E : pago
I : *pagamento*

VERSEMENT À COMPTE
GB : payment on account
D : *Anzahlung*
E : pago a cuenta
I : *pagamento in conto*
Acompte

VERSER DES ARRHES
GB : pay a deposit
D : *hinterlegen*
E : hacar un deposito
I : *versare un deposito*
Voir Arrhes

VICE CACHÉ
GB : latent defect
D : *versteckter Mangel*
E : defecto latente
I : *difetto latente*

VICE-PRÉSIDENT
GB : vice-chairman
D : *stellvertretender Vorsitzende(r)*
E : vice-presidente
I : *vicepresidente*

VIGUEUR (EN)
GB : in force
D : *in Kraft*
E : en vigor
I : *in vigore*

VIREMENT BANCAIRE
GB : bank transfert
D : *Banküberweisung*
E : transferencia bancaria
I : *trasferimento bancario*

VIREMENT POSTAL
GB : mail transfer
D : *Postüberweisung*
E : transferencia postal
I : *trasferimento per posta*

VIREMENT TÉLÉGRAPHIQUE
GB : telegraphic transfer
D : *Kabelauszahlung*
E : giro telegrafico
I : *rimessa telegrafica*
Ordre de virement transmis par télégramme entre deux centres de chèques postaux

VISA
GB : visa
D : *Visum*
E : visa
I : *visto*

VOITURE
GB : car
D : *Auto, Wagen*
E : coche
I : *automobile, macchina*

VOIX PRÉPONDÉRANTE
GB : casting vote
D : *entscheidende Stimme*
E : voto decisivo
I : *voto decisivo*

VOL
GB : theft, flight
D : *Diebstahl, Flug*
E : robo, vuelo
I : *furto, fuga*

VOL AVEC EFFRACTION
GB : burglary
D : *Einbruchdiebstahl*
E : robo
I : *furto con scasso*

VOLONTAIRE ADJ
GB : voluntary
D : *freiwillig*
E : voluntario
I : *volontario*

VOLUME
GB : cubic, capacity
D : *Kubikinhalt*
E : capacidad cubica
I : *volume*

VOTER
GB : vote
D : *stimmen*
E : votar
I : *votare*

VOYAGE
GB : voyage
D : *Seereise*
E : viaje
I : *viaggio*

VPC (VENTE PAR CORRESPONDANCE)
GB : mail-order selling
D : *Versandhandel*
E : VPC (venta por correspondencia)
I : *vendita per corrispondenza*

VRAC (EN)
GB : in bulk
D : *in großer Menge, unverpackt*
E : a granel
I : *alla rinfusa*
Marchandises vendues non conditionnées ou expédiées sans être arrimées

VRP — VOYAGEUR-REPRÉSENTANT-PLACIER
GB : sales representative
D : *Vertreter*
E : viajante de comercio
I : *rappresentante*
Représentant de commerce

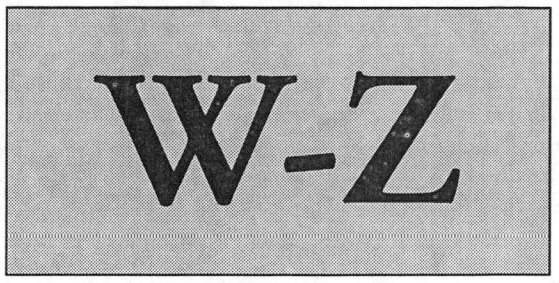

WAGON DE CHEMIN DE FER
 GB : railway carriage (USA railroad car)
 D : *Eisenbahnwagen*
 E : vagon de ferrocarril
 I : *carrozza ferroviaria*

WARRANT
 GB : warrant
 D : *Garantie*
 E : warrant
 I : *warrant*
Bon de souscription d'action ou d'obligation attaché à un titre, au prix fixé et pour une période déterminée

ZONE
 GB : zone
 D : *Zone*
 E : zona
 I : *zona*

ZONE DE DÉVELOPPEMENT
 GB : development area
 D : *Ortsplanungsgebiet*
 E : zona de desarrollo
 I : *zona di sviluppo*
Région dans laquelle il a été décidé de favoriser par diverses mesures l'implantation d'industries et la création d'emplois

ZONE EUROPÉENNE DE LIBRE-ÉCHANGE
 GB : European free trade area (EFTA)
 D : *Europäische Freihandelszone*
 E : Zona europea de comercio libre
 I : *Zona europea di libero scambio*

ZONE MONÉTAIRE
 GB : currency area
 D : *Währungsgebiet*
 E : zona monetaria
 I : *zona monetaria*
Ensemble de pays dont les monnaies (secondaires) sont étroitement liées à une monnaie principale (celle du pays centre) et convertibles entre elles

Dictionnaire
anglais

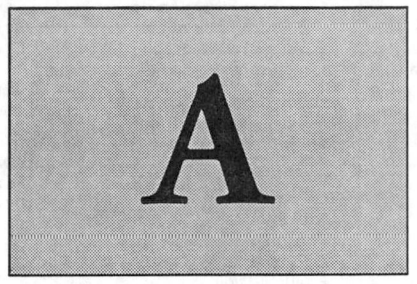

ABOARD
F : bord (à)
D : *an Bord*
E : a bordo
I : *a bordo*
Se dit d'une marchandise prise en charge à bord d'un navire au port de déchargement

ABOVE-MENTIONED
F : susmentionné
D : *obenerwähnt*
E : susodicho
I : *suddetto*

ABROAD
F : étranger (à l')
D : *im Ausland*
E : en el extranjero
I : *all'estero*

ABSCISSA
F : abscisse
D : *Abszisse*
E : abscisa
I : *ascissa*
Coordonnée horizontale qui permet, avec l'ordonnée (coordonnée verticale), de situer un point dans un plan

ABSENTEE
F : manquant
D : *Abwesende(r)*
E : ausente
I : *assente*

ABSENTEEISM
F : absentéisme
D : *unerlaubte abwesenheit*
E : ausentismo
I : *assenteismo*

ABSTAIN
F : abstenir (s')
D : *seine Stimme enthalten*
E : abstenerse
I : *astenersi*

ABSTRACT, SUMMARY
F : résumé
D : *Abriß*
E : resumen
I : *riassunto*

ACCELERATED DEPRECIATION
F : amortissement accéléré
D : *beschleunigte Abschreibung*
E : depreciacion acelerada
I : *deprezzamento accelerato*
Amortissement effectué à un taux plus élevé qu'à l'ordinaire, ou rendu plus rapide par l'augmentation des charges perçues au cours des premières années

ACCEPT
F : accepter (une traite)
D : *annehmen*
E : aceptar
I : *accettare*

ACCEPT AN OFFER
F : accepter (une offre)
D : *ein Angebot annehmen*
E : aceptar una oferta
I : *accettare una offerta*

ACCEPTANCE
F : acceptation
D : *Akzept*
E : aceptacion
I : *accettazione*
Engagement exprès d'un débiteur à observer une échéance

ACCESS (TO)
F : accès
D : *Zugang*
E : acceso
I : *accesso*

ACCOMMODATION
F : billet de complaisance (ou effet de cavalerie)
D : *Gefälligkeitswechsel*
E : pagaré de favor
I : *cambiale di favor*
Effet de commerce irrégulier émis pour obtenir frauduleusement des fonds par escompte

ACCOMODATION
F : cavalerie (effet de)
D : *Reiterei*
E : favor
I : *giro di cambiali a vuoto*
Voir Billet de complaisance

ACCOUNT
F : compte (en banque)
D : *Konto*
E : cuenta
I : *conto*

ACCOUNT BOOK
F : livre de comptes
D : *Kontobuch*
E : libro de cuentas
I : *libro di conti*

ACCOUNT DAY (USA SETTLE-MENT DATE)
F : jour de liquidation
D : *Abrechnungstag*
E : dia de liquidacion
I : *giorno di liquidazione*
Voir Liquidation

ACCOUNT RENDERED
F : compte rendu
D : *zur Begleichung vorgelegte Rechnung*
E : cuenta rendida
I : *conto reso*

ACCOUNTANT
F : comptable
D : *Bucchalter*
E : contador
I : *contabile*

ACCOUNTING PERIOD, FINANCIAL YEAR
F : exercice
D : *Abrechnungszeitraum, Geschäftsjahr*
E : ejercicio
I : *esercizio*
Période pour laquelle sont établies les prévisions ou dégagés les résultats financiers d'une organisation

ACCOUNTING TERMINOLOGY
F : nomenclature comptable
D : *buchhalterische Nomenklatur*
E : nomenclatura contable
I : *nomenclatura contabile*
Liste méthodique des éléments entrant dans le champ de la comptabilité de l'entreprise

ACCOUNTS DEPARTMENT (USA ACCOUNTING DEPARTMENT)
F : service de comptabilité
D : *Buchlaltung*
E : departamento de contabilidad
I : *ufficio contabilità*

ACCOUNTS PAYABLE
F : comptes à payer
D : *Kreditoren*
E : cuentas a pagar
I : *conti passivi*

ACCOUNTS RECEIVABLE
F : créances (comptabilité)
D : *Debitoren*
E : cuentas a recibir
I : *conti attivi*
Inscrites au débit des comptes de tiers, elles apparaissent à l'actif du bilan

ACCREDITED AGENT
F : agent accrédité
D : *Handelsbevollmächtigte(r)*
E : agente acreditudo
I : *agente accreditato*
Qui a reçu la garantie d'un organisme, d'une autorité

ACCRUAL
F : accumulation
D : *Auflaufen*
E : acumulacion
I : *maturazione*

ACCRUAL
F : augmentation
D : *Zugang*
E : incremento
I : *incremento*

ACCRUALS
F : compte de régularisation
D : *Wertberichtigungskonto*
E : cuenta de regularización
I : *risconti*
Affectation à un exercice donné des dettes et des créances qui le concernent

ACCRUE
F : accumuler
D : *auflaufen*
E : acumular
I : *accumularsi*

ACCRUED INTEREST
F : intérêts cumulés
D : *aufgelaufene Zinsen*
E : interés acumulado
I : *interesse maturato*
Somme des intérêts perçus

ACCUMULATED DEPRECIATION
F : amortissement cumulé
D : *kumulierte Abschreibung*
E : amortización acumulada
I : *ammortamento cumulato*
Amortissement combinant annuités dégressives et annuités constantes

ACKNOWLEDGE RECEIPT OF
F : accuser réception de
D : *Empfang bestätigen*
E : acusar recibo de
I : *accusare ricevuta di*

ACKNOWLEDGMENT OF RECEIPT
F : accusé de réception
D : *Empfangsbestätigung*
E : aviso de reception
I : *awiso di recezione*

ACQUEST
F : acquêt
D : *Erwerb*
E : adquisición
I : *acquisti*
Bien ou valeur achetés pendant le mariage par l'un, l'autre ou les deux époux

ACQUISITION COST
F : coût d'acquisition
D : *Anschaffungskosten*
E : precio de compra
I : *costo d'acquisto, prezzo di costo*

ACTIVE BALANCE
F : balance excédentaire
D : *Aktivsaldo*
E : saldo acreedor
I : *saldo attivo*
Balance qui fait apparaître un solde positif

ACTUAL TOTAL LOSS
F : perte totale effective
D : *wirklicher Totalverlust*
E : pérdida total efectiva
I : *perdita totale assoluta*

ACTUARIAL
F : actuariel (taux)
D : *versicherungsmathematisch*
E : actuarial
I : *attuariale*
Pour une période donnée, rapport coût effectif d'un emprunt (ou rendement effectif d'un pret)/montant du capital

ACTUARY
F : actuaire
D : *Aktuar*
E : actuario
I : *attuario*
Spécialiste de la statistique et du calcul des probabilités appliqués à l'assurance et aux opérations financières

ADD
F : ajouter
D : *hinzufügen*
E : anadir
I : *aggiungere*

ADD UP
F : totaliser
D : *addieren*
E : sumar
I : *sommare*

ADDED VALUE
F : valeur ajoutée
D : *Mehrwert*
E : valor agregado
I : *valore aggiunto*
Différence entre la valeur de la production et la valeur des biens utilisés à cet effet

ADDITION
F : addition
D : *Aufschlag*
E : adicion
I : *addizione*

ADDITIONAL CLAUSE, RIDER
F : additif
D : *Zusatz*
E : aditivo
I : *attuale*
Complément d'un texte

ADDRESS
F : adresse
D : *Adresse*
E : direcçion
I : *indirizzo*

ADDRESSEE CONSIGNEE
F : destinataire
D : *Adressat, Empfänger*
E : destinatario consignatario
I : *destinatario consegnatario*

ADJOUM
F : ajourner
D : *vertagen*
E : aplazar
I : *aggiomare*

ADJOUMMENT
F : ajournement
D : *Vertagug*
E : aplazamiento
I : *aggiomamento*

ADMINISTER
F : administrer
D : *verwalten*
E : administrar
I : *amministrare*

ADMINISTRATION
F : gestion
D : *Verwaltung*
E : administracion
I : *gestione*

ADMINISTRATOR (OF AN ESTATE)
F : curateur
D : *Nachlaßverwalter*
E : administrador
I : *curatore*
Nommé par le juge des tutelles qui détermine sa mission, il assiste le majeur sous curatelle (incapacité partielle ou réduite) pour les opérations importantes

ADMISSION FREE
F : entrée gratuite
D : *Eintritt frei*
E : entrada gratuita
I : *ingresso gratuito*

ADVANCE (USA PREPAY)
F : avancer
D : *vorschießen*
E : anticipar
I : *anticipare*

ADVANCE (USA PREPAYMENT)
F : avance
D : *Vorschuß*
E : adelanto
I : *anticipazione*

ADVANCE ACCOUNT
F : compte d'avances
D : *Darlehenskonto*
E : cuenta de anticipos
I : *conto anticipo*

ADVANCE IN PRICE
F : renchérir
D : *teurer werden, steigen*
E : encarecer
I : *aumentare di prezzo*

ADVANCE IN PRICE
F : renchérissement
D : *Preiserhöhung*
E : encarecimiento
I : *rialzo*
Augmentation de prix d'une marchandise

ADVANCE NOTICE
F : préavis
D : *Vorankündigung, Kündigung*
E : preaviso
I : *preavviso*
Lors de la rupture d'un contrat, avertissement que la partie qui prend l'initiative est tenue de donner à l'autre dans un délai et des conditions déterminés

ADVANCE PAYMENT
F : paiement par anticipation
D . *Vorauszahlung*
E : anticipo
I : *pagamento anticipato*

ADVERSE BALANCE (USA NEGATIVE BALANCE)
F : balance déficitaire
D : *Passivsaldo*
E : saldo adverso
I : *saldo passivo*
Balance qui fait apparaître un solde négatif

ADVERTISEMENT
F : annonce
D : *Anzeige*
E : anuncio
I : *annunzio*

ADVERTISER
F : annonceur
D : *Anzeiger*
E : anunciante
I : *inserzionista*
Tout individu ou organisme qui achète de la publicité pour se faire connaître ou promouvoir son activité. Acheteur d'espaces médias

ADVERTISING AGENCY
F : agence de publicité
D : *Werbebüro*
E : agencia de publicidad
I : *agenzia pubblicitaria*

ADVERTISING AGENCY
F : régie publicitaire
D : *Werberegie*
E : agencia, administración de publicidad
I : *brokeraggio pubblicitario*
Organisation dont le rôle est de commercialiser l'espace publicitaire des supports dont elle a la charge

ADVERTISING BROCHURE
F : prospectus publicitaire
D : *Werbeschrift*
E : folleto publicitario
I : *opuscolo pubblicitario*

ADVERTISING CAMPAIGN, PUBLICITY CAMPAIGN
F : campagne publicitaire
D : *Werbefeldzug*
E : campana publicitaria
I : *campagna pubbicitaria*

ADVERTISING CONSULTANT
F : conseil en publicité
D : *Werbeberater*
E : consultor de publicidad
I : *consulente di pubblicità*

ADVERTISING EXPENDITURE
F : dépenses de publicité
D : *Werbekosten*
E : gastos publicitarios
I : *spese de pubblicità*

ADVERTISING MEDIUM
F : support publicitaire
D : *Werbemittel*
E : medio de publicidad
I : *mezzo pubblicitario*

ADVERTISING RATES
F : tarifs de publicité
D : *Werbetarif*
E : tarifa para anuncios, tarifas de publicidad
I : *tariffe pubblicitarie*

ADVERTISING SCHEDULE
F : plan média
D : *Werbeplan*
E : plan de propaganda
I : *programma delle inserzioni*
Procédure de choix de média, puis de supports selon des critères définis

ADVERTISING SPACE
F : espace publicitaire
D : *Werbeplazierung*
E : espacio publicitario
I : *spazio pubblicitario*

ADVERTISING, PUBLICITY
F : publicité
D : *Reklame, Werbung*
E : publicidad
I : *pubblicità*

ADVISORY
F : consultatif
D : *Beratung*
E : consultivo
I : *consultivo*

ADVISORY BOARD
F : comité consultatif
D : *Beratungsausschuß*
E : consejo consultivo
I : *consiglio consultivo*
Comité appelé seulement à donner un avis

AFFIDAVIT
F : déclaration sous serment
D : *beeidigte Erklärung*
E : declaracion jurada
I : *dichiarazione giurata*
Affirmation écrite attestant la sincérité d'une déclaration

AGENCY
F : agence
D : *Agentur*
E : agencia
I : *agenzia*

AGENDA
F : ordre du jour
D : *Tagesordnung*
E : orden del dia
I : *ordine del giorno*

AGENT
F : agent
D : *Agent*
E : agente
I : *agente*

AGIO ACCOUNT
F : compte d'agios
D : *Agiokonto*
E : cuenta de agio
I : *conto d'aggio*

AGREEMENT
F : convention
D : *Abkommen*
E : acuerdo
I : *accordo*
Accord officiel passé entre des individus ou des groupes

AGREEMENT
F : entente
D : *Übereinkunft*
E : acuerdo
I : *cartello, intesa*

AGREEMENT, ARRANGEMENT
F : arrangement
D : *Vereinbarung*
E : arreglo
I : *arrangiamento*

AGRICULTURE
F : agriculture
D : *Landwirtschaft*
E : agricultura
I : *agricoltura*

AIR FREIGHT
F : fret aérien
D : *Luftfracht*
E : flete aéreo
I : *trasporto aereo*

AIR LETTER
F : aérogramme
D : *Luftpostbrief*
E : carta por avion
I : *lettera aerea*
Lettre envoyée par avion à un tarif forfaitaire

AIR LINE
F : compagnie aérienne
D : *Fluggesellschaft*
E : linea aérea
I : *linea aerea*

AIR TERMINAL
F : aérogare
D : *Luftterminal*
E : terminal de aeropuerto
I : *aerostazione*

AIR TRAFFIC
F : trafic aérien
D : *Lufverkehr*
E : trafico aéreo
I : *traffico aereo*

AIR TRANSPORT
F : transport aérien
D : *Luftransport*
E : transporte aéreo
I : *trasporto aereo*

AIR-CONDITIONING
F : climatisation
D : *Klimatidierung*
E : acondicionamiento de aire
I : *condizionamento dell'aria*

AIRMAIL
F : poste aérienne
D : *Luftpost*
E : correo aéreo
I : *posta aerea*

AIRPORT
F : aéroport
D : *Flughafen*
E : aeropuerto
I : *aeroporto*

ALGORITHM
F : algorithme
D : *Algorithmus*
E : algoritmo
I : *algoritmo*
Processus de calcul permettant de résoudre un problème au moyen d'un nombre limité d'opérations

ALL RISKS
F : tous risques
D : *alle Gefahren*
E : todos los riesgos
I : *tutti rischi*

ALLOCATE (CREDITS), (NOMMER) POST, (AVOIR UN IMPACT) AFFECT
F : affecter
D : *zuweisen*
E : asignar
I : *stanziare*

ALLOCATION/CHARGING
F : imputation
D : *Anrechnung*
E : imputación
I : *imputazione*
Affectation d'une écriture ou d'une opération au compte dont elles relèvent

ALLOT
F : attribuer
D : *verteilen*
E : asignar
I : *assegnare*

ALLOTMENT
F : attribution
D : *Verteilung*
E : adjudicacion
I : *ripartizione*
Octroi d'actions supplémentaires à un actionnaire lorsqu'une augmentation de capital se fait par incorporation de réserves

ALLOTMENT LETTER
F : avis d'attribution
D : *Verteilungsbrief*
E : letra de adjudicacion
I : *lettera da ripartizione*

ALLOW (A DISCOUNT)
F : consentir (une remise)
D : *gewähren (einen Rabatt)*
E : conceder (un descuento)
I : *concedere (un sconto)*

ALLOWABLE EXPENSE
F : dépense déductible
D : *abziehbare Unkosten*
E : gastos deducibles
I : *spesa permessa*

ALLOWANCE
F : prestation
D : *Beihilfe*
E : prestación
I : *prestazione*
Fourniture d'un bien ou d'un service en contrepartie d'une somme d'argent ou d'une contre-prestation en nature

ALTERATIONS
F : travaux de transformation
D : *Umbau*
E : reformas
I : *modifiche*

ALTERATIONS AND REPAIRS
F : transformations et réparations
D : *Änderungen und Reparaturen*
E : reformas y reparaciones
I : *modifiche e riparazioni*

ALTERNATING CURRENT (A.C.)
F : courant alternatif
D : *alternativer Strom*
E : corriente alterna
I : *corrente alternata*
Courant électrique au sens de circulation alterné, dont l'intensité est fonction périodique du temps

AMALGAMATE (USA MERGE)
F : fusionner
D : *fusionieren*
E : amalgamar
I : *fondersi*

AMOUNT, SUM
F : somme
D : *Betrag, Summe*
E : suma
I : *ammontare*

AMOUNTING TO
F : concurrence de (à)
D : *hinauslaufend auf*
E : ascendiendo a
I : *ammontante a*

ANALYSIS
F : analyse
D : *Analyse*
E : analisis
I : *analisi*

ANALYTICAL TOOL
F : instrument d'analyse
D : *Analysenwerkzeug*
E : instrumento de analisis
I : *strumento d'analisi*

ANNUAL
F : annuel
D : *jährlich*
E : anual
I : *annuale*

ANNUAL ACCOUNTS
F : bilan annuel
D : *Jahresabschluß*
E : balance anual
I : *balancio annuale*

ANNUAL GENERAL MEETING USA STOCKHOLDER'S MEETING)
F : assemblée d'actionnaires annuelle
D : *Jahreshauptversammlung*
E : asambla general anual
I : *assemblea generale annuale*
Assemblée générale ordinaire chargée d'examiner et approuver les comptes de l'exercice précédent, de décider de l'affectation du résultat, de nommer les administrateurs

ANNUAL RATE
F : taux annuel
D : *Jahreskurs*
E : tasa anual
I : *tasso annuale*

ANGLAIS

ANNUAL REPORT
F : plaquette annuelle
D : *Geschäftsbericht*
E : folleto anual
I : *opuscolo pubblicitario annuale di un'azienda*

ANNUAL REPORT
F : rapport annuel
D : *Jahresbericht*
E : memoria anual
I : *relazione annuale*
Bilan de l'activité passée et projection dans l'avenir, il présente en priorité aux actionnaires les résultats et la situation financière de l'entreprise conformément au plan comptable, sa publication est obligatoire pour les sociétés cotées en Bourse

ANNUITY
F : annuité
D : *Annuität*
E : anualidad
I : *annualita*
Charge annuelle : remboursement d'un capital emprunté ou placé (amortissement) + paiement des intérêts

ANNULMENT, CANCELLATION
F : annulation
D : *Annullierung*
E : anulacion, cancelacion
I : *annullamento*

ANSWER
F : réponse
D : *Antwort*
E : respuesta
I : *risposta*

ANTEDATED CHEQUE
F : chèque anti-daté
D : *vordatierter Scheck*
E : cheque con fecha adelantada
I : *assegno antidatato*

ANTICIPATE
F : anticiper
D : *vorgreifen*
E : anticipar
I : *anticipare*

ANTICIPATED
F : anticipé
D : *vorzeitig (bezahlt)*
E : anticipado
I : *anticipato*

APPLIANCE, PLANT (INDUSTRIAL)
F : appareil
D : *Gerät, Anlage*
E : aparato, planta
I : *apparecchio, impianto*

APPLICANT
F : candidat
D : *Bewerber*
E : candidato
I : *candidato*

APPLICATION RIGHTS
F : droits de souscription
D : *Zeichnungsberechtigung*
E : derechos de suscripción
I : *diritti di sottoscrizione*
Faculté ouverte à un actionnaire de recevoir des actions supplémentaires à l'occasion d'une augmentation de capital en numéraires

APPOINT
F : nommer
D : *ernennen*
E : nombrar
I : *nominare*

APPOINTED AGENT
F : agent attitré
D : *Handelsvertreter*
E : agente nombrado
I : *agente ufficiale*
En titre, titulaire d'une fonction

APPOINTMENT, INTERVIEW
F : entrevue
D : *Verabredung, Interview*
E : entrevista
I : *intervista*
Rencontre concertée entre deux ou plusieurs personnes

APPRAISAL, VALUATION
F : évaluation
D : *Abschätzung, Wertbestimmung*
E : evaluacion
I : *valutazione*

APPRECIATE (IN VALUE)
F : apprécier
D : *im Wert steigen*
E : subir (en valor)
I : *aumentare (di valore)*

APPRECIATION, BETTERMENT
F : appréciation
D : *Wertsteigerung, Planungsgewinn*
E : subida (en valor), plusvalia
I : *aumento, plus-valore*
Hausse continue du cours d'une monnaie sur le marché des changes

APPRENTICE (USA TRAINEE)
F : apprenti
D : *Lehrling*
E : aprendiz
I : *apprendista*

APPRENTICESHIP (USA TRAINEE PERIOD)
F : apprentissage
D : *Lehre*
E : aprendizaje
I : *tirocinio*

APPROPRIATION
F : affectation
D : *Zuführung*
E : apropiacion
I : *stanziamento*
Destinations de moyens ou ressources à un usage déterminé

APPROPRIATION ACCOUNT
F : compte d'affectation
D : *Rückstellungskonto*
E : cuenta de apropiacion
I : *conto di stanziamento*
Eclaté en deux comptes, Revenu et Utilisation du revenu, il reprend le résultat brut d'exploitation et les ressources liées à la redistribution des revenus

ARBITRAGE, ARBITRATION
F : arbitrage
D : *Kursvergleich, Schiedsgerichtsverfahren*
E : arbitraje, arbitramento
I : *arbitraggio, arbitrato*
Substitution d'un titre à un autre dans un portefeuille dans l'espoir de bénéficier d'un rendement supérieur ou d'une plus-value par le jeu des différences de cours

ARBITRATION AWARD
F : sentence arbitrale
D : *Schiedsspruch*
E : sentencia arbitral
I : *lodo arbitrale*
Rendue dans le règlement à l'amiable d'un litige, elle permet de gagner du temps et de limiter l'engorgement des tribunaux en échappant au juge

ARBITRATOR
F : arbitre
D : *Schiedsrichter*
E : arbitrador
I : *rabitro*

ARCHITECT
F : architecte
D : *Architekt*
E : arquitecto
I : *architetto*

ARGUMENT
F : argument
D : *Argument*
E : arqumento
I : *argomento*

ARITHMETIC MEAN
F : moyenne arithmétique
D : *arithmetisches Mittel*
E : media aritmética
I : *media aritmetica*

ARMED FORCES
F : forces armées
D : *Streitkräfte*
E : fuerzas armadas
I : *forze armate*

ARREARS
F : arrérages
D : *Rückstand*
E : atrasos
I : *arretrati*
Versements périodiques d'une personne morale ou physique (débirentier) au bénéficiaire d'une rente viagère ou d'une pension (crédirentier)

ARRIVAL
F : arrivée
D : *Ankunft*
E : llegada
I : *arrivo*

ARTICLES OF ASSOCIATION (USA ARTICLES OF INCORPORATION)
F : contrat de société
D : *Gesellschaftsvertrag*
E : articulos de associacion
I : *statuto sociale*
Des associés conviennent de mettre en commun des apports en vue de partager un bénéfice ou de profiter d'une économie

ASSEMBLY LINE
F : chaîne de montage
D : *Montageband*
E : linea de montaje
I : *catene di montaggio*

ASSESSOR
F : expert-appréciateur
D : *Schätzer*
E : asesor
I : *agente delle imposte*
Expert judiciaire nommé par le tribunal pour apprécier, évaluer un préjudice

ASSET
F : actif nm
D : *Aktivposten*
E : activo
I : *attivo*
Ensemble des biens et créances appartenant à une personne physique ou morale

ASSET VALUE
F : valeur de l'actif
D : *Aktiwert*
E : valor en activo
I : *valore in attivo*

(TANGIBLE OR INTANGIBLE) ASSETS
F : immobilisations corporelles ou incorporelles
D : *immaterielle Vermögensgegenstände*
E : inmovilizaciones corporales o incorporales
I : *immobilizzazioni materiali o immateriali*
Comptes enregistrant la valeur des terrains, constructions, matériels... (immobilisations corporelles) ou la valeur des frais d'établissement, du fonds commercial, des frais de recherche...(immobilisations incorporelles)

ASSETS AND LIABILITIES
F : actif et passif
D : *Aktiva und Passiva*
E : activo y passivo
I : *attivo e passivo*
Etat du patrimoine et des dettes d'une entreprise à une date donnée

ASSIGNEE, TRANSFEREE
F : concessionnaire
D : *Zessionar*
E : cesionario
I : *assegnatario, cessionario*

ASSIGNMENT
F : cession
D : *Übertragung*
E : cesion
I : *cessione*

ASSIGNMENT OF TRADE RECEIVABLES
F : mobilisation de créances commerciales
D : *Refinanzierung von Forderungen*
E : movilización de créditos comerciales
I : *mobilitazione dei crediti commerciali*
Utilisation de la technique de l'escompte qui permet à une entreprise d'obtenir des fonds en cédant à une banque les titres représentant les créances sur ses clients

ASSIGNOR, TRANSFEROR
F : cédant
D : *Überträger, Zedent*
E : cesionista
I : *cedente*
Détenteur d'un effet de commerce qui l'escompte auprès d'une banque

ASSISTANT
F : assistant
D : *Assistent*
E : asistente
I : *assistente*

ASSISTANT MANAGER
F : sous-directeur
D : *Unterdirektor*
E : sub-director
I : *vice-direttore*

ASSOCIATION
F : association
D : *Verband*
E : asociacion
I : *associazione*

ASSORTMENT, RANGE, PACKAGE
F : assortiment
D : *Auswahl*
E : juego
I : *assortimento*

AT PAR
F : pair (au)
D : *al pari*
E : al par
I : *alla pari*

AT SIGHT
F : à vue
D : *bei Sicht*
E : a la vista
I : *a vista*
Clause qui, apposée sur un effet de commerce, le rend payable sur simple présentation

AT WAREHOUSE
F : dépôt (en)
D : *auf Lager*
E : en almacén
I : *in deposito*

ATTACHÉ-CASE
F : attaché-case
D : *Aktenkoffer*
E : maletín
I : *valigetta, ventiquattr'ore*

ATTENTED SPONTANEOUS NOTORIETY
F : notoriété spontanée assistée
D : *unterstützte Spontanbekanntheit*
E : notoriedad espontánea asistida
I : *notorietà spontanea guidata*
NOTORIETE ASSISTEE: Caractérise une marque citée lors d'une enquête après avoir été choisie dans une liste présentée au consommateur. NOTORIETE SPONTANEE: Caractérise une marque citée de mémoire par un consommateur sans aucune aide extérieure

ATTOMEY
F : mandataire
D : *Bevollmächtigte(r)*
E : apoderado
I : *mandatario*
Qui a reçu mandat ou procuration pour agir au nom de quelqu'un d'autre

AUCTION SALE
F : enchères
D : *Auktion*
E : subasta
I : *incanto*

AUCTIONEER
F : commissaire-priseur
D : *Versteigerer*
E : subastador
I : *venditore all'asta*
Officier ministériel chargé de l'estimation et de la vente aux enchères publiques

AUDIO-TYPIST (USA DICTAPHONE OPERATOR)
F : dictaphoniste
D : *Audiotypistin*
E : audio-mecanografa
I : *dittafonista*
Personne qui transcrit sous la dictée d'un magnétophone

AUDIO-VISUAL
F : audio-visuel
D : *audiovisuell*
E : audio-visual
I : *audio-visivo*

AUDIT
F : audit
D : *Wirtschaftsprüfung*
E : auditoría
I : *controllo (es. dei conti, del bilancio...)*
Activité de contrôle et de conseil destinée, par la vérification de documents ou de processus, à mesurer l'efficacité d'une entreprise et/ou de ses dirigeants

AUDIT
F : vérification comptable
D : *Bücherrevision*
E : revision (examen) de cuentas
I : *revisione dei conti*

AUDIT
F : vérifier et certifier
D : *prüfen*
E : revisar
I : *rivedere*

AUDITOR
F : auditeur
D : *Wirtschaftsprüfer*
E : auditor
I : *controllore (es. dei conti...)*
Responsable d'un audit (salarié de l'entreprise ou conseil externe)

AUDITORS' REPORT
F : rapport des commissaires aux comptes
D : *Bericht des Abschlußprüfers*
E : informe de los interventores
I : *relazione sindici*

AUTHORITY, AGENCY
F : mandat
D : *Vollmacht, Verretung*
E : autoridad, mandato
I : *autorità, mandato*
Pouvoir qu'une personne donne à une autre d'agir en son nom. Titre de représentation

AUTHORIZED CAPITAL
F : capital autorisé
D : *genehmigtes Kapital*
E : capital autorizado
I : *capitale autorizzado*
Nombre d'actions que le conseil d'administration d'une société peut émettre conformément à ses statuts lors de sa constitution

AUTHORIZED REPRESENTATIVE
F : fondé de pouvoir
D : *Prokurist*
E : apoderado
I : *procuratore (commerciale)*
Personne habilitée à agir au nom d'une autre ou au nom d'une entreprise

AUTOMATED PRODUCTION TECHNOLOGY
F : productique
D : *Automatisierungstechnik*
E : tecnología de producción automatizada
I : *teoria applicata della produzione*
Ensemble des techniques concourant à l'automatisation de la production

AUTOMATIZACION
F : automation
D : *Automation*
E : *automatizacion*
I : automazione
Fonctionnement automatique d'un système de production sous le contrôle d'un programme unique

AVERAGE
F : moyenne nf
D : *Durchschnitt*
E : promedio
I : *media*

AVERAGE (MARINE INSURANCE)
F : avarie
D : *Havarie*
E : averia
I : *avaria*

AVERAGE COST
F : coût moyen
D : *Durchschnittskosten*
E : coste promedio
I : *costo medio*
Coût unitaire total à long terme, prix de revient unitaire

AWARD DAMAGES
F : adjuger des dommages-intérêts
D : *Schadenersatz zugestehen*
E : conceder danos
I : *concedere i danni*
Attribuer par jugement une indemnité en réparation d'un préjudice causé

AWARDING, ALLOCATION
F : adjudication
D : *Ausschreibung*
E : adjudicación
I : *aggiudicazione*
Mise en libre concurrence de personnes ou d'entreprises candidates à l'acquisition d'un bien ou à la prise en charge de travaux, de fournitures

AXLE TAX
F : essieu (taxe à l')
D : *Achsensteuer (Kfz-Steuer)*
E : eje (tasa por)
I : *asse di un veicolo (tassa proporzionale all')*
Destinée à financer l'entretien des routes, elle frappe tous les camions de marchandises d'un poids total en charge de plus de 16 tonnes

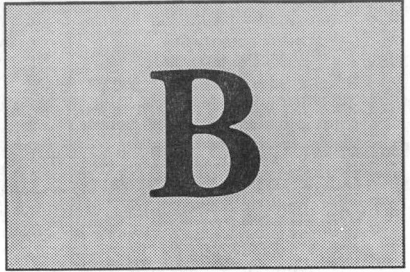

B

BACK
F : avaliser (une traite)
D : *gegenzeichnen*
E : avalar
I : *avallare*
Donner son aval

BACK PAY
F : rappel de traitement
D : *Lohnnachzahlung*
E : pago atrasado
I : *arretrati di paga*
Paiement d'une partie de salaire non encore versée

BACKWARDATION
F : déport
D : *Kursabschlag*
E : prima de aplazamiento
I : *deporto*
Différence entre le cours au comptant d'un actif et son cours à terme lorsque ce dernier est inférieur

BAD DEBT
F : créance irrécouvrable
D : *uneinbringliche Schuld*
E : deuda incobrable
I : *credito inesigibile*

BAD DEBT RESERVE
F : provision pour créances douteuses
D : *Dubiosenreserve*
E : reserva para deudas incobrables
I : *riserva per crediti inesigibili*
Somme que l'entreprise affecte à la couverture de pertes éventuelles dues au non recouvrement de ces créances

BAIL, SURETY
F : caution
D : *Haftkaution, Bürgschaft*
E : fianza, fiador
I : *cauzione, garante*
Personne physique ou morale qui accepte de se substituer à une autre (cautionnée) au cas où celle-ci ne respecterait pas l'engagement pris vis-à-vis d'un bénéficiaire. Bien garantissant le respect de cet engagement

BALANCE A BUDGET
F : équilibrer un budget
D : *einren Haushaltsplan ins Gleichgewicht bringen*
E : balancear el presupuesto
I : *pareggiare un bilancio*

BALANCE AN ACCOUNT
F : balancer un compte
D : *eine Rechnung ausgleichen*
E : saldar una cuenta
I : *pareggiare un conto*
Etablir la balance débits/crédits d'une comptabilité

BALANCE CARRIED FORWARD
F : report à nouveau
D : *Saldovortrag, Gewinnvortrag, Verlustvortrag*
E : saldo de entrada
I : *riporto in conto nuovo*
Excédent (positif ou négatif) de résultats non affectés à un exercice, transférés en l'état dans les comptes de l'exercice suivant

BALANCE CARRIED FORWARD
F : solde à reporter
D : *Übertrag*
E : balance a cuerta nueva
I : *bilancio riportato*
Solde débiteur ou créditeur à la fin d'un exercice et qui est repris au début du suivant

BALANCE DUE
F : solde dû
D : *Ausgleichssaldo*
E : balance vencido
I : *saldo dovuto*
Ce qui reste à payer

BALANCE IN HAND
F : solde en caisse
D : *verfügbarer Saldo*
E : sobrante
I : *saldo in cassa*

BALANCE OF PAYMENTS
F : balance des paiements (ou des comptes)
D : *Zahlungsbilanz*
E : balanza de pagos
I : *bilancia dei pagamenti*
Balance de tous les mouvements monétaires qui accompagnent les transactions

BALANCE SHEET
F : bilan
D : *Bilanz*
E : balance
I : *bilancio*
Balance établie périodiquement entre l'actif et le passif d'une entreprise

BALANCE, ODD LOT
F : solde
D : *Saldo, Restpartie*
E : saldo, lote suelto
I : *saldo, partita spaiata*

BALANCE, SCALES
F : balance
D : *Saldo, Waage*
E : balance, saldo, balanza
I : *bilancio, saldo, bilancia*
Tableau récapitulatif et périodique des comptes créditeurs et débiteurs de l'entreprise

BANK
F : banque
D : *Bank*
E : banco
I : *banca*

BANK
F : déposer (à la banque)
D : *einlegen, einzahlen*
E : depositar (en el banco)
I : *depositare (in una banca)*

BANK ACCOUNT
F : compte en banque
D : *Bankkonto*
E : cuenta bancaria
I : *conto in banca*

BANK BALANCE
F : solde de banque
D : *Bankguthaben*
E : saldo de banco
I : *saldo in banca*
Situation d'un compte bancaire à un moment donné

BANK CHARGES
F : frais bancaires
D : *Bankspesen*
E : gastos de banco
I : *spese di banca*

BANK COMMISSION
F : agio
D : *Agio*
E : agio
I : *aggio*
Rémunération de l'intermédiaire financier qui assure une opération d'escompte. Coût total d'un crédit

BANK CRASH
F : krach d'une banque
D : *Bankkrach*
E : quibra de banco
I : *crollo di banca*
Effondrement financier, banqueroute

BANK CREDIT
F : crédit bancaire
D : *Bankkredit*
E : crédito bancario
I : *credito bancario*

BANK DEPOSIT
F : dépôt bancaire
D : *Bankeinlage*
E : deposito bancario
I : *deposito bancario*

BANK LOAN
F : prêt bancaire
D : *Bankdarlehen*
E : préstamo bancario
I : *prostito bancario*

BANK TRANSFERT
F : virement bancaire
D : *Banküberweisung*
E : transferencia bancaria
I : *trasferimento bancario*

BANKABLE BILLS
F : papier bancable
D : *diskontierbare Wechsel*
E : efectos negociables
I : *effetti scontabili*
Effet de commerce escomptable par la Banque Centrale, auprès de laquelle une banque peut le réescompter

BANKER
F : banquier
D : *Bankier*
E : banquero
I : *banchiere*

BANKER'S DRAFT
F : traite bancaire
D : *Banktratte*
E : giro bancario
I : *tratta bancaria*
Traite émise par une banque

BANKER'S INDEMNITY (USA BANKER'S GUARANTEE)
F : garantie bancaire
D : *Bankgarantie*
E : garantia bancaria
I : *garanzia bancaria*
Cautionnement bancaire

BANKER'S ORDER
F : ordre bancaire
D : *Bankauftrag*
E : orden bancaria
I : *ordine bancario*
Endossement par une banque

BANKERS' REFERENCE
F : référence bancaire
D : *Bankzeugnis*
E : referencia bancaria
I : *referenza bancaria*

BANKING POOL
F : pool bancaire
D : *Bankenunion*
E : pool bancario
I : *pool bancario*
Association de plusieurs organismes bancaires nationaux et/ou étrangers pour financer un projet important ou exploiter en commun un service offert à leur clientèle

BANKNOTE (USA BILL)
F : billet de banque
D : *Banknote*
E : billete de banco
I : *biglietto di banca*

BANKRUPT
F : failli
D : *Gemeinschuldner*
E : quebrado
I : *fallito*
Qui est déclaré en faillite

BANKRUPTCY
F : banqueroute
D : *Konkurs*
E : bancarrota
I : *bancarotta*

BANKRUPTCY, INSOLVENCY
F : faillite
D : *Konkurs, Zahlungsunfähigkeit*
E : quiebra, insolvencia
I : *fallimento, insolvenza*
Constatation judiciaire et sanction personnelle d'un entrepreneur dont l'entreprise se trouve en cessation de paiement

BARGAIN
F : occasion
D : *Gelegenheitskauf*
E : ganga
I : *accasione*

BARGAIN OFFER
F : offre exceptionnelle
D : *Sonderangebot*
E : oferta de ocasion
I : *offerta di occasione*

BARGAIN PRICE
F : prix soldé
D : *Spottpreis*
E : precio de ocasion
I : *prezzo saldo*
Prix de vente réduit exceptionnellement

BARGAINING POSITION
F : situation permettant de négocier
D : *Verhandlungslage*
E : situacion de negociar
I : *situazione permettente di trattare*

BARGAINING POWER
F : pouvoir de négociation
D : *Verhandlungsposition*
E : poder de negociacion
I : *potere di contrattare*

BARGE
F : péniche
D : *Lastkahn*
E : barcaza
I : *chiatta*

BAROMETER
F : baromètre
D : *Barometer*
E : barómetro
I : *barometro*

BARRATRY
F : baraterie
D : *Baratterie*
E : barateria
I : *baratteria*
Préjudice volontairement causé aux armateurs, chargeurs ou assureurs d'un navire par le patron ou un membre de l'équipage

BARREL
F : baril
D : *Faß*
E : barril
I : *barile*
Unité de volume (159 litres) utilisée surtout pour le pétrole

BARTER
F : troquer
D : *Tauschhandel treiben*
E : trocar
I : *barattare*
Echanger directement un bien contre un autre bien

BASE
F : base
D : *Basis*
E : base
I : *base*
Référence. Différence cours à terme/cours au comptant d'un titre coté sur un marché à terme (Bourse). Infrastructure

BASIC PAY (USA BASE PAY)
F : salaire de base
D : *Grundlohn*
E : salario-base
I : *salario fondamentale*
Celui qui est prévu dans le contrat d'engagement

BATCH
F : lot
D : *Stoß*
E : lote
I : *lotto*

BEAR MARKET, FALLING MARKET
F : marché orienté à la baisse
D : *Baissemarkt*
E : mercado bajista
I : *mercato tendente al ribasso*

BEARER
F : porteur
D : *Inhaber*
E : portador
I : *portatore*
Détenteur de titres

BEARER BOND
F : bon au porteur
D : *Inhaberobligation*
E : titulo al portador
I : *titolo al portatore*
Bon dont le bénéficiaire n'est pas désigné nominativement

BEARER DEBENTURE
F : obligation au porteur
D : *Inhaberobligation*
E : obligacion al portador
I : *obbligazione al portatore*
Titre non nominatif de créance négociable manuellement

BEARER SECURITY
F : valeur au porteur
D : *Inhabereffekten*
E : valor al portador
I : *valore al portatore*
Valeur qui appartient à celui qui la détient

BEARISH
F : orienté à la baisse
D : *flau*
E : bajista
I : *ribassista*

BECOME OPERATIVE
F : entrer en vigueur
D : *wirksam werden*
E : entrar en vigor
I : *entrare in vigore*

BENEFICIAL OWNER
F : usufruitier
D : *Nießbrauchnutzer*
E : usufructuario
I : *usufruttuario*

BENEFICIARY, PAYEE
F : bénéficiaire
D : *Begünstigte(r), Zahlungsberechtigte(r)*
E : beneficiario
I : *beneficiario*
Personne physique ou morale au profit de qui est émis un effet de commerce ou un prêt

BID, OFFER
F : offre
D : *Angebot, Offerte*
E : oferta
I : *offerta*
Mise à la disposition du marché de biens ou de services. Par extension, leur volume par rapport à la demande

BID, TENDER
F : soumission
D : *Angebot*
E : oferta
I : *offerta*
Engagement d'un entrepreneur à respecter le cahier des charges d'une adjudication, au prix qu'il a lui-même fixé.

BILATERAL TRADE AGREEMENT
F : accord de commerce bilatéral
D : *bilateraler Handelsvertrag*
E : contrato comercial bilateral
I : *accordo di commercio bilaterale*

BILL OF EXCHANGE
F : lettre de change
D : *Wechsel, Tratte*
E : letra de cambio
I : *tratta cambiale*
Voir Effet de commerce

BILL OF LADING
F : connaissement
D : *Konnossement*
E : conocimiento (de embarque)
I : *polizza di carico*
Document maritime qui vaut reçu de marchandises et contrat de transport

BILL OF SALE
F : acte de vente
D : *Kaufvertrag*
E : escritura de venta
I : *contratto di vendita*
Authentifie l'échange d'un bien contre de la monnaie

BILL PAYABLE AT SIGHT
F : effet exigible à vue
D : *Sichttratte*
E : letra a la vista
I : *effecto pagabile a vista*
Effet payable immédiatement dès qu'il est présenté

BILL, ACCOUNT
F : compte (note)
D : *Rechnung*
E : cuenta, nota
I : *conto, nota*

BILL, ACCOUNT
F : note
D : *Rechnung*
E : cuenta, nota
I : *conto, nota*

BILLS PAYABLE
F : effets à payer
D : *Wechselschulden*
E : letras pagaderas
I : *effetti passivi*
Compte enregistrant des dettes représentées par des effets de commerce

BILLS RECEIVABLE
F : effets à recevoir
D : *Wechselforderungen*
E : letras a cobrar
I : *effetti attivi*
Compte enregistrant des créances représentées par des effets de commerce

BINDING AGREEMENT
F : convention irrévocable
D : *bindender Vertrag*
E : obligacion irrevocable
I : *contratto vincolante*

BLACK LIST
F : liste noire
D : *schwarze Liste*
E : lista negra
I : *lista nera*

BLACK MAKET (SECURITIES)
F : bourse (ou caisse) noire
D : *schwarse Börse*
E : bolsa negra
I : *borsa nera*
Fonds utilisables sans contrôle et qui n'apparaissent pas en comptabilité

BLACK MARKET
F : marché noir
D : *schwarzer Markt*
E : mercado negro
I : *mercato nero*

BLANK CHEQUE
F : chèque en blanc
D : *Blankoscheck*
E : cheque en blanco
I : *assegno in bianco*

BLANK FORM
F : formulaire en blanc
D : *Blankoformular*
E : formulario en blanco
I : *modulo in bianco*

BLANK SIGNATURE
F : blanc-seing
D : *Blankounterschriff*
E : firma en blanco
I : *firma in bianco*
Papier dont le signataire laisse à quelqu'un d'autre le soin de le remplir à sa volonté

BLOCK OF FLATS (USA APART-MENT HOUSE)
F : immeuble
D : *Wohnungsgebäude*
E : bloque de pisos
I : *fabbricato di appartamenti*

BLOCKADE
F : blocus
D : *Blockade*
E : bloqueo
I : *blocco*
Investissement d'une ville, d'une position, d'un pays afin de lui interdire toute communication avec l'extérieur

BLOCKED ACCOUNT
F : compte bloqué
D : *gesperrtes Konto*
E : cuenta bloqeada
I : *conto bloccato*

BLOCKING MINORITY
F : minorité de blocage
D : *Sperrminorität*
E : minoría de bloqueo
I : *minoranza (dei soci) in grado di influenzare le decisioni dell'assemblea*
Fraction du capital social ou des droits de vote d'une société détenue par des actionnaires non majoritaires leur permettant de s'opposer à certaines décisions

BOARD MEETING
F : réunion de conseil d'administration
D : *Vorstandssitzung*
E : reunion del consejo de administracion
I : *riunione del consiglio d'amministrazione*

BOARD OF DIRECTORS
F : conseil d'administration
D : *Vorstand*
E : consejo de administracion
I : *consiglio d'amministrazione*

BOARD OF DIRECTORS
F : conseil du directoire
D : *Vorstand*
E : consejo de directorio
I : *consiglio di direttorio*
Organisme collégial de 5 membres au plus (pas nécessairement actionnaires), il remplace le conseil d'administration dans certaines sociétés anonymes

BOARD OF MANAGEMENT
F : comité de gestion
D : *Verwaltungsrat*
E : comité de gestión
I : *comitato di gestione*

BOGUS COMPANY (USA PHAN-TOM OPERATION)
F : société fantôme
D : *Schwindelgesellschaft*
E : sociedad fantasma
I : *società fasulla*

BOND CONVERTIBLE INTO EQUITY
F : obligation convertible en action
D : *Wandelanleihe,*
E : obligación convertible en acción
I : *obbligazione convertibile in azioni*
Obligation que le souscripteur peut, au terme d'un certain délai ou à une date déterminée, transformer en action

BOND, VOUCHER
F : bon
D : *Obligation, Gutschein*
E : bono, obligacion
I : *buono, obligazione*
Billet qui autorise à toucher de l'argent ou des objets en nature

BONDED GOODS
F : marchandises sous douane
D : *Waren unter Zollverschluß*
E : mercancias en aduana
I : *merci sotto vincolo doganale*
Pour lesquelles les droits ou taxes n'ont pas été encore acquittés

BONDED WAREHOUSE
F : entrepôt (sous douane)
D : *Lager unter Zollverschluß*
E : almacén de aduanas
I : *magazzino doganale*
Lieu de dépôt temporaire des marchandises qui n'ont pas encore acquitté droits et taxes d'entrée. Régime douanier suspensif de ces droits

BONDHOLDER
F : obligataire
D : *Obligationär*
E : obligacionista
I : *portatore di obbligazioni*
Détenteur d'une obligation ou qualificatif d'un emprunt sous forme d'émission d'obligations

BONUS SHARES (USA STOCK DIVIDEND)
F : actions d'attribution (ou de jouissance)
D : *Gratisaktien*
E : acciones dadas como primas
I : *azioni di godimento*
Dont la valeur nominale a été entièrement remboursée à l'actionnaire par prélèvement sur les bénéfices ou les réserves de la société

BONUS, PREMIUM
F : bonus
D : *Bonus*
E : bonificación
I : *bonus, credito d'imposta*
Remise consentie dans la pratique commerciale, ainsi que lors du paiement d'une prime d'assurance

BOOK COST
F : prix de revient comptable
D : *Buchwert der Einkäufe*
E : coste contable
I : *costo contabile*
Tient compte de tous les frais indirects rattachés au prix de revient d'un produit

BOOK DEBT
F : dette comptable
D : *Buchschuld*
E : deuda contabilizada
I : *debito attivo*
Dettes monétaires inscrites au passif du bilan

BOOK VALUE
F : valeur comptable
D : *Buchwert*
E : valor contable
I : *valore d'inventario*
Valeur d'une entreprise égale à la différence entre son actif et ses dettes

BOOK-KEEPING, ACCOUNTANCY
F : comptabilité
D : *Buchhaltung*
F : contabilidad
I : *contabilità*

BOOKKEEPER
F : aide-comptable
D : *Buchhaltungsgehilfe*
E : auxiliar de contabilidad
I : *aiuto contabile*

BOOKS OF ACCOUNT
F : livres comptables
D : *Geschäftsbücher*
E : libros de cuentas
I : *libri contabili*
Ensemble de documents comptables

BOOM
F : hausse (forte)
D : *Hausse*
E : bonanza
I : *rialzo*

BORROW
F : emprunter
D : *entleihen*
E : pedir un préstamo
I : *prestare*

BORROWED CAPITAL
F : capitaux empruntés
D : *Fremdkapital*
E : capital a préstamo
I : *capitale preso a prestito*
Dette financière d'une entreprise, fonds mis à sa disposition par des tiers

BORROWER
F : emprunteur
D : *Kreditnehmer*
E : prestatario
I : *accattatore*

BORROWING POWER
F : capacité d'endettement
D : *Verschuldungskapazität*
E : capacidad de endeudamiento
I : *capacità d'indebitamento*
Capacité à rembourser des dettes mesurée notamment par la capacité d'autofinancement

BOTTLE-NECK
F : goulot d'étranglement
D : *Engpaß*
E : embotellamiento
I : *strozzatura*
Insuffisance ou inadaptation d'un facteur de production à la demande d'un marché

BOUGHT LEDGER (USA PURCHASE BOOK)
F : grand livre d'achats
D : *Einkaufsbuch*
E : libro mayor de compras
I : *mastro acquisti*

BOYCOTT, BLACKING
F : boycottage
D : *Boykott*
E : boicoteo
I : *boicottaggio*
Refus collectif et systématique d'entretenir des relations économiques avec un groupe de personnes, une nation, afin d'exercer sur eux une pression ou des représailles

BRANCH BANK
F : banque (succursale de)
D : *Filialbank, Zweigbank*
E : sucursal del banco
I : *banca succursale*

BRANCH, BRANCH OFFICE
F : succursale
D : *Filiale, Zweigstelle*
E : sucursal, filial
I : *succursale*
Etablissement sans individualité juridique qui concourt au même objet que celui dont il dépend

BRAND
F : marque
D : *Handelsmarke*
E : marca
I : *marca*

BRANDED GOODS
F : articles de marque
D : *Markenwaren*
E : articulos de marca
I : *articoli di marca*

BREACH OF CONTRACT
F : rupture de contrat
D : *Vertragsverletzung*
E : incumplimiento del contrato
I : *rottura di contratto*

BREACH OF WARRANTY
F : rupture de garantie
D : *Verletzung der Gewährleistungspflich*
E : incumplimiento de la garantia
I : *violazione di garanzia*
Cessation de garantie

BREAK-EVEN POINT
F : point mort (rentabilité)
D : *Rentabilitätsgrenze*
E : punto de igualdad de ingresos y gastos
I : *punto di pareggio*
Seuil de rentabilité, niveau de chiffre d'affaires pour lequel il n'y a ni perte ni bénéfice

BREAKEVEN POINT
F : seuil de rentabilité
D : *Gewinnschwelle*
E : umbral de rentabilidad
I : *soglia di redditività*
Point mort d'une entreprise ou niveau d'activité à partir duquel, toutes charges couvertes, elle commence à faire des bénéfices

BREAKING BULK
F : rupture de charge
D : *Löschen der Ladung*
E : fraccionamiento de la carga
I : *inizio scarico*
Changement de véhicule ou de mode de transport

BREWERY
F : brasserie
D : *Brauerei*
E : cervecería
I : *fabbrica di birra*

BRIBE
F : arroser (un personnage influent)
D : *(eine wichtige Persönlichkeit) berieseln*
E : sobornar (a una persona influyente)
I : *corrompere (un personaggio influente)*

BRIBE
F : corrompre
D : *bestechen*
E : sobomar
I : *corrompere*

BRIBE
F : pot-de-vin
D : *Bestechungsgeld*
E : soborno
I : *dono per corrompere*

BRIBERY, CORRUPTION
F : corruption
D : *Bestechung*
E : soborno
I : *corruzione*

BROKER
F : courtier
D : *Makler*
E : corredor
I : *sensale*
Intermédiaire commercial qui met en relation, contre rémunération, deux personnes désirant conclure un contrat

BROKERAGE
F : courtage
D : *Maklergebühr*
E : corretaje
I : *senseria*
Rémunération ou fonction du courtier

BRUSSELS NOMENCLATURE
F : Nomenclature de Bruxelles (NDB)
D : *Brüsseler Verzeichnis*
E : Nomenclatura de Bruselas
I : *Nomenclatura di Bruxelles*
Classification méthodique des termes, produits et éléments divers employés dans la comptabilité européenne

BUDGET
F : budget
D : *Haushaltsplan*
E : presupuesto
I : *biancio preventivo*
Etat prévisionnel et limitatif des dépenses et recettes à réaliser au cours d'une période donnée par un individu ou une collectivité

BUDGETARY CONTROL
F : contrôle budgétaire
D : *Haushaltskontrolle*
E : control presupuestario
I : *controllo a bilancio preventivo*
Contrôle de gestion par comparaison objectifs/résultats

BUFFER STOCKS
F : stock de régularisation
D : *buffer-stocks*
E : existencias de regularizacion
I : *scorte di equilibrio*

BUILDING CONTRACTOR
 F : entrepreneur en bâtiment
 D : *Bauunternehmer*
 E : contratista de obras
 I : *impresa edile*

BUILDING LAND
 F : terrain à bâtir
 D : *Bauland*
 E : solares
 I : *terreno edile*

BULK CARGO
 F : cargaison en vrac
 D : *Schüttgut*
 E : carga en granel
 I : *carico alla rinfusa*
Marchandises transportées sans arrimage ni emballage

BULK CARRIER
 F : transporteur de marchandises en vrac
 D : *Massenfrachtführer*
 E : transportador a grand
 I : *trasportatore di merce alla rinfusa*

BULL MARKET
 F : marché orienté à la hausse
 D : *Haussemarkt*
 E : mercado alcista
 I : *mercato tendente al rialzo*

BULLISH
 F : haussier adj
 D : *steigend*
 E : alcista
 I : *rialzista*
Opérateur boursier spéculant à la hausse

BUNKER
 F : soute
 D : *Bunker*
 E : carbonera
 I : *carbonile*

BURGLARY
 F : vol avec effraction
 D : *Einbruchdiebstahl*
 E : robo
 I : *furto con scasso*

BUSINESS
 F : affaires
 D : *Geschäft*
 E : negocios
 I : *affari*

BUSINESS
 F : fonds de commerce
 D : *Laden*
 E : comercio
 I : *fondi patrimoniali*
Eléments mobiliers corporels (clientèle, droit au bail, licences...) ou incorporels (matériels, outillages...) servant à l'exploitation d'une entreprise

BUSINESS
 F : fonds commercial (comptabilité)
 D : *Laden*
 E : comercio
 I : *fondi patrimonali*
Valeur de l'ensemble des éléments incorporels d'une entreprise, non isolée dans le bilan et qui concourent au maintien et au développement de son activité

BUSINESS CYCLE
 F : cycle économique
 D : *Konjunkturzyklus*
 E : ciclo economico
 I : *ciclo d'affari*
Alternance de périodes d'expansion et de récession ou de dépression, entrecoupées de crises économiques

BUSINESS EXPENSES
 F : frais commerciaux
 D : *Geschäftskosten*
 E : gastos de los negocios
 I : *spese generali*

BUSINESS HOURS
 F : heures d'ouverture
 D : *Geschäftszeit*
 E : horario de comercio
 I : *orario d'apertura*

BUSINESS MANAGER
 F : gérant
 D : *Geschäftsführer*
 E : gerente de negocios
 I : *direttore commerciale*
Dirigeant d'une société en nom collectif, d'une SARL ou d'une société en commandite

BUSINESSMAN
 F : homme d'affaires
 D : *Geschäftsmann*
 E : hombre de negocios
 I : *uomo d'affari*

BUY
 F : acheter
 D : *kaufen*
 E : comprar
 I : *comprare*

BUYER
 F : acheteur
 D : *Käufer*
 E : comprador
 I : *compratore*

BUYER CREDIT
 F : crédit acheteur
 D : *Käuferkredit*
 E : crédito de comprador
 I : *credito d'acquisto*
Crédit à l'export octroyé par la banque du pays exportateur à l'importateur, qui peut payer comptant l'exportateur

BY AIR
 F : avion (par)
 D : *per Luftpost*
 E : por avion
 I : *per via aerea*

BY-PRODUCT
 F : sous-produit
 D : *Nebenprodukt*
 E : producto derivado
 I : *sottoprodotto*

BY-PRODUCTS
 F : produits dérivés
 D : *Derivate*
 E : productos derivados
 I : *prodotti derivati*

ANGLAIS

CABOTAGE
F : cabotage
D : *Küstenschiffahrt*
E : cabotaje
I : *cabotaggio*
Navigation marchande de port en port et à proximité des côtes

CACH SALE
F : vente au comptant
D : *Kassageschäft*
E : venta al conta
I : *vendita a contanti*

CALCULATE
F : calculer
D : *berechnen*
E : calcular
I : *calcolare*

CALCULATION
F : calcul
D : *Berechnung*
E : calculo
I : *calcolazione*

CALCULATOR
F : machine à calculer
D : *Rechenmaschine*
E : calculadora
I : *calcolatrice*

CALENDAR
F : calendrier
D : *Kalender*
E : calendario
I : *calendario*

CALENDAR YEAR
F : année civile
D : *Kalenderjahr*
E : ano civil
I : *anno solare*

CALIBRATE
F : calibrer
D : *kalibrieren*
E : calibrar
I : *calibrare*
Mesurer le diamètre d'un objet sphérique pour pouvoir le classer

CALL (FOR FUNDS)
F : appel (de fonds)
D : *Kündigung (von Geldern)*
E : llamada (de fonds)
I : *richiesta (di fondi)*
Demande de fonds supplémentaires (à des actionnaires, des associés...)

CALL FOR TENDERS
F : appel d'offre
D : *Angebotsausschreibung*
E : licitación
I : *gara d'appalto*
Mise en concurrence de plusieurs entreprises avant la passation d'un marché

CALL OPTION
F : option d'achat
D : *Kaufoption*
E : opcion de compras
I : *premio d'acquisto*
Confère le droit (et non l'obligation) d'acheter des actifs à un prix fixé

CALLED-UP CAPITAL
F : capital appelé
D : *eingefordertes Kapital*
E : capital llamado
I : *capitale richiamato*
Montant du capital fixé par les statuts lors de la constitution d'une société

CAMPAIGN
F : campagne
D : *Kampagne*
E : campana
I : *campagna*

CAMPAIGN CREDIT
F : crédit de campagne
D : *Kampagnekredit*
E : crédito de campaña
I : *finanziamento per acquisti agricoli*
Crédit de trésorerie couvrant les besoins liés à la saisonnalité de l'activité d'une entreprise

CANAL
F : canal
D : *Kanal*
E : canal
I : *canale*

CANCEL
F : annuler
D : *annullieren*
E : cancelar
I : *cancellare*

CANCEL A CHEQUE (USA CANCEL A CHECK)
F : annuler un chèque
D : *einen Scheck rückgängig machen*
E : anular un cheque
I : *annullare um cheque*

CAPACITY
F : capacité
D : *Fähigkeit, Inhalt*
E : capacidad
I : *capacita*

CAPITAL
F : capital
D : *Kapital*
E : capital
I : *capitale*
Elément principal d'une dette. Patrimoine possédé susceptible de rapporter un revenu

CAPITAL ACCOUNT
F : compte de capital
D : *Kapitalkonto*
E : cuenta de capital
I : *conto capitale*
Décrit la structure qu'un agent économique a donnée à la variation de son patrimoine

CAPITAL ALLOWANCES
F : déductions fiscales sur investissements
D : *Steuerbegünstigung auf Anlagen*
E : deducciones fiscales sobre inversiones
I : *deduzioni fiscali sugli investimenti*

CAPITAL ASSET (USA FIXED ASSET)
F : actif immobilisé
D : *Vermögensanlage*
E : activo fijo
I : *capitale fisso*
Eléments d'actif dont l'entreprise se sert de manière durable pour exercer son activité (matériels, brevets, titres de participation...)

CAPITAL GAIN
F : plus-value
D : *Mehrwert*
E : plusvalía
I : *plusvalore*
Différence positive entre le prix de cession et le prix d'acquisition d'un bien ou d'un titre

CAPITAL GAINS TAX
F : impôt sur les plus-values en capital
D : *Kapitalertragsteuer*
E : impeusto sobre las ganancias de capital
I : *imposta sul plusvalore di capital*

CAPITAL GOODS
F : biens d'équipement
D : *Anlagegüter*
E : bienes de produccion
I : *beni strumentali*
Biens durables (machines et matériels divers) achetés par l'entreprise pour assurer la production courante

CAPITAL GRANTS
F : subventions en capital
D : *Kapitlhilfe*
E : subvencion de capital
I : *sovvenzioni di capitale*

CAPITAL LOSS
F : perte de capital
D : *Kapitalverlust*
E : pérdida de capital
I : *perdita di capitale*

CAPITAL LOSS
F : moins-value
D : *Minderwert*
E : depreciación, minusvalía
I : *deprezzamento*
Différence négative entre le prix de cession et le prix d'achat d'un bien ou d'un titre

CAPITAL RESERVES
F : réserve de capitaux
D : *Kapitalreserve*
E : reserva de capital
I : *riserva di capitale*

CAPITALISM
F : capitalisme
D : *Kapitalismus*
E : capitalismo
I : *capitalismo*
Système économique fondé sur la dissociation entre les propriétaires des moyens de production (dont le but est la réalisation d'un profit), et les travailleurs qui les mettent en œuvre contre un salaire, les « lois du marché » assurant la régulation du système

CAPITALIZATION
F : capitalisation
D : *Kapitalisierung*
E : capitalizacion
I : *capitalizzazione*
Incorporation d'intérêts pour la constitution ou l'accroissement d'un capital existant

CAPITALIZE
F : capitaliser
D : *Kapitalisieren*
E : capitalizar
I : *capitalizzare*

CAPITALIZED VALUE
F : valeur capitalisée
D : *kapitalisierter Wert*
E : valor capitalizado
I : *valore capitalizzato*
Montant des intérêts transformés en capital

CAR
F : voiture
D : *Auto, Wagen*
E : coche
I : *automobile, macchina*

CARAT
F : carat
D : *Karat*
E : quilate
I : *carato, azione, caratura di società*
Quantité d'or fin contenue dans un alliage de ce métal (1/242me de la masse totale)

CARD
F : carte
D : *Karte*
E : tarjeta
I : *scheda*

CARD-INDEX FILE
F : fichier
D : *Kartei*
E : archivo de fichas
I : *schedario*

CAREER
F : carrière
D : *Karriere*
E : carrera
I : *carriera*

CARGO
F : cargaison
D : *Ladung*
E : carga
I : *carico*

CARRIAGE FORWARD (USA FOB SHIPPING POINT)
F : port dû (en)
D : *Portonachnahme*
E : a porte debido
I : *porto assegnato*
Les frais de port sont à la charge du destinataire

CARRIAGE FREE (USA FOB DESTINATION)
F : franco
D : *frachtfrei*
E : franco de porte
I : *porto franco*
Sans frais pour le destinataire

CARRIAGE PAID, POSTAGE PAID
F : port payé
D : *franko, portofrei*
E : a porte pagado, franco de porte
I : *franco di porto, porto pagato*
Les frais de port sont acquittés au départ par l'expéditeur

CARRIER, CONSIGNOR
F : expéditeur
D : *Spediteur, Absender*
E : transportador, consignador
I : *vettore, speditore*

CARTEL
F : cartel
D : *Kartell*
E : cartel
I : *cartello*
Entente entre des entreprises indépendantes les unes des autres en vue de limiter ou supprimer les risques de la concurrence

CARTON
F : carton
D : *Karton*
E : carton
I : *cartone*

CASH
F : argent comptant
D : *Bargeld*
E : dinhero contante
I : *denaro contante*

CASH
F : encaisser
D : *einkassieren*
E : cobrar
I : *incassare*

CASH A CHEQUE (USA CASH A CHECK)
F : toucher un chèque
D : *einen Scheck einlösen*
E : cobrar un cheque
I : *incassare un assegno*

ANGLAIS

CASH AGAINST DOCUMENTS (C.A.D.)
F : comptant contre documents
D : *bar gegen Versandpapiere*
E : al contado contra documentos
I : *contanti contro documenti*

CASH BOOK
F : livre de caisse
D : *Kassenbuch*
E : libro de caja
I : *libro cassa*
Document comptable recensant à un moment donné les encaissements et décaissements effectués par une entreprise

CASH DEAL
F : transaction au comptant
D : *Bargeschäft*
E : trato al contado
I : *operazione a contanti*
Transaction qui a donné lieu à un règlement immédiat (en monnaie)

CASH DISPENSER
F : distributeur automatique bancaire
D : *Bargeldauszahlungsautomat*
E : caja automatica
I : *cassa automatica*

CASH FLOW
F : cash flow
D : *Cash Flow*
E : cash flow
I : *cash flow, flusso delle disponibilità*
Solde recettes courantes/dépenses courantes de l'entreprise

CASH ON DELIVERY (COD)
F : paiement à la livraison
D : *Lieferung gegen Nachnahme*
E : entrega contra reembolso
I : *pagamento alla consegna*

CASH RESERVE
F : réserve en espèces
D : *Kassenreserve*
E : reserva en efectivo
I : *riserva in contanti*

CASH WITH ORDER
F : payable à la commande
D : *gegen Barzahlung*
E : pagadero con el pedido
I : *pagamento con l'ordine*

CASH-DESK, CASH-BOX
F : caisse
D : *Kasse, Geldkassette*
E : caja
I : *cassa, cassetta*
Compte retraçant les opérations effectuées en espèces ou en numéraire

CASHIER (USA TELLER)
F : caissier
D : *Kassierer*
E : cajero
I : *cassiere*

CASTING VOTE
F : voix prépondérante
D : *entscheidende Stimme*
E : voto decisivo
I : *voto decisivo*

CATALOGUE
F : catalogue
D : *Katalog*
E : catalogo
I : *catalogo*

CATALOGUE PRICE, LIST PRICE
F : prix-catalogue
D : *Listenpreis, Katalogpreis*
E : precio de catalogo, precio catálogo
I : *prezzo di catalogo*

CEILING
F : plafond
D : *Decke, Volumen*
E : tope
I : *limite massimo,tetto*

CENSUS
F : recensement
D : *Volkszählung*
E : censo
I : *censimento*

CENTRAL BUYING OFFICE
F : centrale d'achats
D : *Einkaufszentrale*
E : oficina central de compras
I : *ufficio centrale d'acquisti*

CENTRAL GOVERNMENT
F : administration centrale
D : *Hauptverwaltung*
E : administración central
I : *amministrazione centrale*

CENTRAL HEATING
F : chauffage central
D : *Zentralheizung*
E : calefaccion central
I : *riscaldamento centrale*

CENTRALIZATION
F : centralisation
D : *Zentralisierung*
E : centralizacion
I : *centralizzazione*

CENTRE (USA CENTER)
F : centre
D : *Mitte*
E : centro
I : *centro*

CERTIFICATE OF ORIGIN
F : certificat d'origine
D : *Ursprungszeugnis*
E : certificado de origen
I : *certificato d'origine*
Document émanant d'une autorité qualifiée et attestant l'origine d'une marchandise (utilisé surtout en matière de commerce extérieur)

CERTIFICATE, WARRANT
F : certificat
D : *Bescheinigung*
E : certificado
I : *certificato*

CERTIFICATION, AUDITING
F : certification
D : *Zertifizierung*
E : certificación
I : *autenticazione*
Attestation de conformité à des normes délivrée à un produit, une organisation, par un organisme indépendant

CERTIFIED CHEQUE
F : chèque certifié
D : *bestätigter Scheck*
E : cheque certificado
I : *assegno garantito*
Voir Certifier (un chèque)

CERTIFIED TRUE COPY
F : copie certifiée
D : *beglaubigte Abschrift*
E : copia auténtica
I : *copia conforme*
Copie authentifiée par l'administration

CERTIFY
F : certifier (un chèque)
D : *bescheinigen*
E : certificar
I : *certificare*
Garantie donnée par une banque que la provision correspondante est affectée au paiement de ce chèque pendant le délai d'encaissement

CHAIN STORE
F : magasin à succursales multiples
D : *Kettengeschäft*
E : sucursal de cadena de almacenes
I : *negozio a catena*

CHAIRMAIN
F : président
D : *Vorsitzende(r)*
E : presidente
I : *presidente*

CHAMBER OF COMMERCE AND INDUSTRY
F : Chambre de commerce et d'industrie
D : *Industrie-und-Handelskammer*
E : Cámara de comercio y de industria
I : *Camera di commercio, dell'industria*

CHAMBER OF TRADE
F : Chambre des métiers
D : *Handwerkskammer*
E : Cámara de gremios
I : *Camera dell'artigianato*
Etablissement public départemental représentant les intérêts collectifs des artisans

CHARGE
F : charge
D : *Kosten*
E : carga
I : *onere, carico*

CHARGE ACCOUNT
F : compte personnel
D : *Kundenkonto*
E : cuenta personal
I : *conto personale*

CHARGEABLE
F : imputable
D : *anrechenbar*
E : imputable
I : *imputabile, imponibile*

CHARGES, EXPENDITURE
F : frais
D : *Kosten, Ausgaben*
E : costes, desembolso
I : *spesa, spese*

CHART, GRAPH
F : graphique
D : *Tabelle, graphische Darstellung*
E : grafico
I : *grafico*

CHARTERED FINANCIAL MANAGEMENT AGENCY
F : centre de gestion agréé
D : *anerkanntes Verwaltungsbüro*
E : centro de gestión autorizado
I : *centro di gestione accreditato*
Association d'aide aux PME pour la tenue de leur comptabilité et qui leur permet de bénéficier d'avantages fiscaux

CHARTERER
F : affréteur
D : *Befrachter*
E : fletador
I : *noleggiatore*

CHARTERING
F : affrètement
D : *Befrachtung*
E : fletamento
I : *noleggio*
Le loueur (fréteur) met à la disposition d'un affréteur un moyen de transport de marchandises ou de personnes, contre rémunération et pour un temps donné

CHEAP
F : bon marché
D : *billig*
E : barato
I : *a buon mercato*

CHEAP MONEY
F : argent bon marché
D : *billiges Geld*
E : dinero barato
I : *denaro a basso interesse*

CHEAPER
F : meilleur marché
D : *billiger*
E : mas barato
I : *meno caro*

CHEAT
F : tricher
D : *betrügen*
E : enganar
I : *truffare*

CHEQUE (USA CHECK)
F : chèque
D : *Scheck*
E : cheque
I : *assegno*

CHEQUE BOOK (USA CHECK BOOK)
F : carnet de chèques
D : *Scheckheft*
E : libro de cheques
I : *libretto assegni*

CHEQUE PAYABLE TO BEARER
F : chèque restaurant au porteur
D : *Inhaberscheck*
E : cheque al portador
I : *assegno al portatore*
Ticket-repas non nominatif cofinancé par l'entreprise et le salarié

CHIEF ACCOUNTANT
F : chef comptable
D : *Obertuchlalter*
E : jefe de contabilidad
I : *ragioniere capo*

CHIEF EXECUTIVE
F : directeur général
D : *Geschäftsführer*
E : jefe ejecutivo
I : *direttore generale*

CHIP CARD
F : carte à puce (ou à mémoire
D : *Chip-Karte*
E : tarjeta de memoria
I : *chip card*
Carte accréditive où l'identification du titulaire et les opérations qu'il effectue sont inscrites sous forme codée dans un microprocesseur

CIVIL ENGINEERING
F : génie civil
D : *Ingenieurbau*
E : ingenieria civil
I : *ingegneria civile*
Construction civile et corps des ingénieurs qui en a la responsabilité

CIVIL SERVANT (USA GOVERNMENT EMPLOYEE)
F : fonctionnaire
D : *Beamte(r)*
E : funcionario del gobierno
I : *impiegato statale*

CLAIM
F : réclamation
D : *Anspruch*
E : reclamacion
I : *reclamo*

CLASSIFIED ADVERTISEMENT
F : petite annonce
D : *Kleinanzeige*
E : anuncio por palabras
I : *piccola pubblicità*

CLAUSE
F : clause
D : *Klausel*
E : clausula
I : *clausola*
Disposition particulière d'un acte, d'un contrat

CLEAR THROUGH CUSTOMS
F : dédouaner
D : *verzollen*
E : retirar de aduanas
I : *sdoganare*
Acquitter les droits ou taxes qui frappent une marchandise

CLEARING HOUSE
F : chambre de compensation
D : *Verrechnungsstelle*
E : camara de compensaciones
I : *stanza di compensazione*
A Paris, elle effectue la grande majorité des opérations de compensation. En province, les succursales de la Banque de France en tiennent lieu

CLEARING-BANK
F : banque de virement
D : *Girobank*
E : banco de compensacion
I : *banca assiociata alla stanza di compensação*

ANGLAIS

CLERK, ASSISTANT
F : commis
D : *Angestellte(r), Assistent*
E : oficinista, asistente
I : *impiegato, assistente*
Employé dans un bureau ou une
maison de commerce

CLIENT
F : client
D : *Kunde*
E : cliente
I : *cliente*

CLIMAT SOCIAL
F : climat social
D : *soziales Klima*
E : ambiente laboral
I : *clima sociale*

CLOSED MARKET
F : marché ferme
D : *gesperrter Markt*
E : mercado cerrado
I : *mercato chiuso*

CLOSING DATE
F : dernier jour
D : *Schlußtermin*
E : ultimo dia
I : *ultima data*

CLOSING PRICE
F : cours de clôture
D : *Schlußnotierung*
E : precio de cierre
I : *prezzo di chiusura*
Cours de Bourse pratiqué en fin de
séance journalière

CO-MANAGEMENT
F : cogestion
D : *Gemeinverwaltung*
E : cogestión
I : *cogestione*
Forme de participation des salariés à
la gestion de l'entreprise

CO-OP
F : coopérative
D : *Genossenschaft*
E : cooperativa
I : *cooperativa*
Association de personnes (à droits et
obligations égales) qui conduisent et
gèrent à leurs risques une entreprise
commune

CO-OPT
F : coopter
D : *hinzuwählen*
E : cooptar
I : *cooptare*
Admettre dans une assemblée de
nouveaux membres désignés par
elle-même

COAL
F : houille
D : *Kohle*
E : carbon
I : *carbone*

COAL FIELD
F : bassin houiller
D : *Kohlenrevier*
E : yacimiento de carbon
I : *bacino carbonifero*

COAL, CHARCOAL
F : charbon
D : *Kohle, Holzkohle*
E : carbon, carbonde lena
I : *carbone*

CODE
F : code
D : *Ordnung*
E : codigo
I : *codice*

COFFEE
F : café
D : *Kaffee*
E : café
I : *caffè*

COIN
F : pièce (de monnaie)
D : *Münze*
E : moneda
I : *moneta*

COLLABORATE
F : collaborer
D : *mitarbeiten*
E : colaborar
I : *coliaborare*

COLLECTION
F : encaissement
D : *Einkassieren*
E : cobro
I : *incasso*

COLLECTION CHARGES
F : frais d'encaissement
D : *Einzugskosten*
E : gastos de cobranza
I : *spese di riscossione*

COLLECTIVE BARGAINING
F : négociations de conven-
tions collectives
D : *Tarifvertragsverhandlung*
E : contratacion collectiva
I : *contrattazione collettivo*

COLUMN
F : colonne
D : *Spalte*
E : columna
I : *colonna*

COMMERCE
F : commerce
D : *Handel*
E : comercio
I : *commercio*

COMMERCIAL INVOICE
F : facture commerciale
D : *Geschäftsfaktur*
E : factura comercial
I : *fattura commerciale*
Pièce comptable datée établie et
adressée par le vendeur à l'acheteur
qui mentionne les marchandises
vendues, leur prix unitaire et leur
prix total

COMMERCIAL SPONSORSHIP
F : mécénat
D : *Mätzenatentum*
E : mecenazgo
I : *mecenatismo*
Forme de communication d'entre-
prise fondée sur le financement et le
soutien d'entreprises, projets, opéra-
tions et manifestations à caractère
artistique et culturel

COMMERCIAL VEHICLE
F : véhicule commercial
D : *Nutzfahrzeug*
E : vehiculo comercial
I : *veicolo commerciale*

COMMISSION
F : commission
D : *Provision*
E : comision
I : *prowigione*

COMMISSION AGENT
F : commissionnaire
D : *Kommissionär*
E : comisionista
I : *commissionario*

COMMITTEE
F : comité
D : *Kommission, Ausschuß*
E : comité
I : *comitato*
Réunion de personnes chargées
d'étudier certains problèmes, d'exer-
cer un certain pouvoir

COMMODITY BROKER
F : courtier en marchandises
D : *Makler für Verbrauchsgüter*
E : corredor de mercaderias
I : *sensale di merci*

COMMODITY MARKET
F : marché de matières pre-
mières
D : *Rohstoffmarkt*
E : mercado de materias primas
I : *mercato di materie prime*

COMMODITY, MERCHANDISE
F : marchandise
D : *Gut, Ware*
E : mercaderia, mercancia
I : *merce, prodotto*

COMMON AGRICULTURAL POLICY
F : politique agricole com-
mune
D : *gemeinsame Agrarpolitik*
E : politica agricola comun
I : *politica agricola comune*

COMMON COMMERCIAL POLICY
F : politique commerciale commune
D : *gemeinsame Handelspolitik*
E : politica comercial comun
I : *politica commerciale comune*

COMMON EXTERNAL TARIFF
F : tarif extérieur commun (UE)
D : *gemeinsamer Außentarif*
E : tarifa exterior comun
I : *tariffa estera comune*

COMMON EXTERNAL TARIFF
F : tarif douanier extérieur commun
D : *gemeinsamer Aussentarif*
E : tarifa exterior comun
I : *tariffa esrera comune*
Il s'applique aux importations sur le territoire communautaire de marchandises provenant des pays tiers

COMMON FISHERIES POLICY
F : politique commune de la pêche
D : *gemeinsame Fischereipolitik*
E : politica comun de la pesca
I : *politica comune della pesca*

COMMON MARKET
F : Marché commun
D : *gemeinsamer Markt*
E : mercado comun
I : *mercado comune*
Voir Communauté économique européenne — CEE

COMMUNICATION
F : communication
D : *Benachrichtigung*
E : comunicacion
I : *comuniciazione*

COMMUNITY
F : communauté
D : *Gemeinschaft*
E : comunidad
I : *comunità*

COMPANY
F : société
D : *Gesellschaft*
E : compania, sociedad
I : *società*
Association contractuelle de personnes physiques ou morales qui conviennent de mettre en commun des biens, des valeurs ou du travail dans un but lucratif

COMPANY MANAGER
F : chef d'entreprise
D : *Geschäftsführer*
E : empresario
I : *capo d'azienda, imprenditore*

COMPANY NEWSPAPER
F : journal d'entreprise
D : *Betriebszeitung*
E : diario de empresa
I : *giornale d'azienda*

COMPARATIVE ADVERTISING
F : publicité comparative
D : *vergleichende Werbung*
E : publicidad comparativa
I : *pubblicità comparativa*
Compare les caractéristiques d'un produit d'une marque déterminée à celles d'un ou plusieurs produits de marques concurrentes, nommées ou identifiables

COMPENSATE
F : compenser
D : *vergüten*
E : compensar
I : *compensare*

COMPENSATION
F : compensation
D : *Entschädigung*
E : compensacion
I : *compenso*
Comptabilisation du solde final, donnant lieu à règlement, des dettes et créances échangées mutuellement par deux ou plusieurs banques pendant une période donnée

COMPETE
F : concurrencer
D : *Konkurrenz machen*
E : competir
I : *competere*

COMPETITION
F : concurrence
D : *Wettbewerb*
E : competicion
I : *concorrenza*

COMPETITIVE
F : compétitif
D : *wetteifernd*
E : competidor
I : *in concorrenza*

COMPOUND INTEREST
F : intérêts composés
D : *Zinseszinsen*
E : interés compuesto
I : *interesse composto*
Intérêts simples additionnés de ceux qui s'appliquent à la somme capitalisée des intérêts déjà perçus

COMPREHENSIVE
F : exhaustif
D : *umfassend*
E : completo
I : *comprensivo*

COMPREHENSIVE INSURANCE
F : assurance combinée
D : *Kombinierte Versicherung*
E : seguro combinado
I : *assicurazione mista*

COMPTROLLER
F : vérificateur des comptes
D : *Rechnungsprüfer*
E : interventor
I : *controllore*

COMPULSORY
F : obligatoire
D : *verbindlich*
E : obligatorio
I : *obbligatorio*

COMPULSORY WINDING-UP (USA FORCED LIQUIDATION)
F : liquidation forcée
D : *Zwangsliquidation*
E : liquidacion forzosa
I : *liquidazione forzata*

COMPUTER
F : ordinateur
D : *Rechner, Computer*
E : computadora
I : *elaboratore, calcolatore*

COMPUTER PROGRAM
F : programme d'ordinateur
D : *Computerprogramm*
E : programa de computadora
I : *programma di elaboratore*

COMPUTER-AIDED DESIGN (CAD)
F : conception et fabrication assistées par ordinateur
D : *Computer-Aided Manufactoring (CAM)*
E : diseño y fabricación asistidos por ordenardor
I : *progettazione/fabbricazione assistita da calcolatore (CAD/CAM)*

CONCENTRATION
F : concentration
D : *Konzentration*
E : concentración
I : *concentrazione*

CONCEPT
F : concept
D : *Konzept*
E : concepto
I : *concetto*

CONCESSION
F : concession
D : *Konzession*
E : concession
I : *concessione*
Autorisation d'exploitation ou de gestion, représentation exclusive

CONCILIATION
F : conciliation
D : *Schlichtung*
E : conciliacion
I : *conciliazione*

CONDITION PRECEDENT
F : condition suspensive
D : *aufschiebende Bedingung*
E : previa condicion
I : *condizione sospensiva*
Qui suspend l'exécution d'un jugement, d'un contrat

CONDITIONAL
F : conditionnel
D : *bedingt*
E : condicional
I : *condizionale*

CONFERENCE
F : conférence
D : *Kongreß*
E : conferencia
I : *conferenza*

CONFIRM
F : confirmer
D : *bestätigen*
E : confirmar
I : *confermare*

CONFIRM IN WRITING
F : confirmer par écrit
D : *schriftlich bestätigen*
E : confirmar por escrito
I : *confermare per iscritto*

CONFIRMATION
F : confirmation
D : *Bestätigung*
E : confirmacion
I : *conferma*

CONFIRMED IRREVOCABLE LETTER OF CREDIT
F : lettre de crédit irrévocable confirmée
D : *bestätigter unwiderruflicher Kreditbrief*
E : carta de crédito irrevocable confirmada
I : *lettera di credito confermata irrevocabile*
Lettre de crédit irrévocable pour laquelle la banque du vendeur assure une obligation de paiement indépendante et ferme en plus de celle de la banque émettrice

CONFIRMED LETTER OF CREDIT
F : lettre de crédit confirmée
D : *bestätigter Kreditbrief*
E : carta de crédito confirmada
I : *lettera di credito confermata*
Crédit documentaire dans lequel la banque du vendeur ajoute son propre engagement à payer ou à négocier les documents présentés

CONFLICT
F : conflit
D : *Konflikt*
E : conflicto
I : *conflitto*

CONFLICT OF INTEREST
F : opposition d'intérêts
D : *widerstreitende Interessen*
E : pugna de intereses
I : *conflitto d'interessi*

CONSENT (TO)
F : agrément
D : *Zustimmung*
E : aprobación
I : *consenso, autorizzazione*
Autorisation de faire, accordée par l'administration

CONSEQUENTIAL LOSS
F : perte indirecte
D : *Folgeschaden*
E : pérdida indirecta
I : *perdita indiretta*
Définition prévue non donnée

CONSERVATIVE ESTIMATE
F : évaluation prudente
D : *vorsichtige Schätzung*
E : presupuesto prudente
I : *valutazione prudente*

CONSIGN
F : consigner
D : *konsignieren, übersenden*
E : consignar
I : *consegnare*

CONSOLIDATED
F : consolidé
D : *konsolidiert*
E : consolidado
I : *consolidato*

CONSOLIDATED ACCOUNTS
F : comptes consolidés
D : *Konsolidierter Kontenaschluß*
E : cuentas consolidadas
I : *conti consolidati*
Décrivent l'activité et le patrimoine d'un groupe d'entreprises ou d'un ensemble d'agents en annulant les opérations qu'ils effectuent entre eux

CONSOLIDATED BALANCE SHEET
F : bilan consolidé
D : *konsolidierte Bilanz*
E : hoja de balance
I : *bilancio consolidato*
Bilan globalisé obtenu par agrégation des comptes de toutes les sociétés d'un groupe

CONSORTIUM
F : consortium
D : *Konsortium*
E : consorcio
I : *consorzio*
Entreprises ou banques regroupées pour réaliser des opérations qui dépassent les possibilités et les compétences de chacune

CONSUL
F : consul
D : *Konsul*
E : consul
I : *console*
Fonctionnaire chargé à l'étranger de la protection des ressortissants de son pays (dont il n'est pas le représentant)

CONSULATE
F : consulat
D : *Konsulat*
E : consulado
I : *consolato*

CONSUMER
F : consommateur
D : *Verbraucher, Konsument*
E : consumidor
I : *consumatore*

CONSUMER GOODS
F : biens de consommation
D : *Konsumgüter*
E : bienes de consumo
I : *beni di consumo*
Produits et services destinés à la satisfaction directe des consommateurs

CONSUMPTION
F : consommation
D : *Verbrauch*
E : consumicion
I : *consumo*

CONTAINER SHIP
F : navire porte-containers
D : *Containerschiff*
E : barco de contenedores
I : *nave da contenitori*

CONTAINERIZATION
F : containerisation
D : *Containerisation*
E : contenedorizacion
I : *containerization*

CONTENTS
F : contenu
D : *Inhalt*
E : contenido
I : *contenuto*

CONTINGENCY
F : contingence
D : *Eventualität*
E : contingencia
I : *contingenza*
Corrélation entre deux caractères qualitatifs ou quantitatifs

CONTINUING EDUCATION
F : formation continue
D : *Weiterbildung*
E : formación profesional ocupacional
I : *formazione continua*

CONTRABAND
F : contrebande
D : *Schmuggelware*
E : contrabando
I : *contrabbando*

CONTRACT
F : contrat
D : *Vertrag*
E : contrato
I : *contratto*

CONTRACT NOTE
F : bon d'achat
D : *Schlußschein*
E : nota de contrato
I : *nota di contratto*

CONTRACT PRICE
F : prix contractuel
D : *Vertragspreis*
E : precio contractual
I : *prezzo contrattuale*

CONTRACTUAL
F : contractuel adj
D : *vertraglich*
E : contractual
I : *contrattuale*

CONTRIBUTE
F : contribuer
D : *beitragen*
E : contribuir
I : *contribuire*

CONTRIBUTION
F : apport
D : *Beitrag*
E : aporte
I : *apporto*

CONTRIBUTION
F : contribution
D : *Beitrag*
E : contribuccion
I : *contributo*
Impôt

CONTRIBUTORY PENSION
F : retraite par cotisations
D : *Kassenpension*
E : retiro contributivo
I : *pensione a contributi*
Base du système de retraite par capitalisation (chaque actif finance sa propre retraite par le placement de ses cotisations) ou par répartition (celles-ci sont immédiatement reversées aux retraités)

CONTROL
F : contrôle
D : *Aufsicht*
E : control
I : *controllo*

CONTROLLER
F : contrôleur
D : *Kontrolleur*
E : interventor
I : *controllore*

CONTROLLING COMPANY
F : société directrice
D : *Gesellschaft mit Kontrollbefugnis*
E : compania directriz
I : *società direttrice*

CONTROLLING INTEREST
F : participation donnant le contrôle
D : *Mehrheitsbeteiligung*
E : interés mayoritario
I : *intresse della parte maggioritaria*

CONVENE
F : convoquer
D : *einberufen*
E : convenir
I : *convocare*

CONVENIENCE
F : complaisance
D : *Entgegenkommen*
E : complacencia
I : *compiacenza, favore*

CONVERSION
F : conversion
D : *Konversion*
E : conversion
I : *conversione*

CONVERSION FACTOR
F : facteur de conversion
D : *Umrechnungskoeffizient*
E : factor de conversion
I : *fattore di conversione*

CONVERT
F : convertir
D : *konvertieren*
E : convertir
I : *convertire*

CONVERTIBLE
F : convertible
D : *konvertierbar*
E : convertible
I : *convertibile*
S'applique à une monnaie qu'on peut échanger légalement contre de l'or ou toute autre devise

CONVEYANCE OF PROPERTY
F : transmission de biens
D : *Übertragung von Vermögen*
E : trapaso de propiedad
I : *trasferimento di beni*

COOPERATION
F : coopération
D : *Zusammenarbeit*
E : cooperacion
I : *cooperazione*

COOPERATIVE
F : société coopérative
D : *Genossenschaft*
E : cooperativa
I : *cooperativa*
Voir Coopérative

COPY
F : copie
D : *Abschrift, Kopie*
E : copia
I : *copia*

COPY
F : transcrire
D : *Kopieren*
E : copiar
I : *copiare*

COPY TYPIST (USA TRANSCRIBER)
F : dactylo
D : *Abschreibtypistin*
E : mecanografa
I : *dattilografa*

COPYRIGHT
F : droits d'auteur
D : *Urheberrech*
E : derechos de autor
I : *diritti d'autore*

COPYWRITER
F : concepteur-rédacteur
D : *Textverfasser*
E : redactor
I : *redattore pubblicitario*

CORNER A MARKET
F : occuper le marché
D : *den Markt beherrschen*
E : acaparar el mercado
I : *accaparrare il mercato*

CORPORATE
F : corporatif
D : *köperschaftlich*
E : corporativo
I : *corporativo*
Relatif à une corporation

CORPORATION
F : corporation
D : *Körperschaft*
E : corporacion
I : *corporazione*

CORPORATION TAX
F : impôt sur les sociétés
D : *Körperschaftsteuer*
E : impuesto sobre renta de la sociedad
I : *imposta sui proventi delle società*
Concerne avant tout les sociétés de capitaux. Dû sur le bénéfice net, il est exigible même en cas de non distribution (autofinancement)

CORPORATISM
F : corporatisme
D : *Körperschaftstum*
E : corporativismo
I : *corporativismo*
Défense exclusive des intérêts d'une catégorie sociale ou socio-professionnelle

CORRECT
F : corriger
D : *korrigieren*
E : corregir
I : *correggere*

CORRECTION
F : correction
D : *Berichtigung*
E : correccion
I : *correzione*

CORRELATION
F : corrélation
D : *Zusammenhang*
E : correlación
I : *correlazione*
Variations de même sens ou de sens opposé entre deux ou plusieurs grandeurs

CORRESPONDENCE
F : correspondance
D : *Briefwechsel*
E : correspondencia
I : *corrispondenza*
Concordance de deux phénomènes qui varient symétriquement dans le même sens

COST
F : coût
D : *Kosten*
E : coste
I : *costo*

COST
F : coûter
D : *Kosten*
E : costar
I : *costare*

(PRODUCTION) COST
F : coût de revient
D : *Herstellungskosten*
E : coste de producion
I : *costo d'acquisto, prezzo di costo*
Coût total de produits ou services vendus

COST ACCOUNTING
F : comptabilité analytique
D : *analytische Buchführung*
E : comptabilidad analítica
I : *contabilità analitica*
Saisie et traitement de l'information permettant l'analyse et le contrôle des coûts dans l'entreprise, à l'aide des documents internes qui en suivent les flux

COST ANALYSIS
F : analyse des coûts
D : *Kostenanalyse*
E : analisis de costes
I : *analisi dei costi*

COST AND FREIGHT (C&F)
F : coût et fret
D : *Kosten und Fracht*
E : coste y flete
I : *costo e nolo*
En matière de commerce extérieur, qualifie le prix total d'une marchandise dont l'exportateur assume les frais (sauf les assurances) jusqu'à sa destination

COST BENEFIT ANALYSIS
F : analyse des coûts et rendements
D : *Gewinnanalyse*
E : analisis de costes y beneficios
I : *analisi dei costi e benefici*

COST OF LABOUR
F : coût de la main-d'œuvre
D : *Lohnkosten*
E : coste de la mano de obra
I : *costo di mano d'opera*

COST OF LIVING
F : coût de la vie
D : *Lebenshaltungskosten*
E : coste de vida
I : *costo della vita*

COST PRICE
F : prix de revient
D : *Einstandspreis*
E : precio de coste
I : *prezzo di costo*
Ensemble des coûts, directs et indirects, variables et fixes, de production d'un bien ou d'un service

COST, INSURANCE, AND FREIGHT (CIF)
F : coût, assurance, fret (CAF)
D : *Kosten, Versicherung, Fracht*
E : coste, seguro, y flete
I : *costo, assicurazione, nolo*
Qualifie le prix d'une marchandise dont l'exportateur prend en charge la totalité des frais (assurances comprises) jusqu'à sa destination

COSTING
F : calcul de coût de revient
D : *Ertragskalkulation*
E : cálculo de precio de coste
I : *calcolo del prezzo di costo*

COUNCIL, CONSULTANT
F : conseil
D : *Rat, Berater*
E : consejo, consultor
I : *consiglio, consulente*

COUNTER
F : comptoir
D : *Handelskontor*
E : mostrador
I : *succursale*

COUNTERFOIL (USA STUB)
F : talon
D : *Talon*
E : talon
I : *matrice*

COUNTERPART
F : contrepartie (Bourse)
D : *Gegenzug*
E : contrapartida
I : *contropartita*
Offre correspondant à une demande déterminée ou inversement. Ne peut être effectuée que par un contrepartiste

COUNTERSIGN
F : contresigner
D : *gegenzeichnen*
E : refrendar
I : *controfirmare*
Signer après celui dont l'acte émane

COUNTRY
F : pays
D : *Land*
E : pais
I : *paese*

COUNTRY OF ORIGIN
F : pays de provenance
D : *Herkunftsland*
E : pais de origen
I : *paese di origine*

COUPON
F : coupon
D : *Kupon*
E : cupon
I : *cedola*
Partie détachable d'une valeur mobilière et droit d'en encaisser le dividende ou l'intérêt du revenu

COURT (OF LAW)
F : tribunal
D : *Gericht*
E : tribunal
I : *tribunale*

COURT OF ABITRATION
F : cour d'arbitrage
D : *Schiedsgericht*
E : tribunal arbitral
I : *corte arbitrale*

COURT OF APPEAL
F : Cour d'appel
D : *Berufungsgericht*
E : tribunal de apelacion
I : *corte d'appello*
Tribunal chargé de juger en appel les décisions des juridictions de droit commun ou d'exception

COVER
F : couverture
D : *Deckung*
E : cobertura
I : *copertura*
Montant d'une transaction consignée en garantie jusqu'au dénouement ultérieur de celle-ci (sur un marché à terme)

(PROFESSION) CRAFT INDUSTRY, (STADE) SMALL SCALE
F : artisanal
D : *handwerklich*
E : artesanal
I : *artigianale*

CRANE
F : grue
D : *Kran*
E : grua
I : *gru*

CREATIVITY
F : créativité
D : *Kreativität*
E : creatividad
I : *creatività*

CREDIT
F : avoir (financier)
D : *Finanzvermögen*
E : haber (financiero)
I : *attivo, avere (finanziario)*
Créance reconnue par un vendeur à un acheteur et qui ne peut servir qu'à un nouvel achat ou qui se déduit d'une créance existante

CREDIT
F : crédit
D : *Kredit*
E : crédito
I : *credito*

CREDIT BALANCE
F : solde créditeur
D : *Kreditsaldo*
E : saldo acreedor
I : *saldo creditore*

CREDIT CARD
F : carte de crédit
D : *Kredikarte*
E : tarjeta de crédito
I : *carta di credito*

CREDIT NOTE
F : avis de crédit
D : *Gutschriftanzeige*
E : nota de crédito
I : *nota di credito*

CREDIT RATING
F : degré de solvabilité
D : *Kreditwürdigkeit*
E : limite de crédito
I : *stima del credito*
Aptitude à tenir ses engagements sur l'ensemble de son patrimoine ou de son actif

CREDIT SQUEEZE
F : resserrement du crédit
D : *Kreditklemme*
E : escasez de créditos
I : *restrizione di credito*
Restriction du crédit (taux plus élevés) pour freiner la hausse des prix

CREDIT, PLEDGE, SECURITY
F : gage
D : *Pfand*
E : fianza
I : *pegno, garanzia*
Bien mobilier remis à un créancier par son débiteur en garantie

CREDITOR
F : créancier
D : *Gläubiger*
E : acreedor
I : *creditore*

CREDITOR
F : créditeur
D : *Gläubiger*
E : acreedor
I : *creditore*

CRITICAL PATH
F : chemin critique
D : *kritischer Weg*
E : camino crítico
I : *schema critico*
Voir Analyse du chemin critique

CRITICAL PATH ANALYSIS (C.P.A.)
F : analyse du chemin critique
D : *Netzplantechnik*
E : analisis de recorrido critico
I : *analisi della linea critica*
Analyse d'un ordonnancement de tâches pour définir celles qui détermineront la durée de l'ensemble d'un projet

CROSSED CHEQUE
F : chèque barré
D : *Verrechnungsscheck*
E : cheque cruzado
I : *assegno sbarrato*
Les deux traits parallèles signifient que son montant ne peut qu'être versé sur un compte bancaire

CRUDE (OIL)
F : brut (pétrole)
D : *Rohöl*
E : crudo (petróleo)
I : *greggio (petrolio)*
Pétrole non raffiné

CUBIC CAPACITY
F : cyclindrée
D : *Hubraum*
E : cilindrada
I : *cilindrata*

CUBIC, CAPACITY
F : volume
D : *Kubikinhalt*
E : capacidad cubica
I : *volume*

CUM DIVIDEND
F : droit attaché
D : *mit Dividende*
E : con dividendo
I : *con dividendo*
Valeur mobilière sur laquelle le droit d'attribution ou de souscription qui l'accompagne n'a pas encore été exercé

CUMULATIVE PREFERENCE SHARES
F : actions de priorité cumulatives
D : *kumulative Vorzugsaktien*
E : valores privilegiados cumulativos
I : *azioni preferenziali cumulative*
Actions de priorité dont le dividende non payé est reporté d'un exercice à l'autre lorsque les bénéfices sont insuffisants

CURRENCY
F : monnaie
D : *Währung*
E : moneda
I : *valuta*

CURRENCY AREA
F : zone monétaire
D : *Währungsgebiet*
E : zona monetaria
I : *zona monetaria*
Ensemble de pays dont les monnaies (secondaires) sont étroitement liées à une monnaie principale (celle du pays centre) et convertibles entre elles

CURRENT
F : actuel
D : *aktueller*
E : actual
I : *attuale*

CURRENT
F : courant
D : *laufend*
E : corriente
I : *corrente*

CURRENT ACCOUNT (USA CHECKING ACCOUNT)
F : compte courant
D : *Kontokorrent*
E : cuenta corriente
I : *conto corrente*

CURRENT ASSETS
F : actif circulant
D : *Umlaufvermögen*
E : activo realizable
I : *attivo liquido*
Eléments d'actif d'exploitation (stocks, créances clients...) + actifs financiers (valeurs mobilières de placement et disponibilités)

CURRENT LIABILITIES
F : passif circulant
D : *Umlaufvermögen*
E : pasivo circulante
I : *passivo circolante*
Total des dettes à moins d'un an, dont on peut retrancher les dettes sur immobilisations, sur acquisitions de valeurs mobilières, les dettes fiscales et sociales et les comptes courants d'associés

CURRENT LIABILITIES
F : passif exigible
D : *laufende Verbindlichkeiten*
E : pasivo exigible
I : *passività esigibili*
Dettes à court terme

CURRENT YEAR
F : année en cours
D : *laufendes Jahr*
E : ano en curso
I : *anno in corso*

CUSTOM OF THE TRADE
F : usage commercial
D : *Handelsgebrauch*
E : uso comercial
I : *uso commerciale*

CUSTOM, CLIENTELE
F : clientèle
D : *Kundschaft*
E : clientela
I : *clientela*

CUSTOMS
F : douane
D : *Zoll*
E : aduana
I : *dogana*

CUSTOMS BARRIER
F : barrière douanière
D : *Zollschranke*
E : barrera aduanera
I : *barriera doganale*
Ensemble des taxes qui frappent les marchandises à l'entrée ou à la sortie d'un territoire et permettent d'en réglementer la circulation

CUSTOMS CLEARANCE
F : dédouanement
D : *Zollabfertigung*
E : paso de aduanas
I : *sdoganamento*

CUSTOMS CLEARANCE
F : formalités douanières
D : *Verzollung*
E : despacho de aduana
I : *sdoganamento*

CUSTOMS DECLARATION
F : déclaration en douane
D : *Zollerklärung*
E : declaracion de aduana
I : *dichiarazione doganale*
Document déposé à l'administration des Douanes pour toute marchandise importée ou exportée

CUSTOMS DUTY
F : droit de douane
D : *Zoll*
E : derechos de aduanas
I : *diritti doganale*

CUSTOMS UNION
F : union douanière
D : *Zollunion*
E : union aduanera
I : *unione doganale*

CYBERNETICS
F : cybernétique
D : *Kybernetik*
E : cibermética
I : *cibernetica*
Science des mécanismes de la communication et du contrôle

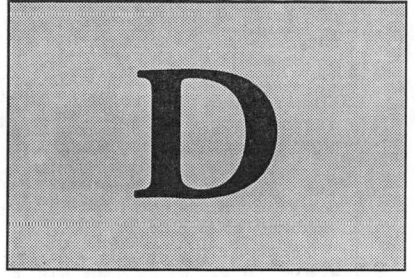

D DIARY
F : agenda
D : *Agenda*
E : agenda
I : *agenda*

DAMAGE IN TRANSIT
F : avaries de route
D : *Beschädigung beim Transport*
E : danos en ruta
I : *danno durante trasporto*

DAMAGE, INJURY
F : dommage
D : *Beschädigung, Schaden*
E : dano
I : *danno*

DAMAGED GOODS
F : marchandises avariées
D : *beschädigte Waren*
E : mercancías averiadas
I : *merce avariata*

DAMAGES
F : dommages-intérêts
D : *Schadenersatz*
E : danos
I : *danni*
Indemnité de réparation d'un préjudice assortie des intérêts accumulés depuis qu'il a été subi

DANGER MONEY
F : prime de risque
D : *Gefahrenzulage*
E : suma para riesgos
I : *compenso per il rischio*
Prime octroyée en rémunération d'une prise de risque

DANGEROUS GOODS
F : marchandises dangereuses
D : *gefährliche Waren*
E : mercancías peligrosas
I : *merce pericolosa*

DATA
F : données
D : *Daten*
E : datos
I : *dati*
Eléments de base servant de point de départ à un raisonnement

DATA CAPTURE
F : saisie des données
D : *Datenerfassung*
E : recogida de datos
I : *raccolta dati*

DATA PROCESSING
F : traitement informatique
D : *Datenverarbeitung*
E : tratamiento de datos
I : *elaborazione dei dati*

DATABANK
F : banque de données
D : *Datenbank*
E : banco de datos
I : *banca (di) dati*
Stock centralisé d'informations thématiques, organisées et accessibles directement par ordinateur

DATABASE
F : base de données
D : *Angabensammlung*
E : base de datos
I : *base di dati*
Ensemble de références automatisées permettant d'accéder ensuite aux informations elles-mêmes

DATE
F : date
D : *Datum*
E : fecha
I : *data*

DATE OF MATURITY
F : date d'échéance
D : *Fälligkeitstag*
E : fecha de vencimiento
I : *data di scadenza*
Date ultime de paiement d'une dette

DATE-STAMP
F : dateur
D : *Tagesstempel*
E : sello de fecha
I : *timbro a data*

DAY
F : jour
D : *Tag*
E : dia
I : *giorno*

DAY AFTER TOMORROW
F : après-demain
D : *übermorgen*
E : pasado manana
I : *dopodomani*

DAY BEFORE YESTERDAY
F : avant-hier
D : *vorgestern*
E : anteayer
I : *avantieri*

DAY BOOK
F : brouillard comptable (ou brouillon ou main-courante)
D : *Kladde*
E : borrador contable
I : *brogliaccio contabile*
Registre où on inscrit les opérations comptables dans l'ordre où elles se présentent

DAY OFF
F : jour de congé
D : *dienstfreier Tag*
E : dia libre
I : *giorno di riposo*

DAY-SHIFT
F : équipe de jour
D : *Tagschicht*
E : turno de dia
I : *turno di giorno*

DAY-TO-DAY
F : au jour le jour
D : *täglich*
E : dia a dia
I : *di giorno in giorno*

DAYS OF GRACE
F : délai supplémentaire
D : *Nachfrist*
E : dias de gracia
I : *giomi de grazia*

DEADLINE
F : date limite
D : *Verfallstermin*
E : fecha tope
I : *ultima data o ora possibile*

DEAL
F : affaire (c'est une)
D : *Abschluß*
E : negocio
I : *affare*

DEALER, MERCHANT
F : négociant
D : *Händler, Kaufmann*
E : comerciante
I : *negoziante, commerciante*
Intermédiaire entre fabricants et utilisateurs, il cherche auprès de nombreux fournisseurs les meilleures conditions de prix. Il intervient en amont, en aval ou parallèlement au grossiste

DEAR MONEY
F : argent cher
D : *teures Geld*
E : dinero caro
I : *denaro ad alto interesse*

DEATH
F : mort
D : *Tod*
E : muerte
I : *morte*

DEATH CERTIFICATE
F : extrait d'acte de décès
D : *Totenschein, Sterbeurkunde*
E : partida de defunción
I : *certificato di morte, estratto d'atto di morte*

DEATH RATE
F : taux de mortalité
D : *Sterblichkeitsziffer*
E : mortalidad
I : *tasso di mortalità*
Rapport entre le nombre de décès observés pendant un temps déterminé et l'effectif de la population au milieu de cette période

DEBENTURE HOLDER
F : porteur d'obligations
D : *Obligationsinhaber*
E : obligacionista
I : *obbligazionista*

DEBENTURE, BOND
F : obligation
D : *Obligation, Schuldverschreibung*
E : obligacion
I : *obbligazione*
Valeur mobilière, titre représentatif d'un emprunt contracté par une personne morale, pour un montant et une durée déterminés, auprès d'un souscripteur (personne physique ou morale) qui perçoit éventuellement un intérêt fixe

DEBIT
F : débit
D : *Debel, Soll*
E : débito
I : *debito, dare*

DEBIT
F : doit
D : *Debet, Soll*
E : débito
I : *debito, dare*

DEBIT BALANCE
F : solde débiteur
D : *Sollsaldo*
E : saldo en débito
I : *saldo debitore*

DEBIT NOTE
F : avis de débit
D : *Lastschrift*
E : nota de débito
I : *nota di addebito*

DEBT
F : créance
D : *Schuld*
E : deuda
I : *debito*
Contrepartie d'une dette

DEBT CEILING
F : plafond d'encours
D : *Kreditgrenze*
E : tope de deudas
I : *limite massimo di responsabilità cambiaria*
Valeur totale maximum des titres représentatifs d'engagements financiers en circulation autorisée par une banque à un client

DEBT COLLECTOR
F : agent de recouvrement
D : *Inkassobeauftragte(r)*
E : agente recaudador
I : *agente di ricupero crediti*
Chargé d'apurer une dette pour le compte du créancier

DEBTOR
F : débiteur
D : *Schuldner*
E : deudor
I : *debitore*

DECENTRALIZE
F : décentraliser
D : *dezentralisieren*
E : decentralizar
I : *decentralizzare*

DECIDE
F : décider
D : *entscheiden*
E : decidir
I : *decidere*

DECIMAL
F : décimal
D : *dezimal*
E : decimal
I : *decimale*

DECISION
F : décision
D : *Entscheidung*
E : decision
I : *decisione*

DECISION TREE
F : arbre de décision
D : *Entscheidungsbaum*
E : árbol de decisiones
I : *albero di decisioni*
Représentation graphique d'une suite d'actions alternatives et de leurs conséquences

DECLARATION
F : déclaration
D : *Erklärung*
E : declaracion
I : *dichiarazione*

DECLARATION OF INTENT
F : déclaration d'intention
D : *Willenserklärung*
E : declaracion de intencion
I : *dichiarazione d'intenzione*

DECLARATION OF SHIPMENT
F : déclaration d'expédition
D : *Absendungserklärung*
E : declaracion de expedicion
I : *dichiarazione d'imbarco*

DECLARE
F : déclarer
D : *erklären*
E : declarar
I : *dichiarare*

DECLARED VALUE
F : valeur déclarée
D : *angegebener Zollwert*
E : valor declarado
I : *valore dichiarato*

DECLINE
F : déclin
D : *Niedergang*
E : decadencia
I : *declino*

DECREDERE
F : ducroire
D : *Delkredere*
E : delcredere
I : *del credere*

DEDUCT
F : déduire
D : *abziehen*
E : deducir
I : *dedurre*

DEED OF ASSIGNMENT
F : acte attributif
D : *Abtretungsvertrag*
E : titulo de asignacion
I : *atto di cessione*

DEED OF COMPOSITION
F : concordat
D : *Vergleichsabkommen*
E : concordato
I : *atto di concordato*
Accord amiable ou judiciaire par lequel des créanciers consentent à leur débiteur un délai de paiement et/ou la remise partielle de sa dette

DEED OF COVENANT
F : pacte
D : *Pakt*
E : pacto
I : *patto*

DEED, DOCUMENT
F : acte
D : *Urkunde*
E : titulo, escritura
I : *atto*
Ecrit authentifiant un fait, une convention

DEFAULT
F : défaillance
D : *Nichteinhaltung*
E : falta
I : *mancanza*
Carence de paiement d'un débiteur. Situation d'une entreprise qui ne peut faire face à ses échéances

DEFAULT, DEFECT
F : défaut
D : *Nichteinhaltung, Mangel*
E : falta, defecto
I : *mancanza, difatta*

DEFERRED ANNUITY
F : annuité différée
D : *Anwartschaff auf Leibrente*
E : anualidad aplazada
I : *rendita vitalizia differita*

DEFERRED LIABILITIES
F : passif différé
D : *aufgeschobene Schulden*
E : pasivo transitorio
I : *passività differite*
Définition prévue non donnée

DEFERRED PAYMENT
F : paiement différé
D : *gestundete Zahlung*
E : pago aplazado
I : *pagamento diffe'ito*

DEFERRED SHARES
F : actions différées
D : *Nachzugsaktien*
E : acciones aplazados
I : *azioni postergate*
Ne sont rémunérées que lorsque d'autres types d'actions (privilégiées, ordinaires) l'ont été

DEFERRED TAXATION
F : imposition différée
D : *latente Steuerpflich*
E : tasacion diferida
I : *tassazione differida*

DEFICIENCY
F : manque
D : *Mangel*
E : deficiencia
I : *ammanco, insufficienza*

DEFICIT
F : déficit
D : *Defizit*
E : déficit
I : *deficit*

DEFLATION
F : déflation
D : *Deflation*
E : deflacion
I : *deflazione*
Politique de restriction de la demande visant à freiner la hausse ou provoquer la baisse des prix

DEFUNCT COMPANY
F : société liquidée
D : *erloschene Gesellschaft*
E : sociedad extinta
I : *società estinta*
Voir Liquidation

DEL CREDERE AGENT
F : agent ducroire
D : *Delkrederevertreter*
E : agente del crédere
I : *agente con del credere*
Spécialiste d'une technique de crédit concernant, en général, le commerce extérieur, qui garantit le vendeur contre le risque d'insolvabilité de l'acheteur

DELAY
F : retard
D : *Verzug*
E : retraso
I : *ritardo*

DELEGATE
F : délégué
D : *Delegierte(r)*
E : delegado
I : *delegato*

DELEGATION
F : délégation
D : *Delegierung*
E : delegacion
I : *delegazione*
Décentralisation du pouvoir de décision aux échelons hiérarchiques inférieurs

DELETE
F : rayer
D : *streichen*
E : tachar, anular
I : *cancellare*

DELIVERED PRICE
F : prix livraison incluse
D : *Lieferpreis*
E : precio incluida entrega
I : *prezzo incluso consegna*

DELIVERY
F : livraison
D : *Lieferung*
E : entrega
I : *consegna*

DELIVERY DATE
F : date de livraison
D : *Liefertermin*
E : fecha de entrega
I : *data di consegna*

DELIVERY FREE
F : livré franco
D : *portofreie Lieferung*
E : libre entrega
I : *consegna franco*
Livré sans frais pour le destinataire

DELIVERY NOTE
F : bon de livraison
D : *Lieferschein*
E : aviso de entrega
I : *nota di consegna*
Document remis par le vendeur à l'acheteur avec la marchandise livrée, sans mention de prix

DELIVERY SLIP
F : bon de réception
D : *Empfangsschein*
E : vale de recibo
I : *bolla, buono di ricevuta*
L'exemplaire du bon de livraison signé par l'acheteur (et conservé par le vendeur) en tient lieu

DELOCALIZATION
F : délocalisation
D : *Entlokalisierung*
E : cambio de sitio
I : *delocalizzazione*
Changement d'implantation géographique de tout ou partie des activités d'une entreprise

DEMAND CURVE
F : courbe de la demande
D : *Nachfragehurve*
E : curva de relacion demanda
I : *curva della domanda*
Représentation de l'évolution de quantités susceptibles d'être achetées pendant un temps donné

ANGLAIS

DEMURRAGE
F : surestarie
D : *Überliegezeit*
E : sobreestadia
I : *controstallia*
Indemnité due à un armateur en cas de retard de chargement ou de déchargement

DEPARTMENT
F : département
D : *Abteilung*
E : departamento
I : *dipartimento*

DEPARTMENT STORE
F : grand magasin
D : *Warenhaus, Kaufhaus*
E : grandes almacenes
I : *grande magazzino*

DEPOSIT
F : arrhes
D : *Anzahlung*
E : desembolso inicial
I : *caparra*
Lors d'une commande, somme partielle versée par l'acheteur au vendeur en garantie du marché

DEPOSIT
F : dépôt
D : *Depot*
E : deposito
I : *deposito*

DEPOSIT ACCOUNT (USA INTEREST-BEARING ACCOUNT)
F : compte de dépôt
D : *Depositenkonto*
E : cuenta de ahorras
I : *conto di deposito*

DEPOSIT RECEIPT
F : récépissé de dépôt
D : *Depositenschein*
E : recibo de deposito
I : *certificato di deposito*
Certificat de dépôt de marchandises délivré par les Magasins généraux et transmissible par endossement

DEPOSITARY, BAILEE
F : dépositaire
D : *Verwahrer, Gewahrsaminhaber*
E : depositario
I : *depositario*

DEPOSITOR
F : déposant
D : *Einzahler*
E : depositante
I : *depositante*

DEPRECIATE
F : déprécier
D : *entwerten*
E : depreciar
I : *deprezzare*

DEPRECIATION
F : dépréciation
D : *Entwertung, Abschreibung*
E : depreciacion
I : *ammortamento*

DEPRECIATION ALLOWANCE
F : dotation aux amortissements
D : *Abschreibung auf Ausstattungen*
E : dotación para amortizaciones
I : *dotazione destinata agli ammortamenti*
Estimation de la perte irréversible de valeur subie par les éléments d'actif (charges correspondant en général à un amortissement annuel)

DEPRECIATION ALLOWANCE
F : provision pour amortissement
D : *Abschreibung für Abnutzung (AfA)*
E : provision para amortizacion
I : *quota di ammortamento*

DEPRECIATION OF MONEY
F : dépréciation de la monnaie
D : *Geldabwertung*
E : desvalorizacion de la moneda
I : *svalutazione della moneta*
Diminution, perte de sa valeur en terme de pouvoir d'achat

DEPRECIATION ON A REDUCING BALANCE
F : amortissement dégressif
D : *degressive Abschreibung*
E : amortización decreciente
I : *ammortamento per quote decrescenti*
Amortissement par annuités décroissantes (permet de récupérer rapidement une partie importante des capitaux investis)

DEPRESSION
F : crise économique
D : *Wirtschaftskrise*
E : crisis economica
I : *crisi*

DESCRIPTION
F : description
D : *Beschreibung*
E : descripcion
I : *descrizione*

DESIGN
F : design
D : *Design*
E : diseño
I : *design*
Conciliant l'esthétique et le fonctionnel, toutes les activités d'harmonisation des formes dans ce qui fait notre environnement et notre cadre de vie

DESIGN
F : dessein
D : *Zeichnung*
E : diseno
I : *disegno*

DESPATCH NOTE
F : bon d'expédition
D : *Versandschein*
E : aviso de expedicion
I : *bollettino di spedizione*

DESPATCH, CONSIGNMENT
F : envoi
D : *Versand, Versendung*
E : expedicion, consignacion
I : *spedizione, consegna*

DESTINATION
F : destination
D : *Bestimmungsort*
E : destino
I : *destinazione*

DETERMINATION CLAUSE
F : clause résolutoire
D : *Rückltrittsklausel*
E : clausula resolutiva
I : *clausola risolutiva*
Prévoit l'annulation automatique d'un acte en cas de non respect des engagements par l'une des parties ou si un événement imprévisible survient

DEVALUATION
F : dévaluation
D : *Währungsabwertung*
E : devaluacion
I : *svalutazione*
Diminution de la valeur-or d'une monnaie et de sa valeur de change

DEVELOPING COUNTRY
F : pays en voie de développement
D : *Entwicklungsland*
E : pais en desarrollo
I : *paese in via di sviluppo*

DEVELOPING COUNTRY
F : pays en développement
D : *Entwicklungsland*
E : pais en desarrollo
I : *paese in via di sviluppo*
Successivement sous-développés (années 60) puis en voie de développement (années 70), les pays en développement sont classés comme tels par la Banque mondiale en fonction de leur revenu moyen annuel par habitant. Les plus pauvres, appelés pays moins avancés — PMA, ont un revenu annuel inférieur à 300 dollars par habitant

DEVELOPMENT
F : exploitation
D : *Erschließung*
E : explotacion
I : *valorizzazione*

DEVELOPMENT AREA
F : zone de développement
D : *Ortsplanungsgebiet*
E : zona de desarrollo
I : *zona di sviluppo*
Région dans laquelle il a été décidé de favoriser par diverses mesures l'implantation d'industries et la création d'emplois

DEVELOPMENT COMPANY, OPE-RATING COMPANY
F : société d'exploitation
D : *Erschließungsgesellschaft, Betrieb*
E : compania de explotacion
I : *società d'imprese*
Ou de gestion; SA créée pour diriger une ou plusieurs entreprises

DIAGNOSIS
F : diagnostic
D : *Diagnose*
E : diagnóstico
I : *diagnosi*

DIAGRAM
F : diagramme
D : *graphische Darstellung*
E : diagrama
I : *diagramma*
Graphique permettant de représenter un phénomène déterminé

DICTATE
F : dicter
D : *diktieren*
E : dictar
I : *dettare*

DICTATION
F : dictée
D : *Diktat*
E : diciado
I : *dettato, dettatura*

DIFFERENCE
F : différence
D : *Unterschied*
E : diferencia
I : *differenza*

DIFFERENCE IN PRICE
F : différence de prix
D : *Preisunterschied*
E : diferencia de precio
I : *differenza di prezzo*

DIFFERENTIAL
F : différentiel
D : *Differenz, Differential*
E : diferencial
I : *differenziale*

DIFFICULT
F : difficile
D : *schwierig*
E : dificil
I : *difficile*

DIMINISHING
F : décroissant
D : *abnehmend*
E : decreciente
I : *decrescente*

DIMINISHING RETURNS
F : rendements décroissants
D : *abnehmender Ertrag*
E : rendimientos decrecientes
I : *proventi decrescenti*
Phase de diminution de la productivité qui intervient après une phase de croissance lorsqu'on augmente la quantité d'un facteur de production

DIPLOMA
F : diplôme
D : *Diplom*
E : diploma
I : *diploma*

DIRECT COST
F : prix de revient direct
D : *direkte Kosten*
E : coste directo
I : *costo diretto*
Ensemble des coûts directs de production d'un produit ou d'un service

DIRECT CURRENT
F : courant continu
D : *Gleichstrom*
E : corriente continua
I : *corrente continua*
Courant électrique d'intensité constante circulant toujours dans le même sens

DIRECT EXPENSES
F : frais directs
D : *Einzelkosten*
E : gastos directos
I : *spese dirette*
Charges qu'on peut affecter sans calcul intermédiaire au coût d'un produit déterminé

DIRECT MAIL
F : publicité directe (publipostage)
D : *Postversandwerbung*
E : propaganda directa por correo
I : *pubblicità diretta*
Expédition par voie postale de prospectus, brochures, lettres, échantillons, etc...

DIRECT MARKETING
F : marketing direct
D : *Direktmarketing*
E : marketing directo
I : *marketing diretto*
Ensemble des techniques du marketing utilisant un mode de liaison direct avec le consommateur pour véhiculer un message ou un bien

DIRECT SELLING
F : vente directe
D : *Direktverkauf*
E : venta directa
I : *vendita diretta*
Sans intermédiaire

DIRECT TAXATION
F : contributions directes
D : *direkte Steuern*
E : contribuciones directas
I : *imposte dirette*

DIRECTIONS FOR USE
F : mode d'emploi
D : *Gebrauchsanweisung*
E : modo de empleo
I : *istruzioni per l'uso*

DIRECTIVE
F : directive
D : *verordnung*
E : directiva
I : *direttivo*
Ensemble d'indications générales exprimées par une autorité à ses subordonnés

DIRECTOR'S FEES
F : Jeton de présence
D : *Anwesenheitsmarke, Diäten*
E : ficha de asistencia
I : *gettone di presenza*
Rémunération annuelle éventuelle des membres du conseil d'administration ou du conseil de surveillance d'une société, votée par l'assemblée générale

DIRECTOR, ADMINISTRATOR
F : administrateur
D : *Direktor, Verwalter*
E : director, administrador
I : *amministratore*
Membre du conseil d'administration d'une société anonyme

DIRECTORS' EMOLUMENTS
F : émoluments des administrateurs
D : *Direktorenbezüge*
E : emolumentos de directores
I : *emolumenti degli amministratori*

DIRECTORS' REPORT
F : rapport des administrateurs
D : *Vorstandsbericht*
E : informe de la administracion
I : *relazione degli amministratori*

DIRECTORY
F : répertoire
D : *Adreßbuch*
E : guia
I : *guida*

DISAGREE
F : être en désaccord
D : *nicht übereinstimmen*
E : no estar de acuerdo
I : *essere in disaccordo*

DISCHARGE A DEBT
F : acquitter une dette
D : *eine Schuld begleichen*
E : descargar una deuda
I : *estinguere un debito*

DISCHARGE AN EMPLOYEE (USA FIRE AN EMPLOYEE)
F : congédier un employé
D : *einren Arbeitnehmer entlassen*
E : despedir a un empleado
I : *licenziare un impiegato*

DISCHARGE, WIPE OFF
F : apurer (des dettes)
D : *(Schulden) bereingen*
E : recontar (deudas)
I : *verificare (dei debiti)*

DISCLAIMER
F : déni
D : *Ablehnung*
E : renuncia
I : *rinunzia*
Refus de reconnaître un droit

DISCLOSURE
F : révélation
D : *Offenlegung*
E : revelacion
I : *rivelazione*

DISCOUNT
F : discount
D : *Discount*
E : descuento
I : *ribasso, sconto*
Escompte, remise, rabais

DISCOUNT
F : escompte
D : *Skonto*
E : descuento
I : *sconto, ribasso*
Opération par laquelle une banque verse au porteur d'un effet de commerce le montant de sa créance avant son échéance

DISCOUNT MARKET
F : marché de l'escompte
D : *Diskontmarkt*
E : mercado de descuentos
I : *mercato di sconto*

DISCOUNT RATE
F : taux d'escompte
D : *Diskontsatz*
E : tasa de descuento
I : *tasso di sconto*
Taux auquel est consenti un escompte

DISCOUNT, TAX CREDIT
F : abattement
D : *Abschlag*
E : bonificación
I : *deduzione*
Minoration conventionnelle de la base d'imposition

DISCOUNTED BILL
F : effet escompté
D : *Diskontwechsel*
E : efecto descontato
I : *cambiale scontata*
Effet de commerce qui permet à son détenteur d'obtenir immédiatement des fonds en échange de sa créance

DISCREPANCY
F : écart
D : *Abweichung*
E : desacuerdo
I : *divergenza*

DISCRIMINATING TARIFF
F : tarif discriminatoire
D : *diskriminierender Tarif*
E : tarifa diferencial
I : *tariffa discriminante*

DISCRIMINATORY
F : discriminatoire
D : *unterschiedlich*
E : discriminatorio
I : *discriminatorio*

DISHONEST
F : malhonnête
D : *unehrlich*
E : deshoneste
I : *disonesto*

DISHONOUR A BILL
F : honorer un effet (ne pas)
D : *einen Wechsel nicht akzeptieren*
E : protestar una letra
I : *non onorare un effetto*
Ne pas s'acquitter d'une dette

DISMISS (USA FIRE)
F : congédier
D : *entlassen*
E : despedir
I : *congedar*

DISMISS, FIRE
F : licencier
D : *Kündigen*
E : despedir
I : *licenziare*

DISPATCH, FORWARD
F : expédier
D : *absenden, expedieren*
E : expedir, remitir
I : *spedire*

DISPATCHING, FORWARDING
F : acheminement
D : *Beförderung*
E : encaminamiento
I : *inoltro*

DISPLACEMENT
F : déplacement
D : *Tonnengehalt*
E : desplazamiento
I : *dislocamento*

DISPLAY UNIT
F : présentoir
D : *Schaukasten*
E : presentacion
I : *mostra*

DISPOSABLE INCOME
F : revenu disponible
D : *verfügbares Einkommen*
E : renta disponible
I : *reddito disponibile*
Ensemble des salaires et des prestations sociales diminué des impôts et des cotisations sociales

DISPOSABLE WRAPPING
F : emballage perdu
D : *wegwerfbare Verpackung*
E : envoltura desechable
I : *imballaggio a perdere*

DISPOSAL
F : disposition
D : *Verfügung*
E : disposicion
I : *disposizione*
Point que règle une loi, un contrat

DISPUTE
F : contestation
D : *Streit*
E : disputa
I : *disputa*

DISSENTING
F : dissident
D : *abweichend*
E : disitente
I : *dissidente*

DISSOLUTION
F : dissolution
D : *Auflösung*
E : desolucion
I : *scioglimento*
Séparation, annulation légales

DISTANCE
F : distance
D : *Entfernung*
E : distancia
I : *distanza*

DISTILLERY
F : distillerie
D : *Brennerei*
E : destileria
I : *distilleria*

DISTRESSED AREA
F : région sinistrée
D : *Notstandsgebiet*
E : region deprimida
I : *area indigente*

DISTRESSED GOODS
F : biens saisis
D : *gepfändete Güter*
E : mercancias embargades
I : *merce sequestrata*
Biens ayant fait l'objet d'une saisie

DISTRIBUTE
F : distribuer
D : *vertreiben, verteilen*
E : distribuir
I : *distribuire*

DISTRIBUTE, APPORTION
F : répartir
D : *verteilen, zuteilen*
E : repartir
I : *ripartire*

DISTRIBUTION
F : distribution
D : *Verteilung, Vertrieb*
E : reparto, distribucion
I : *ripartizione, distribuzione*

DISTRIBUTION CHANNEL
F : circuit de distribution
D : *Vertriebsweg*
E : circuito de distribución
I : *circuito di distribuzione*

DISTRIBUTOR
F : distributeur
D : *Verkaufsagent, Konzessionär*
E : distribuidor concesionario
I : *distributore, concessionario*

DIVERSIFICATION
F : diversification
D : *Vervielfältigung der Produkte*
E : diversificacion
I : *diversificazione*
Activité nouvelle ou implantation sur un nouveau marché

DIVIDEND
F : dividende
D : *Dividende*
E : dividendo
I : *dividendo*
Bénéfice éventuellement distribué chaque année aux actionnaires d'une société de capitaux

DIVIDEND LIMITATION
F : blocage des dividendes
D : *Dividendenstopp*
E : bloqueo de dividendos
I : *blocco dei dividendi*
Non distribution de dividendes

DIVIDEND WARRANT
F : dividende-warrant
D : *Gewinnanteilschein*
E : cupon de dividendos
I : *cedola di dividendo*
Dividende assorti d'un bon de souscription permettant l'achat ultérieur d'actions à un prix égal ou supérieur

DIVISION
F : division
D : *Teilung, Abteilung*
E : division, seccion
I : *divisione*

DIVISION OF LABOUR
F : division du travail
D : *Arbeitsteilung*
E : division del trabajo
I : *divisione del lavoro*

DOCK
F : dock
D : *Dock*
E : muelle
I : *dock*
Quai de déchargement pour les navires, ou entrepôt destiné à recevoir leur cargaison

DOCKER (USA LONGSHOREMAN)
F : docker
D : *Hafenarbeiter*
E : gargador de muelle
I : *lavoratore del porto*

DOCUMENT
F : document
D : *Urkunde*
E : documento
I : *documento*

DOCUMENTARY BILL
F : traite documentaire
D : *Dokumentenwechsel*
E : efecto documentario
I : *tratta documentaria*
Lettre de change tirée par le vendeur sur l'acheteur, accompagnée des documents d'expédition

DOCUMENTARY CREDIT
F : crédit documentaire
D : *Dokumenten-Akkreditiv*
E : crédito documentario
I : *credito documentario*
Technique de paiement à l'exportation. Le correspondant de la banque de l'importateur règle l'exportateur contre remise de documents prouvant l'opération

DOCUMENTARY EVIDENCE
F : preuve écrite
D : *Urkundenbeweis*
E : prueba documental
I : *prova scritta*

DOMICILIATION
F : domiciliation
D : *Sitz*
E : domiciliación
I : *domiciliazione*
Inscription sur un effet de commerce qui permet à un tiers (souvent une banque) d'en régler le montant au bénéficiaire. Lieu de paiement de l'effet de commerce

DOOR-TO-DOOR SELLING
F : vente à domicile
D : *Haus-zu-Haus-Verkauf*
E : venta a domicilio
I : *vendita a domicilio*

DOUBLE OPTION
F : double option
D : *Stellagegeschäft*
E : opcion doble
I : *opzione doppia*
Option du double. Type d'option supprimé en 1989 par la SBF

DOUBTFUL DEBT
F : créance douteuse
D : *zweifelhafte Forderung*
E : deuda de pago dudoso
I : *credito dubbio*
Dont le recouvrement est incertain

DOWN TIME
F : temps d'arrêt
D : *Leelaufzeit*
E : tiempo improductivo
I : *tempo improduttivo*

DOWN-PAYMENT
F : acompte
D : *Sofortzahlung*
E : pago de entrada
I : *acconto*
Paiement anticipé et partiel à valoir sur le montant d'une dette

DRAFT
F : traite
D : *Tratte*
E : letra
I : *tratta*
Voir Lettre de change

DRAFT AGREEMENT
F : projet de convention
D : *Entwurf eines Übereinkommens*
E : proyecto de convenio
I : *schema di contratto*

DRAFT CONTRACT
F : projet de contrat
D : *Vertragsentwurf*
E : proyecto de contrato
I : *progetto di contratto*

DRAFT, PLAN
F : projet
D : *Konzept, Plan*
E : borrador, plan
I : *bozza, progetto*

DRAUGHTSMAN
F : dessinateur
D : *Entwerfer*
E : dibujante
I : *disegnatore*

DRAW A CHEQUE
F : tirer un chèque
D : *einen Scheck ausstellen*
E : extender un cheque
I : *emettere un assegno*
Emettre un chèque

DRAW ON RESERVES
F : prélever sur les réserves
D : *die Reserven angreifen*
F : sacar reservas
I : *prelevare dalle riserve*

DRAW UP A CONTRACT
F : rédiger un contrat
D : *einen Vertrag formulieren*
E : redactar un contrato
I : *redigere un contratto*

(CUSTOMS) DRAWBACK
F : remboursement des droits d'importation
D : *Zollrückvergütung*
E : reembolso de derechos de aduana
I : *rimborso d'esportazione*

DRAWEE
F : tiré nm
D : *Bezogene(r)*
E : librado
I : *trattario*
Personne physique ou morale qui a reçu l'ordre de régler le montant d'un chèque ou d'une lettre de change à l'échéance

DRAWER
F : tireur
D : *Aussteller*
E : librador
I : *traente*
Personne physique ou morale qui émet un chèque ou une lettre de change et donne l'ordre de payer à l'échéance

DUE DATE
F : terme
D : *Frist*
E : término
I : *termine*
Echéance

DUMPING
F : dumping
D : *Dumping*
E : inundacion de mercancia barata
I : *dumping*
Ensemble de mesures destinées à abaisser les prix de produits exportés pour les rendre plus concurrentiels

DUPLICATE
F : double
D : *Duplikat*
E : duplicaro
I : *duplicato*

DUPLICATE
F : duplicata
D : *Duplikat*
E : duplicado
I : *duplicato*

DURATION
F : durée
D : *Dauer*
E : duracion
I : *durata*

DURESS
F : contrainte
D : *Zwang*
E : compulsion
I : *costrizione*

DUTIABLE
F : taxable
D : *abgabenpflichtig*
E : tasable
I : *tassabile*

DUTY, TAX
F : taxe
D : *Gebühr, Abgabe*
E : derechos, impuesto
I : *tassa, imposta*
Impôt. Coût d'un service rendu par une collectivité (acception première)

DUTY-FREE
F : libre de droits de douane
D : *abgabenfrei*
E : exento de impuestos
I : *esente da dazio*

DUTY-FREE ADMISSION
F : admission en franchise (franchisage)
D : *zollfreie Einfuhr*
E : admision libre de impuestos
I : *ammissione in franchigia doganale*
Contrat par lequel une entreprise concède à des entreprises indépendantes le droit d'utiliser, en contrepartie d'une redevance, sa raison sociale, sa marque et/ou son savoir-faire pour vendre ses produits et services

DUTY-PAID
F : acquitté (douane)
D : *verzollt*
E : derechos pagados
I : *dazio pagato*

EARN
F : gagner
D : *verdinen*
E : ganar
I : *guadagnare*

EARNED INCOME
F : revenu du travail
D : *Arbeitseinkommen*
E : renta del trabajo
I : *reddito di lavoro*
Traitements et salaires

EARNINGS PER SHARE
F : bénéfice par titre
D : *Gewinn pro Aktie*
E : beneficios por accion
I : *profitti per azione*

ECONOMETRICS
F : économétrie
D : *Ökonometrie*
E : econometria
I : *econometria*
Application des mathématiques à l'analyse des mécanismes économiques

ECONOMIC
F : économique
D : *wirtschaftlich*
E : economico
I : *economico*

ECONOMIC AGENT
F : acteur économique
D : *wirtschaftlicher Akteur*
E : actor económico
I : *operatore economico*

ECONOMIC GROWTH
F : croissance économique
D : *Wirtschaftswachstum*
E : crecimiento economico
I : *sviluppo enonomico*

ECONOMIC INTEREST GROUPING
F : groupement d'intérêt économique (GIE)
D : *Interessenverband*
E : agrupación de interés económico
I : *gruppo d'interesse economico (GIE)*
Personne morale, sans capital social, constituée par des entreprises juridiquement indépendantes (mais solidairement responsables de leurs dettes) pour développer et améliorer leurs performances

ECONOMIC SANCTIONS
F : sanctions économiques
D : *wirtschaftliche Sanktionen*
E : sanciones economicas
I : *sanzioni economiche*

(THE) ECONOMY, ECONOMICS
F : économie, économie politique
D : *Wirtschaft, Volkswirtschaftslehre*
E : economia
I : *economia*
La conception dominante l'assimile à la science économique, science des moyens, la politique étant le choix des fins

ECONOMIES OF SCALE
F : économie d'échelle
D : *System der degressiven Koten*
E : economia en funcion de volumen
I : *economie in funzione della grandezza*
Réduction des coûts unitaires par augmentation de la production et meilleure répartition des coûts fixes

EFFECTIVENESS, EFFICIENCY
F : efficacité
D : *Wirksamkeit, Leistungsfähigkeit*
E : eficacia, eficiencia
I : *efficacia, efficienza*

EFFECTS, SECURITIES
F : effets
D : *Effekten*
E : efectos
I : *effetti*

EGAL NOTICE GAZETTE
F : journal d'annonces légales
D : *Bundesanzeiger*
E : diario de anuncios legales
I : *gazzetta di annunci legali*
Journal habilité à publier des annonces administratives et judiciaires

ELECTRICITY
F : électricité
D : *Elektrizität*
E : electricidad
I : *elettricità*

ELECTRONIC
F : électronique adj
D : *elektronisch*
E : electronico
I : *elettronico*

ELECTRONICS
F : électronique nm
D : *Elektronik*
E : electronica
I : *elettronica*

EMBARCATION, SHIPMENT
F : embarquement
D : *Einschiffung, Verladung*
E : embarco, embarque
I : *imbarco*

EMBEZZLE
F : détourner
D : *unterschlagen*
E : defalcar
I : *appropriarsi indebitamenle*

EMBEZZLEMENT
F : détournement de fonds
D : *Unterschlagung*
E : defalco
I : *appropriazione indebita*

EMOLUMENT
F : émoluments
D : *Bezüge*
E : emolumento
I : *emolumento*
Salaire

EMPLOY
F : employer vb
D : *beschäftigen*
E : emplear
I : *impiegare*

EMPLOYEE
F : employé nm
D : *Angestellte(r), Arbeitnehmer*
E : empleado
I : *impiegato*
Catégorie socio-professionnelle de salariés de qualifications variées n'exerçant pas un travail manuel ou directement productif

EMPLOYER
F : employeur
D : *Arbeitgeber*
E : patrono
I : *datore di lavoro*

EMPLOYER'S LIABILITY
F : responsabilité patronale
D : *Haftpflicht des Arbeitgebers*
E : responsabilidad del patrono
I : *responsabilità del datore di lavoro*

EMPLOYER, PRINCIPAL
F : patron
D : *Arbeitgeber, Chef*
E : patrono, principal
I : *padrone, principale*

EMPLOYMENT AGENCY
F : agence de placement
D : *Stellenvermittlungsbüro*
E : agencia de colocaciones
I : *agenzia di collocamento*

EMPLOYMENT EXCHANGE (USA STATE EMPLOYMENT AGENCY)
F : bureau de placement
D : *Arbeitsnachweisstelle*
E : bolsa de trabajo
I : *ufficio di collocamento*

EMPLOYMENT TAX
F : taxe sur les salaires
D : *Lohnsummensteuer*
E : impuesto por empleado
I : *imposta sull'impiego*

EMPLOYMENT, JOB
F : emploi
D : *Beschäftigung, Stellung*
E : empleo
I : *impiego*

ENCLOSED
F : ci-joint
D : *beiliegend*
E : adjunto
I : *accluso*

ENCLOSURE
F : annexe
D : *Beilage*
E : anexo
I : *allegato*

END
F : fin nf
D : *Ende*
E : fin
I : *fine*

END-PRODUCT
F : produit final
D : *Endprodukt*
E : producto final
I : *prodotto finale*

ENDORSE
F : endosser
D : *indossieren*
E : endosar
I : *girare*

ENDORSEMENT
F : endossement
D : *Indossament*
E : endoso
I : *girata*
Apposition, par le porteur d'un effet de commerce à son ordre, de sa signature au dos pour le transmettre à un nouveau bénéficiaire

ENDORSEMENT
F : aval
D : *Wechselbürgschaft*
E : aval
I : *avallo*
Signature par laquelle un tiers garantit à un bénéficiaire tout ou partie du paiement d'un effet de commerce

ENDOW
F : doter
D : *ausstatten*
E : dotar
I : *dotare*

ENDOWMENT POLICY
F : assurance à terme fixe
D : *Erlebensversicherung*
E : poliza dotal
I : *assicurazione dotale*

ENEMY
F : ennemi
D : *Feind*
E : enemigo
I : *nemico*

ENGAGE (USA HIRE)
F : engager
D : *anstellen*
E : apalabrar
I : *fissare*

ENGINEER
F : ingénieur
D : *Ingenieur*
E : ingeniero
I : *ingegnere*

ENGINEERING
F : ingénierie
D : *Werkzeugbau*
E : ingeniería
I : *ingegneria*
Activité de conception, d'étude et de coordination qui précède la réalisation d'un projet ou la mise en service d'un ouvrage

ENGINERING
F : génie
D : *Maschinenbau*
E : ingenieria
I : *ingegneria*
Arme et service de l'armée de terre chargés de la construction et de l'entretien des infrastructures terrestres

ENTERPRISE
F : entreprise
D : *Unternehmen*
E : negocio
I : *impresa*

ENTERTAINMENT EXPENSES
F : frais de représentation
D : *Repräsentationskosten*
E : gastos de representacion
I : *spese di rappresentanza*

ENTRANCE FREE
F : droit d'entrée
D : *Eintrittsgebühr*
E : derecho de entrada
I : *tassa d'entrata*
Droit d'importation, impôt à acquitter pour les marchandises à l'entrée dans un pays

ENTREPRENEUR, CONTRACTOR
F : entrepreneur
D : *Unternehmer*
E : empresario, contrastista
I : *intraprenditore, impresario*

ENTRUST
F : confier
D : *anvertrauen*
E : confiar
I : *affidare*

ENTRY
F : inscription
D : *Eintragung*
E : asiento
I : *registrazione*

ENTRY, ADMISSION
F : entrée
D : *Eintritt*
E : entrada
I : *entrata*

ENTRY-FORM
F : feuille d'inscription
D : *Antragsformular*
E : solicitud de inscripcion
I : *bolletta d'entrata*

ENVELOPE
F : enveloppe
D : *Umschlag*
E : sobre
I : *busta*

EQUALIZATION FUND
F : fonds de régularisation
D : *Ausgleichsfonds*
E : fondo de compensacion
I : *cassa di compensazione*

EQUILIBRIUM
F : équilibre
D : *Gleichgewicht*
E : equilibrio
I : *equilibrio*

EQUIPMENT
F : équipement
D : *Ausrüstung*
E : equipo
I : *equipaggiamento*

EQUITABLE
F : équitable
D : *billig*
E : equitativo
I : *equo*

ERGONOMICS
F : ergonomie
D : *Ergonomik*
E : ergonomia
I : *ergonomica*
Science de l'adaptation des machines et du travail à l'homme

ERROR
F : erreur
D : *Fehler*
E : error
I : *errore*

ERRORS AND OMISSIONS EXCEPTED (E & OE)
F : erreur ou omission (sauf)
D : *Irrtum vorbehalten*
E : salvo error u omision
I : *salvo errori ed omissioni*

ESCAPE CLAUSE
F : clause de résiliation
D : *Rücktrittsklausel*
E : clausula evasiva
I : *clausola risolutiva*
Clause prévoyant l'annulation d'un contrat par la volonté de l'une ou des deux parties

ESTABLISH, FOUND
F : fonder (établir)
D : *einrichten, gründen*
E : fundar, establecer
I : *fondare, istituire*

ESTABLISH, PROVE
F : démonter
D : *beweisen*
E : demonstrar, probar
I : *dimostrare, provare*

ESTABLISHMENT
F : établissement
D : *Gesellschaft*
E : establecimiento
I : *azienda*
Unité de production, lieu physique (non doté de la personnalité juridique) où s'exerce l'activité d'une entreprise

ESTATE AGENCY (USA REAL ESTATE AGENCY)
F : agence immobilière
D : *Immobilienbüro*
E : correduria de fincas
I : *agenzia immobiliare*

ESTATE DUTY (USA ESTATE TAX)
F : droits de succession
D : *Nachlaßsteuer*
E : derechos de sucession
I : *diritti successione*

ESTATE, PROPERTY
F : bien
D : *Vermögen*
E : finca
I : *proprietà*
Produit matériel (objet de consommation ou moyen de production) de l'activité économique

ESTIMATE
F : devis
D : *Kostenvoranschlag*
E : presupuesto
I : *preventivo*
Description détaillée et montant estimatif de travaux à accomplir

ESTIMATE
F : estimer
D : *einschätzen*
E : estimar
I : *stimare*

ESTIMATE/DEDUCTION
F : précompte
D : *einbehaltener Betrag*
E : deducción
I : *previa deduzione*
Impôt payé par une société lorsqu'elle distribue des dividendes provenant de bénéfices n'ayant pas supporté l'impôt sur les sociétés

EUROBOND
F : euro-obligation
D : *Euroobligation*
E : eurobligación
I : *eurobbligazione*
Titre d'emprunt émis en dehors de son pays d'origine (et libellé en monnaie étrangère à ce pays) sur les marchés financiers internationaux

EUROPEAN ATOMIC ENERGY COMMUNITY
F : Communauté européenne de l'énergie atomique — Euratom
D : *Europäische Atomgemeinschaft*
E : Comunidad europea de energia atomica
I : *Comunita europea dell'energia atomica*
L'une des trois communautés européennes, créée en 1958 pour coordonner le développement des industries nucléaires de l'Union européenne

EUROPEAN COAL AND STEEL COMMUNITY
F : Communauté européenne du charbon et de l'acier — CECA
D : *Europäische Gemeinschaft für Kohle und Stahl*
E : Comunidad europea de carbon y acero
I : *Comunita europea del carbone e acciacio*
La plus ancienne des communautés européennes, instituée pour 50 ans par le traité de Paris (1951)

EUROPEAN COMMISSION
F : Commission des communautés européennes
D : *Europäische Kommission*
E : Comision europea
I : *Commissione europea*
Organe exécutif de l'Union européenne

EUROPEAN ECONOMIC COMMUNITY
F : Communauté économique européenne — CEE
D : *Europäische Wirtschaftsgermeinschaft*
E : Comunidad economica europea
I : *Comunità economica europeia*
Devenue l'Union européenne — UE (traité de Maastricht 7 révrier 92),elle passe de 12 à 15 membres avec l'adhésion de l'Autriche, de la Finlande et de la Suède début 1995

EUROPEAN FREE TRADE AREA (EFTA)
F : Zone européenne de libre-échange
D : *Europäische Freihandelszone*
E : Zona europea de commercio libre
I : *Zona europea di libero scambio*

EUROPEAN FUND
F : Fonds européen
D : *Europäischer Fonds*
E : Fondo europeo
I : *Fondo europeo*
Organisme de gestion de fonds européens

EUROPEAN INVESTMENT BANK
F : Banque européenne d'investissement — BEI
D : *Europäische Investitionsbank*
E : Banco europeo e inversiones
I : *Banca europea d'investimenti*
Institution de la CEE chargée de favoriser, par l'octroi de prêts, le développement, l'intégration et la coopération

EUROPEAN MONETARY AGREEMENT
F : Accord monétaire européen — AME
D : *Europäisches Währungsabkommen (EWA)*
E : Acuerdo monetario europeo (AME)
I : *Accordo monetario europeo (AME)*
A pris fin juridiquement en 1972. Remplacé par l'UEM - Union économique et monétaire : prévue par le traité de Maastricht, une monnaie unique doit voir le jour en 1997 ou 1999 au plus tard

EVALUATE
F : évaluer
D : *bewerten*
E : evaluar
I : *valutare*

EVASION OF TAX
F : fraude fiscale
D : *Steuerhinterziehung*
E : evasion de pago de impuestos
I : *evasione d'imposta*

EVICT A TENANT
F : expulser un locataire
D : *einren Mieter entfermen*
E : desalojar un inquilino
I : *sfrattare un lacatano*

EVIDENCE
F : preuve
D : *Beweis*
E : evidencia
I : *prova*

EX BOND
F : acquitté (de droits de douane)
D : *verzollt*
E : fuera de aduanas
I : *sdoganato*

EX COUPON
F : ex-coupon
D : *ohne Koupon*
E : sin cupon, ex cupón
I : *senza cedola, ex-cedola*
Titre qui ne comporte pas le montant du dividende à toucher (par opposition au coupon attaché)

EX DIVIDEND
F : ex-dividende
D : *ohne Dividende*
E : sin dividendo, ex dividendo
I : *senza dividendo, ex-dividendo*
Voir Ex-coupon

EX RIGHTS
F : ex-droits
D : *ohne Bezugsrecht*
E : sin privilegio, ex derechos
I : *senza diritti, ex-diritti*
S'appliquent à une valeur négociée après le détachement d'un droit d'attribution ou d'un droit de souscription

EX WORKS
F : départ usine
D : *ab Werk*
E : de fabrica
I : *franco fabbrica*

EXAMINE
F : examiner
D : *untersuchen*
E : examinar
I : *esaminare*

EXCESS CAPACITY
F : capacité excédentaire
D : *übrige Ladefähigkeit*
E : capacidad en exceso
I : *capacita in eccesso*
Capacité d'autofinancement. Excédents et besoins en fonds de roulement

EXCESS LUGGAGE
F : excédent de bagages
D : *Ubergepäck*
E : exceso de equipaje
I : *bagaglio eccedente*

EXCESS WEIGHT
F : excédent de poids
D : *Übergewicht*
E : peso excedente
I : *eccedenza di peso*

EXCESSIVE
F : excessif
D : *übermäßig*
E : excesivo
I : *eccessivo*

EXCHANGE
F : échange
D : *Tausch*
E : cambio
I : *cambio*

EXCHANGE CONTROL (USA CURRENCY CONTROL)
F : contrôle des changes
D : *Devisenkontrolle*
E : fiscalizacion de cambios
I : *controllo sui cambi*
Subordination de toute conversion en devises à une autorisation administrative

EXCHANGE RATE
F : taux de change
D : *Wechselkurs*
E : tipo de cambio
I : *tasso di cambio*
Valeur de la monnaie nationale exprimée en monnaie étrangère

EXCHEQUER (USA TRESURY)
F : trésorerie
D : *Schatzamt*
E : hacienda
I : *tesoro*
Moyens de financement liquides ou à court terme

EXCHEQUER BOND (USA TREASURY BOND)
F : bon du Trésor
D : *Schatzwechsel*
E : bono de tesoria
I : *buono del tesoro*
Effet émis par l'Etat, représentatif d'une dette contractée par lui

EXCLUDE
F : exclure
D : *ausschließen*
E : excluir
I : *escludere*

EXCLUDING TAX
F : hors taxe (HT)
D : *außer Steuer*
E : impuesto no incluido
I : *tassa esclusa*
Avant impôts

EXCLUSION
F : exclusion
D : *Ausschluß*
E : exclusion
I : *esclusione*

EXCLUSIVE MARKET
F : marché exclusif
D : *ausschleißlicher Markt*
E : mercado exclusivo
I : *mercato esclusivo*

EXECUTE
F : exécuter
D : *vollstrecken*
E : ejecutar
I : *eseguire*

EXECUTE A POWER OF ATTORNEY
F : conférer les pleins pouvoirs
D : *eine Vollmacht erteilen*
E : otorgar poder notarial
I : *conferire una procura*

EXECUTE A WILL
F : exécuter un testament
D : *ein Testament vollstrecken*
E : ejecutar un testamento
I : *eseguire un testamento*
Accomplir les volontés de son auteur

EXECUTION
F : exécution
D : *Vollstreckung*
E : ejecucion
I : *esecuzione*

EXECUTIVE
F : dirigeant
D : *Geschäftsleiter*
E : directivo
I : *dirigente*

EXECUTIVE DIRECTOR (USA COR-PORATE OFFICER)
F : administrateur dirigeant
D : *geschäftsführender Direktor*
E : director ejecutivo
I : *amministratore dirigente*
Salarié, il occupe un poste de direction

EXEMPTION
F : franchise
D : *Franchise*
E : franquicia
I : *franchigia*
Somme que l'assureur laisse à la charge de l'assuré pour certains dommages

EXEMPTION (FROM)
F : exonération
D : *Befreiung*
E : exoneración
I : *esonero*
Dispense légale, totale ou partielle, d'un impôt

EXHAUSTIVE SAMPLE
F : échantillon exhaustif
D : *Komplettmuster*
E : muestra exhaustiva
I : *campione esauriente*
Echantillon qui n'a pas été prélevé dans une population mère

EXHIBITION
F : exposition
D : *Ausstellung*
E : exposicion
I : *esposizione*

EXHIBITOR
F : exposant
D : *Aussteller*
E : exhibidor
I : *espositore*

EXORBITANT, OUTRAGEOUS
F : exorbitant
D : *unmäßig, übertrieben*
E : exorbitante
I : *esorbitante*

EXPENSIVE
F : cher
D : *kostspielig, teuer*
E : caro
I : *caro*

EXPERIENCE
F : expérience
D : *Erfahrung*
E : experiencia
I : *esperienza*

EXPERT
F : expert
D : *Sachkundige(r), Sachverständige(r)*
E : experto, especialista
I : *esperto, perito*

EXPERT SYSTEM
F : système expert
D : *Expertensystem*
E : sistema experto
I : *sistema esperto*
Logiciel élaboré à partir d'expertises reconnues, pour simuler le raisonnement humain dans des domaines spécifiques de la connaissance

EXPERT'S REPORT
F : expertise
D : *Sachverständigengutachten*
E : informe del especialista
I : *perizia*

EXPIRED
F : expiré
D : *verfallen*
E : vencido
I : *scaduto*

EXPIRY
F : expiration
D : *Ablauf*
E : expiracion
I : *termine*

EXPLOIT
F : exploiter
D : *ausbeuten*
E : explotar
I : *sfruttare*

EXPONENTIAL
F : exponentiel
D : *Exponential*
E : exponencial
I : *esponenziale*
Qui varie d'un taux constant au cours d'une période donnée

EXPORT
F : exporter
D : *ausführen*
E : exportar
I : *esportare*

EXPORT BONUS
F : prime à l'exportation
D : *Ausfuhrprämie*
E : subsidio a las exportaciones
I : *premio d'esportazione*
Subvention à l'exportation

EXPORT ORDER
F : commande d'exportation
D : *Exportauftrag*
E : pedido de exportacion
I : *ordine per esportazione*

EXPORT PERMIT
F : autorisation d'exporter
D : *Ausfuhrgenehmigung*
E : permiso de exportacion
I : *permesso d'esportazione*

EXPORT SALES
F : ventes d'exportation
D : *Ausfuhrverkäufe*
E : ventas de exportacion
I : *vendite per esportazione*

EXPORTER
F : exportateur
D : *Exporteur*
E : exportador
I : *exportatore*

EXPRESS LETTER (USA SPECIAL DELIVERY)
F : lettre exprès
D : *Eilbrief*
E : carta urgente
I : *lettera espresso*

EXPRESS TRAIN
F : train express
D : *D-Zug, Schnellzug*
E : tren expreso
I : *direttissimo, rapido*

EXPROPRIATION
F : expropriation
D : *Enteignung*
E : expropiacion
I : *espropriazione*

EXTENSION OF CREDIT
F : prolongation d'un crédit
D : *Verlängerung eines Kredites*
E : prorroga de crédito
I : *proroga di credito*

EXTENTION OF PAYMENT TIME
F : délai de paiement
D : *Verlängerung einer Zahlungsfrist*
E : prorroga de pago
I : *proroga di pagamento*

EXTERNAL LOAN
F : emprunt international
D : *Auslandsanleihe*
E : préstamo exterior
I : *presitio esterno*

EXTRA CHARGE
F : supplément
D : *Zuschlagsgebühr*
E : suplemento
I : *spesa supplementare*

EXTRAORDINARY GENERAL METING

F : assemblée générale extraordinaire

D : *außerordentiche Generalversammlung*

E : asamblea general extraordinaria

I : *assemblea generale straordinaria*

Convoquée expressément entre deux assemblées générales ordinaires, souvent pour modifier les statuts de la société

EXTRAORDINARY RESOLUTION

F : résolution extraordinaire

D : *Sonderentschluß*

E : resolucion extraordinaria

I : *deliberazione straordinaria*

EXTRAPOLATE

F : extrapoler

D : *extrapolieren*

E : extrapolar

I : *estrapolare*

EXTRAPOLATION

F : extrapolation

D : *Vorausschau*

E : extrapolación

I : *estrapolazione*

Prolongation d'une série d'observations au-delà d'une période connue ou d'un domaine déjà exploré pour en estimer le résultat

FACILITIES
F : facilités
D : *Einnchtungen*
E : facilidades
I : *facilitazione*

FACT
F : fait
D : *Tatsache*
E : hecho
I : *fatto*

FACTOR
F : facteur
D : *Umstand*
E : factor
I : *fattore*

FACTORING
F : affacturage
D : *Zuweisung*
E : factoring
I : *riscossione crediti*
Gestion des créances des comptes clients d'une entreprise par un organisme extérieur

FACTORY
F : fabrique
D : *Fabrik*
E : fabrica
I : *fabbrica*

FACTORY (USA PLANT)
F : usine
D : *Fabrik*
E : fábrica
I : *fabbrica*

FACTORY INSPECTOR
F : inspecteur du travail
D : *Gewerbeaufsichtsbeamte(r)*
E : inspector de fabrica
I : *ispettore di fabbrica*
Fonctionnaire chargé de l'application de la législation du travail

FAIL
F : échouer
D : *versagen, durchfallen*
E : fallar, faltar
I : *mancare, fallire*

FAILURE TO PAY
F : défaut de paiement
D : *Nichtzahlung*
E : falta de pago
I : *mancato pagamento*
Non-exécution d'une obligation, non acquittement d'une dette

FAIR
F : foire
D : *Messe*
E : feria
I : *fiera*

FAIR DEAL
F : affaire équitable
D : *anständige Abmachung*
E : trato equitativo
I : *affare giusto*

FAIR PRICE
F : prix raisonnable
D : *angemessener Preis*
E : precio razonable
I : *prezzo equo*

FAIR RETURN
F : rendement équitable
D : *angemessener Ertrag*
E : beneficio razonable
I : *discreto profitto*

FAIR WEAR AND TEAR
F : usure normale
D : *übliche Abnutzung*
E : uso y desgaste razonable
I : *usura normale*

FAKE
F : truqué
D : *gefälscht*
E : falso
I : *falso*

FALL
F : baisse
D : *Sturz*
E : baja, caida
I : *caduta, ribasso*

FALL
F : baisser
D : *stüzen*
E : caer, bajar
I : *cadere, ribassare*

FALL DUE
F : échoir
D : *faillig dein*
E : vencer
I : *scadere, essere pagabile*
Arriver à échéance

FALSE, COUNTERFEIT
F : faux
D : *falsch, verfälscht*
E : falso, falsificado
I : *falso, contraffatto*
Ecrit imité pour porter préjudice

FAME/RECOGNITION
F : notoriété
D : *Bekanntheit*
E : notorledad
I : *notorietà*

FANCY GOODS
F : nouveautés
D : *Modeartikel*
E : articulos de fantasia
I : *articoli fantasia*

FARE
F : prix du voyage
D : *Fahrgeld*
E : pasaje
I : *prezzo di viaggio*

FAULTY
F : défectueux
D : *fehlerhaft*
E : defectuoso
I : *difettoso*

FEASIBILITY
F : faisabilité
D : *Machbarkeit*
E : factibilidad
I : *fattibilità*
Ce qui est réalisable dans des conditions techniques et économiques définies

FEASIBILITY
F : praticabilité
D : *Durchführbarkeit*
E : praticabilidad
I : *fattibilità*

FEASIBILITY STUDY
F : étude probatoire
D : *Durchführbarkeitsanalyse*
E : estudio de viabilidad
I : *studio delle possibilità*
Destinée à démontrer la véracité d'une proposition, l'exactitude d'une hypothèse

FEATURE
F : particularité
D : *Merkmal*
E : caracteristica
I : *caratteristica*

FEDERAL
F : fédéral
D : *Bundes-*
E : federal
I : *federale*

FEE
F : honoraires
D : *Vergütung, Honorar*
E : honorario
I : *onorario*
Revenus des professions libérales

FEE (ARTIST'S)
F : cachet (d'artiste)
D : *Honorar*
E : remuneración (artista)
I : *cachet, compenso (artista)*
Rétribution d'une prestation

FERRY-BOAT
F : bac (bateau)
D : *Fährboot*
E : transbordador
I : *nave traghetto*

FICTITIOUS
F : fictif
D : *unecht, Schein-*
E : ficticio
I : *fittizio*

FICTITIOUS ASSETS
F : actif fictif
D : *unechte Aktiva*
E : activo ficticio
I : *attivo fittizio*
Actif immobilisé dont la valeur est nulle et qui conditionne l'existence, l'activité ou le développement de l'entreprise (frais d'établissement essentiellement)

FIDELITY
F : fidélité
D : *Treue*
E : fidelidad
I : *fedeltà*

FIDUCIARY
F : fiduciaire
D : *treuhänderisch*
E : fiduciario
I : *fiduciario*
Voir Société fiduciaire

FIGURE
F : chiffre
D : *Zahl*
E : cifra
I : *cifra*

FILE
F : classer
D : *aufreihen*
E : archivar
I : *archiviare*

FILE
F : déposer
D : *einlegen*
E : interponer
I : *depositare*

FILE
F : dossier
D : *Akte*
E : archivo
I : *archivio*

FILING CABINET
F : classeur
D : *Aktenschrank*
E : fichero
I : *schedario*

FINAL
F : final
D : *endgültig*
E : final
I : *finale*

FINAL BALANCE
F : solde net
D : *Schlußbilanz*
E : saldo final
I : *saldo finale*
Bénéfices ou pertes dégagés à la ligne Résultat net de l'entreprise

FINAL DIVIDEND
F : solde de dividende
D : *Schlußdividende*
E : saldo del dividendo
I : *saldo del dividendo*

FINAL INSTALMENT
F : dernier versement
D : *letzte Rate*
E : ultimo plazo
I : *ultima rata*

FINAL INVOICE
F : facture finale
D : *Endrechnung*
E : factura final
I : *fattura finale*

FINANCE
F : finance
D : *Finanz*
E : finanza
I : *finanza*

FINANCE
F : financer
D : *finanzieren*
E : financiar
I : *finanziare*

FINANCE COMPANY
F : société de financement
D : *Finanzierungsgesellschaft*
E : compania de crédito comercial
I : *società finanziaria*

FINANCIAL
F : financier adj
D : *finanziell*
E : financiero
I : *finanziario*

FINANCIAL FLOW
F : flux financier
D : *Finanzierungsfluß*
E : flujo financiero
I : *flusso di capitali*
Transfert de fonds engendré par une opération économique

FINANCIAL STATEMENT
F : état financier
D : *Finanzausweis*
E : extracto financiero
I : *relazione finanziaria*

FINANCING PLAN
F : plan de financement
D : *Finanzierungsplan*
E : plan de financiación
I : *programma di finanziamento*

FINE
F : pénalité (amende)
D : *Geldstrafe*
E : sancion, multa
I : *multa*
Amende recouvrée en cas de fraude ou d'infraction fiscales

FIRE
F : incendie
D : *Brand*
E : fuego, incendio
I : *incendio*

FIRE INSURANCE
F : assurance incendie
D : *Feuerversicherung*
E : seguro de incendios
I : *assicurazione incendio*

FIRE INSURANCE POLICY
F : police incendie
D : *Feuerversicherungspolice*
E : poliza de seguro de incendios
I : *polizza d'assicurazione incendio*

FIRM
F : ferme adj
D : *fest*
E : firme
I : *fermo*
Définitif

ANGLAIS

FIRM AND NOT SUBJECT TO ALTERATION
F : ferme et non révisable
D : *fest und unveränderlich*
E : firme y no revisable
I : *fermo e non modificabile*

FIRM OFFER
F : offre ferme
D : *festes Angebot*
E : oferta en firme
I : *offerta ferma*

FIRM, COMPANY
F : firme
D : *Firma*
E : firma, casa
I : *ditta*

FIRST CLASS
F : première classe
D : *erste Klasse*
E : primera clase
I : *prima classe*

FISCAL
F : fiscal
D : *Finanz-*
E : fiscal
I : *fiscale*

FISCAL YEAR
F : exercice budgétaire
D : *Steuerjahr*
E : ano fiscal
I : *anno fiscale*
Période d'exécution du budget de l'Etat ou de l'administration

FIXED
F : fixe
D : *fest*
E : fijo
I : *fisso, fissato*

FIXED ASSETS
F : immobilisations
D : *Anlagevermogen*
E : activo fijo
I : *immobilizzazioni, attivo fisso*
Ensemble des biens de toute nature (hormis ceux destinés à être transformés ou vendus), acquis ou créés par l'entreprise qui les utilise pour exercer son activité

FIXED COST
F : coût fixe
D : *Fixkosten*
E : coste fijo
I : *costo fisso*
Coût indépendant d'une activité, dans une structure ou pour une période donnée

FIXED DEPOSIT
F : dépôt à terme (fixe)
D : *Depositeneinlage*
E : deposito a plazo fijo
I : *deposito a termine fisso*
Fonds que le déposant s'engage à réclamer à échéances fixes moyennant le versement d'un intérêt par la banque

FIXED PARITY
F : parité fixe
D : *feste Parität*
E : paridad fija
I : *parità fissa*

FLAG
F : pavillon (drapeau)
D : *Flage*
E : bandera
I : *bandiera*

FLAT
F : plat adj
D : *flach*
E : llano, plano
I : *piatto*

FLAT (USA APARTMENT)
F : appartement
D : *Etagenwohnung*
E : apartamento
I : *appartamento*

FLAT RATE
F : tarif uniforme
D : *Einheitssatz*
E : tarifa unificada
I : *tariffa uniforme*

FLEXIBLE
F : flexible
D : *flexibel, anpassungsfähig*
E : flexible
I : *flessibile*
Apte à s'adapter aux changements de l'environnement

FLOAT A LOAN (USA RAISE A LOAN)
F : émettre un emprunt
D : *eine Anldeihe begeben*
E : emitir un empréstito
I : *lanciare un prestito*

FLOATING EXCHANGE RATE
F : taux de change flottant
D : *flexibler Wechselkurs*
E : tipo de cambio flotante
I : *tasso del cambio fluttuante*

FLOOR SPACE
F : surface au sol
D : *Bodenfläche*
E : superficie de piso
I : *superficie di pavimento*

FLOW
F : flux
D : *Strom*
E : flujo
I : *flusso*
Ce que retracent les comptes d'exploitation et de pertes et profits de l'entreprise

FLOW CHART
F : ordinogramme
D : *Flußdiagramm*
E : diagrama de flujo
I : *diagramma di flusso*
Schéma codifié représentant le déroulement d'un programme d'ordinateur

FLUCTUATE
F : fluctuer
D : *schwanken*
E : fluctuar
I : *fluttuare*

FLUCTUATING
F : fluctuant
D : *schwankend*
E : fluctuando
I : *fluttuante*
Soumis à une variation alternative

FLUCTUATING RATE
F : taux variable
D : *schwankender Kurs*
E : tipo oscilante
I : *tasso variabile*

FLUCTUATION
F : fluctuation
D : *Schwankung*
E : fluctuacion
I : *fluttuazione*

FLUIDITY
F : fluidité
D : *Flüssigkeit*
E : fluidez
I : *fluidità*
Caractérise un marché où l'offre s'adapte à la demande sans difficulté

FOLDER
F : chemise
D : *Mappe*
E : carpeta
I : *cartella*

FOLLOW UP
F : poursuivre
D : *weiterverfolgen*
E : perseguir
I : *seguitare*

FOODSTUFFS
F : alimentation
D : *Eßwaren*
E : comestibles
I : *generi alimentari*

FOOTNOTE
F : apostille
D : *Fußnote*
E : apostilla
I : *postilla*
Addition faite en marge d'un acte

FORCE
F : force
D : *Gewalt*
E : fuerza
I : *forza*
Efficacité d'une campagne d'affichage publicitaire

FORCED
F : forcé
D : *Zwangs-*
E : forzado
I : *forzato*

FORCED SALE
F : vente forcée
D : *Zwangsverkauf*
E : venta forzosa
I : *vendita forzosa*

FORECAST
F : prévoir
D : *vorhersehen*
E : pronosticar
I : *pronosticare*

FORECASTED BALANCE SHEET
F : bilan prévisionnel
D : *Bilanzhochrechnung*
E : balance previsible
I : *bilancio preventivo*
Prévision de situation financière à une date future compte tenu des objectifs et des contraintes de l'entreprise

FORECASTING
F : prévision
D : *Voraussage*
E : pronostico
I : *previsione*
Appréciation, chiffrée ou non, de l'évolution probable d'un phéno-mène, d'une grandeur ou d'un ensemble de grandeurs à plus ou moins long terme

FOREIGN BILL
F : lettre de change sur l'étran-ger
D : *Auslandswechsel*
E : letra sobre el exterior
I : *cambiale sull' estero*

FOREIGN EXCHANGE DEALER/BRO-KER
F : cambiste
D : *Wechselmakler*
E : cambista
I : *cambiavalute*
Agent d'établissement bancaire spé-cialisé dans le commerce des devises

FOREIGN EXCHANGE, CURREN-CIES
F : devises
D : *Devisen*
E : divisas extranjeras
I : *valuta estera*
Moyens de paiement libellés dans une monnaie étrangère

FOREIGN INVESTMENT
F : investissement étranger
D : *Fremdkapital*
E : inversión extranjera
I : *investimento estero*

FOREIGN LABOUR
F : main-d'œuvre étrangère
D : *Fremdarbeiterschaft*
E : mano de obra extranjera
I : *mano d'opera straniera*

FOREIGN TRADE
F : commerce extérieur
D : *Außenhandel*
E : comercio exterior
I : *commercio estero*

FOREIGN, ALIEN
F : étranger adj
D : *ausländisch, fremd*
E : extranjero
I : *straniero, estero*

FOREIGNER
F : étranger nm
D : *Ausländer*
E : extranjero
I : *straniero*

FOREMAN
F : contremaître
D : *Vorarbeiter*
E : capataz
I : *capo operaio, capo squadra*
Personne qui dirige le travail d'un groupe d'ouvriers

FORFEIT CLAUSE
F : clause de dédit
D : *Bußklausel*
E : clausula de decomiso
I : *clausola di penalità per inadempienza*
Clause prévoyant le versement d'une somme en cas de non respect d'un engagement

FORGED CHEQUE
F : faux chèque (chèque en bois)
D : *gefälschter Scheck*
E : cheque falsificado
I : *assegno falsificato*

FORGER
F : faux-monnayeur
D : *Fälscher*
E : falsificador
I : *falsificatore*

FORGERY
F : contrefaçon
D : *Fälschung*
E : falsificacion
I : *falsificazione*

FORM
F : forme
D : *Form*
E : forma
I : *forma*

FORM
F : former
D : *gründen*
E : establecer, formar
I : *formare*

FORM
F : formule (imprimée)
D : *Formular*
E : formulario
I : *modulo*
Imprimé, formule administrative

FORM, CONSTITUTE
F : constituer
D : *bilden*
E : constituir
I : *costituire*

FORMAL
F : formel
D : *formell*
E : formal
I : *formale*

FORMAL NOTICE
F : mise en demeure
D : *Inverzugsetzung*
E : aviso oficial
I : *intimazione*

FORMALITY
F : formalité
D : *Formalität*
E : formalidad
I : *formalità*

FORMULA
F : formule
D : *Formel*
E : formula
I : *formula*

FORTNIGHTLY
F : bi-mensuel
D : *Halbmonatlich*
E : bisemanial
I : *due settimanale*
Qui paraît ou qui a lieu deux fois par mois

FORWARD DEALINGS
F : opérations à terme
D : *Zeitgeschäfte*
E : negociaciones a término
I : *operazioni a termine*
Opérations réalisées sur un marché à terme

FORWARD EXCHANGE
F : change à terme
D : *Termindevisen*
E : divisas a término
I : *cambio a termine*
Sur le marché à terme, opération pour laquelle règlement et livraison ont lieu à une date postérieure à la négociation

FORWARD PRICE
F : cours à terme
D : *Terminnotierung*
E : precio a término
I : *prezzo per futura consegna*
Cours sur un marché à terme

FORWARDING AGENT
F : transitaire
D : *Spediteur*
E : agente expedidor
I : *spedizioniere*
Commerçant, commissionnaire en marchandises chargé des opérations de transit

FOUNDER
F : fondateur
D : *Gründer*
E : fundador
I : *fondatore*

FOUNDER MEMBER
F : membre fondateur
D : *Gründemitglied*
E : miembro fundador
I : *socio fondatore*

FOUNDER'S SHARES
F : actions (ou parts) de fondateur
D : *Gründeraktien*
E : acciones del fundador
I : *azioni del fondatore*
Titres négociables sans valeur nominale donnant certains droits aux fondateurs d'une société sans leur conférer la qualité d'associés (leur émission est interdite en France depuis 1966)

FRACTION
F : fraction
D : *Bruchteil*
E : fraccion
I : *frazione*

FRAGILE
F : fragile
D : *zerbrechlich*
E : fragil
I : *fragile*

FRANKING MACHINE
F : machine à affranchir
D : *Frankiermaschine*
E : maquina de franquear
I : *affrancatrice postale*

FRAUD
F : fraude
D : *Betrug*
E : fraude
I : *frode*

FRAUDULENT
F : frauduleux
D : *betrügerisch*
E : fraudulento
I : *fraudolento*

FREE
F : libérer
D : *befreien*
E : liberar
I : *liberare*

FREE
F : libre
D : *frei*
E : libre
I : *libero*

FREE ECONOMY
F : système économique du libre-échange
D : *freie Marktwirtschaft*
E : economia del mercado libre
I : *economia de mercado libero*
Système qui vise à la suppression de tous les obstacles à la libre circulation des biens et des services

FREE ENTREPRISE
F : libre entreprise
D : *freie Wirtschaft*
E : libre empresa
I : *libertà d'iniziativa*

FREE FROM MORTGAGE
F : déshypothéqué
D : *von Hypothek befreit*
E : deshipotecado
I : *libero d'ipoteca*
Bien dont on a levé l'hypothèque

FREE OF COMMISSION
F : franco courtage
D : *marklergebührenfrei*
E : franco-comision
I : *franco mediazione*

FREE ON BOARD
F : franco à bord — FOB
D : *frei an Bord*
E : franco a bordo
I : *franco a bordo*
Dans les contrats de commerce international, signifie que le prix d'une marchandise n'inclut pas les frais de transport et d'assurance

FREE PORT
F : port franc
D : *Freihafen*
E : puerto libre
I : *porto franco*
Port où les marchandises étrangères pénêtrent librement sans formalité ni paiement de droits

FREE SAMPLE
F : échantillon gratuit
D : *Kostenlose Probe*
E : muestra gratuita
I : *campione gratuito*

FREE TICKET
F : billet de faveur
D : *Freikarte*
E : billete gratuito
I : *biglietto gratuito*
Qui confère certains droits ou avantages

FREE TRADE
F : libre-échange
D : *Freihandel*
E : comercio libre
I : *libero scambio*
Organisation entre plusieurs pays de la libre circulation des marchandises produites sur leur territoire

FREE TRIAL
F : essai gratuit
D : *kostenlose Probe*
E : prueba gratuita
I : *prova gratuita*

FREIGHT
F : fret
D : *Fracht*
E : flete
I : *nolo*

FREIGHT PRE-PAID
F : fret payé d'avance
D : *Fracht vorausbezahlt*
E : flete pagado
I : *nolo prepagato*

FRENCH ACCOUNTING STANDARDS
F : plan comptable
D : *Kontenplan*
E : plan contable
I : *limite massimo di responsabilità cambiaria*
Regroupement des principes et des normes comptables

FRENCH SECOND-TIER UNLISTED SECURITIES MARKET WITH REDUCED REPORTING REQUIREMENTS
F : second marché
D : *Zweitmarkt*
E : segundo mercado
I : *mercato secondario*
Marché boursier créé par la loi du 3 janvier 1983 pour faciliter aux entreprises moyennes l'accès à l'épargne publique

FRENCH UNIVERSITY-ENTRANCE EXAM
F : baccalauréat
D : *Abitur*
E : bachillerato
I : *licenza liceale, maturità*

FREQUENCY
F : fréquence
D : *Häufigkeit*
E : frecuencia
I : *frequenza*

FREQUENCY DISTRIBUTION
F : distribution de fréquences
D : *Häufigkeitsverteilung*
E : distribucion de las frecuencias
I : *distribuzione delle frequenze*

FRIENDLY SOCIETY (USA LODGE)
F : société de secours mutuel
D : *Versicherungsverein auf Gegenseitigkeit*
E : sociedad de socorro mutuo
I : *società di mutuo soccorso*
Voir Mutuelle

FRINGE BENEFITS
F : avantages accessoires
D : *Sozialleistungen*
E : beneficios suplementarios
I : *vantaggi accessori*

FRONTAGE
F : façade
D : *Vorderfront*
E : fachada
I : *facciata*

FRONTIER
F : frontière
D : *Grenze*
E : frontera
I : *frontiera*

FROZEN ASSETS
F : fonds bloqués
D : *eingefroene Guthaben*
E : activos congelados
I : *attivo congelato*

FROZEN CREDITS
F : crédits bloqués
D : *eingefrorene Kredite*
E : creditos congelados
I : *crediti bloccati*

FUEL OIL
F : mazout
D : *Heizöl*
E : fuel-oil
I : *petrolio da ardere*

FULL
F : plein adj
D : *voll*
E : lleno
I : *pieno*

(RE)FUEL (SHIP, ETC)
F : avitailler
D : *bestücken*
E : abastecer
I : *approvvigionare*
Approvisionner navires et avions en matières consommables à bord

FULL EMPLOYMENT
F : plein emploi
D : *Vollbeschäftigung*
E : pleno empleo
I : *piena occupazione*
Situation d'un pays où la totalité de la main-d'œuvre disponible a la possibilité de trouver un emploi

FULLFIL
F : remplir
D : *erfüllen*
E : cumplir
I : *adempiere*

FULLY SUBSCRIBED
F : souscrit (intégralement)
D : *vollgzeichnet*
E : plenamente suscrito
I : *interamente sottoscritto*
Se dit d'un emprunt, d'une émission dont tous les titres ont trouvé preneur

FUNCTION
F : fonction
D : *Aufgabe*
E : funcion
I : *funzione*
Rôle que joue une personne dans le fonctionnement d'une organisation. Ensemble des opérations permettant à l'entreprise d'atteindre ses objectifs

FUNCTIONAL
F : fonctionnel adj
D : *sachlich, praktisch*
E : funcional
I : *funzionale*

FUNCTIONAL JOB ANALYSIS
F : analyse fonctionnelle
D : *Funktionsanalyse*
E : análisis funcional
I : *analisi funzionale*
Recensement, ordonnancement, valorisation et hiérarchisation des fonctions remplies par un produit ou un service

FUND
F : fonder (une créance)
D : *fundieren*
E : fundar, consolidar
I : *consolidare*
En justifier le bien-fondé

FUND
F : fonds
D : *Fonds*
E : fondo
I : *fondo*
Organisme de gestion de fonds en vue d'une utilisation déterminée

FUNDS AVAILABLE
F : disponibilités
D : *flüssige Mittel*
E : fondos disponibles
I : *fondi disponibili, disponibilità*
Voir Actif liquide (ou disponible)

FURNISHED FLAT (USA FURNISHED APARTMENT)
F : appartement meublé
D : *möblierte Mietwohnung*
E : piso amueblado
I : *appartamento ammobiliato*

FURNITURE
F : meubles nmp
D : *Möbel*
E : muebles
I : *mobilia*

FURTHER CONSIDERATION
F : examen attentif
D : *Weiterüberlegung*
E : examen mas detallado
I : *essame piu attento*

FURTHER INFORMATION
F : renseignements complémentaires
D : *weitere Auskunft*
E : mas detalles
I : *ulteriori informazioni*

FURTHER PARTICULARS
F : renseignements (plus amples)
D : *nähere Umstände*
E : mas detalles
I : *ulteriori particolari*

FURTHER REASONS
F : raisons supplémentaires
D : *weitere Gründe*
E : rasones adicionales
I : *ulteriori motivi*

FUTURE
F : futur adj
D : *künftig*
E : futuro
I : *futuro, avvenire*

FUTURES MARKET
F : marché à terme
D : *Terminmarkt*
E : meercado de futuros
I : *mercato a termine*
Marché sur lequel le jour de conclusion d'un contrat et celui de son exécution sont dissociés

GAIN
F : gain
D : *Gewinn*
E : ganancia
I : *guadagno*

GAMBLE ON THE STOCK EXCHANGE
F : bourse (jouer en)
D : *an der Börse spekulieren*
E : jugar a la Bolsa
I : *giocare in Borsa*

GARAGE
F : garage
D : *Garage*
E : garaje
I : *autorimessa*

GAS
F : gaz
D : *Gas*
E : gas
I : *gas*

GATT
Voir Accord général sur les tarifs douaniers et le commerce

GB
F : acquisition
D : *Erwerb*
E : adquisicion
I : *acquisizione*

GB
F : addition
D : *Aufschlag*
E : adicion
I : *addizione*

GEARING
F : engrenage
D : *Getriebe*
E : engranaje
I : *ingranaggio*

GENERAL AGREEMENT ON TARIFFS AND TRADE (GATT)
F : Accord général sur les tarifs douaniers et le commerce
D : *Allgemeines Zoll-und Handelsabkommen*
E : Acuerdo general sobre tarifas aduaneras y comercio
I : *Accordo generale sulle tariffe doganali e sul commercio*
Accord multilatéral et international sur l'harmonisation des politiques douanières. L'OMC - Organisation mondiale du commerce le remplace à partir de 1995

GENERAL CONTRACTOR
F : maître d'œuvre
D : *Meister*
E : empresa responsable
I : *capo cantiere*

GENERAL EXPENSES, OVERHEADS
F : frais généraux
D : *allgemeine Unkosten, Generalunkosten*
E : gastos generales
I : *spese generali*
Ensemble des coûts se rapportant à l'activité d'une entreprise

GENERAL MEETING, ORDINARY GENERAL MEETING
F : assemblée générale
D : *Hauptversammlung, ordentliche Generalversammlung*
E : asamblea general, asamblea general ordinaria
I : *assemblea generale, assemblea generale ordinaria*
Réunion des actionnaires ou des associés d'une société, ou des membres d'une association

GENERAL PUBLIC
F : grand public
D : *Öffentlichkeit*
E : publico en general
I : *pubblico in genere*

GENERAL STRIKE
F : grève générale
D : *Generalstreik*
E : huelga general
I : *sciopero generale*

GENTLEMAN'S AGREEMENT
F : convention verbale
D : *Kavaliersabkommen*
E : acuerdo sobre palabra
I : *accordo sulla parola*

GIFT
F : don
D : *Geschenk*
E : regalo
I : *dono, donazione*

GIVE AND TAKE
F : concessions mutuelles
D : *Geben und Nehmen*
E : concesion reciproca
I : *concessione reciproca*

GIVE UP, TRANSFER
F : céder
D : *aufgeben, überweisen*
E : renuclar, transferir
I : *cedere, trasferire*

GLOBAL
F : global
D : *Global-*
E : global
I : *globale*

GO BAIL FOR
F : garant de (se porter)
D : *Haftkaution geben*
E : salir fiados por
I : *rendersi garante di*

GO BANKRUPT
F : faire faillite
D : *Konkurs anmelden*
E : caer en quiebra
I : *fallire*

GO-SLOW STRIKE (USA SLOW DOWN)
F : grève perlée
D : *Bummelstreik*
E : huelga de produccion
I : *sciopero a singhiozzo*
Ralentissement concerté dans le travail

GOLD
F : or
D : *Gold*
E : oro
I : *oro*

GOLD FIELDS
F : régions aurifères
D : *Goldgrube*
E : yacimiento aurifero
I : *terreni auriferi*

GOLD SHARES, GOLD-BEARING STOCK
F : valeurs aurifères
D : *Aktien von Goldbergwerken, Goldwerte*
E : acciones auriferas, valores auríferos
I : *valori auriferi*

GOLD STANDARD
F : étalon-or
D : *Goldobligation*
E : patron oro
I : *base aurea*
Système de changes fixes où chaque monnaie est définie par rapport à un poids d'or (parité-or)

GOLD-PLATED
F : plaqué or
D : *vergoldet*
E : chapado en oro
I : *placcato in oro*

GONDOLA HEAD
F : tête de gondole
D : *Erstplatzierung*
E : cabezamiento de góndola
I : *lato più in vista dell'espositore (es. nei supermercati)*
Extrémité d'un meuble de présentation de produits dans un magasin en libre-service

GOOD OFFICES
F : bons offices
D : *Freundschaftsdienste*
E : buenos servicios
I : *buoni uffici*
Services, assistance

GOOD REPAIR
F : état (en bon)
D : *in gutem Zustand*
E : en buen estado

GOODS
F : marchandises
D : *Güter*
E : mercancias
I : *merce*

GOODS TRAIN (USA FREIGHT TRAIN)
F : train de marchandises
D : *Güterzug*
E : tren de mercancias
I : *treno merci*

GOODWILL
F : bon vouloir
D : *Geschäftswert*
E : valor de la clientela
I : *awiamento*

GOODWILL
F : good will
D : *Geschäftswert*
E : goodwill
I : *avviamento, valore d'avviamento*
Survaleur(plus-value liée à l'image d'une entreprise ou élément qualitatif qui contribue à sa valeur)

GOVERNMENT
F : gouvernement
D : *Regierung*
E : gobierno
I : *governo*

GOVERNMENT BOND
F : obligation d'Etat
D : *Staatsobligation*
E : obligacion del Estado
I : *obbligazione dello Stato*

GOVERNMENT LOAN
F : emprunt public
D : *Staatsanleihe*
E : empréstito publico
I : *prestito pubblico*
En général, obligations émises par les collectivités publiques (titres d'emprunt d'Etat, bons du Trésor...)

GOVERNMENT SECURITIES
F : titres d'Etat
D : *Regierungsschuldverschreibungen*
E : titulos publicos
I : *titoli di Stato*
Titres émis par l'Etat ou une collectivité publique

GOVERNMENT SUBSIDY
F : subvention d'Etat
D : *Staatszuschuß*
E : subvencion del Estado
I : *sovvenzione dello Stato*

GRANT BAIL
F : admettre une caution
D : *gegen Haftkaution freigeben*
E : conceder fianza
I : *concedere la libertà provvisoria su cauzione*
Accepter qu'une personne physique ou morale se porte caution d'une autre

GRAPH PAPER
F : papier millimétré
D : *Millimeterpapier*
E : papel milimetrado
I : *carta millimetrata*

GRAT (OF A PATENT)
F : délivrance (d'un brevet)
D : *Erteilung (eines Patentes)*
E : concesion (de una patente)
I : *concessione (di brevetto)*

GRATUITY
F : gratification
D : *Gratifikation*
E : gratificacion
I : *gratifica*
Somme versée en plus d'une rémunération régulière

GREDIT INSURANCE
F : assurance crédit
D : *Kreditvresicherung*
E : seguro crediticio
I : *assicurazion credito*
Permet à un créancier d'être indemnisé en cas de non-paiement de son débiteur

GROSS
F : brut
D : *brutto*
E : bruto
I : *lordo*
Qualifie une grandeur évaluée sans aucune déduction

GROSS AMOUNT
F : montant brut
D : *Bruttobetrag*
E : importe bruto
I : *importo lordo*

GROSS DOMESTIC PRODUCT (GDP)
F : produit intérieur brut (PIB)
D : *Bruttoinlandsprodukt*
E : producto interior bruto
I : *prodotto interno lordo*
Ensemble des valeurs ajoutées créées en une année.par les entreprises et les administrations sur le territoire national

GROSS INCOME
F : rendement brut
D : *Bruttoeinkommen*
E : ingreso bruto
I : *reddito lordo*
Rendement d'un capital investi avant paiement des charges

GROSS INTEREST
F : intérêts bruts
D : *Bruttozins*
E : interés bruto
I : *interesse lordo*
Intérêts avant déduction de l'impôt sur la rémunération reçue

GROSS MARGIN
F : marge brute
D : *Bruttoverdienstspanne*
E : margen bruto
I : *margine lordo*
Voir Bénéfice brut

GROSS NATIONAL PRODUCT (GNP)
F : produit national brut (PNB)
D : *Bruttosozialprodukt*
E : producto nacional bruto
I : *prodotto nazionale lordo*
PIB augmenté des revenus perçus à l'étranger et tranférés en métropole, et diminué de ceux perçus en métropole et transférés à l'étranger

GROSS PROFIT
F : bénéfice brut
D : *Bruttogewinn*
E : ganancia bruta
I : *utile lordo*
Excédent global des ventes sur les achats

GROSS TON
F : tonne forte
D : *Bruttotonne*
E : tonelada bruta
I : *tonnellata lorda*

GROSS WEIGHT
F : poids brut
D : *Bruttogewicht*
E : peso bruto
I : *peso lordo*

GROUND FLOOR
F : rez-de-chaussée
D : *Erdgeschoß*
E : planta baja
I : *pianterreno*

GROUND-LANDLORD
F : propriétaire foncier
D : *Grundbesitzer*
E : proprietario del terreno
I : *proprietario del terreno*
Qui possède des terres, des terrains bâtis ou non

GROUND-RENT
F : rente foncière
D : *Grundpacht*
E : renta del terreno
I : *affitto di terreno*
Revenu tiré de la terre, lié au degré de fertilité de celle-ci (rente différentielle)

GROUP DYNAMISM
F : dynamique de groupe
D : *Gruppendynamik*
E : dinámica de grupo
I : *dinamica di gruppo*
Etude expérimentale de l'évolution de petits groupes sous différents aspects : décision, productivité, communication etc.

GROUP INSURANCE
F : assurance de groupe
D : *Gruppenversicherung*
E : seguro de grupo
I : *assicurazione di gruppo*

GROUPAGE SERVICE
F : groupage (service de)
D : *Groupagedienst*
E : servicio de agrupacion
I : *transporto a collettame*

GROWTH
F : croissance
D : *Entwicklung, Wachstum*
E : crecimiento
I : *crescita, sviluppo*

GUARANTEE
F : garantir
D : *Bürgschaft leisten, gewährleisten*
E : garantizar, avalar
I : *garantire, avallare*

GUARANTEE, WARRANTY
F : garantie
D : *Garantie*
E : garantia
I : *garanzia*

GUARANTOR
F : garant
D : *Bürge*
E : garante, fiador
I : *garante, avallante*

GUARD'S VAN
F : fourgon
D : *Packwagen*
E : furgon
I : *bagagliaio*

GUARDIAN
F : tuteur (d'un mineur)
D : *Vormund*
E : tutor
I : *tutore*

GUESS-WORK
F : conjecture
D : *Mutmaßung*
E : conjetura
I : *congettura*
Supposition plus ou moins fondée, hypothèse

HAGGLE (USA BARGAIN)
F : marchander
D : *feilschen*
E : regatear
I : *mercanteggiare, cavillare*

HALF
F : moitié (à)
D : *halb*
E : medio
I : *mezzo*

HALF PRICE
F : moitié prix (à)
D : *zum halben Preis*
E : a miltad de precio
I : *metà prezzo*

HALF-PAY
F : demi-salaire
D : *Halbsold*
E : medio salario
I : *mezza paga*

HALF-YEAR
F : semestre
D : *Semester*
E : semestre
I : *semestre*

HALF-YEARLY
F : semestriel
D : *halbjährlich*
E : semestral
I : *semestrale*

HALF-YEARLY DIVIDEND
F : dividende semestriel
D : *halbjährliche Dividende*
E : dividendo semestral
I : *dividendo semestrale*

HALL-PORTER
F : concierge
D : *Hausmeister*
E : conserje
I : *portiere*

HAND IN ONE'S RESIGNATION
F : démission (remettre sa)
D : *den Rücktritt einreichen*
E : presentar la dimision
I : *rassegnare le dimission*

HAND-LUGGAGE
F : bagages à main
D : *Handgepäck*
E : equipaje de mano
I : *bagaglio a mano*

HANDBOOK
F : manuel nm
D : *Handbuch*
E : manual
I : *manuale*

HANDLING CHARGES
F : frais de manutention
D : *Umschlagspesen*
E : gastos de manutencion
I : *spese di gestione*

HARBOUR INSTALLATIONS
F : installations portuaires
D : *Hafenanlagen*
E : instalaciones portuarias
I : *impianti portuali*

HARD CORE SHAREHOLDERS
F : noyaux durs
D : *harte Kerne*
E : núcleo fuerte
I : *zoccolo duro*
Noyaux stables d'actionnaires des
sociétés privatisées, soumis au res-
pect de certaines contraintes pour
protéger celles-ci d'éventuelles prises
de contrôle

HARD CURRENCY
F : monnaie forte
D : *harte Währung*
E : moneda fuerta
I : *valuta forte*

HARDWARE, IRONMONGERY
F : quincaillerie
D : *Eisenwaren*
E : ferreteria, quincalleria
I : *ferramenta*

HARVEST
F : moisson
D : *Ernte*
E : cosecha
I : *raccolto*

HARVEST
F : récolte
D : *Ernte*
E : cosecha
I : *raccolto*

HAZARD
F : hasard
D : *Wagnis*
E : azar, riesgo
I : *rischio*

HEAD BUYER
F : chef des achats
D : *Haupteinkäufer*
E : jefe del departamento de
compras
I : *capo servizio acquisti*

HEAD FOREMAN
F : chef d'atelier
D : *Werkmeister*
E : capataz jefe
I : *capo officina*

HEAD OF DEPARTMENT
F : chef de service
D : *Abteilungsleiter*
E : jefe de departamento
I : *capo reparto*

HEAD OFFICE
F : siège social
D : *Hauptbüro*
E : oficina central
I : *sede, ufficio centrale*
Domicile légal d'une personne
morale

HEALTH INSURANCE
F : assurance maladie
D : *Krankenversicherung*
E : seguro de enfermedad
I : *assicurazione malattia*

HEALTH SERVICE
F : service de santé
D : *Gesundheitsdienst*
E : servicio de sanidad
I : *servizio sanitario*

HEAVY
F : lourd
D : *schwer*
E : pesado
I : *pesante*

HEAVY CHARGES
F : charges lourdes
D : *drückende Spesen*
E : gastos fuertes
I : *forti spese*

HEAVY INDUSTRY
F : industrie lourde
D : *Schwerindustrie*
E : industria peseda
I : *industria pesante*
Celle qui élabore et traite les matières premières, produit de l'énergie et des biens d'équipement

HEAVY LOSS
F : lourde perte
D : *schwere Verluste*
E : fuerte pérdida, pérdida sensible
I : *forte perdita*

HEIR
F : héritier
D : *Erbe*
E : heredero
I : *erede*

HELP
F : secours
D : *Hilfe*
E : ayuda
I : *aiuto*

HEREBY
F : par la présente
D : *hiermit*
E : por esto
I : *col presente, con questo*

HIGH
F : haut
D : *hoch*
E : alto, elevado
I : *alto, elevato*

HIGHER EDUCATION
F : enseignement supérieur
D : *Fortbildung*
E : ensenanza superior
I : *insegnamento superiore*

HIGHEST BIDDER
F : plus offrant
D : *Meistbietende(r)*
E : ofertante mas alto
I : *miglior offerente*

HINDRANCE
F : empêchement
D : *Hinderung*
E : Impedimento
I : *impedimento*

HIRE, RENT
F : louer
D : *mieten, vermieten*
E : alquilar
I : *noleggiare, effitare*

HIRE-PURCHASE
F : location-vente
D : *Ratenkauf*
E : compra a plazos
I : *vendita a rate*
Voir Crédit-bail, Leasing

HIRE-PURCHASE
F : vente à tempérament
D : *Ratenverkauf*
E : compra a plazos
I : *vendita a rate*
Vente à crédit

HISTOGRAM
F : histogramme
D : *Histogramm*
E : histograma
I : *istogramma*
Graphique représentant une succession de rectangles de base égale et de hauteur variable, où figurent en abscisse des périodes de même importance et en ordonnée les différentes valeurs d'une variable

HOARD
F : thésaurisation
D : *Hortung*
E : atesoramiento
I : *ammasso*
Détention improductive de valeurs ou de créances soustraites aux circuits économiques et monétaires

HOLD
F : cale
D : *Laaderaum*
E : bodega
I : *stiva*

HOLD
F : tenir
D : *halten*
E : tener
I : *tenere*

HOLD A MEETING
F : assemblée (tenir une)
D : *eine Versammlung abhalten*
E : celebrar una reunion
I : *tenera una riuniona*

HOLD OVER, DEFER
F : différer
D : *aufschieben, zurückstellen*
E : aplazar, diferir
I : *differire*

HOLD SHARES
F : détenir des actions
D : *beteiligt sein, Aktien besitzen*
E : tener acciones
I : *tenere azioni*

HOLD THE LINE
F : téléphone (ne quittez pas)
D : *am Apparat bleiben*
E : espere al aparato
I : *restare in linea*

HOLDER
F : détenteur
D : *Inhaber*
E : titular
I : *titolare*

HOLDER FOR VALUE
F : porteur à titre onéreux
D : *entgeltiger Besitzer*
E : tenedor legitimo
I : *detentore legittimo*
Définition prévue non donnée

HOLDING
F : holding
D : *Holdinggesellschaft*
E : holding
I : *holding*
Société financière ou industrielle dont l'objet consiste à prendre et détenir des participations dans des entreprises pour en contrôler l'activité

HOLDING COMPANY
F : société holding
D : *Dachgesellschaft*
E : compania tenedora
I : *società holding*
Voir Holding

HOLIDAYS WITH PAY
F : congés payés
D : *bezahlter Urlaub*
E : vacaciones retribuidas
I : *vacanze retribuite*
Vacances accordées par la loi à tout salarié qui a travaillé au moins un mois en continu

HOME TRADE (USA DOMESTIC SALES)
F : commerce intérieur
D : *Binnenhandel*
E : comercio interior
I : *commercio interno*

HONEST
F : honnête
D : *ehrlich*
E : honesto
I : *onesto*

HONORARY
F : horaire adj
D : *ehrenamtlich*
E : honorario
I : *onorario*

HONOUR
F : honorer
D : *honorieren*
E : honrar
I : *onorare*
Respecter ses engagements

HORIZONTAL INTEGRATION
F : intégration horizontale
D : *horizontaler Zusammen-schluß*
E : integracion horizontal
I : *integracione orizzontale*
Groupement d'entreprises intervenant à différents stades du processus productif ou exerçant des activités différentes mais complémentaires

HORSE-POWER (HP)
F : cheval-vapeur (cv)
D : *Pferdestärke (PS)*
E : caballo de vapor (cv)
I : *cavallo*
Unité de puissance équivalant à 75 kilogrammètres/seconde (736 watts environ)

HOTEL
F : hôtel
D : *Hotel*
E : hotel
I : *albergo*

HOUR
F : heure
D : *Stunde*
E : hora
I : *ora*

HOURS OF WORK
F : durée du travail
D : *Arbeitszeit*
E : jornada laboral
I : *ore lavorative*

HOUSE
F : maison
D : *Haus*
E : casa
I : *casa*

HOUSEHOLD
F : ménage
D : *Haushalt*
E : hogar
I : *famiglia*
Unité de consommation (une famille, un célibataire, une entreprise individuelle)

HOUSEHOLD ELECTRICAL GOODS
F : électroménager
D : *elektrische Haushaltsgüter*
E : aparatos eléctricos de casa
I : *elettrodomestici*

HOUSEHOLD INSURANCE
F : assurance familiale (domicile)
D : *Wohnungsversicherung*
E : seguro de casa
I : *assicurazione domestica*

HOUSEHOLDER
F : chef de famille
D : *Hausherr*
E : jefe de familia
I : *capo-famiglia*

HOUSEWIFE
F : ménagère
D : *Hausfrau*
E : ama de casa
I : *massaia*

HUMAN RELATIONS
F : relations humaines
D : *zwischenmenschliche Beziehungen*
E : relaciones humanas
I : *relazioni umane*

HYPOTHECATE
F : hypothéquer
D : *verpfänden*
E : hipotecar
I : *ipotecare*

HYPOTHESIS
F : hypothèse
D : *Hypothese*
E : hipotesis
I : *ipotesi*

IDEA
F : idée
D : *Idee*
E : idea
I : *idea*

IDENTITY CARD
F : carte d'identité
D : *Personalausweis*
E : carnet de identidad
I : *carta d'identità*

IDLE CAPACITY
F : potentiel non utilisé
D : *ungenutzte Ladefähigkeit*
E : potencial no utilizado
I : *potenzale non utilizzato*

IDNTIFY
F : identifier
D : *identifizieren*
E : identificar
I : *identificare*

ILLEGAL
F : illégal
D : *ungesetzlich*
E : ilegal
I : *ilegale*

ILLEGIBLE
F : illisible
D : *unleserlich*
E : ilegible
I : *ileggibile*

IMITATION
F : imitation
D : *Nachahmung*
E : imitacion
I : *imitazione*

IMITATION LEATHER
F : simili cuir
D : *Kunstleder*
E : piel de imitacion
I : *finta pelle*

IMMIGRATION
F : immigration
D : *Einwanderung*
E : inmigracion
I : *immigrazione*

IMPACT
F : impact
D : *Auswirkung*
E : impacto
I : *impatto*

IMPARTIAL
F : impartial
D : *unparteiisch*
E : imparcial
I : *imparziale*

IMPLICIT
F : implicite
D : *stillschweigend*
E : implicito
I : *implicito*

IMPLY
F : impliquer
D : *andeuten*
E : implicar
I : *implicare*

IMPORT LICENCE
F : licence d'importation
D : *Einfuhrerlaubnis*
E : permiso de importacion
I : *permesso d'importazione*

IMPORT QUOTA
F : contingent d'importation
D : *Einfuhrkontingent*
E : cupo de importacion
I : *contingente d'importazione*

IMPORT RESTRICTIONS
F : restrictions d'importation
D : *Einfuhrbeschränkungen*
E : restricciones de importacion
I : *restrizioni delle importazioni*

IMPORTATION
F : importation
D : *Einfuhr*
E : importacion
I : *importazione*

IMPORTER
F : importateur
D : *Importeur*
E : importador
I : *importatore*

IMPOSSIBLE
F : impossible
D : *unmöglich*
E : imposible
I : *impossibile*

IMPROVEMENT
F : amélioration
D : *Verbesserung*
E : mejora
I : *miglioramento*

IN ABEYANCE
F : suspens (en)
D : *in der Schwebe*
E : en suspenso
I : *in sospeso*

IN ACCORDANCE WITH
F : conforme à
D : *in Übereinstimmung mit*
E : en conformidad con
I : *in conformità con*

IN AGREEMENT WITH
F : accord avec (d')
D : *im Einvermehmen mit*
E : de acuerdo con
I : *d'accordo con*

IN BOND
F : entrepôt (en)
D : *unter Zollvorschluß*
E : en aduanas
I : *sotto vincolo doganale*

IN BULK
F : vrac (en)
D : *in großer Menge, unverpackt*
E : a granel
I : *alla rinfusa*
Marchandises vendues non conditionnées ou expédiées sans être arrimées

IN CASE OF DEFAULT
F : défaillance (en cas de)
D : *bei Nichterfüllung*
E : en caso de incumplimiento
I : *in caso di inadempienza*

IN DEMAND
F : demandé
D : *gefragt*
E : solicitado
I : *ricercato*

IN FORCE
F : vigueur (en)
D : *in Kraft*
E : en vigor
I : *in vigore*

IN GOOD FAITH
F : bonne foi (de)
D : *auf Treu und Glauben*
E : de buena fé
I : *in buona fede*

IN KIND
F : nature (en)
D : *in Waren*
E : en especie
I : *in natura*
En produits, objets, et non en espèces.

IN STOCK
F : magasin (en)
D : *vorrätig*
E : en almacén
I : *in magazzino*

IN TRANSIT
F : transit (en)
D : *im Durchgangsverkehr*
E : en transito
I : *in transito*
Se dit de personnes ou de marchandises (dispensées alors de droits de douane) qui traversent une région ou un pays au cours d'un voyage ou pendant un transport

INCENTIVE
F : incitation
D : *Anreiz*
E : estimulo, incentivo
I : *incentivo*

INCENTIVE SCHEME
F : intéressement
D : *Beteiligung*
E : participación en los beneficios
I : *(co)interessenza*
Participation des travailleurs aux fruits de l'expansion de leur entreprise

INCIDENTAL CHARGES
F : charges annexes
D : *Nebenkosten*
E : cargos imprevitos
I : *spese accessorie*

INCIDENTAL EXPENSES
F : faux frais
D : *Nebenkosten*
E : gastos imprevistos
I : *spese impreviste*
Dépenses supplémentaires non prévisibles

INCLUDING PACKING
F : franco d'emballage
D : *Verpackung inbegriffen*
E : franco embalaje
I : *imballaggio incluso*

INCLUSIVE
F : inclus
D : *einschließlich*
E : incluido, inclusive
I : *incluso, compreso*

INCOME STATEMENT
F : compte de résultat
D : *Ergebniskonto*
E : cuenta de resultados
I : *conto spese e rendite*
Regroupe les produits et les charges et permet de dégager le résultat net comptable d'un exercice

INCOME TAX
F : impôt sur le revenu
D : *Einkommensteuer*
E : impuesto sobre la renta
I : *imposta sul reddito*
Touche le revenu des personnes physiques et les salaires, les bénéfices industriels et commerciaux des entrepreneurs non assujettis à l'impôt sur les sociétés

INCOME, REVENUE
F : revenu
D : *Einkommen, Einkünfte*
E : ingresos, rédito
I : *entrata, reddito*
Ce qui est perçu comme fruit du capital ou rémunération du travail

INCOME-TAX RETURN
F : déclaration de revenu
D : *Einkommensteuererklärung*
E : declaracion fiscal
I : *dichiarazione del reddito*

INCOMES POLICY
F : politique des salaires
D : *Lohnpolitik*
E : plan de renta
I : *politica dei redditi*

INCOMPLETE
F : incomplet
D : *unvollständig*
E : incompleto
I : *incompleto*

INCORPORATION
F : incorporation (de réserves ou de bénéfices)
D : *Eintragung (einer Gesellschaft)*
E : incorporacion
I : *costituzione*
Augmentation du capital social d'une entreprise par intégration de tout ou partie des réserves ou des bénéfices réalisés

INCRASE, RISE
F : augmenter
D : *steigen, zunehmen*
E : aumentar, encarecer
I : *aumentare, crescere*

INCREASE IN WORKING CAPITAL, EXCLUDING CASH
F : besoin en fond de roulement
D : *Bedarf an Betriebskapital*
E : necesidades en fondo de operaciones
I : *fabbisogno di fondo di rotazione*
Besoin de financement permanent à court terme dû au décalage décaissement des dettes/encaissement des créances

INCREASE OF CAPITAL
F : augmentation de capital
D : *Kapitalerhöhung*
E : aumento de capital
I : *aumento di capitale*

INCREASE, INCREMENT
F : accroissement
D : *Erhöhung, Wertzuwachs*
E : aumento, incremento
I : *aumento, incremento*

INCREASE, RISE
F : hausse
D : *Steigen, Zunahme*
E : incremento, aumento
I : *incremento, crescita*

INCREASED COST OF LIVING
F : renchérissement du coût de la vie
D : *erhöhte Lebenshaltungskosten*
E : coste de vida mas alto
I : *aumentato costo della vita*

INCREASED COSTS
F : accroissement des coûts
D : *erthöhte Kosten*
E : costes incrementados
I : *costi aumentati*

INDEBTED
F : redevable
D : *verbunden*
E : endeudado
I : *indebitato*
Qui est légalement tenu au paiement d'un impôt ou de toute autre redevance

INDEBTEDNESS
F : endettement
D : *Verschuldung*
E : endeudamiento
I : *indebitamento*

INDEMNIFY
F : dédommager
D : *entschädigen*
E : indemnizar, resarcir
I : *indemnizzare, risarcire*

INDEMNITY
F : indemnité
D : *Entschädigung*
E : indmnizacion
I : *indennità, garanzia*
Elément de rémunération ou de salaire destiné à rembourser des dépenses liées à l'exercice d'une profession ou à l'éxécution d'un travail

INDEPENDENT
F : indépendant
D : *selbständig*
E : indpendiente
I : *indipendente*

INDEX
F . index
D : *Index*
E : indice
I : *indice*
Repère mobile permettant de lier une valeur à une autre qui sert de référence

INDEX
F : indice
D : *Index*
E : indice
I : *indice*
Mesure synthétique de l'évolution d'une grandeur dans le temps ou l'espace, ou du rapport de sa valeur par rapport à une valeur de base choisie comme référence

INDEX CARD
F : fiche
D : *Indexkarte*
E : ficha
I : *scheda*

INDIRECT COSTS
F : frais indirects
D : *Gemeinkosten*
E : costes indirectos
I : *costi indiretti*
Charges qui nécessitent un calcul intermédiaire pour être imputées au coût d'un produit déterminé

INDIRECT TAXATION
F : contributions indirectes
D : *indirekte Steuern*
E : contribuciones indirectas
I : *imposte indirette*

INDUCED
F : induit
D : *induziert*
E : inducido
I : *indotto*
Se dit d'un phénomène entraîné par un autre

INDUSTRIAL
F : industriel adj
D : *industriell, Gewerbe-*
E : industrial
I : *industriale*

INDUSTRIAL ACCIDENT
F : accident de travail
D : *Arbeitsunfall*
E : accidente de trabajo
I : *infortunio sul lavoro*

INDUSTRIAL ESPIONAGE
F : espionnage industriel
D : *Wirtschaftsspionage*
E : espionaje industrial
I : *spionaggio industriale*

INDUSTRIAL ESTATE (USA INDUSTRIAL PARK)
F : domaine industriel
D : *Industriegebiet*
F : precinto industrial
I : *centro industriale*

INDUSTRIAL RELATIONS
F : relations humaines dans l'entreprise
D : *Arbeitsbeziehungen*
E : relaciones humanas industriales
I : *relazioni nell'industria*

INDUSTRIAL TRIBUNAL
F : prud'hommes
D : *Obmänner*
E : tribunal de conciliación laboral
I : *proboviri*
Juridiction d'exception paritaire de jugement ou de conciliation des litiges concernant le contrat individuel de travail

INDUSTRIALIST
F : industriel nm
D : *Industrielle(r)*
E : industrial
I : *industriale*

INDUSTRY
F : industrie
D : *Industrie, Gewerbe*
E : industria
I : *industria*

INEFFICIENCY
F : incapacité
D : *Unfähigkeit*
E : incompetencia
I : *inefficienza*

INEFFICIENCY
F : inefficacité
D : *Unfähigkeit*
E : incompetencia
I : *inefficienza*

INEXPERIENCE
F : manque de pratique
D : *Unerfahrenheit*
E : falta de experiencia
I : *inesperienza*

INFLATION
F : inflation
D : *Inflation*
E : inflacion
I : *inflazione*
Déséquilibre économique caractérisé par la hausse du niveau général des prix et la dépréciation de la monnaie

INFLATIONARY SPIRAL
F : spirale inflationniste
D : *Inflationsspirale*
E : espiral de inflacion
I : *inflazione a spirale*
Processus cumulatif et auto entretenu de hausse générale des prix qui, non maitrisé, débouche sur une inflation galopante (2 chiffres) ou une hyperinflation (3 chiffres)

INFORM
F : informer
D : *benachrichtigen*
E : informar, avisar
I : *informare*

INFORMAL
F : formalités (sans)
D : *formlos*
E : sin ceremonia
I : *senza formalità*

INFORMATION
F : information
D : *Auskunft*
E : informacion
I : *informazione*

INFORMATION RETRIEVAL
F : récupération de données
D : *Informationswiedergewinnung*
E : rebusca de informacion
I : *ricupero d'informazioni*

INFRINGEMENT
F : infraction
D : *Verletzung, Verstoß*
E : infraccion
I : *Infrazione*

INFRINGEMENT OF COPYRIGHT
F : contrefaçon littéraire
D : *Urheberrechtsverletzung*
E : infraccion de los derechos de autor
I : *infrazione dei diritti d'autore*

INGOT
F : lingot
D : *Barren*
E : lingote
I : *lingotto*

INHERITANCE, ESTATE
F : succession
D : *Erbschaft, Nacklaß*
E : sucesion
I : *successione*

INITIAL
F : initial
D : *Anfangs-*
E : inicial, primario
I : *iniziale*

INITIAL
F : parapher
D : *paraphieren*
E : rubricar, poner iniciales a
I : *siglare*

INJUCTION
F : injonction
D : *gerichtliche Verfügung*
E : entredicho
I : *ingiunzione*

INJURED PARTY
F : partie lésée
D : *Verletzte(r)*
E : parte lesionada
I : *parte lesa*

INNOVATION
F : innovation
D : *Neuerung*
E : innovacion
I : *innovazione*

INQUIRY
F : enquête
D : *Untersuchung*
E : encuesta
I : *inchiesta*

INQUIRY, APPLICATION
F : demande
D : *Nachfrage, Antrag*
E : demanda, solicitud
I : *domanda*

INSERT
F : insérer
D : *einsetzen, inserieren*
E : insertar
I : *inserire*

INSIDER
F : initié
D : *Eingeweihter*
E : iniciado
I : *iniziato*
Détenteur privilégié d'informations
sur le marché boursier

INSOLVENCY
F : insolvabilité
D : *Zahlungsunfähigkeit*
E : insolvencia
I : *insolvenza*

INSOLVENT
F : insolvable
D : *zahlungsunfähig*
E : insolvente, quebrado
I : *insolvente*

INSPECTION
F : inspection
D : *Einsichtnahme*
E : inspeccion, examen
I : *ispezione*

INSPECTOR
F : inspecteur
D : *Aufsichtsbeamte(r)*
E : inspector
I : *ispettore*

INSTALLATION
F : installation
D : *Anlage*
E : instalacion
I : *impianto, installazione*

INSTIGATE
F : provoquer
D : *anstiften*
E : instigar, provocar
I : *provocare, istigare*

INSTITUTE PROCEEDINGS AGAINST
F : intenter un procès à
D : *gerichtlich vorgehen gegen*
E : iniciar un proceso contra
I : *intentare un'azione legale contro*

INSTITUTION
F : institut
D : *Institut, Anstalt*
E : institucion, instituto
I : *istituzione, istituto*
Etablissement de recherche scienti-
fique ou d'enseignement; corps
constitué de gens de lettres,
d'artistes, de savants

INSTITUTIONAL
F : institutionnel
D : *institutionnell*
E : institucional
I : *istituzionale*
Relatif à une organisation, à la col-
lectivité

INSTITUTIONAL INVESTOR
F : investisseur institutionnel
D : *institutioneller Anleger*
E : inversor institucional
I : *investitore istituzionale*
Organisme financier tenu, par sa
nature ou son statut, de placer en
valeurs mobilières la plus grande
partie de l'épargne qu'il collecte

INSTRUCTION
F : instruction
D : *Anleitung*
E : instruccion
I : *istruzione*

INSTRUMENT
F : instrument
D : *Instrument*
E : instrumento
I : *strumento*

INSURABLE
F : assurable
D : *versicherbar*
E : asegurable
I : *assicurabile*

INSURANCE AGENT
F : agent d'assurances
D : *Versicherungsvertreter*
E : agente de seguros
I : *agenzia di assicurazioni*

INSURANCE BROKER
F : courtier d'assurances
D : *Versicherungsmakler*
E : corredor de seguros
I : *mediatore di assicurazioni*

INSURANCE CERTIFICATE
F : certificat d'assurance
D : *Versicherungsschein*
E : certificado de seguro
I : *certificato di assicurazione*

INSURANCE CLAIM
F : indemnité d'assurance
D : *Versicherungsanspruch*
E : reclamacion de seguro
I : *sinistro, reclamo d'inden-
nizzo*

INSURANCE COMPAGNY
F : compagnie d'assurances
D : *Versicherungsgesellschaft*
E : compania de seguros
I : *compagnia di assicurazione*

INSURANCE POLICY
F : police d'assurance
D : *Versicherungspolice*
E : poliza de seguro
I : *polizza di assicurazione*

INSURANCE PREMIUM
F : prime d'assurance
D : *Versicherungsprämie*
E : prima de poliza de seguro
I : *premio di assicurazione*

INSURANCE, ASSURANCE
F : assurance
D : *Versicherung*
E : seguro
I : *assicurazione*

INSURE
F : assurer
D : *versichen*
E : asegurar
I : *assicurare*

INSURED
F : assuré
D : *Versicherter*
E : asegurado
I : *assicurato*

INSURER, UNDERWRITER
F : assureur
D : *Versicherer*
E : asegurador
I : *assicuratore*

INTANGIBLE ASSETS
F : actif incorporel
D : *nich greifbare Aktiven*
E : activo intangible
I : *beni incorporali*
Actif immobilisé n'ayant pas d'exis-
tence physique (brevets, licences...)

INTEGRATION
F : intégration
D : *Eingliederung*
E : integracion
I : *integrazione*
Voir Intégration verticale

INTEMIZED
F : détaillé
D : *postenmäßig dargestellt*
E : detallado
I : *dettagliato*

INTEREST
F : intérêt
D : *Zinsen*
E : interès
I : *interesse*

INTEREST RATE
F : taux d'intérêt
D : *Zinsfuß*
E : tipo de interés
I : *tasso d'interesse*
Prix d'un placement ou d'un emprunt, exprimé en pourcentage,qui est le rapport entre le montant de l'intérêt dû pour l'année et celui du capital engagé

INTERIM FINANCIAL STATEMENT
F : bilan intermédiaire
D : *Zwischenbilanz*
E : extrato financiero provisional
I : *rendiconto finanziario provisorio*
Bilan indicatif dressé à une date quelconque de l'exercice sans tenir compte des opérations d'inventaire

INTERN DIVIDEND
F : dividende intérimaire
D : *vorläufige Dividende*
E : dividendo provisional
I : *acconto di dividendo*
Dividende distribué périodiquement aux actionnaires en acompte sur celui de l'exercice (dividende final)

INTERNAL
F : interne adj
D : *innerlich, inländisch*
E : interno, interior
I : *interno*

INTERNAL AUDIT
F : vérification interne
D : *interne Revision*
E : verificacion contable interna
I : *verifica contabile interna*
Audit pratiqué par un salarié de l'entreprise

INTERNAL FINANCING
F : autofinancement
D : *Selbstfinanzierung*
E : autofinanciación
I : *autofinanziamento*
Epargne d'une entreprise utilisée pour financer ses investissements

INTERNATIONAL
F : international
D : *international*
E : internacional
I : *internazionale*

INTERNATIONAL BANK FOR RECONSTRUCTION AND DEVELOPMENT
F : Banque internationale pour la reconstruction et le développement — BIRD ou Banque mondiale
D : *Internationale Bank für Wiederaufbau und Wirtschaftsförderung*
E : *Banco internacional para reconstruccion y desarrollo*
I : Banca Internazionale per la ricostruzione e lo sviluppo
Institution internationale qui finance essentiellement les grands travaux d'infrastructure industrielle dans les pays en voie de développement

INTERNATIONAL CHAMBER OF COMMERCE
F : Chambre de commerce internationale
D : *Internationale Handeiskammer*
E : Camara internacional de comercio
I : *Camera di Commercio internazionale*

INTERNATIONAL FINANCE CORPORATION
F : société financière internationale — SFI
D : *Internationale Finanzkorporation*
E : corporacion international de finanzas
I : *corporazione finanziaria internazionale*
Filiale de la BIRD créée en 1955 pour participer au financement des entreprises privées dans les pays en développement

INTERNATIONAL LABOUR ORGANIZATION (ILO)
F : Organisation internationale du travail — OIT
D : *Internationale Arbeitsorganisation (IAO)*
E : Organizacion laboral internacional
I : *Organizzazione internazionale del lavoro*

INTERNATIONAL MONETARY FUND (IMF)
F : Fonds monétaire international — FMI
D : *Internationaler Währungsfonds (IWF)*
E : Fondo monetario internacional
I : *Fondo monetario internazionale*

Organisme (comprenant la plupart des Etats membres de l'ONU) créé pour favoriser la stabilité des changes, promouvoir la coopération monétaire internationale et soutenir la croissance de la production et du commerce mondial

INTERPOLATION
F : interpolation
D : *Einschaltung*
E : interpolacion
I : *interpolazione*
Utilisation des résultats d'une série d'observations pour calculer le résultat d'une autre observation dans un même domaine d'exploration

INTERPRETATION
F : interprétation
D : *Auslegung*
E : interpretacion
I : *interpretazione*

INTERVENTION PRICE
F : prix d'intervention
D : *Interventionspreis*
E : precio de intervencion
I : *prezzo d'intervento*
Seuil de prix auquel les pouvoirs publics interviennent pour éviter qu'un marché ne s'effondre

INTERVIEW
F : interview
D : *Interview*
E : entrevista
I : *intervista, abboccamento*

INTERVIEWER
F : intervieweur
D : *Interviewer*
E : entrevistador
I : *intervistatore*

INTRINSIC
F : intrinsèque
D : *innerlich, wahr*
E : intrinseco
I : *intrinseco*
Voir Valeur intrinsèque

INTRINSIC VALUE
F : valeur intrinsèque
D : *innerlicher Wert*
E : valor intrinseco
I : *valore intrinseco*
A un moment donné, écart entre le prix marché comptant d'un actif et le prix prévu si on fait jouer une option d'achat ou de vente

INVALID
F : invalide
D : *ungüttig*
E : invalido
I : *invalido*
Non valable, légalement nul

INVENTION
F : invention
D : *Erfindung*
E : invento, invencion
I : *invenzione*

ANGLAIS

INVENTORY
F : inventaire
D : *Inventar*
E : inventario
I : *inventario*
Relevé en volume et en valeur des éléments d'actif et de passif d'une entreprise à la clôture d'un exercice

INVENTORY SHORTAGE
F : rupture de stock
D : *Ausverkauf*
E : ruptura de las existencias
I : *esaurimento delle scorte*

INVEST
F : investir
D : *anlegen, investieren*
E : invertir
I : *investire*

INVESTED CAPITAL
F : capitaux permanents (ou ressources permanentes)
D : *Festkapital*
E : capitales permanentes
I : *capitali permanenti*
Regroupent les capitaux dont l'entreprise dispose de manière définitive (apports des actionnaires) ou pour une longue période (emprunts à moyen et long terme)

INVESTIGATION
F : investigation
D : *Untersuchung*
E : investigacion
I : *inchiesta, investigazione*

INVESTMENT
F : investissement
D : *Kapitalanlage, Invstierung*
E : inversion
I : *investimento*
Acquisition d'une immobilisation

INVESTMENT
F : placement
D : *Anlage*
E : inversión
I : *investimento*
Affectation d'une épargne à un emploi (dissocié du processus de production) en vue d'en tirer profit

INVESTMENT ANALYSIS
F : analyse de placement
D : *Anlagenanalyse*
E : análisis de inversión
I : *analisi d'investimento*

INVESTMENT ANALYST
F : analyste d'investissements
D : *Investitionsanalyst*
E : analizador de inversiones
I : *analizzatore d'investimenti*

INVESTMENT BANK
F : banque d'affaires
D : *Finanzbank*
E : banco de inversiones
I : *banca d'investimenti*
Essentiellement chargée de monter des opérations financières (prise et gestion de participations, émission d'obligations...) et rémunérée par les commissions

INVESTMENT COMPANY
F : société de placement
D : *Investierungsgesellschaft*
E : compania inversionista
I : *società per investimenti*
Voir Placement

INVESTMENT INCOME
F : revenu de placements
D : *Einkommen aus Kapitalanlagen*
E : renta de inversiones
I : *reddito degli investimenti*

INVESTMENT PLAN
F : plan d'investissement
D : *Investitionsplan*
E : plan de inversión
I : *programma d'investimenti*

INVESTMENT PORTFOLIO
F : portefeuille d'investissements
D : *investitionsportefeuille*
E : cartera de inversiones
I : *portafoglio titoli*

INVESTMENT TRUST
F : société fiduciaire de placements
D : *Investment-Trust*
E : fideicomiso de inversiones
I : *consorzio per investimenti*

INVESTOR
F : investisseur
D : *Geldgeber*
E : inversionista
I : *capitalista*

INVITATION
F : invitation
D : *Einladung, Aufforderung*
E : invitacion
I : *invito*

INVITE
F : inviter
D : *einladen, auffordern*
E : invitar
I : *invitare*

INVOICE
F : facture
D : *Faktura, Rechnung*
E : factura
I : *fattura*

INVOICE
F : facturer
D : *fakturieren*
E : facturar
I : *fatturare*

INVOICE PRICE
F : prix facturé
D : *fakturierter Preis*
E : precio facturado
I : *prezzo di fattura*

IOU (I OWE YOU)
F : reconnaissance de dette
D : *Schuldschein*
E : pagaré
I : *paghero*

IRON
F : fer
D : *Eisen*
E : hierro
I : *ferro*

IRON ORE
F : minerai de fer
D : *Eisenrz*
E : mineral de hierro
I : *minerale di ferro*

IRRECOVERABLE
F : irrécouvrable (créance)
D : *unersetzlich, uneinbringlich*
E : irrecuperable
I : *irrecuperabile*
Créance qui ne peut être recouvrée

IRREDEEMABLE DEBENTURE
F : obligation irremboursable
D : *uneinlösbare Schuldverschreibung*
E : obligacion amortizable
I : *obbligazione irredimibile*

IRREVOCABLE LETTER OF CREDIT
F : lettre de crédit irrévocable
D : *unwiderruflicher Kreditbrief*
E : carta de credito irrevocable
I : *lettera di credito irrevocabile*

Pour laquelle la banque émettrice s'engage irrévocablement vis-à-vis du bénéficiaire à effectuer la prestation prévue par les termes du crédit

ISSUE
F : émettre
D : *ausgeben*
E : emitir
I : *emettere*

ISSUE CEILING
F : plafond d'émission
D : *Notenkontingent*
E : tope de emisión
I : *limite massimo di emissione*
Montant maximum de monnaie que la Banque centrale est autorisée à émettre

ISSUED CAPITAL, PAID-UP CAPITAL
F : capital versé (ou libéré)
D : *ausgegebenes Kapital, eingezahltes Kapital*
E : capital emitido, capital desembolsado
I : *capitale emesso, capitale versato*
Capital souscrit effectivement versé par les associés d'une société

ISSUING BANK
F : banque d'émission
D : *Notenbank*
E : banco emisor
I : *banca di emissione*
Établissement doté du privilège d'émettre des billets de banque

IT
F : informatique
D : *EDV, Informatik*
E : informática
I : *informatica*

ITEMS OF EXPENDITURE
F : poste de dépenses
D : *Aufwendungsposten*
E : articulos de gasto
I : *articoli di spesa*

J-K-L

JET AIRCRAFT
F : avion à réaction
D : *Düsenflugzeug*
E : avion jet
I : *aviogetto*

JET ENGINE
F : réacteur
D : *Düsenmotor*
E : motor de propulsion a chorro
I : *motore a reazione*

JIT (JUST IN TIME)
F : juste à temps
D : *just in time*
E : justo a tiempo
I : *just in time, flusso teso*
Méthode qui consiste à acheter ou produire en fonction des stricts besoins du moment

JOB DESCRIPTION
F : description du travail
D : *Arbeitsbeschreibung*
E : descripcion del trabajo
I : *descrizione del lavoro*

JOB EVALUATION
F : évaluation du travail
D : *Arbeitsbewertung*
E : valoracion del trabajo
I : *valutazione del lavoro*
Détermination de la valeur relative de chaque poste de travail par rapport aux autres dans l'entreprise, et affectation à chacun d'une rémunération convenable

JOINT ACCOUNT
F : compte joint
D : *Gemeinschaftskonto*
E : cuenta comun
I : *conto in comune*
Compte dont deux titulaires se partagent également la jouissance

JOINT AND SEVERAL SECURITY
F : caution solidaire
D : *Solidarkaution*
E : fianza solidaria
I : *fideiussore (garante) solidale*
Caution qui peut être directement poursuivie par le créancier en cas de défaillance du débiteur

JOINT OWNERSHIP
F : copropriété
D : *Miteigentum*
E : copropriedad
I : *comproprietà*

JOINT VENTURE
F : société en participation
D : *Gemeinschaftsbetrieb*
E : empresa en comun
I : *impresa in compartecipazione*
Contrat de société que l'on décide de ne pas faire immatriculer

JOURNAL
F : journal
D : *Tagebuch*
E : diario
I : *giornale*

JUDGE
F : juge
D : *Richter*
E : juez
I : *giudice*

JUDGE
F : juger
D : *urteilen*
E : juzgar
I : *giudicare*

JUDGMENT
F : jugement
D : *Urteil*
E : juicio:adjudicacion
I : *giudizio*

JUNIOR PARTNER
F : associé minoritaire
D : *Minderheitsteilhaber*
E : asociado minoritario
I : *socio minoritario*

JURISDICTION
F : juridiction
D : *Rechtsprechung, Gerichtsbarkeit*
E : jurisdiccion
I : *giurisdizione*

JURY
F : jury
D : *die Geschworenen, Jury*
E : jurado
I : *giuria*

JUSTICE
F : justice
D : *Gerechtigkeit*
E : justicia
I : *giustizia*

JUSTIFIABLE, LAWFUL
F : légitime
D : *gerechtfrtigt, gesetzlich*
E : justificable, legitimo
I : *giustificabile, legittimo*

KEEP THE ACCOUNTS
F : comptabilité (tenir la)
D : *Konto führen*
E : llevar la contabilidad
I : *tenere la contabilità*

KEY
F : touche (de machine à écrire)
D : *Taste*
E : tecla
I : *tasto*

KEY MONEY
F : pas-de-porte
D : *Türschwelle*
E : traspaso
I : *avviamento commerciale*
Somme d'argent variable, et indépendante du loyer, versée par un locataire à celui qui l'a précédé ou au propriétaire d'un local commercial, lors de la conclusion du contrat de bail ou de cession de bail

KEY, CODE
F : clé
D : *Schlüssel*
E : llave, clave
I : *chiave, codice*

KNITTED GOODS
F : bonneterie
D : *Strickwaren*
E : géneros de punto
I : *maglieria*

KNOT
F : nœud
D : *Knoten*
E : nudo
I : *nodo*

KNOWLEDGE
F : connaissance
D : *Kenntnis*
E : conocimientos
I : *conoscenza*

LABEL
F : étiquette
D : *Etikett*
E : etiqueta
I : *etichetta*
Marque distinctive d'un produit ou d'un service qui en garantit l'origine et les qualités spécifiques, voire la conformité avec des normes

LABEL
F : label

LABOUR AGREEMENT
F : convention collective
D : *Tarifvertrag*
E : convenio colectivo
I : *contratto collettivo*
Accord relatif aux conditions de travail conclu entre syndicats de travailleurs et employeurs

LABOUR MARKET
F : marché du travail
D : *Arbeitsmarkt*
E : mercado de mano de obra
I : *mercato della mano d'opera*

LABOUR RELATIONS
F : travail (relations du)
D : *Arbeitsverhältnisse*
E : relaciones patron-obrero
I : *relazioni con la mano d'opera*
Relations sociales salariés/employeur + relations industrielles + relations professionnelles

LAND BANK
F : banque agricole
D : *Landbank*
E : banco agricola
I : *banca agricola*

LAND REGISTRY
F : cadastre
D : *Kataster*
E : catastro
I : *catasto*
Administration et ensemble des documents qui permettent de déterminer les propriétés foncières d'un territoire

LANGUAGE
F : langue
D : *Sprache*
E : lingua
I : *lingua*

LANGUAGE LABORATORY
F : laboratoire de langues
D : *Sprachlador*
E : laboratorio de idiomas
I : *laboratorio di linguaggio*

LATENT DEFECT
F : vice caché
D : *versteckter Mangel*
E : defecto latente
I : *difetto latente*

LATIN AMERICAN FREE TRADE ASSOCIATION (LAFTA)
F : Association latino-américaine de libre-échange
D : *Lateinamerikanische Freihandelszone*
E : Asociacion de mercado libre de América Latina
I : *Associazione di libero scambio dell'America Latina*
Devenue ALADI — Association latino-américaine d'intégration, en 1980. Regroupe Argentine, Bolivie, Brésil, Chili, Colombie, Equateur, Mexique, Paraguay, Pérou, Uruguay, Vénézuela

LAUNCH
F : lancer sur le marché
D : *auf den Markt bringen*
E : lanzar
I : *lanciare*

LAW
F : loi
D : *Recht*
E : ley
I : *legge*

LAWFUL, LEGAL
F : licite
D : *gesetzlich, rechtlich*
E : licito, legitimo
I : *lecito, legittimo*
Permis par la loi

LAWSUIT, TRIAL
F : procès
D : *Rechtsfall, Prozeß*
E : proceso, causa
I : *processo, causa*

LAWYER, BARRISTER, COUNSEL (USA ATTORNEY)
F : avocat
D : *Anwalt*
E : abogado
I : *awocato*

LAYOFF
F : licenciement
D : *Entlassung*
E : despido
I : *licenziamento*

LEADER
F : leader
D : *Markeleader : Marktführer*
E : líder
I : *leader*

LEAKAGE
F : fuite
D : *Leck*
E : escape
I : *colaggio*

LEASE
F : bail
D : *Verpachtung*
E : alquiler
I : *affitto*
Contrat par lequel le propriétaire d'un bien en concède la jouissance à un tiers pour une durée et un prix déterminés

LEASING
F : crédit bail
D : *Pachtkredit*
E : arrendamiento financiero
I : *leasing*
Location assortie d'une promesse de vente au profit du locataire à l'échéance du contrat

LEASING
F : leasing
D : *Leasing*
E : leasing
I : *leasing*
Voir Crédit-bail

LEASING COMPANY
F : société de leasing
D : *Leasinggesellschaft*
E : compania arrendataria
I : *società di leasing*
Société de crédit-bail

LEDGER
F : grand livre
D : *Hauptbuch*
E : libro mayor
I : *libro mastro*
Ensemble des comptes ouverts dans l'entreprise où figurent toutes les opérations enregistrées par nature

LEDGER CLERK (USA BOOKKEEPER)
F : commis-comptable
D : *Buchhalter*
E : contable
I : *contabile*

LEGAL
F : légal
D : *rechtsgültig, legal*
E : legal, juridico
I : *legale, giuridico*

LEGAL ACTION
F : action juridique
D : *Prozeß, Klage*
E : pleito
I : *processo*

LEGAL LIABILITY
F : responsabilité légale
D : *Rechtshaftung*
E : responsabilidad legal
I : *responsabilità legale*
Définie conformément à la loi

LEGAL REPRESENTATIVE
F : représentant mandaté
D : *Rechtsvertreter*
E : representante legal
I : *mandatario*

LEGAL TENDER
F : monnaie légale
D : *gesetzliches Zahlungsmittel*
E : moneda legal
I : *denaro a corso legale*
Dont le cours est légal en vertu de
dispositions légales

LEGISLATION
F : législation
D : *Gesetzgebung*
E : legislacion
I : *legislazione*

LEISURE
F : loisir
D : *Freizeit*
E : descanso
I : *svago*

LEND
F : prêter
D : *leihen*
E : prestar
I : *prestare*

LENDING BANK
F : banque de prêts
D : *Kreditbank*
E : banco de préstamos
I : *banca di prestiti*

LESSOR
F : bailleur
D : *Vermieter*
E : arrendador
I : *locatore*
Propriétaire, celui qui donne à bail

LETTER
F : lettre
D : *Brief*
E : carta, letra
I : *lettera*

LETTER OF CREDIT
F : lettre de crédit
D : *Kreditbrief*
E : carta de crédito
I : *lettera di credito*
Document bancaire accréditant un
client pour lui permettre d'accroître
le volume de son crédit ou d'obtenir
une avance

LETTER OF HYPOTHECATION
F : lettre hypothécaire
D : *Verpfändungsurkunde*
E : carta de hipoteca
I : *atto ipotecario*

LETTER-BOX (USA MAIL-BOX)
F : boîte aux lettres
D : *Briefkasten*
E : buzon
I : *cassetta postale*

LETTERHEAD
F : en-tête
D : *Briefkopf*
E : membrete
I : *intestazione*

LETTERS PATENT (USA PATENT)
F : brevet
D : *Patentukunde*
E : patente de invencion
I : *brevetto*
Droit de propriété d'une entreprise
sur l'exploitation d'un procédé,
d'une technique

LEVY
F : prélèvement
D : *Erthebung*
E : impuesto
I : *imposta*

LICENCE
F : licence
D : *Erlaubnis, Lizenz*
E : licencia, permiso
I : *licenza, permesso*
Autorisation administrative

LIEN
F : droit de retention
D : *Pfandrecht*
E : derecho de retencion
I : *diritti di sequestro*
Pour un créancier, droit de refuser
de restituer un bien appartenant à
son débiteur tant que celui-ci ne
s'est pas acquitté de sa dette

**LIFE ASSURANCE (USA LIFE
INSURANCE)**
F : assurance vie
D : *Lebenversicherung*
E : seguro de vida
I : *assicurazione sulla vita*

LIFE STYLE
F : style de vie
D : *Lebensstil*
E : estilo de vida
I : *stile di vita*

LIFE-INTEREST
F : usufruit viager
D : *lebenslängliche   Nutz-
nießung*
E : usufructo vitalicio
I : *usufruto vitalizio*
Usufruit converti en rente viagère

LIFO
F : LIFO (last in, last out)
D : *LIFO*
E : ultima entrada, primera
salida
I : *ultimo a entrare, primo a
uscire*
« Dernier entré, premier sorti ».
Méthode de valorisation des sorties
de stocks fondée sur l'inverse de la
chronologie des entrées

LIFT (USA ELEVATOR)
F : ascenseur
D : *Aufzug*
E : ascensor
I : *ascensore*

LIGHT INDUSTRY
F : industrie légère
D : *Leichtindustrie*
E : industria ligera
I : *industria leggera*
Transforme les matières premières
brutes ou semi-ouvrées générale-
ment en biens de consommation

LIGHTER
F : allège
D : *Leichter*
E : barcaza, gabarra
I : *chiatta*

LIGHTNING
F : foudre
D : *Blitz*
E : relampago
I : *fulmine*
Tonneau de grande capacité

LIMIT
F : limite
D : *Grenze*
E : limite
I : *limite*

LIMITED
F : limité
D : *beschränkt*
E : limitado
I : *limitato*

LIMITED PARTNERSHIP
F : commandite (société en)
D : *Kommanditgesellschaft*
E : comandita
I : *accomandita*
Société commerciale dans laquelle
des associés apportent des capitaux
sans prendre part à la gestion

ANGLAIS

LIMITED PARTNERSHIP
F : société en commandite
D : *Kommanditgesellschaft*
E : sociedad en comandita
I : *società in accomandita semplice*
Forme de société exploitée par un entrepreneur (commanditaire) à laquelle un bailleur de fonds (commanditaire) a fait un apport en capital sans prendre part à sa gestion.

(RAILWAY) LINE
F : ligne (de chemin de fer)
D : *Linie, Eisenbahnlinie*
E : linea (ferroviaria)
I : *linea (ferroviaria)*

(TELEPHONE) LINE
F : ligne (de téléphone)
D : *Leitung (Telefon)*
E : linea (telefoncia)
I : *linea (telefonica)*

LIQUID ASSETS
F : actif liquide (ou disponible)
D : *flüssige Aktiven*
E : activo liquido
I : *disponibilità, attività liquida*
Fonds détenus en caisse, sur les comptes, et toutes valeurs immédiatement convertibles en espèces pour leur valeur nominale

LIQUIDATION
F : liquidation
D : *Liquidation, Auflösung*
E : liquidacion
I : *liquidazione*
Conséquence de la décision de dissolution d'une société en état de cessation de paiement, elle consiste à en réaliser l'actif, en régler les dettes selon un certain ordre et répartir entre les associés l'éventuel bonus de liquidation

LIQUIDATION
F : liquidation judiciaire
D : *gerichtliches Abwicklung*
E : liquidación judicial
I : *liquidazione giudiziaria*
Liquidation d'une société décidée par un tribunal

LIQUIDATOR
F : liquidateur
D : *Masseverwalter, Sachwalter*
E : liquidador
I : *liquidatore*
Chargé d'effectuer toutes les opérations de liquidation d'une société

LIQUIDITY
F : liquidité
D : *Liquidität*
E : liquidez
I : *liquidità*
Aptitude d'un bien à être transformé en espèces pour régler sans délai une dette. Aptitude d'une entreprise à faire face à ses engagements financiers

LIST PRICE
F : prix courant
D : *Listenpreis*
E : precio de tarifa
I : *prezzo di listino*
Prix de l'année en cours, dans une évaluation en valeur

LIST, SCHEDULE
F : liste
D : *Liste, Tabelle*
E : lista, cuadro
I : *lista, tabella*

LISTED SECURITY
F : valeurs boursières
D : *an der Börse notierte Wertpapiere*
E : valores cotizables
I : *titoli quotati (in borsa)*

LOADING
F : chargement
D : *Ladung*
E : carga
I : *carico, caricamento*
Partie de la prime d'assurance servant à couvrir les frais pesant sur l'assureur

LOAN
F : emprunt
D : *Anleihe*
E : empréstito
I : *prestito*

LOAN ACCOUNT
F : compte de prêts
D : *Anleihekonto*
E : cuenta de préstamos
I : *conto anticipazioni*

LOAN STOCK
F : titres d'emprunt
D : *Anteilewerte*
E : titulos de préstamo
I : *titoli di prestito*
Titres attestant l'existence d'une dette

LOCK-OUT
F : lock-out
D : *Aussperrung*
E : cierre
I : *serrata*
Fermeture momentanée d'une unité de production décidée par la direction au cours d'un conflit collectif

LOGIC
F : logique
D : *Logik*
E : logica
I : *logica*

LOGISTICS
F : logistique
D : *Logistik*
E : logistica
I : *logistica*
Au-delà du transport, c'est l'organisation de l'approvisionnement, de la production et de la distribution, à la croisée des grandes fonctions traditionnelles de l'entreprise

LOGOTYPE
F : logotype
D : *Logo*
E : logotipo
I : *logo*
Représentation visuelle du nom d'une marque ou d'une organisation (logo)

LONG DISTANCE PHONE CALL
F : appel téléphonique de longue distance
D : *Ferngespräch*
E : llamada telefónica de larga distancia
I : *telefonata intercontinentale (chiamata telefonica a lunga distanza)*

LONG-DATED
F : longue échéance (à)
D : *langfristig*
E : a largo plazo
I : *a lunga scadenza*

LONG-TERM
F : long terme (à)
D : *langfristig*
E : a largo plazo
I : *a lunga scadenza*

LONG-TERM CAPITAL
F : capitaux à long terme
D : *langfristiges Kapital*
E : capital a largo plazo
I : *capitale consolidato a lunga scadenza*
Balance des paiements : flux des crédits commerciaux d'une échéance initiale supérieure à un an et des investissements (directs et de portefeuille) des résidents séjournant à l'étranger ou des non résidents séjournant dans le pays

LONG-TERM CREDIT
F : crédit à long terme
D : *langfristiger Kredit*
E : crédito a largo plazo
I : *credito a lungo termine*

LONG-TERM DEBTS
F : dettes à long terme
D : *langfristige Schulden*
E : deudas a largo plazo
I : *debiti a lunga scadenza*

LOSS
F : perte
D : *Verlust*
E : pérdida
I : *perdita*

LOSS LEADER
F : produit d'appel
D : *Lockprodukt*
E : producto de atracción
I : *prodotto civetta*
Vendu à un prix très avantageux (avec un bénéfice réduit ou nul) pour attirer la clientèle

LOSS OF PROFITS
F : perte de bénéfices
D : *Gewinnausfall*
E : lucro cesante
I : *perdita di utili*

LOW-GRADE
F : qualité inférieure (de)
D : *minderwertig*
E : baja calidad
I : *di qualità inferiore*

LUCRATIVE
F : lucratif
D : *einträglich, gewinnbringend*
E : lucrativo
I : *lucrativo*

LUMP SUM
F : forfait
D : *Pauschalbetrag*
E : monto global
I : *forfait, prezzo forfettario*
Contrat dans lequel un prix est fixé à l'avance pour un montant invariable

LUMP SUM
F : somme globale
D : *Pauschalbetrag*
E : suma global
I : *somma globale*

LUMP SUM
F : forfait (fiscalité)
D : *Pauschalbetrag*
E : monto global
I : *prezzo forfettario*
Régime d'imposition des PME qui ne sont pas en mesure de tenir une comptabilité détaillée

LUNCH-HOUR
F : déjeuner (pause)
D : *Mittagspause*
E : hora del almuerzo
I : *ora di colazione*

LUXURY GOODS
F : articles de luxe
D : *Luxuswaren*
E : articulos de lujo
I : *articoli di lusso*

LUXURY TAX
F : impôt sur les produits de luxe
D : *Luxussteuer*
E : impuesto de lujo
I : *tassa sugli articoli di lusso*

M.L.R. (MINIMUM LENDING RATE)
F : taux de base bancaire
D : *Lombardsatz*
E : tipo de base bancario
I : *tasso di base bancario*
Taux d'intérêt appliqué par une banque aux crédits consentis à ses meilleurs clients, qui constitue sa référence pour établir le barème de ses différents taux

MACHINE
F : machine
D : *Maschine*
E : maquina
I : *macchina*

MACHINE DOWN-TIME
F : tempo de panne machine
D : *Maschinenstillstandzeit*
E : tiempo improductivo de la maquina
I : *tempo passivo di macchina*

MACHINE LANGUAGE
F : langage machine
D : *Maschinensprache*
E : lenguaje de maquina
I : *linguaggio di macchina*
Seul langage informatique à être directement utilisable par la machine, il décrit le fonctionnement binaire des circuits câblés

MACHINERY
F : appareillage
D : *Ausrüstung*
E : equipo
I : *apparecchiatura*

MACHINERY
F : machinerie
D : *Maschinerie*
E : maquinaria
I : *macchinario*

MAGNETIC CARD
F : carte magnétique
D : *Magnetkarte*
E : tarjeta magnética
I : *scheda magnetica*

Carte accréditive dont les informations sur l'identification du titulaire sont inscrites sous forme codée sur une ou plusieurs pistes magnétiques

MAIL
F : poste
D : *Post*
E : correo
I : *posta*

MAIL TRANSFER
F : virement postal
D : *Postüberweisung*
E : transferencia postal
I : *trasferimento per posta*

(MARKETING) MAILING, ADDRESSING
F : adressage
D : *Adressierung*
E : direccionamiento
I : *indirizzamento*

MAIL-ORDER SELLING
F : VPC (vente par correspondance)
D : *Versandhandel*
E : VPC (venta por correspondencia)
I : *vendita per corrispondenza*

MAINTENANCE
F : entretien
D : *Instandhaltung*
E : mantenimiento
I : *manutenzione*
Conversation suivie entre des interlocuteurs en présence ou non l'un de l'autre

MAINTENANCE
F : maintenance
D : *Instandhaltung*
E : mantenimiento
I : *manutenzione*
Toutes les activités d'entretien de matériels et de machines (interventions préventives ou consécutives à une panne)

MAJORITY HOLDING
F : participation majoritaire
D : *Mehrheitsbeteiligung*
E : tenencia de acciones por mayoria
I : *partecipazione maggioritaria*

MAJORITY-OWNER MANAGER
F : gérant majoritaire
D : *Mehrheitsverwalter*
E : gerente mayoritario
I : *gerente maggioritario*

MAKE A COUNTEROFFER
F : faire une contre-offre
D : *ein Gegenangebot abgeben*
E : hacer una contraoerta
I : *fare una controfferta*
Faire une contre-proposition de contrat à quelqu'un

MAKE AN APPOINTMENT
F : rendez-vous (prendre un)
D : *eine Verabredung treffen*
E : hacer una cita
I : *fissare un appuntamento*

MAKE AN OFFER
F : faire une offre
D : *eine Offerte machen*
E : hacer una oferta
I : *fare una offerta*

MAKER'S LABEL
F : griffe
D : *Marke*
E : rúbrica
I : *firma, griffe*

MAN-HOURS
F : heures-homme
D : *Erbeitsstunde pro Mann*
E : horas-hombre
I : *ore-uomo*
Heures de travail effectuées par individu

MANAGEMENT
F : administration
D : *Vorstand*
E : direccion
I : *direzione, amministrazione*

MANAGEMENT
F : management
D : *Management*
E : management
I : *management*
Ensemble des techniques d'organisation mises en œuvre pour la gestion d'une entité économique

MANAGEMENT AUDIT
F : contrôle de gestion
D : *Controlling*
E : control de gestión
I : *controllo di gestione*
Etude, préparation et coordination des décisions de gestion permettant à l'entreprise d'atteindre efficacement ses objectifs

MANAGEMENT CONSULTANT
F : ingénieur-conseil en organisation
D : *Geschäftsführungsberater*
E : aseor administrativo
I : *consultente di direzione aziendale*
Spécialiste du conseil, de l'expertise, qui intervient à titre personnel au niveau de l'organisation de l'entreprise, du travail

MANAGEMENT/CONTROL
F : encadrement
D : *Rahmen*
E : marco
I : *gruppo dirigente*

MANAGER
F : manager nm
D : *Manager*
E : manager
I : *manager*
Désigne le dirigeant d'une grande entreprise (PDG, directeur, etc.)

MANAGER, DIRECTOR
F : directeur (voir aussi chef)
D : *Geschäftsleiter, Direktor*
E : director
I : *direttore*

MANAGERIAL STAFF
F : cadres
D : *leitende Angestellte*
E : mandos
I : *management*
Catégorie socio-professionnelle de salariés exerçant un poste de responsabilité dans une entreprise ou la fonction publique

MANAGING DIRECTOR (USA PRESIDENT)
F : administrateur délégué
D : *geschäftsleitender Direktor*
E : director gerente
I : *amministrariné delegato*
Remplit les fonctions du président en cas d'empêchement (ou de décès) de celui-ci

MANIFEST
F : manifeste
D : *Ladungsverzeichnis*
E : manifiesto
I : *manifesto*

MANIPULATION
F : manipulation
D : *Schiebung*
E : manipulacion
I : *manipulazione*

MANPOWER, LABOUR FORCE
F : main-d'œuvre
D : *Arbeitskräfte, menschliche Arbeitskraft*
E : mano de obra
I : *mano d'opera*
Personne chargée de réaliser une opération pour le compte d'un maître d'ouvrage

MANUAL
F : manuel adj
D : *Hand-*
E : manual
I : *manuale*

MANUFACTURED PRODUCTS
F : produits manufacturés
D : *Fabrikate*
E : productos manufacturados
I : *manufatti*

MANUFACTURER
F : fabricant
D : *Erzeuger, Hersteller*
E : fabricante
I : *fabbricante*

MANUFACTURING LICENCE
F : licence de fabrication
D : *Herstellungslizenz*
E : licencia de fabricación
I : *licenza di fabbricazione*

MARGIN
F : marge
D : *Spanne*
E : margen
I : *margine*

MARGINAL ANALYSIS
F : analyse marginale
D : *Randanalyse*
E : analisis marginal
I : *analisi marginale*
Analyse des bénéfices en fonction des marges

MARGINAL COST
F : coût marginal
D : *Randkosten*
E : coste marginal
I : *costo marginale*
Coût supplémentaire ou additionnel d'une unité entraîné par une augmentation de la production

MARITIME
F : maritime
D : *See-*
E : maritimo
I : *marittimo*

(LOCAL) MARKET DAY
F : jour de marché
D : *Markttag*
E : dia de mercado
I : *giorno di mercato*

MARKET PENETRATION
F : pénétration du marché
D : *Markteindringen*
E : penetracion en el mercado
I : *penetrazione nel mercato*

MARKET PRICE
F : cours du marché
D : *Marktpreis*
E : precio de mercado
I : *prezzo del mercato*
Cours déterminé par l'offre et la demande sur un marché

MARKET REPORT
F : analyse du marché
D : *Marktbericht*
E : informe del mercado
I : *relazione sul mercato*

MARKET RESEARCH, MARKET SURVEY
F : étude de marché
D : *Marktforschung*
E : investigacion del mercado, estudio de mercado
I : *indagine di mercato, ricerca di mercato*

MARKET SHARE
F : part de marché
D : *Marktanteil*
E : participacion del mercado
I : *quota del mercado*

MARKET VALUE
F : valeur marchande
D : *Marktwert*
E : valor de mercado
I : *valore di mercato*
Valeur de commercialisation

MARKET VALUE
F : valeur vénale
D : *Verkaufswert*
E : valor venal
I : *valore venale*
Valeur comptable invariable d'un titre au moment de sa première émission

MARKET, DEAL
F : marché
D : *Markt, Handel*
E : mercado, negocio
I : *mercato, affare*

MARKETABLE
F : vendable
D : *marktfähig*
E : vendible
I : *vendibile*

MARKETING
F : marketing
D : *Marketing*
E : marketing
I : *marketing*
Englobe à la fois les techniques d'analyse des besoins pour définir le produit correspondant, et les techniques de faire-savoir

MARKETING AGREEMENT
F : accord de commercialisation
D : *Absatzübereinkommen*
E : acuerdo mercantil
I : *accordo di mercato*

MARKETING DIRECTOR
F : directeur du marketing
D : *Absatzdirektor*
E : director mercantil
I : *direttore di mercato*
Responsable de la détection des besoins et de l'adaptation en continu de la production et de la commercialisation afin de développer les ventes

MASTER OF A SHIP
F : capitaine
D : *Kapitän*
E : capitan de navio
I : *capitano di nave*

(SHIP'S) MATE
F : second nm
D : *Maat*
E : primer oficial
I : *primo ufficiale*

MATERIAL
F : essentiel
D : *wesentlich*
E : material
I : *materiale*

MATERIAL (SUBSTANCE)
F : matière
D : *Material*
E : materia
I : *materia*

MATERIAL, CLOTH
F : étoffe
D : *Stoff*
E : tejido
I : *stoffa, tessuto*

MATRIX
F : matrice
D : *Matrix*
E : matriz
I : *ruolo d'imposta*
Tableau de nombres disposés en lignes et en colonnes permettant de faire de l'analyse stratégique ou d'étudier les possibilités de développement d'une entreprise

MATURITY
F : échéance
D : *Fälligkeit*
E : vencimiento
I : *scadenza*

MAXIMUM
F : maximum
D : *maximal*
E : maximo
I : *massimo*

MEAN PRICE
F : prix moyen
D : *Mittelkurs*
E : precio medio
I : *prezzo medio*

MEASURE
F : mesure
D : *Maß*
E : medida
I : *misura*

MEASURE
F : mesurer
D : *messen*
E : medir
I : *misurar*

MECHANIC
F : mécanicien
D : *Mechaniker*
E : mecanico
I : *meccanico*

MECHANICAL ENGINEERING
F : construction mécanique
D : *Maschinenbau*
E : ingenieria mecanica
I : *ingegneria meccanica*

MEDIA
F : supports
D : *Werbeträger*
E : medios de informacion
I : *canali d'informazione*

MEDIATION
F : médiation
D : *Vermittlung*
E : intermediacion
I : *mediazione*

MEDICAL EXAMINATION
F : examen médical
D : *ärztliche Untersuchung*
E : examen médico
I : *visita medical*

MEDIUM-TERM CREDIT
F : crédit à moyen terme
D : *mittelfristiger Kredit*
E : crédito a mediano plazo
I : *credito a medio termine*

MEETING
F : réunion
D : *Versammlung*
E : reunion
I : *riunione, assemblea*

MEETING OF CREDITORS
F : réunion de créanciers
D : *Gläubigerversammlung*
E : concurso de acreedores
I : *convocazione dei creditori*

MEMBER
F : membre
D : *Mitglied*
E : miembro, socio
I : *membro, socio*

MEMORANDUM AND ARTICLES OF ASSOCIATION (USA ARTICLES OF INCORPORATION)
F : statuts
D : *Statuten*
E : statutos, carta organica
I : *atto costitutivo e statuto sociale*
Ensemble de dispositions fixant les règles de fonctionnement interne d'une organisation (sociétés civiles et commerciales, en particulier)

MERCANTILE
F : mercantile
D : *Handels-*
E : mercantil
I : *mercantile*

MERCANTILE AGENT (USA SALES AGENT)
F : agent commercial
D : *Handelsvertreter*
E : agente mercantil
I : *agente di commercio*
Mandataire indépendant qui négocie des actes commerciaux pour le compte d'une entreprise

MERCHANDISING
F : marchandisage
D : *Handel*
E : merchandising
I : *merchandising*
Rattaché au marketing, il contrôle toutes les techniques de présentation d'un produit : l'aspect extérieur, le conditionnement (en contact direct ou non avec la marchandise)

MERCHANT BANK
F : banque commerciale
D : *Handelsbank*
E : banco mercantil
I : *banca commerciale*
Banque dont les principales fonctions sont de recevoir des dépôts et d'accorder des crédits aux entreprises

MERCHANT SHIP
F : navire marchand
D : *Handelsschiff*
E : barco mercante
I : *nave mercantile*

MERGER
F : fusion
D : *Verschmelzung*
E : fusion
I : *fusione*
Mise en commun de tous les biens ou activités de plusieurs sociétés qui disparaissent juridiquement pour en créer une nouvelle, ou absorption de toutes les autres par l'une d'entre elles (qui subsiste)

METRIC SYSTEM
F : système métrique
D : *metrisches System*
E : sistema métrico
I : *sistema metrico*

MICROECONOMICS
F : micro-économie
D : *Mikroökonomie*
E : microeconomía
I : *microeconomia*
Approche économique basée sur l'étude des comportements des unités individuelles (l'entreprise, le consommateur, l'entrepreneur individuel)

MIDDLE MAN
F : intermédiaire
D : *Zwischenhändler*
E : intermediario
I : *intermediario*

MIDDLE PRICE
F : cours moyen
D : *Mittelpreis, Mittelkurs*
E : precio medio
I : *prezzo medio*

MILITARY-INDUSTRIAL COMPLEX
F : complexe (militaro-industriel)
D : *militärisch-industrieller Komplex*
E : complejo (militarindustrial)
I : *complesso (militare-industriale)*
Champ des relations armée/industries d'armement

MINE
F : mine
D : *Bergwerk*
E : mina
I : *minera*

MINERAL
F : minéral
D : *Mineral*
E : mineral
I : *minerale*

MINERAL CONCESSION
F : concession minière
D : *Bergwerkskonzession*
E : concession minera
I : *concessione mineraria*
Gisement qu'une personne physique ou morale a reçu l'autorisation d'exploiter pour une période déterminée

MINIMIZE
F : minimiser
D : *minimieren*
E : minimizar
I : *minimizzare*

MINIMUM
F : minimum
D : *minimal*
E : minimo
I : *minimo*

MINIMUM WAGE
F : salaire minimum
D : *Mindestgehalt*
E : salario mínimo
I : *salario minimo*
En France, le SMIC — Salaire Minimum Interprofessionnel de Croissance, fixé par voie réglementaire et dont l'évolution est fonction de la croissance et de la hausse des prix

MINISTER'S DEPARTMENTAL STAFF
cabinet (ministère)
D : *Kabinett*
E : *gabinete (ministerio)*
I : *gabinetto (ministeriale)*
Ensemble des ministres groupés autour du chef du gouvernement

MINISTRY
F : ministère
D : *Ministerium*
E : ministerio
I : *ministero*

MINORITY INTEREST, MINORITY STAKE
F : participation minoritaire
D : *Minoritätsbeteiligung, Minderheitsbeteiligung*
E : participacion de la minoria, participación minoritaria
I : *interessenza di minoranza*

MINORITY-OWNER MANAGER
F : gérant minoritaire
D : *Minderheitsverwalter*
E : gerente minoritario
I : *gerente minoritario*

MINUTES
F : procès-verbal
D : *Protokoll*
E : actas
I : *verbale*

MISCALCULATION
F : erreur de calcul
D : *Rechenfehler*
E : calculo erroneo
I : *calcolo errato*

MISREPRESENTATION
F : déclaration inexacte
D : *Verdrehung*
E : declaracion falsa
I : *dichiarazione falsa*

MIXED ECONOMY
F : économie mixte
D : *Gemischwirtschaft*
E : economia mixta
I : *economia mista*
Système dans lequel collaborent collectivités publiques et industrie privée

MOBILITY
F : mobilité
D : *Beweglichkeit*
E : movilidad
I : *mobilità*

MODE
F : mode
D : *Mode, Modus*
E : modo
I : *moda*

MODEL
F : modèle
D : *Modell*
E : modelo
I : *modello*

MONETARY POLICY
F : politique monétaire
D : *Währungspolitik*
E : politica monetaria
I : *politica monetaria*

MONEY
F : argent
D : *Geld*
E : dinero
I : *denaro*

MONEY MARKET
F : marché monétaire
D : *Geldmarkt*
E : mercado de dinero
I : *mercato di denaro*
Marché des capitaux à court et à moyen terme, comprenant le marché interbancaire et le nouveau marché des titres de créances négociables

MONEY ON CALL
F : argent à vue
D : *Sichtgelder*
E : dinero a la vista
I : *denaro a la vista*
Voir A vue

MONOPOLY
F : monopole
D : *Monopol*
E : monopolio
I : *monopolio*
Situation d'un marché sur lequel la concurrence n'existe pas du côté de l'offre (un seul vendeur)

MONTHLY INSTALMENT
F : mensualité
D : *Monatsrate*
E : mensualidad
I : *mensilità*

MONTHLY SETTLEMENT
F : règlement mensuel
D : *monatliche Zahlung*
E : pago mensual
I : *saldo, pagamento mensile*
Marché à terme des valeurs mobilières

MOONLIGHTING
F : travail au noir
D : *Schwarzarbeit*
E : trabajo clandestino
I : *lavoro nero*
Qui est effectué au-delà de la durée maximum légale et dont la rémunération échappe aux cotisations sociales et à l'impôt

MORATORIUM
F : moratoire
D : *Zahlungsaufschub*
E : moratorio
I : *moratoria*
Disposition suspendant l'application d'un délai fixé par la loi ou par contrat

MORTGAGE
F : hypothèque
D : *Hypothek*
E : hipoteca
I : *ipoteca*
Droit réel détenu par un créancier à titre de garantie sur le bien immobilier de son débiteur, sans qu'il en ait la propriété

MORTGAGE DEBENTURE
F : obligation hypothécaire
D : *hypothekarisch gesicherte Schuldverschreibung*
E : obligacion hipotecaria
I : *obbligazione ipotecaria*
Obligation garantie par une hypothèque sur des biens immeubles

MOTION
F : motion
D : *Antrag*
E : mocion
I : *mozione*
Proposition faite dans une assemblée par un ou plusieurs de ses membres

MOTIVATION
F : motivation
D : *Motivation*
E : motivación
I : *motivazione*

MOTIVATIONAL RESEARCH
F : étude de motivation
D : *Motivforschung*
E : investigacion de motivacion
I : *indagine sulle motivazioni*
Destinée à définir les mobiles dominants qui influencent les comportements et les choix d'une clientèle existante ou potentielle

MOVABLE ASSETS
F : biens mobiliers
D : *bewegliche Güter*
E : mobiliario
I : *proprietà mobiliare*
Les meubles

MULTILATERAL AGREEMENT
F : accord multilatéral
D : *multilaterales Abkommen*
E : acuerdo multilateral
I : *accordo multilaterale*

MULTILATERAL TRADE
F : commerce multilatéral
D : *mehrseitiges-Handeln*
E : comercio multilateral
I : *commercio multilaterale*

MULTIPLIER
F : multiplicateur
D : *Vervielfältiger*
E : multiplicador
I : *moltiplicatore*

MULTIPLY
F : multiplier
D : *vervielfältigen*
E : multiplicar
I : *moltiplicare*

MUNICIPAL
F : communal
D : *Kommunal-*
E : municipal
I : *municipale*

MUTUAL AGREEMENT
F : accord mutuel
D : *gegenseitiges Einvermehmen*
E : acuerdo comun
I : *comune accordo*

MUTUAL AGREEMENT
F : marché de gré à gré
D : *freihändiger Handel*
E : acuerdo recíproco
I : *licitazione privata*
Contrat conclu sans adjudication préalable

MUTUAL BENEFIT SOCIETY
F : mutuelle
D : *Versicherungsgesellschaft auf Gegenseitigkeit*
E : mutualidad
I : *società mutualistica*
Organisme de prévoyance, de solidarité et d'entraide financée par les cotisations de ses membres

MUTUAL FUND
F : fonds commun de placement
D : *gemeinschaftlicher Anlagefonds*
E : fondo de inversión mobiliaria
I : *fondi comuni d'investimento*
Portefeuille de valeurs mobilières et de sommes placées à court ou long terme, détenu par une copropriété gérée par un dépositaire

MUTUAL FUND
F : SICAV (société d'investissement à capital variable)
D : *Investitionsgesellschaft mit variablem Kapital*
E : sociedad gestora del fondo de inversión mobiliaria
I : *società d'investimento a capitale variabile*
Exclusivement destinée à la gestion collective des placements de ses actionnaires (valeurs mobilières ou biens immobiliers)

MUTUAL GUARANTEE INSURANCE COMPANY
F : société de caution mutuelle

D : *gegenseitige Bürgschaftsgesellschaft*
E : sociedad de caución mutua
I : *società di mutua garanzia*
Société à capital variable dont l'objet est de garantir les crédits accordés à ses membres

MUTUAL INSURANCE
F : assurance mutuelle
D : *Versicherung auf Gegenseitigkeit*
E : coaseguro
I : *mutua assicurazione*

NATIONAL
F : national
D : *national*
E : nacional
I : *nazionale*

NATIONAL DEBT
F : dette publique
D : *Staatsschuld*
E : deuda publica
I : *debito pubblico*
Ensemble des engagements à la charge de l'Etat

NATIONAL INCOME
F : revenu national
D : *Nationaleinkommen*
E : renta nacional
I : *reddito nazionale*
Ressources nationales en biens et services créées au cours d'une période donnée

NATIONALITY
F : nationalité
D : *Staatsangehörigkeit*
E : nacionalidad
I : *nazionalità*

NATIONALIZATION
F : nationalisation
D : *Verstaatlichung*
E : nacionalizacion
I : *nazionalizzazione*
Transfert à la collectivité nationale de certaines entreprises ou de l'exercice de certaines activités

NATIONALIZED COMPANY
F : entreprise nationalisée
D : *verstaatlichtes Unternehmen*
E : empresa nacionalizada
I : *impresa nazionalizzata*
Entreprise qui est la propriété exclusive de l'Etat

NATURAL GAS
F : gaz naturel
D : *Erdgas*
E : gas natural
I : *gas naturale*

NAVIGABLE
F : navigable
D : *schiffbar*
E : navegable
I : *navigabile*

NEGLIGENCE
F : négligence
D : *Fahrlässigkeit*
E : negligencia
I : *negligenza*

NEGOTIABLE
F : négociable
D : *begebbar*
E : negociable
I : *negoziabile*
Transmissible sur un marché

NEGOTIABLE INSTRUMENT
F : effet de commerce
D : *begebbares Wertpapier*
E : titulo negociable
I : *titulo negoziabile*
Titre de créance négociable et cessible par endossement (voir ce mot)

NEGOTIATE
F : négocier
D : *verhandeln*
E : negociar
I : *negoziare*

NEGOTIATION
F : négociation
D : *Verhandlung*
E : negociacion
I : *trattativa*

NET
F : net
D : *Netto-,Rein-*
E : neto
I : *netto*

NET AMOUNT
F : montant net
D : *Nettobetrag*
E : importe neto
I : *importo netto*

NET ASSETS
F : actif net
D : *Reinvermögen*
E : activo neto
I : *attivo netto*
Situation comptable nette de l'entreprise à une date donnée (valeur comptable nette de l'actif diminuée des dettes à court terme)

NET INCOME
F : revenu net
D : *Nettoeinkommen*
E : ingreso neto
I : *reddito netto*

NET PRICE
F : prix net
D : *Nettopreis, Nettokurs*
E : precio neto
I : *prezzo netto*

NET PROCEEDS
F : produit net
D : *Reinerlös*
E : rédito neto
I : *ricavo netto*

NET PROFIT
F : bénéfice net
D : *Reingewinn*
E : ganancia neta
I : *utile netto*
Bénéfice brut diminué des frais généraux, charges, amortissement de l'actif social et provisions pour dépréciation. Se calcule avant ou après impôts

NET PROFIT MARGIN
F : marge nette
D : *Reingewinnspanne*
E : margen de beneficio neto
I : *margine di utile netto*
Voir Bénéfice net

NET REVENUE
F : recettes nettes
D : *Nettoeinnahmen*
E : ingresos netos
I : *entrata netta*

NET WEIGHT
F : poids net
D : *Reingewicht*
E : peso neto
I : *peso netto*

NET WORTH
F : situation nette
D : *Nettolage*
E : situación neta
I : *situazione netta*

NET YIELD
F : rendement net
D : *Nettoertrag*
E : rendimiento neto
I : *reddito netto*
Rendement d'un capital investi,
déduction faite de toutes les charges

NETWORK
F : réseau
D : *Netz*
E : red
I : *rete*

NEWS AGENCY
F : agence de presse
D : *Nachrichtenbüro*
E : agencia de prensa
I : *agenzia d'informazioni*

NIGHT SAFE
F : coffre de nuit
D : *Nachttresor*
E : caja de seguridad nocturna
I : *deposito notturno*

NIGHT SHIFT
F : équipe de nuit
D : *Nachtschicht*
E : turno de noche
I : *turno di notte*

NIGHTWATCHMAN
F : gardien de nuit
D : *Nachtwächter*
E : guarda de noche
I : *guardiano notturno*

NIGHTWORK
F : travail de nuit
D : *Nachtarbeit*
E : trabajo nocturno
I : *lavoro notturno*

NIL BALANCE (USA ZERO BALANCE)
F : solde nul
D : *Nullsaldo*
E : saldo nulo
I : *saldo nullo*
Celui d'une balance commerciale ou
d'un budget équilibrés

NOMINAL
F : nominal
D : *nominell*
E : nominal
I : *nominale*

NOMINAL ACCOUNT
F : compte nominal
D : *Firmenkonto*
E : cuenta de resultado
I : *conto d'ordine*

NOMINAL AMOUNT
F : montant nominal
D : *Nominalbetrag*
E : suma nominal
I : *importo nominale*
Inscrit sur un titre, il est définitif
quelles que soient les fluctuations de
la valeur réelle ou marchande de
celui-ci

NOMINAL CAPITAL
F : capital nominal
D : *Nennkapital*
E : capital nominal
I : *capitale nominale*
Voir Capital social

NOMINAL VALUE, FACE VALUE, DENOMINATION
F : valeur nominale
D : *Nennwert, Stückelung*
E : valor, valor nominal
I : *valore nominale, taglio*
Valeur comptable invariable d'un
titre au moment de sa première
émission

NON COMMERCIAL PROFIT
F : bénéfices non commerciaux
— BNC
D : *Unhandelsgewinn*
E : beneficios no comerciales
(BNC)
I : *profitti non commerciali*
Ceux des professions libérales, des
charges et offices dont les titulaires
n'ont pas qualité de commerçants,
de toutes occupations lucratives

NON TAXABLE INCOME
F : revenu non imposable
D : *steuerfreies Einkommen*
E : ingresos no imponibles
I : *reddito non tassabile*

NON-VOTING SHARES
F : actions sans droit de vote
D : *Aktien ohne stimmrecht*
E : acciones sin derecho de voto
I : *azioni senza diritto a voto*
Ne donnent pas le droit de voter
lors des assemblées générales

NONACCEPTANCE
F : acceptation (non)
D : *Nichtannahme*
E : rechazo
I : *mancata accettazione*

NONFULFILMENT
F : non-exécution
D : *Nichterfüllung*
E : incumplimiento
I : *inadempienza*

NONPROFITMARKING
F : lucratif (sans but)
D : *ohne Gewinnabsicht*
E : sin finos lucrativos
I : *senza scopo di lucro*

NOT NEGOTIABLE
F : négociable (non)
D : *nicht übertragbar*
E : no negociable
I : *non negoziabile*

NOTARIAL (DEED)
F : authentique (acte)
D : *urkundlich*
E : auténtico (documento)
I : *autentico (atto)*
Ecrit présentant les formes légales
requises

NOTARY PUBLIC
F : notaire
D : *Notar*
E : notario publico
I : *notaio pubblico*
Officier public chargé de recevoir,
rédiger, authentifier et conserver les
actes et contrats des particuliers

NOTICE
F : avis
D : *Benachrichtung*
E : aviso
I : *awiso, preawiso*

NOTIFICATION
F : notification
D : *Mittelung*
E : notificacion
I : *notifica*

NULL AND VOID
F : nul et non avenu
D : *null und nichtig*
E : nulo y sin valor
I : *nullo e senza effetto*
Considéré comme n'ayant jamais
existé

NUMBER
F : numéro
D : *Nummer, Anzahl*
E : numero
I : *numero*

NUMBERED ACCOUNT
F : compte identifié par
numéro
D : *numeriertes Konto*
E : cuenta identificada con
numero
I : *conto identificato da numero*

OBSOLESCENCE
F : obsolescence
D : *Veralterung*
E : obsolescencia
I : *obsolescenza, invecchiamento dei mezzi produttivi*
Caractérise un matériel périmé par le progrès technique ou les produits nouveaux alors que le délai d'usure n'est pas atteint

OCCUPATION
F : profession
D : *Beruf*
E : profesión
I : *professione*

OCCUPATION, JOB
F : occupation
D : *Beschäftigung*
E : ocupacion, empleo
I : *occupazione, impiego*

OCCUPATIONAL HAZARD
F : risque professionnel
D : *Berufsrisiko*
E : riesgo profesional
I : *rischio del lavoro*

OFFER
F : offrir
D : *anbieten*
E : ofrecer
I : *offrire*

OFFICE HOURS
F : heures de bureau
D : *Geschäftsstunden*
E : horario de oficina
I : *orario d'ufficio*

OFFICE MANAGER
F : chef de bureau
D : *Bürovorsteher*
E : jefe de officina
I : *capo ufficio*

OFFICE, DESK
F : bureau
D : *Büro, Schreibitsch*
E : oficina, mesa
I : *ufficio, scrittoio*

OFFICIAL
F : officiel
D : *amtlich*
E : oficial
I : *ufficiale*

OILFIELD
F : gisement pétrolifère
D : *Ölfeld*
E : yacimiento de petroleo
I : *giacimento petrolifero*

OLD-AGE PENSION
F : retraite vieillesse
D : *Altersversorgung*
E : retiro de vejez
I : *pensione per la vecchiaia*
Revenu de remplacement versé, par le régime général ou les régimes complémentaires, à quiconque peut prétendre à la perception d'une retraite

OLD-ESTABLISHED BUSINESS
F : maison solide
D : *alteingeführtes Geschäft*
E : casa solida
I : *casa di vecchia fondazione*

OLIGOPOLY
F : oligopole
D : *Oligopol*
E : oligopolio
I : *oligopolio*
Situation d'un marché sur lequel la concurrence est imparfaite du fait que l'offre est réalisée par un petit nombre de grandes entreprises face à un grand nombre de demandeurs

OMISSION
F : omission
D : *Auslassung, Unterlassung*
E : omision
I : *omissione*

ON ACCOUNT
F : à valoir
D : *a conto, auf Abschlag*
E : a cuenta
I : *in acconto*
Voir Acompte

ON CONDITION
F : réserves (sous)
D : *vorausgesetzt*
E : a condicion
I : *a condizione*

ON CONSIGNMENT
F : consignation (en)
D : *in Kommission*
E : en consignacion
I : *in conto deposito*
En dépôt à titre de garantie ou en attendant la solution d'un litige

ON DEMAND
F : demande (sur)
D : *auf Verlangen*
E : a vista
I : *a vista*

ON LOAN
F : forme de prêt (sous)
D : *darlehensweise*
E : en préstamo
I : *in prestito*

ONE-MAN BUSINESS
F : entreprise individuelle
D : *GbR, Einzelpersonengesellschaft*
E : empresa individual
I : *impresa individuale*
Entreprise dont l'activité est exercée par une personne physique pour son propre compte, patrimoine professionnel et personnel confondus

OPEN CREDIT
F : crédit à découvert
D : *offener Kredit*
E : crédito en descubierto
I : *credito allo scoperto*

OPEN MARKET
F : marché libre
D : *freier Markt*
E : mercado libre
I : *mercato libero*
Marché où se négocient librement des valeurs n'ayant pas de cotation officielle

OPEN-PLAN OFFICE
F : bureau paysager
D : *Großraumbüro*
E : oficina sin particiones
I : *ufficio senza divisioni*

OPERATING COSTS
F : frais d'exploitation
D : *Betriebsausgaben*
E : costes operacionales
I : *spese di gestione*
Ensemble des dépenses engagées lors
du processus de production

OPERATING INCOME
F : résultat d'exploitation
D : *Betriebsergebnis*
E : resultado de la explotación
I : *utile d'esercizio*
Solde du compte d'exploitation

OPERATING REPORT
F : tableau de bord
D : *Geschäftsbericht*
E : cuadro de mando
I : *quadro degli strumenti*

OPERATING STATEMENT
F : compte d'exploitation générale
D : *Betriebskonto*
E : cuenta de explotación general
I : *conto di esercizio generale*
Devenu en 1982 Compte de résultat

OPERATIONAL
F : opérationnel
D : *operativ*
E : operacional
I : *operativo*
Adapté à la tâche ou à la fonction à
remplir. Désigne aussi une fonction
se rapportant à l'activité principale
de l'entreprise (par opposition aux
tâches administratives)

OPERATIONAL RESEARCH (OR)
F : recherche opérationnelle
D : *Unternehmensforschung*
E : investigacion operacional
I : *indagine sul funzionamento*
Méthode d'analyse scientifique à
dominante mathématique visant à
définir une politique optimale de
gestion

OPERATIVE
F : actif adj
D : *wirksam*
E : operativo, activo
I : *attivo, operativo*

OPINION
F : opinion
D : *Meinung*
E : opinion
I : *opinione*

OPTIMUM
F : optimum
D : *Optimum*
E : óptimo
I : *ottimale*
Valeur d'une grandeur, ou d'un
ensemble de grandeurs, jugée
comme la plus adaptée à la réalisa-
tion d'un ou plusieurs objectifs

OPTION
F : option
D : *Option*
E : opcion
I : *opzione*
Clause d'un contrat donnant à l'une
des parties le droit de réaliser
quelque chose à une date future et à
des conditions fixées à la date du
contrat

ORDER
F : commande
D : *Bestellung*
E : pedido
I : *ordine*

ORDER
F : commande (passer une)
D : *bestellen*
E : hacer un pedido
I : *ordinare*

ORDER BOOK
F : livre de commandes
D : *Auftragsbuch*
E : libro de pedidos
I : *libro degli ordini*

ORDER-FORM
F : bon de commande
D : *Bestellformular*
E : solicitud de pedido
I : *foglio d'ordinazione*

(ADMINISTRATION) ORDER TO PAY/ (INDUSTRIE) PRODUCTION SCHEDULING
F : ordonnancement
D : *Zahlungsanweisung*
E : planificación
I : *ordinativo*
Organisation, agencement métho-
dique. Acte administratif par lequel
ordre est donné de payer une dette
contractée par un organisme public

ORDINARY SHARE
F : action ordinaire
D : *Stammaketie*
E : accion ordinaria
I : *azione ordinaria*
Confère à son détenteur des droits
normaux de participation

ORGANIZATION
F : organisation
D : *Organisation*
E : organizacion
I : *organizzazione*

ORGANIZATION CHART
F : organigramme
D : *Organigramm*
E : organigrama
I : *organigramma*
Représentation graphique de la
structure d'une organisation, mon-
trant ses différents organes et leurs
liaisons hiérarchiques

ORGANIZATION FOR ECONOMIC COOPERATION AND DEVELOP-MENT (OECD)
F : Organisation de coopéra-
tion et de développement éco-
nomiques — OCDE
D : *Organisation für wirtschaft-
liche Zusammenarbeit und Ent-
wicklung (OECD)*
E : *Organizacion para coopera-
cion y desarrollo economico*
I : Organizzazione per la coopera-
zione e lo sviluppo economico
Regroupe à Paris 25 pays en majo-
rité européens ainsi que les Etats-
Unis, le Canada, le Japon, l'Austra-
lie et la Nouvelle-Zélande. Son rôle
depuis 1961 : favoriser l'expansion
économique de ses membres ainsi
que celle des pays en développement

ORIGIN
F : origine
D : *Ursprung*
E : origen
I : *origine*

OUT OF DATE, EXPIRED
F : périmé
D : *verfallen*
E : vencido
I : *scaduto*

OUTLINE AGREEMENT (USA FRA-MEWORK ACCORD)
F : accord cadre
D : *Rahmenabkommen*
E : acuerdo marco
I : *accordo quadro*
Accord général conclu entre des par-
tenaires sociaux et destiné à être pré-
cisé ultérieurement

OUTPLACEMENT
F : outplacement
D : *Umschulung*
E : reconversión externa
I : *outplacement*
Financé par l'entreprise qui se sépare
de collaborateurs, il est effectué par
des sociétés spécialisées qui mettent
à la disposition des salariés, pendant
un temps déterminé, conseils et
moyens divers pour leur recherche
d'emploi

OUTPUT, YIELD
F : rendement
D : *Erzeugung, Rendite*
E : rendimiento, rédito
I : *produzione, reddito*
Voir Productivité

OUTSTANDING ACCOUNTS
  F : comptes à recevoir
  D : *ausstehende Schulden*
  E : cuentas pendientes
  I : *conti aperti*

OVER-ESTIMATE
  F : surestimation
  D : *Überschätzung*
  E : presupuesto por exceso
  I : *valutazione eccessiva*

OVERALL ECONOMIC SITUATION
  F : conjoncture
  D : *Konjunktur*
  E : coyuntura
  I : *congiuntura*
Situation (économique ou autre) d'un secteur, d'une branche ou d'un pays à un moment donné

OVERBILLING
  F : surfacturation
  D : *Überberechnung*
  E : sobrefacturación
  I : *fatturazione eccessiva*
Fixation par une entreprise multinationale des prix des produits importés par une filiale de façon à rapatrier des profits

OVERCAPACITY
  F : surcapacité
  D : *Überkapazität*
  E : exceso de capacidad
  I : *capacità in eccedenza*
Capacité de production supérieure aux besoins

OVERDRAFT
  F : avance en compte courant
  D : *Kontokorrentvorschuß*
  E : adelanto en cuenta corriente
  I : *credito in conto corrente*
Somme apportée par un tiers à une entreprise et portée au crédit d'un compte ouvert à son nom

OVERDRAFT
  F : découvert
  D : *Überziehung*
  E : sobregiro, saldo deudor
  I : *scoperto*
Compte bancaire débiteur; autorisation donnée par la banque de tirer des chèques pour un montant supérieur à la provision d'un compte

OVERDRAFT FACILITIES (USA OVERDRAW FACILITY)
  F : facilités de caisse
  D : *Überziehungsdisposition*
  E : facilidades de descubierto
  I : *facilitazione dio scoperto*
Avance sur un compte courant bancaire

OVERDUE
  F : arriéré
  D : *rückständig*
  E : vencido
  I : *scaduto*
Ce qui reste dû

OVERPRODUCTION
  F : surproduction
  D : *Überproduktion*
  E : exceso de produccion
  I : *sovrapproduzione*

OVERTIME
  F : heures supplémentaires
  D : *Überstunden*
  E : horas extraordinarias
  I : *lavoro straordinario*

OWNER, LANDLORD
  F : propriétaire
  D : *Eigentümer, Vermieter*
  E : proprietario, arrendador
  I : *proprietario, locatore*

OWNERS'/SHAREHOLDERS' EQUITY
  F : capitaux propres (ou fonds propres)
  D : *Eigenkapital*
  E : capitales propios
  I : *capitali propri*
Ressources d'une entreprise qui appartiennent aux propriétaires ou aux associés, provenant de leurs apports et des profits non distribués mis en réserves

P/E (PRICE EARNINGS RATIO)
F : PER (price earning ratio)
D : *Kurs/Gewinn Verhältnis*
E : PER (price earning ratio)
I : *rapporto cambio-utile*
Coefficient de capitalisation des
résultats — CCR, par lequel il faut
multiplier le bénéfice net par action
pour en trouver le cours coté

PACKAGE
F : package
D : *Paket*
E : package
I : *package*
Assemblage de produits offerts à la
vente

PACKAGE DEAL
F : marché global
D : *Globalgeschäft*
E : contrato global
I : *contratto globale*
Pratique des opérateurs qui consiste
à négocier tout au long des 24
heures d'une journée

PACKING
F : emballage
D : *Verpackung*
E : emballaje, envase
I : *imballaggio*

PALLET
F : palette
D : *Palette*
E : bandeja
I : *paletta*

PALLETIZATION
F : palettisation
D : *Palettieren*
E : paletizacion
I : *palettizzazione*
Utiliser ou prévoir l'emploi de
palettes pour la manutention de
marchandises

PAPER CLIP
F : presse-papier
D : *Büroklammer*
E : sujetapapeles
I : *fermacarte*

PAPER LOSS
F : perte fictive
D : *imaginärer Verlust*
E : pérdida por realizar
I : *perdita sulla carta*
Définition prévue non donnée

PAPER MONEY
F : papier-monnaie
D : *Papiergeld*
E : papel monetario, papel
moneda
I : *carta moneta*

PAPER PROFIT
F : profit fictif
D : *imaginärer Gewinn*
E : ganancia por realizar
I : *utile sulla carta*
Définition prévue non donnée

PARADIGM
F : paradigme
D : *Musterwort*
E : paradigma
I : *paradigma*
Ensemble de faits, de propositions et
de méthodes qui, à un moment
donné, sont admis par une commu-
nauté scientifique et oriente son
activité

PARAMETER
F : paramètre
D : *Parameter*
E : parámetro
I : *parametro*
Elément, coefficient constant attri-
bué aux variables dans un modèle
économétrique

PARCEL (OF LAND) (USA PLOT)
F : parcelle
D : *Parzelle*
E : parcela
I : *pezzo, lotto*

PARCEL, PACKAGE
F : paquet
D : *Paket*
E : paquete
I : *pacco, collo*

PARENT COMPANY
F : société mère
D : *Muttergesellschaft*
E : compania matriz
I : *società madre*
Qui détient plus de la moitié du
capital d'une ou plusieurs autres
filiales

**PARIS INTERBANK OFFERED
RATE**
F : TIOP
D : *Französiche Bank-an-Bank
Zinsenssatz*
E : MIBOR (precio del dinero en
el mercado interbancario de
Madrid)
I : *Tasso Interbancario Offerto
a Parigi*
Taux interbancaire offert à Paris (en
anglais : PIBOR). Indicateur quoti-
dien des taux d'intérêt pratiqués
entre banques sur le marché moné-
taire

PARITY
F : parité
D : *Parität*
E : paridad
I : *parità*
Taux de change

PART PAYMENT
F : paiement partiel
D : *Ratenzahlung*
E : pago parcial
I : *pagamento parziale*

PART-TIME
F : temps partiel
D : *Teilzeit*
E : tiempo parcial
I : *part-time*

PARTICIPATE
F : participer
D : *beteiligen*
E : participar
I : *partecipare*

PARTICULARS
F : détails
D : *Einzelheiten, Angaben*
E : detalles
I : *particolari*

PARTNER
F : associé
D : *Teilhaber*
E : socio
I : *socio*

PARTNERSHIP
F : société de personnes
D : *Personengesellschaft*
E : sociedad de personas
I : *società di persone*
Dans laquelle les associés sont responsables des dettes; en font partie les sociétés en commandite simple ou en nom collectif, et les SARL

PARTNERSHIP
F : société en nom collectif
D : *offene Handelsgesellschaft (OHG)*
E : sociedad regular colectiva (SRC)
I : *società in nome collettivo*
Société de personnes, dont les parts sociales ne sont ni cessibles ni transmissibles librement, et qui sont indéfiniment et solidairement responsables des dettes

PASSENGER
F : passager
D : *Reisende(r)*
E : pasajero
I : *passeggero*

PATENT
F : brevet d'invention
D : *Erfindungspatent*
E : patente
I : *brevetto*
Délivré par l'Etat à l'auteur d'une invention pour lui en assurer l'exploitation exclusive pendant un temps déterminé

PATENT AGENT
F : conseil en brevets
D : *Patentanwalt*
E : agente de patentes
I : *agente di brevetti*

PAWNBROKER
F : prêteur sur gage
D : *Pfandleiher*
E : prestamista
I : *prestatore su pegno*

PAY
F : payer
D : *zahlen*
E : pagar
I : *pagare*

PAY A DEPOSIT
F : verser des arrhes
D : *hinterlegen*
E : hacer un deposito
I : *versare un deposito*
Voir Arrhes

PAY BY MONTHLY (WEEKLY) INSTALMENTS
F : payer par termes mensuels (hebdomadaires)
D : *monatlich (wöchentlich) in Raten zahlen*
E : pagar a plazos mensuales (semanales)
I : *pagare a rate mensili (settimanali)*

PAY DAY
F : jour de paiement
D : *Zahltag, Abrechnungstag*
E : dia de pago
I : *giorno di paga*

PAY TO BEARER
F : payer au porteur
D : *zahlen bei Vorlage*
E : paguese al portador
I : *pagare al portatore*

PAYABLE
F : exigible
D : *forderlich*
E : exigible
I : *esigibile*
Ensemble des dettes à court terme apparaissant au passif d'un bilan

PAYABLE
F : payable
D : *zahlbar*
E : pagadero, pagable
I : *pagabile*

PAYABLE AT SIGHT
F : payable à vue
D : *zahlbar bei Sicht*
E : pagadero a la vista
I : *pagabile a vista*
Voir A vue

PAYABLE TO BEARER
F : payable au porteur
D : *an den Inhaber zahlbar*
E : pagadero al portador
I : *pagabile al portatore*
Document non nominatif payable à celui qui le présente

PAYMENT
F : versement
D : *Zhlung*
E : pago
I : *pagamento*

PAYMENT BY RESULTS
F : salaire au rendement
D : *Leistungslohn*
E : pago por resultados
I : *pagamento secondo risultati*

PAYMENT IN FULL
F : libération intégrale
D : *volle Zahlung*
E : pago en pleno
I : *pagamento in pieno*
Versement intégral d'un capital souscrit par des actionnaires

PAYMENT IN FULL DISCHARGE
F : paiement libératoire
D : *Zahlung zum vollen Ausgleich*
E : pago de liberacion
I : *pagamento a completa tacitazione*
Qui a pour effet de libérer un débiteur de sa dette

PAYMENT ON ACCOUNT
F : versement à compte
D : *Anzahlung*
E : pago a cuenta
I : *pagamento in conto*
Acompte

PAYMENT TERMS
F : conditions de paiement
D : *Zahlungsbedingungen*
E : condiciones de pago
I : *condizioni di pagamento*

PAYMENT UNDER PROTEST
F : paiement sous protêt
D : *Zahlung unter Protest*
E : pago sobre protesta
I : *pagamento sotto protesto*
Effectué sous la contrainte d'un huissier qui constate le non-paiement d'un chèque, d'un billet à ordre ou d'une lettre de change

PAYROLL
F : feuille de paie
D : *Lohnbuch*
E : nomina de pago
I : *libro paga*

PAYROLL TAX
F : cotisation sociale
D : *Sozialbeitrag*
E : cotización social
I : *versamento di oneri sociali*
Versement obligatoire effectué à la Sécurité sociale ou à l'Etat par les employeurs et les travailleurs pour financer la protection sociale

PAYROLL TAXES
F : charges sociales
D : *soziale Kosten*
E : cargas sociales
I : *oneri sociali*
Cotisations patronales et salariales liées au salaire et imposées aux entreprises pour financer la protection sociale

PEAK HOURS
F : heures de pointe
D : *Verkehrsspitze*
E : horas punta
I : *ore di punta*
Moments où l'activité (consommation, intensité de la circulation, affluence) est à son maximum

PENALTY
F : pénalité
D : *Strafe*
E : multa
I : *penalità*
Sanction fiscale

PENALTY CLAUSE
F : clause pénale
D : *Strafklausel*
E : clausula de multa
I : *clausola penale*
Clause qui fixe le montant des dommages-intérêts dus en cas de non-exécution d'un contrat

PENSION
F : pension
D : *Pension, Rente*
E : pension
I : *pensione*
Cession temporaire d'effets négociables (qui servent de garantie) d'une banque à une autre pour obtenir des liquidités pour la durée nécessaire

PENSIONER
F : pensionnaire
D : *Rentner*
E : pensionado, pensionista
I : *pensionato*

PER CAPITA
F : par tête
D : *pro Kopf*
E : por cabeza
I : *a testa*

PER CENT
F : cent (pour) %
D : *Prozent*
E : por ciento
I : *per cento*

PER CONTRA
F : contrepartie (en)
D : *als Gegenrechnung*
E : en contrapartida
I : *in contropartita*

PERCENTAGE
F : pourcentage
D : *Prozentsatz*
E : porcentaje
I : *percentuale*

PERFORMANCE
F : performance
D : *Leistung*
E : resultado, prestación
I : *prestazione*

PERIL
F : péril
D : *Gefahr*
E : peligro
I : *pericolo*

PERISHABLE GOODS
F : marchandises périssables
D : *leich verderbliche Waren*
E : mercancias perecederas
I : *merci deperibili*

PERMIT
F : permis
D : *Erlaubnis, Genehmigung*
E : permiso
I : *permesso*

PERPETUAL DEBENTURE
F : obligation perpétuelle
D : *Dauerschuldverschreibung*
E : obligacion a perpetuidad
I : *obbligazione perpetua*
Emprunt à durée indéterminée n'ayant aucune échéance de remboursement

PERSONAL ASSISTANT (PA) (USA ADMINISTRATIVE ASSISTANT)
F : fonctionnel nm
D : *persönlicher Assistent*
E : asistente privado
I : *assistente privato*
Qui occupe une fonction opérationnelle dans une organisation

PERSONNEL
F : personnel nm
D : *Personal*
E : personal
I : *personale*

PERSONNEL MANAGER
F : chef du personnel
D : *Personalchef*
E : jefe de personal
I : *direttore del personale*

PETITION IN BANKRUPTCY
F : dépôt de bilan
D : *Konkursanmeldung*
E : declaración de quiebra
I : *deposito di bilancio*

PICKET
F : piquet
D : *Posten*
E : piquete
I : *picchetto*
Pendant une grève, groupe de travailleurs placés à l'entrée du lieu de travail et qui veillent à l'exécution des consignes

PICTOGRAM
F : pictogramme
D : *Piktogramm*
E : pictograma
I : *pittogramma*
Signe ou dessin simplifié et normalisé utilisé pour fournir une information

PIECEWORK
F : travail à la tâche
D : *Akkordarbeit*
E : trabajo a destajo
I : *lavoro a cottimo*
Travail fixé d'avance à un prix convenu

PILOT PLANT
F : installation pilote
D : *Musteranlage*
E : instalacion piloto
I : *impianto piloto*
Installation modèle

PLAN
F : plan nm
D : *Plan*
E : plan
I : *progetto, piano*
Programmation macro-économique, au niveau national, d'un ensemble de prévisions et d'objectifs économiques et définition des moyens nécessaires à leur réalisation

PLANNED ECONOMY
F : économie planifiée
D : *Planwirtschaft*
E : economia planificada
I : *economia pianificata*

POLICY
F : politique
D : *Politik*
E : politica
I : *politica*

POPULATION
F : population
D : *Bevölkerung*
E : poblacion
I : *popolazione*

PORT
F : port
D : *Hafen*
E : puerto
I : *porto*

PORT CHARGES
F : droits portuaires
D : *Hafengebühren*
E : derechos portuarios
I : *diritti portuali*

PORT MARK
F : marque de destination
D : *Benennung des Bestimmungshafens*
E : marca de destino
I : *marche di destinazione*

PORT OF REGISTRATION
F : port d'attache
D : *Heimathafen*
E : puerto de matricula
I : *porto d'immatriculazione*

PORTFOLIO
F : portefeuille (d'un ministre)
D : *Portefeuille, Geschäftsbereich*
E : cartera
I : *portafoglio*

POS ADVERTISING
F : PLV
D : *Verkaufsortwerbung*
E : PLV
I : *promozione sui luoghi di vendita*
Publi-promotion sur le lieu de vente pour inciter le consommateur à l'achat

POST OFFICE
F : bureau de poste
D : *Postamt*
E : oficina de correos
I : *ufficio postale*

POSTAGE STAMP
F : timbre-poste
D : *Briefmarke*
E : sello de correos
I : *francobollo*

POSTAGE, POSTAL CHARGES
F : frais de port
D : *Postspesen*
E : gastos de correo
I : *spese postali*

POSTAL ORDER
F : mandat-poste
D : *Postanweisung*
E : giro postal
I : *vaglia postale*
Titre remis par La Poste pour faire parvenir une somme d'argent à quelqu'un sans transport matériel de fonds

POSTCODE (USA ZIP CODE)
F : code postal
D : *Postleitzahl*
E : designacion postal
I : *codice postale*

(PUBLICITÉ) POSTER, (INFORMATION) NOTICE
F : affiche
D : *Plakat*
E : anuncio
I : *cartellone, manifesto*

POSTSCRIPT
F : post-scriptum
D : *Nachschrift*
E : posdata
I : *poscritto*

POTENTIAL
F : potentiel adj
D : *möglich, potentiel*
E : potencial
I : *potenziale*

POUND STERLING
F : livre sterling
D : *Pfund Sterling*
E : libra esterlina
I : *lira sterlina*

POWER OF ATTOMEY
F : pouvoirs
D : *Vollmacht*
E : poder
I : *procura*
Documents écrits par lesquels des personnes donnent à des tiers la faculté de les représenter

POWER OF ATTOMEY, PROXY
F : procuration
D : *Vollmacht, Stellvertretung*
E : poder, procuracion
I : *procura*

PRE-TAX (AFTER-TAX) PROFIT
F : bénéfice avant (après) impôt
D : *Nettogewinn vor (nach) Steuern*
E : beneficio antes (después) de impuestos
I : *risultato prima (dopo) delle imposte*
Bénéfice avant (ou après) paiement de l'impôt sur les sociétés

PREFABRICATE
F : préfabriquer
D : *vorfabrizieren*
E : prefabricar
I : *prefabbricare*

PREFERENCE SHARE
F : action privilégiée (ou prioritaire)
D : *Vorzugsaktie*
E : accion preferente
I : *azione privilegiata*
Action qui confère à son propriétaire un droit de priorité, par exemple dans la distribution des bénéfices

PREFERENTIAL CREDITOR
F : créancier privilégié
D : *bevorrechtigter Gläubiger*
E : acreedor privilegiado
I : *creditore privilegiato*
Créancier bénéficiant d'une priorité de paiement

PREFERENTIAL DUTY
F : tarif de faveur
D : *Vorzugssatz*
E : derechos preferenciales
I : *tariffa preferenziale*

PREJUDICE
F : préjudice
D : *Nachteil*
E : prejuicio, perjuicio
I : *pregiudizio*

PRELIMINARY
F : préliminaire adj
D : *vorläufig, einleitend*
E : preliminar
I : *preliminare*

PREMIUM
F : bonus de liquidation
D : *Bonus*
E : borrador
I : *credito d'imposta*
Lors de la liquidation d'une société, surplus de la valeur de cession de l'actif sur la valeur des dettes et du capital social. En général réparti entre les associés

PREMIUM OFFER
F : offre à prime
D : *Verkauf mit Zugaben*
E : oferta a prima
I : *offerta sopra la pari*
Forme de remise sur une vente ou de plus-value financière

PREMIUM, BONUS
F : prime
D : *Prämie*
E : prima, premio
I : *premio*
Forme de salaire destinée à encourager les travailleurs, ou de remise pour promouvoir une vente, ou encore de plus-value quand il s'agit de finance

PREPAID
F : payé d'avance
D : *vorausbezahlt*
E : pagado por adelantado
I : *pagato in anticipo*

PREPAID EXPENSE
F : charge constatée d'avance
D : *kalkulierte Kosten*
E : carga comprobada con anticipación
I : *carico, onere previsto*
Charge enregistrée durant un exercice mais ne s'y rapportant pas (concerne l'activité de l'exercice suivant)

PREPAYMENT
F : paiement anticipé
D : *Vorauszahlung*
E : pago andelantado
I : *pagamento anticipato*

PRESCRIPTION
F : prescription
D : *Verjährung*
E : prescripción
I : *prescrizione*

PRESCRIPTION
F : prescription (Fisc)
D : *Verjährung*
E : prescripciòn
I : *prescrizione*
Période à l'issue de laquelle une imposition ne peut plus être établie, une somme perçue, une restitution de droits accordée, des poursuites ou une instance engagées

PRESENT A BILL FOR ACCEPTANCE
F : présenter une traite à l'acceptation
D : *einen Wechsel vortegen*
E : presentar una letra para aceptacion
I : *presentare una cambiale per accettazione*

PRESS REVIEW
F : revue de presse
D : *Presseschau*
E : revista de prensa
I : *rassegna stampa*

PREVISIONNAL ADMINISTRATION
F : gestion prévisionnelle
D : *voraussichtliche Bertriebsführung*
E : gestión previsible
I : *gestione di previsione*

PRICE
F : prix
D : *Preis, Kurs*
E : precio
I : *prezzo*

PRICE CONTROL
F : contrôle des prix
D : *Preiskontrolle*
E : control de precios
I : *controllo sui prezzi*

PRICE ELASTICITY
F : élasticité des prix
D : *Preisdehnbarkeit*
E : elasticidad de precio
I : *elasticità di prezzo*

PRICE LEVEL
F : niveau des prix
D : *Preisebene*
E : nivel de precios
I : *livello dei prezzi*

PRICE WAR
F : guerre des prix
D : *Preiskrieg*
E : guerra de precios
I : *guerra dei prezzi*

PRICE-CUTTING
F : rabais sur les prix
D : *Preisherabsetzung*
E : reduccion de precios
I : *riduzione dei prezzi*

PRINCIPAL
F : mandant
D : *Vollmachtgeber*
E : mandante
I : *mandante*
Qui donne à une autre personne, par mandat, le pouvoir d'agir en son nom

PRINCIPAL (USA CAPITAL)
F : principal (capital) nm
D : *Kapital*
E : principal
I : *capitale*
Elément principal d'une dette, par opposition aux intérêts

PRINTED FORM
F : formulaire
D : *Vordruck*
E : formulario, impreso
I : *modulo stampato*
Recueil de formules

PRIORITY
F : priorité
D : *Vorrecht*
E : prioridad
I : *priorità*

PRIVATE BANK
F : banque privée
D : *Privatbank*
E : banco privado
I : *banca privata*

PRIVATE ENTREPRISE
F : entreprise privée
D : *Privatunternehmen*
E : empresa privada
I : *impresa privata*

PRIVATE INVESTMENT
F : investissement privé
D : *Privatinvestition*
E : inversión privada
I : *investimento privato*

PRIVATE LIMITED COMPANY
F : société à responsabilité limitée — SARL
D : *Gesellschaft mit beschränkter Haftung (GMBH)*
E : compania privada
I : *società a responsabilità limitata (SRL)*
Dirigée par un ou des gérants, elle associe des personnes (1 à 50) qui ne sont responsables qu'à concurrence de leur apport, s'engagent personnellement et ne peuvent céder librement leur part

PRIVATE SECTOR
F : secteur privé
D : *Privatwirtschaft*
E : sector privado
I : *settore privato*

PRIVATIZATION
F : privatisation
D : *Privatisierung*
E : privatización
I : *privatizzazione*
Revente à des actionnaires privés des entreprises précédemment nationalisées ou créées par l'Etat

PRO RATA
F : proportionnellement, au prorata
D : *anteilsmäßig, pro rata*
E : proporcionalmente, a prorata
I : *proporzionalemente, prorata*

PRO-FORMA INVOICE
F : facture pro-forma
D : *Pro-Forma-Rechnung*
E : factura proforma
I : *fattura proforma*
Précède la facture proprement dite (dont elle reprend la forme et les termes) et permet à l'acheteur d'obtenir certaines autorisations

PROBABILITY
F : probabilité
D : *Wahrscheinlichkeit*
E : probabilidad
I : *probabilità*

PROBATE
F : validation d'un testament
D : *Testamentseröffnung, Bestätigung*
E : validacion de los testamentos
I : *omologazione di testamento*
Testament considéré comme valable

PROCEDURE
F : procédure
D : *Verfahren*
E : procedimiento
I : *procedura*
Ensemble des démarches à accomplir pour obtenir un certain résultat

PROCESS
F : processus
D : *Prozeß*
E : proceso
I : *processo*
Déroulement dans le temps d'un phénomène, ou des différents stades dans la réalisation d'une opération

PROCUREMENT CONTRACT
F : marché public
D : *Vertrag über öffentlicher Arbeiten*
E : mercado público
I : *mercato pubblico*
Contrat liant une personne publique (Etat, administration, collectivité locale) à un entrepreneur ou un fournisseur de services

ANGLAIS

PROCUREMENT, (FINANCIER) MONEY PAID INTO
F : approvisionnement
D : *Belieferung*
E : abastecimiento
I : *approvvigionamento*

PRODUCE MARKET
F : marché commercial
D : *Warenmarkt*
E : mercado de productos
I : *mercato commerciale*

PRODUCT
F : produit
D : *Produkt*
E : producto
I : *prodotto*

PRODUCT MANAGER
F : chef de produit
D : *product manager*
E : jefe de producto
I : *capo di prodotto*
Responsable de la gestion stratégique d'un produit ou d'une ligne de produits

PRODUCT RANGE
F : ligne de produits
D : *Produktlinie*
E : línea de productos
I : *linea di prodotti*
Ensemble des références de produits de même technologie visant la même application

PRODUCTION
F : production
D : *Erzeugung*
E : produccion
I : *produzione*

PRODUCTION PRICE
F : prix de production
D : *Produktionspreis*
E : precio de producción
I : *costo di produzione*

PRODUCTIVE INVESTMENT
F : investissement productif
D : *produktive Investition*
E : inversión productiva
I : *investimento produttivo*
Investissement destiné à accroître la capacité de production de l'entreprise

PRODUCTIVITY
F : productivité
D : *Produktivität*
E : productividad
I : *produttività*
Rapport entre la valeur d'un produit et le coût de ses facteurs de production

PRODUCTIVITY GAINS
F : gains de productivité
D : *Produktivitätserträge*
E : ganancias de productividad
I : *ricavo di produttività*
Surplus de productivité

PROFESSIONAL QUALIFICATION
F : qualification professionnelle
D : *Berufsausbildung*
E : capacitación profesional
I : *qualificazione professionale*
Ensemble des connaissances professionnelles d'un individu (formation, expérience, qualités personnelles)

PROFIT
F : bénéfice
D : *Gewinn*
E : ganancia, beneficio
I : *utile, profitto*
Résultat final d'un exercice venant augmenter la richesse de l'entreprise

PROFIT
F : profit
D : *Gewinn, Profit*
E : ganancia, beneficio
I : *utile, profitto*
Excédent de recettes sur des charges, bénéfice

PROFIT AND LOSS
F : pertes et profits
D : *Gewinne und Verluste*
E : pérdidas y ganancias
I : *profitti e perdite*
Voir Compte de pertes et profits

PROFIT AND LOSS ACCOUNT
F : Compte de pertes et profits
D : *Gewinn-und Verlustkonto*
E : cuenta de ganacias y péridas
I : *conto profitti e perdite*
Ses opérations sont maintenant enregistrées dans le compte de résultat (Nouveau Plan comptable 1984). Résultat d'exploitation corrigé par la prise en considération de tout ce qui n'est pas dû à la gestion normale de l'exercice

PROFIT CENTRE
F : centre de profit
D : *Profit Center*
E : centro de beneficio
I : *centro di profitto*
Centre de responsabilité pour lequel a été fixé un objectif de profit. Regroupement réel ou fictif d'activités d'une entreprise permettant d'en déterminer le résultat

PROFIT-SHARING
F : participation aux bénéfices
D : *Gewinnbeteiligung*
E : participacion en los beneficios
I : *partecipazione agli utili*

PROFIT-TAKING
F : prise de bénéfices
D : *Gewinnrealisation*
E : realizacion de utilidades
I : *realizzazione dell'utile*

PROFITABILITY
F : rentabilité
D : *Rentabilität*
E : rentabilidad
I : *redditività*
Capacité d'un capital placé ou investi à procurer des revenus exprimés en termes financiers

PROFITABILITY ALLOCATION
F : calcul de rentabilité
D : *Rentabilitätsrechnung*
E : cálculo de rentabilidad
I : *calcolo di redditività*
Evolution, exprimée en termes financiers, de la capacité d'un capital à procurer des revenus

PROFITABLE, ADVANTAGEOUS
F : avantageux
D : *vorteilhaft*
E : ventajoso
I : *vantaggioso, redditizio*

PROFITEER
F : profiteur
D : *Gewinnler*
E : acaparador
I : *profitatore*

PROFORMA INVOICE
F : facture fictive
D : *Proformarechnung*
E : factura proforma
I : *fattura proforma*

PROGRAM
F : programmer
D : *programmieren*
E : programar
I : *programmare*

PROGRESS GROUP
F : groupe de progrès
D : *Fortschrittsgruppe*
E : grupo de progreso
I : *gruppo di progresso*
Voir Cercle de qualité

PROMISSORY NOTE
F : billet à ordre
D : *Schuldschein*
E : pagaré
I : *paghero*
Effet de commerce par lequel un souscripteur s'engage à payer à un bénéficiaire une certaine somme à une date déterminée

PROMOTE
F : donner de l'avancement à
D : *befördem*
E : ascender
I : *promuovere*

PROMOTE
F : promouvoir
D : *befördern, fördern*
E : promover, ascender
I : *promuovere, dare impluse*

PROMOTION
F : promotion
D : *Beförderung, Förderung*
E : promoçcion, ascenso
I : *promozione, avanzamento*

PROMPT DELIVERY
F : livraison immédiate
D : *sofortige Lieferung*
E : entrega immediata
I : *pronta consegna*

PROPERTY BOND
F : obligation foncière
D : *Grund-und Gebäude-obligation*
E : cédula hipotecaria
I : *obbligazione fondiaria*
Obligation à revenu fixe émise par une banque de crédit hypothécaire et destinée à financer des prêts immobiliers

PROPERTY DEVELOPER
F : promoteur immobilier
D : *Immobilienmakler*
E : promotor inmobiliario
I : *costruttore edile*

PROPERTY TAX
F : impôt foncier
D : *Grundsteuer*
E : impuesto sobre la propiedad
I : *imposta fondiaria*
Frappe les propriétaires de terrains, bâtis ou non

PROPERTY, OWNERSHIP
F : propriété
D : *Eigentum*
E : propriedad
I : *proprità*

PROPORTION
F : proportion
D : *Verhältnis, Anteil*
E : proporcion
I : *proporzione*

PROPOSAL
F : proposition
D : *Vorschalg*
E : propuesta
I : *proposta*

PROSPECTIVE CUSTOMER
F : prospect
D : *Kundenakquise*
E : cliente potencial
I : *cliente potenziale*
Client potentiel

PROSPECTUS
F : prospectus
D : *Prospekt*
E : prospecto
I : *prospetto, programma*

PROTEST
F : protêt
D : *Protest*
E : protesta
I : *protesto*
Acte authentique extra-judiciaire constatant le non-paiement à l'échéance ou le refus d'acceptation d'une traite

PROTEST (A BILL)
F : faire protester (une lettre de change)
D : *(einen Wechsel) protestieren*
E : protestar (una letra)
I : *protestare (una cambiale)*
Faire constater par huissier le non-paiement d'un effet de commerce

PROTOTYPE
F : prototype
D : *Prototyp*
E : prototipo
I : *prototipo*

PUBLIC
F : public adj
D : *Öffentlich*
E : publico
I : *pubblico*

PUBLIC
F : public nm
D : *Öffentlichkeit*
E : publico
I : *pubblico*

PUBLIC HOLIDAY
F : jour férié
D : *gesetzlicher Feiertag*
E : dia de fiesta
I : *giorno di festa*

PUBLIC INVESTMENT
F : investissement public
D : *gemeinwesen Investition*
E : inversión pública
I : *investimento pubblico*

PUBLIC LIMITED COMPANY
F : société anonyme (SA)
D : *Aktiengesellschaft (AG)*
E : sociedad anonima (SA)
I : *società anonima (SA)*
Dotée d'un capital social de 250 000 F, elle est composée de sept actionnaires au minimum et dirigée par un président issu du conseil d'administration ou par un directoire contrôlé par un conseil de surveillance

(SOCIÉTÉ) PUBLIC LIMITED COMPANY
F : anonyme
D : *anonym*
E : anónimo
I : *anonimo*

PUBLIC OWNERSHIP
F : propriété publique
D : *Staatsbesitz*
E : propriedad estatal
I : *proprietà statale*

PUBLIC RELATIONS
F : relations publiques
D : *Public Relations*
E : relaciones publicas
I : *pubbliche relazioni*
Ensemble des actions de diffusion de l'information à l'intérieur et à l'extérieur de l'entreprise, hors de toute préoccupation lucrative ou publicitaire

PUBLIC SECTOR
F : secteur public
D : *öffentliche Hand*
E : sector publico
I : *settore statale*

PUBLIC SECTOR COMPANY
F : entreprise publique
D : *öffentliches Unternehmen*
E : empresa pública
I : *azienda pubblica*
Entreprise dont tout ou partie du capital social appartient à l'Etat (ou à une collectivité publique) et dont l'objectif n'est pas la réalisation d'un profit

PUBLISHING HOUSE
F : maison d'édition
D : *Verlag*
E : casa editorial
I : *casa editrice*

PULL OFF (AN ORDER)
F : accrocher (une commande)
D : *(eine Bestellung) ergattern*
E : conseguir (un pedido)
I : *ottenere (un'ordinazione, una commessa)*

PURCHASE
F : achat
D : *Kauf, Einkauf*
E : compra adquisitiones (pl.)
I : *compra acquisti (pl.)*

PURCHASE PRICE
F : prix d'achat
D : *Kaufpreis*
E : precio de compra
I : *prezzo d'acquisto*

PURCHASING POWER
F : pouvoir d'achat
D : *Kaufkraft*
E : poder de compra
I : *potere d'acquisto*
Quantité de biens ou services qu'une somme d'argent permet d'acheter

PUT OPTION
F : option de vente
D : *Verkaufsoption*
E : opcion de venta
I : *premio a vendere*

PUT OPTION
F : option de vente
D : *Verkaufoption*
E : option de venta
I : *premio a vendere*
Confère le droit (et non l'obligation) de vendre des actifs à un prix fixé

Q-R

QUALIFED ACCEPTANCE
F : acceptation conditionnelle
D : *Annahme unter Vorbehalt*
E : aceptacion condicionada
I : *accettazione con riserva*

QUALIFED ACCOUNTANT
F : expert-comptable
D : *Wirtschaftsprüfer*
E : contador habilitado
I : *ragioniere diplomato*
Professionnel spécialisé dans l'analyse, le contrôle et l'organisation des comptabilités

QUALIFICATION
F : qualification
D : *Qualifikation*
E : requisito
I : *qualifica, requisito*

QUALITY
F : qualité
D : *Qualität*
E : calidad
I : *qualità*

QUALITY
F : qualité (non qualité)
D : *Qualität*
E : calidad
I : *qualità*
Ecart entre la qualité souhaitée par les utilisateurs et celle qu'a conçue l'entreprise et/ou entre la qualité conçue et la qualité effective d'un produit

QUALITY CIRCLE
F : cercle de qualité
D : *Qualitätszirkel*
E : círculo de calidad
I : *circolo di qualità*
Structure permanente ou temporaire de cinq à dix salariés volontaires chargés de résoudre les problèmes d'amélioration de la qualité des produits et des conditions de travail

QUALITY CONTROL
F : contrôle de qualité
D : *Qualitätskontrolle*
E : control de calidad
I : *controllo di qualità*

QUANTITY
F : quantité
D : *Menge*
E : cantidad
I : *quantità*

QUANTITY SURVEYOR
F : métreur-vérificateur
D : *Massenberechner*
E : medidor de contidades de obra
I : *perito misuratore*

QUARANTINE
F : quarantaine
D : *Quarantäne*
E : cuarentena
I : *quarantena*

QUARTER DAY
F : jour du terme
D : *Quartalstag*
E : primer dia del trimestre
I : *giorno della pigione*
Jour de l'échéance

QUARTERLY
F : trimestriel
D : *vierteljährlich*
E : trimestral
I : *trimestrale*

QUARTERLY PAYMENTS
F : paiements trimestriels
D : *vierteljährliche Zahlungen*
E : pagos trimestrales
I : *pagamenti trimestrali*

QUAY, WHARF
F : quai
D : *Kai*
E : muelle
I : *scalo*

QUESTIONNAIRE
F : questionnaire
D : *Fragebogen*
E : cuestionario
I : *questionario*

QUIETUS
F : quitus
D : *Schlußbescheinigung*
E : finiquito
I : *scarico, dichiarazione di scarico*
Décharge formelle de responsabilité donnée à un gestionnaire financier qui cesse ses fonctions. Approbation des comptes annuels d'une société par l'assemblée générale des actionnaires

QUITTANCE
F : quittance
D : *Quittung*
E : recibo
I : *quietanza*
Document attestant qu'une dette a été payée

QUOTA
F : quota
D : *Quote*
E : cuota, contingente
I : *quota*
Limite quantitative, contingent

QUOTA, SHARE
F : quote-part
D : *Quote, Anteil*
E : cuota, parte
I : *quota, parte*
Part qui revient à chacun (à payer ou à recevoir)

QUOTATION
F : cotation
D : *Kostenanschlag*
E : cotizacion
I : *quotazione*
Détermination du prix auquel les transactions se font sur un marché. Bourse : inscription à la cote du cours constaté pour une valeur mobilière

QUOTE
F : coter
D : *(den Preis) angeben*
E : cotizar
I : *quotare*

QUOTED COMPANY
F: société cotée en Bourse
D: *Gesellschaft notiert an der Börse*
E: compania cotizada en bolsa
I: *società quotata in borsa*

QUOTED PRICE
F: prix coté
D: *angegebener Preis*
E: precio cotizado
I: *prezzo quotato*
Prix d'une valeur boursière inscrite à la cote officielle

RAILWAY CARRIAGE (USA RAILROAD CAR)
F: wagon de chemin de fer
D: *Eisenbahnwagen*
E: vagon de ferrocarril
I: *carrozza ferroviaria*

RAIWAY
F: chemin de fer
D: *Eisenbahn*
E: ferrocarril
I: *ferrovia*

RALIWAY TIMETABLE
F: indicateur des chemins de fer
D: *Eisenbahnfahrplan*
E: honario de trenes
I: *orario ferroviario*

(STATISTIQUE) RANDOM, (RÉSULTAT) HAEARDOUS
F: aléatoire
D: *zufällig*
E: aleatorio
I: *aleatorio*
Lié à un événement imprévisible venant perturber un programme, une prévision

RATE
F: taux
D: *Satz, Kurs*
E: tasa, tipo
I: *tasso, tariffa*
Expression arithmétique d'une variation dans le temps entre deux grandeurs (pourcentage, montant, coefficient)

RATE OF EXCHANGE
F: cours de change
D: *Umrechnungskurs*
E: tipo de cambio
I: *corso del cambio*
Taux de change

RATE OF RETURN
F: taux de rendement
D: *Ertragsrate*
E: tipo de rédito
I: *tasso di reddito*
Rapport entre le revenu annuel que procure un placement et la valeur immédiate de celui-ci

RATES (USA REALTY TAX)
F: taxes municipales
D: *Gemeindesteuer*
E: contribucion municipal
I: *tassa comunale*

RATIFICATION
F: ratification
D: *Ratifizierung*
E: ratificacion
I: *ratifica*

RATIFY
F: ratifier
D: *ratifizieren*
E: ratificar
I: *ratificare*

RATIO
F: ratio
D: *Verhältnis, Ratio*
E: ratio
I: *rapporto*
Rapport entre deux grandeurs tirées des documents comptables d'une entreprise pour en apprécier la structure et l'évolution

RATION
F: ration
D: *Ration*
E: racion
I: *razione*

RATIONALIZATION
F: rationalisation
D: *Rationalisierung*
E: racionalizacion
I: *razionalizzazione*
Procédure d'adaptation efficace des moyens aux objectifs basée sur le calcul économique

RAW MATERIAL
F: matière première
D: *Rohstoff*
E: materia prima
I: *materia prima*

RE-EXPORT
F: réexporter
D: *wiederausführen*
E: rexportar
I: *riesportare*

RE-EXPORTATION
F: réexportation
D: *Wiederausfuhr*
E: reexportacion
I: *riesporto*

RE-OPEN DISCUSSIONS
F: discussion (rouvrir la)
D: *Verhandlungen wiederaufnehmen*
E: reabrir la discusion
I: *riaprire la discussione*

REAL ESTATE, TANGIBLE ASSETS
F: biens immobiliers
D: *unbwegliches Vermögen, Immobilien*
E: bienes inmuebles
I: *beni immobili*

REBATE
F: ristourne
D: *Rückerstattung*
E: rebaja
I: *ristorno, sconto, rimborso*
Réduction de prix calculée en proportion d'un montant d'achats et pour une période déterminée

REBATE, ALLOWANCE
F: rabais
D: *Nachlaß, Rabatt*
E: rebaja, bonificacion
I: *ribasso, abbuono*

(OFFICIAL) RECEIVER
F: syndic de faillite
D: *Konkursverwalter*
E: sindico
I: *curatore*
Désigné par le tribunal, il représente les intérêts des créanciers d'une entreprise déclarée en faillite

RECESSION
F: récession
D: *Rezession*
E: recesion
I: *recessione*

RECOMMENDED RETAIL SELLING PRICE
F: prix de détail recommandé
D: *empfohlener Ladenpreis*
E: precio detallista recomendado
I: *prezzo al minuto indicativo*

RECONSTRUCTION
F: reconstruction
D: *Wiederaufbau*
E: reconstruccion
I: *ricostruzione*

REDEEM, REIMBURSE
F: rembourser
D: *tilgen, zurückzahlen*
E: redimir, reembolsar
I: *redimere, rimborsare*

REDEEMABLE BOND
F: obligation amortissable
D: *Kündbare Obligation*
E: obligacion reembolsable
I: *obbligazione redimibile*
Obligation remboursable

REDEEMABLE PREFERENCE SHARES
F: actions privilégiées amortissables
D: *ablösbare Vorzugsaktien*
E: acciones preferentes amortizables
I: *azioni preferenziali redimibili*
Actions privilégiées dont la valeur nominale peut être remboursée à l'actionnaire par la société émettrice

ANGLAIS

REDEMPTION DATE
F : date du remboursement
D : *Einlösungstag*
E : fecha de reembolso
I : *data di rimborso*

REDEMPTION YIELD
F : taux actuariel
D : *Rendite*
E : tasa actuarial
I : *tasso attuariale*
Rapport, pour une période donnée, entre le coût effectif d'un emprunt (ou le rendement effectif d'un prêt) et le montant du capital engagé

REDEMPTION, AMORTIZATION
F : amortissement
D : *Tilgung, Amortisation*
E : amortizacion
I : *ammortamento*
Echelonnement d'une charge dans le temps jusqu'à disparition de celle-ci

REDISCOUNT
F : réescompter
D : *rediskontieren*
E : redescontar
I : *riscontare*
Pour une banque (la Banque centrale, le plus souvent), c'est acheter des titres de crédit à court terme à une autre banque qui les a déjà elle-même escomptés

REDUCTION OF CAPITAL
F : réduction de capital
D : *Kapitalherabsetzung*
E : reduccion de capital
I : *riduzione del capitale*

REFERENCE
F : référence
D : *Referenz*
E : referencia
I : *referenza*

REFERENCE BOOK
F : ouvrage de référence
D : *Nachschlagewerk*
E : libro de consulta
I : *libro di consultazione*

REFUND
F : remboursement
D : *Rückerstattung*
E : reembolso
I : *rimborso*

REFUNDING
F : refinancement
D : *Refinanzierung*
E : refinanciación
I : *rifinanziamento*
Reconstitution des liquidités des banques pour qu'elles puissent accorder de nouveaux crédits, soit par le réescompte, soit par le recours au marché monétaire

REGISTER
F : enregistrer
D : *registrieren*
E : registrar
I : *registrare*

REGISTERED
F : nominatif
D : *namentlich*
E : nominativo
I : *nominativo*

REGISTERED LETTER
F : lettre recommandée
D : *eingeschriebener Brief*
E : carta certificada
I : *lettera raccomandata*

REGISTRATION
F : enregistrement
D : *Einschreiben*
E : registro
I : *registrazione (contabile)*
Inscription obligatoire dans les registres publics qui authentifie certains actes

REGISTRATION FREE
F : droit d'enregistrement
D : *Anmeldegebühr*
E : derechos de registro
I : *tassa di registrazione*
Impôt dû à l'occasion de certaines opérations donnant lieu à un acte écrit

REGULAR LEASE
F : bail commercial
D : *Pacht*
E : arrendamiento comercial
I : *affitto di locazione commerciale*
Concerne un local à usage artisanal, industriel ou commercial

REGULATION, SETTLEMENT
F : règlement
D : *Verordnung, Abrechnung*
E : reglamento, ajuste
I : *regolamento*

REJECTION
F : refus
D : *Ablehnung*
E : rechazo
I : *rifiuto*

RELIABILITY
F : fiabilité
D : *Zuverlässigkeit*
E : fiabilidad
I : *affidabilità*

RELIABLE
F : digne de confiance
D : *zuverlässig*
E : digno de confianza
I : *fidato, attendibile*

REMISSION
F : remise
D : *Rabatt*
E : rebaja
I : *rimessa, sconto*
Réduction habituelle du prix courant d'une vente compte tenu de l'importance de son volume ou de la profession du client

REMUNERATION
F : rémunération
D : *Vergütung*
E : remuneracion
I : *rimunerazione*
Revenu en nature ou/et en espèces reçu pour prix d'un service ou d'un travail

RENOUNCE
F : renoncer à
D : *verzichten auf*
E : renunciar
I : *rinunziare*

RENT
F : loyer
D : *Miete*
E : alquiler
I : *pigione, affitto*

RENUNCIATION
F : renonciation
D : *Verzicht*
E : renuncia
I : *rinunzia*

REPAIR
F : réparation
D : *Reparatur*
E : reparacion
I : *riparazione*

REPAIR
F : réparer
D : *reparieren*
E : reparar, componer
I : *riparare, rifare*

REPLACEMENT COST
F : coût de remplacement
D : *Wiederanschaffungskosten*
E : coste de repuesto
I : *costo di rimpiazzo*
Prix d'achat d'un équipement à payer pour une satisfaction équivalente à celle procurée par celui qui est usagé

REPLY PAID (USA POST PAID)
F : réponse payée
D : *Rückantwort bezahlt*
E : respuesta pagada
I : *riposta pagata*

REPORT, RELATION
F : rapport
D : *Bericht, Verhältnis*
E : informe, relacion
I : *relazione, rapporto*

REPRESENT
F : représenter
D : *vertreten*
E : representar
I : *rappresentare*

REPRESENTATIVE
F : représentant
D : *Vertreter*
E : representante
I : *rappresentante*

REQUEST
F : réquisitionner
D : *verlangen*
E : requisar
I : *requisire*

RESALE PRICE
F : prix de revente
D : *Wiederverkaufspreis*
E : precio de reventa
I : *prezzo di rivendita*

RESCIND, REPEAL
F : abroger
D : *aufheben*
E : abrogar
I : *abrogare*

RESEARCH
F : recherche
D : *Forschung*
E : investigacion
I : *ricerca*

**RESEARCH AND DEVELOPMENT
(R & D)**
F : recherche-développement
D : *Zweckforschung, Forschung
und Entwicklung (F & E)*
E : investigacion y desarrollo
I : *studi e sviluppi*
S'applique aux phases de la
recherche fondamentale, de la
recherche appliquée, et du dévelop-
pement

RESERVE
F : réserver
D : *vorbehalten*
E : reservar
I : *riservare*

RESERVE CURRENCY
F : monnaie de réserve
D : *Reservewährung*
E : moneda de reserva
I : *valuta di riserva*
Détenue par les banques centrales et
considérée comme réserve de change
en raison de la confiance que lui
attribue la communauté internatio-
nale

RESERVE PRICE
F : prix minimal
D : *Mindestpreis*
E : precio minimo fijado
I : *prezzo minimo*

RESIGN
F : démettre (se)
D : *zurücktreten*
E : dimitir
I : *dimettersi*

RESOLUTION
F : résolution
D : *Beschluß*
E : resolucion
I : *deliberazione*
Dissolution d'un contrat pour
inexécution des conditions; motion
adoptée par une assemblée (simple
vœu ou disposition d'un règlement)

RESOURCES
F : ressources
D : *Mittel*
E : recursos
I : *risorse*
Biens, services ou capitaux dont on
peut disposer; ensemble des capitaux
et dettes inscrits au passif d'un bilan

RESPONSIBILITY, LIABILITY
F : responsabilité
D : *Verantwortlichkeit*
E : responsabilidad
I : *responsabilità*

RESTRICTIVE COVENANT
F : accord restrictif
D : *einschränkende Bestim-
mung*
E : convenio restrictivo
I : *accordo restrittivo*

**RESTRICTIVE TRADE PRACTICES
LAW**
F : loi anti-trust
D : *Kartellgesetz*
E : ley antitrust
I : *legge antitrust*
Loi (nationale ou internationale) qui
contrôle les ententes et pénalise
l'abus des positions dominantes

RESULT
F : résultat
D : *Ergebnis*
E : resultado
I : *risultato*
Différence positive ou négative entre
un prix de vente et un coût de
revient

RETAIL PRICE
F : prix de détail
D : *Einzelhandelspreis*
E : precio al por menor
I : *prezzo al minuto*

RETAIL PRICE INDEX
F : indice des prix
D : *Preisindex*
E : índice de precios
I : *indice dei prezzi*

RETAIL TRADE
F : commerce de détail
D : *Einzelhandel*
E : comercio al por menor
I : *commercio al minuto*

RETAILER
F : commerçant (détaillant)
D : *Einzelhändler, Kleinhändler*
E : comerciante al por menor
I : *commerciante al minuto*

RETIRE A BILL
F : payer une lettre de change
D : *eine Wechsel einlösen*
E : recoger una letra
I : *ritirare un effetto*
S'acquitter d'une dette à une date
déterminée

RETIREMENT, PENSION
F : retraite
D : *Rücktritt, Rente*
E : retiro
I : *ritiro, pensione*

RETROACTIVE
F : rétroactif
D : *rückwirkend*
E : retroactivo
I : *retroattivo*

**RETURN FARE, RETURN TICKET
(USA ROUNDTRIP FARE)**
F : billet aller et retour
D : *Rückfahrkarte*
E : pasaje de ida y vuelta
I : *biglietto di andata e ritorno*

RETURN ON CAPITAL
F : rémunération du capital
D : *Kapitalertrag*
E : beneficio sobre capital
I : *reddito del capitale*
Intérêts du capital prêté

RETURNED GOODS
F : marchandises de retour
D : *Retourware*
E : mercancias devueltas
I : *merce di ritorno*
Qui n'ont pas été vendues

REVALUATION
F : réévaluation
D : *Neubewertung*
E : reevaluación
I : *rivalutazione*
Augmentation de la parité officielle
d'une monnaie sur décision des
autorités monétaires; comptabilité :
prise en compte de la dépréciation
monétaire des éléments d'actif d'un
bilan

REVALUATION
F : revalorisation
D : *Aufwertung*
E : revalorizacion
I : *rivalutazione*

REVISED ESTIMATE
F : devis rectifié
D : *überarbeitete Schätzung*
E : calculo revisado
I : *preventivo riveduto*

REVOCATION
F : révocation
D : *Widerruf*
E : revocacion
I : *revoca*

REVOKE
F : révoquer
D : *widerrufen*
E : revocar
I : *revocare*

RIGHT TO INTEREST/DIVIDENDS
F : jouissance
D : *Nutzungsrecht*
E : disfrute
I : *usufrutto*
Droit (et date à partir de laquelle il peut s'exercer) sur le revenu d'un capital

RIGHTS
F : droits
D : *Rechte*
E : derechos
I : *diritti*

RISK
F : risque
D : *Risiko*
E : riesgo
I : *rischio*

RISK CAPITAL
F : capitaux spéculatifs (ou fébriles)
D : *Spekulationskapital*
E : capital de speculacion
I : *capitale di speculazione*
Qui passent d'une place financière à l'autre, prêts à se placer à court terme suivant la variation des taux d'intérêt et l'appréciation des risques de change

RIVAL
F : rival
D : *Rivale*
E : rival
I : *rivale*

ROBOTICS
F : robotique
D : *Robotik*
E : robótica
I : *robotica*
Ensemble des études et des techniques relatives à la conception et à la mise en œuvre de systèmes de production automatisés

ROTATION OF CROPS
F : assolement
D : *Fruchtwechsel*
E : rotacion de cultivos
I : *rotazione delle coltivazioni*

ROUGH COPY (USA DRAFT)
F : brouillon
D : *Entwurf*
E : borrador
I : *brutta copia*

ROUND UP/DOWN
F : arrondir
D : *aufrunden*
E : redondear
I : *arrotondare*

ROYALTY, RENTAL
F : redevance
D : *Tantieme, Miete*
E : derechos, alquier
I : *diritti, affitto*
Prix à payer en contrepartie de la concession d'un droit

RUSH HOUR
F : heures d'affluence
D : *Hauptverkehrszeit*
E : hora punta
I : *ora di punta*

S

SAFE CUSTODY
F : bonne garde
D : *sichere Verwahrung*
E : custodia
I : *custodia*

SAFE DEPOSIT
F : dépôt en coffre-fort
D : *Verwahrung im Stahlfach*
E : deposito en caja fuerte
I : *servizio de cassette di sicurezza*

SAFETY FACTOR
F : facteur de sécurité
D : *Sicherheitskoeffizient*
E : factor de seguridad
I : *coefficiente di sicurezza*

SAILING DATE
F : date de départ
D : *Abgangstag*
E : dia de salida
I : *data di partenza*

SALARIED EMPLOYEE
F : appointé
D : *Angestellte(r)*
E : empleado a sueldo
I : *stipendiato*

SALARY
F : traitement
D : *Gehalt*
E : sueldo
I : *stipendio*
Salaire

SALE
F : coffre-fort
D : *Geldschrank*
E : caja fuerte
I : *cassaforte*

SALE
F : vente
D : *Verkauf*
E : venta
I : *vendita*

SALE BY AUCTION
F : vente aux enchères
D : *Versteigerung*
E : venta a subasta
I : *vendita all'asta*

SALE OR RETURN
F : vente avec faculté de retour
D : *Rücksendung wenn unverkauft*
E : venta o devolucion
I : *da vendere o rimandare*

SALES ANALYSIS
F : analyse des ventes
D : *Verkaufsanalyse*
E : analisis de ventas
I : *analisi delle vendite*

SALES DEPARTMENT
F : service ventes
D : *Verkaufsabteilung*
E : departamento de ventas
I : *ufficio vendite*

SALES FORCE
F : forces de vente
D : *Verkaufspersonal*
E : personal de ventas
I : *forze di vendita*
Ensemble de l'organisation et des responsables de la vente

SALES FORECAST
F : prévision des ventes
D : *Verkaufsvoraussage*
E : pronostico de ventas
I : *previsione delle vendite*

SALES LEDGER
F : grand livre des ventes
D : *Verkaufskontenbuch*
E : libro mayor de ventas
I : *partitario delle vendite*

SALES MANAGER
F : directeur commercial
D : *Verkaufsleiter*
E : jefe de ventas
I : *direttore commerciale*
Responsable de la commercialisation de produits ou services

SALES PROMOTION
F : promotion de ventes
D : *Werbung, Verkaufsförderung*
E : promocion de ventas
I : *sviluppo delle vendite*

SALES REPRESENTATIVE
F : VRP — voyageur-représentant-placier
D : *Vertreter*
E : viajante de comercio
I : *rappresentante*
Représentant de commerce

SALES RESISTANCE
F : résistance à la vente
D : *Kaufabneigung*
E : dificultades de ventas
I : *difficoltà di vendita*

SALES TAX
F : taxe sur les ventes
D : *Warenumsatzsteuer*
E : impuesto sobre la venta
I : *imposta sulle vendite*

SALESMAN, VENDER
F : vendeur
D : *Verkaüfer*
E : vendedor
I : *venditore, commesso*

SALVAGE
F : sauvetage
D : *Bergung*
E : salvamento
I : *salvataggio*

SAMPLE
F : échantillon
D : *Probe, Muster*
E : muestra
I : *campione*

SAMPLE ON NO VALUE
F : échantillon sans valeur
D : *Muster ohne Wert*
E : muestra sin valor
I : *campione senza valore*

SATISFACTION
F : satisfaction
D : *Zufriedenstellung, Begleichung*
E : satisfaccion
I : *soddisfazione*

SAVE
F : épargner
D : *aufsparen*
E : ahorrar, esconomizar
I : *risparmiare, economizzare*

SAVE
F : sauver
D : *retten*
E : salvar
I : *salvare*

SAVINGS BANK
F : caisse d'épargne
D : *Sparkasse*
E : caja de ahorros
I : *cassa di risparmio*

SCALE
F : échelle
D : *Maßstab*
E : escala
I : *scala*

SCALE (OF FEES, CHARGES, ETC.)
F : barème
D : *Tarif*
E : tarifa
I : *tariffa*
Tableau des banques intervenant dans les opérations financières d'une société

SCENARIO
F : scénario
D : *Szenario*
E : caso, argumento
I : *scenario*
Dans une démarche prospective, ensemble d'hypothèses pouvant servir de cadre à la définition d'options stratégiques

SCHEDULE
F : planifier
D : *planen*
E : programar
I : *programmare*

SCHEDULE
F : planning
D : *Terminierung*
E : planning
I : *pianificazione*
Schéma, plan représentant une prévision et son processus de réalisation

SEA FREIGHT
F : fret maritime
D : *Seefracht*
E : flete marítimo
I : *trasporto marittimo di merce*

SEAL
F : sceau
D : *Siegel*
E : sello
I : *sigillo*

SEASON
F : saison
D : *Jahreszeit*
E : estacion
I : *stagione*

SEASONAL ADJUSTMENT
F : ajustement saisonnier
D : *saisonale Bereinigung*
E : ajuste estacional
I : *aggiustamento, variazione stagionale*
Correction d'une grandeur statistique tendant à se reproduire de manière régulière pour obtenir une certaine continuité

SEASONAL FLUCTUATIONS
F : variations saisonnières
D : *saisonbedingte Schwankungen*
E : fluctuaciones estacionales
I : *fluttuazioni stagionali*
Variations d'une grandeur qui tendent à se reproduire de manière régulière à un rythme inférieur ou égal à un an

SEASONAL UNEMPLOYMENT
F : chômage saisonnier
D : *jahreszeitlich bedingte Arbeitslosigkeit*
E : paro de temporada
I : *disoccupazione stagionale*

SECOND-HAND
F : occasion (d')
D : *aus zweiter Hand, Gebraucht-*
E : se segunda mano
I : *di seconda mano*

SECRET AGREEMENT
F : accord occulte
D : *Geheimvertrag*
E : acuerdo secreto
I : *accordo secreto*

(MALE OR FEMALE) SECRETARY
F : secrétaire
D : *Sekretär, Sekretärin*
E : secretario, secretaria
I : *segretario, segretaria*

SECURED DEBENTURE
F : obligation garantie (ou cautionnée)
D : *gesicherte Schuldverschreibung*
E : obligacion garantizada
I : *obbligazione garantita*
Cautionnement donné par une banque permettant le paiement à crédit de certains impôts indirects au Trésor public

SECURITY, HYPOTHECATION
F : nantissement
D : *Nebenbürgschaft, Hypothek*
E : fianza, hipoteca
I : *pegno, ipoteca*
Ou hypothèque mobilière. Dépôt, par un débiteur, d'un bien mobilier lui appartenant entre les mains de son créancier pour garantir le paiement de sa dette

SECURITY, SAFETY
F : sécurité
D : *Sicherheit*
E : seguridad
I : *sicurezza*

SELF-CONTAINED FLAT
F : appartement indépendant
D : *Einfamilienwohnung*
E : piso independiente completo
I : *appartemento indipendente*

SELF-EMPLOYED PERSON
F : travailleur indépendant
D : *selbständig Arbeitende(r)*
E : trabajador por cuenta propia
I : *lavoratore indipendente*

SELF-SERVICE
F : libre-service
D : *Selbstbedienung*
E : auto-servicio
I : *servirsi da sè*

SELL
F : vendre
D : *verkaufen*
E : vender
I : *vendere*

SELL CHEAPLY/OFF
F : brader
D : *verschleudern*
E : saldar
I : *svendere*
Se débarrasser à bas prix de marchandises

SEND, FORWARD
F : envoyer
D : *expedieren, absenden*
E : expedir, remitir
I : *spedire*

SENIOR PARTNER
F : associé majoritaire
D : *Mehrheitsteilhaber*
E : asociado mayoritario
I : *socio maggioritario*
Détient la majorité des parts du capital d'une entreprise

SERVICE AGREEMENT
F : contrat de service
D : *Dienstvertrag*
E : contrato de servicio
I : *accordo di servizio*

SET-UP COSTS
F : frais d'établissement
D : *Ansiedlungskosten*
E : gastos de establecimiento
I : *spese d'impianto*
Charges correspondant à des opérations qui conditionnent l'existence, l'activité ou le développement d'une société et dont la valeur réelle est nulle

SETTLEMENT
F : liquidation (Bourse)
D : *Regulierung (der Differenzgeschäfte)*
E : liquidación (Bolsa)
I : *liquidazione (Borsa)*
Opérations de règlement et livraison sur un marché à terme

SETTLEMENT (AGREEMENT)
F : accord
D : *Vereinbarung*
E : acuerdo
I : *accordo*

SETTLEMENT DAY (USA DUE DATE)
F : jour de règlement
D : *Abrechnungstag*
E : dia de liquidacion
I : *giorno della liquidazione*

SHARE
F : action
D : *Aktie*
E : accion
I : *azione*
Titre de propriété d'une fraction du capital d'une société qui procure une quote part des bénéfices variable et des droits spécifiques en cas de liquidation

SHARE
F : part
D : *Teil*
E : parte
I : *parte*

SHARE
F : partager
D : *teilen*
E : repartir
I : *dividere*

SHARE CAPITAL (USA STOCK CAPITAL)
F : capital social
D : *Aktienkapital*
E : capital en acciones
I : *capitale azionario*
Montant des apports prévus par les propiétaires d'une société par actions, égal à la valeur nominale de la totalité des actions émises

SHARE CERTIFICATE (USA CERTIFICATE OF STOCK)
F : certificat d'actions
D : *Aktienzertifikat*
E : titulo de accion
I : *certificato azionario*
Titre délivré par une société attestant le dépôt d'un certain nombre de titres

SHARE MARKET (USA STOCK MARKET)
F : marché des valeurs
D : *Aktienmarkt*
E : mercado de valores
I : *mercato azionario*

SHARE REGISTER
F : registre des actionnaires
D : *Liste der Aktionäre*
E : registro de las acciones
I : *registro delle azioni*

SHAREHOLDER (USA STOCKHOLDER)
F : actionnaire
D : *Aktionär*
E : accionista
I : *azionista*

SHIFT
F : équipe
D : *Schicht*
E : turno
I : *turno*

SHIFWORK
F : travail par équipes
D : *Schichtarbeit*
E : trabajo por torno
I : *lavoro a turno*
Pratiqué de façon continue ou prolongée par des équipes successives

SHIP
F : navire
D : *Schiff*
E : barco
I : *nave*

SHIPPING CLERK
F : expéditionnaire
D : *Expedient*
E : dependiente de muelle
I : *commesso di spedizioniere*
Qui se charge de l'expédition

SHIPPING LINE
F : compagnie de navigation
D : *Reederei*
E : compania navièra
I : *società di navigazione*

SHOP STEWARD
F : délégué syndical
D : *Unterbewertung*
E : delegado sindical
I : *rappresentante sindacale*

SHOP, STORE
F : magasin
D : *Laden, Lager*
E : tienda, almacén
I : *bottega, magazzino*

SHOPPING CENTRE
F : centre commercial
D : *Geschäftszentrum*
E : centro de negocios
I : *zona degli acquisiti*

SHORT DELIVERY
F : livraison incomplète
D : *mangelhafte Lieferung*
E : entrega deficiente
I : *consegna deficiente*

SHORT-DATED
F : courte échéance (à)
D : *kurzfristig*
E : a corto plazo
I : *a breve scadenza*

SHORT-DATED SECURITY
F : titre à court terme
D : *kurzfristiges Wertpapier*
E : titulo a corto plazo
I : *titolo a breve scadenza*
Titre dont l'échéance est inférieure à deux ans

SHORT-TERM
F : court terme (à)
D : *kurzfristig*
E : a corto plazo
I : *a breve termine*

SHORT-TERM CAPITAL
F : capitaux à court terme
D : *kurzfristiges Kapital*
E : capital a corto plazo
I : *capitale a breve termine*
Balance des paiements : flux de créances et d'engagements au plus égaux à un an contractés à l'extérieur par différents secteurs économiques

SHORT-TERM CREDIT
F : crédit à court terme
D : *kurzfristiger Kredit*
E : crédito a corto plazo
I : *credito a breve termine*

SHORT-TERM DEBTS
F : dettes à court terme
D : *kurzfristige Schulden*
E : deudas a corto plazo
I : *debiti a breve scadenza*

SHORTAGE, DEFICIENCY, (DÉBITEUR) INSOLVENCY
F : carence
D : *Mangel*
E : carencia
I : *carenza*

SHORTHAND
F : sténographie
D : *Kurzschrift*
E : taquigrafia
I : *stenografia*

SHORTHAND TYPIST
F : sténodactylographe
D : *Stenotypistin*
E : taquimecanografa
I : *stenodattilografa*

ANGLAIS

SHRINKAGE
F : démarque inconnue
D : *unbekannte Nachahmung*
E : precio rebajado desconocido
I : *rubata o danneggiata (es: in un supermercato)*
Différence entre inventaires théoriques et inventaires physiques due aux vols ou aux erreurs de gestion

SIGHT DRAFT
F : traite à vue
D : *Sichttratte*
E : letra a la vista
I : *tratta a vista*
Payable aussitôt que le bénéficiaire désire en recouvrer le montant

SIGN/TRADE NAME
F : enseigne
D : *Eintrague*
E : letrero
I : *insegna*

SIGNATURE
F : signature
D : *Unterschrift*
E : firma
I : *firma*

SIMPLE INTEREST
F : intérêts simples
D : *einfache Zinsen*
E : interés simple
I : *interesse semplice*
A la charge de l'emprunteur, ils correspondent au rapport entre le montant des intérêts dus pour l'année et le montant du capital prêté

SIMULATION
F : simulation
D : *Simulation*
E : simulacion
I : *simulazione*
Réalisation d'expériences fictives permettant d'étudier l'évolution de phénomènes complexes aux facteurs explicatifs multiples

SINGLE FARE, SINGLE TICKET (USA ONE WAY FARE)
F : billet aller
D : *einfache Fahrkarte*
E : pasaje de ida
I : *biglietto d'andata*

SINKING FUND
F : fonds d'amortissement
D : *Tilgungsfonds*
E : fondo de amortizacion
I : *fondo di ammortamento*

SISTER COMPANY
F : société sœur (associée)
D : *Schwestergesellschaft*
E : compania asociada
I : *società sorella*
L'une des filiales de la société mère

SIT-DOWN STRIKE
F : grève avec occupation des lieux
D : *Sitzstreik*
E : huelga de brazos caidos
I : *sciopero bianco*

SIZE
F : taille
D : *Größe*
E : tamaño
I : *taglia*

SLEEPING PARTNER (USA SILENT PARTNER)
F : commanditaire
D : *stiller Gesellschafter*
E : socio comanditario
I : *socio accomandante*
Bailleur de fonds

SLIDING SCALE
F : échelle mobile
D : *gleitende Skala*
E : escala movil
I : *scala mobile*

SLOW PAYER
F : mauvais payeur
D : *schlechter Zahler*
E : deudor moroso
I : *cattivo pagatore*

SMALL AND MEDIUM-SIZED COMPANIES
F : petites et moyennes entreprises (PME)
D : *kleine und mittlere Unternehmen*
E : pequeñas y medianas empresas (PME)
I : *piccole e medie imprese (PMI)*
Entreprises employant de 10 à 500 salariés

SMALL CHANGE
F : petite monnaie
D : *Kleingeld*
E : moneda suelta
I : *spiccioli*

SMOOTHING
F : lissage
D : *Glättung*
E : alisado
I : *eliminazione delle variabili aleatorie*
Méthode mathématique employée pour extraire d'une série statistique des variations dues à des phénomènes de faible importance ou aléatoires

SMUGGLE
F : faire de la contrebande
D : *schmuggeln*
E : pasar de contrabando
I : *contrabbandare*

SOCIAL COST
F : coût social
D : *Sozialkosten*
E : coste social
I : *costo sociale*

SOCIAL INDICATORS
F : indicateurs sociaux
D : *soziale Indikatoren*
E : indicadores sociales
I : *indicatori sociali*
Instruments de mesure des phénomènes sociaux, ils complètent les indicateurs économiques et permettent aux entreprises d'élaborer leur bilan social

SOCIAL REPORT
F : bilan social
D : *soziale Bilanz*
E : balance social
I : *bilancio sociale*
Ensemble d'indicateurs sociaux relatifs à la vie de l'entreprise présentés et diffusés conformément à la loi (12 juillet 1977)

SOCIAL SECURITY
F : sécurité sociale
D : *Sozialversicherung*
E : seguridad social
I : *sicurezza sociale*
Institution chargée de la protection sociale et ensemble des organismes chargés de prélever les cotisations et verser les prestations

SOFT CURRENCY
F : monnaie faible
D : *schwache Währung*
E : moneda débil
I : *valuta debole*

SOFT SELL
F : vente par des moyens discrets
D : *unaufdringliches Verkaufen*
E : venta sencilla
I : *vendere senza forzare*

SOFTWARE
F : logiciel
D : *Software*
E : software
I : *software*

SOFTWARE PACKAGE
F : progiciel
D : *Anwendersoftware*
E : paquete de programas
I : *pacchetto software*
Ensemble de logiciels standards répondant à une catégorie spécifique de besoins

SOLD OUT
F : tout vendu
D : *ausverkauft*
E : agatado
I : *tutto venduto*

SOLE AGENT
F : agent exclusif
D : *Alleinvertreter*
E : agente exclusivo
I : *rappresentante esclusivo*

SOLE DISTRIBUTION
F : distribution exclusive
D : *ausschliesslichkeits Vertrieb*
E : distribución exclusiva
I : *distribuzione esclusiva*

SOLVENCY
F : solvabilité
D : *Zahlungsfähigkeit*
E : solvencia
I : *solvibilità*

SOLVENT
F : solvable
D : *zahlungsfähig*
E : solvente
I : *solvibile*

SOUND TRACK
F : bande son
D : *Tonband*
E : banda sonora
I : *colonna sonora*

SPECIAL OFFER
F : offre spéciale
D : *Sonderangebot*
E : oferta especial
I : *offerta speciale*

SPECIALIST, EXPERT
F : spécialiste
D : *Sachverständige(r)*
E : especialista
I : *specialista*

SPECULATE, JOB
F : spéculer
D : *spekulieren*
E : especular
I : *speculare*
Acheter et revendre des biens ou des valeurs pour tirer profit de la fluctuation de leur cours

SPINNING OFF
F : essaimage
D : *spinning off, Zufallsbenefit*
E : enjambrazón
I : *apertura di succursali specializzate in attività nuove*
Ensemble des aides financières, techniques, juridiques par lesquelles une entreprise encourage ceux de ses salariés qui le souhaitent à créer leur propre entreprise

SPLIT THE DIFFERENCE
F : partager la différence
D : *einen strittigen Preisunterschied teilen*
E : repartir la diferencia
I : *dividere a metà la differenza*

SPOT GOODS
F : marchandises disponibles
D : *sofort lieferbare Waren*
E : mercancías prontas
I : *merce pronta*

SPOT MARKET
F : marché au comptant
D : *Kassageschäft*
E : operación al contado
I : *mercato a contanti*
Marché boursier où les titres mobiliers échangés sont immédiatement payés au prix convenu

SPREADSHEET
F : tableur
D : *Arbeitsblatt*
E : hoja electrónica de cálculo
I : *tabulatore*
Logiciel de création et de manipulation interactive de tableaux numériques visualisés

STAFF REPRESENTATIVE
F : représentant du personnel
D : *Arbeiternehmervertreter*
E : representante del personal
I : *rappresentante del personale*

STAFF RESETTLEMENT
F : reclassement du personnel
D : *Umstellung*
E : nueva clasificación del personal
I : *riqualificazione del personale*

STAGGERED STRIKE
F : grève tournante
D : *Flackerstreik*
E : huelga alternativa
I : *sciopero articolato*
Affecte successivement divers ateliers, usines ou catégories de personnels

STAMP
F : tampon
D : *Stempel*
E : estampilla
I : *stampiglia*

STAMP
F : timbre
D : *Stempel, Marke*
E : sello
I : *timbro, francobollo*
Marque ou vignette qui garantit l'authenticité d'un document ou atteste le paiement d'un droit

STAMP DUTY
F : droit de timbre
D : *Stempelgebühr*
E : impuesto del timbre
I : *tassa di bollo*
Impôt indirect auquel sont soumis certains actes

STAND-BY AGREEMENT
F : accord réservé
D : *Notvereinbarung*
E : contrato de reserva
I : *accordo di riserva*

STANDARD DEDUCTION AT SOURCE
F : prélèvement libératoire
D : *befreiender Abzug*
E : retención eximente
I : *prelievo liberatorio*
Retenue à la source

STANDARD DEVIATION
F : écart type
D : *Streuung*
E : desviación estándar
I : *scarto quadratico medio*
Le plus utilisé des indicateurs de dispersion dans l'étude de la répartition d'une population statistique (la dispersion permet de mesurer l'écart entre les valeurs extrêmes prises par un caractère statistique)

STANDARD OF LIVING
F : niveau de vie
D : *Lebenshaltung*
E : nivel de vida
I : *tenore di vita*
Ensemble des biens et services à la disposition d'un individu, d'un ménage ou d'un groupe social

STANDARD TIME
F : heure légale
D : *Normalzeit*
E : hora oficial
I : *ora legale*
Heure officielle qui règle la vie civile, avant ou après laquelle certains actes ne peuvent être accomplis

STANDARD, NORM
F : norme
D : *Standard, Norm*
E : norma, standard
I : *norma*
Prescription technique (qui peut être définie par la loi) relative à la qualité d'un produit, à son contrôle, à sa sécurité et à son aptitude à l'emploi

STANDARDIZE
F : standardiser
D : *standardisieren*
E : estandarizar
I : *standardizzare*

STANDING CHARGES
F : charges fixes
D : *Fixkosten*
E : cargas fijas
I : *spese fisse*
Liées à l'existence même de l'outil de production, elles sont indépendantes du niveau d'activité de l'entreprise

STATE OF THE MARKET
F : état du marché
D : *Marktumstände, Marktlage*
E : condiciones del mercado, situación del mercado
I : *condizioni del mercato*

STATEMENT OF ACCOUNT
F : relevé de compte
D : *Kontoauszug*
E : extracto de cuenta
I : *estratto conto*

STATISTICS
F : statistique nf
D : *Statistik*
E : estadística
I : *statistica*
Ensemble des méthodes permettant d'analyser et de synthétiser une quantité importante de données chiffrées

STATUTE
F : statut
D : *Gesetz*
E : estatuto
I : *statuto*
Disposition législative ou réglementaire qui fixe la situation d'une catégorie de personnes, d'entreprises ou de collectivités

STATUTORY
F : statutaire adj
D : *gesetzlich*
E : estatutario
I : *statutario*

STEEL MILL (USA STEEL PLANT)
F : acierie
D : *Stahlwerk*
E : acería
I : *acciaieria*

STOCK
: stock
: *Vorrat*
: stock
: *stock*
emble des matières et produits en œuvre dans l'activité d'une eprise et entreposés en attendant re utilisés ou vendus

CK ACCOUNTING
comptabilité matière
: *Bestandsbuchführung*
contabilidad materiales
contabilità per materia
e sur les matières premières, les Prouits finis et semi-finis

STOCK CONTROL
F : gestion des stocks
D : *Lagerverwaltung*
E : administración de existencias
I : *gestione delle scorte*
Gestion des approvisionnements et de leurs conditions de stockage

STOCK EXCHANGE
F : bourse
D : *Börse*
E : bolsa
I : *borsa*

STOCK IN HAND
F : marchandises en magasin
D : *Vorrat auf Lager*
E : mercancías en almacén
I : *merce in magazzino*

STOCK MARKET TRANSACTION
F : opération de Bourse
D : *Börsengeschäft*
E : operación de Bolsa
I : *operazione di Borsa*

STOCK, SECURITIES
F : titres
D : *Wertpapier, Effekten*
E : títulos, valores
I : *titoli, valori*

STOCK-EXCHANGE QUOTATION
F : cours de Bourse
D : *Börsenkurs*
E : curso de bolsa
I : *quotazione di borsa*

STOCKBROKER
F : agent de change
D : *Börsenmakler*
E : agente de cambio y bolsa
I : *agente di cambio*
Officier ministériel nommé par décret, exerçant, dans le cadre d'un monopole, le courtage des opérations de Bourse; il est remplacé par les sociétés de Bourse depuis le 1 janvier 1988

STOCKBROKER
F : courtier en Bourse
D : *Börsenmakler*
E : corredor de bolsa
I : *agente di borsa*

STOCKHOLDER
F : détenteur de titres
D : *Aktieninhaber*
E : accionista
I : *azionista*

STOCKPILE
F : stocker
D : *Vorratslager anlegen*
E : acumular existencias
I : *ammassare*

STOCKTAKING
F : levée d'inventaire
D : *Bestandsaufnahme*
E : inventario, balance
I : *compilazione dell'inventario*

STOP A CHEQUE (USA STOP A CHECK)
F : bloquer un chèque
D : *einen Scheck sperren*
E : suspender el pago de un cheque
I : *fermare un assegno*

STOP-GAP
F : bouche-trou
D : *Überbrückung*
E : recurso provisional
I : *prowedimento temporaneo*

STORAGE
F : emmagasinage
D : *Lagerung*
E : almacenamiento
I : *magazzinaggio*

STORAGE CHARGES
F : frais de stockage
D : *Lagergeld*
E : gastos de almacenaje
I : *spese di magazzinaggio*

STORE
F : emmagasiner
D : *lagern*
E : almacenar
I : *immagazzinare*

STORM
F : tempête
D : *Sturm*
E : tormenta
I : *tempesta*

STOW
F : arrimer
D : *verstauen*
E : estibar
I : *stivare*

STRAIGHT LINE DEPRECIATION
F : amortissement linéaire
D : *lineare Abschreibung*
E : amortización lineal
I : *ammortamento fisso*
Le taux appliqué est constant (montant de l'immobilisation divisé par le nombre d'années)

STRATEGY
F : stratégie
D : *Strategie*
E : estrategia
I : *strategia*

STRIKE
F : grève
D : *Streik*
E : huelga
I : *sciopero*

STRIKE
F : grève (faire)
D : *streiken*
E : declarar huelga
I : *scioperare*

STRIKE NOTICE
F : grève (préavis de)
D : *Streikankündingung*
E : huelga (preaviso de)
I : *sciopero (preavviso di)*
Avertissement et délai réglementaires précédant le démarrage d'une grève

STRIKER
F : gréviste
D : *Streikende(r)*
E : huelguista
I : *scioperante*

SUB-LETTING
F : sous-location
D : *Untervermietung*
E : sub-alquiter
I : *subaffitto*

SUBJECT TO
F : assujettir (à une taxe)
D : *(mit einer Steuer) belegen*
E : someter (a una tasa)
I : *sottomettere*
Astreindre quelqu'un à payer une taxe

SUBORDINATE
F : subalterne
D : *Untergebene(r)*
E : subalterno
I : *subalterno*

SUBROGATION
F : subrogation
D : *Ersetzung*
E : subrogacion
I : *surrogazione*
Droit : substitution d'une personne (subrogation personnelle) ou d'une chose (subrogation réelle) à une autre

SUBSCRIBED CAPITAL
F : capital souscrit
D : *gezeichnetes Kapital*
E : capital subscrito
I : *capitale sottoscritto*
Montant des apports en numéraires que les associés s'engagent à verser à la demande de la société

SUBSCRIPTION
F : abonnement
D : *Abonnement*
E : abono
I : *abbonamento*

SUBSCRIPTION
F : souscription
D : *Zeichnung*
E : suscripcion
I : *sottoscrizione*
Engagement irrévocable à recevoir des titres contre paiement à un prix convenu d'avance; achat d'un titre au moment de son émission

SUBSIDARY COMPANY
F : filiale
D : *Tochtergesellschaft*
E : filial, empresa subsidiaria
I : *fialiale*

SUBSIDY
F : subvention
D : *Subvention*
E : subsidio
I : *sussidio*
Aide ou prêt non remboursable de l'Etat ou d'une collectivité publique

SUBSTRACTION
F : soustraction
D : *Subtraktion*
E : substraccion
I : *sottrazione*

SUBURB
F : banlieue
D : *Vorort*
E : afueras
I : *periferia*

SUMMER-HOLIDAYS
F : vacances d'été
D : *Sommerferien*
E : vacaciones de verano, verano
I : *vacanza estive*

SUNDRY CREDITORS
F : créditeurs divers
D : *Kreditoren*
E : acreedores varios
I : *creditori diversi*

SUNDRY EXPENSES
F : frais divers
D : *verschiedene Ausgaben*
E : gastos varios
I : *spese varie*

SUPERMARKET
F : grande surface
D : *SB-Warenmarkt*
E : grandes almacenes
I : *supermercato, ipermercato*

SUPERMARKET
F : supermarché
D : *Supermarkt*
E : supermercado
I : *supermercato*

SUPERVISOR
F : surveillant
D : *Aufseher*
E : supervisor
I : *supervisore*

SUPPLEMENTARY ESTIMATE
F : devis supplémentaire
D : *Nachschätzung*
E : calculo suplementario
I : *preventivo supplementare*

SUPPLIER
F : fournisseur
D : *Lieferant*
E : proveedor
I : *fornitore*

SUPPLIES ON HAND
F : ressources existantes
D : *lieferfertiges Angebot*
E : provisiones existentes
I : *forniture esistenti*

SUPPLY
F : fournir
D : *beliefern*
E : surtir
I : *fornire*

SUPPLY AND DEMAND
F : offre et demande
D : *Angebot und Nachfrage*
E : oferta y demanda
I : *offerta e domanda*

SURETY, LETTER OF INDEMNITY
F : cautionnement
D : *Bürge, Ausfallbürgschaft*
E : fianza, carta de indemnizacion
I : *cauzione, lettera di garanzia*
Engagement pris par une caution

SURPLUS
F : excédent
D : *Überschuß*
E : excedente
I : *eccedenza*
Solde comptable produits/charges, avoirs/dettes ou ressources/débouchés

SURPLUS
F : surplus
D : *Überschuß*
E : excedente
I : *eccesso*
Différence de croissance, exprimée en valeur, entre le volume des produits et les facteurs de production, à prix constants pour une période donnée

SURPLUS DIVIDEND
F : super-dividende
D : *Extradividende*
E : superdividendo
I : *dividendo straordinario*
Eventuellement décidé par l'assemblée générale, il s'ajoute au premier dividende

SURRENDER VALUE
F : valeur de rachat
D : *Rückkaufswert*
E : valor de rescate
I : *valore di riscatto*

SURTAX
F : surtaxe
D : *Steuerzuschlag*
E : sobretasa
I : *soprattassa*

SURVEY
F : sondage
D : *Umfrage*
E : sondeo
I : *sondaggio*

SUSPENSE ACCOUNT
F : compte d'ordre
D : *Übergangskonto*
E : cuenta suspensa
I : *conto sospeso*

SWAP
F : SWAP
D : *SWAP*
E : SWAP
I : *SWAP*
Echange financier d'éléments de créances ou de dettes opéré entre deux ou plusieurs entités (banques, entreprises, Etats...)

SWIFT (SOCIETY FOR WORLD-WIDE INTERBANK FINANCIAL TELECOMMUNICATION)

F : SWIFT — Society for World-wide Interbank Financial Tele-communication
D : *SWIFT*
E : SWIFT
I : *Rete Internazionale di Tras-ferimento Fondi e Informazioni Fra Banche*
Réseau bancaire international (50 banques françaises y sont connec-tées) permettant d'échanger des informations et d'accélérer les opéra-tions sur le marché monétaire inter-national

SWITCHBOARD

F : tableau de distribution
D : *Schalttafel*
E : cuadro de conexion
I : *quadro di comando*

SYMBOL

F : symbole
D : *Symbol*
E : simbolo
I : *simbolo*

SYNDICATE, TRADE UNION

F : syndicat
D : *Syndikat, Gewerkschaft*
E : sindicato
I : *sindicato*

SYNERGY

F : synergie
D : *Synergie*
E : sinergia
I : *sinergia*

SYSTEM

F : système
D : *System*
E : sistema
I : *sistema*

Ensemble des dispositifs ou des solutions mis en œuvre pour atteindre un objectif donné

SYSTEMS ANALYSIS

F : analyse de systèmes
D : *Systemanalyse*
E : analisis de sistemas
I : *analisi di sistemi*
Etude et formalisation, séparément et par couple, des interactions directes au sein d'un grand nombre de phénomènes

TACIT AGREEMENT
F : convention tacite
D : *stillschweigendes Übereinkommen*
E : acuerdo tacito
I : *accordo tacito*
Accord implicite

TAKE-HOME PAY
F : salaire net
D : *Nettolohn*
E : paga neta
I : *paga netta*
Rémunération après déduction des cotisations sociales

TAKE-OVER BID
F : offre de rachat
D : *Übernahmeangebot*
E : oferta de adquisición
I : *offerta di acquisto*

TAKEOVER BID
F : offre publique d'achat — OPA
D : *öffentliches Ankaufsangebot*
E : oferta pública de adquisición
I : *offerta pubblica di acquisto*
Procédure boursière qui permet à une personne physique ou morale de prendre le contrôle d'une société cotée en proposant à ses actionnaires le rachat de leurs actions à un cours supérieur au cours de Bourse ou à la valeur réelle du titre

TARE
F : tare
D : *Tara*
E : tara
I : *tara*

TARGET, PURPOSE
F : but
D : *Ziel, Zweck*
E : objetivo
I : *bersaglio, scopo*

TARIFF
F : tarif
D : *Tarif*
E : tarifa
I : *tariffa*

TARIFF AGREEMENT
F : accord tarifaire
D : *Zollabkommen*
E : acuerdo tarifario
I : *accordo tariffario*

TAX
F : impôt
D : *Steuer*
E : impuesto
I : *imposta*

TAX ADJUSTMENT
F : redressement judiciaire
D : *zusätliche Steuerhöhung*
E : procedimiento de suspensión de pagos
I : *riparazione giudiziaria*
Procédure instituée pour les entreprises en état de cessation de paiement consistant à présenter un plan de redressement dont l'issue peut être la survie, la cession totale ou partielle, ou encore la liquidation judiciaire

TAX BASE
F : assiette de l'impôt
D : *Steuerveranlagung*
E : base contributiva
I : *ripartizione della tassazione*
Base de calcul de l'imposition

TAX COLLECTOR
F : percepteur (des impôts)
D : *Steuereinnehmer*
E : recaudador de impuestos
I : *esattore delle imposte*

TAX CREDIT
F : avoir fiscal
D : *Steuerguthaben*
E : haber fiscal
I : *credito d'imposta*
Crédit d'impôt qui ne s'applique qu'aux seules actions (50 % du dividende net) et qui, ajouté au revenu imposable, est ensuite déduit du montant de l'impôt exigible

TAX DEDUCTIBLE
F : déductible de l'impôt
D : *steuerabsetzbar*
E : deductible de impuestos
I : *deductible da tassa*

TAX DEDUCTION
F : décote
D : *Unterbewertung*
E : deducción
I : *esonero degressivo*
Abattement opéré par rapport à la valeur nominale d'un bien pour la rapprocher de la réalité du marché

TAX HEAVEN
F : paradis fiscal
D : *Steuerparadies*
E : oasis tributario
I : *paradiso fiscale*

TAX LOSS
F : perte fiscale
D : *Steuerverlust*
E : pérdida fiscal
I : *perdita a scopi fiscali*
Définition prévue non donnée

TAX PAYER
F : contribuable
D : *Steuezahler*
E : contribuyente
I : *contribuente fiscale*

TAX RELIEF
F : dégrèvement
D : *Steuereleichterung*
E : desgravacion
I : *sgravio fiscale*
Suppression ou diminution de l'impôt accordées à titre contentieux (réduction) ou gracieux (remise)

TAX RETURN
F : déclaration d'impôt
D : *Steuererklärung*
E : declaracion de ingresos
I : *dichiarazione fiscale*

TAX YEAR
F : exercice fiscal
D : *Steuerjahr*
E : ano fiscal
I : *anno fiscale*
Période pour laquelle les résultats d'exploitation sont arrêtés (pas nécessairement l'année civile)

TAX-FREE
F : libre d'impôts
D : *steuerfrei*
E : exento de impuestos
I : *esente da tassa*
Exempté de taxes

TAXABLE INCOME
F : revenu imposable
D : *steuerpflichtiges Einkommen*
E : renta imponible
I : *reddito tassabile*

TAXATION
F : imposition
D : *Besteuerung*
E : tributacion
I : *tassazione*

TAXI
F : taxi
D : *Taxi*
E : taxi
I : *tassi*

TECHNIQUE
F : technique nf
D : *Technik*
E : técnica
I : *tecnica*
Procédé résultant de l'application de connaissances théoriques et scientifiques à une production

TECHNOLOGY
F : technologie
D : *Technologie*
E : tecnologia
I : *tecnologia*
Etude des techniques. Savoir-faire

TELEGRAM
F : télégramme
D : *Telegramm*
E : telegrama
I : *telegramma*

TELEGRAPH
F : télégraphier
D : *telegrafieren*
E : telegrafar
I : *telegrafare*

TELEGRAPHIC ADDRESS
F : adresse télégraphique
D : *Telegrammadresse*
E : direccion telegrafica
I : *indirizzo telegrafico*

TELEGRAPHIC TRANSFER
F : virement télégraphique
D : *Kabelauszahlung*
E : giro telegrafico
I : *rimessa telegrafica*
Ordre de virement transmis par télégramme entre deux centres de chèques postaux

TELEMATICS
F : télématique
D : *Telematik*
E : telemática
I : *telematica*
Transmission d'informations à distance par l'utilisation conjointe de l'informatique et des télécommunications

TELEPHONE
F : téléphone
D : *Fernsprecher, Telefon*
E : teléfono
I : *telefono*

TELEPHONE CALL
F : appel téléphonique
D : *Anruf*
E : llamada telefonica
I : *chiamata telefonica*

TELEPHONE EXCHANGE
F : central téléphonique
D : *Fernsprechamt*
E : central telephonica
I : *centrale telefonica*

TELEPHONE NUMBER
F : numéro de téléphone
D : *Telefonnummer*
E : numero de téléfono
I : *numero di telefono*

TELEX
F : telex
D : *Fernschreiber*
E : télex
I : *telex*
Transmission à distance de messages dactylographiés

TEMPORARY
F : provisoire
D : *einstweilig*
E : temporal
I : *temporaneo*

TEMPORARY COVER
F : couverture temporaire
D : *temporäre Deckung*
E : cobertura provisional
I : *copertura provvisoria*

TEMPORARY WORK
F : travail temporaire
D : *befristete Arbeit*
E : trabajo temporal
I : *lavoro temporaneo*
Travail intérimaire

TENANT, HIRER, LESSEE
F : locataire
D : *Mieter*
E : inquilino, alquilador, arrendatario
I : *affittuario, locatario, no leggiatore*

TENDER OFFER
F : offre publique d'échange — OPE
D : *öffentliches Wechselangebot*
E : oferta pública de intercambio
I : *offerta pubblica di scambio*
OPA pour laquelle les actions des actionnaires de la société cible sont échangées contre des titres (actions ou obligations) de celle qui achète

TENOR
F : teneur
D : *Laufzeit*
E : tenor
I : *tenore*

TERMS
F : conditions
D : *Bedingungen*
E : condiciones
I : *condizioni*

TERRITORIAL WATERS
eaux territoriales
D : *Hoheitsgewässer*
E : *aguas territoriales*
I : *acque territoriali*
Zone maritime appartenant à un Etat et soumise à sa juridiction

TERTIARY SECTOR
F : économie sociale (ou tiers-secteur)
D : *Sozialwirtschaft*
E : *economía social*
I : *economia sociale*
Regroupe principalement le secteur des coopératives, celui des mutuelles et celui des associations

TEST, TRIAL
F : essai
D : *Probe*
E : ensayo, prueba
I : *saggio, prova*

TEXTILE
F : textile
D : *Webware*
E : textil
I : *tessile*

THEFT, FLIGHT
F : vol
D : *Diebstahl, Flug*
E : robo, vuelo
I : *furto, fuga*

THIRD PARTY
F : tiers
D : *Dritte(r)*
E : tercero
I : *terzi*

THIRD-PARTY INSURANCE
F : assurance responsabilité civile — RC
D : *Haftpflichtversicherung*
E : seguro contra responsabilidad civil
I : *assicurazione contro terzi*

TIP GRATUITY
F : pourboire
D : *Trinkgeld*
E : propina
I : *mancia*
Gratification, élément de la rémunération dans certaines professions

TITLE DEED
F : titre de propriété
D : *Eigentumstitel*
E : titulo de propiedad
I : *titolo di proprietà*

(LEGAL) TITLE, SECURITY
F : titre
D : *Titel, Wertpapier*
E : titulo
I : *titolo*
Document représentatif d'un droit de propriété ou d'une créance

TO REVERSE
F : extourner
D : *umgehen*
E : anular
I : *stornare*
Pour une banque, rembourser des agios à un client auquel elle a accordé une ristourne ou qui a été victime d'une erreur de sa part

TO WHOM IT MAY CONCERN
F : à qui de droit
D : *an alle,die es angeht*
E : a quien concierma
I : *a tutti gli interessati*
A la personne compétente

TOMORROW
F : demain
D : *morgen*
E : mañana
I : *domani*

TONNAGE
F : tonnage
D : *Tonnengehalt*
E : tonelaje
I : *tonnellaggio*

TONNE
F : tonne
D : *Tonne*
E : tonelada
I : *tonnellata*

TOP COPY
F : original nm
D : *Original*
E : original
I : *originale*

TOP MANAGEMENT
F : direction générale
D : *Direktion*
E : direccion superior
I : *direzione superiore*

TOP QUALITY
F : première qualité (de)
D : *hochwertig*
E : de primera calidad
I : *de qualita superiore*

TOWN GAS
F : gaz de ville
D : *Stadtgas*
E : gas de ciudad
I : *gas di carbon fossile*

TOXIC WASTE
F : déchets toxiques
D : *giftiger Abfall*
E : efluentes toxicos
I : *rifius tossici*

TRADE
F : métier
D : *Beruf*
E : oficio
I : *mestiere*

TRADE ACCEPTANCE
F : acceptation commerciale
D : *Handelsakzept*
E : aceptacion comercial
I : *accettazione commerciale*
Acceptation par une banque d'un effet de commerce tiré par le fournisseur d'un de ses clients pour faciliter une opération commerciale

TRADE ACCOUNT
F : compte commercial
D : *Handelskonto*
E : cuenta comercial
I : *conto commerciale*
Balance commerciale, enregistrement des importations et des exportations de marchandises d'un pays au cours d'une période donnée

TRADE BALANCE
F : balance commerciale
D : *Handelsbilanz*
E : balanza comercial
I : *bilancia commerciale*
Solde importations/exportations de marchandises d'un pays pour une période donnée

TRADE BARRIER
F : barrière commerciale
D : *Handelsschranke*
E : barreira comercial
I : *barreira commerciale*
Tout obstacle à la libre circulation des biens et des services

TRADE BLOC
F : bloc commercial
D : *Handelsblock*
E : bloque comercial
I : *unione commerciale*

TRADE CATALOGUE, CATALOGUE RATE
F : tarif-catalogue
D : *Katalogpreis*
E : catalogo comercial, tarifa catálogo
I : *tariffa di listino*

TRADE CYCLE
F : cycle de commerce
D : *Handelszyklus*
E : ciclo del negocio
I : *ciclo degli affari*

TRADE DIRECTORY
F : guide du commerce
D : *Handelsadreßbuch*
E : guia comercial
I : *guida commerciale*

TRADE DISPUTE
F : conflit du travail
D : *Arbeitsstreitigkeit*
E : conflicto loboral
I : *vertenza di lavoro*

TRADE FAIR
F : foire commerciale
D : *Handelsmesse*
E : feria de muestras
I : *fiera commerciale*
Foire où ce qui est exposé est proposé à la vente

TRADE NAME
F : raison sociale
D : *Firmenname*
E : razon social
I : *denominazione commerciale*
Nom sous lequel une société exerce son activité

TRADE PRICE
F : prix marchand
D : *Handelspreis*
E : precio al comerciante
I : *prezzo al commerciante*
Prix du marché ou prix de référence

TRADE REFERENCE
F : référence commerciale
D : *Kreditauskunft*
E : referencia comercial
I : *referenze commerciali*
Ensemble des caractéristiques spécifiques d'un article ou d'une catégorie d'articles

TRADE SECRET
F : secret industriel
D : *Betriebsgeheimmis*
E : secreto comercial
I : *segreto commerciale*

TRADEMARK
F : marque de fabrique
D : *Warenzeichen*
E : marca de fabrica
I : *marchio di fabbrica*
Signe distinctif apposé sur un produit pour en indiquer l'origine, elle est protégée légalement par son inscription obligatoire à l'Institut national de la propriété industrielle

TRADING CAPITAL
F : fonds de roulement
D : *Betriebskapital*
E : capital de explotacion
I : *capitale d'esercizio*
Partie des capitaux permanents utilisés pour le financement des actifs circulants de l'entreprise

TRADING CREDIT
F : crédit fournisseur
D : *Lieferantenkredit*
E : crédito de proveedores
I : *credito fornitore*
Accordé à un exportateur par une banque de son pays pour lui permettre d'être payé dès la livraison à son importateur étranger

TRADING LICENCE
F : patente
D : *Gewerbeschein*
E : patente
I : *patente*
Voir Taxe professionnelle

TRADING MARGIN
F : marge commerciale
D : *Handelsspanne*
E : margen comercial
I : *margine commerciale*
Différence entre le chiffre d'affaires hors taxes et le coût d'achat hors taxes des marchandises vendues

TRAFFIC JAM
F : encombrement de circulation
D : *Verkehrsstockung*
E : embotellamiento de trafico
I : *ingorgo stradale*

TRANSACTION
F : opération (affaire)
D : *Transaktion, Abschluß*
E : operacion (mercantil)
I : *operazione*

TRANSACTION
F : transaction
D : *Transaktion*
E : transaccion
I : *transazione*
Echange, processus de négociation qui a abouti à un accord par concessions réciproques

TRANSACTIONAL ANALYSIS, AT
F : analyse transactionnelle
D : *Transaktionsanalyse*
E : análisis transaccional
I : *analisi transazionale*
Technique de développement personnel basée sur l'analyse des processus de communication

TRANSFER
F : transférer
D : *überweisen*
E : transferir
I : *trasferire*

TRANSFER
F : transfert
D : *Überweisung*
E : cesion
I : *cessione*

TRANSFER DED
F : acte de cession
D : *Übertragungsvertrag*
E : escritura de transferencia
I : *atto di trapasso*
Authentifie la transmission d'un bien ou d'un droit dont on est propriétaire ou titulaire

TRANSFER PRICE
F : prix de cession interne
D : *interner Abgabepreis*
E : precio de cesión interna
I : *prezzo di cessione interna*
Prix auquel sont facturées les cessions de produits ou services entre divisions d'une même entreprise ou établissements d'un même groupe

TRANSHIPMENT
F : transbordement
D : *Umladung*
E : transbordo
I : *trasbordo*
Transfert de marchandises ou de voyageurs d'un véhicule de transport à un autre

TRANSPORT
F : transport
D : *Beförderung, Transport*
E : transporte
I : *trasporto*

TRAVEL AGENT
F : agence de voyages
D : *Reisebüro*
E : agencia de viajes
I : *agenzia di viaggi*

(COMMERCIAL) TRAVELLER
F : commis-voyageur
D : *Geschäftsreisende(r)*
E : viajante
I : *viaggiatore di commercio*
Représentant de commerce

TRAVELLER'S CHEQUE
F : chèque de voyage
D : *Reisescheck*
E : cheque de viajero
I : *assegno turistico*
A l'usage des touristes et payable partout où la banque émettrice a des correspondants

TRAVELLING EXPENSES
F : frais de déplacement
D : *Reisekosten*
E : dietas de viajes
I : *spese di viaggio*

TREASURY BOND
F : obligations assimilables du Trésor
D : *Bundesschatzanleihen*
E : obligaciones asimilables del Tesoro
I : *obbligazioni assimilabili del Tesoro*
Ont pour caractéristiques un montant nominal de 2 000 F, une durée d'émission comprise entre 5 et 25 ans avec des échéances standards et des coupons annuels fixes ou variables

TREE STRUCTURE
F : arborescence
D : *baumartige Form*
E : arborescencia
I : *arborescenza*
Arbre dont l'un des sommets est relié à tous les autres par un seul chemin. Informatique : structure de données, de programmes, en forme d'arbre

TRUNK CALL (USA LONG DISTANCE CALL)
F : appel téléphonique interurbain
D : *Ferngespräch*
E : llamada interurbana
I : *comunicazione interurbana*

TRUST COMPANY
F : société fiduciaire
D : *Treuhandgesellschaft*
E : banco fideicomisario
I : *società fiduciaria*
Gestion : société spécialisée dans l'administration de biens pour le compte de tiers; comptabilité : cacinet d'expertise comptable

TURN AROUND, STABILIZE
F : assainir (une branche d'activité)
D : *(einen Wirtschaftszweig) sanieren*
E : sanear (una rama de actividad)
I : *risanare (un settore d'attività)*

TURNAROUND
F : redressement
D : *Aufschwung*
E : recuperación
I : *rettifica, risollevamento*
Rectification par l'administration d'une déclaration dont elle a constaté les erreurs, les omissions ou les insuffisances

TURNOVER
F : chiffre d'affaires
D : *Umsatz*
E : volumen de ventas
I : *giro d'affari*
Total des ventes de biens et services effectuées par une entreprise au cours d'une période donnée

TURNOVER
F : rotation
D : *Rotation*
E : rotación
I : *rotazione*
Son taux se mesure à la fréquence des reconstitutions d'un facteur déterminé (capitaux, stocks, main-d'œuvre...), en général au cours d'une année

TWICE MONTHLY
F : bimestriel
D : *Zweimonatlich*
E : bimensual
I : *bimensuale*

Qui paraît ou qui a lieu tous les deux mois

TWICE-WEEKLY
F : bi-hebdomadaire
D : *zweimal wöchentlich*
E : bisemanal
I : *bisettimanale*
Qui paraît ou qui a lieu deux fois par semaine

TYPESCRIPT
F : manuscrit dactylographié
D : *Maschinenschrift*
E : texto mecanografiado
I : *dattiloscritto*

TYPEWRITER
F : machine à écrire
D : *Schreibmaschine*
E : maquina de escribir
I : *macchina da scrivere*

U-V

UNAUTHORIZED
F : autorisé (non)
D : *unbefugt*
E : inautorizado
I : *non autorizzato*

UNCALLED CAPITAL
F : capital non appelé
D : *nicht eingerufenes Kapital*
E : capital de reserva
I : *capitale non richiamato*
Montant des apports qu'une société anonyme n'a pas encore demandé à ses actionnaires de verser mais que le conseil d'administration ou le directoire peuvent réclamer à tout moment

UNCERTAINTY
F : incertitude
D : *Unsicherheit*
E : incertidumbre
I : *incertezza*

UNDATED BOND
F : obligation sans date d'échéance
D : *Schuldverschreibung ohne Fälligkeitsdatum*
E : obligacion sin fecha de vencimiento
I : *obbligazione senza data discadenza*

UNDER SEPARATE COVER
F : pli séparé (sous)
D : *mit getrennter Post*
E : por correo aparte
I : *in piego a parte*

UNDER-ESTIMATE
F : sous-estimation
D : *Unterschätzung*
E : presupuesto por defecto
I : *sottovalutazione*

UNDERDEVELOPED COUNTRIES
F : pays sous-développés
D : *unterentwickelte Länder*
E : paises en desarrollo
I : *paesi sottoviluppati*

UNDERSUBSCRIBED ISSUE
F : émission non couverte
D : *nicht in voller Höhe gezeichnete Emission*
E : emision no totalmente subscrita
I : *emissione non interamente sottoscritta*
Emission dont les titres n'ont pas été entièrement souscrits

UNDERWRITING SYNDICATE (INSURANCE)
F : syndicat d'assureurs
D : *Versicherungssyndikat*
E : sindicato de seguros
I : *sindicato di assicuratori*

UNDISCLOSED PRINCIPAL
F : mandant non divulgué
D : *nicht bekanntgegebener Auftraggeber*
E : mandante no nombrato
I : *mandante non nominato*

UNDISTRIBUTED PROFITS
F : bénéfices non distribués
D : *unverteilte Gewinne*
E : beneficios no distribuidos
I : *profitti non distribuiti*
Dividendes que ne perçoivent pas les actionnaires et qui sont réinvestis dans l'entreprise

UNEARNED INCOME
F : rentes
D : *Kapitaleinkommen*
E : rentas
I : *reddito di capitale*
Revenus assurés pour une longue période

UNEMPLOYED
F : chômage (en)
D : *arbeitsols*
E : sin trabajo, parado
I : *senza lavoro*

UNEMPLOYMENT
F : chômage
D : *Arbeitslosigkeit*
E : desempleo
I : *disoccupazione*

UNEMPLOYMENT BENEFIT
F : indemnités de chômage
D : *Arbeitslosenunterstützung*
E : subsidio de paro
I : *indennità di disoccupazione*

UNISSUED CAPITAL
F : capitaux non encore émis
D : *nicht ausgegebenes Kapital*
E : capital no emitido
I : *capitale non emesso*
Qui ne font pas encore l'objet de transactions sur le marché des émissions

UNIT
F : unité
D : *Stück*
E : unidad
I : *unità*

UNIT COST
F : coût unitaire
D : *Einheitskosten, Stückkosten*
E : coste pur unidad, coste unitario
I : *costo unitario*

UNIT COST
F : prix coûtant unitaire
D : *Einheitskosten*
E : coste unitario
I : *costo unitario*
Coûts de fabrication et de distribution par unité produite

UNLISTED
F : hors cote
D : *nicht amtlich notiert*
E : fuera de cotización
I : *non quotato*
Marché de la Bourse de Paris regroupant les valeurs mobilières non admises sur le Marché officiel

UNPRODUCTIVE
F : improductif
D : *unproduktiv*
E : improductivo
I : *improduttivo*

214

UNPROFITABLE
F : profit (sans)
D : *unvorteilhaft*
E : nada lucrativo
I : *poco proficuo*

UNQUOTED SECURITIES
F : valeurs non cotées
D : *nicht notierte Wert*
E : titulos no cotizados
I : *titoli non quotati*

UNSECURED CREDITOR
F : créancier chirographaire
D : *nicht gesicherter Gläubiger*
E : acreedor no garantizado
I : *creditore non garantito*
Qui ne possède aucune garantie
pour le recouvrement de son dû

USUFRUCT, BENEFICIAL INTER-EST
F : usufruit
D : *Nießbrauchsrecht*
E : usufructo
I : *usufrutto*
Droit de jouir d'un bien et d'en per-
cevoir les revenus pendant un temps
déterminé (en général, la durée de
vie de l'usufruitier)

USURY
F : usure
D : *Wucher*
E : usura
I : *usura*
Octroi d'un prêt à un taux supérieur
à la coutume ou à la loi (délit)

UTILITY COMPANY
F : entreprise   d'utilité
publique
D : *gemeinnütziges Unterneh-
men*
E : empresa de servicios publi-
cos
I : *società di servizi pubblici*
Qualité reconnue à certains orga-
nismes par l'administration qui leur
donne une existence juridique

VACATION, HOLIDAY
F : vacances
D : *Ferien, Urlaub*
E : vacacion
I : *vacanza*

VALID, GOOD
F : valable
D : *gültig, gut*
E : valido
I : *valido*

VALUABLE
F : valeur (de)
D : *wertvoll*
E : valioso
I : *di valore*

VALUATION
F : valorisation
D : *Aufwertung*
E : valorización
I : *valorizzazione*

VALUE
F : valeur
D : *Wert*
E : valor
I : *valore*

VALUE ADDED TAX (VAT)
F : taxe sur la valeur ajoutée —
TVA
D : *Mehrwertsteuer*
E : impuesto sobre valor ana-
dido
I : *Imposta sul valore aggiunto*
(IVA)
Taxe sur le chiffre d'affaires qui
concerne les entreprises industrielles
et commerciales, les activités agri-
coles et libérales

VARIABLE COST
F : coût variable
D : *variable Kosten*
E : coste variable
I : *costo variabile*
Composé de charges variables en
fonction d'une activité

VARIANCE ANALYSIS
F : analyse de variance
D : *Varianzanalyse*
E : analisis de variaciones
I : *analsi della variazione*
Analyse de la dispersion, ou mesure
de l'écart entre les valeurs extrêmes
d'une donnée relative à une popula-
tion statistique

VARIATION
F : variation
D : *Veränderung*
E : variación
I : *variazione*

VENDING MACHINE
F : distributeur automatique
D : *Verkaufsautomat*
E : maquina expendedora
I : *macchina venditrice automa-
tica*

VERIFY
F : vérifier
D : *nachprüfen*
E : verificar
I : *verificare*

VERTICAL INTEGRATION
F : intégration verticale
D : *vertikaler Zusammenschluß*
E : integracion vertical
I : *intgrazione verticale*
Concentration d'entreprises partici-
pant au même stade d'un processus
de production

VESTED INTEREST
F : droit acquis
D : *festbegründetes Recht*
E : interés creado
I : *diritto acquisito*

VICE-CHAIRMAN
F : vice-président
D : *stellvertretender Vorsit-
zende(r)*
E : vice-presidente
I : *vicepresidente*

VISA
F : visa
D : *Visum*
E : visa
I : *visto*

VISUAL-DISPLAY UNIT (VDU)
F : unité de visualisation
D : *Bildschirmeinheit*
E : unidad de visualizacion
I : *unità di visualizzazione*

VOCATIONAL TRAINING
F : formation professionnelle
D : *Berufsausbildung*
E : formacion profesional
I : *addestramento professionale*

VOID
F : nul
D : *nichtig*
E : nulo
I : *nullo*

VOLUNTARY
F : volontaire adj
D : *freiwillig*
E : voluntario
I : *volontario*

VOTE
F : voter
D : *stimmen*
E : votar
I : *votare*

VOTING SHARES
F : actions avec droit de vote
D : *stimmberechtigte Aktien*
E : acciones con derecho de
voto
I : *azioni con diritto a voto*
Permettent de participer aux assem-
blées générales et de prendre part
aux votes

VOUCHER
F : pièce justificative
D : *Belegstück*
E : pieza justificativa
I : *pezza d'appoggio*

VOYAGE
F : voyage
D : *Seereise*
E : viaje
I : *viaggio*

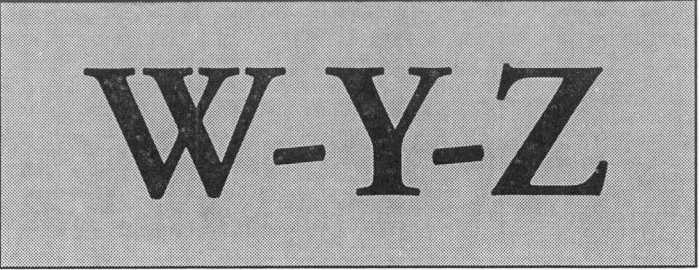

WAGE CLAIM
F : revendication salariale
D : *Lohnforderung*
E : reclamacion de salario
I : *rivendicazione salariale*

WAGE EARNER
F : salarié
D : *Lohnempfänger*
E : asalariado
I : *salariato*

WAGE RATE
F : taux de salaires
D : *Lohnsatz*
E : tarifa de salarios
I : *tariffa salariale*
Niveaux de salaires

WAGE SCALE
F : grille des salaires
D : *Gehaltsstruktur*
E : escala de salarios
I : *tabella salariale*

WAGE-FREEZE
F : blocage des salaires
D : *Lohnstopp*
E : bloqueo de salarios
I : *blocco dei salari*

WAGES, EARNINGS
F : salaire
D : *Lohn*
E : salario
I : *guadagni*
Rémunération prévue par le contrat de louage de services qui lie le salarié à l'employeur

WAITING LIST
F : liste d'attente
D : *Warteliste*
E : lista de espra
I : *elenco delle prenotazioni*

WAR
F : guerre
D : *Krieg*
E : guerra
I : *guerra*

WAR-RISK INSURANCE
F : assurance risque de guerre
D : *Kriegsrisikoversicherung*
E : seguro contra riesgo de guerra
I : *assicurazione contro i rischi di guerra*

WAREHOUSE
F : entrepôt
D : *Warenlager*
E : almacén
I : *magazzino*

WARRANT
F : ordonnance
D : *Befugnis*
E : mandato
I : *mandato*

WARRANT
F : warrant
D : *Garantie*
E : warrant
I : *warrant*
Bon de souscription d'action ou d'obligation attaché à un titre, au prix fixé et pour une période déterminée

WASTE PRODUCTS
F : déchets
D : *Abfallprodukt*
E : desperdicios
I : *produtto di rifiuto*

WATCHDOG COMMITTEE/(CRÉANCIER) COMMITTEE OF INSPECTION
F : conseil de surveillance
D : *Aufsichtsrat*
E : consejo de vigilancia
I : *consiglio di sorveglianza*
Elu par l'assemblée générale, chargé de contrôler (non de gérer) le directoire d'une société anonyme

WATER DAMAGE
F : dégâts des eaux
D : *Wasserschaden*
E : dano causado por el agua
I : *danno causato dall'acqua*

WAYBILL
F : lettre de voiture
D : *Frachtbrief*
E : guia de carga
I : *lettera di vettura*
Lettre de transport lorsque celui-ci se fait par voie terrestre

WEALTH
F : richesse
D : *Wohistand*
E : riqueza
I : *ricchezza*

WEALTH TAX
F : impôt de solidarité sur la fortune (ISF)
D : *solidarische Vermögenssteuer*
E : impuesto sobre el patrimonio
I : *imposta patrimoniale (di solidarietà)*
Impôt direct perçu sur les patrimoines à partir d'un montant minimum de 4,26 MF

WEIGH
F : peser
D : *wiegen*
E : pesar
I : *pesare*

WEIGHT
F : poids
D : *Gewicht*
E : peso
I : *peso*

WEIGHT OR MEASUREMENT
F : poids ou mesure
D : *Maß oder Gewicht*
E : peso o cubicaje
I : *peso o volume*

WEIGHTED AVERAGE
F : moyenne pondérée
D : *gewogener Durchschnitt*
E : media ponderada
I : *media ponderata*
Moyenne arithmétique dans laquelle des coefficients sont attribués à certains nombres en fonction de leur valeur relative

WELCOME
F : accueil
D : *Aufnahme*
E : atención
I : *accoglienza*

WHOLESALE TRADE
F : commerce de gros
D : *Großhandel*
E : comercio al por mayor
I : *commercio all'ingrosso*

WHOLESALER
F : grossiste
D : *Großhändler, Grossist*
E : mayorista
I : *grossista*

WILDCAT STRIKE
F : grève sauvage
D : *wilder Streik*
E : huelga espontanea
I : *sciopero selvaggio*

WINDOW-DISPLAY
F : étalage
D : *Fensterauslage*
E : exhibicion en vitrina
I : *mostra in vetrina*

WINDOW-DRESSING
F : art de l'étalage
D : *Schaufensterdekoration*
E : preparacion de escaparates
I : *allestimento delle vetrine*

WINDOW-ENVELOPE
F : enveloppe à fenêtre
D : *Fensterbriefumschlag*
E : sobre de ventanilla
I : *busta con finestra*

WITH AVERAGE (WA)
F : avarié
D : *havariert*
E : con averia
I : *con averia*

WITH RECOURSE
F : droits de recours (avec)
D : *mit Rückgriff*
E : con recurso
I : *con risorso*

Qui comporte une disposition per mettant de déférer une décision administrative à son auteur

WITHOLDING AT SOURCE
F : retenue à la source
D : *an der Quelle besteuert*
E : retención en origen
I : *ritenuta diretta d'acconto*

Prélèvement et paiemet d'un impôt ou d'une charge par le distributeur d'un revenu au moment de son versement

WITHOUT PREJUDICE (USA NOT BINDING)
F : réserves (sous toutes)
D : *ohne Verbindlichkeit*
E : sin prejuicio
I : *senza pregiudizio*

Sans garantie, sans engagement formel

WITHOUT RECOURSE
F : droits de recours (sans)
D : *ohne Rückgriff*
E : sin recurso
I : *senza ricorso*

WITNESS
F : témoin
D : *Zeuge*
E : testigo
I : *testimone*

WORK
F : travail
D : *Arbeit*
E : trabajo
I : *lavoro*

WORK FORCE
F : effectits
D : *Belegschaft*
E : masa obrera
I : *massa lavoratrice*

WORK PERMIT
F : permis de travail
D : *Arbeitserlaubnis*
E : permiso de trabajo
I : *permesso di lavoro*

WORK-IN-PROGRESS (USA WORK IN PROCESS)
F : travaux en cours
D : *Arbeit in der Ausführung*
E : trabajo en curso
I : *lavoro in corso*

Non achevés au moment de la clôture de l'exercice, et dont la valeur figure dans les stocks

WORK-TO-RULE STRIKE
F : grève du zèle
D : *Bummelstreik*
E : huelga de celo
I : *sciopero bianco*

Application stricte du règlement dans une administration

WORKER, WORKMAN
F : ouvrier
D : *Arbeiter*
E : obrero, trabajador
I : *operaio,lavoratore*

WORKING CONDITIONS
F : conditions de travail
D : *Arbeitsbedingungen*
E : conditiciones de trabajo
I : *condizioni di lavoro*

WORKING DAY
F : jour ouvrable
D : *Arbeitstag*
E : dia laborable
I : *giornata lavorativa*

Chaque jour de la semaine sauf les dimanches et jours fériés

WORKING PARTNER
F : associé actif
D : *aktiver Teilhaber*
E : socio activo
I : *socio attivo*

Participe au capital d'une entreprise et à la direction de celle-ci

WORKS COUNCIL
F : comité d'entreprise
D : *Betriebsrat*
E : comité de empresa
I : *comitato d'azienda*

WORLD HEALTH ORGANIZATION (WHO)
F : Organisation mondiale de la santé — OMS
D : *Weltgesundheitsorganisation (WHO)*
E : Organizacion mundial de la salud (OMS)
I : *Organizzazione mondiale della sanità (OMS)*

Organisation spécialisée de l'ONU dont le siège est à Genève, et qui a pour objet de créer les conditions pour « amener tous les peuples au degré de santé le plus élevé possible »

WRIT
F : assignation
D : *Vorladung*
E : auto, orden
I : *citazione*

Sommation, délivrée par huissier, à comparaître à date fixe devant une juridiction. Fixation des parts quand il y a partage

WRITE OFF A DEBT
F : amortir une créance
D : *eine Schuld erlassen*
E : cancelar una deuda
I : *cancellare un credito*

Annuler une créance

WRITE OFF A LOSS
F : amortir une perte
D : *eine Verlust abschreiben*
E : cancelar una pérdida
I : *cancellare una perdita*

Etaler celle-ci sur plusieurs années pour éviter un déficit important lorsqu'une entreprise démarre (tolérance de l'administration fiscale)

YESTERDAY
F : hier
D : *gestern*
E : ayer
I : *ieri*

ZONE
F : zone
D : *Zone*
E : zona
I : *zona*

Dictionnaire
allemand

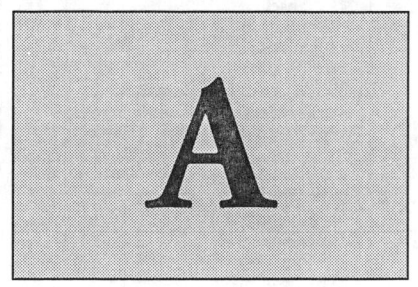

A CONTO, AUF ABSCHLAG
F : à valoir
GB : *on account*
E : a cuenta
I : *in acconto*
Voir Acompte

AB WERK
F : départ usine
GB : *ex works*
E : de fabrica
I : *franco fabbrica*

ABFALLPRODUKT
F : déchets
GB : *waste products*
E : desperdicios
I : *produtto di rifiuto*

ABGABENFREI
F : libre de droits de douane
GB : *duty free*
E : exento de impuestos
I : *esente da dazio*

ABGABENPFLICHTIG
F : taxable
GB : *dutiable*
E : tasable
I : *tassabile*

ABGANGSTAG
F : date de départ
GB : *sailing date*
E : dia de salida
I : *data di partenza*

ABITUR
F : baccalauréat
GB : *French university-entrance exam*
E : bachillerato
I : *licenza liceale, maturità*

ABKOMMEN
F : convention
GB : *agreement*
E : acuerdo
I : *accordo*
Accord officiel passé entre des individus ou des groupes

ABLAUF
F : expiration
GB : *expiry*
E : expiracion
I : *termine*

ABLEHNUNG
F : déni
GB : *disclaimer*
E : renuncia
I : *rinunzia*
Refus de reconnaître un droit

ABLEHNUNG
F : refus
GB : *rejection*
E : rechazo
I : *rifiuto*

ABLÖSBARE VORZUGSAKTIEN
F : actions privilégiées amortissables
GB : *redeemable preference shares*
E : acciones preferentes amortizables
I : *azioni preferenziali redimibili*
Actions privilégiées dont la valeur nominale peut être remboursée à l'actionnaire par la société émettrice

ABNEHMEND
F : décroissant
GB : *diminishing*
E : decreciente
I : *decrescente*

ABNEHMENDER ERTRAG
F : rendements décroissants
GB : *diminishing returns*
E : rendimientos decrecientes
I : *proventi decrescenti*
Phase de diminution de la productivité qui intervient après une phase de croissance lorsqu'on augmente la quantité d'un facteur de production

ABONNEMENT
F : abonnement
GB : *subscription*
E : abono
I : *abbonamento*

ABRECHNUNGSTAG
F : jour de liquidation
GB : *account day (USA settlement date)*
E : dia de liquidacion
I : *giormo di liquidazione*
Voir Liquidation

ABRECHNUNGSTAG
F : jour de règlement
GB : *settlement day (USA due date)*
E : dia de liquidacion
I : *giorno della liquidazione*

ABRECHNUNGSZEITRAUM, GESCHÄFTSJAHR
F : exercice
GB : *accounting period, financial year*
E : ejercicio
I : *esercizio*
Période pour laquelle sont établies les prévisions ou dégagés les résultats financiers d'une organisation

ABRIß
F : résumé
GB : *abstract, summary*
E : resumen
I : *riassunto*

ABSATZDIREKTOR
F : directeur du marketing
GB : *marketing director*
E : director mercantil
I : *direttore di mercato*
Responsable de la détection des besoins et de l'adaptation en continu de la production et de la commercialisation afin de développer les ventes

ABSATZÜBEREINKOMMEN
F : accord de commercialisation
GB : *marketing agreement*
E : acuerdo mercantil
I : *accordo di mercato*

ABSCHÄTZUNG, WERTBESTIM-MUNG
F : évaluation
GB : *appraisal, valuation*
E : evaluacion
I : *valutazione*

ABSCHLAG
F : abattement
GB : *discount, tax credit*
E : bonificación
I : *deduzione*
Minoration conventionnelle de la base d'imposition

ABSCHLUß
F : affaire (c'est une)
GB : *deal*
E : negocio
I : *affare*

ABSCHREIBTYPISTIN
F : dactylo
GB : *copy typist (USA transcriber)*
E : mecanografa
I : *dattilografa*

ABSCHREIBUNG AUF AUSSTAT-TUNGEN
F : dotation aux amortissements
GB : *depreciation allowance*
E : dotación para amortizaciones
I : *dotazione destinata agli ammortamenti*
Estimation de la perte irréversible de valeur subie par les éléments d'actif (charges correspondant en général à un amortissement annuel)

ABSCHREIBUNG FÜR ABNUT-ZUNG (AFA)
F : provision pour amortissement
GB : *depreciation allowance*
E : provision para amortizacion
I : *quota di ammortamento*

ABSCHRIFF, KOPIE
F : copie
GB : *copy*
E : copia
I : *copia*

ABSENDEN, EXPEDIEREN
F : expédier
GB : *dispatch, forward*
E : expedir, remitir
I : *spedire*

ABSENDUNGSERKLÄRUNG
F : déclaration d'expédition
GB : *declaration of shipment*
E : declaracion de expedicion
I : *dichiarazione d'imbarco*

ABSZISSE
F : abscisse
GB : *abscissa*
E : abscisa
I : *ascissa*
Coordonnée horizontale qui permet, avec l'ordonnée (coordonnée verticale), de situer un point dans un plan

ABTEILUNG
F : département
GB : *department*
E : departamento
I : *dipartimento*

ABTEILUNGSLEITER
F : chef de service
GB : *head of department*
E : jefe de departamento
I : *capo reparto*

ABTRETUNGSVERTRAG
F : acte attributif
GB : *deed of assignment*
E : titulo de asignacion
I : *atto di cessione*

ABWEICHEND
F : dissident
GB : *dissenting*
E : disitente
I : *dissidente*

ABWEICHUNG
F : écart
GB : *discrepancy*
E : desacuerdo
I : *divergenza*

ABWESENDE(R)
F : manquant
GB : *absentee*
E : ausente
I : *assente*

ABZIEHBARE UNKOSTEN
F : dépense déductible
GB : *allowable expense*
E : gastos deducibles
I : *spesa permessa*

ABZIEHEN
F : déduire
GB : *deduct*
E : deducir
I : *dedurre*

ACHSENSTEUER (KFZ-STEUER)
F : essieu (taxe à l')
GB : *axle tax*
E : eje (tasa por)
I : *asse di un veicolo (tassa proporzionale all')*
Destinée à financer l'entretien des routes, elle frappe tous les camions de marchandises d'un poids total en charge de plus de 16 tonnes

ADDIEREN
F : totaliser
GB : *add up*
E : sumar
I : *sommare*

ADRESSAT, EMPFÄNGER
F : destinataire
GB : *addressee consignee*
E : destinatario consignatario
I : *destinatario consegnatario*

ADREßBUCH
F : répertoire
GB : *directory*
E : guia
I : *guida*

ADRESSE
F : adresse
GB : *address*
E : direcçion
I : *indirizzo*

ADRESSIERUNG
F : adressage
GB : *(marketing) mailing, addressing*
E : direccionamiento
I : *indirizzamento*

AGENDA
F : agenda
GB : *diary*
E : agenda
I : *agenda*

AGENT
F : agent
GB : *agent*
E : agente
I : *agente*

AGENTUR
F : agence
GB : *agency*
E : agencia
I : *agenzia*

AGIO
F : agio
GB : *bank commission*
E : agio
I : *aggio*
Rémunération de l'intermédiaire financier qui assure une opération d'escompte. Coût total d'un crédit

AGIOKONTO
F : compte d'agios
GB : *agio account*
E : cuenta de agio
I : *conto d'aggio*

AKKORDARBEIT
F : travail à la tâche
GB : *piecework*
E : trabajo a destajo
I : *lavoro a cottimo*
Travail fixé d'avance à un prix convenu

AKTE
F: dossier
GB : file
E : archivo
I : archivio

AKTENKOFFER
F: attaché-case
GB : attaché-case
E : maletín
I : valigetta, ventiquattr'ore

AKTENSCHRANK
F: classeur
GB : filing cabinet
E : fichero
I : schedario

AKTIE
F: action
GB : share
E : accion
I : azione
Titre de propriété d'une fraction du capital d'une société qui procure une quote-part des bénéfices variable et des droits spécifiques en cas de liquidation

AKTIEN OHNE STIMMRECHT
F: actions sans droit de vote
GB : non-voting shares
E : acciones sin derecho de voto
I : azioni senza diritto a voto
Ne donnent pas le droit de voter lors des assemblées générales

AKTIEN VON GOLDBERGWERKEN, GOLDWERTE
F: valeurs aurifères
GB : gold shares, gold-bearing stock
E : acciones auriferas, valores auriferos
I : valori auriferi

AKTIENGESELLSCHAFT (AG)
F: société anonyme (SA)
GB : public limited company
E : sociedad anonima (SA)
I : società anonima (SA)
Dotée d'un capital social de 250 000 F, elle est composée de sept actionnaires au minimum et dirigée par un président issu du conseil d'administration ou par un directoire contrôlé par un conseil de surveillance

AKTIENINHABER
F: détenteur de titres
GB : stockholder
E : accionista
I : azionista

AKTIENKAPITAL
F: capital social
GB : share capital (USA stock capital)
E : capital en acciones
I : capitale azionario
Montant des apports prévus par les propiétaires d'une société par actions, égal à la valeur nominale de la totalité des actions émises

AKTIENMARKT
F: marché des valeurs
GB : share market (USA stock market)
E : mercado de valores
I : mercato azionario

AKTIENZERTIFIKAT
F: certificat d'actions
GB : share certificate (USA certificate of stock)
E : titulo de accion
I : certificato azionario
Titre délivré par une société attestant le dépôt d'un certain nombre de titres

AKTIONÄR
F: actionnaire
GB : shareholder (USA stockholder)
E : accionista
I : azionista

AKTIVA UND PASSIVA
F: actif et passif
GB : assets and liabilities
E : activo y passivo
I : attivo e passivo
Etat du patrimoine et des dettes d'une entreprise à une date donnée

AKTIVER TEILHABER
F: associé actif
GB : working partner
E : socio activo
I : socio attivo
Participe au capital d'une entreprise et à la direction de celle-ci

AKTIVPOSTEN
F: actif nm
GB : asset
E : activo
I : attivo
Ensemble des biens et créances appartenant à une personne physique ou morale

AKTIVSALDO
F: balance excédentaire
GB : active balance
E : saldo acreedor
I : saldo attivo
Balance qui fait apparaître un solde positif

AKTIWERT
F: valeur de l'actif
GB : asset value
E : valor en activo
I : valore in attivo

AKTUAR
F: actuaire
GB : actuary
E : actuario
I : attuario
Spécialiste de la statistique et du calcul des probabilités appliqués à l'assurance et aux opérations financières

AKTUELLER
F: actuel
GB : current
E : actual
I : attuale

AKZEPT
F: acceptation
GB : acceptance
E : aceptacion
I : accettazione
Engagement exprès d'un débiteur à observer une échéance

AL PARI
F: pair (au)
GB : at par
E : al par
I : alla pari

ALGORITHMUS
F: algorithme
GB : algorithm
E : algoritmo
I : algoritmo
Processus de calcul permettant de résoudre un problème au moyen d'un nombre limité d'opérations

ALLE GEFAHREN
F: tous risques
GB : all risks
E : todos los riesgos
I : tutti rischi

ALLEINVERTRETER
F: agent exclusif
GB : sole agent
E : agente exclusivo
I : rappresentante esclusivo

ALLGEMEINE UNKOSTEN, GENERALUNKOSTEN
F: frais généraux
GB : general expenses, overheads
E : gastos generales
I : spese generali
Ensemble des coûts se rapportant à l'activité d'une entreprise

**ALLGEMEINES ZOLL-UND HAN-
DELSABKOMMEN**
F : Accord général sur les tarifs douaniers et le commerce
GB : *General agreement on tariffs and trade (GATT)*
E : Acuerdo general sobre tarifas aduaneras y comercio
I : *Accordo generale sulle tariffe doganali e sul commercio*
Accord multilatéral et international sur l'harmonisation des politiques douanières.L'OMC - Organisation mondiale du commerce le remplace à partir de 1995

ALS GEGENRECHNUNG
F : contrepartie (en)
GB : *per contra*
E : en contrapartida
I : *in contropartita*

ALTEINGEFÜHRTES GESCHÄFT
F : maison solide
GB : *old-established business*
E : casa solida
I : *casa di vecchia fondazione*

ALTERNATIVER STROM
F : courant alternatif
GB : *alternating current (A.C.)*
E : corriente alterna
I : *corrente alternata*
Courant électrique au sens de circulation alterné, dont l'intensité est fonction périodique du temps

ALTERSVERSORGUNG
F : retraite vieillesse
GB : *old-age pension*
E : retiro de vejez
I : *pensione per la vecchiaia*
Revenu de remplacement versé, par le régime général ou les régimes complémentaires, à quiconque peut prétendre à la perception d'une retraite

AM APPARAT BLEIBEN
F : téléphone (ne quittez pas)
GB : *hold the line*
E : espere al aparato
I : *restare in linea*

AMTLICH
F : officiel
GB : *official*
E : oficial
I : *ufficiale*

AN ALLE,DIE ES ANGEHT
F : à qui de droit
GB : *to whom it may concern*
E : a quien concierma
I : *a tutti gli interessati*
A la personne compétente

AN BORD
F : bord (à)
GB : *aboard*
E : a bordo
I : *a bordo*
Se dit d'une marchandise prise en charge à bord d'un navire au port de déchargement

AN DEN INHABER ZAHLBAR
F : payable au porteur
GB : *payable to bearer*
E : pagadero al portador
I : *pagabile al portatore*
Document non nominatif payable à celui qui le présente

**AN DER BÖRSE NOTIERTE WERT-
PAPIERE**
F : valeurs boursières
GB : *listed security*
E : valores cotizables
I : *titoli quotati (in borsa)*

AN DER BÖRSE SPEKULIEREN
F : bourse (jouer en)
GB : *gamble on the stock exchange*
E : jugar a la Bolsa
I : *giocare in Borsa*

AN DER QUELLE BESTEUERT
F : retenue à la source
GB : *witholding at source*
E : retención en origen
I : *ritenuta diretta d'acconto*
Prélèvement et paiemet d'un impôt ou d'une charge par le distributeur d'un revenu au moment de son versement

ANALYSE
F : analyse
GB : *analysis*
E : analisis
I : *analisi*

ANALYSENWERKZEUG
F : instrument d'analyse
GB : *analytical tool*
E : instrumento de analisis
I : *strumento d'analisi*

ANALYTISCHE BUCHFÜHRUNG
F : comptabilité analytique
GB : *cost accounting*
E : comptabilidad analítica
I : *contabilità analitica*
Saisie et traitement de l'information permettant l'analyse et le contrôle des coûts dans l'entreprise, à l'aide des documents internes qui en suivent les flux

ANBIETEN
F : offrir
GB : *offer*
E : ofrecer
I : *offrire*

**ÄNDERUNGEN UND REPARATU-
REN**
F : transformations et réparations
GB : *alterations and repairs*
E : reformas y reparaciones
I : *modifiche e riparazioni*

ANDEUTEN
F : impliquer
GB : *imply*
E : implicar
I : *implicare*

**ANERKANNTES VERWALTUNG-
SBÜRO**
F : centre de gestion agréé
GB : *chartered financial management agency*
E : centro de gestión autorizado
I : *centro di gestione accreditato*
Association d'aide aux PME pour la tenue de leur comptabilité et qui leur permet de bénéficier d'avantages fiscaux

ANFANGS-
F : initial
GB : *initial*
E : inicial, primario
I : *iniziale*

ANGABENSAMMLUNG
F : base de données
GB : *database*
E : base de datos
I : *base di dati*
Ensemble de références automatisées permettant d'accéder ensuite aux informations elles-mêmes

(DEN PREIS) ANGEBEN
F : coter
GB : *quote*
E : cotizar
I : *quotare*

ANGEBOT
F : soumission
GB : *bid, tender*
E : oferta
I : *offerta*
Engagement d'un entrepreneur à respecter le cahier des charges d'une adjudication, au prix qu'il a lui-même fixé.

ANGEBOT UND NACHFRAGE
F : offre et demande
GB : *supply and demand*
E : oferta y demanda
I : *offerta e domanda*

ANGEBOT, OFFERTE
F: offre
GB: *bid, offer*
E: oferta
I: *offerta*
Mise à la disposition du marché de biens ou de services. Par extension, leur volume par rapport à la demande

ANGEBOTSAUSSCHREIBUNG
F: appel d'offre
GB: *call for tenders*
E: licitación
I: *gara d'appalto*
Mise en concurrence de plusieurs entreprises avant la passation d'un marché

ANGEGEBENER PREIS
F: prix coté
GB: *quoted price*
E: precio cotizado
I: *prezzo quotato*
Prix d'une valeur boursière inscrite à la cote officielle

ANGEGEBENER ZOLLWERT
F: valeur déclarée
GB: *declared value*
E: valor declarado
I: *valore dichiarato*

ANGEMESSENER ERTRAG
F: rendement équitable
GB: *fair return*
E: beneficio razonable
I: *discreto profitto*

ANGEMESSENER PREIS
F: prix raisonnable
GB: *fair price*
E: precio razonable
I: *prezzo equo*

ANGESTELLTE(R)
F: appointé
GD: *salaried employee*
E: empleado a sueldo
I: *stipendiato*

ANGESTELLTE(R), ARBEITNEH-MER
F: employé nm
GB: *employee*
E: empleado
I: *impiegato*
Catégorie socio-professionnelle de salariés de qualifications variées n'exerçant pas un travail manuel ou directement productif

ANGESTELLTE(R), ASSISTENT
F: commis
GB: *clerk, assistant*
E: oficinista, asistente
I: *impiegato, assistente*
Employé dans un bureau ou une maison de commerce

ANKUNFT
F: arrivée
GB: *arrival*
E: llegada
I: *arrivo*

ANLAGE
F: installation
GB: *installation*
E: instalacion
I: *impianto, installazione*

ANLAGE
F: placement
GB: *investment*
E: inversión
I: *investimento*
Affectation d'une épargne à un emploi (dissocié du processus de production) en vue d'en tirer profit

ANLAGEGÜTER
F: biens d'équipement
GB: *capital goods*
E: bienes de produccion
I: *beni strumentali*
Biens durables (machines et matériels divers) achetés par l'entreprise pour assurer la production courante

ANLAGENANALYSE
F: analyse de placement
GB: *investment analysis*
E: análisis de inversión
I: *analisi d'investimento*

ANLAGEVERMÖGEN
F: immobilisations
GB: *fixed assets*
E: activo fijo
I: *immobilizzazioni, attivo fisso*
Ensemble des biens de toute nature (hormis ceux destinés à être transformés ou vendus), acquis ou créés par l'entreprise qui les utilise pour exercer son activité

ANLEGEN, INVESTIEREN
F: investir
GB: *invest*
E: invertir
I: *investire*

ANLEIHE
F: emprunt
GB: *loan*
E: empréstito
I: *prestito*

ANLEIHEKONTO
F: compte de prêts
GB: *loan account*
E: cuenta de préstamos
I: *conto anticipazioni*

ANLEITUNG
F: instruction
GB: *instruction*
E: instruccion
I: *istruzione*

ANMELDEGEBÜHR
F: droit d'enregistrement
GB: *registration free*
E: derechos de registro
I: *tassa di registrazione*
Impôt dû à l'occasion de certaines opérations donnant lieu à un acte écrit

ANNAHME UNTER VORBEHALT
F: acceptation conditionnelle
GB: *qualifed acceptance*
E: aceptacion condicionada
I: *accettazione con riserva*

ANNEHMEN
F: accepter (une traite)
GB: *accept*
E: aceptar
I: *accettare*

ANNUITÄT
F: annuité
GB: *annuity*
E: anualidad
I: *annualita*
Charge annuelle : remboursement d'un capital emprunté ou placé (amortissement) + paiement des intérêts

ANNULLIEREN
F: annuler
GB: *cancel*
E: cancelar
I: *cancellare*

ANNULLIERUNG
F: annulation
GB: *annulment, cancellation*
E: anulacion, cancelacion
I: *annullamento*

ANONYM
F: anonyme
GB: *(société) public limited company*
E: anónimo
I: *anonimo*

ANRECHENBAR
F: imputable
GB: *chargeable*
E: imputable
I: *imputabile, imponibile*

ANRECHNUNG
F: imputation
GB: *allocation/charging*
E: imputación
I: *imputazione*
Affectation d'une écriture ou d'une opération au compte dont elles relèvent

ANREIZ
F: incitation
GB: *incentive*
E: estimulo, incentivo
I: *incentivo*

ANRUF
F : appel téléphonique
GB : *telephone call*
E : llamada telefonica
I : *chiamata telefonica*

ANSCHAFFUNGSKOSTEN
F : coût d'acquisition
GB : *acquisition cost*
E : precio de compra
I : *costo d'acquisto, prezzo di costo*

ANSIEDLUNGSKOSTEN
F : frais d'établissement
GB : *set-up costs*
E : gastos de establecimiento
I : *spese d'impianto*
Charges correspondant à des opérations qui conditionnent l'existence, l'activité ou le développement d'une société et dont la valeur réelle est nulle

ANSPRUCH
F : réclamation
GB : *claim*
I : *reclamo*

ANSTÄNDIGE ABMACHUNG
F : affaire équitable
GB : *fair deal*
E : trato equitativo
I : *affare giusto*

ANSTELLEN
F : engager
GB : *engage (USA hire)*
E : apalabrar
I : *fissare*

ANSTIFTEN
F : provoquer
GB : *instigate*
E : instigar, provocar
I : *provocare, istigare*

ANTEIHEWERTE
F : titres d'emprunt
GB : *loan stock*
E : titulos de préstamo
I : *titoli di prestito*
Titres attestant l'existence d'une dette

ANTEILSMÄßIG, PRO RATA
F : proportionnellement, au prorata
GB : *pro rata*
E : proporcionalmente, a prorata
I : *proporzionalemente, prorata*

ANTRAG
F : motion
GB : *motion*
E : mocion
I : *mozione*
Proposition faite dans une assemblée par un ou plusieurs de ses membres

ANTRAGSFORMULAR
F : feuille d'inscription
GB : *entry-form*
E : solicitud de inscripcion
I : *bolletta d'entrata*

ANTWORT
F : réponse
GB : *answer*
E : respuesta
I : *risposta*

ANVERTRAUEN
F : confier
GB : *entrust*
E : confiar
I : *affidare*

ANWALT
F : avocat
GB : *lawyer, barrister, counsel* (USA *attorney*)
E : abogado
I : *awocato*

ANWARTSCHAFF AUF LEIBRENTE
F : annuité différée
GB : *deferred annuity*
E : anualidad aplazada
I : *rendita vitalizia differita*

ANWENDERSOFTWARE
F : progiciel
GB : *software package*
E : paquete de programas
I : *pacchetto software*
Ensemble de logiciels standards répondant à une catégorie spécifique de besoins

ANWESENHEITSMARKE, DIÄTEN
F : jeton de présence
GB : *director's fees*
E : ficha de asistencia
I : *gettone di presenza*
Rémunération annuelle éventuelle des membres du conseil d'administration ou du conseil de surveillance d'une société, votée par l'assemblée générale

ANZAHLUNG
F : arrhes
GB : *deposit*
E : desembolso inicial
I : *caparra*
Lors d'une commande, somme partielle versée par l'acheteur au vendeur en garantie du marché

ANZAHLUNG
F : versement à compte
GB : *payment on account*
E : pago a cuenta
I : *pagamento in conto*
Acompte

ANZEIGE
F : annonce
GB : *advertisement*
E : anuncio
I : *annunzio*

ANZEIGER
F : annonceur
GB : *advertiser*
E : anunciante
I : *inserzionista*

Tout individu ou organisme qui achète de la publicité pour se faire connaître ou promouvoir son activité. Acheteur d'espaces médias

ARBEIT
F : travail
GB : *work*
E : trabajo
I : *lavoro*

ARBEIT IN DER AUSFÜHRUNG
F : travaux en cours
GB : *work-in-progress (USA work in process)*
E : trabajo en curso
I : *lavoro in corso*
Non achevés au moment de la clôture de l'exercice, et dont la valeur figure dans les stocks

ARBEITER
F : ouvrier
GB : *worker, workman*
E : obrero, trabajador
I : *operaio,lavoratore*

ARBEITERNEHMERVERTRETER
F : représentant du personnel
GB : *staff representative*
E : representante del personal
I : *rappresentante del personale*

ARBEITGEBER
F : employeur
GB : *employer*
E : patrono
I : *datore di lavoro*

ARBEITGEBER, CHEF
F : patron
GB : *employer, principal*
E : patrono, principal
I : *padrone, principale*

ARBEITSBEDINGUNGEN
F : conditions de travail
GB : *working conditions*
E : conditiciones de trabajo
I : *condizioni di lavoro*

ARBEITSBESCHREIBUNG
F : description du travail
GB : *job description*
E : descripcion del trabajo
I : *descrizione del lavoro*

ARBEITSBEWERTUNG
F : évaluation du travail
GB : *job evaluation*
E : valoracion del trabajo
I : *valutazione del lavoro*
Détermination de la valeur relative de chaque poste de travail par rapport aux autres dans l'entreprise, et affectation à chacun d'une rémuneration convenable

ARBEITSBEZIEHUNGEN
F: relations humaines dans l'entreprise
GB: *industrial relations*
E: relaciones humanas industriales
I: *relazioni nell'industria*

ARBEITSBLATT
F: tableur
GB: *spreadsheet*
E: hoja electrónica de cálculo
I: *tabulatore*
Logiciel de création et de manipulation interactive de tableaux numériques visualisés

ARBEITSEINKOMMEN
F: revenu du travail
GB: *earned income*
E: renta del trabajo
I: *reddito di lavoro*
Traitements et salaires

ARBEITSERLAUBNIS
F: permis de travail
GB: *work permit*
E: permiso de trabajo
I: *permesso di lavoro*

ARBEITSKRÄFTE, MENSCHLICHE ARBEITSKRAFT
F: main-d'œuvre
GB: *manpower, labour force*
E: mano de obra
I: *mano d'opera*
Personne chargée de réaliser une opération pour le compte d'un maître d'ouvrage

ARBEITSLOSENUNTERSTÜTZUNG
F: indemnités de chômage
GB: *unemployment benefit*
E: subsidio de paro
I: *indennità di disoccupazione*

ARBEITSLOSIGKEIT
F: chômage
GB: *unemployment*
E: desempleo
I: *disoccupazione*

ARBEITSMARKT
F: marché du travail
GB: *labour market*
E: mercado de mano de obra
I: *mercato della mano d'opera*

ARBEITSNACHWEISSTELLE
F: bureau de placement
GB: *employment exchange (USA state employment agency)*
E: bolsa de trabajo
I: *ufficio di collocamento*

ARBEITSOLS
F: chômage (en)
GB: *unemployed*
E: sin trabajo, parado
I: *senza lavoro*

ARBEITSSTREITIGKEIT
F: conflit du travail
GB: *trade dispute*
E: conflicto loboral
I: *vertenza di lavoro*

ARBEITSTAG
F: jour ouvrable
GB: *working day*
E: dia laborable
I: *giornata lavorativa*
Chaque jour de la semaine sauf les dimanches et jours fériés

ARBEITSTEILUNG
F: division du travail
GB: *division of labour*
E: division del trabajo
I: *divisione del lavoro*

ARBEITSUNFALL
F: accident de travail
GB: *industrial accident*
E: accidente de trabajo
I: *infortunio sul lavoro*

ARBEITSVERHÄLTNISSE
F: travail (relations du)
GB: *labour relations*
E: relaciones patron-obrero
I: *relazioni con la mano d'opera*
Relations sociales salariés/employeur + relations industrielles + relations professionnelles

ARBEITSZEIT
F: durée du travail
GB: *hours of work*
E: jornada laboral
I: *ore lavorative*

ARCHITEKT
F: architecte
GB: *architect*
E: arquitecto
I: *architetto*

ARGUMENT
F: argument
GB: *argument*
F: argumento
I: *argomento*

ARITHMETISCHES MITTEL
F: moyenne arithmétique
GB: *arithmetic mean*
E: media aritmética
I: *media aritmetica*

ÄRZTLICHE UNTERSUCHUNG
F: examen médical
GB: *medical examination*
E: examen médico
I: *visita medical*

ASSISTENT
F: assistant
GB: *assistant*
E: asistente
I: *assistente*

AUDIOTYPISTIN
F: dictaphoniste
GB: *audio-typist (USA dictaphone operator)*
E: audio-mecanografa
I: *dittafonista*
Personne qui transcrit sous la dictée d'un magnétophone

AUDIOVISUELL
F: audio-visuel
GB: *audio-visual*
E: audio-visual
I: *audio-visivo*

AUF DEN MARKT BRINGEN
F: lancer sur le marché
GB: *launch*
E: lanzar
I: *lanciare*

AUF LAGER
F: dépôt (en)
GB: *at warehouse*
E: en almacén
I: *in deposito*

AUF TREU UND GLAUBEN
F: bonne foi (de)
GB: *in good faith*
E: de buena fé
I: *in buona fede*

AUF VERLANGEN
F: demande (sur)
GB: *on demand*
E: a vista
I: *a vista*

AUFGABE
F: fonction
GB: *function*
E: funcion
I: *funzione*
Rôle que joue une personne dans le fonctionnement d'une organisation. Ensemble des opérations permettant à l'entreprise d'atteindre ses objectifs

AUFGEBEN, ÜBERWEISEN
F: céder
GB: *give up, transfer*
E: renuciar, transferir
I: *cedere, trasferire*

AUFGELAUFENE ZINSEN
F: intérêts cumulés
GB: *accrued interest*
E: interés acumulado
I: *interesse maturato*
Somme des intérêts perçus

AUFGESCHOBENE SCHULDEN
F: passif différé
GB: *deferred liabilities*
E: pasivo transitorio
I: *passività differite*
Définition prévue non donnée

AUFHEBEN
F: abroger
GB: *rescind, repeal*
E: abrogar
I: *abrogare*

AUFLAUFEN
F: accumulation
GB: *accrual*
E: acumulacion
I: *maturazione*

AUFLAUFEN
F: accumuler
GB: *accrue*
E: acumular
I: *accumularsi*

AUFLÖSUNG
F: dissolution
GB: *dissolution*
E: desolucion
I: *scioglimento*
Séparation, annulation légales

AUFNAHME
F: accueil
GB: *welcome*
E: atención
I: *accoglienza*

AUFREIHEN
F: classer
GB: *file*
E: archivar
I: *archiviare*

AUFRUNDEN
F: arrondir
GB: *round up/down*
E: redondear
I: *arrotondare*

AUFSCHIEBEN, ZURÜCKSTELLEN
F: différer
GB: *hold over, defer*
E: aplazar, diferir
I: *differire*

AUFSCHIEBENDE BEDINGUNG
F: condition suspensive
GB: *condition precedent*
E: previa condicion
I: *condizione sospensiva*
Qui suspend l'exécution d'un jugement, d'un contrat

AUFSCHLAG
F: addition
GB: *addition*
E: adicion
I: *addizione*

AUFSCHWUNG
F: redressement
GB: *turnaround*
E: recuperación
I: *rettifica, risollevamento*
Rectification par l'administration d'une déclaration dont elle a constaté les erreurs, les omissions ou les insuffisances

AUFSEHER
F: surveillant
GB: *supervisor*
E: supervisor
I: *supervisore*

AUFSICHT
F: contrôle
GB: *control*
E: control
I: *controllo*

AUFSICHTSBEAMTE(R)
F: inspecteur
GB: *inspector*
E: inspector
I: *ispettore*

AUFSICHTSRAT
F: conseil de surveillance
GB: *watchdog*
committee/(créancier) committee of inspection
E: consejo de vigilancia
I: *consiglio di sorveglianza*
Elu par l'assemblée générale, chargé de contrôler (non de gérer) le directoire d'une société anonyme

AUFSPAREN
F: épargner
GB: *save*
E: ahorrar, economizar
I: *risparmiare, economizzare*

AUFTRAGSBUCH
F: livre de commandes
GB: *order book*
E: libro de pedidos
I: *libro degli ordini*

AUFWENDUNGSPOSTEN
F: poste de dépenses
GB: *items of expenditure*
E: articulos de gasto
I: *articoli di spesa*

AUFWERTUNG
F: revalorisation
GB: *revaluation*
E: revalorizacion
I: *rivalutazione*

AUFWERTUNG
F: valorisation
GB: *valuation*
E: valorización
I: *valorizzazione*

AUFZUG
F: ascenseur
GB: *lift (USA elevator)*
E: ascensor
I: *ascensore*

AUKTION
F: enchères
GB: *auction sale*
E: subasta
I: *incanto*

AUS ZWEITER HAND, GEBRAUCHT-
F: occasion (d')
GB: *second-hand*
E: se segunda mano
I: *di seconda mano*

AUSBEUTEN
F: exploiter
GB: *exploit*
E: explotar
I: *sfruttare*

AUSFÜHREN
F: exporter
GB: *export*
E: exportar
I: *esportare*

AUSFUHRGENEHMIGUNG
F: autorisation d'exporter
GB: *export permit*
E: permiso de exportacion
I: *permesso d'esportazione*

AUSFUHRPRÄMIE
F: prime à l'exportation
GB: *export bonus*
E: subsidio a las exportaciones
I: *premio d'esportazione*
Subvention à l'exportation

AUSFUHRVERKÄUFE
F: ventes d'exportation
GB: *export sales*
E: ventas de exportacion
I: *vendite per esportazione*

AUSGEBEN
F: émettre
GB: *issue*
E: emitir
I: *emettere*

AUSGEGEBENES KAPITAL, EINGEZAHLTES KAPITAL
F: capital versé (ou libéré)
GB: *issued capital, paid-up capital*
E: capital emitido, capital desembolsado
I: *capitale emesso, capitale versato*
Capital souscrit effectivement versé par les associés d'une société

AUSGLEICHSFONDS
F: fonds de régularisation
GB: *equalization fund*
E: fondo de compensacion
I: *cassa di compensazione*

AUSGLEICHSSALDO
F: solde dû
GB: *balance due*
E: balance vencido
I: *saldo dovuto*
Ce qui reste à payer

AUSKUNFT
F : information
GB : *information*
E : informacion
I : *informazione*

AUSLÄNDER
F : étranger nm
GB : *foreigner*
E : extranjero
I : *straniero*

AUSLÄNDISCH, FREMD
F : étranger adj
GB : *foreign, alien*
E : extranjero
I : *straniero, estero*

AUSLANDSANLEIHE
F : emprunt international
GB : *external loan*
E : préstamo exterior
I : *presitio esterno*

AUSLANDSWECHSEL
F : lettre de change sur l'étranger
GB : *foreign bill*
E : letra sobre el exterior
I : *cambiale sull' estero*

AUSLASSUNG, UNTERLASSUNG
F : omission
GB : *omission*
E : omision
I : *omissione*

AUSLEGUNG
F : interprétation
GB : *interpretation*
E : interpretacion
I : *interpretazione*

AUSRÜSTUNG
F : appareillage
GB : *machinery*
E : equipo
I : *apparecchiatura*

AUSRÜSTUNG
F : équipement
GB : *equipment*
E : equipo
I : *equipaggiamento*

AUSSCHLEIBLICHER MARKT
F : marché exclusif
GB : *exclusive market*
E : mercado exclusivo
I : *mercato esclusivo*

AUSSCHLIEßLICHKEITS VERTRIEB
F : distribution exclusive
GB : *sole distribution*
E : distribución exclusiva
I : *distribuzione esclusiva*

AUSSCHLIEßEN
F : exclure
GB : *exclude*
E : excluir
I : *escludere*

AUSSCHLUß
F : exclusion
GB : *exclusion*
E : exclusion
I : *esclusione*

AUSSCHREIBUNG
F : adjudication
GB : *awarding, allocation*
E : adjudicación
I : *aggiudicazione*
Mise en libre concurrence de personnes ou d'entreprises candidates à l'acquisition d'un bien ou à la prise en charge de travaux, de fournitures

AUßENHANDEL
F : commerce extérieur
GB : *foreign trade*
E : comercio exterior
I : *commercio estero*

AUßER STEUER
F : hors taxe (HT)
GB : *excluding tax*
E : impuesto no incluido
I : *tassa esclusa*
Avant impôts

AUßERORDENTICHE GENERALVERSAMMLUNG
F : assemblée générale extraordinaire
GB : *extraordinary general meting*
E : asamblea general extraordinaria
I : *assemblea generale straordinaria*
Convoquée expressément entre deux assemblées générales ordinaires, souvent pour modifier les statuts de la société

AUSSPERRUNG
F : lock-out
E : cierre
I : *serrata*
Fermeture momentanée d'une unité de production décidée par la direction au cours d'un conflit collectif

AUSSTATTEN
F : doter
GB : *endow*
E : dotar
I : *dotare*

AUSSTEHENDE SCHULDEN
F : comptes à recevoir
GB : *outstanding accounts*
E : cuentas pendientes
I : *conti aperti*

AUSSTELLER
F : exposant
GB : *exhibitor*
E : exhibidor
I : *espositore*

AUSSTELLER
F : tireur
GB : *drawer*
E : librador
I : *traente*
Personne physique ou morale qui émet un chèque ou une lettre de change et donne l'ordre de payer à l'échéance

AUSSTELLUNG
F : exposition
GB : *exhibition*
E : exposicion
I : *esposizione*

AUSVERKAUF
F : rupture de stock
GB : *inventory shortage*
E : ruptura de las existencias
I : *esaurimento delle scorte*

AUSVERKAUFT
F : tout vendu
GB : *sold out*
E : agatado
I : *tutto venduto*

AUSWAHL
F : assortiment
GB : *assortment, range, package*
E : juego
I : *assortimento*

AUSWIRKUNG
F : impact
GB : *impact*
E : impacto
I : *impatto*

AUTO, WAGEN
F : voiture
GB : *car*
E : coche
I : *automobile, macchina*

AUTOMATION
F : automation
E : automatizacion
I : *automazione*
I : automazione
Fonctionnement automatique d'un système de production sous le contrôle d'un programme unique

AUTOMATISIERUNGSTECHNIK
F : productique
GB : *automated production technology*
E : tecnología de producción automatizada
I : *teoria applicata della produzione*
Ensemble des techniques concourant à l'automatisation de la production

ALLEMAND

BAISSEMARKT
F : marché orienté à la baisse
GB : *bear market, falling market*
E : mercado bajista
I : *mercato tendente al ribasso*

BANK
F : banque
GB : *bank*
E : banco
I : *banca*

BANKAUFTRAG
F : ordre bancaire
GB : *banker's order*
E : orden bancaria
I : *ordine bancario*
Endossement par une banque

BANKDARLEHEN
F : prêt bancaire
GB : *bank loan*
E : préstamo bancario
I : *prestito bancario*

BANKEINLAGE
F : dépôt bancaire
GB : *bank deposit*
E : deposito bancario
I : *deposito bancario*

BANKENUNION
F : pool bancaire
GB : *banking pool*
E : pool bancario
I : *pool bancario*
Association de plusieurs organismes
bancaires nationaux et/ou étrangers
pour financer un projet important
ou exploiter en commun un service
offert à leur clientèle

BANKGARANTIE
F : garantie bancaire
GB : *banker's indemnity (USA banker's guarantee)*
E : garantia bancaria
I : *garanzia bancaria*
Cautionnement bancaire

BANKGUTHABEN
F : solde de banque
GB : *bank balance*
E : saldo de banco
I : *saldo in banca*
Situation d'un compte bancaire à un
moment donné

BANKIER
F : banquier
GB : *banker*
E : banquero
I : *banchiere*

BANKKONTO
F : compte en banque
GB : *bank account*
E : cuenta bancaria
I : *conto in banca*

BANKKRACH
F : krach d'une banque
GB : *bank crash*
E : quibra de banco
I : *crollo di banca*
Effondrement financier, banque-
route

BANKKREDIT
F : crédit bancaire
GB : *bank credit*
E : crédito bancario
I : *credito bancario*

BANKNOTE
F : billet de banque
GB : *banknote (USA bill)*
E : billete de banco
I : *biglietto di banca*

BANKSPESEN
F : frais bancaires
GB : *bank charges*
E : gastos de banco
I : *spese di banca*

BANKTRATTE
F : traite bancaire
GB : *banker's draft*
E : giro bancario
I : *tratta bancaria*
Traite émise par une banque

BANKÜBERWEISUNG
F : virement bancaire
GB : *bank transfert*
E : transferencia bancaria
I : *trasferimento bancario*

BANKZEUGNIS
F : référence bancaire
GB : *bankers' reference*
E : referencia bancaria
I : *referenza bancaria*

BAR GEGEN VERSANDPAPIERE
F : comptant contre docu-
ments
GB : *cash against documents
(c.a.d.)*
E : al contado contra documen-
tos
I : *contanti contro documenti*

BARATTERIE
F : baraterie
GB : *barratry*
E : barateria
I : *baratteria*
Préjudice volontairement causé aux
armateurs, chargeurs ou assureurs
d'un navire par le patron ou un
membre de l'équipage

BARGELD
F : argent comptant
GB : *cash*
E : dinhero contante
I : *denaro contante*

**BARGELDAUSZAHLUNGSAUTO-
MAT**
F : distributeur automatique
bancaire
GB : *cash dispenser*
E : caja automatica
I : *cassa automatica*

BARGESCHÄFT
F : transaction au comptant
GB : *cash deal*
E : trato al contado
I : *operazione a contanti*
Transaction qui a donné lieu à un
règlement immédiat (en monnaie)

ALLEMAND

BAROMETER
F: baromètre
GB : *barometer*
E: barómetro
I: *barometro*

BARREN
F: lingot
GB : *ingot*
E: lingote
I: *lingotto*

BASIS
F: base
GB : *base*
E: base
I: *base*
Référence. Différence cours à terme/cours au comptant d'un titre coté sur un marché à terme (Bourse). Infrastructure

BAULAND
F: terrain à bâtir
GB : *building land*
E: solares
I: *terreno edile*

BAUMARTIGE FORM
F: arborescence
GB : *tree structure*
E: arborescencia
I: *arborescenza*
Arbre dont l'un des sommets est relié à tous les autres par un seul chemin. Informatique : structure de données, de programmes, en forme d'arbre

BAUUNTERNEHMER
F: entrepreneur en bâtiment
GB : *building contractor*
E: contratista de obras
I: *impresa edile*

BEAMTE(R)
F: fonctionnaire
GB : *civil servant (USA government employee)*
E: funcionario del gobierno
I: *impiegato statale*

BEDARF AN BETRIEBSKAPITAL
F: besoin en fond de roulement
GB : *increase in working capital, excluding cash*
E: necesidades en fondo de operaciones
I: *fabbisogno di fondo di rotazione*
Besoin de financement permanent à court terme dû au décalage décaissement des dettes/encaissement des créances

BEDINGT
F: conditionnel
GB : *conditional*
E: condicional
I: *condizionale*

BEDINGUNGEN
F: conditions
GB : *terms*
E: condiciones
I: *condizioni*

BEEIDIGTE ERKLÄRUNG
F: déclaration sous serment
GB : *affidavit*
E: declaracion jurada
I: *dichiarazione giurata*
Affirmation écrite attestant la sincérité d'une déclaration

BEFÖRDEM
F: donner de l'avancement à
GB : *promote*
E: ascender
I: *promuovere*

BEFÖRDERN, FÖRDERN
F: promouvoir
GB : *promote*
E: promover, ascender
I: *promuovere, dare impluse*

BEFÖRDERUNG
F: acheminement
GB : *dispatching, forwarding*
E: encaminamiento
I: *inoltro*

BEFÖRDERUNG, FÖRDERUNG
F: promotion
GB : *promotion*
E: promoçcion, ascenso
I: *promozione, avanzamento*

BEFÖRDERUNG, TRANSPORT
F: transport
GB : *transport*
E: transporte
I: *trasporto*

BEFRACHTER
F: affréteur
GB : *charterer*
E: fletador
I: *noleggiatore*

BEFRACHTUNG
F: affrètement
GB : *chartering*
E: fletamento
I: *noleggio*
Le loueur (fréteur) met à la disposition d'un affréteur un moyen de transport de marchandises ou de personnes, contre rémunération et pour un temps donné

BEFREIEN
F: libérer
GB : *free*
E: liberar
I: *liberare*

BEFREIENDER ABZUG
F: prélèvement libératoire
GB : *standard deduction at source*
E: retención eximente
I: *prelievo liberatorio*
Retenue à la source

BEFREIUNG
F: exonération
GB : *exemption (from)*
E: exoneración
I: *esonero*
Dispense légale, totale ou partielle, d'un impôt

BEFRISTETE ARBEIT
F: travail temporaire
GB : *temporary work*
E: trabajo temporal
I: *lavoro temporaneo*
Travail intérimaire

BEFUGNIS
F: ordonnance
GB : *warrant*
E: mandato
I: *mandato*

BEGEBBAR
F: négociable
GB : *negotiable*
E: negociable
I: *negoziabile*
Transmissible sur un marché

BEGEBBARES WERTPAPIER
F: effet de commerce
GB : *negotiable instrument*
E: titulo negociable
I: *titulo negoziabile*
Titre de créance négociable et cessible par endossement (voir ce mot)

BEGLAUBIGTE ABSCHRIFT
F: copie certifiée
GB : *certified true copy*
E: copia auténtica
I: *copia conforme*
Copie authentifiée par l'administration

BEGÜNSTIGTE(R), ZAHLUNGSBERECHTIGTE(R)
F: bénéficiaire
GB : *beneficiary, payee*
E: beneficiario
I: *beneficiario*
Personne physique ou morale au profit de qui est émis un effet de commerce ou un prêt

BEI NICHTERFÜLLUNG
F: défaillance (en cas de)
GB : *in case of default*
E: en caso de incumplimiento
I: *in caso di inadempienza*

BEI SICHT
F: à vue
GB: *at sight*
E: a la vista
I: *a vista*
Clause qui, apposée sur un effet de commerce, le rend payable sur simple présentation

BEIHILFE
F: prestation
GB: *allowance*
E: prestación
I: *prestazione*
Fourniture d'un bien ou d'un service en contrepartie d'une somme d'argent ou d'une contre-prestation en nature

BEILAGE
F: annexe
GB: *enclosure*
E: anexo
I: *allegato*

BEILIEGEND
F: ci-joint
GB: *enclosed*
E: adjunto
I: *accluso*

BEITRAG
F: apport
GB: *contribution*
E: aporte
I: *apporto*

BEITRAG
F: contribution
GB: *contribution*
E: contribuccion
I: *contributo*
Impôt

BEITRAGEN
F: contribuer
GB: *contribute*
E: contribuir
I: *contribuire*

BEKANNTHEIT
F: notoriété
GB: *fame/recognition*
E: notoriedad
I: *notorietà*

(MIT EINER STEUER) BELEGEN
F: assujettir (à une taxe)
GB: *subject to*
E: someter (a una tasa)
I: *sottomettere*
Astreindre quelqu'un à payer une taxe

BELEGSCHAFT
F: effectifs
GB: *work force*
E: masa obrera
I: *massa lavoratrice*

BELEGSTÜCK
F: pièce justificative
GB: *voucher*
E: pieza justificativa
I: *pezza d'appoggio*

BELIEFERN
F: fournir
GB: *supply*
E: surtir
I: *fornire*

BELIEFERUNG
F: approvisionnement
GB: *procurement, (financier) money paid into*
E: abastecimiento
I: *approvvigionamento*

BENACHRICHTIGEN
F: informer
GB: *inform*
E: informar, avisar
I: *informare*

BENACHRICHTIGUNG
F: communication
GB: *communication*
E: comunicacion
I: *comuniciazione*

BENACHRICHTUNG
F: avis
GB: *notice*
E: aviso
I: *awiso, preawiso*

BENENNUNG DES BESTIMMUNG-SHAFENS
F: marque de destination
GB: *port mark*
E: marca de destino
I: *marche di destinazione*

BERATUNG
F: consultatif
GB: *advisory*
E: consultivo
I: *consultivo*

BERATUNGSAUSSCHUB
F: comité consultatif
GB: *advisory board*
E: consejo consultivo
I: *consiglio consultivo*
Comité appelé seulement à donner un avis

BERECHNEN
F: calculer
GB: *calculate*
E: calcular
I: *calcolare*

BERECHNUNG
F: calcul
GB: *calculation*
E: calculo
I: *calcolazione*

(SCHULDEN) BEREINGEN
F: apurer (des dettes)
GB: *discharge, wipe off*
E: recontar (deudas)
I: *verificare (dei debiti)*

BERGUNG
F: sauvetage
GB: *salvage*
E: salvamento
I: *salvataggio*

BERGWERK
F: mine
GB: *mine*
E: mina
I: *minera*

BERGWERKSKONZESSION
F: concession minière
GB: *mineral concession*
E: concession minera
I: *concessione mineraria*
Gisement qu'une personne physique ou morale a reçu l'autorisation d'exploiter pour une période déterminée

BERICHT DES ABSCHLUBPRÜFERS
F: rapport des commissaires aux comptes
GB: *auditors' report*
E: informe de los interventores
I: *relazione sindici*

BERICHT, VERHÄLTNIS
F: rapport
GB: *report, relation*
E: informe, relacion
I: *relazione, rapporto*

BERICHTIGUNG
F: correction
GB: *correction*
E: correccion
I: *correzione*

(EINE WICHTIGE PERSÖNLICHKEIT) BERIESELN
F: arroser (un personnage influent)
GB: *bribe*
E: sobornar (a una persona influyente)
I: *corrompere (un personaggio influente)*

BERUF
F: métier
GB: *trade*
E: oficio
I: *mestiere*

BERUF
F: profession
GB: *occupation*
E: profesión
I: *professione*

ALLEMAND

BERUFSAUSBILDUNG
F : formation professionnelle
GB : *vocational training*
E : formacion profesional
I : *addestramento professionale*

BERUFSAUSBILDUNG
F : qualification professionnelle
GB : *professional qualification*
E : capacitación profesional
I : *qualificazione professionale*
Ensemble des connaissances professionnelles d'un individu (formation, expérience, qualités personnelles)

BERUFSRISIKO
F : risque professionnel
GB : *occupational hazard*
E : riesgo profesional
I : *rischio del lavoro*

BERUFUNGSGERICHT
F : Cour d'appel
GB : *court of appeal*
E : tribunal de apelacion
I : *corte d'appello*
Tribunal chargé de juger en appel les décisions des juridictions de droit commun ou d'exception

BESCHÄDIGTE WAREN
F : marchandises avariées
GB : *damaged goods*
E : mercancias averiadas
I : *merce avariata*

BESCHÄDIGUNG BEIM TRANSPORT
F : avaries de route
GB : *damage in transit*
E : danos en ruta
I : *danno durante trasporto*

BESCHÄDIGUNG, SCHADEN
F : dommage
GB : *damage, injury*
E : dano
I : *danno*

BESCHÄFTIGEN
F : employer vb
GB : *employ*
E : emplear
I : *impiegare*

BESCHÄFTIGUNG
F : occupation
GB : *occupation, job*
E : ocupacion, empleo
I : *occupazione, impiego*

BESCHÄFTIGUNG, STELLUNG
F : emploi
GB : *employment, job*
E : empleo
I : *impiego*

BESCHEINIGEN
F : certifier (un chèque)
GB : *certify*
E : certificar
I : *certificare*
Garantie donnée par une banque que la provision correspondante est affectée au paiement de ce chèque pendant le délai d'encaissement

BESCHEINIGUNG
F : certificat
GB : *certificate, warrant*
E : certificado
I : *certificato*

BESCHLEUNIGTE ABSCHREIBUNG
F : amortissement accéléré
GB : *accelerated depreciation*
E : depreciacion acelerada
I : *deprezzamento accelerato*
Amortissement effectué à un taux plus élevé qu'à l'ordinaire, ou rendu plus rapide par l'augmentation des charges perçues au cours des premières années

BESCHLUß
F : résolution
GB : *resolution*
E : resolucion
I : *deliberazione*
Dissolution d'un contrat pour inexécution des conditions; motion adoptée par une assemblée (simple vœu ou disposition d'un règlement)

BESCHRÄNKT
F : limité
GB : *limited*
E : limitado
I : *limitato*

BESCHREIBUNG
F : description
GB : *description*
E : descripcion
I : *descrizione*

BESTANDSAUFNAHME
F : levée d'inventaire
GB : *stocktaking*
E : inventario, balance
I : *compilazione dell'inventario*

BESTANDSBUCHFÜHRUNG
F : comptabilité matière
GB : *stock accounting*
E : contabilidad materiales
I : *contabilità per materia*
Porte sur les matières premières, les produits finis et semi-finis

BESTÄTIGEN
F : confirmer
GB : *confirm*
E : confirmar
I : *confermare*

BESTÄTIGTER KREDITBRIEF
F : lettre de crédit confirmée
GB : *confirmed letter of credit*
E : carta de crédito confirmada
I : *lettera di credito confermata*
Crédit documentaire dans lequel la banque du vendeur ajoute son propre engagement à payer ou à négocier les documents présentés

BESTÄTIGTER SCHECK
F : chèque certifié
GB : *certified cheque*
E : cheque certificado
I : *assegno garantito*
Voir Certifier (un chèque)

BESTÄTIGTER UNWIDERRUFLICHER KREDITBRIEF
F : lettre de crédit irrévocable confirmée
GB : *confirmed irrevocable letter of credit*
E : carta de crédito irrevocable confirmada
I : *lettera di credito confermata irrevocabile*
Lettre de crédit irrévocable pour laquelle la banque du vendeur assure une obligation de paiement indépendante et ferme en plus de celle de la banque émettrice

BESTÄTIGUNG
F : confirmation
GB : *confirmation*
E : confirmacion
I : *conferma*

BESTECHEN
F : corrompre
GB : *bribe*
E : sobomar
I : *corrompere*

BESTECHUNG
F : corruption
GB : *bribery, corruption*
E : soborno
I : *corruzione*

BESTECHUNGSGELD
F : pot-de-vin
GB : *bribe*
E : soborno
I : *dono per corrompere*

BESTELLEN
F : commande (passer une)
GB : *order*
E : hacer un pedido
I : *ordinare*

BESTELLFORMULAR
F : bon de commande
GB : *order-form*
E : solicitud de pedido
I : *foglio d'ordinazione*

ALLEMAND

BESTELLUNG
F: commande
GB: *order*
E: pedido
I: *ordine*

BESTEUERUNG
F: imposition
GB: *taxation*
E: tributacion
I: *tassazione*

BESTIMMUNGSORT
F: destination
GB: *destination*
E: destino
I: *destinazione*

BESTÜCKEN
F: avitailler
GB: *(re)fuel (ship, etc)*
E: abastecer
I: *approvvigionare*
Approvisionner navires et avions en matières consommables à bord

BETEILIGEN
F: participer
GB: *participate*
E: participar
I: *partecipare*

BETEILIGT SEIN, AKTIEN BESITZEN
F: détenir des actions
GB: *hold shares*
E: tener acciones
I: *tenere azioni*

BETEILIGUNG
F: intéressement
GB: *incentive scheme*
E: participación en los beneficios
I: *(co)interessenza*
Participation des travailleurs aux fruits de l'expansion de leur entreprise

BETRAG, SUMME
F: somme
GB: *amount, sum*
E: suma
I: *ammontare*

BETRIEBSAUSGABEN
F: frais d'exploitation
GB: *operating costs*
E: costes operacionales
I: *spese di gestione*
Ensemble des dépenses engagées lors du processus de production

BETRIEBSERGEBNIS
F: résultat d'exploitation
GB: *operating income*
E: resultado de la explotación
I: *utile d'esercizio*
Solde du compte d'exploitation

BETRIEBSGEHEIMMIS
F: secret industriel
GB: *trade secret*
E: secreto comercial
I: *segreto commerciale*

BETRIEBSKAPITAL
F: fonds de roulement
GB: *trading capital*
E: capital de explotacion
I: *capitale d'esercizio*
Partie des capitaux permanents utilisés pour le financement des actifs circulants de l'entreprise

BETRIEBSKONTO
F: compte d'exploitation générale
GB: *operating statement*
E: cuenta de explotación general
I: *conto di esercizio generale*
Devenu en 1982 Compte de résultat

BETRIEBSRAT
F: comité d'entreprise
GB: *works council*
E: comité de empresa
I: *comitato d'azienda*

BETRIEBSZEITUNG
F: journal d'entreprise
GB: *company newspaper*
E: diario de empresa
I: *giornale d'azienda*

BETRUG
F: fraude
GB: *fraud*
E: fraude
I: *frode*

BETRÜGEN
F: tricher
GB: *cheat*
E: enganar
I: *truffare*

BETRÜGERISCH
F: frauduleux
GB: *fraudulent*
E: fraudulento
I: *fraudolento*

BEVÖLKERUNG
F: population
GB: *population*
E: poblacion
I: *popolazione*

BEVOLLMÄCHTIGTE(R)
F: mandataire
GB: *attomey*
E: apoderado
I: *mandatario*
Qui a reçu mandat ou procuration pour agir au nom de quelqu'un d'autre

BEVORRECHTIGTER GLÄUBIGER
F: créancier privilégié
GB: *preferential creditor*
E: acreedor privilegiado
I: *creditore privilegiato*
Créancier bénéficiant d'une priorité de paiement

BEWEGLICHE GÜTER
F: biens mobiliers
GB: *movable assets*
E: mobiliario
I: *proprietà mobiliare*
Les meubles

BEWEGLICHKEIT
F: mobilité
GB: *mobility*
E: movilidad
I: *mobilità*

BEWEIS
F: preuve
GB: *evidence*
E: evidencia
I: *prova*

BEWEISEN
F: démonter
GB: *establish, prove*
E: demonstrar, probar
I: *dimostrare, provare*

BEWERBER
F: candidat
GB: *applicant*
E: candidato
I: *candidato*

BEWERTEN
F: évaluer
GB: *evaluate*
E: evaluar
I: *valutare*

BEZAHLTER URLAUB
F: congés payés
GB: *holidays with pay*
E: vacaciones retribuidas
I: *vacanze retribuite*
Vacances accordées par la loi à tout salarié qui a travaillé au moins un mois en continu

BEZOGENE(R)
F: tiré nm
GB: *drawee*
E: librado
I: *trattario*
Personne physique ou morale qui a reçu l'ordre de régler le montant d'un chèque ou d'une lettre de change à l'échéance

BEZÜGE
F: émoluments
GB: *emolument*
E: emolumento
I: *emolumento*
Salaire

BILANZ
F : bilan
GB : *balance sheet*
E : balance
I : *bilancio*
Balance établie périodiquement entre l'actif et le passif d'une entreprise

BILANZHOCHRECHNUNG
F : bilan prévisionnel
GB : *forecasted balance sheet*
E : balance previsible
I : *bilancio preventivo*
Prévision de situation financière à une date future compte tenu des objectifs et des contraintes de l'entreprise

BILATERALER HANDELSVERTRAG
F : accord de commerce bilatéral
GB : *bilateral trade agreement*
E : contrato comercial bilateral
I : *accordo di commercio bilaterale*

BILDEN
F : constituer
GB : *form, constitute*
E : constituir
I : *costituire*

BILDSCHIRMEINHEIT
F : unité de visualisation
GB : *visual-display unit (VDU)*
E : unidad de visualizacion
I : *unità di visualizzazione*

BILLIG
F : bon marché
GB : *cheap*
E : barato
I : *a buon mercato*

BILLIG
F : équitable
GB : *equitable*
E : equitativo
I : *equo*

BILLIGER
F : meilleur marché
GB : *cheaper*
E : mas barato
I : *meno caro*

BILLIGES GELD
F : argent bon marché
GB : *cheap money*
E : dinero barato
I : *denaro a basso interesse*

BINDENDER VERTRAG
F : convention irrévocable
GB : *binding agreement*
E : obligacion irrevocable
I : *contratto vincolante*

BINNENHANDEL
F : commerce intérieur
GB : *home trade (USA domestic sales)*
E : comercio interior
I : *commercio interno*

BLANKOFORMULAR
F : formulaire en blanc
GB : *blank form*
E : formulario en blanco
I : *modulo in bianco*

BLANKOSCHECK
F : chèque en blanc
GB : *blank cheque*
E : cheque en blanco
I : *assegno in bianco*

BLANKOUNTERSCHRIFT
F : blanc-seing
GB : *blank signature*
E : firma en blanco
I : *firma in bianco*
Papier dont le signataire laisse à quelqu'un d'autre le soin de le remplir à sa volonté

BLITZ
F : foudre
GB : *lightning*
E : relampago
I : *fulmine*
Tonneau de grande capacité

BLOCKADE
F : blocus
GB : *blockade*
E : bloqueo
I : *blocco*
Investissement d'une ville, d'une position, d'un pays afin de lui interdire toute communication avec l'extérieur

BODENFLÄCHE
F : surface au sol
GB : *floor space*
E : superficie de piso
I : *superficie di pavimento*

BONUS
F : bonus
GB : *bonus, premium*
E : bonificación
I : *bonus, credito d'imposta*
Remise consentie dans la pratique commerciale, ainsi que lors du paiement d'une prime d'assurance

BONUS
F : bonus de liquidation
GB : *premium*
E : borrador
I : *credito d'imposta*
Lors de la liquidation d'une société, surplus de la valeur de cession de l'actif sur la valeur des dettes et du capital social. En général réparti entre les associés

BÖRSE
F : Bourse
GB : *stock exchange*
E : bolsa
I : *borsa*

BÖRSENGESCHÄFT
F : opération de Bourse
GB : *stock market transaction*
E : operación de Bolsa
I : *operazione di Borsa*

BÖRSENKURS
F : cours de Bourse
GB : *stock-exchange quotation*
E : curso de bolsa
I : *quotazione di borsa*

BÖRSENMAKLER
F : agent de change
GB : *stockbroker*
E : agente de cambio y bolsa
I : *agente di cambio*
Officier ministériel nommé par décret, exerçant, dans le cadre d'un monopole, le courtage des opérations de Bourse; il est remplacé par les sociétés de Bourse depuis le 1 janvier 1988

BÖRSENMAKLER
F : courtier en Bourse
GB : *stockbroker*
E : corredor de bolsa
I : *agente di borsa*

BOYKOTT
F : boycottage
GB : *boycott, blacking*
E : boicoteo
I : *boicottaggio*
Refus collectif et systématique d'entretenir des relations économiques avec un groupe de personnes, une nation, afin d'exercer sur eux une pression ou des représailles

BRAND
F : incendie
GB : *fire*
E : fuego, incendio
I : *incendio*

BRAUEREI
F : brasserie
GB : *brewery*
E : cervecería
I : *fabbrica di birra*

BRENNEREI
F : distillerie
GB : *distillery*
E : destileria
I : *distilleria*

BRIEF
F : lettre
GB : *letter*
E : carta, letra
I : *lettera*

BRIEFKASTEN
F : boîte aux lettres
GB : *letter-box (USA mail-box)*
E : buzon
I : *cassetta postale*

BRIEFKOPF
F : en-tête
GB : *letterhead*
E : membrete
I : *intestazione*

BRIEFMARKE
F : timbre-poste
GB : *postage stamp*
E : sello de correos
I : *francobollo*

BRIEFWECHSEL
F : correspondance
GB : *correspondence*
E : correspondencia
I : *corrispondenza*
Concordance de deux phénomènes qui varient symétriquement dans le même sens

BRUCHTEIL
F : fraction
GB : *fraction*
E : fraccion
I : *frazione*

BRÜSSELER VERZEICHNIS
F : Nomenclature de Bruxelles (NDB)
GB : *Brussels Nomenclature*
E : Nomenclatura de Bruselas
I : *Nomenclatura di Bruxelles*
Classification méthodique des termes, produits et éléments divers employés dans la comptabilité européenne

BRUTTO
F : brut
GB : *gross*
E : bruto
I : *lordo*
Qualifie une grandeur évaluée sans aucune déduction

BRUTTOBETRAG
F : montant brut
GB : *gross amount*
E : importe bruto
I : *importo lordo*

BRUTTOEINKOMMEN
F : rendement brut
GB : *gross income*
E : ingreso bruto
I : *reddito lordo*
Rendement d'un capital investi avant paiement des charges

BRUTTOGEWICHT
F : poids brut
GB : *gross weight*
E : peso bruto
I : *peso lordo*

BRUTTOGEWINN
F : bénéfice brut
GB : *gross profit*
E : ganancia bruta
I : *utile lordo*
Excédent global des ventes sur les achats

BRUTTOINLANDSPRODUKT
F : produit intérieur brut (PIB)
GB : *gross domestic product (GDP)*
E : producto interior bruto
I : *prodotto interno lordo*
Ensemble des valeurs ajoutées créées en une année.par les entreprises et les administrations sur le territoire national

BRUTTOSOZIALPRODUKT
F : produit national brut (PNB)
GB : *gross national product (GNP)*
E : producto nacional bruto
I : *prodotto nazionale lordo*
PIB augmenté des revenus perçus à l'étranger et tranférés en métropole, et diminué de ceux perçus en métropole et transférés à l'étranger

BRUTTOTONNE
F : tonne forte
GB : *gross ton*
E : tonelada bruta
I : *tonnellata lorda*

BRUTTOVERDIENSTSPANNE
F : marge brute
GB : *gross margin*
E : margen bruto
I : *margine lordo*
Voir Bénéfice brut

BRUTTOZINS
F : intérêts bruts
GB : *gross interest*
E : interés bruto
I : *interesse lordo*
Intérêts avant déduction de l'impôt sur la rémunération reçue

BUCCHALTER
F : comptable
GB : *accountant*
E : contador
I : *contabile*

BÜCHERREVISION
F : vérification comptable
GB : *audit*
E : revision (examen) de cuentas
I : *revisione dei conti*

BUCHHALTER
F : commis-comptable
GB : *ledger clerk (USA bookkeeper)*
E : contable
I : *contabile*

BUCHHALTERISCHE NOMENKLA-TUR
F : nomenclature comptable
GB : *accounting terminology*
E : nomenclatura contable
I : *nomenclatura contabile*
Liste méthodique des éléments entrant dans le champ de la comptabilité de l'entreprise

BUCHHALTUNG
F : comptabilité
GB : *book-keeping, accountancy*
E : contabilidad
I : *contabilità*

BUCHHALTUNGSGEHILFE
F : aide-comptable
GB : *bookkeeper*
E : auxiliar de contabilidad
I : *aiuto contabile*

BUCHLALTUNG
F : service de comptabilité
GB : *accounts department (USA accounting department)*
E : departamento de contabilidad
I : *ufficio contabilità*

BUCHSCHULD
F : dette comptable
GB : *book debt*
E : deuda contrabilizada
I : *debito attivo*
Dettes monétaires inscrites au passif du bilan

BUCHWERT
F : valeur comptable
GB : *book value*
E : valor contable
I : *valore d'inventario*
Valeur d'une entreprise égale à la différence entre son actif et ses dettes

BUCHWERT DER EINKÄUFE
F : prix de revient comptable
GB : *book cost*
E : coste contable
I : *costo contabile*
Tient compte de tous les frais indirects rattachés au prix de revient d'un produit

BUFFER-STOCKS
F : stock de régularisation
GB : *buffer stocks*
E : existencias de regularizacion
I : *scorte di equilibrio*

BUMMELSTREIK
F : grève du zèle
GB : *work-to-rule strike*
E : huelga de celo
I : *sciopero bianco*
Application stricte du règlement dans une administration

ALLEMAND

BUMMELSTREIK
F: grève perlée
GB : *go-slow strike (USA slow down)*
E: huelga de produccion
I: *sciopero a singhiozzo*
Ralentissement concerté dans le travail

BUNDES-
F: fédéral
GB : *federal*
E: federal
I: *federale*

BUNDESANZEIGER
F: journal d'annonces légales
GB : *egal notice gazette*
E: diario de anuncios legales
I: *gazzetta di annunci legali*
Journal habilité à publier des annonces administratives et judiciaires

BUNDESSCHATZANLEIHEN
F: obligations assimilables du Trésor
GB : *treasury bond*
E: obligaciones asimilables del Tesoro
I: *obbligazioni assimilabili del Tesoro*
Ont pour caractéristiques un montant nominal de 2 000 F, une durée d'émission comprise entre 5 et 25 ans avec des échéances standards et des coupons annuels fixes ou variables

BUNKER
F: soute
GB : *bunker*
E: carbonera
I: *carbonile*

BÜRGE
F: garant
GB : *guarantor*
E: garante, fiador
I: *garante, avallante*

BÜRGE, AUSFALLBÜRGSCHAFT
F: cautionnement
GB : *surety, letter of indemnity*
E: fianza, carta de indemnizacion
I: *cauzione, lettera di garanzia*
Engagement pris par une caution

BÜRGSCHAFT LEISTEN, GEWÄHRLEISTEN
F: garantir
GB : *guarantee*
E: garantizar, avalar
I: *garantire, avallare*

BÜRO, SCHREIBITSCH
F: bureau
GB : *office, desk*
E: oficina, mesa
I: *ufficio, scrittoio*

BÜROKLAMMER
F: presse-papier
GB : *paper clip*
E: sujetapapeles
I: *fermacarte*

BÜROVORSTEHER
F: chef de bureau
GB : *office manager*
E: jefe de officina
I: *capo ufficio*

BUßKLAUSEL
F: clause de dédit
GB : *forfeit clause*
E: clausula de decomiso
I: *clausola di penalità per inadempienza*
Clause prévoyant le versement d'une somme en cas de non respect d'un engagement

C-D

CASH FLOW
F : cash flow
GB : *cash flow*
E : cash flow
I : *cash flow, flusso delle disponibilità*
Solde recettes courantes/dépenses courantes de l'entreprise

CHIP-KARTE
F : carte à puce (ou à mémoire)
GB : *chip card*
E : tarjeta de memoria
I : *chip card*
Carte accréditive où l'identification du titulaire et les opérations qu'il effectue sont inscrites sous forme codée dans un microprocesseur

COMPUTER-AIDED MANUFACTORING (CAM)
F : conception et fabrication assistées par ordinateur
GB : *computer-aided design (CAD)*
E : diseño y fabricación asistidos por ordenardor
I : *progettazione/fabbricazione assistita da calcolatore (CAD/CAM)*

COMPUTERPROGRAMM
F : programme d'ordinateur
GB : *computer program*
E : programa de computadora
I : *programma di elaboratore*

CONTAINERISATION
F : containerisation
GB : *containerization*
E : contenedorizacion
I : *containerization*

CONTAINERSCHIFF
F : navire porte-containers
GB : *container ship*
E : barco de contenedores
I : *nave da contenitori*

CONTROLLING
F : contrôle de gestion
GB : *management audit*
E : control de gestión
I : *controllo di gestione*
Etude, préparation et coordination des décisions de gestion permettant à l'entreprise d'atteindre efficacement ses objectifs

D-ZUG, SCHNELLZUG
F : train express
GB : *express train*
E : tren expreso
I : *direttissimo, rapido*

DACHGESELLSCHAFT
F : société holding
GB : *holding company*
E : compania tenedora
I : *società holding*
Voir Holding

DARLEHENSKONTO
F : compte d'avances
GB : *advance account*
E : cuenta de anticipos
I : *conto anticipo*

DARLEHENSWEISE
F : forme de prêt (sous)
GB : *on loan*
E : en préstamo
I : *in prestito*

DATEN
F : données
GB : *data*
E : datos
I : *dati*
Eléments de base servant de point de départ à un raisonnement

DATENBANK
F : banque de données
GB : *databank*
E : banco de datos
I : *banca (di) dati*
Stock centralisé d'informations thématiques, organisées et accessibles directement par ordinateur

DATENERFASSUNG
F : saisie des données
GB : *data capture*
E : recogida de datos
I : *raccolta dati*

DATENVERARBEITUNG
F : traitement informatique
GB : *data processing*
E : tratamiento de datos
I : *elaborazione dei dati*

DATUM
F : date
GB : *date*
E : fecha
I : *data*

DAUER
F : durée
GB : *duration*
E : duracion
I : *durata*

DAUERSCHULDVERSCHREIBUNG
F : obligation perpétuelle
GB : *perpetual debenture*
E : obligacion a perpetuidad
I : *obbligazione perpetua*
Emprunt à durée indéterminée n'ayant aucune échéance de remboursement

DEBEL, SOLL
F : débit
GB : *debit*
E : débito
I : *debito, dare*

DEBET, SOLL
F : doit
GB : *debit*
E : débito
I : *debito, dare*

DEBITOREN
F : créances (comptabilité)
GB : *accounts receivable*
E : cuentas a recibir
I : *conti attivi*
Inscrites au débit des comptes de tiers, elles apparaissent à l'actif du bilan

DECKE, VOLUMEN
F: plafond
GB : ceiling
E: tope
I: limite massimo,tetto

DECKUNG
F: couverture
GB : cover
E: cobertura
I: copertura
Montant d'une transaction consignée en garantie jusqu'au dénouement ultérieur de celle-ci (sur un marché à terme)

DEFIZIT
F: déficit
GB : deficit
E: déficit
I: deficit

DEFLATION
F: déflation
GB : deflation
E: deflacion
I: deflazione
Politique de restriction de la demande visant à freiner la hausse ou provoquer la baisse des prix

DEGRESSIVE ABSCHREIBUNG
F: amortissement dégressif
GB : depreciation on a reducing balance
E: amortización decreciente
I: ammortamento per quote decrescenti
Amortissement par annuités décroissantes (permet de récupérer rapidement une partie importante des capitaux investis)

DELEGIERTE(R)
F: délégué
GB : deleguate
E: delegado
I: delegato

DELEGIERUNG
F: délégation
GB : delegation
E: delegacion
I: delegazione
Décentralisation du pouvoir de décision aux échelons hiérarchiques inférieurs

DELKREDERE
F: ducroire
GB : decredere
E: delcredere
I: del credere

DELKREDEREVERTRETER
F: agent ducroire
GB : del credere agent
E: agente del crédere
I: agente con del credere
Spécialiste d'une technique de crédit concernant, en général, le commerce extérieur, qui garantit le vendeur contre le risque d'insolvabilité de l'acheteur

DEN MARKT BEHERRSCHEN
F: occuper le marché
GB : corner a market
E: acaparer el mercado
I: accaparrare il mercato

DEN RÜCKTRITT EINREICHEN
F: démission (remettre sa)
GB : hand in one's resignation
E: presentar la dimision
I: rassegnare le dimission

DEPOSITENEINLAGE
F: dépôt à terme (fixe)
GB : fixed deposit
E: deposito a plazo fijo
I: deposito a termine fisso
Fonds que le déposant s'engage à réclamer à échéances fixes moyennant le versement d'un intérêt par la banque

DEPOSITENKONTO
F: compte de dépôt
GB : deposit account (USA interest-bearing account)
E: cuenta de ahorros
I: conto di deposito

DEPOSITENSCHEIN
F: récépissé de dépôt
GB : deposit receipt
E: recibo de deposito
I: certificato di deposito
Certificat de dépôt de marchandises délivré par les Magasins généraux et transmissible par endossement

DEPOT
F: dépôt
GB : deposit
E: deposito
I: deposito

DERIVATE
F: produits dérivés
GB : by-products
E: productos derivados
I: prodotti derivati

DESIGN
F: design
GB : design
E: diseño
I: design
Conciliant l'esthétique et le fonctionnel, toutes les activités d'harmonisation des formes dans ce qui fait notre environnement et notre cadre de vie

DEVISEN
F: devises
GB : foreign exchange, currencies
E: divisas extranjeras
I: valuta estera
Moyens de paiement libellés dans une monnaie étrangère

DEVISENKONTROLLE
F: contrôle des changes
GB : exchange control (USA currency control)
E: fiscalizacion de cambios
I: controllo sui cambi
Subordination de toute conversion en devises à une autorisation administrative

DEZENTRALISIEREN
F: décentraliser
GB : decentralize
E: decentralizar
I: decentralizzare

DEZIMAL
F: décimal
GB : decimal
E: decimal
I: decimale

DIAGNOSE
F: diagnostic
GB : diagnosis
E: diagnóstico
I: diagnosi

DIE GESCHWORENEN, JURY
F: jury
GB : jury
E: jurado
I: giuria

DIE RESERVEN ANGREIFEN
F: prélever sur les réserves
GB : draw on reserves
E: sacar reservas
I: prelevare dalle riserve

DIEBSTAHL, FLUG
F: vol
GB : theft, flight
F: robo, vuelo
I: furto, fuga

DIENSTFREIER TAG
F: jour de congé
GB : day off
E: dia libre
I: giorno di riposo

DIENSTVERTRAG
F: contrat de service
GB : service agreement
E: contrato de servicio
I: accordo di servizio

DIFFERENZ, DIFFERENTIAL
F: différentiel
GB : differential
E: diferencial
I: differenziale

DIKTAT
F : dictée
GB : *dictation*
E : diciado
I : *dettato, dettatura*

DIKTIEREN
F : dicter
GB : *dictate*
E : dictar
I : *dettare*

DIPLOM
F : diplôme
GB : *diploma*
E : diploma
I : *diploma*

DIREKTE KOSTEN
F : prix de revient direct
GB : *direct cost*
E : coste directo
I : *costo diretto*
Ensemble des coûts directs de production d'un produit ou d'un service

DIREKTE STEUERN
F : contributions directes
GB : *direct taxation*
E : contribuciones directas
I : *imposte dirette*

DIREKTION
F : direction générale
GB : *top management*
E : direccion superior
I : *direzione superiore*

DIREKTMARKETING
F : marketing direct
GB : *direct marketing*
E : marketing directo
I : *marketing diretto*
Ensemble des techniques du marketing utilisant un mode de liaison direct avec le consommateur pour véhiculer un message ou un bien

DIREKTOR, VERWALTER
F : administrateur
GB : *director, administrator*
E : director, administrador
I : *amministratore*
Membre du conseil d'administration d'une société anonyme

DIREKTORENBEZÜGE
F : émoluments des administrateurs
GB : *directors' emoluments*
E : emolumentos de directores
I : *emolumenti degli amministratori*

DIREKTVERKAUF
F : vente directe
GB : *direct selling*
E : venta directa
I : *vendita diretta*
Sans intermédiaire

DISCOUNT
F : discount
GB : *discount*
E : descuento
I : *ribasso, sconto*
Escompte, remise, rabais

DISKONTIERBARE WECHSEL
F : papier bancable
GB : *bankable bills*
E : efectos negociables
I : *effetti scontabili*
Effet de commerce escomptable par la Banque Centrale, auprès de laquelle une banque peut le réescompter

DISKONTMARKT
F : marché de l'escompte
GB : *discount market*
E : mercado de descuentos
I : *mercato di sconto*

DISKONTSATZ
F : taux d'escompte
GB : *discount rate*
E : tasa de descuento
I : *tasso di sconto*
Taux auquel est consenti un escompte

DISKONTWECHSEL
F : effet escompté
GB : *discounted bill*
E : efecto descontato
I : *cambiale scontata*
Effet de commerce qui permet à son détenteur d'obtenir immédiatement des fonds en échange de sa créance

DISKRIMINIERENDER TARIF
F : tarif discriminatoire
GB : *discriminating tariff*
E : tarifa diferencial
I : *tariffa discriminante*

DIVIDENDE
F : dividende
GB : *dividend*
E : dividendo
I : *dividendo*
Bénéfice éventuellement distribué chaque année aux actionnaires d'une société de capitaux

DIVIDENDENSTOPP
F : blocage des dividendes
GB : *dividend limitation*
E : bloqueo de dividendos
I : *blocco dei dividendi*
Non distribution de dividendes

DOCK
F : dock
GB : *dock*
E : muelle
I : *dock*
Quai de déchargement pour les navires, ou entrepôt destiné à recevoir leur cargaison

DOKUMENTEN-AKKREDITIV
F : crédit documentaire
GB : *documentary credit*
E : crédito documentario
I : *credito documentario*
Technique de paiement à l'exportation. Le correspondant de la banque de l'importateur règle l'exportateur contre remise de documents prouvant l'opération

DOKUMENTENWECHSEL
F : traite documentaire
GB : *documentary bill*
E : efecto documentario
I : *tratta documentaria*
Lettre de change tirée par le vendeur sur l'acheteur, accompagnée des documents d'expédition

DRITTE(R)
F : tiers
GB : *third party*
E : tercero
I : *terzi*

DRÜCKENDE SPESEN
F : charges lourdes
GB : *heavy charges*
E : gastos fuertes
I : *forti spese*

DUBIOSENRESERVE
F : provision pour créances douteuses
GB : *bad debt reserve*
E : reserva para deudas incobrables
I : *riserva per crediti inesigibili*
Somme que l'entreprise affecte à la couverture de pertes éventuelles dues au non recouvrement de ces créances

DUMPING
F : dumping
GB : *dumping*
E : inundacion de mercancia barata
I : *dumping*
Ensemble de mesures destinées à abaisser les prix de produits exportés pour les rendre plus concurrentiels

DUPLIKAT
F : double
GB : *duplicate*
E : duplicaro
I : *duplicato*

DUPLIKAT
F : duplicata
GB : *duplicate*
E : duplicado
I : *duplicato*

DURCHFÜHRBARKEIT
F : praticabilité
GB : *feasibility*
E : praticabilidad
I : *fattibilità*

ALLEMAND

DURCHFÜHRBARKEITSANALYSE
 F : étude probatoire
 GB : *feasibility study*
 E : estudio de viabilidad
 I : *studio delle possibilità*
Destinée à démontrer la véracité
d'une proposition, l'exactitude
d'une hypothèse

DURCHSCHNITT
 F : moyenne nf
 GB : *average*
 E : promedio
 I : *media*

DURCHSCHNITTSKOSTEN
 F : coût moyen
 GB : *average cost*
 E : coste promedio
 I : *costo medio*
Coût unitaire total à long terme,
prix de revient unitaire

DÜSENFLUGZEUG
 F : avion à réaction
 GB : *jet aircraft*
 E : avion jet
 I : *aviogetto*

DÜSENMOTOR
 F : réacteur
 GB : *jet engine*
 E : motor de propulsion a
chorro
 I : *motore a reazione*

EDV, Informatik
F : informatique
GB : *IT*
E : informática
I : *informatica*

Effekten
F : effets
GB : *effects, securities*
E : efectos
I : *effetti*

Ehrenamtlich
F : horaire adj
GB : *honorary*
E : honorario
I : *onorario*

Ehrlich
F : honnête
GB : *honest*
E : honesto
I : *onesto*

Eigenkapital
F : capitaux propres (ou fonds propres)
GB : *owners'/shareholders' equity*
E : capitales propios
I : *capitali propri*
Ressources d'une entreprise qui appartiennent aux propriétaires ou aux associés, provenant de leurs apports et des profits non distribués mis en réserves

Eigentum
F : propriété
GB : *property, ownership*
E : propiedad
I : *proprietà*

Eigentümer, Vermieter
F : propriétaire
GB : *owner, landlord*
E : proprietario, arrendador
I : *proprietario, locatore*

Eigentumstitel
F : titre de propriété
GB : *title deed*
E : titulo de propiedad
I : *titolo di proprietà*

Eilbrief
F : lettre exprès
GB : *express letter (USA special delivery)*
E : carta urgente
I : *lettera espresso*

Ein Angebot annehmen
F : accepter (une offre)
GB : *accept an offer*
E : aceptar una oferta
I : *accettare una offerta*

Ein Gegenangebot abgeben
F : faire une contre-offre
GB : *make a counteroffer*
E : hacer una contraoerta
I : *fare una controfferta*
Faire une contre-proposition de contrat à quelqu'un

Ein Testament vollstrecken
F : exécuter un testament
GB : *execute a will*
E : ejecutar un testamento
I : *eseguire un testamento*
Accomplir les volontés de son auteur

Einbehaltener Betrag
F : précompte
GB : *estimate/deduction*
E : deducción
I : *previa deduzione*
Impôt payé par une société lorsqu'elle distribue des dividendes provenant de bénéfices n'ayant pas supporté l'impôt sur les sociétés

Einberufen
F : convoquer
GB : *convene*
E : convenir
I : *convocare*

Einbruchdiebstahl
F : vol avec effraction
GB : *burglary*
E : robo
I : *furto con scasso*

Eine Anldeihe begeben
F : émettre un emprunt
GB : *float a loan (USA raise a loan)*
E : emitir un empréstito
I : *lanciare un prestito*

Eine Offerte machen
F : faire une offre
GB : *make an offer*
E : hacer una oferta
I : *fare una offerta*

Eine Rechnung ausgleichen
F : balancer un compte
GB : *balance an account*
E : saldar una cuenta
I : *pareggiare un conto*
Etablir la balance débits/crédits d'une comptabilité

Eine Schuld begleichen
F : acquitter une dette
GB : *discharge a debt*
E : descargar una deuda
I : *estinguere un debito*

Eine Schuld erlassen
F : amortir une créance
GB : *write off a debt*
E : cancelar una deuda
I : *cancellare un credito*
Annuler une créance

Eine Verabredung treffen
F : rendez-vous (prendre un)
GB : *make an appointment*
E : hacer una cita
I : *fissare un appuntamento*

EINE VERLUST ABSCHREIBEN
F : amortir une perte
GB : *write off a loss*
E : cancelar una pérdida
I : *cancellare una perdita*
Etaler celle-ci sur plusieurs années
pour éviter un déficit important
lorsqu'une entreprise démarre (tolé-
rance de l'administration fiscale)

EINE VERSAMMLUNG ABHALTEN
F : assemblée (tenir une)
GB : *hold a meeting*
E : celebrar una reunion
I : *tenere una riunione*

EINE VOLLMACHT ERTEILEN
F : conférer les pleins pou-
voirs
GB : *execute a power of attor-
ney*
E : otorgar poder notarial
I : *conferire una procura*

EINE WECHSEL EINLÖSEN
F : payer une lettre de change
GB : *retire a bill*
E : recoger una letra
I : *ritirare un effetto*
S'acquitter d'une dette à une date
déterminée

EINEN SCHECK AUSSTELLEN
F : tirer un chèque
GB : *draw a cheque*
E : extender un cheque
I : *emettere un assegno*
Emettre un chèque

EINEN SCHECK EINLÖSEN
F : toucher un chèque
GB : *cash a cheque (USA cash a
check)*
E : cobrar un cheque
I : *incassare un assegno*

**EINEN SCHECK RÜCKGÄNGIG
MACHEN**
F : annuler un chèque
GB : *cancel a cheque (USA can-
cel a check)*
E : anular un cheque
I : *annullare um cheque*

EINEN SCHECK SPERREN
F : bloquer un chèque
GB : *stop a cheque (USA stop a
check)*
E : suspender el pago de un
cheque
I : *fermare un assegno*

**EINEN STRITTIGEN PREISUNTER-
SCHIED TEILEN**
F : partager la différence
GB : *split the difference*
E : repartir la diferencia
I : *dividere a metà la diffe-
renza*

EINEN VERTRAG FORMULIEREN
F : rédiger un contrat
GB : *draw up a contract*
E : redactar un contrato
I : *redigere un contratto*

**EINEN WECHSEL NICHT AKZEP-
TIEREN**
F : honorer un effet (ne pas)
GB : *dishonour a bill*
E : protestar una letra
I : *non onorare un effetto*
Ne pas s'acquitter d'une dette

EINEN WECHSEL VORTEGEN
F : présenter une traite à
l'acceptation
GB : *present a bill for accep-
tance*
E : presentar una letra para
aceptacion
I : *presentare una cambiale
per accettazione*

EINFACHE FAHRKARTE
F : billet aller
GB : *single fare, single ticket
(USA one way fare)*
E : pasaje de ida
I : *biglietto d'andata*

EINFACHE ZINSEN
F : intérêts simples
GB : *simple interest*
E : interés simple
I : *interesse semplice*
A la charge de l'emprunteur, ils cor-
respondent au rapport entre le mon-
tant des intérêts dus pour l'année et
le montant du capital prêté

EINFAMILIENWOHNUNG
F : appartement indépendant
GB : *self-contained flat*
E : plso Independiente com-
pleto
I : *appartemento indipendente*

EINFUHR
F : importation
GB : *importation*
E : importacion
I : *importazione*

EINFUHRBESCHRÄNKUNGEN
F : restrictions d'importation
GB : *import restrictions*
E : restricciones de importa-
cion
I : *restrizioni delle importa-
zioni*

EINFUHRERLAUBNIS
F : licence d'importation
GB : *import licence*
E : permiso de importacion
I : *permesso d'importazione*

EINFUHRKONTINGENT
F : contingent d'importation
GB : *import quota*
E : cupo de importacion
I : *contingente d'importazione*

EINGEFORDERTES KAPITAL
F : capital appelé
GB : *called-up capital*
E : capital llamado
I : *capitale richiamato*
Montant du capital fixé par les sta-
tuts lors de la constitution d'une
société

EINGEFROENE GUTHABEN
F : fonds bloqués
GB : *frozen assets*
E : activos congelados
I : *attivo congelato*

EINGEFRORENE KREDITE
F : crédits bloqués
GB : *frozen credits*
E : creditos congelados
I : *crediti bloccati*

EINGESCHRIEBENER BRIEF
F : lettre recommandée
GB : *registered letter*
E : carta certificada
I : *lettera raccomandata*

EINGEWEIHTER
F : initié
GB : *insider*
E : iniciado
I : *iniziato*
Détenteur privilégié d'informations
sur le marché boursier

EINGLIEDERUNG
F : intégration
GB : *integration*
E : integracion
I : *integrazione*
Voir Intégration verticale

EINHEITSKOSTEN
F : prix coûtant unitaire
GB : *unit cost*
E : coste unitario
I : *costo unitario*
Coûts de fabrication et de distribu-
tion par unité produite

**EINHEITSKOSTEN, STÜCKKOS-
TEN**
F : coût unitaire
GB : *unit cost*
E : coste pur unidad, coste uni-
tario
I : *costo unitario*

EINHEITSSATZ
F : tarif uniforme
GB : *flat rate*
E : tarifa unificada
I : *tariffa uniforme*

EINKASSIEREN
F : encaisser
GB : *cash*
E : cobrar
I : *incassare*

EINKASSIEREN
F : encaissement
GB : *collection*
E : cobro
I : *incasso*

EINKAUFSBUCH
F : grand livre d'achats
GB : *bought ledger (USA purchase book)*
E : libro mayor de compras
I : *mastro acquisti*

EINKAUFSZENTRALE
F : centrale d'achats
GB : *central buying office*
E : oficina central de compras
I : *ufficio centrale d'acquisti*

EINKOMMEN AUS KAPITALANLAGEN
F : revenu de placements
GB : *investment income*
E : renta de inversiones
I : *reddito degli investimenti*

EINKOMMEN, EINKÜNFTE
F : revenu
GB : *income, revenue*
E : ingresos, rédito
I : *entrata, reddito*
Ce qui est perçu comme fruit du capital ou rémunération du travail

EINKOMMENSTEUER
F : impôt sur le revenu
GB : *income tax*
E : impuesto sobre la renta
I : *imposta sul reddito*
Touche le revenu des personnes physiques et les salaires, les bénéfices industriels et commerciaux des entrepreneurs non assujettis à l'impôt sur les sociétés

EINKOMMENSTEUERERKLÄRUNG
F : déclaration de revenu
GB : *income-tax return*
E : declaracion fiscal
I : *dichiarazione del reddito*

EINLADEN, AUFFORDERN
F : inviter
GB : *invite*
E : invitar
I : *invitare*

EINLADUNG, AUFFORDERUNG
F : invitation
GB : *invitation*
E : invitacion
I : *invito*

EINLEGEN
F : déposer
GB : *file*
E : interponer
I : *depositare*

EINLEGEN, EINZAHLEN
F : déposer (à la banque)
GB : *bank*
E : depositar (en el banco)
I : *depositare (in una banca)*

EINLÖSUNGSTAG
F : date du remboursement
GB : *redemption date*
E : fecha de reembolso
I : *data di rimborso*

EINNCHTUNGEN
F : facilités
GB : *facilities*
E : facilidades
I : *facilitazione*

EINREN ARBEITNEHMER ENTLASSEN
F : congédier un employé
GB : *discharge an employee*
(USA fire an employee)
E : despedir a un empleado
I : *licenziare un impiegato*

EINREN HAUSHALTSPLAN INS GLEICHGEWICHT BRINGEN
F : équilibrer un budget
GB : *balance a budget*
E : balancear el presupuesto
I : *pareggiare un bilancio*

EINREN MIETER ENTFERMEN
F : expulser un locataire
GB : *evict a tenant*
E : desalojar un inquilino
I : *sfrattare un lacatano*

EINRICHTEN, GRÜNDEN
F : fonder (établir)
GB : *establish, found*
E : fundar, establecer
I : *fondare, istituire*

EINSCHALTUNG
F : interpolation
GB : *interpolation*
E : interpolacion
I : *interpolazione*
Utilisation des résultats d'une série d'observations pour calculer le résultat d'une autre observation dans un même domaine d'exploration

EINSCHÄTZEN
F : estimer
GB : *estimate*
E : estimar
I : *stimare*

EINSCHIFFUNG, VERLADUNG
F : embarquement
GB : *embarcation, shipment*
E : embarco, embarque
I : *imbarco*

EINSCHLIEBLICH
F : inclus
GB : *inclusive*
E : incluido, inclusive
I : *incluso, compreso*

EINSCHRÄNKENDE BESTIMMUNG
F : accord restrictif
GB : *restrictive covenant*
E : convenio restrictivo
I : *accordo restrittivo*

EINSETZEN, INSERIEREN
F : insérer
GB : *insert*
E : insertar
I : *inserire*

EINSCHREIBEN
F : enregistrement
GB : *registration*
E : registro
I : *registrazione (contabile)*
Inscription obligatoire dans les registres publics qui authentifie certains actes

EINSICHTNAHME
F : inspection
GB : *inspection*
E : inspeccion, examen
I : *ispezione*

EINSTANDSPREIS
F : prix de revient
GB : *cost price*
E : precio de coste
I : *prezzo di costo*
Ensemble des coûts, directs et indirects, variables et fixes, de production d'un bien ou d'un service

EINSTWEILIG
F : provisoire
GB : *temporary*
E : temporal
I : *temporaneo*

EINTRÄGLICH, GEWINNBRINGEND
F : lucratif
GB : *lucrative*
E : lucrativo
I : *lucrativo*

EINTRAGUE
F : enseigne
GB : *sign/trade name*
E : letrero
I : *insegna*

EINTRAGUNG
F : inscription
GB : *entry*
E : asiento
I : *registrazione*

**EINTRAGUNG (EINER GESELL-
SCHAFT)**
F : incorporation (de réserves
ou de bénéfices)
GB : *incorporation*
E : incorporacion
I : *costituzione*
Augmentation du capital social
d'une entreprise par intégration de
tout ou partie des réserves ou des
bénéfices réalisés

EINTRITT
F : entrée
GB : *entry, admission*
E : entrada
I : *entrata*

EINTRITT FREI
F : entrée gratuite
GB : *admission free*
E : entrada gratuita
I : *ingresso gratuito*

EINTRITTSGEBÜHR
F : droit d'entrée
GB : *entrance free*
E : derecho de entrada
I : *tassa d'entrata*
Droit d'importation, impôt à
acquitter pour les marchandises à
l'entrée dans un pays

EINWANDERUNG
F : immigration
GB : *immigration*
E : inmigracion
I : *immigrazione*

EINZAHLER
F : déposant
GB : *depositor*
E : depositante
I : *depositante*

EINZELHANDEL
F : commerce de détail
GB : *retail trade*
E : comercio al por menor
I : *commercio al minuto*

EINZELHANDELSPREIS
F : prix de détail
GB : *retail price*
E : precio al por menor
I : *prezzo al minuto*

EINZELHÄNDLER, KLEINHÄNDLER
F : commerçant (détaillant)
GB : *retailer*
E : comerciante al por menor
I : *commerciante al minuto*

EINZELHEITEN, ANGABEN
F : détails
GB : *particulars*
E : detalles
I : *particolari*

EINZELKOSTEN
F : frais directs
GB : *direct expenses*
E : gastos directos
I : *spese dirette*
Charges qu'on peut affecter sans cal-
cul intermédiaire au coût d'un pro-
duit déterminé

EINZUGSKOSTEN
F : frais d'encaissement
GB : *collection charges*
E : gastos de cobranza
I : *spese di riscossione*

EISEN
F : fer
GB : *iron*
E : hierro
I : *ferro*

EISENBAHN
F : chemin de fer
GB : *raiway*
E : ferrocarril
I : *ferrovia*

EISENBAHNFAHRPLAN
F : indicateur des chemins de
fer
GB : *railway timetable*
E : honario de trenes
I : *orario ferroviario*

EISENBAHNWAGEN
F : wagon de chemin de fer
GB : *railway carriage ('USA rail-
road car)*
E : vagon de ferrocarril
I : *carrozza ferroviaria*

EISENRZ
F : minerai de fer
GB : *iron ore*
E : mineral de hierro
I : *minerale di ferro*

EISENWAREN
F : quincaillerie
GB : *hardware, ironmongery*
E : ferreteria, quincalleria
I : *ferramenta*

ELEKTRISCHE HAUSHALTSGÜTER
F : électroménager
GB : *household electrical goods*
E : aparatos eléctricos de casa
I : *elettrodomestici*

ELEKTRIZITÄT
F : électricité
GB : *electricity*
E : electricidad
I : *elettricità*

ELEKTRONIK
F : électronique nm
GB : *electronics*
E : electronica
I : *elettronica*

ELEKTRONISCH
F : électronique adj
GB : *electronic*
E : electronico
I : *elettronico*

EMPFANG BESTÄTIGEN
F : accuser réception de
GB : *acknowledge receipt of*
E : acusar recibo de
I : *accusare ricevuta di*

EMPFANGSBESTÄTIGUNG
F : accusé de réception
GB : *acknowledgment of receipt*
E : aviso de reception
I : *avviso di recezione*

EMPFANGSSCHEIN
F : bon de réception
GB : *delivery slip*
E : vale de recibo
I : *bolla, buono di ricevuta*
L'exemplaire du bon de livraison
signé par l'acheteur (et conservé par
le vendeur) en tient lieu

EMPFOHLENER LADENPREIS
F : prix de détail recommandé
GB : *recommended retail selling
price*
E : precio detallista recomen-
dado
I : *prezzo al minuto indicativo*

ENDE
F : fin nf
GB : *end*
E : fin
I : *fine*

ENDGÜLTIG
F : final
GB : *final*
E : final
I : *finale*

ENDPRODUKT
F : produit final
GB : *end-product*
E : producto final
I : *prodotto finale*

ENDRECHNUNG
F : facture finale
GB : *final invoice*
E : factura final
I : *fattura finale*

ENGPAß
F : goulot d'étranglement
GB : *bottle-neck*
E : embotellamiento
I : *strozzatura*
Insuffisance *ou inadaptation d'un
facteur de production à la
demande d'un marché*

ALLEMAND

ENTEIGNUNG
F : expropriation
GB : *expropriation*
E : expropiacion
I : *espropriazione*

ENTFERNUNG
F : distance
GB : *distance*
E : distancia
I : *distanza*

ENTGEGENKOMMEN
F : complaisance
GB : *convenience*
E : complacencia
I : *compiacenza, favore*

ENTGELTIGTER BESITZER
F : porteur à titre onéreux
GB : *holder for value*
E : tenedor legitimo
I : *detentore legittimo*
Définition prévue non donnée

ENTLASSEN
F : congédier
GB : *dismiss (USA fire)*
E : despedir
I : *congedar*

ENTLASSUNG
F : licenciement
GB : *layoff*
E : despido
I : *licenziamento*

ENTLEIHEN
F : emprunter
GB : *borrow*
E : pedir un préstàmo
I : *prestare*

ENTLOKALISIERUNG
F : délocalisation
GB : *delocalization*
E : cambio de sitio
I : *delocalizzazione*
Changement d'implantation géographique de tout ou partie des activités d'une entreprise

ENTSCHÄDIGEN
F : dédommager
GB : *indemnify*
E : indemnizar, resarcir
I : *indemnizzare,risarcire*

ENTSCHÄDIGUNG
F : compensation
GB : *compensation*
E : compensacion
I : *compenso*
Comptabilisation du solde final, donnant lieu à règlement, des dettes et créances échangées mutuellement par deux ou plusieurs banques pendant une période donnée

ENTSCHÄDIGUNG
F : indemnité
GB : *indemnity*
E : indmnizacion
I : *indennità, garanzia*
Elément de rémunération ou de salaire destiné à rembourser des dépenses liées à l'exercice d'une profession ou à l'éxécution d'un travail

ENTSCHEIDEN
F : décider
GB : *decide*
E : decidir
I : *decidere*

ENTSCHEIDENDE STIMME
F : voix prépondérante
GB : *casting vote*
E : voto decisivo
I : *voto decisivo*

ENTSCHEIDUNG
F : décision
GB : *decision*
E : decision
I : *decisione*

ENTSCHEIDUNGSBAUM
F : arbre de décision
GB : *decision tree*
E : árbol de decisiones
I : *albero di decisioni*
Représentation graphique d'une suite d'actions alternatives et de leurs conséquences

ENTWERFER
F : dessinateur
GB : *draughtsman*
E : dibujante
I : *disegnatore*

ENTWERTEN
F : déprécier
GB : *depreciate*
E : depreciar
I : *deprezzare*

ENTWERTUNG, ABSCHREIBUNG
F : dépréciation
GB : *depreciation*
E : depreciacion
I : *ammortamento*

ENTWICKLUNG, WACHSTUM
F : croissance
GB : *growth*
E : crecimiento
I : *crescita, sviluppo*

ENTWICKLUNGSLAND
F : pays en développement
GB : *developing country*
E : pais en desarrollo
I : *paese in via di sviluppo*
Successivement sous-développés (années 60) puis en voie de développement (années 70), les pays en développement sont classés comme tels par la Banque mondiale en fonction de leur revenu moyen annuel par habitant. Les plus pauvres, appelés pays moins avancés — PMA, ont un revenu annuel inférieur à 300 dollars par habitant

ENTWURF
F : brouillon
GB : *rough copy (USA draft)*
E : borrador
I : *brutta copia*

ENTWURF EINES ÜBEREINKOMMENS
F : projet de convention
GB : *draft agreement*
E : proyecto de convenio
I : *schema di contratto*

ERBE
F : héritier
GB : *heir*
E : heredero
I : *erede*

ERBEITSSTUNDE PRO MANN
F : heures-homme
GB : *man-hours*
E : horas-hombre
I : *ore-uomo*
Heures de travail effectuées par individu

ERBSCHAFT, NACKLAß
F : succession
GB : *inheritance, estate*
E : sucesion
I : *successione*

ERDGAS
F : gaz naturel
GB : *natural gas*
E : gas natural
I : *gas naturale*

ERDGESCHOß
F : rez-de-chaussée
GB : *ground floor*
E : planta baja
I : *pianterreno*

ERFAHRUNG
F : expérience
GB : *experience*
E : experiencia
I : *esperienza*

ERFINDUNG
F : invention
GB : *invention*
E : invento, invencion
I : *invenzione*

ERFINDUNGSPATENT
F : brevet d'invention
GB : *patent*
E : patente
I : *brevetto*
Délivré par l'Etat à l'auteur d'une invention pour lui en assurer l'exploitation exclusive pendant un temps déterminé

ALLEMAND

ERFÜLLEN
F : remplir
GB : *fullfil*
E : cumplir
I : *adempiere*

(EINE BESTELLUNG) ERGATTERN
F : accrocher (une commande)
GB : *pull off (an order)*
E : conseguir (un pedido)
I : *ottenere (un'ordinazione, una commessa)*

ERGEBNIS
F : résultat
GB : *result*
E : resultado
I : *risultato*
Différence positive ou négative entre un prix de vente et un coût de revient

ERGEBNISKONTO
F : compte de résultat
GB : *income statement*
E : cuenta de resultados
I : *conto spese e rendite*
Regroupe les produits et les charges et permet de dégager le résultat net comptable d'un exercice

ERGONOMIK
F : ergonomie
GB : *ergonomics*
E : ergonomia
I : *ergonomica*
Science de l'adaptation des machines et du travail à l'homme

ERHÖHTE LEBENSHALTUNGSKOSTEN
F : renchérissement du coût de la vie
GB : *increased cost of living*
E : coste de vida mas alto
I : *aumentato costo della vita*

ERHÖHUNG, WERTZUWACHS
F : accroissement
GB : *increase, increment*
E : aumento, incremento
I : *aumento, incremento*

ERKLÄREN
F : déclarer
GB : *declare*
E : declarar
I : *dichiarare*

ERKLÄRUNG
F : déclaration
GB : *declaration*
E : declaracion
I : *dichiarazione*

ERLAUBNIS, GENEHMIGUNG
F : permis
GB : *permit*
E : permiso
I : *permesso*

ERLAUBNIS, LIZENZ
F : licence
GB : *licence*
E : licencia, permiso
I : *licenza, permesso*
Autorisation administrative

ERLEBENSVERSICHERUNG
F : assurance à terme fixe
GB : *endowment policy*
E : poliza dotal
I : *assicurazione dotale*

ERLOSCHENE GESELLSCHAFT
F : société liquidée
GB : *defunct company*
E : sociedad extinta
I : *società estinta*
Voir Liquidation

ERNENNEN
F : nommer
GB : *appoint*
E : nombrar
I : *nominare*

ERNTE
F : moisson
GB : *harvest*
E : cosecha
I : *raccolto*

ERNTE
F : récolte
GB : *harvest*
E : cosecha
I : *raccolto*

ERSCHLIEBUNG
F : exploitation
GB : *development*
E : explotacion
I : *valorizzazione*

ERSCHLIEBUNGSGESELLSCHAFT, BETRIEB
F : société d'exploitation
GB : *development company, operating company*
E : compania de explotacion
I : *società d'imprese*
Ou de gestion; SA créée pour diriger une ou plusieurs entreprises

ERSETZUNG
F : subrogation
GB : *subrogation*
E : subrogacion
I : *surrogazione*
Droit : substitution d'une personne (subrogation personnelle) ou d'une chose (subrogation réelle) à une autre

ERSTE KLASSE
F : première classe
GB : *first class*
E : primera clase
I : *prima classe*

ERSTPLATZIERUNG
F : tête de gondole
GB : *gondola head*
E : encabezamiento de góndola
I : *lato più in vista dell'espositore (es. nei supermercati)*
Extrémité d'un meuble de présentation de produits dans un magasin en libre-service

ERTEILUNG (EINES PATENTES)
F : délivrance (d'un brevet)
GB : *grat (of a patent)*
E : concesion (de una patente)
I : *concessione (di brevetto)*

ENTNEHUNG
F : prélèvement
GB : *levy*
E : impuesto
I : *imposta*

ERTHÖHTE KOSTEN
F : accroissement des coûts
GB : *increased costs*
E : costes incrementados
I : *costi aumentati*

ERTRAGSKALKULATION
F : calcul de coût de revient
GB : *costing*
E : cálculo de precio de coste
I : *calcolo del prezzo di costo*

ERTRAGSRATE
F : taux de rendement
GB : *rate of return*
E : tipo de rédito
I : *tasso di reddito*
Rapport entre le revenu annuel que procure un placement et la valeur immédiate de celui-ci

ERWERB
F : acquêt
GB : *acquest*
E : adquisición
I : *acquisti*
Bien ou valeur achetés pendant le mariage par l'un, l'autre ou les deux époux

ERZEUGER, HERSTELLER
F : fabricant
GB : *manufacturer*
E : fabricante
I : *fabbricante*

ERZEUGUNG
F : production
GB : *production*
E : produccion
I : *produzione*

ERZEUGUNG, RENDITE
F : rendement
GB : *output, yield*
E : rendimiento, rédito
I : *produzione, reddito*
Voir Productivité

EßWAREN
F : alimentation
GB : *foodstuffs*
E : comestibles
I : *generi alimentari*

ETAGENWOHNUNG
F : appartement
GB : *flat (USA apartment)*
E : apartamento
I : *appartamento*

ETIKETT
F : étiquette
GB : *label*
E : etiqueta
I : *etichetta*

EUROOBLIGATION
F : euro-obligation
GB : *eurobond*
E : eurobligación
I : *eurobbligazione*
Titre d'emprunt émis en dehors de son pays d'origine (et libellé en monnaie étrangère à ce pays) sur les marchés financiers internationaux

EUROPÄISCHE ATOMGEMEIN-SCHAFT
F : Communauté européenne de l'énergie atomique — Euratom
GB : *European atomic energy community*
E : Comunidad europea de energia atomica
I : *Comunita europea dell'energia atomica*
L'une des trois communautés européennes, créée en 1958 pour coordonner le développement des industries nucléaires de l'Union européenne

EUROPÄISCHE FREIHANDELS-ZONE
F : Zone européenne de libre-échange
GB : *European free trade area (EFTA)*
E : Zona europea de commercio libre
I : *Zona europea di libero scambio*

EUROPÄISCHE GEMEINSCHAFT FÜR KOHLE UND STAHL
F : Communauté européenne du charbon et de l'acier — CECA
GB : *European coal and steel community*
E : Comunidad europea de carbon y acero
I : *Comunita europea del carbone e acciacio*
La plus ancienne des communautés européennes, instituée pour 50 ans par le traité de Paris (1951)

EUROPÄISCHE INVESTITIONS-BANK
F : Banque européenne d'investissement — BEI
GB : *European investment bank*
E : Banco europeo e inversiones
I : *Banca europea d'investimenti*
Institution de la CEE chargée de favoriser, par l'octroi de prêts, le développement, l'intégration et la coopération

EUROPÄISCHE KOMMISSION
F : Commission des communautés européennes
GB : *European commission*
E : Comision europea
I : *Commissione europea*
Organe exécutif de l'Union européenne

EUROPÄISCHE WIRTSCHAFTS-GERMEINSCHAFT
F : Communauté économique européenne — CEE
GB : *European economic community*
E : Comunidad economica europea
I : *Comunità economica europeia*
Devenue l'Union européenne — UE (traité de Maastricht 7 février 92),elle passe de 12 à 15 membres avec l'adhésion de l'Autriche, de la Finlande et de la Suède début 1995

EUROPÄISCHER FONDS
F : Fonds européen
GB : *European fund*
E : Fondo europeo
I : *Fondo europeo*
Organisme de gestion de fonds européens

EUROPÄISCHES WÄHRUNGS-ABKOMMEN (EWA)
F : Accord monétaire européen — AME
GB : *European monetary agreement*
E : Acuerdo monetario europeo (AME)
I : *Accordo monetario europeo (AME)*
A pris fin juridiquement en 1972. Remplacé par l'UEM - Union économique et monétaire : prévue par le traité de Maastricht, une monnaie unique doit voir le jour en 1997 ou 1999 au plus tard

EVENTUALITÄT
F : contingence
GB : *contingency*
E : contingencia
I : *contingenza*
Corrélation entre deux caractères qualitatifs ou quantitatifs

EXPEDIENT
F : expéditionnaire
GB : *shipping clerk*
E : dependiente de muelle
I : *commesso di spedizioniere*
Qui se charge de l'expédition

EXPEDIEREN, ABSENDEN
F : envoyer
GB : *send, forward*
E : expedir, remitir
I : *spedire*

EXPERTENSYSTEM
F : système expert
GB : *expert system*
E : sistema experto
I : *sistema esperto*
Logiciel élaboré à partir d'expertises reconnues, pour simuler le raisonnement humain dans des domaines spécifiques de la connaissance

EXPONENTIAL
F : exponentiel
GB : *exponential*
E : exponencial
I : *esponenziale*
Qui varie d'un taux constant au cours d'une période donnée

EXPORTAUFTRAG
F : commande d'exportation
GB : *export order*
E : pedido de exportacion
I : *ordine per esportazione*

EXPORTEUR
F : exportateur
GB : *exporter*
E : exportador
I : *exportatore*

EXTRADIVIDENDE
F : super-dividende
GB : *surplus dividend*
E : superdividendo
I : *dividendo straordinario*
Eventuellement décidé par l'assemblée générale, il s'ajoute au premier dividende

EXTRAPOLIEREN
F : extrapoler
GB : *extrapolate*
E : extrapolar
I : *estrapolare*

FABRIK
F : fabrique
GB : factory
E : fabrica
I : fabbrica

FABRIK
F : usine
GB : factory (USA plant)
E : fábrica
I : fabbrica

FABRIKATE
F : produits manufacturés
GB : manufactured products
F : productos manufacturados
I : manufatti

FÄHIGKEIT, INHALT
F : capacité
GB : capacity
E : capacidad
I : capacita

FÄHRBOOT
F : bac (bateau)
GB : ferry-boat
E : transbordador
I : nave traghetto

FAHRGELD
F : prix du voyage
GB : fare
E : pasaje
I : prezzo di viaggio

FAHRLÄSSIGKEIT
F : négligence
GB : negligence
E : negligencia
I : negligenza

FAILLIG DEIN
F : échoir
GB : fall due
E : vencer
I : scadere, essere pagabile
Arriver à échéance

FAKTURA, RECHNUNG
F : facture
GB : invoice
E : factura
I : fattura

FAKTURIEREN
F : facturer
GB : invoice
E : facturar
I : fatturare

FAKTURIERTER PREIS
F : prix facturé
GB : invoice price
E : precio facturado
I : prezzo di fattura

FÄLLIGKEIT
F : échéance
GB : maturity
E : vencimiento
I : scadenza

FÄLLIGKEITSTAG
F : date d'échéance
GB : date of maturity
E : fecha de vencimiento
I : data di scadenza
Date ultime de paiement d'une
dette

FALSCH, VERFÄLSCHT
F : faux
GB : false, counterfeit
E : falso, falsificado
I : falso, contraffatto
Ecrit imité pour porter préjudice

FÄLSCHER
F : faux-monnayeur
GB : forger
E : falsificador
I : falsificatore

FÄLSCHUNG
F : contrefaçon
GB : forgery
E : falsificacion
I : falsificazione

FAS
F : baril
GB : barrel
E : barril
I : barile
Unité de volume (159 litres) utilisée
surtout pour le pétrole

FEHLER
F : erreur
GB : error
E : error
I : errore

FEHLERHAFT
F : défectueux
GB : faulty
E : defectuoso
I : difettoso

FEILSCHEN
F : marchander
GB : haggle (USA bargain)
E : regatear
I : mercanteggiare, cavillare

FEIND
F : ennemi
GB : enemy
E : enemigo
I : nemico

FENSTERAUSLAGE
F : étalage
GB : window-display
E : exhibicion en vitrina
I : mostra in vetrina

FENSTERBRIEFUMSCHLAG
F : enveloppe à fenêtre
GB : window-envelope
E : sobre de ventanilla
I : busta con finestra

FERIEN, URLAUB
F : vacances
GB : vacation, holiday
E : vacacion
I : vacanza

FERNGESPRÄCH
F : appel téléphonique de
longue distance
GB : long distance phone call
E : llamada telefónica de larga
distancia
I : telefonata intercontinentale
(chiamata telefonica a lunga dis-
tanza)

FERNGESPRÄCH
F : appel téléphonique inter-urbain
GB : *trunk call (USA long distance call)*
E : llamada interurbana
I : *comunicazione interurbana*

FERNSCHREIBER
F : telex
GB : *Telex*
E : télex
I : *telex*
Transmission à distance de messages dactylographiés

FERNSPRECHAMT
F : central téléphonique
GB : *telephone exchange*
E : central telephonica
I : *centrale telefonica*

FERNSPRECHER, TELEFON
F : téléphone
GB : *telephone*
E : teléfono
I : *telefono*

FEST
F : ferme adj
GB : *firm*
E : firme
I : *fermo*
Définitif

FEST
F : fixe
GB : *fixed*
E : fijo
I : *fisso, fissato*

FEST UND UNVERÄNDERLICH
F : ferme et non révisable
GB : *firm and not subject to alteration*
E : firme y no revisable
I : *fermo e non modificabile*

FESTBEGRÜNDETES RECHT
F : droit acquis
GB : *vested interest*
E : interés creado
I : *diritto acquisito*

FESTE PARITÄT
F : parité fixe
GB : *fixed parity*
E : paridad fija
I : *parità fissa*

FESTES ANGEBOT
F : offre ferme
GB : *firm offer*
E : oferta en firme
I : *offerta ferma*

FESTKAPITAL
F : capitaux permanents (ou ressources permanentes)
GB : *invested capital*
E : capitales permanentes
I : *capitali permanenti*

Regroupent les capitaux dont l'entreprise dispose de manière définitive (apports des actionnaires) ou pour une longue période (emprunts à moyen et long terme)

FEUERVERSICHERUNG
F : assurance incendie
GB : *fire insurance*
E : seguro de incendios
I : *assicurazione incendio*

FEUERVERSICHERUNGSPOLICE
F : police incendie
GB : *fire insurance policy*
E : poliza de seguro de incendios
I : *polizza d'assicurazione incendio*

FILIALBANK, ZWEIGBANK
F : banque (succursale de)
GB : *branch bank*
E : sucursal del banco
I : *banca succursale*

FILIALE, ZWEIGSTELLE
F : succursale
GB : *branch, branch office*
E : sucursal, filial
I : *succursale*
Etablissement sans individualité juridique qui concourt au même objet que celui dont il dépend

FINANZ
F : finance
GB : *finance*
E : finanza
I : *finanza*

FINANZ-
F : fiscal
GB : *fiscal*
E : fiscal
I : *fiscale*

FINANZAUSWEIS
F : état financier
GB : *financial statement*
E : extracto financiero
I : *relazione finanziaria*

FINANZBANK
F : banque d'affaires
GB : *investment bank*
E : banco de inversiones
I : *banca d'investimenti*
Essentiellement chargée de monter des opérations financières (prise et gestion de participations, émission d'obligations...) et rémunérée par les commissions

FINANZIELL
F : financier adj
GB : *financial*
E : financiero
I : *finanziario*

FINANZIEREN
F : financer
GB : *finance*
E : financiar
I : *finanziare*

FINANZIERUNGSFLUB
F : flux financier
GB : *financial flow*
E : flujo financiero
I : *flusso di capitali*
Transfert de fonds engendré par une opération économique

FINANZIERUNGSGESELLSCHAFT
F : société de financement
GB : *finance company*
E : compania de crédito comercial
I : *società finanziaria*

FINANZIERUNGSPLAN
F : plan de financement
GB : *financing plan*
E : plan de financiación
I : *programma di finanziamento*

FINANZVERMÖGEN
F : avoir (financier)
GB : *credit*
E : haber (financiero)
I : *attivo, avere (finanziario)*
Créance reconnue par un vendeur à un acheteur et qui ne peut servir qu'à un nouvel achat ou qui se déduit d'une créance existante

FIRMA
F : firme
GB : *firm, company*
E : firma, casa
I : *ditta*

FIRMENKONTO
F : compte nominal
GB : *nominal account*
E : cuenta de resultado
I : *conto d'ordine*

FIRMENNAME
F : raison sociale
GB : *trade name*
E : razon social
I : *denominazione commerciale*
Nom sous lequel une société exerce son activité

FIXKOSTEN
F : charges fixes
GB : *standing charges*
E : cargas fijas
I : *spese fisse*
Liées à l'existence même de l'outil de production, elles sont indépendantes du niveau d'activité de l'entreprise

FIXKOSTEN
F : coût fixe
GB : *fixed cost*
E : coste fijo
I : *costo fisso*
Coût indépendant d'une activité, dans une structure ou pour une période donnée

FLACH
F : plat adj
GB : *flat*
E : llano, plano
I : *piatto*

FLACKERSTREIK
F : grève tournante
GB : *staggered strike*
E : huelga alternativa
I : *sciopero articolato*
Affecte successivement divers ateliers, usines ou catégories de personnels

FLAGE
F : pavillon (drapeau)
GB : *flag*
E : bandera
I : *bandiera*

FLAU
F : orienté à la baisse
GB : *bearish*
E : bajista
I : *ribassista*

FLEXIBEL, ANPASSUNGSFÄHIG
F : flexible
GB : *flexible*
E : flexible
I : *flessibile*
Apte à s'adapter aux changements de l'environnement

FLEXIBLER WECHSELKURS
F : taux de change flottant
GB : *floating exchange rate*
E : tipo de cambio flotante
I : *tasso del cambio fluttuante*

FLUGGESELLSCHAFT
F : compagnie aérienne
GB : *air line*
E : linea aérea
I : *linea aerea*

FLUGHAFEN
F : aéroport
GB : *airport*
E : aeropuerto
I : *aeroporto*

FLUSDIAGRAMM
F : ordinogramme
GB : *flow chart*
E : diagrama de flujo
I : *diagramma di flusso*
Schéma codifié représentant le déroulement d'un programme d'ordinateur

FLÜSSIGE AKTIVEN
F : actif liquide (ou disponible)
GB : *liquid assets*
E : activo liquido
I : *disponibilità, attività liquida*

Fonds détenus en caisse, sur les comptes, et toutes valeurs immédiatement convertibles en espèces pour leur valeur nominale

FLÜSSIGE MITTEL
F : disponibilités
GB : *funds available*
E : fondos disponibles
I : *fondi disponibili, disponibilità*
Voir Actif liquide (ou disponible)

FLÜSSIGKEIT
F : fluidité
GB : *fluidity*
E : fluidez
I : *fluidità*
Caractérise un marché où l'offre s'adapte à la demande sans difficulté

FOLGESCHADEN
F : perte indirecte
GB : *consequential loss*
E : pérdida indirecta
I : *perdita indiretta*
Définition prévue non donnée

FONDS
F : fonds
GB : *fund*
E : fondo
I : *fondo*
Organisme de gestion de fonds en vue d'une utilisation déterminée

FORDERLICH
F : exigible
GB : *payable*
E : exigible
I : *esigibile*
Ensemble des dettes à court terme apparaissant au passif d'un bilan

FORM
F : forme
GB : *form*
E : forma
I : *forma*

FORMALITÄT
F : formalité
GB : *formality*
E : formalidad
I : *formalità*

FORMEL
F : formule
GB : *formula*
E : formula
I : *formula*

FORMELL
F : formel
GB : *formal*
E : formal
I : *formale*

FORMLOS
F : formalités (sans)
GB : *informal*
E : sin ceremonia
I : *senza formalità*

FORMULAR
F : formule (imprimée)
GB : *form*
E : formulario
I : *modulo*
Imprimé, formule administrative

FORSCHUNG
F : recherche
GB : *research*
E : investigacion
I : *ricerca*

FORTBILDUNG
F : enseignement supérieur
GB : *higher education*
E : ensenanza superior
I : *insegnamento superiore*

FORTSCHRITTSGRUPPE
F : groupe de progrès
GB : *progress group*
E : grupo de progreso
I : *gruppo di progresso*
Voir Cercle de qualité

FRACHT
F : fret
GB : *freight*
E : flete
I : *nolo*

FRACHT VORAUSBEZAHLT
F : fret payé d'avance
GB : *freight pre-paid*
E : flete pagado
I : *nolo prepagato*

FRACHTBRIEF
F : lettre de voiture
GB : *waybill*
E : guia de carga
I : *lettera di vettura*
Lettre de transport lorsque celui-ci se fait par voie terrestre

FRACHTFREI
F : franco
GB : *carriage free (USA FOB destination)*
E : franco de porte
I : *porto franco*
Sans frais pour le destinataire

FRAGEBOGEN
F : questionnaire
GB : *questionnaire*
E : cuestionario
I : *questionario*

ALLEMAND

FRANCHISE
F : franchise
GB : *exemption*
E : franquicia
I : *franchigia*
Somme que l'assureur laisse à la charge de l'assuré pour certains dommages

FRANKIERMASCHINE
F : machine à affranchir
GB : *franking machine*
E : maquina de franquear
I : *affrancatrice postale*

FRANKO, PORTOFREI
F : port payé
GB : *carriage paid, postage paid*
E : a porte pagado, franco de porte
I : *franco di porto, porto pagato*
Les frais de port sont acquittés au départ par l'expéditeur

FRANZÖSICHE BANK-AN-BANK ZINSENSSATZ
F : TIOP
GB : *Paris Interbank Offered Rate*
E : MIBOR (precio del dinero en el mercado interbancario de Madrid)
I : *Tasso Interbancario Offerto a Parigi*
Taux interbancaire offert à Paris (en anglais : PIBOR). Indicateur quotidien des taux d'intérêt pratiqués entre banques sur le marché monétaire

FREI
F : libre
GB : *free*
E : libre
I : *libero*

FREI AN BORD
F : franco à bord — FOB
GB : *free on board*
E : franco a bordo
I : *franco a bordo*
Dans les contrats de commerce international, signifie que le prix d'une marchandise n'inclut pas les frais de transport et d'assurance

FREIE MARKTWIRTSCHAFT
F : système économique du libre-échange
GB : *free economy*
E : economia del mercado libre
I : *economia de mercado libero*

Système qui vise à la suppression de tous les obstacles à la libre circulation des biens et des services

FREIE WIRTSCHAFT
F : libre entreprise
GB : *free entreprise*
E : libre empresa
I : *libertà d'iniziativa*

FREIER MARKT
F : marché libre
GB : *open market*
E : mercado libre
I : *mercato libero*
Marché où se négocient librement des valeurs n'ayant pas de cotation officielle

FREIHAFEN
F : port franc
GB : *free port*
E : puerto libre
I : *porto franco*
Port où les marchandises étrangères pénêtrent librement sans formalité ni paiement de droits

FREIHANDEL
F : libre-échange
GB : *free trade*
E : comercio libre
I : *libero scambio*
Organisation entre plusieurs pays de la libre circulation des marchandises produites sur leur territoire

FREIHÄNDIGER HANDEL
F : marché de gré à gré
GB : *mutual agreement*
E : acuerdo recíproco
I : *licitazione privata*
Contrat conclu sans adjudication préalable

FREIKARTE
F : billet de faveur
GB : *free ticket*
E : billete gratuito
I : *biglietto gratuito*
Qui confère certains droits ou avantages

FREIWILLIG
F : volontaire adj
GB : *voluntary*
E : voluntario
I : *volontario*

FREIZEIT
F : loisir
GB : *leisure*
E : descanso
I : *svago*

FREMDARBEITERSCHAFT
F : main-d'œuvre étrangère
GB : *foreign labour*
E : mano de obra extranjera
I : *mano d'opera straniera*

FREMDKAPITAL
F : capitaux empruntés
GB : *borrowed capital*
E : capital a préstamo
I : *capitale preso a prestito*
Dette financière d'une entreprise, fonds mis à sa disposition par des tiers

FREMDKAPITAL
F : investissement étranger
GB : *foreign investment*
E : inversión extranjera
I : *investimento estero*

FREUNDSCHAFTSDIENSTE
F : bons offices
GB : *good offices*
E : buenos servicios
I : *buoni uffici*
Services, assistance

FRIST
F : terme
GB : *due date*
E : término
I : *termine*
Echéance

FRUCHTWECHSEL
F : assolement
GB : *rotation of crops*
E : rotacion de cultivos
I : *rotazione delle coltivazioni*

FUNDIEREN
F : fonder (une créance)
GB : *fund*
E : fundar, consolidar
I : *consolidare*
En justifier le bien-fondé

FUNKTIONSANALYSE
F : analyse fonctionnelle
GB : *functional job analysis*
E : análisis funcional
I : *analisi funzionale*
Recensement, ordonnancement, valorisation et hiérarchisation des fonctions remplies par un produit ou un service

FUSIONIEREN
F : fusionner
GB : *amalgamate (USA merge)*
E : amalgamar
I : *fondersi*

FUSSNOTE
F : apostille
GB : *footnote*
E : apostilla
I : *postilla*
Addition faite en marge d'un acte

G

GARAGE
F : garage
GB : *garage*
E : garaje
I : *autorimessa*

GARANTIE
F : garantie
GB : *guarantee, warranty*
E : garantia
I : *garanzia*

GARANTIE
F : warrant
GB : *warrant*
E : warrant
I : *warrant*
Bon de souscription d'action ou d'obligation attaché à un titre, au prix fixé et pour une période déterminée

GAS
F : gaz
GB : *gas*
E : gas
I : *gas*

GATT
F : GATT
GB : *GATT*
E : GATT
I : *GATT*
Voir Accord général sur les tarifs douaniers et le commerce

GBR, EINZELPERSONENGESELL-SCHAFT
F : entreprise individuelle
GB : *one-man business*
E : empresa individual
I : *impresa individuale*
Entreprise dont l'activité est exercée par une personne physique pour son propre compte, patrimoine professionnel et personnel confondus

GEBEN UND NEHMEN
F : concessions mutuelles
GB : *give and take*
E : concesion reciproca
I : *concessione reciproca*

GEBRAUCHSANWEISUNG
F : mode d'emploi
GB : *directions for use*
E : modo de empleo
I : *istruzioni per l'uso*

GEBÜHR, ABGABE
F : taxe
GB : *duty, tax*
E : derechos, impuesto
I : *tassa, imposta*
Impôt. Coût d'un service rendu par une collectivité (acception première)

GEFAHR
F : péril
GB : *peril*
E : peligro
I : *pericolo*

GEFAHRENZULAGE
F : prime de risque
GB : *danger money*
E : suma para riesgos
I : *compenso per il rischio*
Prime octroyée en rémunération d'une prise de risque

GEFÄHRLICHE WAREN
F : marchandises dangereuses
GB : *dangerous goods*
E : mercancias peligrosas
I : *merce pericolosa*

GEFÄLLIGKEITSWECHSEL
F : billet de complaisance (ou effet de cavalerie)
GB : *accommodation*
E : pagaré de favor
I : *cambiale di favor*
Effet de commerce irrégulier émis pour obtenir frauduleusement des fonds par escompte

GEFÄLSCHT
F : truqué
GB : *fake*
E : falso
I : *falso*

GEFÄLSCHTER SCHECK
F : faux chèque (chèque en bois)
GB : *forged cheque*
E : cheque falsificado
I : *assegno falsificato*

GEFRAGT
F : demandé
GB : *in demand*
E : solicitado
I : *ricercato*

GEGEN BARZAHLUNG
F : payable à la commande
GB : *cash with order*
E : pagadero con el pedido
I : *pagamento con l'ordine*

GEGEN HAFTKAUTION FREIGE-BEN
F : admettre une caution
GB : *grant bail*
E : conceder fianza
I : *concedere la libertà provvisoria su cauzione*
Accepter qu'une personne physique ou morale se porte caution d'une autre

GEGENSEITIGE BÜRGSCHAFTSGE-SELLSCHAFT
F : société de caution mutuelle
GB : *mutual guarantee insurance company*
E : sociedad de caución mutua
I : *società di mutua garanzia*
Société à capital variable dont l'objet est de garantir les crédits accordés à ses membres

GEGENSEITIGES EINVERMEHMEN
F : accord mutuel
GB : *mutual agreement*
E : acuerdo comun
I : *comune accordo*

GEGENZEICHNEN
F : avaliser (une traite)
GB : *back*
E : avalar
I : *avallare*
Donner son aval

GEGENZEICHNEN
F: contresigner
GB: *countersign*
E: refrendar
I: *controfirmare*
Signer après celui dont l'acte émane

GEGENZUG
F: contrepartie (Bourse)
GB: *counterpart*
E: contrapartida
I: *contropartita*
Offre correspondant à une demande déterminée ou inversement. Ne peut être effectuée que par un contrepartiste

GEHALT
F: traitement
GB: *salary*
E: sueldo
I: *stipendio*
Salaire

GEHALTSSTRUKTUR
F: grille des salaires
GB: *wage scale*
E: escala de salarios
I: *tabella salariale*

GEHEIMVERTRAG
F: accord occulte
GB: *secret agreement*
E: acuerdo secreto
I: *accordo secreto*

GELD
F: argent
GB: *money*
E: dinero
I: *denaro*

GELDABWERTUNG
F: dépréciation de la monnaie
GB: *depreciation of money*
E: desvalorizacion de la moneda
I: *svalutazione della moneta*
Diminution, perte de sa valeur en terme de pouvoir d'achat

GELDGEBER
F: investisseur
GB: *investor*
E: inversionista
I: *capitalista*

GELDMARKT
F: marché monétaire
GB: *money market*
E: mercado de dinero
I: *mercato di denaro*
Marché des capitaux à court et à moyen terme, comprenant le marché interbancaire et le nouveau marché des titres de créances négociables

GELDSCHRANK
F: coffre-fort
GB: *sale*
E: caja fuerte
I: *cassaforte*

GELDSTRAFE
F: pénalité (amende)
GB: *fine*
E: sancion, multa
I: *multa*
Amende recouvrée en cas de fraude ou d'infraction fiscales

GELEGENHEITSKAUF
F: occasion
GB: *bargain*
E: ganga
I: *accasione*

GEMEINDESTEUER
F: taxes municipales
GB: *rates (USA realty tax)*
E: contribucion municipal
I: *tassa comunale*

GEMEINKOSTEN
F: frais indirects
GB: *indirect costs*
E: costes indirectos
I: *costi indiretti*
Charges qui nécessitent un calcul intermédiaire pour être imputées au coût d'un produit déterminé

GEMEINNÜTZIGES UNTERNEHMEN
F: entreprise d'utilité publique
GB: *utility company*
E: empresa de servicios publicos
I: *società di servizi pubblici*
Qualité reconnue à certains organismes par l'administration qui leur donne une existence juridique

GEMEINSAME AGRARPOLITIK
F: politique agricole commune
GB: *Common Agricultural Policy*
E: politica agricola comun
I: *politica agricola comune*

GEMEINSAME FISCHEREIPOLITIK
F: politique commune de la pêche
GB: *Common Fisheries Policy*
E: politica comun de la pesca
I: *politica comune della pesca*

GEMEINSAME HANDELSPOLITIK
F: politique commerciale commune
GB: *Common Commercial Policy*
E: politica comercial comun
I: *politica commerciale comune*

GEMEINSAMER AUßENTARIF
F: tarif extérieur commun (UE)
GB: *common external tariff*
E: tarifa exterior comun
I: *tariffa estera comune*
Il s'applique *aux importations sur le territoire communautaire de marchandises provenant des pays tiers*

GEMEINSAMER MARKT
F: Marché commun
GB: *Common Market*
E: mercado comun
I: *mercado comune*
Voir Communauté économique européenne — CEE

GEMEINSCHAFT
F: communauté
GB: *community*
E: comunidad
I: *comunità*

GEMEINSCHAFTLICHER ANLAGEFONDS
F: fonds commun de placement
GB: *mutual fund*
E: fondo de inversión mobiliaria
I: *fondi comuni d'investimento*
Portefeuille de valeurs mobilières et de sommes placées à court ou long terme, détenu par une copropriété gérée par un dépositaire

GEMEINSCHAFTSBETRIEB
F: société en participation
GB: *joint venture*
E: empresa en comun
I: *impresa in compartecipazione*
Contrat de société que l'on décide de ne pas faire immatriculer

GEMEINSCHAFTSKONTO
F: compte joint
GB: *joint account*
E: cuenta comun
I: *conto in comune*
Compte dont deux titulaires se partagent également la jouissance

GEMEINSCHULDNER
F: failli
GB: *bankrupt*
E: quebrado
I: *fallito*
Qui est déclaré en faillite

GEMEINVERWALTUNG
F: cogestion
GB: *co-management*
E: cogestión
I: *cogestione*
Forme de participation des salariés à la gestion de l'entreprise

GEMEINWESEN INVESTITION
F: investissement public
GB: *public investment*
E: inversión pública
I: *investimento pubblico*

GEMISCHWIRTSCHAFT
F: économie mixte
GB: *mixed economy*
E: economia mixta
I: *economia mista*
Système dans lequel collaborent collectivités publiques et industrie privée

ALLEMAND

GENEHMIGTES KAPITAL
F : capital autorisé
GB : *authorized capital*
E : capital autorizado
I : *capitale autorizzado*
Nombre d'actions que le conseil d'administration d'une société peut émettre conformément à ses statuts lors de sa constitution

GENERALSTREIK
F : grève générale
GB : *general strike*
E : huelga general
I : *sciopero generale*

GENOSSENSCHAFT
F : coopérative
GB : *co-op*
E : cooperativa
I : *cooperativa*
Association de personnes (à droits et obligations égales) qui conduisent et gèrent à leurs risques une entreprise commune

GENOSSENSCHAFT
F : société coopérative
GB : *cooperative*
E : cooperativa
I : *cooperativa*
Voir Coopérative

GEPFÄNDETE GÜTER
F : biens saisis
GB : *distressed goods*
E : mercancias embargades
I : *merce sequestrata*
Biens ayant fait l'objet d'une saisie

GERÄT, ANLAGE
F : appareil
GB : *appliance, plant (industrial)*
E : aparato, planta
I : *apparecchio, impianto*

GERECHTFRTIGT, GESETZLICH
F : légitime
GB : *justifiable, lawful*
E : justificable, legitimo
I : *giustificabile, legittimo*

GERECHTIGKEIT
F : justice
GB : *justice*
E : justicia
I : *giustizia*

GERICHT
F : tribunal
GB : *court (of law)*
E : tribunal
I : *tribunale*

GERICHTLICH VORGEHEN GEGEN
F : intenter un procès à
GB : *institute proceedings against*
E : iniciar un proceso contra
I : *intentare un'azione legale contro*

GERICHTLICHE VERFÜGUNG
F : injonction
GB : *injunction*
E : entredicho
I : *ingiunzione*

GERICHTLICHES ABWICKLUNG
F : liquidation judiciaire
GB : *liquidation*
E : liquidación judicial
I : *liquidazione giudiziaria*
Liquidation d'une société décidée par un tribunal

GESCHÄFT
F : affaires
GB : *business*
E : negocios
I : *affari*

GESCHÄFTSBERICHT
F : plaquette annuelle
GB : *annual report*
E : folleto anual
I : *opuscolo pubblicitario annuale di un'azienda*

GESCHÄFTSBERICHT
F : tableau de bord
GB : *operating report*
E : cuadro de mando
I : *quadro degli strumenti*

GESCHÄFTSBÜCHER
F : livres comptables
GB : *books of account*
E : libros de cuentas
I : *libri contabili*
Ensemble de documents comptables

GESCHÄFTSFAKTUR
F : facture commerciale
GB : *commercial invoice*
E : factura comercial
I : *fattura commerciale*
Pièce comptable datée établie et adressée par le vendeur à l'acheteur qui mentionne les marchandises vendues, leur prix unitaire et leur prix total

GESCHÄFTSFÜHRENDER DIREKTOR
F : administrateur dirigeant
GB : *executive director (USA corporate officer)*
E : director ejecutivo
I : *amministratore dirigente*
Salarié, il occupe un poste de direction

GESCHÄFTSFÜHRER
F : chef d'entreprise
GB : *company manager*
E : empresario
I : *capo d'azienda, imprenditore*

GESCHÄFTSFÜHRER
F : directeur général
GB : *chief executive*
E : jefe ejecutivo
I : *direttore generale*

GESCHÄFTSFÜHRER
F : gérant
GB : *business manager*
E : gerente de negocios
I : *direttore commerciale*
Dirigeant d'une société en nom collectif, d'une SARL ou d'une société en commandite

GESCHÄFTSFÜHRUNGSBERATER
F : ingénieur-conseil en organisation
GB : *management consultant*
E : aseor administrativo
I : *consultente di direzione aziendale*
Spécialiste du conseil, de l'expertise, qui intervient à titre personnel au niveau de l'organisation de l'entreprise, du travail

GESCHÄFTSKOSTEN
F : frais commerciaux
GB : *business expenses*
E : gastos de los negocios
I : *spese generali*

GESCHÄFTSLEITENDER DIREKTOR
F : administrateur délégué
GB : *managing director (USA president)*
E : director gerente
I : *amministratore delegato*
Remplit les fonctions du président en cas d'empêchement (ou de décès) de celui-ci

GESCHÄFTSLEITER
F : dirigeant
GB : *executive*
E : directivo
I : *dirigente*

GESCHÄFTSLEITER, DIREKTOR
F : directeur (voir aussi chef)
GB : *manager, director*
E : director
I : *direttore*

GESCHÄFTSMANN
F : homme d'affaires
GB : *businessman*
E : hombre de negocios
I : *uomo d'affari*

GESCHÄFTSREISENDE(R)
F : commis-voyageur
GB : *(commercial) traveller*
E : viajante
I : *viaggiatore di commercio*
Représentant de commerce

GESCHÄFTSSTUNDEN
F : heures de bureau
GB : *office hours*
E : horario de oficina
I : *orario d'ufficio*

GESCHÄFTSWERT
F : bon vouloir
GB : *goodwill*
E : valor de la clientela
I : *avviamento*

GESCHÄFTSWERT
F : good will
GB : *goodwill*
E : goodwill
I : *avviamento, valore d'avviamento*
Survaleur(plus-value liée à l'image d'une entreprise ou élément qualitatif qui contribue à sa valeur)

GESCHÄFTSZEIT
F : heures d'ouverture
GB : *business hours*
E : horario de comercio
I : *orario d'apertura*

GESCHÄFTSZENTRUM
F : centre commercial
GB : *shopping centre*
E : centro de negocios
I : *zona degli acquisiti*

GESCHENK
F : don
GB : *gift*
E : regalo
I : *dono, donazione*

GESELLSCHAFT
F : établissement
GB : *establishment*
E : establecimiento
I : *azienda*
Unité de production, lieu physique (non doté de la personnalité juridique) où s'exerce l'activité d'une entreprise

GESELLSCHAFT
F : société
GB : *company*
E : compania, sociedad
I : *società*
Association contractuelle de personnes physiques ou morales qui conviennent de mettre en commun des biens, des valeurs ou du travail dans un but lucratif

GESELLSCHAFT MIT BESCHRÄNKTER HAFTUNG (GMBH)
F : société à responsabilité limitée — SARL
GB : *private limited company*
E : compania privada
I : *società a responsabilità limitata (SRL)*
Dirigée par un ou des gérants, elle associe des personnes (1 à 50) qui ne sont responsables qu'à concurrence de leur apport, s'engagent personnellement et ne peuvent céder librement leur part

GESELLSCHAFT MIT KONTROLL-BEFUGNIS
F : société directrice
GB : *controlling company*
E : compania directriz
I : *società direttrice*

GESELLSCHAFT NOTIERT AN DER BÖRSE
F : société cotée en Bourse
GB : *quoted company*
E : compania cotizada en bolsa
I : *società quotata in borsa*

GESELLSCHAFTSVERTRAG
F : contrat de société
GB : *articles of association (USA articles of incorporation)*
E : articulos de associacion
I : *statuto sociale*
Des associés conviennent de mettre en commun des apports en vue de partager un bénéfice ou de profiter d'une économie

GESETZ
F : statut
GB : *statute*
E : estatuto
I : *statuto*
Disposition législative ou réglementaire qui fixe la situation d'une catégorie de personnes, d'entreprises ou de collectivités

GESETZGEBUNG
F : législation
GB : *legislation*
E : legislacion
I : *legislazione*

GESETZLICH
F : statutaire adj
GB : *statutory*
E : estatutario
I : *statutario*

GESETZLICH, RECHTLICH
F : licite
GB : *lawful, legal*
E : licito, legitimo
I : *lecito, legittimo*
Permis par la loi

GESETZLICHER FEIERTAG
F : jour férié
GB : *public holiday*
E : dia de fiesta
I : *giorno di festa*

GESETZLICHES ZAHLUNGSMITTEL
F : monnaie légale
GB : *legal tender*
E : moneda legal
I : *denaro a corso legale*
Dont le cours est légal en vertu de dispositions légales

GESICHERTE SCHULDVERSCHREIBUNG
F : obligation garantie (ou cautionnée)
GB : *secured debenture*
E : obligacion garantizada
I : *obbligazione garantita*
Cautionnement donné par une banque permettant le paiement à crédit de certains impôts indirects au Trésor public

GESPERRTER MARKT
F : marché ferme
GB : *closed market*
E : mercado cerrado
I : *mercato chiuso*

GESPERRTES KONTO
F : compte bloqué
GB : *blocked account*
E : cuenta bloqeada
I : *conto bloccato*

GESTEM
F : hier
GB : *yesterday*
E : ayer
I : *ieri*

GESTUNDETE ZAHLUNG
F : paiement différé
GB : *deferred payment*
E : pago aplazado
I : *pagamento diffe'ito*

GESUNDHEITSDIENST
F : service de santé
GB : *health service*
E : servicio de sanidad
I : *servizio sanitario*

GETRIEBE
F : engrenage
GB : *gearing*
E : engranaje
I : *ingranaggio*

GEWÄHREN (EINEN RABATT)
F : consentir (une remise)
GB : *allow (a discount)*
E : conceder (un descuento)
I : *concedere (un sconto)*

GEWALT
F : force
GB : *force*
E : fuerza
I : *forza*
Efficacité d'une campagne d'affichage publicitaire

GEWERBEAUFSICHTSBEAMTE(R)
F : inspecteur du travail
GB : *factory inspector*
E : inspector de fabrica
I : *ispettore di fabbrica*
Fonctionnaire chargé de l'application de la législation du travail

GEWERBESCHEIN
F : patente
GB : *trading licence*
E : patente
I : *patente*
Voir Taxe professionnelle

GEWICHT
F : poids
GB : *weight*
E : peso
I : *peso*

GEWINN
F : bénéfice
GB : *profit*
E : ganancia, beneficio
I : *utile, profitto*
Résultat final d'un exercice venant augmenter la richesse de l'entreprise

GEWINN
F : gain
GB : *gain*
E : ganancia
I : *guadagno*

GEWINN PRO AKTIE
F : bénéfice par titre
GB : *earnings per share*
E : beneficios por accion
I : *profitti per uzione*

GEWINN, PROFIT
F : profit
GB : *profit*
E : ganancia, beneficio
I : *utile, profitto*
Excédent de recettes sur des charges, bénéfice

GEWINN-UND VERLUSTKONTO
F : Compte de pertes et profits
GB : *profit and loss account*
E : cuenta de ganacias y péridas
I : *conto profitti e perdite*
Ses opérations sont maintenant enregistrées dans le compte de résultat (Nouveau Plan comptable 1984). Résultat d'exploitation corrigé par la prise en considération de tout ce qui n'est pas dû à la gestion normale de l'exercice

GEWINNANALYSE
F : analyse des coûts et rendements
GB : *cost benefit analysis*
E : analisis de costes y beneficios
I : *analisi dei costi e benefici*

GEWINNANTEILSCHEIN
F : dividende-warrant
GB : *dividend warrant*
E : cupon de dividendos
I : *cedola di dividendo*
Dividende assorti d'un bon de souscription permettant l'achat ultérieur d'actions à un prix égal ou supérieur

GEWINNAUSFALL
F : perte de bénéfices
GB : *loss of profits*
E : lucro cesante
I : *perdita di utili*

GEWINNBETEILIGUNG
F : participation aux bénéfices
GB : *profit-sharing*
E : participacion en los beneficios
I : *partecipazione agli utili*

GEWINNE UND VERLUSTE
F : pertes et profits
GB : *profit and loss*
E : pérdidas y ganancias
I : *profitti e perdite*
Voir Compte de pertes et profits

GEWINNLER
F : profiteur
GB : *profiteer*
E : acaparador
I : *profitatore*

GEWINNREALISATION
F : prise de bénéfices
GB : *profit-taking*
E : realizacion de utilidades
I : *realizzazione dell'utile*

GEWINNSCHWELLE
F : seuil de rentabilité
GB : *breakeven point*
E : umbral de rentabilidad
I : *soglia di redditività*
Point mort d'une entreprise ou niveau d'activité à partir duquel, toutes charges couvertes, elle commence à faire des bénéfices

GEWOGENER DURCHSCHNITT
F : moyenne pondérée
GB : *weighted average*
E : media ponderada
I : *media ponderata*
Moyenne arithmétique dans laquelle des coefficients sont attribués à certains nombres en fonction de leur valeur relative

GEZEICHNETES KAPITAL
F : capital souscrit
GB : *subscribed capital*
E : capital suscrito
I : *capitale sottoscritto*
Montant des apports en numéraires que les associés s'engagent à verser à la demande de la société

GIFTIGER ABFALL
F : déchets toxiques
GB : *toxic waste*
E : efluentes toxicos
I : *rifius tossici*

GIROBANK
F : banque de virement
GB : *clearing-bank*
E : banco de compensacion
I : *banca assiociata alla stanza di compensação*

GLÄTTUNG
F : lissage
GB : *smoothing*
E : alisado
I : *eliminazione delle variabili aleatorie*
Méthode mathématique employée pour extraire d'une série statistique des variations dues à des phénomènes de faible importance ou aléatoires

GLÄUBIGER
F : créancier
GB : *creditor*
E : acreedor
I : *creditore*

GLÄUBIGER
F : créditeur
GB : *creditor*
E : acreedor
I : *creditore*

GLÄUBIGERVERSAMMLUNG
F : réunion de créanciers
GB : *meeting of creditors*
E : concurso de acreedores
I : *convocazione dei creditori*

GLEICHGEWICHT
F : équilibre
GB : *equilibrium*
E : equilibrio
I : *equilibrio*

GLEICHSTROM
F : courant continu
GB : *direct current*
E : corriente continua
I : *corrente continua*
Courant électrique d'intensité constante circulant toujours dans le même sens

GLEITENDE SKALA
F : échelle mobile
GB : *sliding scale*
E : escala movil
I : *scala mobile*

GLOBAL-
F : global
GB : *global*
E : global
I : *globale*

GLOBALGESCHÄFT
F : marché global
GB : *package deal*
E : contrato global
I : *contratto globale*
Pratique des opérateurs qui consiste à négocier tout au long des 24 heures d'une journée

GOLD
F : or
GB : *gold*
E : oro
I : *oro*

GOLDGRUBE
F : régions aurifères
GB : *gold fields*
E : yacimiento aurifero
I : *terreni auriferi*

GOLDOBLIGATION
F : étalon-or
GB : *gold standard*
E : patron oro
I : *base aurea*
Système de changes fixes où chaque monnaie est définie par rapport à un poids d'or (parité-or)

ALLEMAND

GRAPHISCHE DARSTELLUNG
F : diagramme
GB : *diagram*
E : diagrama
I : *diagramma*
Graphique permettant de représenter un phénomène déterminé

GRATIFIKATION
F : gratification
GB : *gratuity*
E : gratificacion
I : *gratifica*
Somme versée en plus d'une rémunération régulière

GRATISAKTIEN
F : actions d'attribution (ou de jouissance)
GB : *bonus shares (USA stock dividend)*
E : acciones dadas como primas
I : *azioni di godimento*
Dont la valeur nominale a été entièrement remboursée à l'actionnaire par prélèvement sur les bénéfices ou les réserves de la société

GRENZE
F : frontière
GB : *frontier*
E : frontera
I : *frontiera*

GRENZE
F : limite
GB : *limit*
E : limite
I : *limite*

GRÖßE
F : taille
GB : *size*
E : tamaño
I : *taglia*

GROßHANDEL
F : commerce de gros
GB : *wholesale trade*
E : comercio al por mayor
I : *commercio all'ingrosso*

GROßHÄNDLER, GROSSIST
F : grossiste
GB : *wholesaler*
E : mayorista
I : *grossista*

GROßRAUMBÜRO
F : bureau paysager
GB : *open-plan office*
E : oficina sin particiones
I : *ufficio senza divisioni*

GROUPAGEDIENST
F : groupage (service de)
GB : *groupage service*
E : servicio de agrupacion
I : *transporto a collettame*

GRUND-UND GEBÄUDE-OBLIGATION
F : obligation foncière
GB : *property bond*
E : cédula hipotecaria
I : *obbligazione fondiaria*
Obligation à revenu fixe émise par une banque de crédit hypothécaire et destinée à financer des prêts immobiliers

GRUNDBESITZER
F : propriétaire foncier
GB : *ground-landlord*
E : proprietario del terreno
I : *proprietario del terreno*
Qui possède des terres, des terrains bâtis ou non

GRÜNDEMITGLIED
F : membre fondateur
GB : *founder member*
E : miembro fundador
I : *socio fondatore*

GRÜNDEN
F : former
GB : *form*
E : establecer, formar
I : *formare*

GRÜNDER
F : fondateur
GB : *founder*
E : fundador
I : *fondatore*

GRÜNDERAKTIEN
F : actions (ou parts) de fondateur
GB : *founder's shares*
E : acciones del fundador
I : *azioni del fondatore*
Titres négociables sans valeur nominale donnant certains droits aux fondateurs d'une société sans leur conférer la qualité d'associés (leur émission est interdite en France depuis 1966)

GRUNDLOHN
F : salaire de base
GB : *basic pay (USA base pay)*
E : salario-base
I : *salario fondamentale*
Celui qui est prévu dans le contrat d'engagement

GRUNDPACHT
F : rente foncière
GB : *ground-rent*
E : renta del terreno
I : *affitto di terreno*
Revenu tiré de la terre, lié au degré de fertilité de celle-ci (rente différentielle)

GRUNDSTEUER
F : impôt foncier
GB : *property tax*
E : impuesto sobre la propiedad
I : *imposta fondiaria*
Frappe les propriétaires de terrains, bâtis ou non

GRUPPENDYNAMIK
F : dynamique de groupe
GB : *group dynamism*
E : dinámica de grupo
I : *dinamica di gruppo*
Etude expérimentale de l'évolution de petits groupes sous différents aspects : décision, productivité, communication etc.

GRUPPENVERSICHERUNG
F : assurance de groupe
GB : *group insurance*
E : seguro de grupo
I : *assicurazione di gruppo*

GÜLTIG, GUT
F : valable
GB : *valid, good*
E : valido
I : *valido*

GUT, WARE
F : marchandise
GB : *commodity, merchandise*
E : mercaderia, mercancia
I : *merce, prodotto*

GÜTER
F : marchandises
GB : *goods*
E : mercancias
I : *merce*

GÜTERZUG
F : train de marchandises
GB : *goods train (USA freight train)*
E : tren de mercancias
I : *treno merci*

GUTSCHRIFTANZEIGE
F : avis de crédit
GB : *credit note*
E : nota de crédito
I : *nota di credito*

HAFEN
F : port
GB : *port*
E : puerto
I : *porto*

HAFENANLAGEN
F : installations portuaires
GB : *harbour installations*
E : instalaciones portuarias
I : *impianti portuali*

HAFENARBEITER
F : docker
GB : *docker (USA longshore-man)*
E : gargador de muelle
I : *lavoratore del porto*

HAFENGEBÜHREN
F : droits portuaires
GB : *port charges*
E : derechos portuarios
I : *diritti portuali*

HAFTKAUTION GEBEN
F : garant de (se porter)
GB : *go bail for*
E : salir fiados por
I : *rendersi garante di*

HAFTKAUTION, BÜRGSCHAFT
F : caution
GB : *bail, surety*
E : fianza, fiador
I : *cauzione, garante*
Personne physique ou morale qui accepte de se substituer à une autre (cautionnée) au cas où celle-ci ne respecterait pas l'engagement pris vis-à-vis d'un bénéficiaire. Bien garantissant le respect de cet engagement

HAFTPFLICHT DES ARBEITGE-BERS
F : responsabilité patronale
GB : *employer's liability*
E : responsabilidad del patrono
I : *responsabilità del datore di lavoro*

HAFTPFLICHTVERSICHERUNG
F : assurance responsabilité civile — RC
GB : *third-party insurance*
E : seguro contra responsabilidad civil
I : *assicurazione contro terzi*

HALB
F : moitié (à)
GB : *half*
E : medio
I : *mezzo*

HALBJÄHRLICH
F : semestriel
GB : *half-yearly*
E : semestral
I : *semestrale*

HALBJÄHRLICHE DIVIDENDE
F : dividende semestriel
GB : *half-yearly dividend*
E : dividendo semestral
I : *dividendo semestrale*

HALBMONATLICH
F : bi-mensuel
GB : *fortnightly*
E : bisemanal
I : *due settimanale*
Qui paraît ou qui a lieu deux fois par mois

HALBSOLD
F : demi-salaire
GB : *half-pay*
E : medio salario
I : *mezza paga*

HALTEN
F : tenir
GB : *hold*
E : tener
I : *tenere*

HAND-
F : manuel adj
GB : *manual*
E : manual
I : *manuale*

HANDBUCH
F : manuel nm
GB : *handbook*
E : manual
I : *manuale*

HANDEL
F : commerce
GB : *commerce*
E : comercio
I : *commercio*

HANDEL
F : marchandisage
GB : *merchandising*
E : merchandising
I : *merchandising*
Rattaché au marketing, il contrôle toutes les techniques de présentation d'un produit : l'aspect extérieur, le conditionnement (en contact direct ou non avec la marchandise)

HANDELS-
F : mercantile
GB : *mercantile*
E : mercantil
I : *mercantile*

HANDELSADRESSBUCH
F : guide du commerce
GB : *trade directory*
E : guia comercial
I : *quida commerciale*

HANDELSAKZEPT
F : acceptation commerciale
GB : *trade acceptance*
E : acceptacion comercial
I : *accettazione commerciale*
Acceptation par une banque d'un effet de commerce tiré par le fournisseur d'un de ses clients pour faciliter une opération commerciale

HANDELSBANK
F : banque commerciale
GB : *merchant bank*
E : banco mercantil
I : *banca commerciale*
Banque dont les principales fonctions sont de recevoir des dépôts et d'accorder des crédits aux entreprises

HANDELSBEVOLLMÄCHTIGTE(R)
F : agent accrédité
GB : *accredited agent*
E : agente acreditudo
I : *agente accreditato*
Qui a reçu la garantie d'un organisme, d'une autorité

HANDELSBILANZ
F : balance commerciale
GB : *trade balance*
E : balanza comercial
I : *bilancia commerciale*
Solde importations/exportations de marchandises d'un pays pour une période donnée

HANDELSBLOCK
F : bloc commercial
GB : *trade bloc*
E : bloque comercial
I : *unione commerciale*

HANDELSGEBRAUCH
F : usage commercial
GB : *custom of the trade*
E : uso comercial
I : *uso commerciale*

HANDELSKONTO
F : compte commercial
GB : *trade account*
E : cuenta comercial
I : *conto commerciale*
Balance commerciale, enregistrement des importations et des exportations de marchandises d'un pays au cours d'une période donnée

HANDELSKONTOR
F : comptoir
GB : *counter*
E : mostrador
I : *succursale*

HANDELSMARKE
F : marque
GB : *brand*
E : marca
I : *marca*

HANDELSMESSE
F : foire commerciale
GB : *trade fair*
E : feria de muestras
I : *fiera commerciale*
Foire où ce qui est exposé est proposé à la vente

HANDELSPREIS
F : prix marchand
GB : *trade price*
E : precio al comerciante
I : *prezzo al commerciante*
Prix du marché ou prix de référence

HANDELSSCHIFF
F : navire marchand
GB : *merchant ship*
E : barco mercante
I : *nave mercantile*

HANDELSSCHRANKE
F : barrière commerciale
GB : *trade barrier*
E : barreira comercial
I : *barreira commerciale*
Tout obstacle à la libre circulation des biens et des services

HANDELSSPANNE
F : marge commerciale
GB : *trading margin*
E : margen comercial
I : *margine commerciale*
Différence entre le chiffre d'affaires hors taxes et le coût d'achat hors taxes des marchandises vendues

HANDELSVERTRETER
F : agent attitré
GB : *appointed agent*
E : agente nombrado
I : *agente ufficiale*
En titre, titulaire d'une fonction

HANDELSVERTRETER
F : agent commercial
GB : *mercantile agent (USA sales agent)*
E : agente mercantil
I : *agente di commercio*
Mandataire indépendant qui négocie des actes commerciaux pour le compte d'une entreprise

HANDELSZYKLUS
F : cycle de commerce
GB : *trade cycle*
E : ciclo del negocio
I : *ciclo degli affari*

HANDGEPÄCK
F : bagages à main
GB : *hand-luggage*
E : equipaje de mano
I : *bagaglio a mano*

HÄNDLER, KAUFMANN
F : négociant
GB : *dealer, merchant*
E : comerciante
I : *negoziante, commerciante*
Intermédiaire entre fabricants et utilisateurs, il cherche auprès de nombreux fournisseurs les meilleures conditions de prix. Il intervient en amont ou parallèlement au grossiste

HANDWERKLICH
F : artisanal
GB : *(profession) craft industry, (stade) small scale*
E : artesanal
I : *artigianale*

HANDWERKSKAMMER
F : Chambre des métiers
GB : *Chamber of trade*
E : Cámara de gremios
I : *Camera dell'artigianato*
Etablissement public départemental représentant les intérêts collectifs des artisans

HARTE KERNE
F : noyaux durs
GB : *hard core shareholders*
E : núcleo fuerte
I : *zoccolo duro*
Noyaux stables d'actionnaires des sociétés privatisées, soumis au respect de certaines contraintes pour protéger celles-ci d'éventuelles prises de contrôle

HARTE WÄHRUNG
F : monnaie forte
GB : *hard currency*
E : moneda fuerta
I : *valuta forte*

HÄUFIGKEIT
F : fréquence
GB : *frequency*
E : frecuencia
I : *frequenza*

HÄUFIGKEITSVERTEILUNG
F : distribution de fréquences
GB : *frequency distribution*
E : distribucion de las frecuencias
I : *distribuzione delle frequenze*

HAUPTBUCH
F : grand livre
GB : *ledger*
E : libro mayor
I : *libro mastro*
Ensemble des comptes ouverts dans l'entreprise où figurent toutes les opérations enregistrées par nature

HAUPTBÜRO
F : siège social
GB : *head office*
E : oficina central
I : *sede, ufficio centrale*
Domicile légal d'une personne morale

HAUPTEINKÄUFER
F : chef des achats
GB : *head buyer*
E : jefe del departamento de compras
I : *capo servizio acquisti*

HAUPTVERKEHRSZEIT
F : heures d'affluence
GB : *rush hour*
E : hora punta
I : *ora di punta*

HAUPTVERSAMMLUNG, ORDENTLICHE GENERALVERSAMMLUNG
F : assemblée générale
GB : *general meeting, ordinary general meeting*
E : asamblea general, asamblea general ordinaria
I : *assemblea generale, assemblea generale ordinaria*
Réunion des actionnaires ou des associés d'une société, ou des membres d'une association

HAUPTVERWALTUNG
F: administration centrale
GB: *central government*
E: administración central
I: *amministrazione centrale*

HAUS
F: maison
GB: *house*
E: casa
I: *casa*

HAUS-ZU-HAUS-VERKAUF
F: vente à domicile
GB: *door-to-door selling*
E: venta a domicilio
I: *vendita a domicilio*

HAUSFRAU
F: ménagère
GB: *housewife*
E: ama de casa
I: *massaia*

HAUSHALT
F: ménage
GB: *household*
E: hogar
I: *famiglia*
Unité de consommation (une famille, un célibataire, une entreprise individuelle)

HAUSHALTSKONTROLLE
F: contrôle budgétaire
GB: *budgetary control*
E: control presupuestario
I: *controllo a bilancio preventivo*
Contrôle de gestion par comparaison objectifs/résultats

HAUSHALTSPLAN
F: budget
GB: *budget*
E: presupuesto
I: *biancio preventivo*
Etat prévisionnel et limitatif des dépenses et recettes à réaliser au cours d'une période donnée par un individu ou une collectivité

HAUSHERR
F: chef de famille
GB: *householder*
E: jefe de familia
I: *capo-famiglia*

HAUSMEISTER
F: concierge
GB: *hall-porter*
E: conserje
I: *portiere*

HAUSSE
F: hausse (forte)
GB: *boom*
E: bonanza
I: *rialzo*

HAUSSEMARKT
F: marché orienté à la hausse
GB: *bull market*
E: mercado alcista
I: *mercato tendente al rialzo*

HAVARIE
F: avarie
GB: *average (marine insurance)*
E: averia
I: *avaria*

HAVARIERT
F: avarié
GB: *with average (WA)*
E: con avería
I: *con averia*

HEIMATHAFEN
F: port d'attache
GB: *port of registration*
E: puerto de matricula
I: *porto d'immatriculazione*

HEIZÖL
F: mazout
GB: *fuel oil*
E: fuel-oil
I: *petrolio da ardere*

HERKUNFTSLAND
F: pays de provenance
GB: *country of origin*
E: pais de origen
I: *paese di origine*

HERSTELLUNGSKOSTEN
F: coût de revient
GB: *(production) cost*
E: coste de produción
I: *costo d'acquisto, prezzo di costo*
Coût total de produits ou services vendus

HERSTELLUNGSLIZENZ
F: licence de fabrication
GB: *manufacturing licence*
E. licencia de fabricación
I: *licenza di fabbricazione*

HIERMIT
F: par la présente
GB: *hereby*
E: por esto
I: *col presente, con questo*

HILFE
F: secours
GB: *help*
E: ayuda
I: *aiuto*

HINAUSLAUFEND AUF
F: concurrence de (à)
GB: *amounting to*
E: ascendiendo a
I: *ammontante a*

HINDERUNG
F: empêchement
GB: *hindrance*
E: impedimento
I: *impedimento*

HINTERLEGEN
F: verser des arrhes
GB: *pay a deposit*
E: hacar un deposito
I: *versare un deposito*
Voir Arrhes

HINZUFÜGEN
F: ajouter
GB: *add*
E: anadir
I: *aggiungere*

HINZUWÄHLEN
F: coopter
GB: *co-opt*
E: cooptar
I: *cooptare*
Admettre dans une assemblée de nouveaux membres désignés par elle-même

HISTOGRAMM
F: histogramme
GB: *histogram*
E: histograma
I: *istogramma*
Graphique représentant une succession de rectangles de base égale et de hauteur variable, où figurent en abscisse des périodes de même importance et en ordonnée les différentes valeurs d'une variable

HOCH
F: haut
GB: *high*
E: alto, elevado
I: *alto, elevato*

HOCHWERTIG
F: première qualité (de)
GB: *top quality*
E: de primera calidad
I: *di qualità superiore*

HOHEITSGEWÄSSER
eaux territoriales
GB: *territorial waters*
E: *aguas territoriales*
I: acque territoriali
Zone maritime appartenant à un Etat et soumise à sa juridiction

HOLDINGGESELLSCHAFT
F: holding
GB: *holding*
E: holding
I: *holding*
Société financière ou industrielle dont l'objet consiste à prendre et détenir des participations dans des entreprises pour en contrôler l'activité

HONORAR
F : cachet (d'artiste)
GB : *fee (artist's)*
E : remuneración (artista)
I : *cachet, compenso (artista)*
Rétribution d'une prestation

HONORIEREN
F : honorer
GB : *honour*
E : honrar
I : *onorare*
Respecter ses engagements

HORIZONTALER ZUSAMMEN-SCHLUß
F : intégration horizontale
GB : *horizontal integration*
E : integracion horizontal
I : *integracione orizzontale*
Groupement d'entreprises intervenant à différents stades du processus productif ou exerçant des activités différentes mais complémentaires

HORTUNG
F : thésaurisation
GB : *hoard*
E : atesoramiento
I : *ammasso*
Détention improductive de valeurs ou de créances soustraites aux circuits économiques et monétaires

HOTEL
F : hôtel
GB : *hotel*
E : hotel
I : *albergo*

HUBRAUM
F : cyclindrée
GB : *cubic capacity*
E : cilindrada
I : *cilindrata*

HYPOTHEK
F : hypothèque
GB : *mortgage*
E : hipoteca
I : *ipoteca*

Droit réel détenu par un créancier à titre de garantie sur le bien immobilier de son débiteur, sans qu'il en ait la propriété

HYPOTHEKARISCH GESICHERTE SCHULDVERSCHREIBUNG
F : obligation hypothécaire
GB : *mortgage debenture*
E : obligacion hipotecaria
I : *obbligazione ipotecaria*
Obligation garantie par une hypothèque sur des biens immeubles

HYPOTHESE
F : hypothèse
GB : *hypothesis*
E : hipotesis
I : *ipotesi*

IDEE
F: idée
GB : *idea*
E: idea
I: *idea*

IDENTIFIZIEREN
F: identifier
GB : *idntify*
E: identificar
I: *identificare*

IM AUSLAND
F: étranger (à l')
GB : *abroad*
E: en el extranjero
I: *all'estero*

IM DURCHGANGSVERKEHR
F: transit (en)
GB : *in transit*
E: en transito
I: *in transito*
Se dit de personnes ou de marchandises (dispensées alors de droits de douane) qui traversent une région ou un pays au cours d'un voyage ou pendant un transport

IM EINVERMEHMEN MIT
F: accord avec (d')
GB : *in agreement with*
E: de acuerdo con
I: *d'accordo con*

IM WERT STEIGEN
F: apprécier
GB : *appreciate (in value)*
E: subir (en valor)
I: *aumentare (di valore)*

IMAGINÄRER GEWINN
F: profit fictif
GB : *paper profit*
E: ganancia por realizar
I: *utile sulla carta*
Définition prévue non donnée

IMAGINÄRER VERLUST
F: perte fictive
GB : *paper loss*
E: pérdida por realizar
I: *perdita sulla carta*
Définition prévue non donnée

IMMATERIELLE VERMÖGENSGE-GENSTÄNDE
F: immobilisations corporelles ou incorporelles
GB : *(tangible or intangible) assets*
E: inmovilizaciones corporales o incorporales
I: *immobilizzazioni materiali o immmateriali*
Comptes enregistrant la valeur des terrains, constructions, matériels...(immobilisations corporelles) ou la valeur des frais d'établissement, du fonds commercial, des frais de recherche...(immobilisations incorporelles)

IMMOBILIENBÜRO
F: agence immobilière
GB : *estate agency (USA real estate agency)*
E: correduria de fincas
I: *agenzia immobiliare*

IMMOBILIENMAKLER
F: promoteur immobilier
GB : *property developer*
E: promotor inmobiliario
I: *costruttore edile*

IMPORTEUR
F: importateur
GB : *importer*
E: importador
I: *importatore*

IN DER SCHWEBE
F: suspens (en)
GB : *in abeyance*
E: en suspenso
I: *in sospeso*

IN GROßER MENGE, UNVERPACKT
F: vrac (en)
GB : *in bulk*
E: a granel
I: *alla rinfusa*
Marchandises vendues non conditionnées ou expédiées sans être arrimées

IN GUTEM ZUSTAND
F: état (en bon)
GB : *good repair*
E: en buen estado
I: *in buone condizioni*

IN KOMMISSION
F: consignation (en)
GB : *on consignment*
E: en consignacion
I: *in conto deposito*
En dépôt à titre de garantie ou en attendant la solution d'un litige

IN KRAFT
F: vigueur (en)
GB : *in force*
E: en vigor
I: *in vigore*

IN ÜBEREINSTIMMUNG MIT
F: conforme à
GB : *in accordance with*
E: en conformidad con
I: *in conformità con*

IN WAREN
F: nature (en)
GB : *in kind*
E: en especie
I: *in natura*
En produits, objets, et non en espèces.

INDEX
F: index
GB : *index*
E: indice
I: *indice*
Repère mobile permettant de lier une valeur à une autre qui sert de référence

INDEX
F: indice
GB : *index*
E: indice
I: *indice*
Mesure synthétique de l'évolution d'une grandeur dans le temps ou l'espace, ou du rapport de sa valeur par rapport à une valeur de base choisie comme référence

INDEXKARTE
F : fiche
GB : *index card*
E : ficha
I : *scheda*

INDIREKTE STEUERN
F : contributions indirectes
GB : *indirect taxation*
E : contribuciones indirectas
I : *imposte indirette*

INDOSSAMENT
F : endossement
GB : *endorsement*
E : endoso
I : *girata*
Apposition, par le porteur d'un effet de commerce à son ordre, de sa signature au dos pour le transmettre à un nouveau bénéficiaire

INDOSSIEREN
F : endosser
GB : *endorse*
E : endosar
I : *girare*

INDUSTRIE, GEWERBE
F : industrie
GB : *industry*
E : industria
I : *industria*

INDUSTRIE-UND-HANDELSKAMMER
F : Chambre de commerce et d'industrie
GB : *Chamber of commerce and industry*
E : Cámara de comercio y de industria
I : *Camera di commercio, dell'industria*

INDUSTRIEGEBIET
F : domaine industriel
GB : *industrial estate (USA industrial park)*
E : precinto industrial
I : *centro industriale*

INDUSTRIELL, GEWERBE-
F : industriel adj
GB : *industrial*
E : industrial
I : *industriale*

INDUSTRIELLE(R)
F : industriel nm
GB : *industrialist*
E : industrial
I : *industriale*

INDUZIERT
F : induit
GB : *induced*
E : inducido
I : *indotto*
Se dit d'un phénomène entraîné par un autre

INFLATION
F : inflation
GB : *inflation*
E : inflacion
I : *inflazione*
Déséquilibre économique caractérisé par la hausse du niveau général des prix et la dépréciation de la monnaie

INFLATIONSSPIRALE
F : spirale inflationniste
GB : *inflationary spiral*
E : espiral de inflacion
I : *inflazione a spirale*
Processus cumulatif et auto entretenu de hausse générale des prix qui, non maitrisé, débouche sur une inflation galopante (2 chiffres) ou une hyperinflation (3 chiffres)

INFORMATIONSWIEDERGEWINNUNG
F : récupération de données
GB : *information retrieval*
E : rebusca de informacion
I : *ricupero d'informazioni*

INGENIEUR
F : ingénieur
GB : *engineer*
E : ingeniero
I : *ingegnere*

INGENIEURBAU
F : génie civil
GB : *civil engineering*
E : ingenieria civil
I : *ingegneria civile*
Construction civile et corps des ingénieurs qui en a la responsabilité

INHABER
F : détenteur
GB : *holder*
E : titular
I : *titolare*

INHABER
F : porteur
GB : *bearer*
E : portador
I : *portatore*
Détenteur de titres

INHABEREFFEKTEN
F : valeur au porteur
GB : *bearer security*
E : valor al portador
I : *valore al portatore*
Valeur qui appartient à celui qui la détient

INHABEROBLIGATION
F : bon au porteur
GB : *bearer bond*
E : titulo al portador
I : *titolo al portatore*
Bon dont le bénéficiaire n'est pas désigné nominativement

INHABEROBLIGATION
F : obligation au porteur
GB : *bearer debenture*
E : obligacion al portador
I : *obbligazione al portatore*
Titre non nominatif de créance négociable manuellement

INHABERSCHECK
F : chèque restaurant au porteur
GB : *cheque payable to bearer*
E : cheque al portador
I : *assegno al portatore*
Ticket-repas non nominatif cofinancé par l'entreprise et le salarié

INHALT
F : contenu
GB : *contents*
E : contenido
I : *contenuto*

INKASSOBEAUFTRAGTE(R)
F : agent de recouvrement
GB : *debt collector*
E : agente recaudador
I : *agente di ricupero crediti*
Chargé d'apurer une dette pour le compte du créancier

INNERLICH, INLÄNDISCH
F : interne adj
GB : *internal*
E : interno, interior
I : *interno*

INNERLICH, WAHR
F : intrinsèque
GB : *intrinsic*
E : intrinseco
I : *intrinseco*
Voir Valeur intrinsèque

INNERLICHER WERT
F : valeur intrinsèque
GB : *intrinsic value*
E : valor intrinseco
I : *valore intrinseco*
A un moment donné, écart entre le prix marché comptant d'un actif et le prix prévu si on fait jouer une option d'achat ou de vente

INSTANDHALTUNG
F : entretien
GB : *maintenance*
E : mantenimiento
I : *manutenzione*
Conversation suivie entre des interlocuteurs en présence ou non l'un de l'autre

INSTANDHALTUNG
F : maintenance
GB : *maintenance*
E : mantenimiento
I : *manutenzione*
Toutes les activités d'entretien de matériels et de machines (interventions préventives ou consécutives à une panne)

INSTITUT, ANSTALT
F: institut
GB: *institution*
E: institucion, instituto
I: *istituzione, istituto*
Etablissement de recherche scientifique ou d'enseignement; corps constitué de gens de lettres, d'artistes, de savants

INSTITUTIONELLER ANLEGER
F: investisseur institutionnel
GB: *institutional investor*
E: inversor institucional
I: *investitore istituzionale*
Organisme financier tenu, par sa nature ou son statut, de placer en valeurs mobilières la plus grande partie de l'épargne qu'il collecte

INSTITUTIONNELL
F: institutionnel
GB: *institutional*
E: institucional
I: *istituzionale*
Relatif à une organisation, à la collectivité

INSTRUMENT
F: instrument
GB: *instrument*
E: instrumento
I: *strumento*

INTERESSENVERBAND
F: groupement d'intérêt économique (GIE)
GB: *economic interest grouping*
E: agrupación de interés económico
I: *gruppo d'interesse economico (GIE)*
Personne morale, sans capital social, constituée par des entreprises juridiquement indépendantes (mais solidairement responsables de leurs dettes) pour développer et améliorer leurs performances

INTERNATIONAL
F: international
GB: *international*
E: internacional
I: *internazionale*

INTERNATIONALE ARBEITSORGANISATION (IAO)
F: Organisation internationale du travail — OIT
GB: *International labour organization (ILO)*
E: Organizacion laboral internacional
I: *Organizzazione internazionale del lavoro*

INTERNATIONALE BANK FÜR WIEDERAUFBAU UND WIRTSCHAFTSFÖRDERUNG
F: Banque internationale pour la reconstruction et le développement — BIRD ou Banque mondiale
GB: *International bank for reconstruction and development*
E: *Banco internacional para reconstruccion y desarrollo*
I: Banca internazionale per la ricostruzione e lo sviluppo
Institution internationale qui finance essentiellement les grands travaux d'infrastructure industrielle dans les pays en voie de développement

INTERNATIONALE FINANZKORPORATION
F: société financière internationale — SFI
GB: *international finance corporation*
E: corporacion international de finanzas
I: *corporazione finanziaria internazionale*
Filiale de la BIRD créée en 1955 pour participer au financement des entreprises privées dans les pays en développement

INTERNATIONALE HANDELSKAMMER
F: Chambre de commerce Internationale
GB: *International chamber of commerce*
E: Camara internacional de comercio
I: *Camera di Commercio internazionale*

INTERNATIONALER WÄHRUNGSFONDS (IWF)
F: Fonds monétaire international — FMI
GB: *International monetary fund (IMF)*
E: Fondo monetario internacional
I: *Fondo monetario internazionale*
Organisme (comprenant la plupart des Etats membres de l'ONU) créé pour favoriser la stabilité des changes, promouvoir la coopération monétaire internationale et soutenir la croissance de la production et du commerce mondial

INTERNE REVISION
F: vérification interne
GB: *internal audit*
E: verificacion contable interna
I: *verifica contabile interna*
Audit pratiqué par un salarié de l'entreprise

INTERNER ABGABEPREIS
F: prix de cession interne
GB: *transfer price*
E: precio de cesión interna
I: *prezzo di cessione interna*
Prix auquel sont facturées les cessions de produits ou services entre divisions d'une même entreprise ou établissements d'un même groupe

INTERVENTIONSPREIS
F: prix d'intervention
GB: *intervention price*
E: precio de intervencion
I: *prezzo d'intervento*
Seuil de prix auquel les pouvoirs publics interviennent pour éviter qu'un marché ne s'effondre

INTERVIEW
F: interview
GB: *interview*
E: entrevista
I: *intervista, abboccamento*

INTERVIEWER
F: intervieweur
GB: *interviewer*
E: entrevistador
I: *intervistatore*

INVENTAR
F: inventaire
GB: *inventory*
E: inventario
I: *inventario*
Relevé en volume et en valeur des éléments d'actif et de passif d'une entreprise à la clôture d'un exercice

INVERZUGSETZUNG
F: mise en demeure
GB: *formal notice*
E: aviso oficial
I: *intimazione*

INVESTIERUNGSGESELLSCHAFT
F: société de placement
GB: *investment company*
E: compania inversionista
I: *società per investimenti*
Voir Placement

INVESTITIONSANALYST
F: analyste d'investissements
GB: *investment analyst*
E: analizador de inversiones
I: *analizzatore d'investimenti*

INVESTITIONSGESELLSCHAFT MIT VARIABLEM KAPITAL
F: SICAV (société d'investissement à capital variable)
GB: *mutual fund*
E: sociedad gestora del fondo de inversión mobiliaria
I: *società d'investimento a capitale variabile*
Exclusivement destinée à la gestion collective des placements de ses actionnaires (valeurs mobilières ou biens immobiliers)

ALLEMAND

INVESTITIONSPLAN
 F : plan d'investissement
 GB : *investment plan*
 E : plan de inversión
 I : *programma d'investimenti*

INVESTITIONSPORTEFEUILLE
 F : portefeuille d'investissements
 GB : *investment portfolio*
 E : cartera de inversiones
 I : *portafoglio titoli*

INVESTMENT-TRUST
 F : société fiduciaire de placements
 GB : *investment trust*
 E : fideicomiso de inversiones
 I : *consorzio per investimenti*

IRRTUM VORBEHALTEN
 F : erreur ou omission (sauf)
 GB : *errors and omissions excepted (e & oe)*
 E : salvo error u omision
 I : *salvo errori ed omissioni*

J-K

JAHRESABSCHLUB
F: bilan annuel
GB : *annual accounts*
E: balance anual
I: *balancio annuale*

JAHRESBERICHT
F: rapport annuel
GB : *annual report*
E: memoria anual
I: *relazione annuale*
Bilan de l'activité passée et projection dans l'avenir, il présente en priorité aux actionnaires les résultats et la situation financière de l'entreprise conformément au plan comptable; sa publication est obligatoire pour les sociétés cotées en Bourse

JAHRESHAUPTVERSAMMLUNG
F: assemblée d'actionnaires annuelle
GB : *annual general meeting* USA stockholder's meeting)
E: asambla general anual
I: *assemblea generale annuale*
Assemblée générale ordinaire chargée d'examiner et approuver les comptes de l'exercice précédent, de décider de l'affectation du résultat, de nommer les administrateurs

JAHRESKURS
F: taux annuel
GB : *annual rate*
E: tasa anual
I: *tasso annuale*

JAHRESZEIT
F: saison
GB : *season*
E: estacion
I: *stagione*

JAHRESZEITLICH BEDINGTE ARBEITSLOSIGKEIT
F: chômage saisonnier
GB : *seasonal unemployment*
E: paro de temporada
I: *disoccupazione stagionale*

JÄHRLICH
F: annuel
GB : *annual*
E: anual
I: *annuale*

JUST IN TIME
F: juste à temps
GB : *JIT (just in time)*
E: justo a tiempo
I: *just in time, flusso teso*
Méthode qui consiste à acheter ou produire en fonction des stricts besoins du moment

KABELAUSZAHLUNG
F: virement télégraphique
GB : *telegraphic transfer*
E: giro telegrafico
I: *rimessa telegrafica*
Ordre de virement transmis par télégramme entre deux centres de chèques postaux

KABINETT
F: cabinet (ministère)
GB : *minister's departmental staff*
E: gabinete (ministerio)
I: *gabinetto (ministeriale)*
Ensemble des ministres groupés autour du chef du gouvernement

KAFFEE
F: café
GB : *coffee*
E: café
I: *caffè*

KAI
F: quai
GB : *quay, wharf*
E: muelle
I: *scalo*

KALENDER
F: calendrier
GB : *calendar*
E: calendario
I: *calendario*

KALENDERJAHR
F: année civile
GB : *calendar year*
E: ano civil
I: *anno solare*

KALIBRIEREN
F: calibrer
GB : *calibrate*
E: calibrar
I: *calibrare*
Mesurer le diamètre d'un objet sphérique pour pouvoir le classer

KALKULIERTE KOSTEN
F: charge constatée d'avance
GB : *prepaid expense*
E: carga comprobada con anticipación
I: *carico, onere previsto*
Charge enregistrée durant un exercice mais ne s'y rapportant pas (concerne l'activité de l'exercice suivant)

KAMPAGNE
F: campagne
GB : *campaign*
E: campana
I: *campagna*

KAMPAGNEKREDIT
F: crédit de campagne
GB : *campaign credit*
E: crédito de campaña
I: *finanziamento per acquisti agricoli*
Crédit de trésorerie couvrant les besoins liés à la saisonnalité de l'activité d'une entreprise

KANAL
F: canal
GB : *canal*
E: canal
I: *canale*

ALLEMAND

KAPITAL
F : capital
GB : *capital*
E : capital
I : *capitale*
Elément principal d'une dette.
Patrimoine possédé susceptible de
rapporter un revenu

KAPITAL
F : principal (capital) nm
GB : *principal (USA capital)*
E : principal
I : *capitale*
Elément principal d'une dette, par
opposition aux intérêts

KAPITALANLAGE, INVSTIERUNG
F : investissement
GB : *investment*
E : inversion
I : *investimento*
Acquisition d'une immobilisation

KAPITALEINKOMMEN
F : rentes
GB : *unearned income*
E : rentas
I : *reddito di capitale*
Revenus assurés pour une longue
période

KAPITALERHÖHUNG
F : augmentation de capital
GB : *increase of capital*
E : aumento de capital
I : *aumento di capitale*

KAPITALERTRAG
F : rémunération du capital
GB : *return on capital*
E : beneficio sobre capital
I : *reddito del capitale*
Intérêts du capital prêté

KAPITALERTRAGSTEUER
F : impôt sur les plus-values
en capital
GB : *capital gains tax*
E : impeusto sobre las ganan-
cias de capital
I : *imposta sul plusvalore di
capital*

KAPITALHERABSETZUNG
F : réduction de capital
GB : *reduction of capital*
E : reduccion de capital
I : *riduzione del capitale*

KAPITALISIEREN
F : capitaliser
GB : *capitalize*
E : capitalizar
I : *capitalizzare*

KAPITALISIERTER WERT
F : valeur capitalisée
GB : *capitalized value*
E : valor capitalizado
I : *valore capitalizzato*
Montant des intérêts transformés en
capital

KAPITALISIERUNG
F : capitalisation
GB : *capitalization*
E : capitalizacion
I : *capitalizzazione*
Incorporation d'intérêts pour la
constitution ou l'accroissement d'un
capital existant

KAPITALISMUS
F : capitalisme
GB : *capitalism*
E : capitalismo
I : *capitalismo*
Système économique fondé sur la
dissociation entre les propriétaires
des moyens de production (dont le
but est la réalisation d'un profit), et
les travailleurs qui les mettent en
œuvre contre un salaire, les « lois du
marché » assurant la régulation du
système

KAPITALKONTO
F : compte de capital
GB : *capital account*
E : cuenta de capital
I : *conto capitale*
Décrit la structure qu'un agent éco-
nomique a donnée à la variation de
son patrimoine

KAPITALRESERVE
F : réserve de capitaux
GB : *capital reserves*
E : reserva de capital
I : *riserva di capitale*

KAPITALVERLUST
F : perte de capital
GB : *capital loss*
E : pérdida de capital
I : *perdita di capitale*

KAPITÄN
F : capitaine
GB : *master of a ship*
E : capitan de navio
I : *capitano di nave*

KAPITLHILFE
F : subventions en capital
GB : *capital grants*
E : subvencion de capital
I : *sovvenzioni di capitale*

KARAT
F : carat
GB : *carat*
E : quilate
I : *carato, azione, caratura di
società*
Quantité d'or fin contenue dans un
alliage de ce métal (1/24ème de la
masse totale)

KARRIERE
F : carrière
GB : *career*
E : carrera
I : *carriera*

KARTE
F : carte
GB : *card*
E : tarjeta
I : *scheda*

KARTEI
F : fichier
GB : *card-index file*
E : archivo de fichas
I : *schedario*

KARTELL
F : cartel
GB : *cartel*
E : cartel
I : *cartello*
Entente entre des entreprises indé-
pendantes les unes des autres en vue
de limiter ou supprimer les risques
de la concurrence

KARTELLGESETZ
F : loi anti-trust
GB : *restrictive trade practices
law*
E : ley antitrust
I : *legge antitrust*
Loi (nationale ou internationale) qui
contrôle les ententes et pénalise
l'abus des positions dominantes

KARTON
F : carton
GB : *carton*
E : carton
I : *cartone*

KASSAGESCHÄFT
F : marché au comptant
GB : *spot market*
E : operación al contado
I : *mercato a contanti*
Marché boursier où les titres mobi-
liers échangés sont immédiatement
payés au prix convenu

KASSAGESCHÄFT
F : vente au comptant
GB : *cach sale*
E : venta al conta
I : *vendita a contanti*

KASSE, GELDKASSETTE
F : caisse
GB : *cash-desk, cash-box*
E : caja
I : *cassa, cassetta*
Compte retraçant les opérations
effectuées en espèces ou en numé-
raire

KASSENBUCH
F : livre de caisse
GB : *cash book*
E : libro de caja
I : *libro cassa*
Document comptable recensant à
un moment donné les encaissements
et décaissements effectués par une
entreprise

KASSENPENSION
F : retraite par cotisations
GB : *contributory pension*
E : retiro contributivo
I : *pensione a contributi*
Base du système de retraite par capitalisation (chaque actif finance sa propre retraite par le placement de ses cotisations) ou par répartition (celles-ci sont immédiatement reversées aux retraités)

KASSENRESERVE
F : réserve en espèces
GB : *cash reserve*
E : reserva en efectivo
I : *riserva in contanti*

KASSIERER
F : caissier
GB : *cashier (USA teller)*
E : cajero
I : *cassiere*

KATALOG
F : catalogue
GB : *catalogue*
E : catalogo
I : *catalogo*

KATALOGPREIS
F : tarif-catalogue
GB : *trade catalogue, catalogue rate*
E : catalogo comercial, tarifa catálogo
I : *tariffa di listino*

KATASTER
F : cadastre
GB : *land registry*
E : catastro
I : *catasto*
Administration et ensemble des documents qui permettent de déterminer les propriétés foncières d'un territoire

KAUF, EINKAUF
F : achat
GB : *purchase*
E : compra adquisiciones (pl.)
I : *compra acquisti (pl.)*

KAUFABNEIGUNG
F : résistance à la vente
GB : *sales resistance*
E : dificultades de ventas
I : *difficoltà di vendita*

KAUFEN
F : acheter
GB : *buy*
E : comprar
I : *comprare*

KÄUFER
F : acheteur
GB : *buyer*
E : comprador
I : *compratore*

KÄUFERKREDIT
F : crédit acheteur
GB : *crédit acheteur*
E : crédito de comprador
I : *credito d'acquisto*
Crédit à l'export octroyé par la banque du pays exportateur à l'importateur, qui peut payer comptant l'exportateur

KAUFKRAFT
F : pouvoir d'achat
GB : *purchasing power*
E : poder de compra
I : *potere d'acquisto*
Quantité de biens ou services qu'une somme d'argent permet d'acheter

KAUFOPTION
F : option d'achat
GB : *call option*
E : opcion de compras
I : *premio d'acquisto*
Confère le droit (et non l'obligation) d'acheter des actifs à un prix fixé

KAUFPREIS
F : prix d'achat
GB : *purchase price*
E : precio de compra
I : *prezzo d'acquisto*

KAUFVERTRAG
F : acte de vente
GB : *bill of sale*
E : escritura de venta
I : *contratto di vendita*
Authentifie l'échange d'un bien contre de la monnaie

KAVALIERSABKOMMEN
F : convention verbale
GB : *gentleman's agreement*
E : acuerdo sobre palabra
I : *accordo sulla parola*

KENNTNIS
F : connaissance
GB : *knowledge*
E : conocimientos
I : *conoscenza*

KETTENGESCHÄFT
F : magasin à succursales multiples
GB : *chain store*
E : sucursal de cadena de almacenes
I : *negozio a catena*

KLADDE
F : brouillard comptable (ou brouillon ou main-courante)
GB : *day book*
E : borrador contable
I : *brogliaccio contabile*
Registre où on inscrit les opérations comptables dans l'ordre où elles se présentent

KLAUSEL
F : clause
GB : *clause*
E : clausula
I : *clausola*
Disposition particulière d'un acte, d'un contrat

KLEINANZEIGE
F : petite annonce
GB : *classified advertisement*
E : anuncio por palabras
I : *piccola pubblicità*

KLEINE UND MITTLERE UNTERNEHMEN
F : petites et moyennes entreprises (PME)
GB : *small and medium-sized companies*
E : pequeñas y medianas empresas (PME)
I : *piccole e medie imprese (PMI)*
Entreprises employant de 10 à 500 salariés

KLEINGELD
F : petite monnaie
E : small change
E : moneda suelta
I : *spiccioli*

KLIMATIDIERUNG
F : climatisation
GB : *air-conditioning*
E : acondicionamiento de aire
I : *condizionamento dell'aria*

KNOTEN
F : nœud
GB : *knot*
E : nudo
I : *nodo*

KOHLE
F : houille
GB : *coal*
E : carbon
I : *carbone*

KOHLE, HOLZKOHLE
F : charbon
GB : *coal, charcoal*
E : carbon, carbonde lena
I : *carbone*

KOHLENREVIER
F : bassin houiller
GB : *coal field*
E : yacimiento de carbon
I : *bacino carbonifero*

KOMBINIERTE VERSICHERUNG
F : assurance combinée
GB : *comprehensive insurance*
E : seguro combinado
I : *assicurazione mista*

ALLEMAND

KOMMANDITGESELLSCHAFT
F : commandite (société en)
GB : *limited partnership*
E : comandita
I : *accomandita*
Société commerciale dans laquelle des associés apportent des capitaux sans prendre part à la gestion

KOMMANDITGESELLSCHAFT
F : société en commandite
GB : *limited partnership*
E : sociedad en comandita
I : *società in accomandita semplice*
Forme de société exploitée par un entrepreneur (commanditaire) à laquelle un bailleur de fonds (commanditaire) a fait un apport en capital sans prendre part à sa gestion. Attention : deux fois commanditaire dans la déf. ?!

KOMMISSION, AUSSCHUB
F : comité
GB : *committee*
E : comité
I : *comitato*
Réunion de personnes chargées d'étudier certains problèmes, d'exercer un certain pouvoir

KOMMISSIONÄR
F : commissionnaire
GB : *commission agent*
E : comisionista
I : *commissionario*

KOMMUNAL-
F : communal
GB : *municipal*
E : municipal
I : *municipale*

KOMPLETTMUSTER
F : échantillon exhaustif
GB : *exhaustive sample*
E : muestra exhaustiva
I : *campione esauriente*
Echantillon qui n'a pas été prélevé dans une population mère

KONFLIKT
F : conflit
GB : *conflict*
E : conflicto
I : *conflitto*

KONGREB
F : conférence
GB : *conference*
E : conferencia
I : *conferenza*

KONJUNKTUR
F : conjoncture
GB : *overall economic situation*
E : coyuntura
I : *congiuntura*
Situation (économique ou autre) d'un secteur, d'une branche ou d'un pays à un moment donné

KONJUNKTURZYKLUS
F : cycle économique
GB : *business cycle*
E : ciclo economico
I : *ciclo d'affari*
Alternance de périodes d'expansion et de récession ou de dépression, entrecoupées de crises économiques

KONKURRENZ MACHEN
F : concurrencer
GB : *compete*
E : competir
I : *competere*

KONKURS
F : banqueroute
GB : *bankruptcy*
E : bancarrota
I : *bancarotta*

KONKURS ANMELDEN
F : faire faillite
GB : *go bankrupt*
E : caer en quiebra
I : *fallire*

KONKURS, ZAHLUNGSUNFÄHIG-KEIT
F : faillite
GB : *bankruptcy, insolvency*
E : quiebra, insolvencia
I : *fallimento, insolvenza*
Constatation judiciaire et sanction personnelle d'un entrepreneur dont l'entreprise se trouve en cessation de paiement

KONKURSANMELDUNG
F : dépôt de bilan
GB : *petition in bankruptcy*
E : declaración de quiebra
I : *deposito di bilancio*

KONKURSVERWALTER
F : syndic de faillite
GB : *(official) receiver*
E : sindico
I : *curatore*
Désigné par le tribunal, il représente les intérêts des créanciers d'une entreprise déclarée en faillite

KONNOSSEMENT
F : connaissement
GB : *bill of lading*
E : conocimiento (de embarque)
I : *polizza di carico*
Document maritime qui vaut reçu de marchandises et contrat de transport

KONSIGNIEREN, ÜBERSENDEN
F : consigner
GB : *consign*
E : consignar
I : *consegnare*

KONSOLIDIERT
F : consolidé
GB : *consolidated*
E : consolidado
I : *consolidato*

KONSOLIDIERTE BILANZ
F : bilan consolidé
GB : *consolidated balance sheet*
E : hoja de balance
I : *bilancio consolidato*
Bilan globalisé obtenu par agrégation des comptes de toutes les sociétés d'un groupe

KONSOLIDIERTER KONTENA-SCHLUB
F : comptes consolidés
GB : *consolidated accounts*
E : cuentas consolidadas
I : *conti consolidati*
Décrivent l'activité et le patrimoine d'un groupe d'entreprises ou d'un ensemble d'agents en annulant entre eux les opérations qu'ils effectuent entre eux

KONSORTIUM
F : consortium
GB : *consortium*
E : consorcio
I : *consorzio*
Entreprises ou banques regroupées pour réaliser des opérations qui dépassent les possibilités et les compétences de chacune

KONSUL
F : consul
GB : *consul*
E : consul
I : *console*
Fonctionnaire chargé à l'étranger de la protection des ressortissants de son pays (dont il n'est pas le représentant)

KONSULAT
F : consulat
GB : *consulate*
E : consulado
I : *consolato*

KONSUMGÜTER
F : biens de consommation
GB : *consumer goods*
E : bienes de consumo
I : *beni di consumo*
Produits et services destinés à la satisfaction directe des consommateurs

KONTENPLAN
F : plan comptable
GB : *French accounting standards*
E : plan contable
I : *limite massimo di responsabilità cambiaria*
Regroupement des principes et des normes comptables

KONTO
F : compte (en banque)
GB : *account*
E : cuenta
I : *conto*

KONTO FÜHREN
F : comptabilité (tenir la)
GB : *keep the accounts*
E : llevar la contabilidad
I : *tenere la contabilità*

KONTOAUSZUG
F : relevé de compte
GB : *statement of account*
E : extracto de cuenta
I : *estratto conto*

KONTOBUCH
F : livre de comptes
GB : *account book*
E : libro de cuentas
I : *libro di conti*

KONTOKORRENT
F : compte courant
GB : *current account (USA checking account)*
E : cuenta corriente
I : *conto corrente*

KONTOKORRENTVORSCHUB
F : avance en compte courant
GB : *overdraft*
E : adelanto en cuenta corriente
I : *credito in conto corrente*
Somme apportée par un tiers à une entreprise et portée au crédit d'un compte ouvert à son nom

KONTROLLEUR
F : contrôleur
GB : *controller*
E : interventor
I : *controllore*

KONVERSION
F : conversion
GB : *conversion*
E : conversion
I : *conversione*

KONVERTIERBAR
F : convertible
GB : *convertible*
E : convertible
I : *convertibile*
S'applique à une monnaie qu'on peut échanger légalement contre de l'or ou toute autre devise

KONVERTIEREN
F : convertir
GB : *convert*
E : convertir
I : *convertire*

KONZENTRATION
F : concentration
GB : *concentration*
E : concentración
I : *concentrazione*

KONZEPT
F : concept
GB : *concept*
E : concepto
I : *concetto*

KONZEPT, PLAN
F : projet
GB : *draft, plan*
E : borrador, plan
I : *bozza, progetto*

KONZESSION
F : concession
GB : *concession*
E : concession
I : *concessione*
Autorisation d'exploitation ou de gestion, représentation exclusive

KÖRPERSCHAFTLICH
F : corporatif
GB : *corporate*
E : corporativo
I : *corporativo*
Relatif à une corporation

KOPIEREN
F : transcrire
GB : *copy*
E : copiar
I : *copiare*

KÖRPERSCHAFT
F : corporation
GB : *corporation*
E : corporacion
I : *corporazione*

KÖRPERSCHAFTSTEUER
F : impôt sur les sociétés
GB : *corporation tax*
E : impuesto sobre renta de la sociedad
I : *imposta sui proventi delle società*
Concerne avant tout les sociétés de capitaux. Dû sur le bénéfice net, il est exigible même en cas de non distribution (autofinancement)

KÖRPERSCHAFTSTUM
F : corporatisme
GB : *corporatism*
E : corporativismo
I : *corporativismo*
Défense exclusive des intérêts d'une catégorie sociale ou socio-professionnelle

KORRIGIEREN
F : corriger
GB : *correct*
E : corregir
I : *correggere*

KOSTEN
F : charge
GB : *charge*
E : carga
I : *onere, carico*

KOSTEN
F : coût
GB : *cost*
E : coste
I : *costo*

KOSTEN
F : coûter
GB : *cost*
E : costar
I : *costare*

KOSTEN UND FRACHT
F : coût et fret
GB : *cost and freight (c&f)*
E : coste y flete
I : *costo e nolo*
En matière de commerce extérieur, qualifie le prix total d'une marchandise dont l'exportateur assume les frais (sauf les assurances) jusqu'à sa destination

KOSTEN, AUSGABEN
F : frais
GB : *charges, expenditure*
E : costes, desembolso
I : *spesa, spese*

KOSTEN, VERSICHERUNG, FRACHT
F : coût, assurance, fret (CAF)
GB : *cost, insurance, and freight (cif)*
E : coste, seguro, y flete
I : *costo, assicurazione, nolo*
Qualifie le prix d'une marchandise dont l'exportateur prend en charge la totalité des frais (assurances comprises) jusqu'à sa destination

KOSTENANALYSE
F : analyse des coûts
GB : *cost analysis*
E : analisis de costes
I : *analisi dei costi*

KOSTENANSCHLAG
F : cotation
GB : *quotation*
E : cotizacion
I : *quotazione*
Détermination du prix auquel les transactions se font sur un marché. Bourse : inscription à la cote du cours constaté pour une valeur mobilière

KOSTENLOSE PROBE
F : échantillon gratuit
GB : *free sample*
E : muestra gratuita
I : *campione gratuito*

KOSTENLOSE PROBE
F : essai gratuit
GB : *free trial*
E : prueba gratuita
I : *prova gratuita*

KOSTENVORANSCHLAG
F : devis
GB : *estimate*
E : presupuesto
I : *preventivo*
Description détaillée et montant estimatif de travaux à accomplir

ALLEMAND

KOSTSPIELIG, TEUER
F : cher
GB : *expensive*
E : caro
I : *caro*

KRAN
F : grue
GB : *crane*
E : grua
I : *gru*

KRANKENVERSICHERUNG
F : assurance maladie
GB : *health insurance*
E : seguro de enfermedad
I : *assicurazione malattia*

KREATIVITÄT
F : créativité
GB : *creativity*
E : creatividad
I : *creatività*

KREDIKARTE
F : carte de crédit
GB : *credit card*
E : tarjeta de crédito
I : *carta di credito*

KREDIT
F : crédit
GB : *credit*
E : crédito
I : *credito*

KREDITAUSKUNFT
F : référence commerciale
GB : *trade reference*
E : referencia comercial
I : *referenze commerciali*
Ensemble des caractéristiques spécifiques d'un article ou d'une catégorie d'articles

KREDITBANK
F : banque de prêts
GB : *lending bank*
E : banco de préstamos
I : *banca di prestiti*

KREDITBRIEF
F : lettre de crédit
GB : *letter of credit*
E : carta de crédito
I : *lettera di credito*
Document bancaire accréditant un client pour lui permettre d'accroître le volume de son crédit ou d'obtenir une avance

KREDITGRENZE
F : plafond d'encours
GB : *debt ceiling*
E : tope de deudas
I : *limite massimo di responsabilità cambiaria*
Valeur totale maximum des titres représentatifs d'engagements financiers en circulation autorisée par une banque à un client

KREDITKLEMME
F : resserrement du crédit
GB : *credit squeeze*
E : escasez de créditos
I : *restrizione di credito*
Restriction du crédit (taux plus élevés) pour freiner la hausse des prix

KREDITNEHMER
F : emprunteur
GB : *borrower*
E : prestatario
I : *accattatore*

KREDITOREN
F : comptes à payer
GB : *accounts payable*
E : cuentas a pagar
I : *conti passivi*

KREDITOREN
F : créditeurs divers
GB : *sundry creditors*
E : acreedores varios
I : *creditori diversi*

KREDITSALDO
F : solde créditeur
GB : *credit balance*
E : saldo acreedor
I : *saldo creditore*

KREDITVRESICHERUNG
F : assurance crédit
GB : *gredit insurance*
E : seguro crediticio
I : *assicurazion credito*
Permet à un créancier d'être indemnisé en cas de non-paiement de son débiteur

KREDITWÜRDIGKEIT
F : degré de solvabilité
GB : *credit rating*
E : limite de crédito
I : *stima del credito*
Aptitude à tenir ses engagements sur l'ensemble de son patrimoine ou de son actif

KRIEG
F : guerre
GB : *war*
E : guerra
I : *guerra*

KRIEGSRISIKOVERSICHERUNG
F : assurance risque de guerre
GB : *war-risk insurance*
E : seguro contra riesgo de guerra
I : *assicurazione contro i rischi di guerra*

KRITISCHER WEG
F : chemin critique
GB : *critical path*
E : camino crítico
I : *schema critico*
Voir Analyse du chemin critique

KUBIKINHALT
F : volume
GB : *cubic, capacity*
E : capacidad cubica
I : *volume*

KUMULATIVE VORZUGSAKTIEN
F : actions de priorité cumulatives
GB : *cumulative preference shares*
E : valores privilegiados cumulativos
I : *azioni preferenziali cumulative*
Actions de priorité dont le dividende non payé est reporté d'un exercice à l'autre lorsque les bénéfices sont insuffisants

KUMULIERTE ABSCHREIBUNG
F : amortissement cumulé
GB : *accumulated depreciation*
E : amortización acumulada
I : *ammortamento cumulato*
Amortissement combinant annuités dégressives et annuités constantes

KÜNDBARE OBLIGATION
F : obligation amortissable
GB : *redeemable bond*
E : obligacion reembolsable
I : *obbligazione redimibile*
Obligation remboursable

KUNDE
F : client
GB : *client*
E : cliente
I : *cliente*

KUNDENAKQUISE
F : prospect
GB : *prospective customer*
E : cliente potencial
I : *cliente potenziale*
Client potentiel

KUNDENKONTO
F : compte personnel
GB : *charge account*
E : cuenta personal
I : *conto personale*

KÜNDIGEN
F : licencier
GB : *dismiss, fire*
E : despedir
I : *licenziare*

KÜNDIGUNG (VON GELDERN)
F : appel (de fonds)
GB : *call (for funds)*
E : llamada (de fonds)
I : *richiesta (di fondi)*
Demande de fonds supplémentaires (à des actionnaires, des associés...)

KUNDSCHAFT
F : clientèle
GB : *custom, clientele*
E : clientela
I : *clientela*

KÜNFTIG
- F : futur adj
- GB : *future*
- E : futuro
- I : *futuro, avvenire*

KUNSTLEDER
- F : simili cuir
- GB : *imitation leather*
- E : piel de imitacion
- I : *finta pelle*

KUPON
- F : coupon
- GB : *coupon*
- E : cupon
- I : *cedola*

Partie détachable d'une valeur mobilière et droit d'en encaisser le dividende ou l'intérêt du revenu

KURS/GEWINN VERHÄLTNIS
- F : PER (price earning ratio)
- GB : *p/e (price earnings ratio)*
- E : PER (price earning ratio)
- I : *rapporto cambio-utile*

Coefficient de capitalisation des résultats — CCR, par lequel il faut multiplier le bénéfice net par action pour en trouver le cours coté

KURSABSCHLAG
- F : déport
- GB : *backwardation*
- E : prima de aplazamiento
- I : *deporto*

Différence entre le cours au comptant d'un actif et son cours à terme lorsque ce dernier est inférieur

KURSVERGLEICH, SCHIEDSGE-RICHTSVERFAHREN
- F : arbitrage
- GB : *arbitrage, arbitration*
- E : arbitraje, arbitramento
- I : *arbitraggio, arbitrato*

Substitution d'un titre à un autre dans un portefeuille dans l'espoir de bénéficier d'un rendement supérieur ou d'une plus-value par le jeu des différences de cours

KURZFRISTIG
- F : courte échéance (à)
- GB : *short-dated*
- E : a corto plazo
- I : *a breve scadenza*

KURZFRISTIG
- F : court terme (à)
- GB : *short-term*
- E : a corto plazo
- I : *a breve termine*

KURZFRISTIGE SCHULDEN
- F : dettes à court terme
- GB : *short-term debts*
- E : deudas a corto plazo
- I : *debiti a breve scadenza*

KURZFRISTIGER KREDIT
- F : crédit à court terme
- GB : *short-term credit*
- E : crédito a corto plazo
- I : *credito a breve termine*

KURZFRISTIGES KAPITAL
- F : capitaux à court terme
- GB : *short-term capital*
- E : capital a corto plazo
- I : *capitale a breve termine*

Balance des paiements : flux de créances et d'engagements au plus égaux à un an contractés à l'extérieur par différents secteurs économiques

KURZFRISTIGES WERTPAPIER
- F : titre à court terme
- GB : *short-dated security*
- E : titulo a corto plazo
- I : *titolo a breve scadenza*

Titre dont l'échéance est inférieure à deux ans

KURZSCHRIFT
- F : sténographie
- GB : *shorthand*
- E : taquigrafia
- I : *stenografia*

KÜSTENSCHIFFAHRT
- F : cabotage
- GB : *cabotage*
- E : cabotaje
- I : *cabotaggio*

Navigation marchande de port en port et à proximité des côtes

KYBERNETIK
- F : cybernétique
- GB : *cybernetics*
- E : cibernética
- I : *cibernetica*

Science des mécanismes de la communication et du contrôle

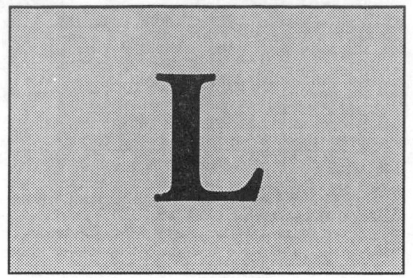

LAADERAUM
F : cale
GB : *hold*
E : bodega
I : *stiva*

LADEN
F : fonds de commerce
GB : *business*
E : comercio
I : *fondi patrimoniali*
Éléments mobiliers corporels (clientèle, droit au bail, licences...) ou incorporels (matériels, outillages...) servant à l'exploitation d'une entreprise

LADEN
F : fonds commercial (comptabilité)
GB : *business*
E : comercio
I : *fondi patrimonali*
Valeur de l'ensemble des éléments incorporels d'une entreprise, non isolée dans le bilan et qui concourent au maintien et au développement de son activité

LADEN, LAGER
F : magasin
GB : *shop, store*
E : tienda, almacén
I : *bottega, magazzino*

LADUNG
F : cargaison
GB : *cargo*
E : carga
I : *carico*

LADUNG
F : chargement
GB : *loading*
E : carga
I : *carico, caricamento*
Partie de la prime d'assurance servant à couvrir les frais pesant sur l'assureur

LADUNGSVERZEICHNIS
F : manifeste
GB : *manifest*
E : manifiesto
I : *manifesto*

LAGER UNTER ZOLLVERSCHLUß
F : entrepôt (sous douane)
GB : *bonded warehouse*
E : almacén de aduanas
I : *magazzino doganale*
Lieu de dépôt temporaire des marchandises qui n'ont pas encore acquitté droits et taxes d'entrée. Régime douanier suspensif de ces droits

LAGERGELD
F : frais de stockage
GB : *storage charges*
E : gastos de almacenaje
I : *spese di magazzinaggio*

LAGERN
F : emmagasiner
GB : *store*
E : almacenar
I : *immagazzinare*

LAGERUNG
F : emmagasinage
GB : *storage*
E : almacenamiento
I : *magazzinaggio*

LAGERVERWALTUNG
F : gestion des stocks
GB : *stock control*
E : administración de existencias
I : *gestione delle scorte*
Gestion des approvisionnements et de leurs conditions de stockage

LAND
F : pays
GB : *country*
E : pais
I : *paese*

LANDBANK
F : banque agricole
GB : *land bank*
E : banco agricola
I : *banca agricola*

LANDWIRTSCHAFT
F : agriculture
GB : *agriculture*
E : agricultura
I : *agricoltura*

LANGFRISTIG
F : long terme (à)
GB : *long-term*
E : a largo plazo
I : *a lunga scadenza*

LANGFRISTIG
F : longue échéance (à)
GB : *long-dated*
E : a largo plazo
I : *a lunga scadenza*

LANGFRISTIGE SCHULDEN
F : dettes à long terme
GB : *long-term debts*
E : deudas a largo plazo
I : *debiti a lunga scadenza*

LANGFRISTIGER KREDIT
F : crédit à long terme
GB : *long-term credit*
E : crédito a largo plazo
I : *credito a lungo termine*

LANGFRISTIGES KAPITAL
F : capitaux à long terme
GB : *long-term capital*
E : capital a largo plazo
I : *capitale consolidato a lunga scadenza*
Balance des paiements : flux des crédits commerciaux d'une échéance initiale supérieure à un an et des investissements (directs et de portefeuille) des résidents séjournant à l'étranger ou des non résidents séjournant dans le pays

LASTKAHN
F : péniche
GB : *barge*
E : barcaza
I : *chiatta*

LASTSCHRIFT
F : avis de débit
GB : *debit note*
E : nota de débito
I : *nota di addebito*

LATEINAMERIKANISCHE FREI-HANDELSZONE
F : Association latino-américaine de libre-échange
GB : *Latin american free trade association (LAFTA)*
E. Asociación de mercado libre de América Latina
I : *Associazione di libero scambio dell'America Latina*
Devenue ALADI — Association latino-américaine d'intégration, en 1980. Regroupe Argentine, Bolivie, Brésil, Chili, Colombie, Equateur, Mexique, Paraguay, Pérou, Uruguay, Vénézuela

LATENTE STEUERPFLICH
F : imposition différée
GB : *deferred taxation*
E : tasacion diferida
I : *tassazione differida*

LAUFEND
F : courant
GB : *current*
E : *corriente*
I : *corrente*

LAUFENDE VERBINDLICHKEITEN
F : passif exigible
GB : *current liabilities*
E : pasivo exigible
I : *passività esigibili*
Dettes à court terme

LAUFENDES JAHR
F : année en cours
GB : *current year*
E : ano en curso
I : *anno in corso*

LAUFZEIT
F : teneur
GB : *tenor*
E : tenor
I : *tenore*

LEASING
F : leasing
GB : *leasing*
E : leasing
I : *leasing*
Voir Crédit-bail

LEASINGGESELLSCHAFT
F : société de leasing
GB : *leasing company*
E : compania arrendataria
I : *società di leasing*
Société de crédit-bail

LEBENSHALTUNG
F : niveau de vie
GB : *standard of living*
E : nivel de vida
I : *tenore di vita*
Ensemble des biens et services à la disposition d'un individu, d'un ménage ou d'un groupe social

LEBENSHALTUNGSKOSTEN
F : coût de la vie
GB : *cost of living*
E : coste de vida
I : *costo della vita*

LEBENSLÄNGLICHE NUTZ-NIEBUNG
F : usufruit viager
GB : *life-interest*
E : usufructo vitalicio
I : *usufruto vitalizio*
Usufruit converti en rente viagère

LEBENSSTIL
F : style de vie
GB : *life style*
E : estilo de vida
I : *stile di vita*

LEBENVERSICHERUNG
F : assurance vie
GB : *life assurance (USA life insurance)*
E : seguro de vida
I : *assicurazione sulla vita*

LECK
F : fuite
GB : *leakage*
E : escape
I : *colaggio*

LEELAUFZEIT
F : temps d'arrêt
GB : *down time*
E : tiempo improductivo
I : *tempo improduttivo*

LEHRE
F : apprentissage
GB : *apprenticeship (USA trainee period)*
E : aprendizaje
I : *tirocinio*

LEHRLING
F : apprenti
GB : *apprentice USA trainee)*
E : aprendiz
I : *apprendista*

LEICH VERDERBLICHE WAREN
F : marchandises périssables
GB : *perishable goods*
E : mercancias perecederas
I : *merci deperibili*

LEICHTER
F : allège
GB : *lighter*
E : barcaza, gabarra
I : *chiatta*

LEICHTINDUSTRIE
F : industrie légère
GB : *light industry*
E : industria ligera
I : *industria leggera*
Transforme les matières premières brutes ou semi-ouvrées généralement en biens de consommation

LEIHEN
F : prêter
GB : *lend*
E : prestar
I : *prestare*

LEISTUNG
F : performance
GB : *performance*
E : resultado, prestacion
I : *prestazione*

LEISTUNGSLOHN
F : salaire au rendement
GB : *payment by results*
E : pago por resultados
I : *pagamento secondo risultati*

LEITENDE ANGESTELLTE
F : cadres
GB : *managerial staff*
E : mandos
I : *management*
Catégorie socio-professionnelle de salariés exerçant un poste de responsabilité dans une entreprise ou la fonction publique

LEITUNG (TELEFON)
F : ligne (de téléphone)
GB : *(telephone) line*
E : linea (telefoncia)
I : *linea (telefonica)*

LETZTE RATE
F : dernier versement
GB : *final instalment*
E : ultimo plazo
I : *ultima rata*

LIEFERANT
F : fournisseur
GB : *supplier*
E : proveedor
I : *fornitore*

LIEFERANTENKREDIT
F : crédit fournisseur
GB : *trading credit*
E : crédito de proveedores
I : *credito fornitore*
Accordé à un exportateur par une banque de son pays pour lui permettre d'être payé dès la livraison à son importateur étranger

LIEFERFERTIGES ANGEBOT
F : ressources existantes
GB : *supplies on hand*
E : provisiones existentes
I : *forniture esistenti*

ALLEMAND

LIEFERPREIS
F : prix livraison incluse
GB : *delivered price*
E : precio incluida entrega
I : *prezzo incluso consegna*

LIEFERSCHEIN
F : bon de livraison
GB : *delivery note*
E : aviso de entrega
I : *nota di consegna*
Document remis par le vendeur à l'acheteur avec la marchandise livrée, sans mention de prix

LIEFERTERMIN
F : date de livraison
GB : *delivery date*
E : fecha de entrega
I : *data di consegna*

LIEFERUNG
F : livraison
GB : *delivery*
E : entrega
I : *consegna*

LIEFERUNG GEGEN NACHNAHME
F : paiement à la livraison
GB : *cash on delivery (COD)*
E : entrega contra reembolso
I : *pagamento alla consegna*

LIFO
F : LIFO (last in, last out)
GB : *LIFO*
E : ultima entrada, primera salida
I : *ultimo a entrare, primo a uscire*
« Dernier entré, premier sorti ». Méthode de valorisation des sorties de stocks fondée sur l'inverse de la chronologie des entrées

LINEARE ABSCHREIBUNG
F : amortissement linéaire
GB : *straight line depreciation*
E : amortización lineal
I : *ammortamento fisso*
Le taux appliqué est constant (montant de l'immobilisation divisé par le nombre d'années)

LINIE, EISENBAHNLINIE
F : ligne (de chemin de fer)
GB : *(railway) line*
E : linea (ferroviaria)
I : *linea (ferroviaria)*

LIQUIDATION, AUFLÖSUNG
F : liquidation
GB : *liquidation*
E : liquidacion
I : *liquidazione*
Conséquence de la décision de dissolution d'une société en état de cessation de paiement, elle consiste à en réaliser l'actif, en régler les dettes selon un certain ordre et répartir entre les associés l'éventuel bonus de liquidation

LIQUIDITÄT
F : liquidité
GB : *liquidity*
E : liquidez
I : *liquidità*
Aptitude d'un bien à être transformé en espèces pour régler sans délai une dette. Aptitude d'une entreprise à faire face à ses engagements financiers

LISTE DER AKTIONÄRE
F : registre des actionnaires
GB : *share register*
E : registro de las acciones
I : *registro delle azioni*

LISTE, TABELLE
F : liste
GB : *list, schedule*
E : lista, cuadro
I : *lista, tabella*

LISTENPREIS
F : prix courant
GB : *list price*
E : precio de tarifa
I : *prezzo di listino*
Prix de l'année en cours, dans une évaluation en valeur

LISTENPREIS, KATALOGPREIS
F : prix-catalogue
GB : *catalogue price, list price*
E : precio de catalogo, precio catálogo
I : *prezzo di catalogo*

LOCKPRODUKT
F : produit d'appel
GB : *loss leader*
E : producto de atracción
I : *prodotto civetta*
Vendu à un prix très avantageux (avec un bénéfice réduit ou nul) pour attirer la clientèle

LOGIK
F : logique
GB : *logic*
E : logica
I : *logica*

LOGISTIK
F : logistique
GB : *logistics*
E : logistica
I : *logistica*
Au-delà du transport, c'est l'organisation de l'approvisionnement, de la production et de la distribution, à la croisée des grandes fonctions traditionnelles de l'entreprise

LOGO
F : logotype
GB : *logotype*
E : logotipo
I : *logo*
Représentation visuelle du nom d'une marque ou d'une organisation (logo)

LOHN
F : salaire
GB : *wages, earnings*
E : salario
I : *guadagni*
Rémunération prévue par le contrat de louage de services qui lie le salarié à l'employeur

LOHNBUCH
F : feuille de paie
GB : *payroll*
E : nomina de pago
I : *libro paga*

LOHNEMPFÄNGER
F : salarié
GB : *wage earner*
E : asalariado
I : *salariato*

LOHNFORDERUNG
F : revendication salariale
GB : *wage claim*
E : reclamacion de salario
I : *rivendicazione salariale*

LOHNKOSTEN
F : coût de la main-d'œuvre
GB : *cost of labour*
E : coste de la mano de obra
I : *costo di mano d'opera*

LOHNNACHZAHLUNG
F : rappel de traitement
GB : *back pay*
E : pago atrasado
I : *arretrati di paga*
Paiement d'une partie de salaire non encore versée

LOHNPOLITIK
F : politique des salaires
GB : *incomes policy*
E : plan de renta
I : *politica dei redditi*

LOHNSATZ
F : taux de salaires
GB : *wage rate*
E : tarifa de salarios
I : *tariffa salariale*
Niveaux de salaires

LOHNSTOPP
F : blocage des salaires
GB : *wage-freeze*
E : bloqueo de salarios
I : *blocco dei salari*

LOHNSUMMENSTEUER
F : taxe sur les salaires
GB : *employment tax*
E : impuesto por empleado
I : *imposta sull'impiego*

LOMBARDSATZ
F : taux de base bancaire
GB : *M.L.R. (minimum lending rate)*
E : tipo de base bancario
I : *tasso di base bancario*
Taux d'intérêt appliqué par une banque aux crédits consentis à ses meilleurs clients, qui constitue sa référence pour établir le barème de ses différents taux

LÖSCHEN DER LADUNG
F : rupture de charge
GB : *breaking bulk*
E : fraccionamiento de la carga
I : *inizio scarico*
Changement de véhicule ou de mode de transport

LUFTFRACHT
F : fret aérien
GB : *air freight*
E : flete aéreo
I : *trasporto aereo*

LUFTPOST
F : poste aérienne
GB : *airmail*
E : correo aéreo
I : *posta aerea*

LUFTPOSTBRIEF
F : aérogramme
GB : *air letter*
E : carta por avion
I : *lettera aerea*
Lettre envoyée par avion à un tarif forfaitaire

LUFTRANSPORT
F : transport aérien
GB : *air transport*
E : transporte aéreo
I : *trasporto aereo*

LUFTTERMINAL
F : aérogare
GB : *air terminal*
E : terminal de aeropuerto
I : *aerostazione*

LUFVERKEHR
F : trafic aérien
GB : *air traffic*
E : trafico aéreo
I : *traffico aereo*

LUXUSSTEUER
F : impôt sur les produits de luxe
GB : *luxury tax*
E : impuesto de lujo
I : *tassa sugli articoli di lusso*

LUXUSWAREN
F : articles de luxe
GB : *luxury goods*
E : articulos de lujo
I : *articoli di lusso*

M

MAAT
F : second nm
GB : *(ship's) mate*
E : primer oficial
I : *primo ufficiale*

MACHBARKEIT
F : faisabilité
GB : *feasibility*
E : factibilidad
I : *fattibilità*
Ce qui est réalisable dans des conditions techniques et économiques définies

MAGNETKARTE
F : carte magnétique
GB : *magnetic card*
E : tarjeta magnética
I : *scheda magnetica*
Carte accréditive dont les informations sur l'identification du titulaire sont inscrites sous forme codée sur une ou plusieurs pistes magnétiques

MAKLER
F : courtier
GB : *broker*
E : corredor
I : *sensale*
Intermédiaire commercial qui met en relation, contre rémunération, deux personnes désirant conclure un contrat

MAKLER FÜR VERBRAUCHSGÜTER
F : courtier en marchandises
GB : *commodity broker*
E : corredor de mercaderias
I : *sensale di merci*

MAKLERGEBÜHR
F : courtage
GB : *brokerage*
E : corretaje
I : *senseria*
Rémunération ou fonction du courtier

MANAGEMENT
F : management
GB : *management*
E : management
I : *management*
Ensemble des techniques d'organisation mises en œuvre pour la gestion d'une entité économique

MANAGER
F : manager nm
GB : *manager*
E : manager
I : *manager*
Désigne le dirigeant d'une grande entreprise (PDG, directeur, etc.)

MANGEL
F : carence
GB : *shortage, deficiency, (débiteur) insolvency*
E : carencia
I : *carenza*

MANGEL
F : manque
GB : *deficiency*
E : deficiencia
I : *ammanco, insufficienza*

MANGELHAFTE LIEFERUNG
F : livraison incomplète
GB : *short delivery*
E : entrega deficiente
I : *consegna deficiente*

MAPPE
F : chemise
GB : *folder*
E : carpeta
I : *cartella*

MARKE
F : griffe
GB : *maker's label*
E : rúbrica
I : *firma, griffe*

MARKE
F : label
GB : *label*
E : etiqueta
I : *marchio*
Marque distinctive d'un produit ou d'un service qui en garantit l'origine et les qualités spécifiques, voire la conformité avec des normes

MARKELEADER : MARKTFÜHRER
F : leader
GB : *leader*
E : líder
I : *leader*

MARKENWAREN
F : articles de marque
GB : *branded goods*
E : articulos de marca
I : *articoli di marca*

MARKETING
F : marketing
GB : *marketing*
E : marketing
I : *marketing*
Englobe à la fois les techniques d'analyse des besoins pour définir le produit correspondant, et les techniques de faire-savoir

MARKLERGEBÜHRENFREI
F : franco courtage
GB : *free of commission*
E : franco-comision
I : *franco mediazione*

MARKT, HANDEL
F : marché
GB : *market, deal*
E : mercado, negocio
I : *mercato, affare*

MARKTANTEIL
F : part de marché
GB : *market share*
E : participacion del mercado
I : *quota del mercado*

MARKTBERICHT
F : analyse du marché
GB : *market report*
E : informe del mercado
I : *relazione sul mercato*

MARKTEINDRINGEN
F : pénétration du marché
GB : *market penetration*
E : penetracion en el mercado
I : *penetrazione nel mercato*

MARKTFÄHIG
F : vendable
GB : *marketable*
E : vendible
I · *vendibile*

MARKTFORSCHUNG
F : étude de marché
GB : *market research, market survey*
E : investigacion del mercado, estudio de mercado
I : *indagine di mercato, ricerca di mercato*

MARKTPREIS
F : cours du marché
GB : *market price*
E : precio de mercado
I : *prezzo del mercato*
Cours déterminé par l'offre et la demande sur un marché

MARKTTAG
F : jour de marché
GB : *(local) market day*
E : dia de mercado
I : *giomo di mercato*

MARKTUMSTÄNDE, MARKTLAGE
F : état du marché
GB : *state of the market*
E : condiciones del mercado, situación del mercado
I : *condizioni del mercato*

MARKTWERT
F : valeur marchande
GB : *market value*
E : valor de mercado
I : *valore di mercato*
Valeur de commercialisation

MASCHINE
F : machine
GB : *machine*
E : maquina
I : *macchina*

MASCHINENBAU
F : construction mécanique
GB : *mechanical engineering*
E : ingenieria mecanica
I : *ingegneria meccanica*

MASCHINENBAU
F : génie
GB : *enginering*
E : ingenieria
I : *ingegneria*
Arme et service de l'armée de terre chargés de la construction et de l'entretien des infrastructures terrestres

MASCHINENSCHRIFT
F : manuscrit dactylographié
GB : *typescript*
E : texto mecanografiado
I : *dattiloscritto*

MASCHINENSPRACHE
F : langage machine
GB : *machine language*
E : lenguaje de maquina
I : *linguaggio di macchina*
Seul langage informatique à être directement utilisable par la machine, il décrit le fonctionnement binaire des circuits câblés

MASCHINENSTILLSTANDZEIT
F : temps de panne machine
GB : *machine down-time*
E : tiempo improductivo de la maquina
I : *tempo passivo di macchina*

MASCHINERIE
F : machinerie
GB : *machinery*
E : maquinaria
I : *macchinario*

MAß
F : mesure
GB : *measure*
E : medida
I : *misura*

MAß ODER GEWICHT
F : poids ou mesure
GB : *weight or measurement*
E : peso o cubicaje
I : *peso o volume*

MASSENBERECHNER
F : métreur-vérificateur
GB : *quantity surveyor*
E : medidor de cantidades de obra
I : *perito misuratore*

MASSENFRACHTFÜHRER
F : transporteur de marchandises en vrac
GB : *bulk carrier*
E : transportador a grand
I : *trasportatore di merce alla rinfusa*

MASSEVERWALTER, SACHWALTER
F : liquidateur
GB : *liquidator*
E : liquidador
I : *liquidatore*
Chargé d'effectuer toutes les opérations de liquidation d'une société

MAßSTAB
F : échelle
GB : *scale*
E : escala
I : *scala*

MATERIAL
F : matière
GB : *material (substance)*
E : materia
I : · *materia*

MATRIX
F : matrice
GB : *matrix*
E : matriz
I : *ruolo d'imposta*
Tableau de nombres disposés en lignes et en colonnes permettant de faire de l'analyse stratégique ou d'étudier les possibilités de développement d'une entreprise

MÄTZENATENTUM
F : mécénat
GB : *commercial sponsorship*
E : mecenazgo
I : *mecenatismo*
Forme de communication d'entreprise fondée sur le financement et le soutien d'entreprises, projets, opérations et manifestations à caractère artistique et culturel

MAXIMAL
F : maximum
GB : *maximum*
E : maximo
I : *massimo*

MECHANIKER
F : mécanicien
GB : *mechanic*
E : mecanico
I : *meccanico*

MEHRHEITSBETEILIGUNG
F : participation donnant le contrôle
GB : *controlling interest*
F : *Interês majoritaire*
I : *intresse della parte maggioritaria*

MEHRHEITSBETEILIGUNG
F : participation majoritaire
GB : *majority holding*
E : tenencia de acciones por mayoria
I : *partecipazione maggioritaria*

MEHRHEITSTEILHABER
F : associé majoritaire
GB : *senior partner*
E : asociado mayoritario
I : *socio maggioritario*
Détient la majorité des parts du capital d'une entreprise

ALLEMAND

MEHRHEITSVERWALTER
F : gérant majoritaire
GB : *majority-owner manager*
E : gerente mayoritario
I : *gerente maggioritario*

MEHRSEITIGES-HANDELN
F : commerce multilatéral
GB : *multilateral trade*
E : comercio multilateral
I : *commercio multilaterale*

MEHRWERT
F : plus-value
GB : *capital gain*
E : plusvalía
I : *plusvalore*
Différence positive entre le prix de cession et le prix d'acquisition d'un bien ou d'un titre

MEHRWERT
F : valeur ajoutée
GB : *added value*
E : valor agregado
I : *valore aggiunto*
Différence entre la valeur de la production et la valeur des biens utilisés à cet effet

MEHRWERTSTEUER
F : taxe sur la valeur ajoutée — TVA
GB : *value added tax (VAT)*
E : impuesto sobre valor anadido
I : *imposta sul valore aggiunto (IVA)*
Taxe sur le chiffre d'affaires qui concerne les entreprises industrielles et commerciales, les activités agricoles et libérales

MEINUNG
F : opinion
GB : *opinion*
E : opinion
I : *opinione*

MEISTBIETENDE(R)
F : plus offrant
GB : *highest bidder*
E : ofertante mas alto
I : *miglior offerente*

MEISTER
F : maître d'œuvre
GB : *general contractor*
E : empresa responsable
I : *capo cantiere*

MENGE
F : quantité
GB : *quantity*
E : cantidad
I : *quantità*

MERKMAL
F : particularité
GB : *feature*
E : caracteristica
I : *caratteristica*

MESSE
F : foire
GB : *fair*
E : feria
I : *fiera*

MESSEN
F : mesurer
GB : *measure*
E : medir
I : *misurar*

METRISCHES SYSTEM
F : système métrique
GB : *metric system*
E : sistema métrico
I : *sistema metrico*

MIETE
F : loyer
GB : *rent*
E : alquiler
I : *pigione, affitto*

MIETEN, VERMIETEN
F : louer
GB : *hire, rent*
E : alquilar
I : *noleggiare, effitare*

MIETER
F : locataire
GB : *tenant, hirer, lessee*
E : inquilino, alquilador, arrendatario
I : *affittuario, locatario, no leggiatore*

MIKROÖKONOMIE
F : micro-économie
GB : *microeconomics*
E : microeconomía
I : *microeconomia*
Approche économique basée sur l'étude des comportements des unités individuelles (l'entreprise, le consommateur, l'entrepreneur individuel)

MILITÄRISCH-INDUSTRIELLER KOMPLEX
F : complexe (militaro-industriel)
GB : *military-industrial complex*
E : complejo (militarindustrial)
I : *complesso (militare-industriale)*
Champ des relations armée/industries d'armement

MILLIMETERPAPIER
F : papier millimétré
GB : *graph paper*
E : papel milimetrado
I : *carta millimetrata*

MINDERHEITSTEILHABER
F : associé minoritaire
GB : *junior partner*
E : asociado minoritario
I : *socio minoritario*

MINDERHEITSVERWALTER
F : gérant minoritaire
GB : *minority-owner manager*
E : gerente minoritario
I : *gerente minoritario*

MINDERWERT
F : moins-value
GB : *capital loss*
E : depreciación, minusvalía
I : *deprezzamento*
Différence négative entre le prix de cession et le prix d'achat d'un bien ou d'un titre

MINDERWERTIG
F : qualité inférieure (de)
GB : *low-grade*
E : baja calidad
I : *di qualità inferiore*

MINDESTGEHALT
F : salaire minimum
GB : *minimum wage*
E : salario mínimo
I : *salario minimo*
En France, le SMIC — Salaire Minimum Interprofessionnel de Croissance, fixé par voie réglementaire et dont l'évolution est fonction de la croissance et de la hausse des prix

MINDESTPREIS
F : prix minimal
GB : *reserve price*
E : precio minimo fijado
I : *prezzo minimo*

MINERAL
F : minéral
GB : *mineral*
E : mineral
I : *minerale*

MINIMAL
F : minimum
GB : *minimum*
E : minimo
I : *minimo*

MINIMIEREN
F : minimiser
GB : *minimize*
E : minimizar
I : *minimizzare*

MINISTERIUM
F : ministère
GB : *ministry*
E : ministerio
I : *ministero*

MINORITÄTSBETEILIGUNG, MINDERHEITSBETEILIGUNG
F : participation minoritaire
GB : *minority interest, minority stake*
E : participacion de la minoria, participación minoritaria
I : *interessenza di minoranza*

MIT DIVIDENDE
F: droit attaché
GB: *cum dividend*
E: con dividendo
I: *con dividendo*
Valeur mobilière sur laquelle le droit d'attribution ou de souscription qui l'accompagne n'a pas encore été exercé

MIT GETRENNTER POST
F: pli séparé (sous)
GB: *under separate cover*
E: por correo aparte
I: *in piego a parte*

MIT RÜCKGRIFF
F: droits de recours (avec)
GB: *with recourse*
E: con recurso
I: *con risorso*
Qui comporte une disposition permettant de déférer une décision administrative à son auteur

MITARBEITEN
F: collaborer
GB: *collaborate*
E: colaborar
I: *coliaborare*

MITEIGENTUM
F: copropriété
GB: *joint ownership*
E: copropriedad
I: *comproprietà*

MITGLIED
F: membre
GB: *member*
E: miembro, socio
I: *membro, socio*

MITTAGSPAUSE
F: déjeuner (pause)
GB: *lunch-hour*
E: hora del almuerzo
I: *ora di colazione*

MITTE
F: centre
GB: *centre (USA center)*
E: centro
I: *centro*

MITTEL
F: ressources
GB: *resources*
E: recursos
I: *risorse*
Biens, services ou capitaux dont on peut disposer; ensemble des capitaux et dettes inscrits au passif d'un bilan

MITTELFRISTIGER KREDIT
F: crédit à moyen terme
GB: *medium-term credit*
E: crédito a mediano plazo
I: *credito a medio termine*

MITTELKURS
F: prix moyen
GB: *mean price*
E: precio medio
I: *prezzo medio*

MITTELPREIS, MITTELKURS
F: cours moyen
GB: *middle price*
E: precio medio
I: *prezzo medio*

MITTELUNG
F: notification
GB: *notification*
E: notificacion
I: *notifica*

MÖBEL
F: meubles nmp
GB: *furniture*
E: muebles
I: *mobilia*

MÖBLIERTE MIETWOHNUNG
F: appartement meublé
GB: *furnished flat (USA furnished apartment)*
E: piso amueblado
I: *appartamento ammobiliato*

MODE, MODUS
F: mode
GB: *mode*
E: modo
I: *moda*

MODEARTIKEL
F: nouveautés
GB: *fancy goods*
E: articulos de fantasia
I: *articoli fantasia*

MODELL
F: modèle
GB: *model*
E: modelo
I: *modello*

MÖGLICH, POTENTIEL
F: potentiel adj
GB: *potential*
E: potencial
I: *potenziale*

MONATLICH (WÖCHENTLICH) IN RATEN ZAHLEN
F: payer par termes mensuels (hebdomadaires)
GB: *pay by monthly (weekly) instalments*
E: pagar a plazos mensuales (semanales)
I: *pagare a rate mensili (settimanali)*

MONATLICHE ZAHLUNG
F: règlement mensuel
GB: *monthly settlement*
E: pago mensual
I: *saldo, pagamento mensile*
Marché à terme des valeurs mobilières

MONATSRATE
F: mensualité
GB: *monthly instalment*
E: mensualidad
I: *mensilità*

MONOPOL
F: monopole
GB: *monopoly*
E: monopolio
I: *monopolio*
Situation d'un marché sur lequel la concurrence n'existe pas du côté de l'offre (un seul vendeur)

MONTAGEBAND
F: chaîne de montage
GB: *assembly line*
E: linea de montaje
I: *catene di montaggio*

MORGEN
F: demain
GB: *tomorrow*
E: manana
I: *domani*

MOTIVATION
F: motivation
GB: *motivation*
E: motivación
I: *motivazione*

MOTIVFORSCHUNG
F: étude de motivation
GB: *motivational research*
E: investigacion de motivacion
I: *indagine sulle motivazioni*
Destinée à définir les mobiles dominants qui influencent les comportements et les choix d'une clientèle existante ou potentielle

MULTILATERALES ABKOMMEN
F: accord multilatéral
GB: *multilateral agreement*
E: acuerdo multilateral
I: *accordo multilaterale*

MÜNZE
F: pièce (de monnaie)
GB: *coin*
E: moneda
I: *moneta*

MUSTER OHNE WERT
F: échantillon sans valeur
GB: *sample on no value*
E: muestra sin valor
I: *campione senza valore*

MUSTERANLAGE
F: installation pilote
GB: *pilot plant*
E: instalacion piloto
I: *impianto piloto*
Installation modèle

MUSTERWORT
- F : paradigme
- GB : *paradigm*
- E : paradigma
- I : *paradigma*

Ensemble de faits, de propositions et de méthodes qui, à un moment donné, sont admis par une communauté scientifique et oriente son activité

MUTMASSUNG
- F : conjecture
- GB : *guess-work*
- E : conjetura
- I : *congettura*

Supposition plus ou moins fondée, hypothèse

MUTTERGESELLSCHAFT
- F : société mère
- GB : *parent company*
- E : compania matriz
- I : *società madre*

Qui détient plus de la moitié du capital d'une ou plusieurs autres filiales

NACHAHMUNG
F : imitation
GB : *imitation*
E : imitacion
I : *imitazione*

NACHFRAGE, ANTRAG
F : demande
GB : *inquiry, application*
E : demanda, solicitud
I : *domanda*

NACHFRAGEHURVE
F : courbe de la demande
GB : *demand curve*
E : curva de relacion demanda
I : *curva della domanda*
Représentation de l'évolution de quantités susceptibles d'être achetées pendant un temps donné

NACHFRIST
F : délai supplémentaire
GB : *days of grace*
E : dias de gracia
I : *giorni de grazia*

NACHLAß, RABATT
F : rabais
GB : *rebate, allowance*
E : rebaja, bonificacion
I : *ribasso, abbuono*

NACHLAßSTEUER
F : droits de succession
GB : *estate duty (USA estate tax)*

E : derechos de sucession
I : *diritti successione*

NACHLAßVERWALTER
F : curateur
GB : *administrator (of an estate)*
E : administrador
I : *curatore*
Nommé par le juge des tutelles qui détermine sa mission, il assiste le majeur sous curatelle (incapacité partielle ou réduite) pour les opérations importantes

NACHPRÜFEN
F : vérifier
GB : *verify*
E : verificar
I : *verificare*

NACHRICHTENBÜRO
F : agence de presse
GB : *news agency*
E : agencia de prensa
I : *agenzia d'informazioni*

NACHSCHÄTZUNG
F : devis supplémentaire
GB : *supplementary estimate*
E : calculo suplementario
I : *preventivo supplementare*

NACHSCHLAGEWERK
F : ouvrage de référence
GB : *reference book*
E : libro de consulta
I : *libro di consultazione*

NACHSCHRIFT
F : post-scriptum
GB : *postscript*
E : posdata
I : *poscritto*

NACHTARBEIT
F : travail de nuit
GB : *nightwork*
E : trabajo nocturno
I : *lavoro notturno*

NACHTEIL
F : préjudice
GB : *prejudice*
E : prejuicio, perjuicio
I : *pregiudizio*

NACHTSCHICHT
F : équipe de nuit
GB : *night shift*
E : turno de noche
I : *turno di notte*

NACHTTRESOR
F : coffre de nuit
GB : *night safe*
E : caja de seguridad nocturna
I : *deposito notturno*

NACHTWÄCHTER
F : gardien de nuit
GB : *nightwatchman*
E : guarda de noche
I : *guardiano notturno*

NACHZUGSAKTIEN
F : actions différées
GB : *deferred shares*
E : acciones aplazados
I : *azioni postergate*
Ne sont rémunérées que lorsque d'autres types d'actions (privilégiées, ordinaires) l'ont été

NÄHERE UMSTÄNDE
F : renseignements (plus amples)
GB : *further particulars*
E : mas detalles
I : *ulteriori particolari*

NAMENTLICH
F : nominatif
GB : *registered*
E : nominativo
I : *nominativo*

NATIONAL
F : national
GB : *national*
E : nacional
I : *nazionale*

NATIONALEINKOMMEN
F : revenu national
GB : *national income*
E : renta nacional
I : *reddito nazionale*
Ressources nationales en biens et services créées au cours d'une période donnée

NEBENBÜRGSCHAFT, HYPOTHEK
F : nantissement
GB : *security, hypothecation*
E : fianza, hipoteca
I : *pegno, ipoteca*
Ou hypothèque mobilière. Dépôt, par un débiteur, d'un bien mobilier lui appartenant entre les mains de son créancier pour garantir le paiement de sa dette

ALLEMAND

NEBENKOSTEN
F : charges annexes
GB : *incidental charges*
E : cargos imprevitos
I : *spese accessorie*

NEBENKOSTEN
F : faux frais
GB : *incidental expenses*
E : gastos imprevistos
I : *spese impreviste*
Dépenses supplémentaires non prévisibles

NEBENPRODUKT
F : sous-produit
GB : *by-product*
E : producto derivado
I : *sottoprodotto*

NENNKAPITAL
F : capital nominal
GB : *nominal capital*
E : capital nominal
I : *capitale nominale*
Voir Capital social

NENNWERT, STÜCKELUNG
F : valeur nominale
GB : *nominal value, face value, denomination*
E : valor, valor nominal
I : *valore nominale, taglio*
Valeur comptable invariable d'un titre au moment de sa première émission

NETTO-,REIN-
F : net
GB : *net*
E : neto
I : *netto*

NETTOBETRAG
F : montant net
GB : *net amount*
E : importe neto
I : *importo netto*

NETTOEINKOMMEN
F : revenu net
GB : *net income*
E : ingreso neto
I : *reddito netto*

NETTOEINNAHMEN
F : recettes nettes
GB : *net revenue*
E : ingresos netos
I : *entrata netta*

NETTOERTRAG
F : rendement net
GB : *net yield*
E : rendimiento neto
I : *reddito netto*
Rendement d'un capital investi, déduction faite de toutes les charges

NETTOGEWINN VOR (NACH) STEUERN
F : bénéfice avant (après) impôt
GB : *pre-tax (after-tax) profit*
E : beneficio antes (después) de impuestos
I : *risultato prima (dopo) delle imposte*
Bénéfice avant (ou après) paiement de l'impôt sur les sociétés

NETTOLAGE
F : situation nette
GB : *net worth*
E : situación neta
I : *situazione netta*

NETTOLOHN
F : salaire net
GB : *take-home pay*
E : paga neta
I : *paga netta*
Rémunération après déduction des cotisations sociales

NETTOPREIS, NETTOKURS
F : prix net
GB : *net price*
E : precio neto
I : *prezzo netto*

NETZ
F : réseau
GB : *network*
E : red
I : *rete*

NETZPLANTECHNIK
F : analyse du chemin critique
GB : *critical path analysis (c.p.a.)*
E : analisis de recorrido critico
I : *analisi della linea critica*
Analyse d'un ordonnancement de tâches pour définir celles qui détermineront la durée de l'ensemble d'un projet

NEUBEWERTUNG
F : réévaluation
GB : *revaluation*
E : reevaluación
I : *rivalutazione*
Augmentation de la parité officielle d'une monnaie sur décision des autorités monétaires; comptabilité : prise en compte de la dépréciation monétaire des éléments d'actif d'un bilan

NEUERUNG
F : innovation
GB : *innovation*
E : innovacion
I : *innovazione*

NICH GREIFBARE AKTIVEN
F : actif incorporel
GB : *intangible assets*
E : activo intangible
I : *beni incorporali*
Actif immobilisé n'ayant pas d'existence physique (brevets, licences...)

NICHT AMTLICH NOTIERT
F : hors cote
GB : *unlisted*
E : fuera de cotización
I : *non quotato*
Marché de la Bourse de Paris regroupant les valeurs mobilières non admises sur le Marché officiel

NICHT AUSGEGEBENES KAPITAL
F : capitaux non encore émis
GB : *unissued capital*
E : capital no emitido
I : *capitale non emesso*
Qui ne font pas encore l'objet de transactions sur le marché des émissions

NICHT BEKANNTGEGEBENER AUFTRAGGEBER
F : mandant non divulgué
GB : *undisclosed principal*
E : mandante no nombrato
I : *mandante non nominato*

NICHT EINGERUFENES KAPITAL
F : capital non appelé
GB : *uncalled capital*
E : capital de reserva
I : *capitale non richiamato*
Montant des apports qu'une société anonyme n'a pas encore demandé à ses actionnaires de verser mais que le conseil d'administration ou le directoire peuvent réclamer à tout moment

NICHT GESICHERTER GLÄUBIGER
F : créancier chirographaire
GB : *unsecured creditor*
E : acreedor no garantizado
I : *creditore non garantito*
Qui ne possède aucune garantie pour le recouvrement de son dû

NICHT IN VOLLER HÖHE GEZEICHNETE EMISSION
F : émission non couverte
GB : *undersubscribed issue*
E : emision no totalmente subscrita
I : *emissione non interamente sottoscritta*
Emission dont les titres n'ont pas été entièrement souscrits

NICHT NOTIERTE WERT
F : valeurs non cotées
GB : *unquoted securities*
E : titulos no cotizados
I : *titoli non quotati*

NICHT ÜBEREINSTIMMEN
F : être en désaccord
GB : *disagree*
E : no estar de acuerdo
I : *essere in disaccordo*

NICHT ÜBERTRAGBAR
F : négociable (non)
GB : *not negotiable*
E : no negociable
I : *non negoziabile*

NICHTANNAHME
F : acceptation (non)
GB : *nonacceptance*
E : rechazo
I : *mancata accettazione*

NICHTEINHALTUNG
F : défaillance
GB : *default*
E : falta
I : *mancanza*
Carence de paiement d'un débiteur.
Situation d'une entreprise qui ne
peut faire face à ses échéances

NICHTEINHALTUNG, MANGEL
F : défaut
GB : *default, defect*
E : falta, defecto
I : *mancanza, difetto*

NICHTERFÜLLUNG
F : non-exécution
GB : *nonfulfilment*
E : incumplimiento
I : *inadempienza*

NICHTIG
F : nul
GB : *void*
E : nulo
I : *nullo*

NICHTZAHLUNG
F : défaut de paiement
GB : *failure to pay*
E : falta de pago
I : *mancato pagamento*
Non-exécution d'une obligation,
non acquittement d'une dette

NIEDERGANG
F : déclin
GB : *decline*
E : decadencia
I : *declino*

NIEßBRAUCHNUTZER
F : usufruitier
GB : *beneficial owner*
E : usufructuario
I : *usufruttuario*

NIEßBRAUCHSRECHT
F : usufruit
GB : *usufruct, beneficial inter-
est*
E : usufructo
I : *usufrutto*
Droit de jouir d'un bien et d'en per-
cevoir les revenus pendant un temps
déterminé (en général, la durée de
vie de l'usufruitier)

NOMINALBETRAG
F : montant nominal
GB : *nominal amount*
E : suma nominal
I : *importo nominale*
Inscrit sur un titre, il est définitif
quelles que soient les fluctuations de
la valeur réelle ou marchande de
celui-ci

NOMINELL
F : nominal
GB : *nominal*
E : nominal
I : *nominale*

NORMALZEIT
F : heure légale
GB : *standard time*
E : hora oficial
I : *ora legale*
Heure officielle qui règle la vie
civile, avant ou après laquelle cer-
tains actes ne peuvent être accomplis

NOTAR
F : notaire
GB : *notary public*
E : notario publico
I : *notaio pubblico*
Officier public chargé de recevoir,
rédiger, authentifier et conserver les
actes et contrats des particuliers

NOTENBANK
F : banque d'émission
GB : *issuing bank*
E : banco emisor
I : *banca di emissione*
Etablissement doté du privilège
d'émettre des billets de banque

NOTENKONTINGENT
F : plafond d'émission
GB : *issue ceiling*
E : tope de emisión
I : *limite massimo di emissione*
Montant maximum de monnaie que
la Banque centrale est autorisée à
émettre

NOTSTANDSGEBIET
F : région sinistrée
GB : *distressed area*
E : region deprimida
I : *area indigente*

NOTVEREINBARUNG
F : accord réservé
GB : *stand-by agreement*
E : contrato de reserva
I : *accordo di riserva*

NULL UND NICHTIG
F : nul et non avenu
GB : *null and void*
E : nulo y sin valor
I : *nullo e senza effetto*
Considéré comme n'ayant jamais
existé

NULLSALDO
F : solde nul
GB : *nil balance (USA zero
balance)*
E : saldo nulo
I : *saldo nullo*
Celui d'une balance commerciale ou
d'un budget équilibrés

NUMERIERTES KONTO
F : compte identifié par
numéro
GB : *numbered account*
E : cuenta identificada con
numero
I : *conto identificato da
numero*

NUMMER, ANZAHL
F : numéro
GB : *number*
E : numero
I : *numero*

NUTZFAHRZEUG
F : véhicule commercial
GB : *commercial vehicle*
E : vehiculo comercial
I : *veicolo commerciale*

NUTZUNGSRECHT
F : jouissance
GB : *right to interest/dividends*
E : disfrute
I : *usufrutto*
Droit (et date à partir de laquelle il
peut s'exercer) sur le revenu d'un
capital

O-P

OBENERWÄHNT
F : susmentionné
GB : *above-mentioned*
E : susodicho
I : *suddetto*

OBERTUCHLALTER
F : chef comptable
GB : *chief accountant*
E : jefe de contabilidad
I : *ragioniere capo*

OBLIGATION, GUTSCHEIN
F : bon
GB : *bond, voucher*
E : bono, obligacion
I : *buono, obligazione*
Billet qui autorise à toucher de l'argent ou des objets en nature

OBLIGATION, SCHULDVER-SCHREIBUNG
F : obligation
GB : *debenture, bond*
E : obligacion
I : *obbligazione*
Valeur mobilière, titre représentatif d'un emprunt contracté par une personne morale, pour un montant et une durée déterminés, auprès d'un souscripteur (personne physique ou morale) qui perçoit éventuellement un intérêt fixe

OBLIGATIONÄR
F : obligataire
GB : *bondholder*
E : obligacionista
I : *portatore di obbligazioni*
Détenteur d'une obligation ou qualificatif d'un emprunt sous forme d'émission d'obligations

OBLIGATIONSINHABER
F : porteur d'obligations
GB : *debenture holder*
E : obligacionista
I : *obbligazionista*

OBMÄNNER
F : prud'hommes
GB : *industrial tribunal*
E : tribunal de conciliación laboral
I : *proboviri*
Juridiction d'exception paritaire de jugement ou de conciliation des litiges concernant le contrat individuel de travail

OFFENE HANDELSGESELLSCHAFT (OHG)
F : société en nom collectif
GB : *partnership*
E : sociedad regular colectiva (SRC)
I : *società in nome collettivo*
Société de personnes, dont les parts sociales ne sont ni cessibles ni transmissibles librement, et qui sont indéfiniment et solidairement responsables des dettes

OFFENER KREDIT
F : crédit à découvert
GB : *open credit*
E : crédito en descubierto
I : *credito allo scoperto*

OFFENLEGUNG
F : révélation
GB : *disclosure*
E : revelacion
I : *rivelazione*

ÖFFENTLICH
F : public adj
GB : *public*
E : publico
I : *pubblico*

ÖFFENTLICHE HAND
F : secteur public
GB : *public sector*
E : sector publico
I : *settore statale*

ÖFFENTLICHES ANKAUFSANGE-BOT
F : offre publique d'achat — OPA
GB : *takeover bid*
E : oferta pública de adquisición
I : *offerta pubblica di acquisto*
Procédure boursière qui permet à une personne physique ou morale de prendre le contrôle d'une société cotée en proposant à ses actionnaires le rachat de leurs actions à un cours supérieur au cours de Bourse ou à la valeur réelle du titre

ÖFFENTLICHES UNTERNEHMEN
F : entreprise publique
GB : *public sector company*
E : empresa pública
I : *azienda pubblica*
Entreprise dont tout ou partie du capital social appartient à l'Etat (ou à une collectivité publique) et dont l'objectif n'est pas la réalisation d'un profit

ÖFFENTLICHES WECHSELANGE-BOT
F : offre publique d'échange — OPE
GB : *tender offer*
E : oferta pública de intercambio
I : *offerta pubblica di scambio*
OPA pour laquelle les actions des actionnaires de la société cible sont échangées contre des titres (actions ou obligations) de celle qui achète

ÖFFENTLICHKEIT
F : grand public
GB : *general public*
E : publico en general
I : *pubblico in genere*

ÖFFENTLICHKEIT
F : public nm
GB : *public*
E : publico
I : *pubblico*

OHNE BEZUGSRECHT
F: ex-droits
GB: *ex-rights*
E: sin privilegio, ex derechos
I: *senza diritti, ex-diritti*
S'appliquent à une valeur négociée après le détachement d'un droit d'attribution ou d'un droit de souscription

OHNE DIVIDENDE
F: ex-dividende
GB: *ex dividend*
E: sin dividendo, ex dividendo
I: *senza dividendo, ex-dividendo*
Voir Ex-coupon

OHNE GEWINNABSICHT
F: lucratif (sans but)
GB: *non profitmarking*
E: sin finos lucrativos
I: *senza scopo di lucro*

OHNE KOUPON
F: ex-coupon
GB: *ex coupon*
E: sin cupon, ex cupón
I: *senza cedola, ex-cedola*
Titre qui ne comporte pas le montant du dividende à toucher (par opposition au coupon attaché)

OHNE RÜCKGRIFF
F: droits de recours (sans)
GB: *without recourse*
E: sin recurso
I: *senza ricorso*

OHNE VERBINDLICHKEIT
F: réserves (sous toutes)
GB: *without prejudice (USA not binding)*
E: sin prejuicio
I: *senza pregiudizio*
Sans garantie, sans engagement formel

ÖKONOMETRIE
F: économétrie
GB: *econometrics*
E: econometria
I: *econometria*
Application des mathématiques à l'analyse des mécanismes économiques

ÖLFELD
F: gisement pétrolifère
GB: *oilfield*
E: yacimiento de petroleo
I: *giacimento petrolifero*

OLIGOPOL
F: oligopole
GB: *oligopoly*
E: oligopolio
I: *oligopolio*
Situation d'un marché sur lequel la concurrence est imparfaite du fait que l'offre est réalisée par un petit nombre de grandes entreprises face à un grand nombre de demandeurs

OPERATIV
F: opérationnel
GB: *operational*
E: operacional
I: *operativo*
Adapté à la tâche ou à la fonction à remplir. Désigne aussi une fonction se rapportant à l'activité principale de l'entreprise (par opposition aux tâches administratives)

OPTIMUM
F: optimum
GB: *optimum*
E: óptimo
I: *ottimale*
Valeur d'une grandeur, ou d'un ensemble de grandeurs, jugée comme la plus adaptée à la réalisation d'un ou plusieurs objectifs

OPTION
F: option
GB: *option*
E: opcion
I: *opzione*
Clause d'un contrat donnant à l'une des parties le droit de réaliser quelque chose à une date future et à des conditions fixées à la date du contrat

ORDNUNG
F: code
GB: *code*
E: codigo
I: *codice*

ORGANIGRAMM
F: organigramme
GB: *organization chart*
E: organigrama
I: *organigramma*
Représentation graphique de la structure d'une organisation, montrant ses différents organes et leurs liaisons hiérarchiques

ORGANISATION
F: organisation
GB: *organization*
E: organizacion
I: *organizzazione*

ORGANISATION FÜR WIRT-SCHAFTLICHE ZUSAMMENARBEIT UND ENTWICKLUNG (OECD)
F: Organisation de coopération et de développement économiques — OCDE
GB: *Organization for economic cooperation and development (OECD)*
E: Organizacion para cooperacion y desarrollo economico
I: *Organizzazione per la cooperazione e lo sviluppo economico*
Regroupe à Paris 25 pays en majorité européens ainsi que les Etats-Unis, le Canada, le Japon, l'Australie et la Nouvelle-Zélande. Son rôle depuis 1961 : favoriser l'expansion économique de ses membres ainsi que celle des pays en développement

ORIGINAL
F: original nm
GB: *top copy*
E: original
I: *originale*

ORTSPLANUNGSGEBIET
F: zone de développement
GB: *development area*
E: zona de desarrollo
I: *zona di sviluppo*
Région dans laquelle il a été décidé de favoriser par diverses mesures l'implantation d'industries et la création d'emplois

PACHT
F: bail commercial
GB: *regular lease*
E: arrendamiento comercial
I: *affitto di locazione commerciale*
Concerne un local à usage artisanal, industriel ou commercial

PACHTKREDIT
F: crédit bail
GB: *leasing*
E: arrendamiento financiero
I: *leasing*
Location assortie d'une promesse de vente au profit du locataire à l'échéance du contrat

PACKWAGEN
F: fourgon
GB: *guard's van*
E: furgon
I: *bagaglizio*

PAKET
F: package
GB: *package*
E: package
I: *package*
Assemblage de produits offerts à la vente

PAKET
F: paquet
GB: *parcel, package*
E: paquete
I: *pacco, collo*

PAKT
F: pacte
GB: *deed of covenant*
E: pacto
I: *patto*

PALETTE
F: palette
GB: *pallet*
E: bandeja
I: *paletta*

PALETTIEREN
F : palettisation
GB : *palletization*
E : paletizacion
I : *palettizzazione*
Utiliser ou prévoir l'emploi de palettes pour la manutention de marchandises

PAPIERGELD
F : papier-monnaie
GB : *paper money*
E : papel monetario, papel moneda
I : *carta moneta*

PARAMETER
F : paramètre
GB : *parameter*
E : parámetro
I : *parametro*
Elément, coefficient constant attribué aux variables dans un modèle économétrique

PARAPHIEREN
F : parapher
GB : *initial*
E : rubricar, poner iniciales a
I : *siglare*

PARITÄT
F : parité
GB : *parity*
E : paridad
I : *parità*
Taux de change

PARZELLE
F : parcelle
GB : *parcel (of land) (USA plot)*
E : parcela
I : *pezzo, lotto*

PASSIVALDO
F : balance déficitaire
GB : *adverse balance (USA negative balance)*
E : saldo adverso
I : *saldo passivo*
Balance qui fait apparaître un solde négatif

PATENTANWALT
F : conseil en brevets
GB : *patent agent*
E : agente de patentes
I : *agente di brevetti*

PATENTUKUNDE
F : brevet
GB : *letters patent (USA patent)*
E : patente de invencion
I : *brevetto*
Droit de propriété d'une entreprise sur l'exploitation d'un procédé, d'une technique

PAUSCHALBETRAG
F : forfait
GB : *lump sum*
E : monto global
I : *forfait, prezzo forfettario*
Contrat dans lequel un prix est fixé à l'avance pour un montant invariable

PAUSCHALBETRAG
F : somme globale
GB : *lump sum*
E : suma global
I : *somma globale*

PAUSCHALBETRAG
F : forfait (fiscalité)
Régime d'*imposition des PME qui ne sont pas en mesure de tenir une comptabilité détaillée*

PENSION, RENTE
F : pension
GB : *pension*
E : pension
I : *pensione*
Cession temporaire d'effets négociables (qui servent de garantie) d'une banque à une autre pour obtenir des liquidités pour la durée nécessaire

PER LUFTPOST
F : avion (par)
GB : *by air*
E : por avion
I : *per via aerea*

PERSONAL
F : personnel nm
GB : *personnel*
E : personal
I : *personale*

PERSONALAUSWEIS
F : carte d'identité
GB : *identity card*
E : carnet de identidad
I : *carta d'identità*

PERSONALCHEF
F : chef du personnel
GB : *personnel manager*
E : jefe de personal
I : *direttore del personale*

PERSONENGESELLSCHAFT
F : société de personnes
GB : *partnership*
E : sociedad de personas
I : *società di persone*
Dans laquelle les associés sont responsables des dettes; en font partie les sociétés en commandite simple ou en nom collectif, et les SARL

PERSÖNLICHER ASSISTENT
F : fonctionnel nm
GB : *personal assistant (PA) (USA administrative assistant)*
E : asistente privado
I : *assistente privato*
Qui occupe une fonction opérationnelle dans une organisation

PFAND
F : gage
GB : *credit, pledge, security*
E : fianza
I : *pegno, garanzia*
Bien mobilier remis à un créancier par son débiteur en garantie

PFANDLEIHER
F : prêteur sur gage
GB : *pawnbroker*
E : prestamista
I : *prestatore su pegno*

PFANDRECHT
F : droit de retention
GB : *lien*
E : derecho de retencion
I : *diritti di sequestro*
Pour un créancier, droit de refuser de restituer un bien appartenant à son débiteur tant que celui-ci ne s'est pas acquitté de sa dette

PFERDESTÄRKE (PS)
F : cheval-vapeur (cv)
GB : *horse-power (hp)*
E : caballo de vapor (cv)
I : *cavallo*
Unité de puissance équivalant à 75 kilogrammètres/seconde (736 watts environ)

PFUND STERLING
F : livre sterling
GB : *pound sterling*
E : libra esterlina
I : *lira sterlina*

PIKTOGRAMM
F : pictogramme
GB : *pictogram*
E : pictograma
I : *pittogramma*
Signe ou dessin simplifié et normalisé utilisé pour fournir une information

PLAKAT
F : affiche
GB : *(publicité) poster, (information) notice*
E : anuncio
I : *cartellone, manifesto*

PLAN
F : plan nm
GB : *plan*
E : plan
I : *progetto, piano*
Programmation macro-économique, au niveau national, d'un ensemble de prévisions et d'objectifs économiques et définition des moyens nécessaires à leur réalisation

PLANEN
F : planifier
GB : *schedule*
E : programar
I : *programmare*

PLANWIRTSCHAFT
F: économie planifiée
GB: planned economy
E: economia planificada
I: economia pianificata

POLITIK
F: politique
GB: policy
E: politica
I: politica

PORTEFEUILLE, GESCHÄFTSBE-REICH
F: portefeuille (d'un ministre)

GB: portfolio
E: cartera
I: portafoglio

PORTOFREIE LIEFERUNG
F: livré franco
GB: delivery free
E: libre entrega
I: consegna franco
Livré sans frais pour le destinataire

PORTONACHNAHME
F: port dû (en)
GB: carriage forward (USA FOB shipping point)
E: a perte debido
I: porto assegnato
Les frais de port sont à la charge du destinataire

POST
F: poste
GB: mail
E: correo
I: posta

POSTAMT
F: bureau de poste
GB: post office
E: oficina de correos
I: ufficio postale

POSTANWEISUNG
F: mandat-poste
GB: postal order
E: giro postal
I: vaglia postale
Titre remis par La Poste pour faire parvenir une somme d'argent à quelqu'un sans transport matériel de fonds

POSTEN
F: piquet
GB: picket
E: piquete
I: picchetto
Pendant une grève, groupe de travailleurs placés à l'entrée du lieu de travail et qui veillent à l'exécution des consignes

POSTENMÄBIG DARGESTELLT
F: détaillé
GB: intemized
E: detallado
I: dettagliato

POSTLEITZAHL
F: code postal
GB: postcode (USA zip code)
E: designacion postal
I: codice postale

POSTSPESEN
F: frais de port
GB: postage, postal charges
E: gastos de correo
I: spese postali

POSTÜBERWEISUNG
F: virement postal
GB: mail transfer
E: transferencia postal
I: trasferimento per posta

POSTVERSANDWERBUNG
F: publicité directe (publipostage)
GB: direct mail
E: propaganda directa por correo
I: pubblicità diretta
Expédition par voie postale de prospectus, brochures, lettres, échantillons, etc...

PRÄMIE
F: prime
GB: premium, bonus
E: prima, premio
I: premio
Forme de salaire destinée à encourager les travailleurs, ou de remise pour promouvoir une vente, ou encore de plus-value quand il s'agit de finance

PREIS, KURS
F: prix
GB: price
E: precio
I: prezzo

PREISDEHNBARKEIT
F: élasticité des prix
GB: price elasticity
E: elasticidad de precio
I: elasticità di prezzo

PREISEBENE
F: niveau des prix
GB: price level
E: nivel de precios
I: livello dei prezzi

PREISERHÖHUNG
F: renchérissement
GB: advance in price
E: encarecimiento
I: rialzo
Augmentation de prix d'une marchandise

PREISHERABSETZUNG
F: rabais sur les prix
GB: price-cutting
E: reduccion de precios
I: riduzione dei prezzi

PREISINDEX
F: indice des prix
GB: retail price index
E: índice de precios
I: indice dei prezzi

PREISKONTROLLE
F: contrôle des prix
GB: price control
E: control de precios
I: controllo sui prezzi

PREISKRIEG
F: guerre des prix
GB: price war
E: guerra de precios
I: guerra dei prezzi

PREISUNTERSCHIED
F: différence de prix
GB: difference in price
E: diferencia de precio
I: differenza di prezzo

PRESSESCHAU
F: revue de presse
GB: press review
E: revista de prensa
I: rassegna stampa

PRIVATBANK
F: banque privée
GB: private bank
E: banco privado
I: banca privata

PRIVATINVESTITION
F: investissement privé
GB: private investment
E: inversión privada
I: investimento privato

PRIVATISIERUNG
F: privatisation
GB: privatization
E: privatización
I: privatizzazione
Revente à des actionnaires privés des entreprises précédemment nationalisées ou créées par l'Etat

PRIVATUNTERNEHMEN
F: entreprise privée
GB: private entreprise
E: empresa privada
I: impresa privata

PRIVATWIRTSCHAFT
F: secteur privé
GB: private sector
E: sector privado
I: settore privato

PRO KOPF
F: par tête
GB: per capita
E: por cabeza
I: a testa

PRO-FORMA-RECHNUNG
F : facture pro-forma
GB : *pro-forma invoice*
E : factura proforma
I : *fattura proforma*
Précède la facture proprement dite (dont elle reprend la forme et les termes) et permet à l'acheteur d'obtenir certaines autorisations

PROBE
F : essai
GB : *test, trial*
E : ensayo, prueba
I : *saggio, prova*

PROBE, MUSTER
F : échantillon
GB : *sample*
E : muestra
I : *campione*

PRODUCT MANAGER
F : chef de produit
GB : *product manager*
E : jefe de producto
I : *capo di prodotto*
Responsable de la gestion stratégique d'un produit ou d'une ligne de produits

PRODUKT
F : produit
GB : *product*
E : producto
I : *prodotto*

PRODUKTIONSPREIS
F : prix de production
GB : *production price*
E : precio de producción
I : *costo di produzione*

PRODUKTIVE INVESTITION
F : investissement productif
GB : *productive investment*
E : inversión productiva
I : *investimento produttivo*
Investissement destiné à accroître la capacité de production de l'entreprise

PRODUKTIVITÄT
F : productivité
GB : *productivity*
E : productividad
I : *produttività*
Rapport entre la valeur d'un produit et le coût de ses facteurs de production

PRODUKTIVITÄTSERTRÄGE
F : gains de productivité
GB : *productivity gains*
E : ganancias de productividad
I : *ricavo di produttività*
Surplus de productivité

PRODUKTLINIE
F : ligne de produits
GB : *product range*
E : línea de productos
I : *linea di prodotti*
Ensemble des références de produits de même technologie visant la même application

PROFIT CENTER
F : centre de profit
GB : *profit centre*
E : centro de beneficio
I : *centro di profitto*
Centre de responsabilité pour lequel a été fixé un objectif de profit. Regroupement réel ou fictif d'activités d'une entreprise permettant d'en déterminer le résultat

PROFORMARECHNUNG
F : facture fictive
GB : *proforma invoice*
E : factura proforma
I : *fattura proforma*

PROGRAMMIEREN
F : programmer
GB : *program*
E : programar
I : *programmare*

PROKURIST
F : fondé de pouvoir
GB : *authorized representative*
E : apoderado
I : *procuratore (commerciale)*
Personne habilitée à agir au nom d'une autre ou au nom d'une entreprise

PROSPEKT
F : prospectus
GB : *prospectus*
E : prospecto
I : *prospetto, programma*

PROTEST
F : protêt
GB : *protest*
E : protesta
I : *protesto*
Acte authentique extra-judiciaire constatant le non-paiement à l'échéance ou le refus d'acceptation d'une traite

(EINEN WECHSEL) PROTESTIEREN
F : faire protester (une lettre de change)
GB : *protest (a bill)*
E : protestar (una letra)
I : *protestare (una cambiale)*
Faire constater par huissier le non-paiement d'un effet de commerce

PROTOKOLL
F : procès-verbal
GB : *minutes*
E : actas
I : *verbale*

PROTOTYP
F : prototype
GB : *prototype*
E : prototipo
I : *prototipo*

PROVISION
F : commission
GB : *commission*
E : comisión
I : *prowigione*

PROZENT
F : cent (pour) %
GB : *per cent*
E : por ciento
I : *per cento*

PROZENTSATZ
F : pourcentage
GB : *percentage*
E : porcentaje
I : *percentuale*

PROZEß
F : processus
GB : *process*
E : proceso
I : *processo*
Déroulement dans le temps d'un phénomène, ou des différents stades dans la réalisation d'une opération

PROZEß, KLAGE
F : action juridique
GB : *legal action*
E : pleito
I : *processo*

PRÜFEN
F : vérifier et certifier
GB : *audit*
E : revisar
I : *rivedere*

PUBLIC RELATIONS
F : relations publiques
GB : *public relations*
E : relaciones publicas
I : *pubbliche relazioni*
Ensemble des actions de diffusion de l'information à l'intérieur et à l'extérieur de l'entreprise, hors de toute préoccupation lucrative ou publicitaire

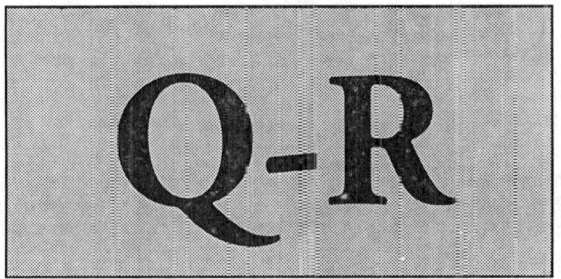

QUALIFICATION
F : qualification
GB : qualification
E : requisito
I : qualifica, requisito

QUALITÄT
F : qualité
GB : quality
E : calidad
I : qualità

QUALITÄT
F : qualité (non qualité)
GB : quality
E : calidad
I : qualità
Ecart entre la qualité souhaitée par les utilisateurs et celle qu'a conçue l'entreprise et/ou entre la qualité conçue et la qualité effective d'un produit

QUALITÄTSKONTROLLE
F : contrôle de qualité
GB : quality control
E : control de calidad
I : controllo di qualità

QUALITÄTSZIRKEL
F : cercle de qualité
GB : quality circle
E : círculo de calidad
I : circolo di qualità
Structure permanente ou temporaire de cinq à dix salariés volontaires chargés de résoudre les problèmes d'amélioration de la qualité des produits et des conditions de travail

QUARANTÄNE
F : quarantaine
GB : quarantine
E : cuarentena
I : quarantena

QUARTALSTAG
F : jour du terme
GB : quarter day
E : primer dia del trimestre
I : giorno della pigione
Jour de l'échéance

QUITTUNG
F : quittance
GB : quittance
E : recibo
I : quietanza
Document attestant qu'une dette a été payée

QUOTE
F : quota
GB : quota
E : cuota, contingente
I : quota
Limite quantitative, contingent

QUOTE, ANTEIL
F : quote-part
GB : quota, share
E : cuota, parte
I : quota, parte
Part qui revient à chacun (à payer ou à recevoir)

RABATT
F : remise
GB : remission
E : rebaja
I : rimessa, sconto
Réduction habituelle du prix courant d'une vente compte tenu de l'importance de son volume ou de la profession du client

RAHMEN
F : encadrement
GB : management/control
E : marco
I : gruppo dirigente

RAHMENABKOMMEN
F : accord cadre
GB : outline agreement (USA framework accord)
E : acuerdo marco
I : accordo quadro
Accord général conclu entre des partenaires sociaux et destiné à être précisé ultérieurement

RANDANALYSE
F : analyse marginale
GB : marginal analysis
E : analisis marginal
I : analisi marginale
Analyse des bénéfices en fonction des marges

RANDKOSTEN
F : coût marginal
GB : marginal cost
E : coste margina
I : costo marginale
Coût supplémentaire ou additionnel d'une unité entraîné par une augmentation de la production

RAT, BERATER
F : conseil
GB : council, consultant
E : consejo, consultor
I : consiglio, consulente

RATENKAUF
F : location-vente
GB : hire-purchase
E : compra a plazos
I : vendita a rate
Voir Crédit-bail, Leasing

RATENVERKAUF
F : vente à tempérament
GB : hire-purchase
E : compra a plazos
I : vendita a rate
Vente à crédit

RATENZAHLUNG
F : paiement partiel
GB : part payment
E : pago parcial
I : pagamento parziale

RATIFIZIEREN
F : ratifier
GB : ratify
E : ratificar
I : ratificare

RATIFIZIERUNG
F : ratification
GB : ratification
E : ratificacion
I : ratifica

RATION
F : ration
GB : *ration*
E : racion
I : *razione*

RATIONALISIERUNG
F : rationalisation
GB : *rationalization*
E : racionalizacion
I : *razionalizzazione*
Procédure d'adaptation efficace des moyens aux objectifs basée sur le calcul économique

RECHENFEHLER
F : erreur de calcul
GB : *miscalculation*
E : calculo erroneo
I : *calcolo errato*

RECHENMASCHINE
F : machine à calculer
GB : *calculator*
E : calculadora
I : *calcolatrice*

RECHNER, COMPUTER
F : ordinateur
GB : *computer*
E : computadora
I : *elaboratore, calcolatore*

RECHNUNG
F : compte (note)
GB : *bill, account*
E : cuenta, nota
I : *conto, nota*

RECHNUNG
F : note
GB : *bill, account*
E : cuenta, nota
I : *conto, nota*

RECHNUNGSPRÜFER
F : vérificateur des comptes
GB : *comptroller*
E : interventor
I : *controllore*

RECHT
F : loi
GB : *law*
E : ley
I : *legge*

RECHTE
F : droits
GB : *rights*
E : derechos
I : *diritti*

RECHTSFALL, PROZEß
F : procès
GB : *lawsuit, trial*
E : proceso, causa
I : *processo, causa*

RECHTSGÜLTIG, LEGAL
F : légal
GB : *legal*
E : legal, juridico
I : *legale, giuridico*

RECHTSHAFTUNG
F : responsabilité légale
GB : *legal liability*
E : responsabilidad legal
I : *responsabilità legale*
Définie conformément à la loi

RECHTSPRECHUNG, GERICHTS-BARKEIT
F : juridiction
GB : *jurisdiction*
E : jurisdiccion
I : *giurisdizione*

RECHTSVERTRETER
F : représentant mandaté
GB : *legal representative*
E : representante legal
I : *mandatario*

REDISKONTIEREN
F : réescompter
GB : *rediscount*
E : redescontar
I : *riscontare*
Pour une banque (la Banque centrale, le plus souvent), c'est acheter des titres de crédit à court terme à une autre banque qui les a déjà elle-même escomptés

REEDEREI
F : compagnie de navigation
GB : *shipping line*
E : compania navièra
I : *società di navigazione*

REFERENZ
F : référence
GB : *reference*
E : referencia
I : *referenza*

REFINANZIERUNG
F : refinancement
GB : *refunding*
E : refinanciación
I : *rifinanziamento*
Reconstitution des liquidités des banques pour qu'elles puissent accorder de nouveaux crédits, soit par le réescompte, soit par le recours au marché monétaire

REFINANZIERUNG VON FORDE-RUNGEN
F : mobilisation de créances commerciales
GB : *assignment of trade receivables*
E : movilización de créditos comerciales
I : *mobilitazione dei crediti commerciali*
Utilisation de la technique de l'escompte qui permet à une entreprise d'obtenir des fonds en cédant à une banque les titres représentant les créances sur ses clients

REGIERUNG
F : gouvernement
GB : *government*
E : gobierno
I : *governo*

REGIERUNGSSCHULDVERSCHREI-BUNGEN
F : titres d'Etat
GB : *Government securities*
E : titulos publicos
I : *titoli di Stato*
Titres émis par l'Etat ou une collectivité publique

REGISTRIEREN
F : enregistrer
GB : *register*
E : registrar
I : *registrare*

REGULIERUNG (DER DIFFERENZ-GESCHÄFTE)
F : liquidation (Bourse)
GB : *settlement*
E : liquidación (Bolsa)
I : *liquidazione (Borsa)*
Opérations de règlement et livraison sur un marché à terme

REINERLÖS
F : produit net
GB : *net proceeds*
E : rédito neto
I : *ricavo netto*

REINGEWICHT
F : poids net
GB : *net weight*
E : peso neto
I : *peso netto*

REINGEWINN
F : bénéfice net
GB : *net profit*
E : ganancia neta
I : *utile netto*
Bénéfice brut diminué des frais généraux, charges, amortissement de l'actif social et provisions pour dépréciation. Se calcule avant ou après impôts

REINGEWINNSPANNE
F : marge nette
GB : *net profit margin*
E : margen de beneficio neto
I : *margine di utile netto*
Voir Bénéfice net

REINVERMÖGEN
F : actif net
GB : *net assets*
E : activo neto
I : *attivo netto*
Situation comptable nette de l'entreprise à une date donnée (valeur comptable nette de l'actif diminuée des dettes à court terme)

REISEBÜRO
F: agence de voyages
GB: *travel agent*
E: agencia de viajes
I: *agenzia di viaggi*

REISEKOSTEN
F: frais de déplacement
GB: *travelling expenses*
E: dietas de viajes
I: *spese di viaggio*

REISENDE(R)
F: passager
GB: *passenger*
E: pasajero
I: *passeggero*

REISESCHECK
F: chèque de voyage
GB: *traveller's cheque*
E: cheque de viajero
I: *assegno turistico*
A l'usage des touristes et payable partout où la banque émettrice a des correspondants

REITERE
F: cavalerie (effet de)
GB: *accomodation*
E: favor
I: *giro di cambiali a vuoto*
Voir Bille de complaisance

REKLAME, WERBUNG
F: publicité
GB: *advertising, publicity*
E: publicidad
I: *pubblicità*

RENDITE
F: taux actuariel
GB: *redemption yield*
E: tasa actuarial
I: *tasso attuariale*
Rapport, pour une période donnée, entre le coût effectif d'un emprunt (ou le rendement effectif d'un prêt) et le montant du capital engagé

RENTABILITÄT
F: rentabilité
GB: *profitability*
E: rentabilidad
I: *redditività*
Capacité d'un capital placé ou investi à procurer des revenus exprimés en termes financiers

RENTABILITÄTSGRENZE
F: point mort (rentabilité)
GB: *break-even point*
E: punto de igualdad de ingresos y gastos
I: *punto di pareggio*
Seuil de rentabilité, niveau de chiffre d'affaires pour lequel il n'y a ni perte ni bénéfice

RENTABILITÄTSRECHNUNG
F: calcul de rentabilité
GB: *profitability allocation*
E: cálculo de rentabilidad
I: *calcolo di redditività*
Evolution, exprimée en termes financiers, de la capacité d'un capital à procurer des revenus

RENTABILITÄTSRECHNUNG
F: calcul de rentabilité
GB: *profitability allocation*
E: cálculo de precio de coste
I: *calcolo del prezzo di costo*
Evolution, exprimée en termes financiers, de la capacité d'un capital à procurer des revenus

RENTNER
F: pensionnaire
GB: *pensioner*
E: pensionado, pensionista
I: *pensionato*

REPARATUR
F: réparation
GB: *repair*
E: reparacion
I: *riparazione*

REPARIEREN
F: réparer
GB: *repair*
E: reparar, componer
I: *riparare, rifare*

REPRÄSENTATIONSKOSTEN
F: frais de représentation
GB: *entertainment expenses*
E: gastos de representacion
I: *spese di rappresentanza*

RESERVEWÄHRUNG
F: monnaie de réserve
GB: *reserve currency*
E: moneda de reserva
I: *valuta di riserva*
Détenue par les banques centrales et considérée comme réserve de change en raison de la confiance que lui attribue la communauté internationale

RETOURWARE
F: marchandises de retour
GB: *returned goods*
E: mercancias devueltas
I: *merce di ritorno*
Qui n'ont pas été vendues

RETTEN
F: sauver
GB: *save*
E: salvar
I: *salvare*

REZESSION
F: récession
GB: *recession*
E: recesion
I: *recessione*

RICHTER
F: juge
GB: *judge*
E: juez
I: *giudice*

RISIKO
F: risque
GB: *risk*
E: riesgo
I: *rischio*

RIVALE
F: rival
GB: *rival*
E: rival
I: *rivale*

ROBOTIK
F: robotique
GB: *robotics*
E: robótica
I: *robotica*
Ensemble des études et des techniques relatives à la conception et à la mise en œuvre de systèmes de production automatisée

ROHÖL
F: brut (pétrole)
GB: *crude (oil)*
E: crudo (petróleo)
I: *greggio (petrolio)*
Pétrole non raffiné

ROHSTOFF
F: matière première
GB: *raw material*
E: materia prima
I: *materia prima*

ROHSTOFFMARKT
F: marché de matières premières
GB: *commodity market*
E: mercado de materias primas
I: *mercato di materie prime*

ROTATION
F: rotation
GB: *turnover*
E: rotación
I: *rotazione*
Son taux se mesure à la fréquence des reconstitutions d'un facteur déterminé (capitaux, stocks, main-d'œuvre), en général au cours d'une année

RÜCKANTWORT BEZAHLT
F: réponse payée
GB: *reply paid (US post paid)*
E: respuesta pagada
I: *riposta pagata*

RÜCKERSTATTUNG
F: remboursement
GB: *refund*
E: reembolso
I: *rimborso*

RÜCKERSTATTUNG
 F : ristourne
 GB : *rebate*
 E : rebaja
 I : *ristorno, sconto, rimborso*
Réduction de prix calculée en pro-
portion d'un montant d'achats et
pour une période déterminée

RÜCKFAHRKARTE
 F : billet aller et retour
 GB : *return fare, return ticket
(USA roundtrip fare)*
 E : pasaje de ida y vuelta
 I : *biglietto di andata e ritorno*

RÜCKKAUFSWERT
 F : valeur de rachat
 GB : *surrender value*
 E : valor de rescate
 I : *valore di riscatto*

RÜCKLTRITTSKLAUSEL
 F : clause résolutoire
 GB : *determination clause*
 E : clausula resolutiva
 I : *clausola risolutiva*
Prévoit l'annulation automatique
d'un acte en cas de non respect des
engagements par l'une des parties ou
si un événement imprévisible sur-
vient

**RÜCKSENDUNG WENN UNVER-
KAUFT**
 F : vente avec faculté de
retour
 GB : *sale or return*
 E : venta o devolucion
 I : *da vendere o rimandare*

RÜCKSTAND
 F : arrérages
 GB : *arrears*
 E : atrasos
 I : *arretrati*
Versements périodiques d'une per-
sonne morale ou physique (débiren-
tier) au bénéficiaire d'une rente via-
gère ou d'une pension (crédirentier)

RÜCKSTÄNDIG
 F : arriéré
 GB : *overdue*
 E : vencido
 I : *scaduto*
Ce qui reste dû

RÜCKSTELLUNGSKONTO
 F : compte d'affectation
 GB : *appropriation account*
 E : cuenta de apropiacion
 I : *conto di stanziamento*
Eclaté en deux comptes, Revenu et
Utilisation du revenu, il reprend le

résultat brut d'exploitation et les res-
sources liées à la redistribution des
revenus

RÜCKTRITT, RENTE
 F : retraite
 GB : *retirement, pension*
 E : retiro
 I : *ritiro, pensione*

RÜCKTRITTSKLAUSEL
 F : clause de résiliation
 GB : *escape clause*
 E : clausula evasiva
 I : *clausola risolutiva*
Clause prévoyant l'annulation d'un
contrat par la volonté de l'une ou
des deux parties

RÜCKWIRKEND
 F : rétroactif
 GB : *retroactive*
 E : retroactivo
 I : *retroattivo*

SACHKUNDIGE(R), SACHVERSTÄNDIGE(R)
F: expert
GB: *expert*
E: experto, especialista
I: *esperto, perito*

SACHLICH, PRAKTISCH
F: fonctionnel adj
GB: *functional*
E: funcional
I: *funzionale*

SACHVERSTÄNDIGE(R)
F: spécialiste
GB: *specialist, expert*
E: especialista
I: *specialista*

SACHVERSTÄNDIGENGUTACHTEN
F: expertise
GB: *expert's report*
E: informe del especialista
I: *perizia*

SAISONALE BEREINIGUNG
F: ajustement saisonnier
GB: *seasonal adjustment*
E: ajuste estacional
I: *aggiustamento, variazione stagionale*
Correction d'une grandeur statistique tendant à se reproduire de manière régulière pour obtenir une certaine continuité

SAISONBEDINGTE SCHWANKUNGEN
F: variations saisonnières
GB: *seasonal fluctuations*
E: fluctuaciones estacionales
I: *flutuuazioni stagionali*
Variations d'une grandeur qui tendent à se reproduire de manière régulière à un rythme inférieur ou égal à un an

SALDO, RESTPARTIE
F: solde
GB: *balance, odd lot*
E: saldo, lote suelto
I: *saldo, partita spaiata*

SALDO, WAAGE
F: balance
GB: *balance, scales*
E: balance, saldo, balanza
I: *bilancia, saldo, bilancia*
Tableau récapitulatif et périodique des comptes créditeurs et débiteurs de l'entreprise

SALDOVORTRAG, GEWINNVORTRAG, VERLUSTVORTRAG
F: report à nouveau
GB: *balance carried forward*
E: saldo de entrada
I: *riporto in conto nuovo*
Excédent (positif ou négatif) de résultats non affectés à un exercice, transférés en l'état dans les comptes de l'exercice suivant

(EINEN WIRTSCHAFTSZWEIG) SANIEREN
F: assainir (une branche d'activité)
GB: *turn around, stabilize*
E: sanear (una rama de actividad)
I: *risanare (un settore d'attività)*

SATZ, KURS
F: taux
GB: *rate*
E: tasa, tipo
I: *tasso, tariffa*
Expression arithmétique d'une variation dans le temps entre deux grandeurs (pourcentage, montant, coefficient)

SB-WARENMARKT
F: grande surface
GB: *supermarket*
E: grandes almacenes
I: *supermercato, ipermercato*

SCHADENERSATZ
F: dommages-intérêts
GB: *damages*
E: daños
I: *danni*
Indemnité de réparation d'un préjudice assortie des intérêts accumulés depuis qu'il a été subi

SCHADENERSATZ ZUGESTEHEN
F: adjuger des dommages-intérêts
GB: *award damages*
E: conceder daños
I: *concedere i danni*
Attribuer par jugement une indemnité en réparation d'un préjudice causé

SCHALTTAFEL
F: tableau de distribution
GB: *switchboard*
E: cuadro de conexion
I: *quadro di comando*

SCHATZAMT
F: trésorerie
GB: *exchequer (USA tresury)*
E: hacienda
I: *tesoro*
Moyens de financement liquides ou à court terme

SCHÄTZER
F: expert-appréciateur
GB: *assessor*
E: asesor
I: *agente delle imposte*
Expert judiciaire nommé par le tribunal pour apprécier, évaluer un préjudice

SCHATZWECHSEL
F: bon du Trésor
GB: *exchequer bord (USA treasury bond)*
E: bono de tesoreria
I: *buono del tesoro*
Effet émis par l'Etat, représentatif d'une dette contractée par lui

SCHAUFENSTERDEKORATION
F : art de l'étalage
GB : *window-dressing*
E : preparacion de escaparates
I : *allestimento delle vetrine*

SCHAUKASTEN
F : présentoir
GB : *display unit*
E : presentacion
I : *mostra*

SCHECK
F : chèque
GB : *cheque (USA check)*
E : cheque
I : *assegno*

SCHECKHEFT
F : carnet de chèques
GB : *cheque book (USA check book)*
E : libro de cheques
I : *libretto assegni*

SCHICHT
F : équipe
GB : *shift*
E : turno
I : *turno*

SCHICHTARBEIT
F : travail par équipes
GB : *shifwork*
E : trabajo por torno
I : *lavoro a turno*
Pratiqué de façon continue ou prolongée par des équipes successives

SCHIEBUNG
F : manipulation
GB : *manipulation*
E : manipulacion
I : *manipulazione*

SCHIEDSGERICHT
F : cour d'arbitrage
GB : *court of abitration*
E : tribunal arbitral
I : *corte arbitrale*

SCHIEDSRICHTER
F : arbitre
GB : *arbitrator*
E : arbitrador
I : *rabitro*

SCHIEDSSPRUCH
F : sentence arbitrale
GB : *arbitration award*
E : sentencia arbitral
I : *lodo arbitrale*
Rendue dans le règlement à l'amiable d'un litige, elle permet de gagner du temps et de limiter l'engorgement des tribunaux en échappant au juge

SCHIFF
F : navire
GB : *ship*
E : barco
I : *nave*

SCHIFFBAR
F : navigable
GB : *navigable*
E : navegable
I : *navigabile*

SCHLECHTER ZAHLER
F : mauvais payeur
GB : *slow payer*
E : deudor moroso
I : *cattivo pagatore*

SCHLICHTUNG
F : conciliation
GB : *concillation*
E : conciliacion
I : *conciliazione*

SCHLUBBESCHEINIGUNG
F : quitus
GB : *quietus*
E : finiquito
I : *scarico, dichiarazione di scarico*
Décharge formelle de responsabilité donnée à un gestionnaire financier qui cesse ses fonctions. Approbation des comptes annuels d'une société par l'assemblée générale des actionnaires

SCHLUBBILANZ
F : solde net
GB : *final balance*
E : saldo final
I : *saldo finale*
Bénéfices ou pertes dégagés à la ligne Résultat net de l'entreprise

SCHLUBDIVIDENDE
F : solde de dividende
GB : *final dividend*
E : saldo del dividendo
I : *saldo del dividendo*

SCHLÜSSEL
F : clé
GB : *key, code*
E : llave, clave
I : *chiave, codice*

SCHLUBNOTIERUNG
F : cours de clôture
GB : *closing price*
E : precio de cierre
I : *prezzo di chiusura*
Cours de Bourse pratiqué en fin de séance journalière

SCHLUBSCHEIN
F : bon d'achat
GB : *contract note*
E : nota de contrato
I : *nota di contratto*

SCHLUBTERMIN
F : dernier jour
GB : *closing date*
E : ultimo dia
I : *ultima data*

SCHMUGGELN
F : faire de la contrebande
GB : *smuggle*
E : pasar de contrabando
I : *contrabbandare*

SCHMUGGELWARE
F : contrebande
GB : *contraband*
E : contrabando
I : *contrabbando*

SCHREIBMASCHINE
F : machine à écrire
GB : *typewriter*
E : maquina de escribir
I : *macchina da scrivere*

SCHRIFTLICH BESTÄTIGEN
F : confirmer par écrit
GB : *confirm in writing*
E : confirmar por escrito
I : *confermare per iscritto*

SCHULD
F : créance
GB : *debt*
E : deuda
I : *debito*
Contrepartie d'une dette

SCHULDNER
F : débiteur
GB : *debtor*
E : deudor
I : *debitore*

SCHULDSCHEIN
F : billet à ordre
GB : *promissory note*
E : pagaré
I : *paghero*
Effet de commerce par lequel un souscripteur s'engage à payer à un bénéficiaire une certaine somme à une date déterminée

SCHULDSCHEIN
F : reconnaissance de dette
GB : *IOU (I owe you)*
E : pagaré
I : *paghero*

SCHULDVERSCHREIBUNG OHNE FÄLLIGKEITSDATUM
F : obligation sans date d'échéance
GB : *undated bond*
E : obligacion sin fecha de vencimiento
I : *obbligazione senza data discadenza*

SCHÜTTGUT
F : cargaison en vrac
GB : *bulk cargo*
E : carga en granel
I : *carico alla rinfusa*
Marchandises transportées sans arrimage ni emballage

SCHWACHE WÄHRUNG
F: monnaie faible
GB: soft currency
E: moneda débil
I: valuta debole

SCHWANKEN
F: fluctuer
GB: fluctuate
E: fluctuar
I: fluttuare

SCHWANKEND
F: fluctuant
GB: fluctuating
E: fluctuando
I: fluttuante
Soumis à une variation alternative

SCHWANKENDER KURS
F: taux variable
GB: fluctuating rate
E: tipo oscilante
I: tasso variabile

SCHWANKUNG
F: fluctuation
GB: fluctuation
E: fluctuacion
I: fluttuazione

SCHWARSE BÖRSE
F: bourse (ou caisse) noire
GB: black maket (securities)
E: bolsa negra
I: borsa nera
Fonds utilisables sans contrôle et qui n'apparaissent pas en comptabilité

SCHWARZARBEIT
F: travail au noir
GB: moonlighting
E: trabajo clandestino
I: lavoro nero
Qui est effectué au-delà de la durée maximum légale et dont la rémunération échappe aux cotisations sociales et à l'impôt

SCHWARZE LISTE
F: liste noire
GB: black list
E: lista negra
I: lista nera

SCHWARZER MARKT
F: marché noir
GB: black market
E: mercado negro
I: mercato nero

SCHWER
F: lourd
GB: heavy
E: pesado
I: pesante

SCHWERE VERLUSTE
F: lourde perte
GB: heavy loss
E: fuerte pérdida, pérdida sensible
I: forte perdita

SCHWERINDUSTRIE
F: industrie lourde
GB: heavy industry
E: industria pesada
I: industria pesante
Celle qui élabore et traite les matières premières, produit de l'énergie et des biens d'équipement

SCHWESTERGESELLSCHAFT
F: société sœur (associée)
GB: sister company
E: compania asociada
I: società sorella
L'une des filiales de la société mère

SCHWIERIG
F: difficile
GB: difficult
E: dificil
I: difficile

SCHWINDELGESELLSCHAFT
F: société fantôme
GB: bogus company (USA phantom operation)
E: sociedad fantasma
I: società fasulla

SEE-
F: maritime
GB: maritime
E: maritimo
I: marittimo

SEEFRACHT
F: fret maritime
GB: sea freight
E: flete maritimo
I: trasporto marittimo di merce

SEEREISE
F: voyage
GB: voyage
E: viaje
I: viaggio

SEINE STIMME ENTHALTEN
F: abstenir (s')
GB: abstain
E: abstenerse
I: astenersi

SEKRETÄR, SEKRETÄRIN
F: secrétaire
GB: (male or female) secretary
E: secretario, secretaria
I: segretario, segretaria

SELBSTÄNDIG
F: indépendant
GB: independent
E: indpendiente
I: indipendente

SELBSTÄNDIG ARBEITENDE(R)
F: travailleur indépendant
GB: self-employed person
E: trabajador por cuenta propia
I: lavoratore indipendente

SELBSTBEDIENUNG
F: libre-service
GB: self-service
E: auto-servicio
I: servirsi da sè

SELBSTFINANZIERUNG
F: autofinancement
GB: internal financing
E: autofinanciación
I: autofinanziamento
Epargne d'une entreprise utilisée pour financer ses investissements

SEMESTER
F: semestre
GB: half-year
E: semestre
I: semestre

SICHERE VERWAHRUNG
F: bonne garde
GB: safe custody
E: custodia
I: custodia

SICHERHEIT
F: sécurité
GB: security, safety
E: seguridad
I: sicurezza

SICHERHEITSKOEFFIZIENT
F: facteur de sécurité
GB: safety factor
E: factor de seguridad
I: coefficiente di sicurezza

SICHTGELDER
F: argent à vue
GB: money on call
E: dinero a la vista
I: denaro a la vista
Voir A vue

SICHTTRATTE
F: effet exigible à vue
GB: bill payable at sight
E: letra a la vista
I: effecto pagabile a vista
Effet payable immédiatement dès qu'il est présenté

SICHTTRATTE
F: traite à vue
GB: sight draft
E: letra a la vista
I: tratta a vista
Payable aussitôt que le bénéficiaire désire en recouvrer le montant

SIEGEL
F: sceau
GB: seal
E: sello
I: sigillo

ALLEMAND

SIMULATION
F : simulation
GB : *simulation*
E : simulacion
I : *simulazione*
Réalisation d'expériences fictives permettant d'étudier l'évolution de phénomènes complexes aux facteurs explicatifs multiples

SITZ
F : domiciliation
GB : *domiciliation*
E : domiciliación
I : *domiciliazione*
Inscription sur un effet de commerce qui permet à un tiers (souvent une banque) d'en régler le montant au bénéficiaire. Lieu de paiement de l'effet de commerce

SITZSTREIK
F : grève avec occupation des lieux
GB : *sit-down strike*
E : huelga de brazos caidos
I : *sciopero bianco*

SKONTO
F : escompte
GB : *discount*
E : descuento
I : *sconto, ribasso*
Opération par laquelle une banque verse au porteur d'un effet de commerce le montant de sa créance avant son échéance

SOFORT LIEFERBARE WAREN
F : marchandises disponibles
GB : *spot goods*
E : mercancias prontas
I : *merce pronta*

SOFORTIGE LIEFERUNG
F : livraison immédiate
GB : *prompt delivery*
E : entrega immediata
I : *pronta consegna*

SOFORTZAHLUNG
F : acompte
GB : *down-payment*
E : pago de entrada
I : *acconto*
Paiement anticipé et partiel à valoir sur le montant d'une dette

SOFTWARE
F : logiciel
GB : *software*
E : software
I : *software*

SOLIDARISCHE VERMÖGENSS-TEUER
F : impôt de solidarité sur la fortune (ISF)
GB : *wealth tax*
E : impuesto sobre el patrimonio
I : *imposta patrimoniale (di solidarietà)*
Impôt direct perçu sur les patrimoines à partir d'un montant minimum de 4,26 MF

SOLIDARKAUTION
F : caution solidaire
GB : *joint and several security*
E : fianza solidaria
I : *fideiussore (garante) solidale*
Caution qui peut être directement poursuivie par le créancier en cas de défaillance du débiteur

SOLLSALDO
F : solde débiteur
GB : *debit balance*
E : saldo en débito
I : *saldo debitore*

SOMMERFERIEN
F : vacances d'été
GB : *summer-holidays*
E : vacaciones de verano, veraneo
I : *vacanza estive*

SONDERANGEBOT
F : offre exceptionnelle
GB : *bargain offer*
E : oferta de ocasion
I : *offerta di occasione*

SONDERANGEBOT
F : offre spéciale
GB : *special offer*
E : oferta especial
I : *offerta speciale*

SONDERENTSCHLUß
F : résolution extraordinaire
GB : *extraordinary resolution*
E : resolucion extraordinaria
I : *deliberazione straordinaria*

SOZIALBEITRAG
F : cotisation sociale
GB : *payroll tax*
E : cotización social
I : *versamento di oneri sociali*
Versement obligatoire effectué à la Sécurité sociale ou à l'Etat par les employeurs et les travailleurs pour financer la protection sociale

SOZIALE BILANZ
F : bilan social
GB : *social report*
E : balance social
I : *bilancio sociale*
Ensemble d'indicateurs sociaux relatifs à la vie de l'entreprise présentés et diffusés conformément à la loi (12 juillet 1977)

SOZIALE INDIKATOREN
F : indicateurs sociaux
GB : *social indicators*
E : indicadores sociales
I : *indicatori sociali*
Instruments de mesure des phénomènes sociaux, ils complètent les indicateurs économiques et permettent aux entreprises d'élaborer leur bilan social

SOZIALE KOSTEN
F : charges sociales
GB : *payroll taxes*
E : cargas sociales
I : *oneri sociali*
Cotisations patronales et salariales liées au salaire et imposées aux entreprises pour financer la protection sociale

SOZIALES KLIMA
F : climat social
GB : *climat social*
E : ambiente laboral
I : *clima sociale*

SOZIALKOSTEN
F : coût social
GB : *social cost*
E : coste social
I : *costo sociale*

SOZIALLEISTUNGEN
F : avantages accessoires
GB : *fringe benefits*
E : beneficios suplementarios
I : *vantaggi accessori*

SOZIALVERSICHERUNG
F : sécurité sociale
GB : *social security*
E : seguridad social
I : *sicurezza sociale*
Institution chargée de la protection sociale et ensemble des organismes chargés de prélever les cotisations et verser les prestations

SOZIALWIRTSCHAFT
F : économie sociale (ou tiers-secteur)
GB : *tertiary sector*
E : economía social
I : *economia sociale*
Regroupe principalement le secteur des coopératives, celui des mutuelles et celui des associations

SPALTE
F : colonne
GB : *column*
E : columna
I : *colonna*

SPANNE
F : marge
GB : *margin*
E : margen
I : *margine*

SPARKASSE
F: caisse d'épargne
GB : *savings bank*
E: caja ce ahorros
I : *cassa di risparmio*

SPEDITEUR
F: trans taire
GB : *forwerding agent*
E: agente expedidor
I : *spedizioniere*
Commerçant, commissionnaire en marchandises chargé des opérations de transit

SPEDITEUR, ABSENDER
F: expéditeur
GB : *carrier, consignor*
E: transportador, consignador
I : *vettore, speditore*

SPEKULATIONSKAPITAL
F: capitaux spéculatifs (ou fébriles)
GB : *risk capital*
E: capital de speculacion
I : *capitale di speculazione*
Qui passent d'une place financière à l'autre, prêts à se placer à court terme suivant la variation des taux d'intérêt et l'appréciation des risques de change

SPEKULIEREN
F: spéculer
GB : *speculate, job*
E: especular
I : *speculare*
Acheter et revendre des biens ou des valeurs pour tirer profit de la fluctuation de leur cours

SPERRMINORITÄT
F: minorité de blocage
GB : *blocking minority*
E: minoría de bloqueo
I : *minoranza (dei soci) in grado di influenzare le decisioni dell'assemblea*
Fraction du capital social ou des droits de vote d'une société détenue par des actionnaires non majoritaires leur permettant de s'opposer à certaines décisions

SPINNING OFF, ZUFALLSBENEFIT
F: essaimage
GB : *spinning off*
E: enjambrazón
I : *apertura di succursali specializzate in attività nuove*
Ensemble des aides financières, techniques, juridiques par lesquelles une entreprise encourage ceux de ses salariés qui le souhaitent à créer leur propre entreprise

SPOTTPREIS
F: prix soldé
GB : *bargain price*
E: precio de ocasion
Prix de vente réduit exceptionnellement

SPRACHE
F: langue
GB : *language*
E: lingua
I : *lingua*

SPRACHLABOR
F: laboratoire de langues
GB : *language laboratory*
E: laboratorio de idiomas
I : *laboratorio di linguaggio*

STAATSANGEHÖRIGKEIT
F: nationalité
GB : *nationality*
E: nacionalidad
I : *nazionalità*

STAATSANLEIHE
F: emprunt public
GB : *government loan*
E: empréstito publico
I : *prestito pubblico*
En général, obligations émises par les collectivités publiques (titres d'emprunt d'Etat, bons du Trésor...)

STAATSBESITZ
F: propriété publique
GB : *public ownership*
E: propiedad estatal
I : *proprietà statale*

STAATSOBLIGATION
F: obligation d'Etat
GB : *government bond*
E: obligacion del Estado
I : *obbligazione dello Stato*

STAATSSCHULD
F: dette publique
GB : *national debt*
E: deuda publica
I : *debito pubblico*
Ensemble des engagements à la charge de l'Etat

STAATSZUSCHUB
F: subvention d'Etat
GB : *government subsidy*
E: subvencion del Estado
I : *sovvenzione dello Stato*

STADTGAS
F: gaz de ville
GB : *town gas*
E: gas de ciudad
I : *gas di carbon fossile*

STAHLWERK
F: acierie
GB : *steel mill (USA steel plant)*
E: acería
I : *acciaieria*

STAMMAKTIE
F: action ordinaire
GB : *ordinary share*
E: accion ordinaria
I : *azione ordinaria*
Confère à son détenteur des droits normaux de participation

STANDARD, NORM
F: norme
GB : *standard, norm*
E: norma, standard
I : *norma*
Prescription technique (qui peut être définie par la loi) relative à la qualité d'un produit, à son contrôle, à sa sécurité et à son aptitude à l'emploi

STANDARDISIEREN
F: standardiser
GB : *standardize*
E: estandarizar
I : *standardizzare*

STATISTIK
F: statistique nf
GB : *statistics*
E: estacistica
I : *statistica*
Ensemble des méthodes permettant d'analyser et de synthétiser une quantité importante de données chiffrées

STATUTEN
F: statuts
GB : *Memorandum and Articles of Association (USA articles of incorporation)*
E: statutos, carta organica
I : *atto costitutivo e statuto sociale*
Ensemble de dispositions fixant les règles de fonctionnement interne d'une organisation (sociétés civiles et commerciales, en particulier)

STEIGEN, ZUNAHME
F: hausse
GB : *increase, rise*
E: incremento, aumento
I : *incremento, crescita*

STEIGEN, ZUNEHMEN
F: augmenter
GB : *increse, rise*
E: aumentar, encarecer
I : *aumentare, crescere*

STEIGEND
F: haussier adj
GB : *bullish*
E: alcista
I : *rialzista*
Opérateur boursier spéculant à la hausse

STELLAGEGESCHÄFT
F: double option
GB : *double option*
E: opcion doble
I : *opzione doppia*
Option du double. Type d'option supprimé en 1989 par la SBF

STELLENVERMITTLUNGSBÜRO
F: agence de placement
GB : *employment agency*
E: agencia de colocaciones
I : *agenzia di collocamento*

STELLVERTRETENDER VORSIT-ZENDE(R)
F : vice-président
GB : *vice-chairman*
E : vice-presidente
I : *vicepresidente*

STEMPEL
F : tampon
GB : *stamp*
E : estampilla
I : *stampiglia*

STEMPEL, MARKE
F : timbre
GB : *stamp*
E : sello
I : *timbro, francobollo*
Marque ou vignette qui garantit l'authenticité d'un document ou atteste le paiement d'un droit

STEMPELGEBÜHR
F : droit de timbre
GB : *stamp duty*
E : impuesto del timbre
I : *tassa di bollo*
Impôt indirect auquel sont soumis certains actes

STENOTYPISTIN
F : sténodactylographe
GB : *shorthand typist*
E : taquimecanografa
I : *stenodattilografa*

STERBLICHKEITSZIFFER
F : taux de mortalité
GB : *death rate*
E : mortalidad
I : *tasso di mortalità*
Rapport entre le nombre de décès observés pendant un temps déterminé et l'effectif de la population au milieu de cette période

STEUER
F : impôt
GB : *tax*
E : impuesto
I : *imposta*

STEUERABSETZBAR
F : déductible de l'impôt
GB : *tax deductible*
E : deductible de impuestos
I : *deductible da tassa*

STEUERBEGÜNSTIGUNG AUF ANLAGEN
F : déductions fiscales sur investissements
GB : *capital allowances*
E : deducciones fiscales sobre inversiones
I : *deduzioni fiscali sugli investimenti*

STEUEREINNEHMER
F : percepteur (des impôts)
GB : *tax collector*
E : recaudador de impuestos
I : *esattore delle imposte*

STEUEREKLÄRUNG
F : déclaration d'impôt
GB : *tax return*
E : declaracion de ingresos
I : *dichiarazione fiscale*

STEUERELEICHTERUNG
F : dégrèvement
GB : *tax relief*
E : desgravacion
I : *sgravio fiscale*
Suppression ou diminution de l'impôt accordées à titre contentieux (réduction) ou gracieux (remise)

STEUERFREI
F : libre d'impôts
GB : *tax-free*
E : exento de impuestos
I : *esente da tassa*
Exempté de taxes

STEUERFREIES EINKOMMEN
F : revenu non imposable
GB : *non taxable income*
E : ingresos no imponibles
I : *reddito non tassabile*

STEUERGUTHABEN
F : avoir fiscal
GB : *tax credit*
E : haber fiscal
I : *credito d'imposta*
Crédit d'impôt qui ne s'applique qu'aux seules actions (50 % du dividende net) et qui, ajouté au revenu imposable, est ensuite déduit du montant de l'impôt exigible

STEUERHINTERZIEHUNG
F : fraude fiscale
GB : *evasion of tax*
E : evasion de pago de impuestos
I : *evasione d'imposta*

STEUERJAHR
F : exercice budgétaire
GB : *fiscal year*
E : ano fiscal
I : *anno fiscale*
Période d'exécution du budget de l'Etat ou de l'administration

STEUERJAHR
F : exercice fiscal
GB : *tax year*
E : ano fiscal
I : *anno fiscale*
Période pour laquelle les résultats d'exploitation sont arrêtés (pas nécessairement l'année civile)

STEUERPARADIES
F : paradis fiscal
GB : *tax heaven*
E : oasis tributario
I : *paradiso fiscale*

STEUERPFLICHTIGES EINKOMMEN
F : revenu imposable
GB : *taxable income*
E : renta imponible
I : *reddito tassabile*

STEUERVERANLAGUNG
F : assiette de l'impôt
GB : *tax base*
E : base contributiva
I : *ripartizione della tassazione*
Base de calcul de l'imposition

STEUERVERLUST
F : perte fiscale
GB : *tax loss*
E : pérdida fiscal
I : *perdita a scopi fiscali*
Définition prévue non donnée

STEUERZUSCHLAG
F : surtaxe
GB : *surtax*
E : sobretasa
I : *soprattassa*

STEUEZAHLER
F : contribuable
GB : *tax payer*
E : contribuyente
I : *contribuente fiscale*

STILLER GESELLSCHAFTER
F : commanditaire
GB : *sleeping partner (USA silent partner)*
E : socio comanditario
I : *socio accomandante*
Bailleur de fonds

STILLSCHWEIGEND
F : implicite
GB : *implicit*
E : implicito
I : *implicito*

STILLSCHWEIGENDES ÜBEREIN-KOMMEN
F : convention tacite
GB : *tacit agreement*
E : acuerdo tacito
I : *accordo tacito*
Accord implicite

STIMMBERECHTIGTE AKTIEN
F : actions avec droit de vote
GB : *voting shares*
E : acciones con derecho de voto
I : *azioni con diritto a voto*
Permettent de participer aux assemblées générales et de prendre part aux votes

STIMMEN
F : voter
GB : *vote*
E : votar
I : *votare*

STOFF
F: étoffe
GB: *material, cloth*
E: tejido
I: *stoffa, tessuto*

STOB
F: lot
GB: *barch*
E: lote
I: *lotto*

STRAFE
F: pénalité
GB: *penalty*
E: multa
I: *penalità*
Sanction fiscale

STRAFKLAUSEL
F: clause pénale
GB: *penalty clause*
E: clausula de multa
I: *clausola penale*
Clause qui fixe le montant des dommages-intérêts dus en cas de non-exécution d'un contrat

STRATEGIE
F: stratégie
GB: *strategy*
E: estrategia
I: *strategia*

STREICHEN
F: rayer
GB: *delete*
E: tachar, anular
I: *cancellare*

STREIK
F: grève
GB: *strike*
E: huelga
I: *sciopero*

STREIKANKÜNDINGUNG
F: grève (préavis de)
GB: *strike notice*
E: huelga (preaviso de)
I: *sciopero (preavviso di)*
Avertissement et délai réglementaires précédant le démarrage d'une grève

STREIKEN
F: grève (faire)
GB: *strike*
E: declarar huelga
I: *scioperare*

STREIKENDE(R)
F: gréviste
GB: *striker*
E: huelguista
I: *scioperante*

STREIT
F: contestation
GB: *dispute*
E: disputa
I: *disputa*

STREITKRÄFTE
F: forces armées
GB: *armed forces*
E: fuerzas armadas
I: *forze armate*

STREUUNG
F: écart type
GB: *standard deviation*
E: desviación estándar
I: *scarto quadratico medio*
Le plus utilisé des indicateurs de dispersion dans l'étude de la répartition d'une population statistique (la dispersion permet de mesurer l'écart entre les valeurs extrêmes prises par un caractère statistique)

STRICKWAREN
F: bonneterie
GB: *knitted goods*
E: géneros de punto
I: *maglieria*

STROM
F: flux
GB: *flow*
E: flujo
I: *flusso*
Ce que retracent es comptes d'exploitation et de pertes et profits de l'entreprise

STÜCK
F: unité
GB: *unit*
E: unidad
I: *unità*

STUNDE
F: heure
GB: *hour*
E: hora
I: *ora*

STURM
F: tempête
GB: *storm*
E: tormenta
I: *tempesta*

STURZ
F: baisse
GB: *fall*
E: baja, caida
I: *caduta, ribasso*

STÜZEN
F: baisser
GB: *fall*
E: caer, bajar
I: *cadere, ribassare*

SUBTRAKTION
F: soustraction
GB: *substraction*
E: substraccion
I: *sottrazione*

SUBVENTION
F: subvention
GB: *subsidy*
E: subsidio
I: *sussidio*
Aide ou prêt non remboursable de l'Etat ou d'une collectivité publique

SUPERMARKT
F: supermarché
GB: *supermarket*
E: supermercado
I: *supermercato*

SWAP
F: SWAP
GB: *SWAP*
E: SWAP
I: *SWAP*
Echange financier d'éléments de créances ou de dettes opéré entre deux ou plusieurs entités (banques, entreprises, Etats...)

SWIFT
F: SWIFT — Society for Worldwide Interbank Financial Telecommunication
GB: *SWIFT (Society for Worldwide Interbank Financial Telecommunication)*
E: SWIFT
I: *Rete Internazionale di Trasferimento Fondi e Informazioni Fra Banche*
Réseau bancaire international (50 banques françaises y sont connectées) permettant d'échanger des informations et d'accélérer les opérations sur le marché monétaire international

SYMBOL
F: symbole
GB: *symbol*
E: simbolo
I: *simbolo*

SYNDIKAT, GEWERKSCHAFT
F: syndicat
GB: *syndicate, trade union*
E: sindicato
I: *sindicato*

SYNERGIE
F: synergie
GB: *synergy*
E: sinergia
I: *sinergia*

SYSTEM
F: système
GB: *system*
E: sistema
I: *sistema*
Ensemble des dispositifs ou des solutions mis en œuvre pour atteindre un objectif donné

SYSTEM DER DEGRESSIVEN KOTEN

F : économie d'échelle
GB : *economies of scale*
E : economia en funcion de volumen
I : *economie in funzione della grandezza*

Réduction des coûts unitaires par augmentation de la production et meilleure répartition des coûts fixes

SYSTEMANALYSE

F : analyse de systèmes
GB : *systems analysis*
E : analisis de sistemas
I : *analisi di sistemi*

Etude et formalisation, séparément et par couple, des interactions directes au sein d'un grand nombre de phénomènes

SZENARIO

F : scénario
GB : *scenario*
E : caso, argumento
I : *scenario*

Dans une démarche prospective, ensemble d'hypothèses pouvant servir de cadre à la définition d'options stratégiques

TABELLE, GRAPHISCHE DARSTEL-LUNG
F : graphique
GB : *chart, graph*
E : grafico
I : *grafico*

TAG
F : jour
GB : *day*
E : dia
I : *giorno*

TAGEBUCH
F : journal
GB : *journal*
E : diario
I : *giornale*

TAGESORDNUNG
F : ordre du jour
GB : *agenda*
E : orden del dia
I : *ordine del giorno*

TAGESSTEMPEL
F : dateur
GB : *date-stamp*
E : sello de fecha
I : *timbro a data*

TÄGLICH
F : au jour le jour
GB : *day-to-day*
E : dia a dia
I : *di giorno in giorno*

TAGSCHICHT
F : écuipe de jour
GB : *day-shift*
E : turno de dia
I : *turno di giorno*

TALON
F : talon
GB : *counterfoil (USA stub)*
E : talon
I : *matrice*

TANTIEME, MIETE
F : redevance
GB : *royalty, rental*
E : derechos, alquier
I : *diritti affitto*
Prix à payer en contrepartie de la concession d'un droit

TARA
F : tare
GB : *tare*
E : tara
I : *tara*

TARIF
F : barème
GB : *scale 'of fees, charges, etc.)*
E : tarifa
I : *tariffa*
Tableau des banques intervenant dans les opérations financières d'une société

TARIF
F : tarif
GB : *tariff*
E : tarifa
I : *tariffa*

TARIFVERTRAG
F : convention collective
GB : *labour agreement*
E : convenio colectivo
I : *contratto collettivo*
Accord relatif aux conditions de travail conclu entre syndicats de travailleurs et employeurs

TARIFVERTRAGSVERHANDLUNG
F : négociations de conventions collectives
GB : *collective bargaining*
E : contratacion colectiva
I : *contrattazione collettivo*

TASTE
F : touche (de machine à écrire)
GB : *key*
E : tecla
I : *tasto*

TATSACHE
F : fait
GB : *fact*
E : hecho
I : *fatto*

TAUSCH
F : échange
GB : *exchange*
E : cambio
I : *cambio*

TAUSCHHANDEL TREIBEN
F : troquer
GB : *barter*
E : trocar
I : *barattare*
Echanger directement un bien contre un autre bien

TAXI
F : taxi
GB : *taxi*
E : taxi
I : *tassi*

TECHNIK
F : technique nf
GB : *technique*
E : técnica
I : *tecnica*
Procédé résultant de l'application de connaissances théoriques et scientifiques à une production

TECHNOLOGIE
F : technologie
GB : *technology*
E : tecnologia
I : *tecnologia*
Etude des techniques. Savoir-faire

TEIL
F : part
GB : *share*
E : parte
I : *parte*

TEILEN
F : partager
GB : *share*
E : repartir
I : *dividere*

ALLEMAND

TEILHABER
F : associé
GB : *partner*
E : socio
I : *socio*

TEILUNG, ABTEILUNG
F : division
GB : *division*
E : division, seccion
I : *divisione*

TEILZEIT
F : temps partiel
GB : *part-time*
E : tiempo parcial
I : *part-time*

TELEFONNUMMER
F : numéro de téléphone
GB : *telephone number*
E : numero de téléfono
I : *numero di telefono*

TELEGRAFIEREN
F : télégraphier
GB : *telegraph*
E : telégrafar
I : *telegrafare*

TELEGRAMM
F : télégramme
GB : *telegram*
E : telegrama
I : *telegramma*

TELEGRAMMADRESSE
F : adresse télégraphique
GB : *telegraphic address*
E : direccion telegrafica
I : *indirizzo telegrafico*

TELEMATIK
F : télématique
GB : *telematics*
E : telemática
I : *telematica*
Transmission d'informations à distance par l'utilisation conjointe de l'informatique et des télécommunications

TEMPORÄRE DECKUNG
F : couverture temporaire
GB : *temporary cover*
E : cobertura provisional
I : *copertura provvisoria*

TERMINDEVISEN
F : change à terme
GB : *forward exchange*
E : divisas a término
I : *cambio a termine*
Sur le marché à terme, opération pour laquelle règlement et livraison ont lieu à une date postérieure à la négociation

TERMINIERUNG
F : planning
GB : *schedule*
E : planning
I : *pianificazione*
Schéma, plan représentant une prévision et son processus de réalisation

TERMINMARKT
F : marché à terme
GB : *futures market*
E : meercado de futuros
I : *mercato a termine*
Marché sur lequel le jour de conclusion d'un contrat et celui de son exécution sont dissociés

TERMINNOTIERUNG
F : cours à terme
GB : *forward price*
E : precio a término
I : *prezzo per futura consegna*
Cours sur un marché à terme

TESTAMENTSERÖFFNUNG, BESTÄTIGUNG
F : validation d'un testament
GB : *probate*
E : validacion de los testamentos
I : *omologazione di testamento*
Testament considéré comme valable

TEURER WERDEN, STEIGEN
F : renchérir
GB : *advance in price*
E : encarecer
I : *aumentare di prezzo*

TEURES GELD
F : argent cher
GB : *dear money*
E : dinero caro
I : *denaro ad alto interesse*

TEXTVERFASSER
F : concepteur-rédacteur
GB : *copywriter*
E : redactor
I : *redattore pubblicitario*

TILGEN, ZURÜCKZAHLEN
F : rembourser
GB : *redeem, reimburse*
E : redimir, reembolsar
I : *redimere, rimborsare*

TILGUNG, AMORTISATION
F : amortissement
GB : *redemption, amortization*
E : amortizacion
I : *ammortamento*
Echelonnement d'une charge dans le temps jusqu'à disparition de celle-ci

TILGUNGSFONDS
F : fonds d'amortissement
GB : *sinking fund*
E : fondo de amortizacion
I : *fondo di ammortamento*

TITEL, WERTPAPIER
F : titre
GB : *(legal) title, security*
E : titulo
I : *titolo*
Document représentatif d'un droit de propriété ou d'une créance

TOCHTERGESELLSCHAFT
F : filiale
GB : *subsidary company*
E : filial, empresa subsidiaria
I : *fialiale*

TOD
F : mort
GB : *death*
E : muerte
I : *morte*

TONBAND
F : bande son
GB : *sound track*
E : banda sonora
I : *colonna sonora*

TONNE
F : tonne
GB : *tonne*
E : tonelada
I : *tonnellata*

TONNENGEHALT
F : déplacement
GB : *displacement*
E : desplazamiento
I : *dislocamento*

TONNENGEHALT
F : tonnage
GB : *tonnage*
E : tonelaje
I : *tonnellaggio*

TOTENSCHEIN, STERBEURKUNDE
F : extrait d'acte de décès
GB : *death certificate*
E : partida de defunción
I : *certificato di morte, estratto d'atto di morte*

TRANSAKTION
F : transaction
GB : *transaction*
E : transaccion
I : *transazione*
Echange, processus de négociation qui a abouti à un accord par concessions réciproques

TRANSAKTION, ABSCHLUß
F : opération (affaire)
GB : *transaction*
E : operacion (mercantil)
I : *operazione*

TRANSAKTIONSANALYSE
F : analyse transactionnelle
GB : *transactional analysis, AT*
E : análisis transaccional
I : *analisi transazionale*
Technique de développement personnel basée sur l'analyse des processus de communication

TRATTE
F: traite
GB : *craft*
E: letra
I: *tratta*
Voir Lettre de change

TREUE
F: fidélité
GB : *fidelity*
E: fidelidad
I: *fedeltà*

TREUHÄNDERISCH
F: fiduciaire
GB : *fiduciary*
E: fiduciario
I: *fiduciario*
Voir Société fiduciaire

TREUHANDGESELLSCHAFT
F: société fiduciaire
GB : *trust company*
E: banco fideicomisario
I: *società fiduciaria*
Gestion : société spécialisée dans l'administration de biens pour le compte de tiers; comptabilité : cabinet d'expertise comptable

TRINKGELD
F: pourboire
GB : *tip gratuity*
E: propina
I: *mancia*
Gratification, élément de la rémunération dans certaines professions

TÜRSCHWELLE
F: pas-de-porte
GB : *key money*
E: traspaso
I: *avviamento commerciale*
Somme d'argent variable, et indépendante du loyer, versée par un locataire à celui qui l'a précédé ou au propriétaire d'un local commercial, lors de la conclusion du contrat de bail ou de cession de bail

U

ÜBERARBEITETE SCHÄTZUNG
F : devis rectifié
GB : *revised estimate*
E : calculo revisado
I : *preventivo riveduto*

ÜBERBERECHNUNG
F : surfacturation
GB : *overbilling*
E : sobrefacturación
I : *fatturazione eccessiva*
Fixation par une entreprise multinationale des prix des produits importés par une filiale de façon à rapatrier des profits

ÜBERBRÜCKUNG
F : bouche-trou
GB : *stop-gap*
E : recurso provisional
I : *prowedimento temporaneo*

ÜBEREINKUNFT
F : entente
GB : *agreement*
E : acuerdo
I : *cartello, intesa*

ÜBERGANGSKONTO
F : compte d'ordre
GB : *suspense account*
E : cuenta suspensa
I : *conto sospeso*

UBERGEPÄCK
F : excédent de bagages
GB : *excess luggage*
E : exceso de equipaje
I : *bagaglio eccedente*

ÜBERGEWICHT
F : excédent de poids
GB : *excess weight*
E : peso excedente
I : *eccedenza di peso*

ÜBERKAPAZITÄT
F : surcapacité
GB : *overcapacity*
E : exceso de capacidad
I : *capacità in eccedenza*
Capacité de production supérieure aux besoins

ÜBERLIEGEZEIT
F : surestarie
GB : *demurrage*
E : sobreestadia
I : *controstallia*
Indemnité due à un armateur en cas de retard de chargement ou de déchargement

ÜBERMÄBIG
F : excessif
GB : *excessive*
E : excesivo
I : *eccessivo*

ÜBERMORGEN
F : après-demain
GB : *day after tomorrow*
E : pasado manana
I : *dopodomani*

ÜBERNAHMEANGEBOT
F : offre de rachat
GB : *take-over bid*
E : oferta de adquisicion
I : *offerta di acquisto*

ÜBERPRODUKTION
F : surproduction
GB : *overproduction*
E : exceso de produccion
I : *sovrapproduzione*

ÜBERSCHÄTZUNG
F : surestimation
GB : *over-estimate*
E : presupuesto por exceso
I : *valutazione eccessiva*

ÜBERSCHUB
F : excédent
GB : *surplus*
E : excedente
I : *eccedenza*
Solde comptable produits/charges, avoirs/dettes ou ressources/débouchés

ÜBERSCHUB
F : surplus
GB : *surplus*
E : excedente
I : *eccesso*
Différence de croissance, exprimée en valeur, entre le volume des pro-

duits et les facteurs de production, à prix constants pour une période donnée

ÜBERSTUNDEN
F : heures supplémentaires
GB : *overtime*
E : horas extraordinarias
I : *lavoro straordinario*

ÜBERTRAG
F : solde à reporter
GB : *balance carried forward*
E : balance a cuerta nueva
I : *bilancio riportato*
Solde débiteur ou créditeur à la fin d'un exercice et qui est repris au début du suivant

ÜBERTRÄGER, ZEDENT
F : cédant
GB : *assignor, transferor*
E : cesionista
I : *cedente*
Détenteur d'un effet de commerce qui l'escompte auprès d'une banque

ÜBERTRAGUNG
F : cession
GB : *assignment*
E : cesion
I : *cessione*

ÜBERTRAGUNG VON VERMÖGEN
F : transmission de biens
GB : *conveyance of property*
E : trapaso de propiedad
I : *trasferimento di beni*

ÜBERTRAGUNGSVERTRAG
F : acte de cession
GB : *transfer ded*
E : escritura de transferencia
I : *atto di trapaso*
Authentifie la transmission d'un bien ou d'un droit dont on est propriétaire ou titulaire

ÜBERWEISEN
F : transférer
GB : *transfer*
E : transferir
I : *trasferire*

ÜBERWEISUNG
F: transfert
GB: *transfer*
E: cesion
I: *cessione*

ÜBERZIEHUNG
F: découvert
GB: *overdraft*
E: sobregiro, saldo deudor
I: *scoperto*
Compte bancaire débiteur; autorisation donnée par la banque de tirer des chèques pour un montant supérieur à la provision d'un compte

ÜBERZIEHUNGSDISPOSITION
F: facilités de caisse
GB: *overdraft facilities (USA overdraw facility)*
E: facilidades de descubierto
I: *facilitazione dio scoperto*
Avance sur un compte courant bancaire

ÜBLICHE ABNÜTZUNG
F: usure normale
GB: *fair wear and tear*
E: uso y desgaste razonable
I: *usura normale*

ÜBRIGE LADEFÄHIGKEIT
F: capacité excédentaire
GB: *excess capacity*
E: capacidad en exceso
I: *capacita in eccesso*
Capacité d'autofinancement. Excédents et besoins en fonds de roulement

UMBAU
F: travaux de transformation
GB: *alterations*
E: reformas
I: *modifiche*

UMFASSEND
F: exhaustif
GB: *comprehensive*
E: completo
I: *comprensivo*

UMFRAGE
F: sondage
GB: *survey*
E: sondeo
I: *sondaggio*

UMGEHEN
F: extourner
GB: *to reverse*
E: anular
I: *stornare*
Pour une banque, rembourser des agios à un client auquel elle a accordé une ristourne ou qui a été victime d'une erreur de sa part

UMLADUNG
F: transbordement
GB: *transhipment*
E: transbordo
I: *trasbordo*

Transfert de marchandises ou de voyageurs d'un véhicule de transport à un autre

UMLAUFVERMÖGEN
F: actif circulant
GB: *current assets*
E: activo realizable
I: *attivo liquido*
Eléments d'actif d'exploitation (stocks, créances clients...) + actifs financiers (valeurs mobilières de placement et disponibilités)

UMLAUFVERMÖGEN
F: passif circulant
GB: *current liabilities*
E: pasivo circulante
I: *passivo circolante*
Total des dettes à moins d'un an, dont on peut retrancher les dettes sur immobilisations, aux acquisitions de valeurs mobilières, les dettes fiscales et sociales et les comptes courants d'associés

UMRECHNUNGSKOEFFIZIENT
F: facteur de conversion
GB: *conversion factor*
E: factor de conversion
I: *fattore di conversione*

UMRECHNUNGSKURS
F: cours de change
GB: *rate of exchange*
E: tipo de cambio
I: *corso del cambio*
Taux de change

UMSATZ
F: chiffre d'affaires
GB: *turnover*
E: volumen de ventas
I: *giro d'affari*
Total des ventes de biens et services effectuées par une entreprise au cours d'une période donnée

UMSCHLAG
F: enveloppe
GB: *envelope*
E: sobre
I: *busta*

UMSCHLAGSPESEN
F: frais de manutention
GB: *handling charges*
E: gastos de manutencion
I: *spese di gestione*

UMSCHULUNG
F: outplacement
GB: *outplacement*
E: reconversión externa
I: *outplacement*
Financé par l'entreprise qui se sépare de collaborateurs, il est effectué par des sociétés spécialisées qui mettent à la disposition des salariés, pendant un temps déterminé, conseils et moyens divers pour leur recherche d'emploi

UMSTAND
F: facteur
GB: *factor*
E: factor
I: *fattore*

UMSTELLUNG
F: reclassement du personnel
GB: *staff resettlement*
E: nueva clasificación del personal
I: *riqualificazione del personale*

UNAUFDRINGLICHES VERKAUFEN
F: vente par des moyens discrets
GB: *soft sell*
E: venta sencilla
I: *vendere senza forzare*

UNBEFUGT
F: autorisé (non)
GB: *unauthorized*
E: inautorizado
I: *non autorizzato*

UNBEKANNTE NACHAHMUNG
F: démarque inconnue
GB: *shrinkage*
E: precio rebajado desconocido
I: *rubata o danneggiata (es: in un supermercato)*
Différence entre inventaires théoriques et inventaires physiques due aux vols ou aux erreurs de gestion

UNBWEGLICHES VERMÖGEN, IMMOBILIEN
F: biens immobiliers
GB: *real estate, tangible assets*
E: bienes inmuebles
I: *beni immobili*

UNECHT, SCHEIN-
F: fictif
GB: *fictitious*
E: ficticio
I: *fittizio*

UNECHTE AKTIVA
F: actif fictif
GB: *fictitious assets*
E: activo ficticio
I: *attivo fittizio*
Actif immobilisé dont la valeur est nulle et qui conditionne l'existence, l'activité ou le développement de l'entreprise (frais d'établissement essentiellement)

UNEHRLICH
F: malhonnête
GB: *dishonest*
E: deshonesto
I: *disonesto*

UNEINBRINGLICHE SCHULD
F: créance irrécouvrable
GB: *bad debt*
E: deuda incobrable
I: *credito inesigibile*

ALLEMAND

UNEINLÖSBARE SCHULDVER-SCHREIBUNG
F : obligation irremboursable
GB : *irredeemable debenture*
E : obligacion amortizable
I : *obbligazione irredimibile*

UNERFAHRENHEIT
F : manque de pratique
GB : *inexperience*
E : falta de experiencia
I : *inesperienza*

UNERLAUBTE ABWESENHEIT
F : absentéisme
GB : *absenteeism*
E : ausentismo
I : *assenteismo*

UNERSETZLICH, UNEINBRINGLICH
F : irrécouvrable (créance)
GB : *irrecoverable*
E : irrecuperable
I : *irrecuperabile*
Créance qui ne peut être recouvrée

UNFÄHIGKEIT
F : incapacité
GB : *inefficiency*
E : incompetencia
I : *inefficienza*

UNFÄHIGKEIT
F : inefficacité
GB : *inefficiency*
E : incompetencia
I : *inefficienza*

UNGENUTZTE LADEFÄHIGKEIT
F : potentiel non utilisé
GB : *idle capacity*
E : potencial no utilizado
I : *potenzale non utilizzato*

UNGESETZLICH
F : illégal
GB : *illegal*
E : ilegal
I : *ilegale*

UNGÜLTIG
F : invalide
GB : *invalid*
E : invalido
I : *invalido*
Non valable, légalement nul

UNHANDELSGEWINN
F : bénéfices non commerciaux — BNC
GB :
E : beneficios no comerciales (BNC)
I : *profitti non commerciali*
Ceux des professions libérales, des charges et offices dont les titulaires n'ont pas qualité de commerçants, de toutes occupations lucratives

UNITER ZOLLVERSCHLUß
F : entrepôt (en)
GB : *in bond*
E : en aduanas
I : *sotto vincolo doganale*

UNLESERLICH
F : illisible
GB : *illegible*
E : ilegible
I : *ileggibile*

UNMÄßIG, ÜBERTRIEBEN
F : exorbitant
GB : *exorbitant, outrageous*
E : exorbitante
I : *esorbitante*

UNMÖGLICH
F : impossible
GB : *impossible*
E : imposible
I : *impossibile*

UNPARTEIISCH
F : impartial
GB : *impartial*
E : imparcial
I : *imparziale*

UNPRODUKTIV
F : improductif
GB : *unproductive*
E : improductivo
I : *improduttivo*

UNSICHERHEIT
F : incertitude
GB : *uncertainty*
E : incertidumbre
I : *incertezza*

UNTERBEWERTUNG
F : décote
GB : *tax deduction*
E : deducción
I : *esonero degressivo*
Abattement opéré par rapport à la valeur nominale d'un bien pour la rapprocher de la réalité du marché

UNTERBEWERTUNG
F : délégué syndical
GB : *shop steward*
E : delegado sindical
I : *rappresentante sindacale*

UNTERDIREKTOR
F : sous-directeur
GB : *assistant manager*
E : sub-director
I : *vice-direttore*

UNTERENTWICKELTE LÄNDER
F : pays sous-développés
GB : *underdeveloped countries*
E : paises en desarrollo
I : *paesi sottoviluppati*

UNTERGEBENE(R)
F : subalterne
GB : *subordinate*
E : subalterno
I : *subalterno*

UNTERNEHMEN
F : entreprise
GB : *enterprise*
E : negocio
I : *impresa*

UNTERNEHMENSFORSCHUNG
F : recherche opérationnelle
GB : *operational research (OR)*
E : investigacion operacional
I : *indagine sul funzionamento*
Méthode d'analyse scientifique à dominante mathématique visant à définir une politique optimale de gestion

UNTERNEHMER
F : entrepreneur
GB : *entrepreneur, contractor*
E : empresario, contrastista
I : *intraprenditore, impresario*

UNTERSCHÄTZUNG
F : sous-estimation
GB : *under-estimate*
E : presupuesto por defecto
I : *sottovalutazione*

UNTERSCHIED
F : différence
GB : *difference*
E : diferencia
I : *differenza*

UNTERSCHIEDLICH
F : discriminatoire
GB : *discriminatory*
E : discriminatorio
I : *discriminatorio*

UNTERSCHLAGEN
F : détourner
GB : *embezzle*
E : defalcar
I : *appropriarsi indebitamenle*

UNTERSCHLAGUNG
F : détournement de fonds
GB : *embezzlement*
E : defalco
I : *appropriazione indebita*

UNTERSCHRIFT
F : signature
GB : *signature*
E : firma
I : *firma*

UNTERSTÜTZTE SPONTANBE-KANNTHEIT
F : notoriété spontanée assistée
GB : *attended spontaneous*
E : notoriedad espontánea asistida
I : *notorietà spontanea guidata*
NOTORIETE ASSISTEE: Caractérise une marque citée lors d'une enquête après avoir été choisie dans une liste présentée au consommateur. NOTORIETE SPONTANEE: Caractérise une marque citée de mémoire par un consommateur sans aucune aide extérieure

UNTERSUCHEN
F : examiner
GB : *examine*
E : examinar
I : *esaminare*

UNTERSUCHUNG
F : enquête
GB : *inquiry*
E : encuesta
I : *inchiesta*

UNTERSUCHUNG
F : investigation
GB : *investigation*
E : investigacion
I : *inchiesta, investigazione*

UNTERVERMIETUNG
F : sous-location
GB : *subletting*
E : subalquiter
I : *subaffitto*

UNVERTEILTE GEWINNE
F : bénéfices non distribués
GB : *undistributed profits*
E : beneficios no distribuidos
I : *profitti non distribuiti*
Dividendes que ne perçoivent pas les actionnaires et qui sont réinvestis dans l'entreprise

UNVOLLSTÄNDIG
F : incomplet
GB : *incomplete*
E : incompleto
I : *incompleto*

UNVORTEILHAFT
F : profit (sans)
GB : *unprofitable*
E : nada lucrativo
I : *poco proficuo*

UNWIDERRUFLICHER KREDIT-BRIEF
F : lettre de crédit irrévocable
GB : *irrevocable letter of credit*
E : carta de credito irrevocable
I : *lettera di credito irrevoca-bile*
Pour laquelle la banque émettrice s'engage irrévocablement vis-à-vis du bénéficiaire à effectuer la presta-tion prévue par les termes du crédit

URHEBERRECH
F : droits d'auteur
GB : *copyright*
E : derechos de autor
I : *diritti d'autore*

URHEBERRECHTSVERLETZUNG
F : contrefaçon littéraire
GB : *infringement of copyright*
E : infraccion de los derechos de autor
I : *infrazione dei diritti d'autore*

URKUNDE
F : acte
GB : *deed, document*
E : titulo, escritura
I : *atto*
Ecrit authentifiant un fait, une convention

URKUNDE
F : document
GB : *document*
E : documento
I : *documento*

URKUNDENBEWEIS
F : preuve écrite
GB : *documentary evidence*
E : prueba documental
I : *prova scritta*

URKUNDLICH
F : authentique (acte)
GB : *notarial (deed)*
E : auténtico (documento)
I : *autentico (atto)*
Ecrit présentant les formes légales requises

URSPRUNG
F : origine
GB : *origin*
E : origen
I : *origine*

URSPRUNGSZEUGNIS
F : certificat d'origine
GB : *certificate of origin*
E : certificado de origen
I : *certificato d'origine*
Document émanant d'une autorité qualifiée et attestant l'origine d'une marchandise (utilisé surtout en matière de commerce extérieur)

URTEIL
F : jugement
GB : *judgment*
E : juicio:adjudicacion
I : *giudizio*

URTEILEN
F : juger
GB : *judge*
E : juzgar
I : *giudicare*

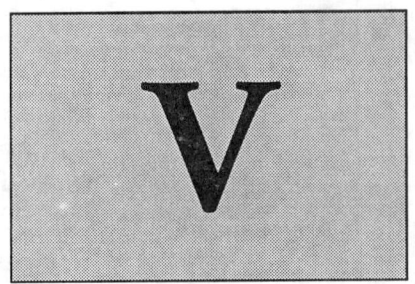

VARIABLE KOSTEN
F : coût variable
GB : *variable cost*
E : coste variable
I : *costo variabile*
Composé de charges variables en
fonction d'une activité

VARIANZANALYSE
F : analyse de variance
GB : *variance analysis*
E : analisis de variaciones
I : *analsi della variazione*
Analyse de la dispersion, ou mesure
de l'écart entre les valeurs extrêmes
d'une donnée relative à une popula-
tion statistique

VERABREDUNG, INTERVIEW
F : entrevue
GB : *appointment, interview*
E : entrevista
I : *intervista*
Rencontre concertée entre deux ou
plusieurs personnes

VERALTERUNG
F : obsolescence
GB : *obsolescence*
E : obsolescencia
I : *obsolescenza, invecchia-
mento dei mezzi produttivi*
Caractérise un matériel périmé par
le progrès technique ou les produits
nouveaux alors que le délai d'usure
n'est pas atteint

VERÄNDERUNG
F : variation
GB : *variation*
E : variación
I : *variazione*

VERANTWORTLICHKEIT
F : responsabilité
GB : *responsibility, liability*
E : responsabilidad
I : *responsabilità*

VERBAND
F : association
GB : *association*
E : asociacion
I : *associazione*

VERBESSERUNG
F : amélioration
GB : *improvement*
E : mejora
I : *miglioramento*

VERBINDLICH
F : obligatoire
GB : *compulsory*
E : obligatorio
I : *obbligatorio*

VERBRAUCH
F : consommation
GB : *consumption*
E : consumicion
I : *consumo*

VERBRAUCHER, KONSUMENT
F : consommateur
GB : *consumer*
E : consumidor
I : *consumatore*

VERBUNDEN
F : redevable
GB : *indebted*
E : endeudado
I : *indebitato*
Qui est légalement tenu au paie-
ment d'un impôt ou de toute autre
redevance

VERDINEN
F : gagner
GB : *earn*
E : ganar
I : *guadagnare*

VERDREHUNG
F : déclaration inexacte
GB : *misrepresentation*
E : declaracion falsa
I : *dichiarazione falsa*

VEREINBARUNG
F : accord
GB : *settlement (agreement)*
E : acuerdo
I : *accordo*

VEREINBARUNG
F : arrangement
GB : *agreement, arrangement*
E : arreglo
I : *arrangiamento*

VERFAHREN
F : procédure
GB : *procedure*
E : procedimiento
I : *procedura*
Ensemble des démarches à accom-
plir pour obtenir un certain résultat

VERFALLEN
F : expiré
GB : *expired*
E : vencido
I : *scaduto*

VERFALLEN
F : périmé
GB : *out of date, expired*
E : vencido
I : *scaduto*

VERFALLSTERMIN
F : date limite
GB : *deadline*
E : fecha tope
I : *ultima data o ora possibile*

VERFÜGBARER SALDO
F : solde en caisse
GB : *balance in hand*
E : sobrante
I : *saldo in cassa*

VERFÜGBARES EINKOMMEN
F : revenu disponible
GB : *disposable income*
E : renta disponible
I : *reddito disponibile*
Ensemble des salaires et des presta-
tions sociales diminué des impôts et
des cotisations sociales

VERFÜGUNG
F : disposition
GB : *disposal*
E : disposicion
I : *disposizione*
Point que règle une loi, un contrat

VERGLEICHENDE WERBUNG
F: publicité comparative
GB: comparative advertising
E: publicidad comparativa
I: pubblicità comparativa
Compare les caractéristiques d'un produit d'une marque déterminée à celles d'une ou plusieurs produits de marques concurrentes, nommées ou identifiables

VERGLEICHSABKOMMEN
F: concordat
GB: deed of composition
E: concordato
I: atto di concordato
Accord amiable ou judiciaire par lequel des créanciers consentent à leur débiteur un délai de paiement et/ou la remise partielle de sa dette

VERGOLDET
F: plaqué or
GB: gold-plated
E: chapado en oro
I: placcato in oro

VERGÜTEN
F: compenser
GB: compensate
E: compensar
I: compensare

VERGÜTUNG
F: rémunération
GB: remuneration
E: remuneracion
I: rimunerazione
Revenu en nature ou/et en espèces reçu pour prix d'un service ou d'un travail

VERGÜTUNG, HONORAR
F: honoraires
GB: fee
E: honorario
I: onorario
Revenus des professions libérales

VERHÄLTNIS, ANTEIL
F: proportion
GB: proportion
E: proporcion
I: proporzione

VERHÄLTNIS, RATIO
F: ratio
GB: ratio
E: ratio
I: rapporto
Rapport entre deux grandeurs tirées des documents comptables d'une entreprise pour en apprécier la structure et l'évolution

VERHANDELN
F: négocier
GB: negotiate
E: negociar
I: negoziare

VERHANDLUNG
F: négociation
GB: negotiation
E: negociacion
I: trattativa

VERHANDLUNGEN WIEDERAUFNEHMEN
F: discussion (rouvrir la)
GB: re-open discussions
E: reabrir a discusion
I: riaprire la discussione

VERHANDLUNGSLAGE
F: situation permettant de négocier
GB: bargaining position
E: situacion de negociar
I: situazione permettente ai trattare

VERHANDLUNGSPOSITION
F: pouvoir de négociation
GB: bargaining power
E: poder de negociacion
I: potere di contrattare

VERJÄHRUNG
F: prescription
GB: prescription
E: prescripción
I: prescrizione

VERJÄHRUNG
F: prescription (Fisc)
Période à l'issue de laquelle une imposition ne peut plus être établie, une somme perçue, une restitution de droits accordée, des poursuites ou une instance engagées

VERKAUF
F: vente
GB: sale
E: venta
I: vendita

VERKAUF MIT ZUGABEN
F: offre à prime
GB: premium offer
E: oferta a prima
I: offerta sopra la pari
Forme de remise sur une vente ou de plus-value financière

VERKAUFEN
F: vendre
GB: sell
E: vender
I: vendere

VERKAÜFER
F: vendeur
GB: salesman, vendor
E: vendedor
I: venditore, commesso

VERKAUFOPTION
F: option de vente
Confère le droit (et non l'obligation) de vendre des actifs à un prix fixé

VERKAUFSABTEILUNG
F: service ventes
GB: sales department
E: departamento de ventas
I: ufficio vendite

VERKAUFSAGENT, KONZESSIONÄR
F: distributeur
GB: distributor
E: distribuidor concesionario
I: distributore, concessionario

VERKAUFSANALYSE
F: analyse des ventes
GB: sales analysis
E: analisis de ventas
I: analisi delle vendite

VERKAUFSAUTOMAT
F: distributeur automatique
GB: vending machine
E: maquina expendedora
I: macchina venditrice automatica

VERKAUFSKONTENBUCH
F: grand livre des ventes
GB: sales ledger
E: libro mayor de ventas
I: partitario delle vendite

VERKAUFSLEITER
F: directeur commercial
GB: sales manager
E: jefe de ventas
I: direttore commerciale
Responsable de la commercialisation de produits ou services

VERKAUFSOPTION
F: option de vente
GB: put option
E: opcion de venta
I: premio a vendere

VERKAUFSORTWERBUNG
F: PLV
GB: POS advertising
E: PLV
I: promozione sui luoghi di vendita
Publi-promotion sur le lieu de vente pour inciter le consommateur à l'achat

VERKAUFSPERSONAL
F: forces de vente
GB: sales force
E: personal de ventas
I: forze di vendita
Ensemble de l'organisation et des responsables de la vente

VERKAUFSVORAUSSAGE
F: prévision des ventes
GB: sales forecast
E: pronostico de ventas
I: previsione delle vendite

VERKAUFSWERT
F : valeur vénale
GB : *market value*
E : valor venal
I : *valore venale*
Valeur comptable invariable d'un titre au moment de sa première émission

VERKEHRSSPITZE
F : heures de pointe
GB : *peak hours*
E : horas punta
I : *ore di punta*
Moments où l'activité (consommation, intensité de la circulation, affluence) est à son maximum

VERKEHRSSTOCKUNG
F : encombrement de circulation
GB : *traffic jam*
E : embotellamiento de trafico
I : *ingorgo stradale*

VERLAG
F : maison d'édition
GB : *publishing house*
E : casa editorial
I : *casa editrice*

VERLANGEN
F : réquisitionner
GB : *request*
E : requisar
I : *requisire*

VERLÄNGERUNG EINER ZAH-LUNGSFRIST
F : délai de paiement
GB : *extention of payment time*
E : prorroga de pago
I : *proroga di pagamento*

VERLÄNGERUNG EINES KRE-DITES
F : prolongation d'un crédit
GB : *extension of credit*
E : prorroga de crédito
I : *proroga di credito*

VERLETZTE(R)
F : partie lésée
GB : *injured party*
E : parte lesionada
I : *parte lesa*

VERLETZUNG DER GEWÄHRLEIS-TUNGSPFLICH
F : rupture de garantie
GB : *breach of warranty*
E : incumplimiento de la garantia
I : *violazione di garanzia*
Cessation de garantie

VERLTZUNG, VERSTOB
F : infraction
GB : *infringement*
E : infraccion
I : *infrazione*

VERLUST
F : perte
GB : *loss*
E : pérdida
I : *perdita*

VERMIETER
F : bailleur
GB : *lessor*
E : arrendador
I : *locatore*
Propriétaire, celui qui donne à bail

VERMITTLUNG
F : médiation
GB : *mediation*
E : intermediacion
I : *mediazione*

VERMÖGEN
F : bien
GB : *estate, property*
E : finca
I : *proprietà*
Produit matériel (objet de consommation ou moyen de production) de l'activité économique

VERMÖGENSANLAGE
F : actif immobilisé
GB : *capital asset (USA fixed asset)*
E : activo fijo
I : *capitale fisso*
Eléments d'actif dont l'entreprise se sert de manière durable pour exercer son activité (matériels, brevets, titres de participation...)

VERORDNUNG
F : directive
GB : *directive*
E : directiva
I : *direttivo*
Ensemble d'indications générales exprimées par une autorité à ses subordonnés

VERORDNUNG, ABRECHNUNG
F : règlement
GB : *regulation, settlement*
E : reglamento, ajuste
I : *regolamento*

VERPACHTUNG
F : bail
GB : *lease*
E : alquiler
I : *affitto*
Contrat par lequel le propriétaire d'un bien en concède la jouissance à un tiers pour une durée et un prix déterminés

VERPACKUNG
F : emballage
GB : *packing*
E : embalaje, envase
I : *imballaggio*

VERPACKUNG INBEGRIFFEN
F : franco d'emballage
GB : *including packing*
E : franco embalaje
I : *imballaggio incluso*

VERPFÄNDEN
F : hypothéquer
GB : *hypothecate*
E : hipotecar
I : *ipotecare*

VERPFÄNDUNGSURKUNDE
F : lettre hypothécaire
GB : *letter of hypothecation*
E : carta de hipoteca
I : *atto ipotecario*

VERRECHNUNGSSCHECK
F : chèque barré
GB : *crossed cheque*
E : cheque cruzado
I : *assegno sbarrato*
Les deux traits parallèles signifient que son montant ne peut qu'être versé sur un compte bancaire

VERRECHNUNGSSTELLE
F : chambre de compensation
GB : *clearing house*
E : camara de compensaciones
I : *stanza di compensazione*
A Paris, elle effectue la grande majorité des opérations de compensation.En province, les succursales de la Banque de France en tiennent lieu

VERSAGEN, DURCHFALLEN
F : échouer
GB : *fail*
E : fallar, faltar
I : *mancare, fallire*

VERSAMMLUNG
F : réunion
GB : *meeting*
E : reunion
I : *riunione, assemblea*

VERSAND, VERSENDUNG
F : envoi
GB : *despatch, consignment*
E : expedicion, consignacion
I : *spedizione, consegna*

VERSANDHANDEL
F : VPC (vente par correspondance)
GB : *mail-order selling*
E : VPC (venta por correspondencia)
I : *vendita per corrispondenza*

VERSANDSCHEIN
F : bon d'expédition
GB : *despatch note*
E : aviso de expedicion
I : *bollettino di spedizione*

VERSCHIEDENE AUSGABEN
F : frais divers
GB : *sundry expenses*
E : gastos varios
I : *spese varie*

VERSCHLEUDERN
F: brader
GB : sell cheaply/off
E: salcar
I: svendere
Se débarrasser à bas prix de marchandises

VERSCHMELZUNG
F: fusion
GB : merger
E: fusión
I: fusione
Mise en commun de tous les biens ou activités de plusieurs sociétés qui disparaissent juridiquement pour en créer une nouvelle, ou absorption de toutes les autres par l'une d'entre elles (qui subsiste)

VERSCHULDUNG
F: endettement
GB : indebtedness
E: endeudamiento
I: indebitamento

VERSCHULDUNGSKAPAZITÄT
F: capacité d'endettement
GB : borrowing power
E: capacidad de endeudamiento
I: capacità d'indebitamento
Capacité à rembourser des dettes mesurée notamment par la capacité d'autofinancement

VERSICHEN
F: assurer
GB : insure
E: asegurar
I: assicurare

VERSICHERBAR
F: assurable
GB : insurable
E: asegurable
I: assicurabile

VERSICHERER
F: assureur
GB : insurer, underwriter
E: asegurador
I: assicuratore

VERSICHERTER
F: assuré
GB : insured
E: asegurado
I: assicurato

VERSICHERUNG
F: assurance
GB : insurance, assurance
E: seguro
I: assicurazione

VERSICHERUNG AUF GEGENSEITIGKEIT
F: assurance mutuelle
GB : mutual insurance
E: coaseguro
I: mutua assicurazione

VERSICHERUNGSANSPRUCH
F: indemnité d'assurance
GB : insurance claim
E: reclamacion de seguro
I: sinistro, reclamo d'indennizzo

VERSICHERUNGSGESELLSCHAFT
F: compagnie d'assurances
GB : insurance compagny
E: compania de seguros
I: compagnia di assicurazione

VERSICHERUNGSGESELLSCHAFT AUF GEGENSEITIGKEIT
F: mutuelle
GB : mutual benefit society
E: mutualidad
I: società mutualistica
Organisme de prévoyance, de solidarité et d'entraide financée par les cotisations de ses membres

VERSICHERUNGSMAKLER
F: courtier d'assurances
GB : insurance broker
E: corredor de seguros
I: mediatore di assicurazioni

VERSICHERUNGSMATHEMATISCH
F: actuariel (taux)
GB : actuarial
E: actuarial
I: attuariale
Pour une période donnée, rapport coût effectif d'un emprunt (ou rendement effectif d'un prêt)/montant du capital

VERSICHERUNGSPOLICE
F: police d'assurance
GB : insurance policy
E: poliza de seguro
I: polizza di assicurazione

VERSICHERUNGSPRÄMIE
F: prime d'assurance
GB : insurance premium
E: prima de poliza de seguro
I: premio di assicurazione

VERSICHERUNGSSCHEIN
F: certificat d'assurance
GB : insurance certificate
E: certificado de seguro
I: certificato di assicurazione

VERSICHERUNGSSYNDIKAT
F: syndicat d'assureurs
GB : underwriting syndicate (insurance)
E: sindicato de seguros
I: sindicato di assicuratori

VERSICHERUNGSVEREIN AUF GEGENSEITIGKEIT
F: société de secours mutuel
GB : friendly society (USA lodge)
E: sociedad de socorro mutuo
I: società di mutuo soccorso
Voir Mutuelle

VERSICHERUNGSVERTRETER
F: agent d'assurances
GB : insurance agent
E: agente de seguros
I: agenzia di assicurazioni

VERSTAATLICHTES UNTERNEHMEN
F: entreprise nationalisée
GB : nationalized company
E: empresa nacionalizada
I: impresa nazionalizzata
Entreprise qui est la propriété exclusive de l'Etat

VERSTAATLICHUNG
F: nationalisation
GB : nationalization
E: nacionalizacion
I: nazionalizzazione
Transfert à la collectivité nationale de certaines entreprises ou de l'exercice de certaines activités

VERSTAUEN
F: arrimer
GB : stow
E: estibar
I: stivare

VERSTECKTER MANGEL
F: vice caché
GB : latent defect
E: defecto latente
I: difetto latente

VERSTEIGERER
F: commissaire-priseur
GB : auctioneer
E: subastador
I: venditore all'asta
Officier ministériel chargé de l'estimation et de la vente aux enchères publiques

VERSTEIGERUNG
F: vente aux enchères
GB : sale by auction
E: venta a subasta
I: vendita all'asta

VERTAGEN
F: ajourner
GB : adjourn
E: aplazar
I: aggiornare

VERTAGUNG
F: ajournement
GB : adjournment
E: aplazamiento
I: aggiornamento

VERTEILEN
F: attribuer
GB : allot
E: asignar
I: assegnare

VERTEILEN, ZUTEILEN
F: répartir
GB : distribute, apportion
E: repartir
I: ripartire

VERTEILUNG
F : attribution
GB : *allotment*
E : adjudicacion
I : *ripartizione*
Octroi d'actions supplémentaires à
un actionnaire lorsqu'une augmen-
tation de capital se fait par incorpo-
ration de réserves

VERTEILUNG, VERTRIEB
F : distribution
GB : *distribution*
E : reparto, distribucion
I : *ripartizione, distribuzione*

VERTEILUNGSBRIEF
F : avis d'attribution
GB : *allotment letter*
E : letra de adjudicacion
I : *lettera da ripartizione*

VERTIKALER ZUSAMMENSCHLUB
F : intégration verticale
GB : *vertical integration*
E : integracion vertical
I : *intgrazione verticale*
Concentration d'entreprises partici-
pant au même stade d'un processus
de production

VERTRAG
F : contrat
GB : *contract*
E : contrato
I : *contratto*

**VERTRAG ÜBER ÖFFENTLICHER
ARBEITEN**
F : marché public
GB : *procurement contract*
E : mercado público
I : *mercato pubblico*
Contrat liant une personne publique
(Etat, administration, collectivité
locale) à un entrepreneur ou un
fournisseur de services

VERTRAGLICH
F : contractuel adj
GB : *contractual*
E : contractual
I : *contrattuale*

VERTRAGSENTWURF
F : projet de contrat
GB : *draft contract*
E : proyecto de contrato
I : *progetto di contratto*

VERTRAGSPREIS
F : prix contractuel
GB : *contract price*
E : precio contractual
I : *prezzo contrattuale*

VERTRAGSVERLETZUNG
F : rupture de contrat
GB : *breach of contract*
E : incumplimiento del contrato
I : *rottura di contratto*

VERTREIBEN, VERTEILEN
F : distribuer
GB : *distribute*
E : distribuir
I : *distribuire*

VERTRETEN
F : représenter
GB : *represent*
E : representar
I : *rappresentare*

VERTRETER
F : représentant
GB : *representative*
E : representante
I : *rappresentante*

VERTRETER
F : VRP — voyageur-représen-
tant-placier
GB : *sales representative*
E : viajante de comercio
I : *rappresentante*
Représentant de commerce

VERTRIEBSWEG
F : circuit de distribution
GB : *distribution channel*
E : circuito de distribución
I : *circuito di distribuzione*

VERVIELFÄLTIGEN
F : multiplier
GB : *multiply*
E : multiplicar
I : *moltiplicare*

VERVIELFÄLTIGER
F : multiplicateur
GB : *multiplier*
E : multiplicador
I : *moltiplicatore*

**VERVIELFÄLTIGUNG DER PRO-
DUKTE**
F : diversification
GB : *diversification*
E : diversificacion
I : *diversificazione*
Activité nouvelle ou implantation
sur un nouveau marché

**VERWAHRER, GEWAHRSAMINHA-
BER**
F : dépositaire
GB : *depositary, bailee*
E : depositario
I : *depositario*

VERWAHRUNG IM STAHLFACH
F : dépôt en coffre-fort
GB : *safe deposit*
E : deposito en caja fuerte
I : *servizio de cassette di sicu-
rezza*

VERWALTEN
F : administrer
GB : *administer*
E : administrar
I : *amministrare*

VERWALTUNG
F : gestion
GB : *administration*
E : administracion
I : *gestione*

VERWALTUNGSRAT
F : comité de gestion
GB : *board of management*
E : comité de gestión
I : *comitato di gestione*

VERZICHT
F : renonciation
GB : *renunciation*
E : renuncia
I : *rinunzia*

VERZICHTEN AUF
F : renoncer à
GB : *renounce*
E : renunciar
I : *rinunziare*

VERZOLLEN
F : dédouaner
GB : *clear through customs*
E : retirar de aduanas
I : *sdoganare*
Acquitter les droits ou taxes qui
frappent une marchandise

VERZOLLT
F : acquitté (douane)
GB : *duty-paid*
E : derechos pagados
I : *dazio pagato*

VERZOLLT
F : acquitté (de droits de
douane)
GB : *ex bond*
E : fuera de aduanas
I : *sdoganato*

VERZOLLUNG
F : formalités douanières
GB : *customs clearance*
E : despacho de aduana
I : *sdoganamento*

VERZUG
F : retard
GB : *delay*
E : retraso
I : *ritardo*

VIERTELJÄHRLICH
F : trimestriel
GB : *quarterly*
E : trimestral
I : *trimestrale*

VIERTELJÄHRLICHE ZAHLUNGEN
F : paiements trimestriels
GB : *quarterly payments*
E : pagos trimestrales
I : *pagamenti trimestrali*

VISUM
F : visa
GB : *visa*
E : visa
I : *visto*

VOLKSZÄHLUNG
F : recensement
GB : *census*
E : censo
I : *censimento*

VOLL
F : plein adj
GB : *full*
E : lleno
I : *pieno*

VOLLBESCHÄFTIGUNG
F : plein emploi
GB : *full employment*
E : pleno empleo
I : *piena occupazione*
Situation d'un pays où la totalité de la main-d'œuvre disponible a la possibilité de trouver un emploi

VOLLE ZAHLUNG
F : libération intégrale
GB : *payment in full*
E : pago en pleno
I : *pagamento in pieno*
Versement intégral d'un capital souscrit par des actionnaires

VOLLGZEICHNET
F : souscrit (intégralement)
GB : *fully subscribed*
E : plenamente suscrito
I : *interamente sottoscritto*
Se dit d'un emprunt, d'une émission dont tous les titres ont trouvé preneur

VOLLMACHT
F : pouvoirs
GB : *power of attorney*
E : poder
I : *procura*
Documents écrits par lesquels des personnes donnent à des tiers la faculté de les représenter

VOLLMACHT, STELLVERTRETUNG
F : procuration
GB : *power of attorney, proxy*
E : poder, procuracion
I : *procura*

VOLLMACHT, VERRETUNG
F : mandat
GB : *authority, agency*
E : autoridad, mandato
I : *autorità, mandato*
Pouvoir qu'une personne donne à une autre d'agir en son nom. Titre de représentation

VOLLMACHTGEBER
F : mandant
GB : *principal*
E : mandante
I : *mandante*
Qui donne à une autre personne, par mandat, le pouvoir d'agir en son nom

VOLLSTRECKEN
F : exécuter
GB : *execute*
E : ejecutar
I : *eseguire*

VOLLSTRECKUNG
F : exécution
GB : *execution*
E : ejecucion
I : *esecuzione*

VON HYPOTHEK BEFREIT
F : déshypothéqué
GB : *free from mortgage*
E : deshipotecado
I : *libero d'ipoteca*
Bien dont on a levé l'hypothèque

VORANKÜNDIGUNG, KÜNDIGUNG
F : préavis
GB : *advance notice*
E : preaviso
I : *preavviso*
Lors de la rupture d'un contrat, avertissement que la partie qui prend l'initiative est tenue de donner à l'autre dans un délai et des conditions déterminés

VORARBEITER
F : contremaître
GB : *foreman*
E : capataz
I : *capo operaio, capo squadra*
Personne qui dirige le travail d'un groupe d'ouvriers

VORAUSBEZAHLT
F : payé d'avance
GB : *prepaid*
E : pagado por adelantado
I : *pagato in anticipo*

VORAUSGESETZT
F : réserves (sous)
GB : *on condition*
E : a condicion
I : *a condizione*

VORAUSSAGE
F : prévision
GB : *forecasting*
E : pronostico
I : *previsione*
Appréciation, chiffrée ou non, de l'évolution probable d'un phénomène, d'une grandeur ou d'un ensemble de grandeurs à plus ou moins long terme

VORAUSSCHAU
F : extrapolation
GB : *extrapolation*
E : extrapolación
I : *estrapolazione*
Prolongation d'une série d'observations au-delà d'une période connue ou d'un domaine déjà exploré pour en estimer le résultat

VORAUSSICHTLICHE BERTRIEBSFÜHRUNG
F : gestion prévisionnelle
GB : *previsionnal administration*
E : gestión previsible
I : *gestione di previsione*

VORAUSZAHLUNG
F : paiement anticipé
GB : *prepayment*
E : pago andelantado
I : *pagamento anticipato*

VORAUSZAHLUNG
F : paiement par anticipation
GB : *advance payment*
E : anticipo
I : *pagamento anticipato*

VORBEHALTEN
F : réserver
GB : *reserve*
E : reservar
I : *riservare*

VORDATIERTER SCHECK
F : chèque anti-daté
GB : *antedated cheque*
E : cheque con fecha adelantada
I : *assegno antedato*

VORDERFRONT
F : façade
GB : *frontage*
E : fachada
I : *facciata*

VORDRUCK
F : formulaire
GB : *printed form*
E : formulario, impreso
I : *modulo stampato*
Recueil de formules

VORFABRIZIEREN
F : préfabriquer
GB : *prefabricate*
E : prefabricar
I : *prefabbricare*

VORGESTERN
F : avant-hier
GB : *day before yesterday*
E : anteayer
I : *avantieri*

VORGREIFEN
F : anticiper
GB : *anticipate*
E : anticipar
I : *anticipare*

VORHERSEHEN
F : prévoir
GB : *forecast*
E : pronosticar
I : *pronosticare*

ALLEMAND

VORLADUNG
F : assignation
GB : *writ*
E : auto, orden
I : *citazione*
Sommation, délivrée par huissier, à comparaître à date fixe devant une juridiction. Fixation des parts quand il y a partage

VORLÄUFIG, EINLEITEND
F : préliminaire adj
GB : *preliminary*
E : preliminar
I : *preliminare*

VORLÄUFIGE DIVIDENDE
F : dividende intérimaire
GB : *intern dividend*
E : dividendo provisional
I : *acconto di dividendo*
Dividende distribué périodiquement aux actionnaires en acompte sur celui de l'exercice (dividende final)

VORMUND
F : tuteur (d'un mineur)
GB : *guardian*
E : tutor
I : *tutore*

VORORT
F : banlieue
GB : *suburb*
E : afueras
I : *periferia*

VORRAT
F : stock
GB : *stock*
E : stock
I : *stock*
Ensemble des matières et produits mis en œuvre dans l'activité d'une entreprise et entreposés en attendant d'être utilisés ou vendus

VORRAT AUF LAGER
F : marchandises en magasin
GB : *stock in hand*
E : mercancias en almacén
I : *merce in magazzino*

VORRÄTIG
F : magasin (en)
GB : *in stock*
E : en almacén
I : *in magazzino*

VORRATSLAGER ANLEGEN
F : stocker
GB : *stockpile*
E : acumular existencias
I : *ammassare*

VORRECHT
F : priorité
GB : *priority*
E : prioridad
I : *priorità*

VORSCHALG
F : proposition
GB : *proposal*
E : propuesta
I : *proposta*

VORSCHIEBEN
F : avancer
GB : *advance (USA prepay)*
E : anticipar
I : *anticipare*

VORSCHUB
F : avance
GB : *advance (USA prepayment)*
E : adelanto
I : *anticipazione*

VORSICHTIGE SCHÄTZUNG
F : évaluation prudente
GB : *conservative estimate*
E : presupuesto prudente
I : *valutazione prudente*

VORSITZENDE(R)
F : président
GB : *chairmain*
E : presidente
I : *presidente*

VORSTAND
F : administration
GB : *management*
E : direccion
I : *direzione, amministrazione*

VORSTAND
F : conseil d'administration
GB : *board of directors*
E : consejo de administracion
I : *consiglio d'amministrazione*

VORSTAND
F : conseil du directoire
GB : *board of directors*
E : consejo de directorio
I : *consiglio di direttorio*

Organisme collégial de 5 membres au plus (pas nécessairement actionnaires), il remplace le conseil d'administration dans certaines sociétés anonymes

VORSTANDSBERICHT
F : rapport des administrateurs
GB : *directors' report*
E : informe de la administracion
I : *relazione degli amministratori*

VORSTANDSSITZUNG
F : réunion de conseil d'administration
GB : *board meeting*
E : reunion del consejo de administracion
I : *riunione del consiglio d'amministrazione*

VORTEILHAFT
F : avantageux
GB : *profitable, advantageous*
E : ventajoso
I : *vantaggioso, redditizio*

VORZEITIG (BEZAHLT)
F : anticipé
GB : *anticipated*
E : anticipado
I : *anticipato*

VORZUGSAKTIE
F : action privilégiée (ou prioritaire)
GB : *preference share*
E : accion preferente
I : *azione privilegiata*
Action qui confère à son propriétaire un droit de priorité, par exemple dans la distribution des bénéfices

VORZUGSSATZ
F : tarif de faveur
GB : *preferential duty*
E : derechos preferenciales
I : *tariffa preferenziale*

WAGNIS
F: hazard
GB : hazard
E : azar, riesgo
I : rischio

WAHRSCHEINLICHKEIT
F: probabilité
GB : probability
E : probabilidad
I : probabilità

WÄHRUNG
F: monnaie
GB : currency
E : moneda
I : valuta

WÄHRUNGSABWERTUNG
F: dévaluation
GB : devaluation
E : devaluacion
I : svalutazione
Diminution de la valeur-or d'une monnaie et de sa valeur de change

WÄHRUNGSGEBIET
F: zone monétaire
GB : currency area
E : zona monetaria
I : zona monetaria
Ensemble de pays dont les monnaies (secondaires) sont étroitement liées à une monnaie principale (celle du pays centre) et convertibles entre elles

WÄHRUNGSPOLITIK
F: politique monétaire
GB : monetary policy
E : politica monetaria
I : politica monetaria

WANDELANLEIHE,
F: obligation convertible en action
GB : bond convertible into equity
E : obligación convertible en acción
I : obbligazione convertibile in azioni
Obligation que le souscripteur peut, au terme d'un certain délai ou à une date déterminée, transformer en action

WAREN UNTER ZOLLVERSCHLUß
F: marchandises sous douane
GB : bonded goods
E : mercarcias en aduana
I : merci sotto vincolo doganale
Pour lesquelles les droits ou taxes n'ont pas été encore acquittés

WARENHAUS, KAUFHAUS
F: grand magasin
GB : department store
E : grandes almacenes
I : grande magazzino

WARENLAGER
F: entrepôt
GB : warehouse
E : almacén
I : magazzino

WARENMARKT
F: marché commercial
GB : produce market
E : mercado de productos
I : mercato commerciale

WARENUMSATZSTEUER
F: taxe sur les ventes
GB : sales tax
E : impuesto sobre la venta
I : imposta sulle vendite

WARENZEICHEN
F: marque de fabrique
GB : trademark
E : marca de fabrica
I : marchio di fabbrica
Signe distinctif apposé sur un produit pour en indiquer l'origine, elle est protégée légalement par son inscription obligatoire à l'Institut national de la propriété industrielle

WARTELISTE
F: liste d'attente
GB : waiting list
E : lista de espra
I : elenco delle prenotazioni

WASSERSCHADEN
F: dégâts des eaux
GB : water damage
E : dano causado por el agua
I : danno causato dall'acqua

WEBWARE
F: textile
GB : textile
E : textil
I : tessile

WECHSEL, TRATTE
F: lettre de charge
GB : bill of exchange
E : letra de cambio
I : tratta cambiale
Voir Effet de commerce

WECHSELBÜRGSCHAFT
F: aval
GB : endorsement
E : aval
I : avallo
Signature par laquelle un tiers garantit à un bénéficiaire tout ou partie du paiement d'un effet de commerce

WECHSELFORDERUNGEN
F: effets à recevoir
GB : bills receivable
E : letras a cobrar
I : effetti attivi
Compte enregistrant des créances représentées par des effets de commerce

WECHSELKURS
F: taux de change
GB : exchange rate
E : tipo de cambio
I : tasso di cambio
Valeur de la monnaie nationale exprimée en monnaie étrangère

WECHSELMAKLER
F: cambiste
GB : foreign exchange dealer/broker
E : cambista
I : cambiavalute
Agent d'établissement bancaire spécialisé dans le commerce des devises

WECHSELSCHULDEN
F : effets à payer
GB : *bills payable*
E : letras pagaderas
I : *effetti passivi*
Compte enregistrant des dettes
représentées par des effets de com-
merce

WEGWERFBARE VERPACKUNG
F : emballage perdu
GB : *disposable wrapping*
E : envoltura desechable
I : *imballaggio a perdere*

WEIDERANSCHAFFUNGSKOSTEN
F : coût de remplacement
GB : *replacement cost*
E : coste de repuesto
I : *costo di rimpiazzo*
Prix d'achat d'un équipement à
payer pour une satisfaction équiva-
lente à celle procurée par celui qui
est usagé

WEITERBILDUNG
F : formation continue
GB : *continuing education*
E : formación profesional ocu-
pacional
I : *formazione continua*

WEITERE AUSKUNFT
F : renseignements complé-
mentaires
GB : *further information*
E : mas detalles
I : *ulteriori informazioni*

WEITERE GRÜNDE
F : raisons supplémentaires
GB : *further reasons*
E : rasones adicionales
I : *ulteriori motivi*

WEITERÜBERLEGUNG
F : examen plus attentif
GB : *further consideration*
E : examen mas detallado
I : *essame piu attento*

WEITERVERFOLGEN
F : poursuivre
GB : *follow up*
E : perseguir
I : *seguitare*

**WELTGESUNDHEITSORGANISA-
TION (WHO)**
F : Organisation mondiale de
la santé — OMS
GB : *World health organization
(WHO)*
E : Organizacion mundial de la
salud (OMS)
I : *Organizzazione mundiale
della sanità (OMS)*
Organisation spécialisée de l'ONU
dont le siège est à Genève, et qui a
pour objet de créer les conditions
pour « amener tous les peuples au
degré de santé le plus élevé pos-
sible »

WERBEBERATER
F : conseil en publicité
GB : *advertising consultant*
E : consultor de publicidad
I : *consulente di pubblicità*

WERBEBÜRO
F : agence de publicité
GB : *advertising agency*
E : agencia de publicidad
I : *agenzia pubblicitaria*

WERBEFELDZUG
F : campagne publicitaire
GB : *advertising campaign,
publicity campaign*
E : campana publicitaria
I : *campagna pubbicitaria*

WERBEKOSTEN
F : dépenses de publicité
GB : *advertising expenditure*
E : gastos publicitarios
I : *spese de pubblicità*

WERBEMITTEL
F : support publicitaire
GB : *advertising medium*
E : medio de publicidad
I : *mezzo pubblicitario*

WERBEPLAN
F : plan média
GB : *advertising schedule*
E : plan de propaganda
I : *programma delle inserzioni*
Procédure de choix de média, puis
de supports selon des critères définis

WERBEPLAZIERUNG
F : espace publicitaire
GB : *advertising space*
E : espacio publicitario
I : *spazio pubblicitario*

WERBEREGIE
F : régie publicitaire
GB : *advertising agency*
E : agencia, administración de
publicidad
I : *brokeraggio pubblicitario*
Organisation dont le rôle est de
commercialiser l'espace publicitaire
des supports dont elle a la charge

WERBESCHRIFT
F : prospectus publicitaire
GB : *advertising brochure*
E : folleto publicitario
I : *opuscolo pubblicitario*

WERBETARIF
F : tarifs de publicité
GB : *advertising rates*
E : tarifa para anuncios, tarifas
de publicidad
I : *tariffe pubblicitarie*

WERBETRÄGER
F : supports
GB : *media*
E : medios de informacion
I : *canali d'informazione*

**WERBUNG, VERKAUFSFÖRDE-
RUNG**
F : promotion de ventes
GB : *sales promotion*
E : promocion de ventas
I : *sviluppo delle vendite*

WERKMEISTER
F : chef d'atelier
GB : *head foreman*
E : capataz jefe
I : *capo officina*

WERKZEUGBAU
F : ingénierie
GB : *engineering*
E : ingeniería
I : *ingegneria*
Activité de conception, d'étude et de
coordination qui précède la réalisa-
tion d'un projet ou la mise en ser-
vice d'un ouvrage

WERT
F : valeur
GB : *value*
E : valor
I : *valore*

WERTBERICHTIGUNGSKONTO
F : compte de régularisation
GB : *accruals*
E : cuenta de regularización
I : *risconti*
Affectation à un exercice donné des
dettes et des créances qui le concer-
nent

WERTPAPIER, EFFEKTEN
F : titres
GB : *stock, securities*
E : titulos, valores
I : *titoli, valori*

**WERTSTEIGERUNG, PLANUNG-
SGEWINN**
F : appréciation
GB : *appreciation, betterment*
E : subida (en valor), plusvalia
I : *aumento, plus-valore*
Hausse continue du cours d'une
monnaie sur le marché des changes

WERTVOLL
F : valeur (de)
GB : *valuable*
E : valioso
I : *di valore*

WESENTLICH
F : essentiel
GB : *material*
E : material
I : *materiale*

WETTBEWERB
F : concurrence
GB : *competition*
E : competicion
I : *concorrenza*

WETTEIFERND
F : compétitif
GB : *competitive*
E : competidor
I : *in concorrenza*

WIDERRUF
F : révocation
GB : *revocation*
E : revocacion
I : *revoca*

WIDERRUFEN
F : révoquer
GB : *revoke*
E : revocar
I : *revocare*

WIDERSTREITENDE INTERESSEN
F : opposition d'intérêts
GB : *conflict of interest*
E : pugna de intereses
I : *conflitto d'interessi*

WIEDERAUFBAU
F : reconstruction
GB : *reconstruction*
E : reconstruccion
I : *ricostruzione*

WIEDERAUSFUHR
F : réexportation
GB : *re-exportation*
E : reexportacion
I : *riesporto*

WIEDERAUSFÜHREN
F : réexporter
GB : *re-export*
E : rexportar
I : *riesportare*

WIEDERVERKAUFSPREIS
F : prix de revente
GB : *resale price*
E : precio de reventa
I : *prezzo di rivendita*

WIEGEN
F : peser
GB : *weigh*
E : pesar
I : *pesare*

WILDER STREIK
F : grève sauvage
GB : *wildcat strike*
E : huega espontanea
I : *sciopero selvaggio*

WILLENSERKLÄRUNG
F : déclaration d'intention
GB : *declaration of intent*
E : declaracion de intencion
I : *dichiarazione d'intenzione*

WIRKLICHER TOTALVERLUST
F : perte totale effective
GB : *actual total loss*
E : pérdida total efectiva
I : *perdita totale assoluta*

WIRKSAM
F : actif adj
GB : *operative*
E : operativo, activo
I : *attivo, operativo*

WIRKSAM WERDEN
F : entrer en vigueur
GB : *become operative*
E : entrar en vigor
I : *entrare in vigore*

WIRKSAMKEIT, LEISTUNGSFÄ-HIGKEIT
F : efficacité
GB : *effectiveness, efficiency*
E : eficacia, eficiencia
I : *efficacia, efficienza*

WIRTSCHAFT, VOLKSWIRT-SCHAFTSLEHRE
F : économie, économie politique
GB : *(the) economy, economics*
E : economia
I : *economia*
La conception dominante l'assimile à la science économique, science des moyens, la politique étant le choix des fins

WIRTSCHAFTLICH
F : économique
GB : *economic*
E : economico
I : *economico*

WIRTSCHAFTLICHE SANKTIONEN
F : sanctions économiques
GB : *economic sanctions*
E : sanciones economicas
I : *sanzioni economiche*

WIRTSCHAFTLICHER AKTEUR
F : acteur économique
GB : *economic agent*
E : actor económico
I : *operatore economico*

WIRTSCHAFTSKRISE
F : crise économique
GB : *depression*
E : crisis economica
I : *crisi*

WIRTSCHAFTSPRÜFER
F : auditeur
GB : *auditor*
E : auditor
I : *controllore (es. dei conti...)*
Responsable d'un audit (salarié de l'entreprise ou conseil externe)

WIRTSCHAFTSPRÜFER
F : expert-comptable
GB : *qualifed accountant*
E : contador habilitado
I : *ragioniere diplomato*
Professionnel spécialisé dans l'analyse, le contrôle et l'organisation des comptabilités

WIRTSCHAFTSPRÜFUNG
F : audit
GB : *audit*
E : auditoria
I : *controllo (es. dei conti, del bilancio...)*
Activité de contrôle et de conseil destinée, par la vérification de docu-

ments ou de processus, à mesurer l'efficacité d'une entreprise et/ou de ses dirigeants

WIRTSCHAFTSSPIONAGE
F : espionnage industriel
GB : *industrial espionage*
E : espionaje industrial
I : *spionaggio industriale*

WIRTSCHAFTSWACHSTUM
F : croissance économique
GB : *economic growth*
E : crecimiento economico
I : *sviluppo economico*

WOHLSTAND
F : richesse
GB : *wealth*
E : riqueza
I : *ricchezza*

WOHNUNGSGEBÄUDE
F : immeuble
GB : *block of flats (USA apartment house)*
E : bloque de pisos
I : *fabbricato d'appartamenti*

WOHNUNGSVERSICHERUNG
F : assurance familiale (domicile)
GB : *household insurance*
E : seguro de casa
I : *assicurazione domestica*

WUCHER
F : usure
GB : *usury*
E : usura
I : *usura*
Octroi d'un prêt à un taux supérieur à la coutume ou à la loi (délit)

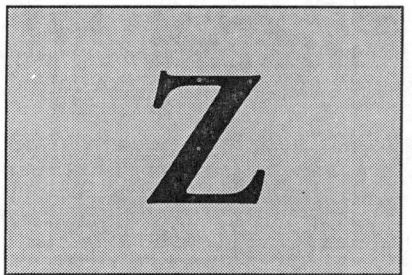

ZAHL
F : chiffre
GB : *figure*
E : cifra
I : *cifra*

ZAHLBAR
F : payable
GB : *payable*
E : pagadero, pagable
I : *pagabile*

ZAHLBAR BEI SICHT
F : payable à vue
GB : *payable at sight*
E : pagadero a la vista
I : *pagabile a vista*
Voir A vue

ZAHLEN
F : payer
GB : *pay*
E : pagar
I : *pagare*

ZAHLEN BEI VORLAGE
F : payer au porteur
GB : *pay to bearer*
E : paguese al portador
I : *pagare al portatore*

ZAHLTAG, ABRECHNUNGSTAG
F : jour de paiement
GB : *pay day*
E : dia de pago
I : *giorno di paga*

ZAHLUNG UNTER PROTEST
F : paiement sous protêt
GB : *payment under protest*
E : pago sobre protesta
I : *pagamento sotto protesto*
Effectué sous la contrainte d'un huissier qui constate le non-paiement d'un chèque, d'un billet à ordre ou d'une lettre de change

ZAHLUNG ZUM VOLLEN AUS-GLEICH
F : paiement libératoire
GB : *payment in full discharge*
E : pago de liberacion
I : *pagamento a completa tacitazione*
Qui a pour effet de libérer un débiteur de sa dette

ZAHLUNGSANWEISUNG
F : ordonnancement
GB : *(Administration) order to pay/ (industrie) production scheduling*
E : planificación
I : *ordinativo*
Organisation, agencement méthodique. Acte administratif par lequel ordre est donné de payer une dette contractée par un organisme public

ZAHLUNGSAUFSCHUB
F : moratoire
GB : *moratorium*
E : moratorio
I : *moratoria*
Disposition suspendant l'application d'un délai fixé par la loi ou par contrat

ZAHLUNGSBEDINGUNGEN
F : conditions de paiement
GB : *payment terms*
E : condiciones de pago
I : *condizioni di pagamento*

ZAHLUNGSBILANZ
F : balance des paiements (ou des comptes)
GB : *balance of payments*
E : balanza de pagos
I : *bilancia dei pagamenti*
Balance de tous les mouvements monétaires qui accompagnent les transactions

ZAHLUNGSFÄHIG
F : solvable
GB : *solvent*
E : solvente
I : *solvibile*

ZAHLUNGSFÄHIGKEIT
F : solvabilité
GB : *solvency*
E : solvencia
I : *solvibilità*

ZAHLUNGSUNFÄHIG
F : insolvable
GB : *insolvent*
E : insolvente, quebrado
I : *insolvente*

ZAHLUNGSUNFÄHIGKEIT
F : insolvabilité
GB : *insolvency*
E : insolvencia
I : *insolvenza*

ZEICHNUNG
F : dessein
GB : *design*
E : diseno
I : *disegno*

ZEICHNUNG
F : souscription
GB : *subscription*
E : suscripcion
I : *sottoscrizione*
Engagement irrévocable à recevoir des titres contre paiement à un prix convenu d'avance; achat d'un titre au moment de son émission

ZEICHNUNGSBERECHTIGUNG
F : droits de souscription
GB : *application rights*
E : derechos de suscripción
I : *diritti di sottoscrizione*
Faculté ouverte à un actionnaire de recevoir des actions supplémentaires à l'occasion d'une augmentation de capital en numéraires

ZEITGESCHÄFTE
F : opérations à terme
GB : *forward dealings*
E : negociaciones a término
I : *operazioni a termine*
Opérations réalisées sur un marché à terme

ZENTRALHEIZUNG
F : chauffage central
GB : *central heating*
E : calefaccion central
I : *riscaldamento centrale*

ZENTRALISIERUNG
F : centralisation
GB : *centralization*
E : centralizacion
I : *centralizzazione*

ZERBRECHLICH
F : fragile
GB : *fragile*
E : fragil
I : *fragile*

ZERTIFIZIERUNG
F : certification
GB : *certification, auditing*
E : certificación
I : *autenticazione*
Attestation de conformité à des normes délivrée à un produit, une organisation, par un organisme indépendant

ZESSIONAR
F : concessionnaire
GB : *assignee, transferee*
E : cesionario
I : *assegnatario, cessionario*

ZEUGE
F : témoin
GB : *witness*
E : testigo
I : *testimone*

ZHLUNG
F : versement
GB : *payment*
E : pago
I : *pagamento*

ZIEL, ZWECK
F : but
GB : *target, purpose*
E : objetivo
I : *bersaglio, scopo*

ZINSEN
F : intérêt
GB : *interest*
E : interés
I : *interesse*

ZINSESZINSEN
F : intérêts composés
GB : *compound interest*
E : interés compuesto
I : *interesse composto*
Intérêts simples additionnés de ceux qui s'appliquent à la somme capitalisée des intérêts déjà perçus

ZINSFUß
F : taux d'intérêt
GB : *interest rate*
E : tipo de interés
I : *tasso d'interesse*
Prix d'un placement ou d'un emprunt, exprimé en pourcentage, qui est le rapport entre le montant de l'intérêt dû pour l'année et celui du capital engagé

ZOLL
F : douane
GB : *customs*
E : aduana
I : *dogana*

ZOLL
F : droit de douane
GB : *customs duty*
E : derechos de aduanas
I : *diritti doganale*

ZOLLABFERTIGUNG
F : dédouanement
GB : *customs clearance*
E : paso de aduanas
I : *sdoganamento*

ZOLLABKOMMEN
F : accord tarifaire
GB : *tariff agreement*
E : acuerdo tarifario
I : *accordo tariffario*

ZOLLERKLÄRUNG
F : déclaration en douane
GB : *customs declaration*
E : declaracion de aduana
I : *dichiarazione doganale*
Document déposé à l'administration des Douanes pour toute marchandise importée ou exportée

ZOLLFREIE EINFUHR
F : admission en franchise
GB : *duty-free admission*
E : admision libre de impuestos
I : *ammissione in franchigia doganale*

ZOLLRÜCKVERGÜTUNG
F : remboursement des droits d'importation
GB : *(customs) drawback*
E : reembolso de derechos de aduana
I : *rimborso d'esportazione*

ZOLLSCHRANKE
F : barrière douanière
GB : *customs barrier*
E : barrera aduanera
I : *barriera doganale*
Ensemble des taxes qui frappent les marchandises à l'entrée ou à la sortie d'un territoire et permettent d'en réglementer la circulation

ZOLLUNION
F : union douanière
GB : *customs union*
E : union aduanera
I : *unione doganale*

ZONE
F : zone
GB : *zone*
E : zona
I : *zona*

ZUFÄLLIG
F : aléatoire
GB : *(statistique) random, (résultat) hazardous*
E : aleatorio
I : *aleatorio*
Lié à un événement imprévisible venant perturber un programme, une prévision

ZUFRIEDENSTELLUNG, BEGLEICHUNG
F : satisfaction
GB : *satisfaction*
E : satisfaccion
I : *soddisfazione*

ZUFÜHRUNG
F : affectation
GB : *appropriation*
E : apropiacion
I : *stanziamento*
Destinations de moyens ou ressources à un usage déterminé

ZUGANG
F : accès
GB : *access (to)*
E : acceso
I : *accesso*

ZUGANG
F : augmentation
GB : *accrual*
E : incremento
I : *incremento*

ZUM HALBEN PREIS
F : moitié prix (à)
GB : *half price*
E : a mitad de precio
I : *metà prezzo*

ZUR BEGLEICHUNG VORGELEGTE RECHNUNG
F : compte rendu
GB : *account rendered*
E : cuenta rendida
I : *conto reso*

ZURÜCKTRETEN
F : démettre (se)
GB : *resign*
E : dimitir
I : *dimettersi*

ZUSAMMENARBEIT
F : coopération
GB : *cooperation*
E : cooperacion
I : *cooperazione*

ALLEMAND

ZUSAMMENHANG
F : corrélation
GB : *correlation*
E : correlación
I : *correlazione*
Variations de même sens ou de sens opposé entre deux ou plusieurs grandeurs

ZUSÄTLICHE STEUERHÖHUNG
F : redressement judiciaire
GB : *tax adjustment*
E : procedimiento de suspensión de pagos
I : *riparazione giudiziaria*
Procédure instituée pour les entreprises en état de cessation de paiement consistant à présenter un plan de redressement dont l'issue peut être la survie, la cession totale ou partielle, ou encore la liquidation judiciaire

ZUSATZ
F : additif
GB : *additional clause, rider*
E : aditivo
I : *attuale*
Complément d'un texte

ZUSCHLAGSGEBÜHR
F : supplément
GB : *extra charge*
E : suplemento
I : *spesa supplementare*

ZUSTIMMUNG
F : agrément
GB : *consent (to)*
E : aprobación
I : *consenso, autorizzazione*
Autorisation de faire, accordée par l'administration

ZUVERLÄSSIG
F : digne de confiance
GB : *reliable*
E : digno de confianza
I : *fidato, attendibile*

ZUVERLÄSSIGKEIT
F : fiabilité
GB : *reliability*
E : fiabilidad
I : *affidabilità*

ZUWEISEN
F : affecter
GB : *allocate (credits), (nommer) post, (avoir un impact) affect*
E : asignar
I : *stanziare*

ZUWEISUNG
F : affacturage
GB : *factoring*
E : factoring
I : *riscossione crediti*
Gestion des créances des comptes clients d'une entreprise par un organisme extérieur

ZWANG
F : contrainte
GB : *duress*
E : compulsion
I : *costrizione*

ZWANGS-
F : forcé
GB : *forced*
E : forzado
I : *forzato*

ZWANGSLIQUIDATION
F : liquidation forcée
GB : *compulsory winding-up (USA forced liquidation)*
E : liquidacion forzosa
I : *liquidazione forzata*

ZWANGSVERKAUF
F : vente forcée
GB : *forced sale*
E : venta forzosa
I : *vendita forzosa*

ZWECKFORSCHUNG, FORSCHUNG UND ENTWICKLUNG (F & E)
F : recherche-développement
GB : *research and development (R & D)*
E : investigacion y desarrollo
I : *studi e sviluppi*
S'applique aux phases de la recherche fondamentale, de la recherche appliquée, et du développement

ZWEIFELHAFTE FORDERUNG
F : créance douteuse
GB : *doubtful debt*
E : deuda de pago dudoso
I : *credito dubbio*
Dont le recouvrement est incertain

ZWEIMAL WÖCHENTLICH
F : bi-hebdomadaire
GB : *twice-weekly*
E : bisemanal
I : *bisettimanale*
Qui paraît ou qui a lieu deux fois par semaine

ZWEIMONATLICH
F : bimestriel
GB : *twice monthly*
E : bimensual
I : *bimensuale*
Qui paraît ou qui a lieu tous les deux mois

ZWEITMARKT
F : second marché
GB : *French second-tier unlisted securities market with reduced reporting requirements*
E : segundo mercado
I : *mercato secondario*
Marché boursier créé par la loi du 3 janvier 1983 pour faciliter aux entreprises moyennes l'accès à l'épargne publique

ZWISCHENBILANZ
F : bilan intermédiaire
GB : *interim financial statement*
E : extrato financiero provisional
I : *rendiconto finanziario provisorio*
Bilan indicatif dressé à une date quelconque de l'exercice sans tenir compte des opérations d'inventaire

ZWISCHENHÄNDLER
F : intermédiaire
GB : *middle man*
E : intermediario
I : *intermediario*

ZWISCHENMENSCHLICHE BEZIEHUNGEN
F : relations humaines
GB : *human relations*
E : relaciones humanas
I : *relazioni umane*

Dictionnaire
espagnol

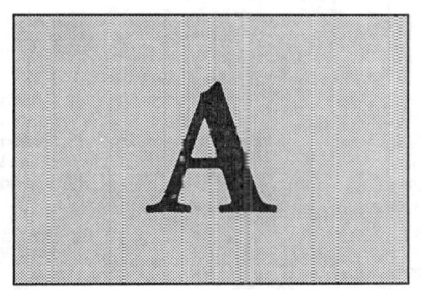

ABASTECER
F : avitailler
GB : (re)fuel (ship, etc)
D : bestücken
I : approvvigionare
Approvisionner navires et avions en
matières consommables à bord

ABASTECIMIENTO
F : approvisionnement
GB : procurement, (financier)
money paid into
D : Belieferung
I : approvvigionamento

ABOGADO
F : avocat
GB : lawyer, barrister, counsel
(USA attorney)
D : Anwalt
I : avvocato

ABONO
F : abonnement
GB : subscription
D : Abonnement
I : abbonamento

ABROGAR
F : abroger
GB : rescind, repeal
D : aufheben
I : abrogare

ABSCISA
F : abscisse
GB : abscissa
D : Abszisse
I : ascissa
Coordonnée horizontale qui permet,
avec l'ordonnée (coordonnée verti-
cale), de situer un point dans un
plan

ABSTENERSE
F : abstenir (s')
GB : abstain
D : seine Stimme enthalten
I : astenersi

ACAPARADOR
F : profiteur
GB : profiteer
D : Gewinner
I : profittore

ACAPARAR EL MERCADO
F : occuper le marché
GB : corner a market
D : den Markt beherrschen
I : accaparrare il mercato

ACEPTACION COMERCIAL
F : acceptation commerciale
GB : trade acceptance
D : Handelsakzept
I : accettazione commerciale
Acceptation par une banque d'un
effet de commerce tiré par le four-
nisseur d'un ce ses clients pour faci-
liter une opération commerciale

ACCESO
F : accès
GB : access (to)
D : Zugang
I : accesso

ACCIDENTE DE TRABAJO
F : accident de travail
GB : industrial accident
D : Arbeitsunfall
I : infortunio sul lavoro

ACCION
F : action
GB : share
D : Aktie
I : azione
Titre de propriété d'une fraction du
capital d'une société qui procure une
quote-part des bénéfices variable et
des droits spécifiques en cas de liqui-
dation

ACCION ORDINARIA
F : action ordinaire
GB : ordinary share
D : Stammaktie
I : azione ordinaria
Confère à son détenteur des droits
normaux de participation

ACCION PREFERENTE
F : action privilégiée (ou
prioritaire)
GB : preference share
D : Vorzugsaktie
I : azione privilegiata
Action qui confère à son propriétaire
un droit de priorité par exemple
dans la distribution des bénéfices

ACCIONES APLAZADOS
F : actions différées
GB : deferred shares
D : Nachzugsaktien
I : azioni postergate
Ne sont rémunérées que lorsque
d'autres types d'actions (privilégiées,
ordinaires) l'ont été

**ACCIONES AURIFERES, VALORES
AURIFEROS**
F : valeurs aurifères
GB : gold shares, gold-bearing
stock
D : Aktien von Goldbergwer-
ken, Goldwerte
I : valori auriferi

**ACCIONES CON DERECHO DE
VOTO**
F : actions avec droit de vote
GB : voting shares
D : stimmberechtigte Aktien
I : azioni con diritto a voto
Permettent de participer aux assem-
blées générales et de prendre part
aux votes

ACCIONES DADAS COMO PRIMAS
F : actions d'attribution (ou
de jouissance)
GB : bonus shares (USA : stock
dividend)
D : Gratisaktien
I : azioni di godimento
Dont la valeur nominale a été entiè-
rement remboursée à l'actionnaire
par prélèvement sur les bénéfices ou
les réserves de la société

ACCIONES DEL FUNDADOR
  F : actions (ou parts) de fon-
dateur
  GB : *founder's shares*
  D : Gründeraktien
  I : *azioni del fondatore*
Titres négociables sans valeur nomi-
nale donnant certains droits aux
fondateurs d'une société sans leur
conférer la qualité d'associés (leur
émission est interdite en France
depuis 1966)

**ACCIONES PREFERENTES AMOR-
TIZABLES**
  F : actions privilégiées amor-
tissables
  GB : *redeemable preference
shares*
  D : ablösbare Vorzugsaktien
  I : *azioni preferenziali redimi-
bili*
Actions privilégiées dont la valeur
nominale peut être remboursée à
l'actionnaire par la société émettrice

**ACCIONES SIN DERECHO DE
VOTO**
  F : actions sans droit de vote
  GB : *non-voting shares*
  D : Aktien ohne stimmrecht
  I : *azioni senza diritto a voto*
Ne donnent pas le droit de voter lors
des assemblées générales

ACCIONISTA
  F : actionnaire
  GB : *shareholder (USA : stock-
holder)*
  D : Aktionär
  I : *azionista*

ACCIONISTA
  F : détenteur de titres
  GB : *stockholder*
  D : Aktieninhaber
  I : *azionista*

ACEPTACION
  F : acceptation
  GB : *acceptance*
  D : Akzept
  I : *accettazione*
Engagement exprès d'un débiteur à
observer une échéance

ACEPTACION CONDICIONADA
  F : acceptation condition-
nelle
  GB : *qualifed acceptance*
  D : Annahme unter Vorbehalt
  I : *accettazione con riserva*

ACEPTAR
  F : accepter (une traite)
  GB : *accept*
  D : annehmen
  I : *accettare*

ACEPTAR UNA OFERTA
  F : accepter (une offre)
  GB : *accept an offer*
  D : ein Angebot annehmen
  I : *accettare una offerta*

ACERÍA
  F : acierie
  GB : *steel mill (USA steel plant)*
  D : Stahlwerk
  I : *acciaieria*

ACONDICIONAMIENTO DE AIRE
  F : climatisation
  GB : *air-conditioning*
  D : Klimatidierung
  I : *condizionamento dell'aria*

ACREEDOR
  F : créancier
  GB : *creditor*
  D : Gläubiger
  I : *creditore*

ACREEDOR
  F : créditeur
  GB : *creditor*
  D : Gläubiger
  I : *creditore*

ACREEDOR NO GARANTIZADO
  F : créancier chirographaire
  GB : *unsecured creditor*
  D : nicht gesicherter Gläubiger
  I : *creditore non garantito*
Qui ne possède aucune garantie
pour le recouvrement de son dû

ACREEDOR PRIVILEGIADO
  F : créancier privilégié
  GB : *preferential creditor*
  D : bevorrechtigter Gläubiger
  I : *creditore privilegiato*
Créancier bénéficiant d'une priorité
de paiement

ACREEDORES VARIOS
  F : créditeurs divers
  GB : *sundry creditors*
  D : Kreditoren
  I : *creditori diversi*

ACTAS
  F : procès-verbal
  GB : *minutes*
  D : Protokoll
  I : *verbale*

ACTIVO
  F : actif nm
  GB : *asset*
  D : Aktivposten
  I : *attivo*
Ensemble des biens et créances
appartenant à une personne phy-
sique ou morale

ACTIVO FICTICIO
  F : actif fictif
  GB : *fictitious assets*
  D : unechte Aktiva
  I : *attivo fittizio*
Actif immobilisé dont la valeur est
nulle et qui conditionne l'existence,
l'activité ou le développement de
l'entreprise (frais d'établissement
essentiellement)

ACTIVO FIJO
  F : actif immobilisé
  GB : *capital asset (USA : fixed
asset)*
  D : Vermögensanlage
  I : *capitale fisso*
Eléments d'actif dont l'entreprise se
sert de manière durable pour exercer
son activité (matériels, brevets, titres
de participation...)

ACTIVO FIJO
  F : immobilisations
  GB : *fixed assets*
  D : Anlagevermögen
  I : *immobilizzazioni, attivo
fisso*
Ensemble des biens de toute nature
(hormis ceux destinés à être trans-
formés ou vendus), acquis ou créés
par l'entreprise qui les utilise pour
exercer son activité

ACTIVO INTANGIBLE
  F : actif incorporel
  GB : *intangible assets*
  D : nich greifbare Aktiven
  I : *beni incorporali*
Actif immobilisé n'ayant pas d'exis-
tence physique (brevets, licences...)

ACTIVO LIQUIDO
  F : actif liquide (ou dispo-
nible)
  GB : *liquid assets*
  D : flüssige Aktiven
  I : *disponibilità, attività
liquida*
Fonds détenus en caisse, sur les
comptes, et toutes valeurs immédia-
tement convertibles en espèces pour
leur valeur nominale

ACTIVO NETO
  F : actif net
  GB : *net assets*
  D : Reinvermögen
  I : *attivo netto*
Situation comptable nette de l'entre-
prise à une date donnée (valeur
comptable nette de l'actif diminuée
des dettes à court terme)

ACTIVO REALIZABLE
F : actif circulant
GB : current assets
D : Umlaufvermögen
I : attivo liquido
Eléments d'actif d'exploitation
(stocks, créances clients...) + actifs
financiers (valeurs mobilières de placement et disponibilités)

ACTIVO Y PASSIVO
F : actif et passif
GB : assets and liabilities
D : Aktiva und Passiva
I : attivo e passivo
Etat du patrimoine et des dettes
d'une entreprise à une date donnée

ACTIVOS CONGELADOS
F : fonds bloqués
GB : frozen assets
D : eingefroene Guthaben
I : attivo congelato

ACTOR ECONÓMICO
F : acteur économique
GB : economic agent
D : wirtschaftlicher Akteur
I : operatore economico

ACTUAL
F : actuel
GB : current
D : aktueller
I : attuale

ACTUARIAL
F : actuariel (taux)
GB : actuarial
D : versicherungsmathematisch
I : attuariale
Pour une période donnée, rapport
coût effectif d'un emprunt (ou rendement effectif d'un pret)/montant
du capital

ACTUARIO
F : actuaire
GB : actuary
D : Aktuar
I : attuario
Spécialiste de la statistique et du calcul des probabilités appliqués à l'assurance et aux opérations financières

ACUERDO
F : accord
GB : settlement (agreement)
D : Vereinbarung
I : accordo

ACUERDO
F : convention
GB : agreement
D : Abkommen
I : accordo
Accord officiel passé entre des individus ou des groupes

ACUERDO
F : entente
GB : agreement
D : Übereinkunft
I : cartello, intesa

ACUERDO COMUN
F : accord mutuel
GB : mutual agreement
D : gegenseitiges Einvermehmen
I : comune accordo

ACUERDO GENERAL SOBRE TARIFAS ADUANERAS Y COMERCIO
F : Accord général sur les tarifs douaniers et le commerce
GB : General agreement on tariffs and trade (GATT)
D : Allgemeines Zoll-und Handelsabkommen
I : Accordo generale sulle tariffe doganali e sul commercio
Accord multilatéral et international sur l'harmonisation des politiques douanières. L'OMC - Organisation mondiale du commerce le remplace à partir de 1995

ACUERDO MARCO
F : accord cadre
GB : outline agreement (USA framework accord)
D : Rahmenabkommen
I : accordo quadro
Accord général conclu entre des partenaires sociaux et destiné à être précisé ultérieurement

ACUERDO MERCANTIL
F : accord de commercialisation
GB : marketing agreement
D : Absatzübereinkommen
I : accordo di mercato

ACUERDO MONETARIO EUROPEO (AME)
F : Accord monétaire européen - AME
GB : European monetary agreement
D : Europäisches Währungsabkommen (EWA)
I : Accordo monetario europeo (AME)
A pris fin juridiquement en 1972.
Remplacé par l'UEM - Union économique et monétaire : prévue par le traité de Maastricht, une monnaie unique doit voir le jour en 1997 ou 1999 au plus tard

ACUERDO MULTILATERAL
F : accord multilatéral
GB : multilateral agreement
D : multilaterales Abkommen
I : accordo multilaterale

ACUERDO RECÍPROCO
F : marché de gré à gré
GB : mutual agreement
D : freihändiger Handel
I : licitazione privata
Contrat conclu sans adjudication préalable

ACUERDO SECRETO
F : accord occulte
GB : secret agreement
D : Geheimvertrag
I : accordo secreto

ACUERDO SOBRE PALABRA
F : convention verbale
GB : gentleman's agreement
D : Kavaliersabkommen
I : accordo sulla parola

ACUERDO TACITO
F : convention tacite
GB : tacit agreement
D : stillschweigendes Übereinkommen
I : accordo tacito
Accord implicite

ACUERDO TARIFARIO
F : accord tarifaire
GB : tariff agreement
D : Zollabkommen
I : accordo tarifario

ACUMULACION
F : accumulation
GB : accrual
D : Auflaufen
I : maturazione

ACUMULAR
F : accumuler
GB : accrue
D : auflaufen
I : accumularsi

ACUMULAR EXISTENCIAS
F : stocker
GB : stockpile
D : Vorratslager anlegen
I : ammassare

ACUSAR RECIBO DE
F : accuser réception de
GB : acknowledge receipt of
D : Empfang bestätigen
I : accusare ricevuta di

ADELANTO
F : avance
GB : advance (USA prepayment)
D : Vorschuß
I : anticipazione

ADELANTO EN CUENTA CORRIENTE
F : avance en compte courant
GB : overdraft
D : Kontokorrentvorschuß
I : credito in conto corrente
Somme apportée par un tiers à une entreprise et portée au crédit d'un compte ouvert à son nom

ADICION
F : addition
GB : *addition*
D : Aufschlag
I : *addizione*

ADITIVO
F : additif
GB : *additional clause, rider*
D : Zusatz
I : *attuale*
Complément d'un texte

ADJUDICACION
F : attribution
GB : *allotment*
D : Verteilung
I : *ripartizione*
Octroi d'actions supplémentaires à un actionnaire lorsqu'une augmentation de capital se fait par incorporation de réserves

ADJUDICACIÓN
F : adjudication
GB : *awarding, allocation*
D : Ausschreibung
I : *aggiudicazione*
Mise en libre concurrence de personnes ou d'entreprises candidates à l'acquisition d'un bien ou à la prise en charge de travaux, de fournitures

ADJUNTO
F : ci-joint
GB : *enclosed*
D : beiliegend
I : *accluso*

ADMINISTRACION
F : gestion
GB : *administration*
D : Verwaltung
I : *gestione*

ADMINISTRACIÓN CENTRAL
F : administration centrale
GB : *central government*
D : Hauptverwaltung
I : *amministrazione centrale*

ADMINISTRACIÓN DE EXISTEN-CIAS
F : gestion des stocks
GB : *stock control*
D : Lagerverwaltung
I : *gestione delle scorte*
Gestion des approvisionnements et de leurs conditions de stockage

ADMINISTRADOR
F : curateur
GB : *administrator (of an estate)*
D : Nachlaßverwalter
I : *curatore*
Nommé par le juge des tutelles qui détermine sa mission, il assiste le majeur sous curatelle (incapacité partielle ou réduite) pour les opérations importantes

ADMINISTRAR
F : administrer
GB : *administer*
D : verwalten
I : *amministrare*

ADMISION LIBRE DE IMPUESTOS
F : admission en franchise
GB : *duty-free admission*
D : zollfreie Einfuhr
I : *ammissione in franchigia doganale*

ADQUISICION
F : acquisition
GB : *purchase*
D : Erwerb
I : *acquisizione*

ADQUISICIÓN
F : acquêt
GB : *acquest*
D : Erwerb
I : *acquisti*
Bien ou valeur achetés pendant le mariage par l'un, l'autre ou les deux époux

ADUANA
F : douane
GB : *customs*
D : Zoll
I : *dogana*

AEROPUERTO
F : aéroport
GB : *airport*
D : Flughafen
I : *aeroporto*

AFUERAS
F : banlieue
GB : *suburb*
D : Vorort
I : *periferia*

AGATADO
F : tout vendu
GB : *sold out*
D : ausverkauft
I : *tutto venduto*

AGENCIA
F : agence
GB : *agency*
D : Agentur
I : *agenzia*

AGENCIA DE COLOCACIONES
F : agence de placement
GB : *employment agency*
D : Stellenvermittlungsbüro
I : *agenzia di collocamento*

AGENCIA DE PRENSA
F : agence de presse
GB : *news agency*
D : Nachrichtenbüro
I : *agenzia d'informazioni*

AGENCIA DE PUBLICIDAD
F : agence de publicité
GB : *advertising agency*
D : Werbebüro
I : *agenzia pubblicitaria*

AGENCIA DE VIAJES
F : agence de voyages
GB : *travel agent*
D : Reisebüro
I : *agenzia di viaggi*

AGENCIA, ADMINISTRACIÓN DE PUBLICIDAD
F : régie publicitaire
GB : *advertising agency*
D : Werberegie
I : *brokeraggio pubblicitario*
Organisation dont le rôle est de commercialiser l'espace publicitaire des supports dont elle a la charge

AGENDA
F : agenda
D : *diary*
D : Agenda
I : *agenda*

AGENTE
F : agent
GB : *agent*
D : Agent
I : *agente*

AGENTE ACREDITUDO
F : agent accrédité
GB : *accredited agent*
D : Handelsbevollmächtigte(r)
I : *agente accreditato*
Qui a reçu la garantie d'un organisme, d'une autorité

AGENTE DE CAMBIO Y BOLSA
F : agent de change
GB : *stockbroker*
D : Börsenmakler
I : *agente di cambio*
Officier ministériel nommé par décret, exerçant, dans le cadre d'un monopole, le courtage des opérations de Bourse ; il est remplacé par les sociétés de Bourse depuis le 1 janvier 1988

AGENTE DE PATENTES
F : conseil en brevets
GB : *patent agent*
D : Patentanwalt
I : *agente di brevetti*

AGENTE DE SEGUROS
F : agent d'assurances
GB : *insurance agent*
D : Versicherungsvertreter
I : *agenzia di assicurazioni*

AGENTE DEL CRÉDERE
F : agent ducroire
GB : *del credere agent*
D : Delkredevertreter
I : *agente con del credere*
Spécialiste d'une technique de crédit concernant, en général, le commerce extérieur, qui garantit le vendeur contre le risque d'insolvabilité de l'acheteur

AGENTE EXCLUSIVO
F : agent exclusif
GB : sole agent
D : Alleinvertreter
I : rappresentante esclusivo

AGENTE EXPEDIDOR
F : transitaire
GB : forwarding agent
D : Spediteur
I : spedizioniere
Commerçant, commissionnaire en marchandises chargé des opérations de transit

AGENTE MERCANTIL
F : agent commercial
GB : mercantile agent (USA sales agent)
D : Handelsvertreter
I : agente di commercio
Mandataire indépendant qui négocie des actes commerciaux pour le compte d'une entreprise

AGENTE NOMBRADO
F : agent attitré
GB : appointed agent
D : Handelsvertreter
I : agente ufficiale
En titre titulaire d'une fonction

AGENTE RECAUDADOR
F : agent de recouvrement
GB : debt collector
D : Inkassobeauftragte(r)
I : agente di ricupero crediti
Chargé d'apurer une dette pour le compte du créancier

AGIO
F : agio
GB : bank commission
D : Agio
I : aggio
Rémunération de l'intermédiaire financier qui assure une opération d'escompte. Coût total d'un crédit

AGRICULTURA
F : agriculture
GB : agriculture
D : Landwirtschaft
I : agricoltura

AGRUPACIÓN DE INTERÉS ECONÓMICO
F : groupement d'intérêt économique (GIE)
GB : economic interest grouping
D : Interessenverband
I : gruppo d'interesse economico (CIE)
Personne morale, sans capital social, constituée par des entreprises juridiquement indépendantes (mais solidairement responsables de leurs dettes) pour développer et améliorer leurs performances

AGUAS TERRITORIALES
F : eaux territoriales
GB : territorial waters
D : Hoheitsgewässer
I : acque territoriali
Zone maritime appartenant à un Etat et soumise à sa juridiction

AHORRAR, ECONOMIZAR
F : épargner
GB : save
D : aufsparen
I : risparmiare, economizzare

AJUSTE ESTACIONAL
F : ajustement saisonnier
GB : seasonal adjustment
D : saisonale Bereinigung
I : aggiustamento, variazione stagionale
Correction d'une grandeur statistique tendant à se reproduire de manière régulière pour obtenir une certaine continuité

AL CONTADO CONTRA DOCUMENTOS
F : comptant contre documents
GB : cash against documents (c.a.d.)
D : bar gegen Versandpapiere
I : contanti contro documenti

AL PAR
F : pair (au)
GB : at par
D : al pari
I : alla pari

ALCISTA
F : haussier adj
GB : bullish
D : steigend
I : rialzista
Opérateur boursier spéculant à la hausse

ALEATORIO
F : aléatoire
GB : (statistique) random, (résultat) hazardous
D : zufällig
I : aleatorio
Lié à un événement imprévisible venant perturber un programme, une prévision

ALGORITMO
F : algorithme
GB : algorithm
D : Algorithmus
I : algoritmo
Processus de calcul permettant de résoudre un problème au moyen d'un nombre limité d'opérations

ALISADO
F : lissage
GB : smoothing
D : Glättung
I : eliminazione delle variabili aleatorie
Méthode mathématique employée pour extraire d'une série statistique des variations dues à des phénomènes de faible importance ou aléatoires

ALMACÉN
F : entrepôt
GB : warehouse
D : Warenlager
I : magazzino

ALMACÉN DE ADUANAS
F : entrepôt (sous douane)
GB : bonded warehouse
D : Lager unter Zollverschluß
I : magazzino doganale
Lieu de dépôt temporaire des marchandises qui n'ont pas encore acquitté droits et taxes d'entrée. Régime douanier suspensif de ces droits

ALMACENAMIENTO
F : emmagasinage
GB : storage
D : Lagerung
I : magazzinaggio

ALMACENAR
F : emmagasiner
GB : store
D : lagern
I : immagazzinare

ALQUILAR
F : louer
GB : hire, rent
D : mieten, vermieten
I : noleggiare, affitare

ALQUILER
F : bail
GB : lease
D : Verpachtung
I : affitto
Contrat par lequel le propriétaire d'un bien en concède la jouissance à un tiers pour une durée et un prix déterminés

ALQUILER
F : loyer
GB : rent
D : Miete
I : pigione, affitto

ALTO, ELEVADO
F : haut
GB : high
D : hoch
I : alto, elevato

AMA DE CASA
F : ménagère
GB : housewife
D : Hausfrau
I : massaia

ESPAGNOL

AMALGAMAR
F : fusionner
GB : *amalgamate (USA merge)*
D : fusionieren
I : *fondersi*

AMBIENTE LABORAL
F : climat social
GB : *climat social*
D : soziales Klima
I : *clima sociale*

AMORTIZACION
F : amortissement
GB : *redemption, amortization*
D : Tilgung, Amortisation
I : *ammortamento*
Echelonnement d'une charge dans le temps jusqu'à disparition de celle-ci

AMORTIZACIÓN ACUMULADA
F : amortissement cumulé
GB : *accumulated depreciation*
D : kumulierte Abschreibung
I : *ammortamento cumulato*
Amortissement combinant annuités dégressives et annuités constantes

AMORTIZACIÓN DECRECIENTE
F : amortissement dégressif
GB : *depreciation on a reducing balance*
D : degressive Abschreibung
I : *ammortamento per quote decrescenti*
Amortissement par annuités décroissantes (permet de récupérer rapidement une partie importante des capitaux investis)

AMORTIZACIÓN LINEAL
F : amortissement linéaire
GB : *straight line depreciation*
D : lineare Abschreibung
I : *ammortamento fisso*
Le taux appliqué est constant (montant de l'immobilisation divisé par le nombre d'années)

ANADIR
F : ajouter
GB : *add*
D : hinzufügen
I : *aggiungere*

ANALISIS
F : analyse
GB : *analysis*
D : Analyse
I : *analisi*

ANALISIS DE COSTES
F : analyse des coûts
GB : *cost analysis*
D : Kostenanalyse
I : *analisi dei costi*

ANALISIS DE COSTES Y BENEFICIOS
F : analyse des coûts et rendements
GB : *cost benefit analysis*
D : Gewinnanalyse
I : *analisi dei costi e benefici*

ANÁLISIS DE INVERSIÓN
F : analyse de placement
GB : *investment analysis*
D : Anlagenanalyse
I : *analisi d'investimento*

ANALISIS DE RECORRIDO CRITICO
F : analyse du chemin critique
GB : *critical path analysis (c.p.a.)*
D : Netzplantechnik
I : *analisi della linea critica*
Analyse d'un ordonnancement de tâches pour définir celles qui détermineront la durée de l'ensemble d'un projet

ANALISIS DE SISTEMAS
F : analyse de systèmes
GB : *systems analysis*
D : Systemanalyse
I : *analisi di sistemi*
Etude et formalisation, séparément et par couple, des interactions directes au sein d'un grand nombre de phénomènes

ANALISIS DE VARIACIONES
F : analyse de variance
GB : *variance analysis*
D : Varianzanalyse
I : *analsi della variazione*
Analyse de la dispersion, ou mesure de l'écart entre les valeurs extrêmes d'une donnée relative à une population statistique

ANALISIS DE VENTAS
F : analyse des ventes
GB : *sales analysis*
D : Verkaufsanalyse
I : *analisi delle vendite*

ANÁLISIS FUNCIONAL
F : analyse fonctionnelle
GB : *functional job analysis*
D : Funktionsanalyse
I : *analisi funzionale*
Recensement, ordonnancement, valorisation et hiérarchisation des fonctions remplies par un produit ou un service

ANALISIS MARGINAL
F : analyse marginale
GB : *marginal analysis*
D : Randanalyse
I : *analisi marginale*
Analyse des bénéfices en fonction des marges

ANÁLISIS TRANSACCIONAL
F : analyse transactionnelle
GB : *transactional analysis, AT*
D : Transaktionsanalyse
I : *analisi transazionale*
Technique de développement personnel basée sur l'analyse des processus de communication

ANALIZADOR DE INVERSIONES
F : analyste d'investissements
GB : *investment analyst*
D : Investitionsanalyst
I : *analizzatore d'investimenti*

ANEXO
F : annexe
GB : *enclosure*
D : Beilage
I : *allegato*

ANO CIVIL
F : année civile
GB : *calendar year*
D : Kalenderjahr
I : *anno solare*

ANO EN CURSO
F : année en cours
GB : *current year*
D : laufendes Jahr
I : *anno in corso*

ANO FISCAL
F : exercice budgétaire
GB : *fiscal year*
D : Steuerjahr
I : *anno fiscale*
Période d'exécution du budget de l'Etat ou de l'administration

ANO FISCAL
F : exercice fiscal
GB : *tax year*
D : Steuerjahr
I : *anno fiscale*
Période pour laquelle les résultats d'exploitation sont arrêtés (pas nécessairement l'année civile)

ANÓNIMO
F : anonyme
GB : *(société) public limited company*
D : anonym
I : *anonimo*

ANTEAYER
F : avant-hier
GB : *day before yesterday*
D : vorgestern
I : *avantieri*

ANTICIPADO
F : anticipé
GB : *anticipated*
D : vorzeitig (bezahlt)
I : *anticipato*

ANTICIPAR
F : anticiper
GB : *anticipate*
D : vorgreifen
I : *anticipare*

ANTICIPAR
F : avancer
GB : *advance (USA prepay)*
D : vorschießen
I : *anticipare*

ESPAGNOL

ANTICIPO
- F: paiement par anticipation
- GB: advance payment
- D: Vorauszahlung
- I: pagamento anticipato

ANUAL
- F: annuel
- GB: annual
- D: jährlich
- I: annuale

ANUALIDAD
- F: annuité
- GB: annuity
- D: Annuität
- I: annualita

Charge annuelle : remboursement d'un capital emprunté ou placé (amortissement) + paiement des intérêts

ANUALIDAD APLAZADA
- F: annuité différée
- GB: deferred annuity
- D: Anwartschaff auf Leibrente
- I: readita vitalizia differita

ANULACION, CANCELACION
- F: annulation
- GB: annulment, cancellation
- D: Annullierung
- I: annullamento

ANULAR
- F: ex ourner
- GB: to reverse
- D: umgehen
- I: stornare

Pour une banque, rembourser des agios à un client auquel elle a accordé une ristourne ou qui a été victime d'une erreur de sa part

ANULAR UN CHEQUE
- F: annuler un chèque
- GB: cancel a cheque (USA cancel a check)
- D: einen Scheck rückgängig machen
- I: annullare um cheque

ANUNCIANTE
- F: annonceur
- GB: advertiser
- D: Anzeiger
- I: inserzionista

Tout individu ou organisme qui achète de la publicité pour se faire connaître ou promouvoir son activité. Acheteur d'espaces médias

ANUNCIO
- F: affiche
- GB: (publicité) poster, (information) notice
- D: Plakat
- I: cartellone, manifesto

ANUNCIO
- F: annonce
- GB: advertisement
- D: Anzeige
- I: annunzio

ANUNCIO POR PALABRAS
- F: petite annonce
- GB: classified advertisement
- D: Kleinanzeige
- I: piccola pubblicità

APALABRAR
- F: engager
- GB: engage (USA hire)
- D: anstellen
- I: fissare

APARATO, PLANTA
- F: appareil
- GB: appliance, plant (industrial)
- D: Gerät, Anlage
- I: apparecchio, impianto

APARATOS ELÉCTRICOS DE CASA
- F: électroménager
- GB: household electrical goods
- D: elektrische Haushaltsgüter
- I: elettrodomestici

APARTAMENTO
- F: appartement
- GB: flat (USA apartment)
- D: Etagenwohnung
- I: appartamento

APLAZAMIENTO
- F: ajournement
- GB: adjournment
- D: Vertagug
- I: aggiornamento

APLAZAR
- F: ajourner
- GB: adjourn
- D: vertagen
- I: aggiornare

APLAZAR, DIFERIR
- F: différer
- GB: hold over, defer
- D: aufschieben, zurückstellen
- I: differire

APODERADO
- F: fondé de pouvoir
- GB: authorized representative
- D: Prokurist
- I: procuratore (commerciale)

Personne habilitée à agir au nom d'une autre ou au nom d'une entreprise

APODERADO
- F: mandataire
- GB: attorney
- D: Bevollmächtigte(r)
- I: mandatario

Qui a reçu mandat ou procuration pour agir au nom de quelqu'un d'autre

APORTE
- F: apport
- GB: contribution
- D: Beitrag
- I: apporto

APOSTILLA
- F: apostille
- GB: footnote
- D: Fußnote
- I: postilla

Addition faite en marge d'un acte

APRENDIZ
- F: apprenti
- GB: apprentice (USA trainee)
- D: Lehrling
- I: apprendista

APRENDIZAJE
- F: apprentissage
- GB: apprenticeship (USA trainee period)
- D: Lehre
- I: tirocinio

APROBACIÓN
- F: agrément
- GB: consent (to)
- D: Zustimmung
- I: consenso, autorizzazione

Autorisation de faire, accordée par l'administration

APROPIACION
- F: affectation
- GB: appropriation
- D: Zuführung
- I: stanziamento

Destinations de moyens ou ressources à un usage déterminé

ARBITRADOR
- F: arbitre
- GB: arbitrator
- D: Schiedsrichter
- I: arbitro

ARBITRAJE, ARBITRAMENTO
- F: arbitrage
- GB: arbitrage, arbitration
- D: Kursvergleich, Schiedsgerichtsverfahren
- I: arbitraggio, arbitrato

Substitution d'un titre à un autre dans un portefeuille dans l'espoir de bénéficier d'un rendement supérieur ou d'une plus-value par le jeu des différences de cours

ÁRBOL DE DECISIONES
- F: arbre de décision
- GB: decision tree
- D: Entscheidungsbaum
- I: albero di decisioni

Représentation graphique d'une suite d'actions alternatives et de leurs conséquences

ARBORESCENCIA
- F: arborescence
- GB: tree structure
- D: baumartige Form
- I: arborescenza

Arbre dont l'un des sommets est relié à tous les autres par un seul chemin. Informatique : structure de données, de programmes, en forme d'arbre

ARCHIVAR
F : classer
GB : *file*
D : aufreihen
I : *archiviare*

ARCHIVO
F : dossier
GB : *file*
D : Akte
I : *archivio*

ARCHIVO DE FICHAS
F : fichier
GB : *card-index file*
D : Kartei
I : *schedario*

ARGUMENTO
F : argument
GB : *argument*
D : Argument
I : *argomento*

ARQUITECTO
F : architecte
GB : *architect*
D : Architekt
I : *architetto*

ARREGLO
F : arrangement
GB : *agreement, arrangement*
D : Vereinbarung
I : *arrangiamento*

ARRENDADOR
F : bailleur
GB : *lessor*
D : Vermieter
I : *locatore*
Propriétaire, celui qui donne à bail

ARRENDAMIENTO COMERCIAL
F : bail commercial
GB : *regular lease*
D : Pacht
I : *affitto di locazione commerciale*
Concerne un local à usage artisanal, industriel ou commercial

ARRENDAMIENTO FINANCIERO
F : crédit bail
GB : *leasing*
D : Pachtkredit
I : *leasing*
Location assortie d'une promesse de vente au profit du locataire à l'échéance du contrat

ARTESANAL
F : artisanal
GB : *(profession) craft industry, (stade) small scale*
D : handwerklich
I : *artigianale*

ARTICULOS DE ASSOCIACION
F : contrat de société
GB : *articles of association (USA articles of incorporation)*
D : Gesellschaftsvertrag
I : *statuto sociale*
Des associés conviennent de mettre en commun des apports en vue de partager un bénéfice ou de profiter d'une économie

ARTICULOS DE FANTASIA
F : nouveautés
GB : *fancy goods*
D : Modeartikel
I : *articoli fantasia*

ARTICULOS DE GASTO
F : poste de dépenses
GB : *items of expenditure*
D : Aufwendungsposten
I : *articoli di spesa*

ARTICULOS DE LUJO
F : articles de luxe
GB : *luxury goods*
D : Luxuswaren
I : *articoli di lusso*

ARTICULOS DE MARCA
F : articles de marque
GB : *branded goods*
D : Markenwaren
I : *articoli di marca*

ASALARIADO
F : salarié
GB : *wage earner*
D : Lohnempfänger
I : *salariato*

ASAMBLA GENERAL ANUAL
F : assemblée d'actionnaires annuelle
GB : *annual general meeting (USA stockholder's meeting)*
D : Jahreshauptversammlung
I : *assemblea generale annuale*
Assemblée générale ordinaire chargée d'examiner et approuver les comptes de l'exercice précédent, de décider de l'affectation du résultat, de nommer les administrateurs

ASAMBLEA GENERAL EXTRAORDINARIA
F : assemblée générale extraordinaire
GB : *extraordinary general meting*
D : außerordentiche Generalversammlung
I : *assemblea generale straordinaria*
Convoquée expressément entre deux assemblées générales ordinaires, souvent pour modifier les statuts de la société

ASAMBLEA GENERAL, ASAMBLEA GENERAL ORDINARIA
F : assemblée générale
GB : *general meeting, ordinary general meeting*
D : Hauptversammlung, ordentliche Generalversammlung
I : *assemblea generale, assemblea generale ordinaria*
Réunion des actionnaires ou des associés d'une société, ou des membres d'une association

ASCENDER
F : donner de l'avancement à
GB : *promote*
D : befördem
I : *promuovere*

ASCENDIENDO A
F : concurrence de (à)
GB : *amounting to*
D : hinauslaufend auf
I : *ammontante a*

ASCENSOR
F : ascenseur
GB : *lift (USA elevator)*
D : Aufzug
I : *ascensore*

ASEGURABLE
F : assurable
GB : *insurable*
D : versicherbar
I : *assicurabile*

ASEGURADO
F : assuré
GB : *insured*
D : Versicherter
I : *assicurato*

ASEGURADOR
F : assureur
GB : *insurer, underwriter*
D : Versicherer
I : *assicuratore*

ASEGURAR
F : assurer
GB : *insure*
D : versichen
I : *assicurare*

ASEOR ADMINISTRATIVO
F : ingénieur-conseil en organisation
GB : *management consultant*
D : Geschäftsführungsberater
I : *consultente di direzione aziendale*
Spécialiste du conseil, de l'expertise, qui intervient à titre personnel au niveau de l'organisation de l'entreprise, du travail

ASESOR
F : expert-appréciateur
GB : assessor
D : Schätzer
I : agente delle imposte
Expert judiciaire nommé par le tribunal pour apprécier, évaluer un préjudice

ASIENTO
F : inscription
GB : entry
D : Ein ragung
I : registrazione

ASIGNAR
F : affecter
GB : allocate (credits), (nommer) post, (avoir un impact) affect
D : zuweisen
I : stanziare

ASIGNAR
F : attribuer
GB : allot
D : verteilen
I : assegnare

ASISTENTE
F : assistant
GB : assistant
D : Assistent
I : assistente

ASISTENTE PRIVADO
F : fonctionnel nm
GB : personal assistant (PA)
(USA administrative assistant)
D : persönlicher Assistent
I : assistente privato
Qui occupe une fonction opérationnelle dans une organisation

ASOCIACION
F : association
GB : association
D : Verband
I : associazione

ASOCIACION DE MERCADO LIBRE DE AMÉRICA LATINA
F : Association latino-américaine de libre-échange
GB : Latin american free trade association (LAFTA)
D : Lateinamerikanische Freihandelszone
I : Associazione di libero scambio dell'America Latina
Devenue ALADI - Association latino-américaine d'intégration, en 1980. Regroupe Argentine, Bolivie, Brésil, Chili, Colombie, Equateur, Mexique, Paraguay, Pérou, Uruguay, Vénézuela

ASOCIADO MAYORITARIO
F : associé majoritaire
GB : senior partner
D : Mehrheitsteilhaber
I : socio maggioritario
Détient la majorité des parts du capital d'une entreprise

ASOCIADO MINORITARIO
F : associe minoritaire
GB : junior partner
D : Minderheitsteilhaber
I : socio minoritario

ATENCIÓN
F : accueil
GB : welcome
D : Aufnahme
I : accoglienza

ATESORAMIENTO
F : thésaurisation
GB : hoard
D : Hortung
I : ammasso
Détention improductive de valeurs ou de créances soustraites aux circuits économiques et monétaires

ATRASOS
F : arrérages
GB : arrears
D : Rückstand
I : arretrati
Versements périodiques d'une personne morale ou physique (débirentier) au bénéficiaire d'une rente viagère ou d'une pension (crédirentier)

AUDIO-MECANOGRAFA
F : dictaphoniste
GB : audio-typist (USA dictaphone operator)
D : Audiotypistin
I : dittafonista
Personne qui transcrit sous la dictée d'un magnétophone

AUDIO-VISUAL
F : audio-visuel
GB : audio-visual
D : audiovisuell
I : audio-visivo

AUDITOR
F : auditeur
GB : auditor
D : Wirtschaftsprüfer
I : controllore (es. dei conti...)
Responsable d'un audit (salarié de l'entreprise ou conseil externe)

AUDITORÍA
F : audit
GB : audit
D : Wirtschaftsprüfung
I : controllo (es. dei conti, del bilancio...)
Activité de contrôle et de conseil destinée, par la vérification de documents ou du processus, à mesurer l'efficacité d'une entreprise et/ou de ses dirigeants

AUMENTAR, ENCARECER
F : augmenter
GB : increase, rise
D : steigen, zunehmen
I : aumentare, crescere

AUMENTO DE CAPITAL
F : augmentation de capital
GB : increase of capital
D : Kapitalerhöhung
I : aumento di capitale

AUMENTO, INCREMENTO
F : accroissement
GB : increase, increment
D : Erhöhung, Wertzuwachs
I : aumento, incremento

AUSENTE
F : manquant
GB : absentee
D : Abwesende(r)
I : assente

AUSENTISMO
F : absentéisme
GB : absenteeism
D : unerlaubte abwesenheit
I : assenteismo

AUTÉNTICO (DOCUMENTO)
F : authentique (acte)
GB : notarial (deed)
D : urkundlich
I : autentico (atto)
Ecrit présentant les formes légales requises

AUTO, ORDEN
F : assignation
GB : writ
D : Vorladung
I : citazione
Sommation, délivrée par huissier, à comparaître à date fixe devant une juridiction. Fixation des parts quand il y a partage

AUTO-SERVICIO
F : libre-service
GB : self-service
D : Selbstbedienung
I : servirsi da sé

AUTOFINANCIACIÓN
F : autofinancement
GB : internal financing
D : Selbstfinanzierung
I : autofinanziamento
Epargne d'une entreprise utilisée pour financer ses investissements

AUTOMATIZACION
F : automation
GB : automation
D : Automation
I : automazione
Fonctionnement automatique d'un système de production sous le contrôle d'un programme unique

AUTORIDAD, MANDATO
F : mandat
GB : *authority, agency*
D : Vollmacht, Verretung
I : *autorità, mandato*
Pouvoir qu'une personne donne à une autre d'agir en son nom. Titre de représentation

AUXILIAR DE CONTABILIDAD
F : aide-comptable
GB : *bookkeeper*
D : Buchhaltungsgehilfe
I : *aiuto contabile*

AVAL
F : aval
GB : *endorsement*
D : Wechselbürgschaft
I : *avallo*
Signature par laquelle un tiers garantit à un bénéficiaire tout ou partie du paiement d'un effet de commerce

AVALAR
F : avaliser (une traite)
GB : *back*
D : gegenzeichnen
I : *avallare*
Donner son aval

AVERIA
F : avarie
GB : *average (marine insurance)*
D : Havarie
I : *avaria*

AVION JET
F : avion à réaction
GB : *jet aircraft*
D : Düsenflugzeug
I : *aviogetto*

AVISO
F : avis
GB : *notice*
D : Benachrichtung
I : *awiso, preawiso*

AVISO DE ENTREGA
F : bon de livraison
GB : *delivery note*
D : Lieferschein
I : *nota di consegna*
Document remis par le vendeur à l'acheteur avec la marchandise livrée, sans mention de prix

AVISO DE EXPEDICION
F : bon d'expédition
GB : *despatch note*
D : Versandschein
I : *bollettino di spedizione*

AVISO DE RECEPTION
F : accusé de réception
GB : *acknowledgment of receipt*
D : Empfangsbestätigung
I : *awiso di recezione*

AVISO OFICIAL
F : mise en demeure
GB : *formal notice*
D : Inverzugsetzung
I : *intimazione*

AYER
F : hier
GB : *yesterday*
D : gestern
I : *ieri*

AYUDA
F : secours
GB : *help*
D : Hilfe
I : *aiuto*

AZAR, RIESGO
F : hasard
GB : *hazard*
D : Wagnis
I : *rischio*

B

BACHILLERATO
- F: baccalauréat
- GB: *French university-entrance exam*
- D: Abitur
- I: *licenza liceale, maturità*

BAJA CALIDAD
- F: qualité inférieure (de)
- GB: *low-grade*
- D: minderwertig
- I: *di qualità inferiore*

BAJA, CAIDA
- F: baisse
- GB: *fall*
- D: Sturz
- I: *caduta, ribasso*

BAJISTA
- F: orienté à la baisse
- GB: *bearish*
- D: flau
- I: *ribassista*

BALANCE
- F: bilan
- GB: *balance sheet*
- D: Bilanz
- I: *bilancio*

Balance établie périodiquement entre l'actif et le passif d'une entreprise

BALANCE A CUERTA NUEVA
- F: solde à reporter
- GB: *balance carried forward*
- D: Übertrag
- I: *bilancio riportato*

Solde débiteur ou créditeur à la fin d'un exercice et qui est repris au début du suivant

BALANCE ANUAL
- F: bilan annuel
- GB: *annual accounts*
- D: Jahresabschluß
- I: *bilancio annuale*

BALANCE PREVISIBLE
- F: bilan prévisionnel
- GB: *forecasted balance sheet*
- D: Bilanzhochrechnung
- I: *bilancio preventivo*

Prévision de situation financière à une date future compte tenu des objectifs et des contraintes de l'entreprise

BALANCE SOCIAL
- F: bilan social
- GB: *social report*
- D: soziale Bilanz
- I: *bilancio sociale*

Ensemble d'indicateurs sociaux relatifs à la vie de l'entreprise présentés et diffusés conformément à la loi (12 juillet 1977)

BALANCE VENCIDO
- F: solde dû
- GB: *balance due*
- D: Ausgleichssaldo
- I: *saldo dovuto*

Ce qui reste à payer

BALANCE, SALDO, BALANZA
- F: balance
- GB: *balance, scales*
- D: Saldo, Waage
- I: *bilancio, saldo, bilancia*

Tableau récapitulatif et périodique des comptes créditeurs et débiteurs de l'entreprise

BALANCEAR EL PRESUPUESTO
- F: équilibrer un budget
- GB: *balance a budget*
- D: einen Haushaltsplan ins Gleichgewicht bringen
- I: *pareggiare un bilancio*

BALANZA COMERCIAL
- F: balance commerciale
- GB: *trade balance*
- D: Handelsbilanz
- I: *bilancia commerciale*

Solde importations/exportations de marchandises d'un pays pour une période donnée

BALANZA DE PAGOS
- F: balance des paiements (ou des comptes)
- GB: *balance of payments*
- D: Zahlungsbilanz
- I: *bilancia dei pagamenti*

Balance de tous les mouvements monétaires qui accompagnent les transactions

BANCARROTA
- F: banqueroute
- GB: *bankruptcy*
- D: Konkurs
- I: *bancarotta*

BANCO
- F: banque
- GB: *bank*
- D: Bank
- I: *banca*

BANCO AGRICOLA
- F: banque agricole
- GB: *land bank*
- D: Landbank
- I: *banca agricola*

BANCO DE COMPENSACION
- F: banque de virement
- GB: *clearing-bank*
- D: Girobank
- I: *banca associata alla stanza di compensazio*

BANCO DE DATOS
- F: banque de données
- GB: *databank*
- D: Datenbank
- I: *banca (di) dati*

Stock centralisé d'informations thématiques, organisées et accessibles directement par ordinateur

BANCO DE INVERSIONES
- F: banque d'affaires
- GB: *investment bank*
- D: Finanzbank
- I: *banca d'investimenti*

Essentiellement chargée de monter des opérations financières (prise et gestion de participations, émission d'obligations...) et rémunérée par les commissions

BANCO DE PRÉSTAMOS
F : banque de prêts
GB : *lending bank*
D : Kreditbank
I : *banca di prestiti*

BANCO EMISOR
F : banque d'émission
GB : *issuing bank*
D : Notenbank
I : *banca di emissione*
Etablissement doté du privilège
d'émettre des billets de banque

BANCO EUROPEO E INVER-
SIONES
F : Banque européenne d'in-
vestissement - BEI
GB : *European investment bank*
D : Europäische Investitions-
bank
I : *Banca europea d'investi-*
menti
Institution de la CEE chargée de
favoriser, par l'octroi de prêts, le
développement, l'intégration et la
coopération

BANCO FIDEICOMISARIO
F : société fiduciaire
GB : *trust company*
D : Treuhandgesellschaft
I : *società fiduciaria*
Gestion : société spécialisée dans
l'administration de biens pour le
compte de tiers ; comptabilité : caci-
net d'expertise comptable

BANCO INTERNACIONAL PARA
RECONSTRUCCION Y DESAR-
ROLLO
F : Banque internationale
pour la reconstruction et le
développement - BIRD ou
Banque mondiale
GB : *International bank for*
reconstruction and development
D : Internationale Bank für Wie-
deraufbau und Wirtschaftsförde-
rung
I : *Banca internazionale per la*
ricostruzione e lo sviluppo
Institution internationale qui
finance essentiellement les grands
travaux d'infrastructure industrielle
dans les pays en voie de développe-
ment

BANCO MERCANTIL
F : banque commerciale
GB : *merchant bank*
D : Handelsbank
I : *banca commerciale*
Banque dont les principales fonc-
tions sont de recevoir des dépôts et
d'accorder des crédits aux entreprises

BANCO PRIVADO
F : banque privée
GB : *private bank*
D : Privatbank
I : *banca privata*

BANDA SONORA
F : bande son
GB : *sound track*
D : Tonband
I : *colonna sonora*

BANDEJA
F : palette
GB : *pallet*
D : Palette
I : *paletta*

BANDERA
F : pavillon (drapeau)
GB : *flag*
D : Flage
I : *bandiera*

BANQUERO
F : banquier
GB : *banker*
D : Bankier
I : *banchiere*

BARATERIA
F : baraterie
GB : *barratry*
D : Baratterie
I : *baratteria*
Préjudice volontairement causé aux
armateurs, chargeurs ou assureurs
d'un navire par le patron ou un
membre de l'équipage

BARATO
F : bon marché
GB : *cheap*
D : billig
I : *a buon mercato*

BARCAZA
F : péniche
GB : *barge*
D : Lastkahn
I : *chiatta*

BARCAZA, GABARRA
F : allège
GB : *lighter*
D : Leichter
I : *chiatta*

BARCO
F : navire
GB : *ship*
D : Schiff
I : *nave*

BARCO DE CONTENEDORES
F : navire porte-containers
GB : *container ship*
D : Containerschiff
I : *nave da contenitori*

BARCO MERCANTE
F : navire marchand
GB : *merchant ship*
D : Handelsschiff
I : *nave mercantile*

BARÓMETRO
F : baromètre
GB : *barometer*
D : Barometer
I : *barometro*

BARREIRA COMERCIAL
F : barrière commerciale
GB : *trade barrier*
D : Handelsschranke
I : *barreira commerciale*
Tout obstacle à la libre circulation
des biens et des services

BARRERA ADUANERA
F : barrière douanière
GB : *customs barrier*
D : Zollschranke
I : *barriera doganale*
Ensemble des taxes qui frappent les
marchandises à l'entrée ou à la sortie
d'un territoire et permettent d'en
réglementer la circulation

BARRIL
F : baril
GB : *barrel*
D : Faß
I : *barile*
Unité de volume (159 litres) utilisée
surtout pour le pétrole

BASE
F : base
GB : *base*
D : Basis
I : *base*
Référence. Différence cours à
terme/cours au comptant d'un titre
coté sur un marché à terme
(Bourse). Infrastructure

BASE CONTRIBUTIVA
F : assiette de l'impôt
GB : *tax base*
D : Steuerveranlagung
I : *ripartizione della tassa-*
zione
Base de calcul de l'imposition

BASE DE DATOS
F : base de données
GB : *database*
D : Angabensammlung
I : *base di dati*
Ensemble de références automatisées
permettant d'accéder ensuite aux
informations elles-mêmes

BENEFICIARIO
F : bénéficiaire
GB : *beneficiary, payee*
D : Begünstigte(r), Zahlungsbe-
rechtigte(r)
I : *beneficiario*
Personne physique ou morale au
profit de qui est émis un effet de
commerce ou un prêt

BENEFICIO ANTES (DESPUÉS) DE IMPUESTOS
F: bénéfice avant (après) impôt
GB: *pre-tax (after-tax) profit*
D: Nettogewinn vor (nach) Steuern
I: *risultato prima (dopo) delle imposte*
Bénéfice avant (ou après) paiement de l'impôt sur les sociétés

BENEFICIO RAZONABLE
F: rendement équitable
GB: *fair return*
D: angemessener Ertrag
I: *discreto profitto*

BENEFICIO SOBRE CAPITAL
F: rémunération du capital
GB: *return on capital*
D: Kapitalertrag
I: *reddito del capitale*
Intérêts du capital prêté

BENEFICIOS NO COMERCIALES (BNC)
F: bénéfices non commerciaux - BNC
GB: *non commercial profit*
D: Unhandelsgewunn
I: *profitti non commerciali*
Ceux des professions libérales, des charges et offices dont les titulaires n'ont pas qualité de commerçants, de toutes occupations lucratives

BENEFICIOS NO DISTRIBUIDOS
F: bénéfices non distribués
GB: *undistributed profits*
D: unverteilte Gewinne
I: *profitti non distribuiti*
Dividende que ne perçoivent pas les actionnaires et qui sont réinvestis dans l'entreprise

BENEFICIOS POR ACCION
F: bénéfice par titre
GB: *earnings per share*
D: Gewinn pro Aktie
I: *profitti per azione*

BENEFICIOS SUPLEMENTARIOS
F: avantages accessoires
GB: *fringe benefits*
D: Sozialleistungen
I: *vantaggi accessori*

BIENES DE CONSUMO
F: biens de consommation
GB: *consumer goods*
D: Konsumgüter
I: *beni di consumo*
Produits et services destinés à la satisfaction directe des consommateurs

BIENES DE PRODUCCION
F: biens d'équipement
GB: *capital goods*
D: Anlagegüter
I: *beni strumentali*
Biens durables (machines et matériels divers) achetés par l'entreprise pour assurer la production courante

BIENES INMUEBLES
F: biens immobiliers
GB: *real estate, tangible assets*
D: unbwegliches Vermögen. Immobilien
I: *beni immobili*

BILLETE DE BANCO
F: billet de banque
GB: *banknote (USA bill)*
D: Banknote
I: *biglietto di banca*

BILLETE GRATUITO
F: billet de faveur
GB: *free ticket*
D: Freikarte
I: *biglietto gratuito*
Qui confère certains droits ou avantages

BIMENSUAL
F: bimestriel
GB: *twice monthly*
D: Zweimonatlich
I: *bimensuale*
Qui paraît ou qui a lieu tous les deux mois

BISEMANAL
F: bi-hebdomadaire
GB: *twice-weekly*
D: zweimal wöchentlich
I: *bisettimanale*
Qui paraît ou qui a lieu deux fois par semaine

BISEMANAL
F: bi-mensuel
GB: *fortnightly*
D: Halbmonatlich
I: *due settimanale*
Qui paraît ou qui a lieu deux fois par mois

BLOQUE COMERCIAL
F: bloc commercial
GB: *trade bloc*
D: Handelsblock
I: *unione commerciale*

BLOQUE DE PISOS
F: immeuble
GB: *block of flats (USA apartment house)*
D: Wohnungsgebäude
I: *fabbricato di appartamenti*

BLOQUEO
F: blocus
GB: *blockade*
D: Blockade
I: *blocco*
Investissement d'une ville, d'une position, d'un pays afin de lui interdire toute communication avec l'extérieur

BLOQUEO DE DIVIDENDOS
F: blocage des dividendes
GB: *dividend limitation*
D: Dividendenstopp
I: *blocco dei dividendi*
Non distribution de dividendes

BLOQUEO DE SALARIOS
F: blocage des salaires
GB: *wage-freeze*
D: Lohnstopp
I: *blocco dei salari*

BODEGA
F: cale
GB: *hold*
D: Laaderaum
I: *stiva*

BOICOTEO
F: boycottage
GB: *boycott, blacking*
D: Boykott
I: *boicottaggio*
Refus collectif et systématique d'entretenir des relations économiques avec un groupe de personnes, une nation, afin d'exercer sur eux une pression ou des représailles

BOLSA
F: bourse
GB: *stock exchange*
D: Börse
I: *borsa*

BOLSA DE TRABAJO
F: bureau de placement
GB: *employment exchange (USA state employment agency)*
D: Arbeitsnachweisstelle
I: *ufficio di collocamento*

BOLSA NEGRA
F: bourse (ou caisse) noire
GB: *black maket (securities)*
D: schwarse Börse
I: *borsa nera*
Fonds utilisables sans contrôle et qui n'apparaissent pas en comptabilité

BONANZA
F: hausse (forte)
GB: *boom*
D: Hausse
I: *rialzo*

BONIFICACIÓN
F : abattement
GB : *discount, tax credit*
D : Abschlag
I : *deduzione*
Minoration conventionnelle de la base d'imposition

BONIFICACIÓN
F : bonus
GB : *bonus, premium*
D : Bonus
I : *bonus, credito d'imposta*
Remise consentie dans la pratique commerciale, ainsi que lors du paiement d'une prime d'assurance

BONO DE TESORERIA
F : bon du Trésor
GB : *exchequer bond (USA treasury bond)*
D : Schatzwechsel
I : *buono del tesoro*
Effet émis par l'Etat, représentatif d'une dette contractée par lui

BONO, OBLIGACION
F : bon
GB : *bond, voucher*
D : Obligation, Gutschein
I : *buono, obligazione*
Billet qui autorise à toucher de l'argent ou des objets en nature

BORDO (A)
F : bord (à)
GB : *aboard*
D : an Bord
I : *a bordo*
Se dit d'une marchandise prise en charge à bord d'un navire au port de déchargement

BORRADOR
F : bonus de liquidation
GB : *premium*
D : Bonus
I : *credito d'imposta*
Lors de la liquidation d'une société, surplus de la valeur de cession de l'actif sur la valeur des dettes et du capital social. En général réparti entre les associés

BORRADOR
F : brouillon
GB : *rough copy (USA draft)*
D : Entwurf
I : *brutta copia*

BORRADOR CONTABLE
F : brouillard comptable (ou brouillon ou main-courante)
GB : *day book*
D : Kladde
I : *brogliaccio contabile*
Registre où on inscrit les opérations comptables dans l'ordre où elles se présentent

BORRADOR, PLAN
F : projet
GB : *draft, plan*
D : Konzept, Plan
I : *bozza, progetto*

BRUTO
F : brut
GB : *gross*
D : brutto
I : *lordo*
Qualifie une grandeur évaluée sans aucune déduction

BUENOS SERVICIOS
F : bons offices
GB : *good offices*
D : Freundschaftsdienste
I : *buoni uffici*
Services, assistance

BUZON
F : boîte aux lettres
GB : *letter-box (USA mail-box)*
D : Briefkasten
I : *cassetta postale*

CABALLO DE VAPOR (CV)
F: cheval-vapeur (cv)
GB: horse-power (hp)
D: Pferdestärke (PS)
I: cavallo
Unité de puissance équivalant à 75 kilogrammètres/seconde (736 watts environ)

CABOTAJE
F: cabotage
GB: cabotage
D: Küstenschiffahrt
I: cabotaggio
Navigation marchande de port en port et à proximité des côtes

CAER EN QUIEBRA
F: faire faillite
GB: go bankrupt
D: Konkurs anmelden
I: fallire

CAER, BAJAR
F: baisser
GB: fall
D: stützen
I: cadere, ribassare

CAFÉ
F: café
GB: coffee
D: Kaffee
I: caffè

CAJA
F: caisse
GB: cash-desk, cash-box
D: Kasse, Geldkassette
I: cassa, cassetta
Compte retraçant les opérations effectuées en espèces ou en numéraire

CAJA AUTOMATICA
F: distributeur automatique bancaire
GB: cash dispenser
D: Bargeldauszahlungsautomat
I: cassa automatica

CAJA DE AHORROS
F: caisse d'épargne
GB: savings bank
D: Sparkasse
I: cassa di risparmio

CAJA DE SEGURIDAD NOCTURNA
F: coffre de nuit
GB: night safe
D: Nachttresor
I: deposito notturno

CAJA FUERTE
F: coffre-fort
GB: safe
D: Geldschrank
I: cassaforte

CAJERO
F: caissier
GB: cashier (USA teller)
D: Kassierer
I: cassiere

CALCULADORA
F: machine à calculer
GB: calculator
D: Rechenmaschine
I: calcolatrice

CALCULAR
F: calculer
GB: calculate
D: berechnen
I: calcolare

CALCULO
F: calcul
GB: calculation
D: Berechnung
I: calcolazione

CÁLCULO DE PRECIO DE COSTE
F: calcul de coût de revient
GB: costing
D: Ertragskalkulation
I: calcolo del prezzo di costo

CÁLCULO DE RENTABILIDAD
F: calcul de rentabilité
GB: profitability allocation
D: Rentabilitätsrechnung
I: calcolo di redditività
Evolution, exprimée en termes financiers, de la capacité d'un capital à procurer des revenus

CALCULO ERRONEO
F: erreur de calcul
GB: miscalculation
D: Rechenfehler
I: calcolo errato

CALCULO REVISADO
F: devis rectifié
GB: revised estimate
D: überarbeitete Schätzung
I: preventivo riveduto

CALCULO SUPLEMENTARIO
F: devis supplémentaire
GB: supplementary estimate
D: Nachschätzung
I: preventivo supplementare

CALEFACCION CENTRAL
F: chauffage central
GB: central heating
D: Zentralheizung
I: riscaldamento centrale

CALENDARIO
F: calendrier
GB: calendar
D: Kalender
I: calendario

CALIBRAR
F: calibrer
GB: calibrate
D: kalibrieren
I: calibrare
Mesurer le diamètre d'un objet sphérique pour pouvoir le classer

CALIDAD
F: qualité
GB: quality
D: Qualität
I: qualità

CALIDAD
F : qualité (non qualité)
GB : *quality*
D : Qualität
I : *qualità*
Ecart entre la qualité souhaitée par les utilisateurs et celle qu'a conçue l'entreprise et/ou entre la qualité conçue et la qualité effective d'un produit

CÁMARA DE COMERCIO Y DE INDUSTRIA
F : Chambre de commerce et d'industrie
GB : *Chamber of commerce and industry*
D : Industrie-und-Handelskammer
I : *Camera di commercio, dell'industria*

CAMARA DE COMPENSACIONES
F : chambre de compensation
GB : *clearing house*
D : Verrechnungsstelle
I : *stanza di compensazione*
A Paris, elle effectue la grande majorité des opérations de compensation. En province, les succursales de la Banque de France en tiennent lieu

CÁMARA DE GREMIOS
F : Chambre des métiers
GB : *Chamber of trade*
D : Handwerkskammer
I : *Camera dell'artigianato*
Etablissement public départemental représentant les intérêts collectifs des artisans

CAMARA INTERNACIONAL DE COMERCIO
F : Chambre de commerce internationale
GB : *International chamber of commerce*
D : Internationale Handeiskammer
I : *Camera di Commercio iternazionale*

CAMBIO
F : échange
GB : *exchange*
D : Tausch
I : *cambio*

CAMBIO DE SITIO
F : délocalisation
GB : *delocalization*
D : Entlokalisierung
I : *delocalizzazione*
Changement d'implantation géographique de tout ou partie des activités d'une entreprise

CAMBISTA
F : cambiste
GB : *foreign exchange dealer/broker*
D : Wechselmakler
I : *cambiavalute*
Agent d'établissement bancaire spécialisé dans le commerce des devises

CAMINO CRÍTICO
F : chemin critique
GB : *critical path*
D : kritischer Weg
I : *schema critico*
Voir Analyse du chemin critique

CAMPANA
F : campagne
GB : *campaign*
D : Kampagne
I : *campagna*

CAMPANA PUBLICITARIA
F : campagne publicitaire
GB : *advertising campaign, publicity campaign*
D : Werbefeldzug
I : *campagna pubblicitaria*

CANAL
F : canal
GB : *canal*
D : Kanal
I : *canale*

CANCELAR
F : annuler
GB : *cancel*
D : annullieren
I : *cancellare*

CANCELAR UNA DEUDA
F : amortir une créance
GB : *write off a debt*
D : eine Schuld erlassen
I : *cancellare un credito*
Annuler une créance

CANCELAR UNA PÉRDIDA
F : amortir une perte
GB : *write off a loss*
D : eine Verlust abschreiben
I : *cancellare una perdita*
Etaler celle-ci sur plusieurs années pour éviter un déficit important lorsqu'une entreprise démarre (tolérance de l'administration fiscale)

CANDIDATO
F : candidat
GB : *applicant*
D : Bewerber
I : *candidato*

CANTIDAD
F : quantité
GB : *quantity*
D : Menge
I : *quantità*

CAPACIDAD
F : capacité
GB : *capacity*
D : Fähigkeit, Inhalt
I : *capacita*

CAPACIDAD CUBICA
F : volume
GB : *cubic, capacity*
D : Kubikinhalt
I : *volume*

CAPACIDAD DE ENDEUDAMIENTO
F : capacité d'endettement
GB : *borrowing power*
D : Verschuldungskapazität
I : *capacità d'indebitamento*
Capacité à rembourser des dettes mesurée notamment par la capacité d'autofinancement

CAPACIDAD EN EXCESO
F : capacité excédentaire
GB : *excess capacity*
D : übrige Ladefähigkeit
I : *capacita in eccesso*
Capacité d'autofinancement. Excédents et besoins en fonds de roulement

CAPACITACIÓN PROFESIONAL
F : qualification professionnelle
GB : *professional qualification*
D : Berufsausbildung
I : *qualificazione professionale*
Ensemble des connaissances professionnelles d'un individu (formation, expérience, qualités personnelles)

CAPATAZ
F : contremaître
GB : *foreman*
D : Vorarbeiter
I : *capo operaio, capo squadra*
Personne qui dirige le travail d'un groupe d'ouvriers

CAPATAZ JEFE
F : chef d'atelier
GB : *head foreman*
D : Werkmeister
I : *capo officina*

CAPITAL
F : capital
GB : *capital*
D : Kapital
I : *capitale*
Elément principal d'une dette. Patrimoine possédé susceptible de rapporter un revenu

CAPITAL A CORTO PLAZO
F : capitaux à court terme
GB : *short-term capital*
D : kurzfristiges Kapital
I : *capitale a breve termine*
Balance des paiements : flux de créances et d'engagements au plus égaux à un an contractés à l'extérieur par différents secteurs économiques

CAPITAL A LARGO PLAZO
F: capitaux à long terme
GB: *long-term capital*
D: langfristiges Kapital
I: *capitale consolidato a lunga scadenza*
Balance des paiements : flux des crédits commerciaux d'une échéance initiale supérieure à un an et des investissements (directs et de portefeuille) des résidents séjournant à l'étranger ou des non résidents séjournant dans le pays

CAPITAL A PRÉSTAMO
F: capitaux empruntés
GB: *borrowed capital*
D: Fremdkapital
I: *capitale preso a prestito*
Dette financière d'une entreprise, fonds mis à sa disposition par des tiers

CAPITAL AUTORIZADO
F: capital autorisé
GB: *authorized capital*
D: genehmigtes Kapital
I: *capitale autorizzado*
Nombre d'actions que le conseil d'administration d'une société peut émettre conformément à ses statuts lors de sa constitution

CAPITAL DE EXPLOTACION
F: fonds de roulement
GB: *trading capital*
D: Betriebskapital
I: *capitale d'esercizio*
Partie des capitaux permanents utilisés pour le financement des actifs circulants de l'entreprise

CAPITAL DE RESERVA
F: capital non appelé
GB: *uncalled capital*
D: nicht eingerufenes Kapital
I: *capitale non richiamato*
Montant des apports qu'une société anonyme n'a pas encore demandé à ses actionnaires de verser mais que le conseil d'administration ou le directoire peuvent réclamer à tout moment

CAPITAL DE SPECULACION
F: capitaux spéculatifs (ou fébriles)
GB: *risk capital*
D: Spekulationskapital
I: *capitale di speculazione*
Qui passent d'une place financière à l'autre, prêts à se placer à court terme suivant la variation des taux d'intérêt et l'appréciation des risques de change

CAPITAL EMITIDO, CAPITAL DESEMBOLSADO
F: capital versé (ou libéré)
GB: *issued capital, paid-up capital*
D: ausgegebenes Kapital, eingezahltes Kapital
I: *capitale emesso, capitale versato*
Capital souscrit effectivement versé par les associés d'une société

CAPITAL EN ACCIONES
F: capital social
GB: *share capital (USA stock capital)*
D: Aktienkapital
I: *capitale azionario*
Montant des apports prévus par les propriétaires d'une société par actions, égal à la valeur nominale de la totalité des actions émises

CAPITAL LLAMADO
F: capital appelé
GB: *called-up capital*
D: eingefordertes Kapital
I: *capitale richiamato*
Montant du capital fixé par les statuts lors de la constitution d'une société

CAPITAL NO EMITIDO
F: capitaux non encore émis
GB: *unissued capital*
D: nicht ausgegebenes Kapital
I: *capitale non emesso*
Qui ne font pas encore l'objet de transactions sur le marché des émissions

CAPITAL NOMINAL
F: capital nominal
GB: *nominal capital*
D: Nennkapital
I: *capitale nominale*
Voir Capital social

CAPITAL SUBSCRITO
F: capital souscrit
GB: *subscribed capital*
D: gezeichnetes Kapital
I: *capitale sottoscritto*
Montant des apports en numéraires que les associés s'engagent à verser à la demande de la société

CAPITALES PERMANENTES
F: capitaux permanents (ou ressources permanentes)
GB: *invested capital*
D: Festkapital
I: *capitali permanenti*
Regroupent les capitaux dont l'entreprise dispose de manière définitive (apports des actionnaires) ou pour une longue période (emprunts à moyen et long terme)

CAPITALES PROPIOS
F: capitaux propres (ou fonds propres)
GB: *owners'/shareholders' equity*
D: Eigenkapital
I: *capital propr*
Ressources d'une entreprise qui appartiennent aux propriétaires ou aux associés, provenant de leurs apports et des profits non distribués mis en réserves

CAPITALISMO
F: capitalisme
GB: *capitalism*
D: Kapitalismus
I: *capitalismo*
«Système économique fondé sur la dissociation entre les propriétaires des moyens de production (dont le but est la réalisation d'un profit), et les travailleurs qui les mettent en œuvre contre un salaire, les «» lois du marché «» assurant la régulation du sy»

CAPITALIZACION
F: capitalisation
GB: *capitalization*
D: Kapitalisierung
I: *capitalizzazione*
Incorporation d'intérêts pour la constitution ou l'accroissement d'un capital existant

CAPITALIZAR
F: capitaliser
GB: *capitalize*
D: Kapitalisieren
I: *capitalizzare*

CAPITAN DE NAVIO
F: capitaine
GB: *master of a ship*
D: Kapitän
I: *capitano di nave*

CARACTERISTICA
F: particularité
GB: *feature*
D: Merkmal
I: *caratteristica*

CARBON
F: houille
GB: *coal*
D: Kohle
I: *carbone*

CARBON, CARBONDE LENA
F: charbon
GB: *coal, charcoal*
D: Kohle, Holzkohle
I: *carbone*

CARBONERA
F: soute
GB: *bunker*
D: Bunker
I: *carbonile*

CARENCIA
F : carence
GB : *shortage, deficiency, (débiteur) insolvency*
D : Mangel
I : *carenza*

CARGA
F : cargaison
GB : *cargo*
D : Ladung
I : *carico*

CARGA
F : charge
GB : *charge*
D : Kosten
I : *onere, carico*

CARGA
F : chargement
GB : *loading*
D : Ladung
I : *carico, caricamento*
Partie de la prime d'assurance servant à couvrir les frais pesant sur l'assureur

CARGA COMPROBADA CON ANTICIPACIÓN
F : charge constatée d'avance
GB : *prepaid expense*
D : kalkulierte Kosten
I : *carico, onere previsto*
Charge enregistrée durant un exercice mais ne s'y rapportant pas (concerne l'activité de l'exercice suivant)

CARGA EN GRANEL
F : cargaison en vrac
GB : *bulk cargo*
D : Schüttgut
I : *carico alla rinfusa*
Marchandises transportées sans arrimage ni emballage

CARGAS FIJAS
F : charges fixes
GB : *standing charges*
D : Fixkosten
I : *spese fisse*
Liées à l'existence même de l'outil de production, elles sont indépendantes du niveau d'activité de l'entreprise

CARGAS SOCIALES
F : charges sociales
GB : *payroll taxes*
D : soziale Kosten
I : *oneri sociali*
Cotisations patronales et salariales liées au salaire et imposées aux entreprises pour financer la protection sociale

CARGOS IMPREVITOS
F : charges annexes
GB : *incidental charges*
D : Nebenkosten
I : *spese accessorie*

CARNET DE IDENTIDAD
F : carte d'identité
GB : *identity card*
D : Personalausweis
I : *carta d'identità*

CARO
F : cher
GB : *expensive*
D : kostspielig, teuer
I : *caro*

CARPETA
F : chemise
GB : *folder*
D : Mappe
I : *cartella*

CARRERA
F : carrière
GB : *career*
D : Karriere
I : *carriera*

CARTA CERTIFICADA
F : lettre recommandée
GB : *registered letter*
D : eingeschriebener Brief
I : *lettera raccomandata*

CARTA DE CRÉDITO
F : lettre de crédit
GB : *letter of credit*
D : Kreditbrief
I : *lettera di credito*
Document bancaire accréditant un client pour lui permettre d'accroître le volume de son crédit ou d'obtenir une avance

CARTA DE CRÉDITO CONFIRMADA
F : lettre de crédit confirmée
GB : *confirmed letter of credit*
D : bestätigter Kreditbrief
I : *lettera di credito confermata*
Crédit documentaire dans lequel la banque du vendeur ajoute son propre engagement à payer ou à négocier les documents présentés

CARTA DE CREDITO IRREVOCABLE
F : lettre de crédit irrévocable
GB : *irrevocable letter of credit*
D : unwiderruflicher Kreditbrief
I : *lettera di credito irrevocabile*
Pour laquelle la banque émettrice s'engage irrévocablement vis-à-vis du bénéficiaire à effectuer la prestation prévue par les termes du crédit

CARTA DE CRÉDITO IRREVOCABLE CONFIRMADA
F : lettre de crédit irrévocable confirmée
GB : *confirmed irrevocable letter of credit*
D : bestätigter unwiderruflicher Kreditbrief
I : *lettera di credito confermata irrevocabile*
Lettre de crédit irrévocable pour laquelle la banque du vendeur assure une obligation de paiement indépendante et ferme en plus de celle de la banque émettrice

CARTA DE HIPOTECA
F : lettre hypothécaire
GB : *letter of hypothecation*
D : Verpfändungsurkunde
I : *atto ipotecario*

CARTA POR AVION
F : aérogramme
GB : *air letter*
D : Luftpostbrief
I : *lettera aerea*
Lettre envoyée par avion à un tarif forfaitaire

CARTA URGENTE
F : lettre exprès
GB : *express letter (USA special delivery)*
D : Eilbrief
I : *lettera espresso*

CARTA, LETRA
F : lettre
GB : *letter*
D : Brief
I : *lettera*

CARTEL
F : cartel
GB : *cartel*
D : Kartell
I : *cartello*
Entente entre des entreprises indépendantes les unes des autres en vue de limiter ou supprimer les risques de la concurrence

CARTERA
F : portefeuille (d'un ministre)
GB : *portfolio*
D : Portefeuille, Geschäftsbereich
I : *portafoglio*

CARTERA DE INVERSIONES
F : portefeuille d'investissements
GB : *investment portfolio*
D : Investitionsportefeuille
I : *portafoglio titoli*

CARTON
F : carton
GB : *carton*
D : Karton
I : *cartone*

CASA
F: maison
GB: house
D: Haus
I: casa

CASA EDITORIAL
F: maison d'édition
GB: publishing house
D: Verlag
I: casa editrice

CASA SOLIDA
F: maison solide
GB: old-established business
D: alteingeführtes Geschäft
I: casa di vecchia fondazione

CASH FLOW
F: cash flow
GB: cash flow
D: Cash Flow
I: cash flow, flusso delle disponibilità
Solde recettes courantes/dépenses courantes de l'entreprise

CASO, ARGUMENTO
F: scenario
GB: scenario
D: Szenario
I: scenario
Dans une démarche prospective, ensemble d'hypothèses pouvant servir de cadre à la définition d'options stratégiques

CATALOGO
F: catalogue
GB: catalogue
D: Katalog
I: catalogo

CATALOGO COMERCIAL, TARIFA CATÁLOGO
F: tarif-catalogue
GB: trade catalogue, catalogue rate
D: Katalogpreis
I: tariffa di listino

CATASTRO
F: cadastre
GB: land registry
D: Kataster
I: catasto
Administration et ensemble des documents qui permettent de déterminer les propriétés foncières d'un territoire

CÉDULA HIPOTECARIA
F: obligation foncière
GB: property bond
D: Grund-und Gebäude-obligation
I: obbligazione fondiaria
Obligation à revenu fixe émise par une banque de crédit hypothécaire et destinée à financer des prêts immobiliers

CELEBRAR UNA REUNION
F: assemblée (tenir une)
GB: hold a meeting
D: eine Versammlung abhalten
I: tenere una riunione

CENSO
F: recensement
GB: census
D: Volkszählung
I: censimento

CENTRAL TELEFONICA
F: central téléphonique
GB: telephone exchange
D: Fernsprechamt
I: centrale telefonica

CENTRALIZACION
F: centralisation
GB: centralization
D: Zentralisierung
I: centralizzazione

CENTRO
F: centre
GB: centre (USA center)
D: Mitte
I: centro

CENTRO DE BENEFICIO
F: centre de profit
GB: profit centre
D: Profit Center
I: centro di profitto
Centre de responsabilité pour lequel a été fixé un objectif de profit. Regroupement réel ou fictif d'activités d'une entreprise permettant d'en déterminer le résultat

CENTRO DE GESTIÓN AUTORIZADO
F: centre de gestion agréé
GB: chartered financial management agency
D: anerkanntes Verwaltungsbüro
I: centro di gestione accreditato
Association d'aide aux PME pour la tenue de leur comptabilité et qui leur permet de bénéficier d'avantages fiscaux

CENTRO DE NEGOCIOS
F: centre commercial
GB: shopping centre
D: Geschäftszentrum
I: zona degli acquisiti

CERTIFICACIÓN
F: certification
GB: certification, auditing
D: Zertifizierung
I: autenticazione
Attestation de conformité à des normes délivrée à un produit, une organisation, par un organisme indépendant

CERTIFICADO
F: certificat
GB: certificate, warrant
D: Bescheinigung
I: certificato

CERTIFICADO DE ORIGEN
F: certificat d'origine
GB: certificate of origin
D: Ursprungszeugnis
I: certificato d'origine
Document émanant d'une autorité qualifiée et attestant l'origine d'une marchandise (utilisé surtout en matière de commerce extérieur)

CERTIFICADO DE SEGURO
F: certificat d'assurance
GB: insurance certificate
D: Versicherungsschein
I: certificato di assicurazione

CERTIFICAR
F: certifier (un chèque)
GB: certify
D: bescheinigen
I: certificare
Garantie donnée par une banque que la provision correspondante est affectée au paiement de ce chèque pendant le délai d'encaissement

CERVECERÍA
F: brasserie
GB: brewery
D: Brauerei
I: fabbrica di birra

CESION
F: cession
GB: assignment
D: Übertragung
I: cessione

CESION
F: transfert
GB: transfer
D: Überweisung
I: cessione

CESIONARIO
F: concessionnaire
GB: assignee, transferee
D: Zessionar
I: assegnatario cessionario

CESIONISTA
F: cédant
GB: assignor, transferor
D: Überträger, Zedent
I: cedente
Détenteur d'un effet de commerce qui l'escompte auprès d'une banque

CHAPADO EN ORO
F: plaqué or
GB: gold-plated
D: vergoldet
I: placcato in oro

CHEQUE
F : chèque
GB : *cheque (USA check)*
D : Scheck
I : *assegno*

CHEQUE AL PORTADOR
F : chèque restaurant au porteur
GB : *cheque payable to bearer*
D : Inhaberscheck
I : *assegno al portatore*
Ticket-repas non nominatif cofinançé par l'entreprise et le salarié

CHEQUE CERTIFICADO
F : chèque certifié
GB : *certified cheque*
D : bestätigter Scheck
I : *assegno garantito*
Voir Certifier (un chèque)

CHEQUE CON FECHA ADELANTADA
F : chèque anti-daté
GB : *antedated cheque*
D : vordatierter Scheck
I : *assegno antidatato*

CHEQUE CRUZADO
F : chèque barré
GB : *crossed cheque*
D : Verrechnungsscheck
I : *assegno sbarrato*
Les deux traits parallèles signifient que son montant ne peut qu'être versé sur un compte bancaire

CHEQUE DE VIAJERO
F : chèque de voyage
GB : *traveller's cheque*
D : Reisescheck
I : *assegno turistico*
A l'usage des touristes et payable partout où la banque émettrice a des correspondants

CHEQUE EN BLANCO
F : chèque en blanc
GB : *blank cheque*
D : Blankoscheck
I : *assegno in bianco*

CHEQUE FALSIFICADO
F : faux chèque (chèque en bois)
GB : *forged cheque*
D : gefälschter Scheck
I : *assegno falsificato*

CIBERMÉTICA
F : cybernétique
GB : *cybernetics*
D : Kybernetik
I : *cibernetica*
Science des mécanismes de la communication et du contrôle

CICLO DEL NEGOCIO
F : cycle de commerce
GB : *trade cycle*
D : Handelszyklus
I : *ciclo degli affari*

CICLO ECONOMICO
F : cycle économique
GB : *business cycle*
D : Konjunkturzyklus
I : *ciclo d'affari*
Alternance de périodes d'expansion et de récession ou de dépression, entrecoupées de crises économiques

CIERRE
F : lock-out
GB : *lock-out*
D : Aussperrung
I : *serrata*
Fermeture momentanée d'une unité de production décidée par la direction au cours d'un conflit collectif

CIFRA
F : chiffre
GB : *figure*
D : Zahl
I : *cifra*

CILINDRADA
F : cyclindrée
GB : *cubic capacity*
D : Hubraum
I : *cilindrata*

CIRCUITO DE DISTRIBUCIÓN
F : circuit de distribution
GB : *distribution channel*
D : Vertriebsweg
I : *circuito di distribuzione*

CÍRCULO DE CALIDAD
F : cercle de qualité
GB : *quality circle*
D : Qualitätszirkel
I : *circolo di qualità*
Structure permanente ou temporaire de cinq à dix salariés volontaires chargés de résoudre les problèmes d'amélioration de la qualité des produits et des conditions de travail

CLAUSULA
F : clause
GB : *clause*
D : Klausel
I : *clausola*
Disposition particulière d'un acte, d'un contrat

CLAUSULA DE DECOMISO
F : clause de dédit
GB : *forfeit clause*
D : Bußklausel
I : *clausola di penalità per inadempienza*
Clause prévoyant le versement d'une somme en cas de non respect d'un engagement

CLAUSULA DE MULTA
F : clause pénale
GB : *penalty clause*
D : Strafklausel
I : *clausola penale*
Clause qui fixe le montant des dommages-intérêts dus en cas de non-exécution d'un contrat

CLAUSULA EVASIVA
F : clause de résiliation
GB : *escape clause*
D : Rücktrittsklausel
I : *clausola risolutiva*
Clause prévoyant l'annulation d'un contrat par la volonté de l'une ou des deux parties

CLAUSULA RESOLUTIVA
F : clause résolutoire
GB : *determination clause*
D : Rückltrittsklausel
I : *clausola risolutiva*
Prévoit l'annulation automatique d'un acte en cas de non respect des engagements par l'une des parties ou si un événement imprévisible survient

CLIENTE
F : client
GB : *client*
D : Kunde
I : *cliente*

CLIENTE POTENCIAL
F : prospect
GB : *prospective customer*
D : Kundenakquise
I : *cliente potenziale*
Client potentiel

CLIENTELA
F : clientèle
GB : *custom, clientele*
D : Kundschaft
I : *clientela*

COASEGURO
F : assurance mutuelle
GB : *mutual insurance*
D : Versicherung auf Gegenseitigkeit
I : *mutua assicurazione*

COBERTURA
F : couverture
GB : *cover*
D : Deckung
I : *copertura*
Montant d'une transaction consignée en garantie jusqu'au dénouement ultérieur de celle-ci (sur un marché à terme)

COBERTURA PROVISIONAL
F : couverture temporaire
GB : *temporary cover*
D : temporäre Deckung
I : *copertura provvisoria*

COBRAR
F : encaisser
GB : *cash*
D : einkassieren
I : *incassare*

COBRAR UN CHEQUE
F : toucher un chèque
GB : *cash a cheque (USA cash a check)*
D : einen Scheck einlösen
I : *incassare un assegno*

COBRO
F: encaissement
GB: *collection*
D: Einkassieren
I: *incasso*

COCHE
F: voiture
GB: *car*
D: Auto, Wagen
I: *automobile, macchina*

CODIGO
F: code
GB: *code*
D: Ordnung
I: *codice*

COGESTIÓN
F: cogestion
GB: *co-management*
D: Gemeinverwaltung
I: *cogestione*
Forme de participation des salariés à
la gestion de l'entreprise

COLABORAR
F: collaborer
GB: *collaborate*
D: mitarbeiten
I: *coliaborare*

COLUMNA
F: colonne
GB: *column*
D: Spalte
I: *colonna*

COMANDITA
F: commandite (société en)
GB: *limited partnership*
D: Kommanditgesellschaft
I: *accomandita*
Société commerciale dans laquelle
des associés apportent des capitaux
sans prendre part à la gestion

COMERCIANTE
F: négociant
GB: *dealer, merchant*
D: Händler, Kaufmann
I: *negoziante, commerciante*
Intermédiaire entre fabricants et uti-
lisateurs, il cherche auprès de nom-
breux fournisseurs les meilleures
conditions de prix. Il intervient en
amont, en aval ou parallèlement au
grossiste

COMERCIANTE AL POR MENOR
F: commerçant (détaillant)
GB: *retailer*
D: Einzelhändler, Kleinhändler
I: *commerciante al minuto*

COMERCIO
F: commerce
GB: *commerce*
D: Handel
I: *commercio*

COMERCIO
F: fonds de commerce
GB: *business*
D: Laden
I: *fondi patrimonicli*
Eléments mobiliers corporels (clien-
tèle, droit au bail, licences...) ou
incorporels (matériels, outillages...)
servant à l'exploitation d'une entre-
prise

COMERCIO
F: fonds commercial (comp-
tabilité)
GB: *business*
D: Laden
I: *fondi patrimoniali*
Valeur de l'ensemble des éléments
incorporels d'une entreprise, non
isolée dans le bilan et qui concou-
rent au maintien et au développe-
ment de son activité

COMERCIO AL POR MAYOR
F: commerce de gros
GB: *wholesale trade*
D: Großhandel
I: *commercio all'ingrosso*

COMERCIO AL POR MENOR
F: commerce de detail
GB: *retail trade*
D: Einzelhandel
I: *commercio al minuto*

COMERCIO EXTERIOR
F: commerce extérieur
GB: *foreign trade*
D: Außenhandel
I: *commercio estero*

COMERCIO INTERIOR
F: commerce intérieur
GB: *home trade (USA domestic
sales)*
D: Binnenhandel
I: *commercio interno*

COMERCIO LIBRE
F: libre-échange
GB: *free trade*
D: Freihandel
I: *libero scambio*
Organisation entre plusieurs pays de
la libre circulation des marchandises
produites sur leur territoire

COMERCIO MULTILATERAL
F: commerce multilatéral
GB: *multilateral trade*
D: mehrseitiges-Handeln
I: *commercio multilaterale*

COMESTIBLES
F: alimentation
GB: *foodstuffs*
D: Eßwaren
I: *generi alimentari*

COMISION
F: commission
GB: *commission*
D: Provision
I: *prowigione*

COMISION EUROPEA
F: Commission des commu-
nautés européennes
GB: *European commission*
D: Europäische Kommission
I: *Commissione europea*
Organe exécutif de l'Union euro-
péenne

COMISIONISTA
F: commissionnaire
GB: *commission agent*
D: Kommissionär
I: *commissionario*

COMITÉ
F: comité
GB: *committee*
D: Kommission, Ausschuß
I: *comitato*
Réunion de personnes chargées
d'étudier certains problèmes, d'exer-
cer un certain pouvoir

COMITÉ DE EMPRESA
F: comité d'entreprise
GB: *works council*
D: Betriebsrat
I: *comitato d'azienda*

COMITÉ DE GESTIÓN
F: comité de gestion
GB: *board of management*
D: Verwaltungsrat
I: *comitato di gestione*

COMPANIA ARRENDATARIA
F: société de leasing
GB: *leasing company*
D: Leasinggesellschaft
I: *società di leasing*
Société de crédit-bail

COMPANIA ASOCIADA
F: société soeur (associée)
GB: *sister company*
D: Schwestergesellschaft
I: *società sorella*
L'une des filiales de la société mère

COMPANIA COTIZADA EN BOLSA
F: société cotée en Bourse
GB: *quoted company*
D: Gesellschaft notiert an der
Börse
I: *società quotata in borsa*

**COMPANIA DE CRÉDITO COMER-
CIAL**
F: société de financement
GB: *finance company*
D: Finanzierungsgesellschaft
I: *società finanziaria*

COMPANIA DE EXPLOTACION
F: société d'exploitation
GB: *development company,
operating company*
D: Erschließungsgesellschaft,
Betrieb
I: *società d'impresa*
Ou de gestion ; SA créée pour diri-
ger une ou plusieurs entreprises

COMPANIA DE SEGUROS
F : compagnie d'assurances
GB : *insurance compagny*
D : Versicherungsgesellschaft
I : *compagnia di assicurazione*

COMPANIA DIRECTRIZ
F : société directrice
GB : *controlling company*
D : Gesellschaft mit Kontrollbefugnis
I : *società direttrice*

COMPANIA INVERSIONISTA
F : société de placement
GB : *investment company*
D : Investierungsgesellschaft
I : *società per investimenti*
Voir Placement

COMPANIA MATRIZ
F : société mère
GB : *parent company*
D : Muttergesellschaft
I : *società madre*
Qui détient plus de la moitié du capital d'une ou plusieurs autres filiales

COMPANIA NAVIÈRA
F : compagnie de navigation
GB : *shipping line*
D : Reederei
I : *società di navigazione*

COMPANIA PRIVADA
F : société à responsabilité limitée - SARL
GB : *private limited company*
D : Gesellschaft mit beschränkter Haftung (GMBH)
I : *società a responsabilità limitata (SRL)*
Dirigée par un ou des gérants, elle associe des personnes (1 à 50) qui ne sont responsables qu'à concurrence de leur apport, s'engagent personnellement et ne peuvent céder librement leur part

COMPANIA TENEDORA
F : société holding
GB : *holding company*
D : Dachgesellschaft
I : *società holding*
Voir Holding

COMPANIA, SOCIEDAD
F : société
GB : *company*
D : Gesellschaft
I : *società*
Association contractuelle de personnes physiques ou morales qui conviennent de mettre en commun des biens, des valeurs ou du travail dans un but lucratif

COMPENSACION
F : compensation
GB : *compensation*
D : Entschädigung
I : *compenso*
Comptabilisation du solde final, donnant lieu à règlement, des dettes et créances échangées mutuellement par deux ou plusieurs banques pendant une période donnée

COMPENSAR
F : compenser
GB : *compensate*
D : vergüten
I : *compensare*

COMPETICION
F : concurrence
GB : *competition*
D : Wettbewerb
I : *concorrenza*

COMPETIDOR
F : compétitif
GB : *competitive*
D : wetteifernd
I : *in concorrenza*

COMPETIR
F : concurrencer
GB : *compete*
D : Konkurrenz machen
I : *competere*

COMPLACENCIA
F : complaisance
GB : *convenience*
D : Entgegenkommen
I : *compiacenza, favore*

COMPLEJO (MILITARINDUS-TRIAL)
F : complexe (militaro-industriel)
GB : *military-industrial complex*
D : militärisch-industrieller Komplex
I : *complesso (militare-industriale)*
Champ des relations armée/industries d'armement

COMPLETO
F : exhaustif
GB : *comprehensive*
D : umfassend
I : *comprensivo*

COMPRA A PLAZOS
F : location-vente
GB : *hire-purchase*
D : Ratenkauf
I : *vendita a rate*
Voir Crédit-bail, Leasing

COMPRA A PLAZOS
F : vente à tempérament
GB : *hire-purchase*
D : Ratenverkauf
I : *vendita a rate*
Vente à crédit

COMPRA ADQUISITIONES (PL.)
F : achat
GB : *purchase*
D : Kauf, Einkauf
I : *compra acquisti (pl.)*

COMPRADOR
F : acheteur
GB : *buyer*
D : Käufer
I : *compratore*

COMPRAR
F : acheter
GB : *buy*
D : kaufen
I : *comprare*

COMPTABILIDAD ANALÍTICA
F : comptabilité analytique
GB : *cost accounting*
D : analytische Buchführung
I : *contabilità analitica*
Saisie et traitement de l'information permettant l'analyse et le contrôle des coûts dans l'entreprise, à l'aide des documents internes qui en suivent les flux

COMPULSION
F : contrainte
GB : *duress*
D : Zwang
I : *costrizione*

COMPUTADORA
F : ordinateur
GB : *computer*
D : Rechner, Computer
I : *elaboratore, calcolatore*

COMUNICACION
F : communication
GB : *communication*
D : Benachrichtigung
I : *comuniciazione*

COMUNIDAD
F : communauté
GB : *community*
D : Gemeinschaft
I : *comunità*

COMUNIDAD ECONOMICA EURO-PEA
F : Communauté économique européenne - CEE
GB : *European economic community*
D : Europäische Wirtschaftsgemeinschaft
I : *Comunità economica europeia*
Devenue l'Union européenne - UE (traité de Maastricht 7 révrier 92),elle passe de 12 à 15 membres avec l'adhésion de l'Autriche, de la Finlande et de la Suède début 1995

COMUNIDAD EUROPEA DE CARBON Y ACERO
F: Communauté européenne du charbon et de l'acier - CECA
GB: European coal and steel community
D: Europäische Gemeinschaft für Kohle und Stahl
I: Comunita europea del carbone e acciacio
La plus ancienne des communautés européennes, instituée pour 50 ans par le traité de Paris (1951)

COMUNIDAD EUROPEA DE ENERGIA ATOMICA
F: Communauté européenne de l'énergie atomique - Euratom
GB: European atomic energy community
D: Europäische Atomgemeinschaft
I: Comunita europea dell'energia atomica
L'une des trois communautés européennes, créée en 1958 pour coordonner le developpement des industries nucléaires de l'Union européenne

CON AVERIA
F: avarié
GB: with average (WA)
D: havariert
I: con averia

CON DIVIDENDO
F: droit attaché
GB: cum dividend
D: mit Dividende
I: con dividendo
Valeur mobilière sur laquelle le droit d'attribution ou de souscription qui l'accompagne n'a pas encore été exercé

CON RECURSO
F: droits de recours (avec)
GB: with recourse
D: mit Rückgriff
I: con risorso
Qui comporte une disposition permettant de déférer une décision administrative à son auteur

CONCEDER (UN DESCUENTO)
F: consentir (une remise)
GB: allow (a discount)
D: gewähren (einen Rabatt)
I: concedere (un sconto)

CONCEDER DANOS
F: adjuger des dommages-intérêts
GB: award damages
D: Schadenersatz zugestehen
I: concedere i danni
Attribuer par jugement une indemnité en réparation d'un préjudice causé

CONCEDER FIANZA
F: admettre une caution
GB: grant bail
D: gegen Haftkaution freigeben
I: concedere la libertà provvisoria su cauzione
Accepter qu'une personne physique ou morale se porte caution d'une autre

CONCENTRACIÓN
F: concentration
GB: concentration
D: Konzentration
I: concentrazione

CONCEPTO
F: concept
GB: concept
D: Konzept
I: concetto

CONCESION (DE UNA PATENTE)
F: délivrance (d'un brevet)
GB: grat (of a patent)
D: Erteilung (eines Patentes)
I: concessione (di brevetto)

CONCESION RECIPROCA
F: concessions mutuelles
GB: give and take
D: Geben und Nehmen
I: concessione reciproca

CONCESSION
F: concession
GB: concession
D: Konzession
I: concessione
Autorisation d'exploitation ou de gestion, représentation exclusive

CONCESSION MINERA
F: concession minière
GB: mineral concession
D: Bergwerkskonzession
I: concessione mineraria
Gisement qu'une personne physique ou morale a reçu l'autorisation d'exploiter pour une période déterminée

CONCILIACION
F: conciliation
GB: concilliation
D: Schlichtung
I: conciliazione

CONCORDATO
F: concordat
GB: deed of composition
D: Vergleichsabkommen
I: atto di concordato
Accord amiable ou judiciaire par lequel des créanciers consentent à leur débiteur un délai de paiement et/ou la remise partielle de sa dette

CONCURSO DE ACREEDORES
F: réunion de créanciers
GB: meeting of creditors
D: Gläubigerversammlung
I: convocazione dei creditori

CONDICION (A)
F: réserves (sous)
GB: on condition
D: vorausgesetzt
I: a condizione

CONDICIONAL
F: conditionnel
GB: conditional
D: bedingt
I: condizionale

CONDICIONES
F: conditions
GB: terms
D: Bedingungen
I: condizioni

CONDICIONES DE PAGO
F: conditions de paiement
GB: payment terms
D: Zahlungsbedingungen
I: condizioni di pagamento

CONDICIONES DEL MERCADO, SITUACIÓN DEL MERCADO
F: état du marché
GB: state of the market
D: Marktumstände, Marktlage
I: condizioni del mercato

CONDITICIONES DE TRABAJO
F: conditions de travail
GB: working conditions
D: Arbeitsbedingungen
I: condizioni di lavoro

CONFERENCIA
F: conférence
GB: conference
D: Kongreß
I: conferenza

CONFIAR
F: confier
GB: entrust
D: anvertrauen
I: affidare

CONFIRMACION
F: confirmation
GB: confirmation
D: Bestätigung
I: conferma

CONFIRMAR
F: confirmer
GB: confirm
D: bestätigen
I: confermare

CONFIRMAR POR ESCRITO
F: confirmer par écrit
GB: confirm in writing
D: schriftlich bestätigen
I: confermare per iscritto

CONFLICTO
F: conflit
GB: conflict
D: Konflikt
I: conflitto

CONFLICTO LOBORAL
F : conflit du travail
GB : *trade dispute*
D : Arbeitsstreitigkeit
I : *vertenza di lavoro*

CONJETURA
F : conjecture
GB : *guess-work*
D : Mutmaßung
I : *congettura*
Supposition plus ou moins fondée, hypothèse

CONOCIMIENTO (DE EMBARQUE)
F : connaissement
GB : *bill of lading*
D : Konossement
I : *polizza di carico*
Document maritime qui vaut reçu de marchandises et contrat de transport

CONOCIMIENTOS
F : connaissance
GB : *knowledge*
D : Kenntnis
I : *conoscenza*

CONSEGUIR (UN PEDIDO)
F : accrocher (une commande)
GB : *pull off (an order)*
D : (eine Bestellung) ergattern
I : *ottenere (un'ordinazione, una commessa)*

CONSEJO CONSULTIVO
F : comité consultatif
GB : *advisory board*
D : Beratungsausschuß
I : *consiglio consultivo*
Comité appelé seulement à donner un avis

CONSEJO DE ADMINISTRACION
F : conseil d'administration
GB : *board of directors*
D : Vorstand
I : *consiglio d'amministrazione*

CONSEJO DE DIRECTORIO
F : conseil du directoire
GB : *board of directors*
D : Vorstand
I : *consiglio di direttorio*
Organisme collégial de 5 membres au plus (pas nécessairement actionnaires), il remplace le conseil d'administration dans certaines sociétés anonymes

CONSEJO DE VIGILANCIA
F : conseil de surveillance
GB : *watchdog committee/(créancier) committee of inspection*
D : Aufsichtsrat
I : *consiglio di sorveglianza*
Elu par l'assemblée générale, chargé de contrôler (non de gérer) le directoire d'une société anonyme

CONSEJO, CONSULTOR
F : conseil
GB : *council, consultant*
D : Rat, Berater
I : *consiglio, consulente*

CONSERJE
F : concierge
GB : *hall-porter*
D : Hausmeister
I : *portiere*

CONSIGNAR
F : consigner
GB : *consign*
D : konsignieren, übersenden
I : *consegnare*

CONSOLIDADO
F : consolidé
GB : *consolidated*
D : konsolidiert
I : *consolidato*

CONSORCIO
F : consortium
GB : *consortium*
D : Konsortium
I : *consorzio*
Entreprises ou banques regroupées pour réaliser des opérations qui dépassent les possibilités et les compétences de chacune

CONSTITUIR
F : constituer
GB : *form, constitute*
D : bilden
I : *costituire*

CONSUL
F : consul
GB : *consul*
D : Konsul
I : *console*
Fonctionnaire chargé à l'étranger de la protection des ressortissants de son pays (dont il n'est pas le représentant)

CONSULADO
F : consulat
GB : *consulate*
D : Konsulat
I : *consolato*

CONSULTIVO
F : consultatif
GB : *advisory*
D : Beratung
I : *consultivo*

CONSULTOR DE PUBLICIDAD
F : conseil en publicité
GB : *advertising consultant*
D : Werbeberater
I : *consulente di pubblicità*

CONSUMICION
F : consommation
GB : *consumption*
D : Verbrauch
I : *consumo*

CONSUMIDOR
F : consommateur
GB : *consumer*
D : Verbraucher, Konsument
I : *consumatore*

CONTABILIDAD
F : comptabilité
GB : *book-keeping, accountancy*
D : Buchhaltung
I : *contabilità*

CONTABILIDAD MATERIALES
F : comptabilité matière
GB : *stock accounting*
D : Bestandsbuchführung
I : *contabilità per materia*
Porte sur les matières premières, les produits finis et semi-finis

CONTABLE
F : commis-comptable
GB : *ledger clerk (USA bookkeeper)*
D : Buchhalter
I : *contabile*

CONTADOR
F : comptable
GB : *accountant*
D : Bucchalter
I : *contabile*

CONTADOR HABILITADO
F : expert-comptable
GB : *qualifed accountant*
D : Wirtschaftsprüfer
I : *ragioniere diplomato*
Professionnel spécialisé dans l'analyse, le contrôle et l'organisation des comptabilités

CONTENEDORIZACION
F : containerisation
GB : *containerization*
D : Containerisation
I : *containerization*

CONTENIDO
F : contenu
GB : *contents*
D : Inhalt
I : *contenuto*

CONTINGENCIA
F : contingence
GB : *contingency*
D : Eventualität
I : *contingenza*
Corrélation entre deux caractères qualitatifs ou quantitatifs

CONTRABANDO
F : contrebande
GB : *contraband*
D : Schmuggelware
I : *contrabbando*

CONTRACTUAL
F : contractuel adj
GB : *contractual*
D : vertraglich
I : *contrattuale*

CONTRAPARTIDA
F : contrepartie (Bourse)
GB : counterpart
D : Gegenzug
I : contropartita
Offre correspondant à une demande déterminée ou inversement. Ne peut être effectuée que par un contrepartiste

CONTRATACION COLLECTIVA
F : négociations de conventions collectives
GB : collective bargaining
D : Tarifvertragsverhandlung
I : contrattazione collettivo

CONTRATISTA DE OBRAS
F : entrepreneur en bâtiment
GB : building contractor
D : Bauunternehmer
I : impresa edile

CONTRATO
F : contrat
GB : contract
D : Vertrag
I : contratto

CONTRATO COMERCIAL BILATE-RAL
F : accord de commerce bilatéral
GB : bilateral trade agreement
D : bilateraler Handelsvertrag
I : accordo di commercio bilaterale

CONTRATO DE RESERVA
F : accord réservé
GB : stand-by agreement
D : Notvereinbarung
I : accordo di riserva

CONTRATO DE SERVICIO
F : contrat de service
GB : service agreement
D : Dienstvertrag
I : accordo di servizio

CONTRATO GLOBAL
F : marché global
GB : package deal
D : Globalgeschäft
I : contratto globale
Pratique des opérateurs qui consiste à négocier tout au long des 24 heures d'une journée

CONTRIBUCCION
F : contribution
GB : contribution
D : Beitrag
I : contributo
Impôt

CONTRIBUCION MUNICIPAL
F : taxes municipales
GB : rates (USA realty tax)
D : Gemeindesteuer
I : tassa comunale

CONTRIBUCIONES DIRECTAS
F : contributions directes
GB : direct taxation
D : direkte Steuern
I : imposte dirette

CONTRIBUCIONES INDIRECTAS
F : contributions indirectes
GB : indirect taxation
D : indirekte Steuern
I : imposte indirette

CONTRIBUIR
F : contribuer
GB : contribute
D : beitragen
I : contribuire

CONTRIBUYENTE
F : contribuable
GB : tax payer
D : Steuezahler
I : contribuente fiscale

CONTROL
F : contrôle
GB : control
D : Aufsicht
I : controllo

CONTROL DE CALIDAD
F : contrôle de qualité
GB : quality control
D : Qualitätskontrolle
I : controllo di qualità

CONTROL DE GESTIÓN
F : contrôle de gestion
GB : management audit
D : Controlling
I : controllo di gestione
Etude, préparation et coordination des décisions de gestion permettant à l'entreprise d'atteindre efficacement ses objectifs

CONTROL DE PRECIOS
F : contrôle des prix
GB : price control
D : Preiskontrolle
I : controllo sui prezzi

CONTROL PRESUPUESTARIO
F : contrôle budgétaire
GB : budgetary control
D : Haushaltskontrolle
I : controllo a bilancio preventivo
Contrôle de gestion par comparaison objectifs/résultats

CONVENIO COLECTIVO
F : convention collective
GB : labour agreement
D : Tarifvertrag
I : contratto collettivo
Accord relatif aux conditions de travail conclu entre syndicats de travailleurs et employeurs

CONVENIO RESTRICTIVO
F : accord restrictif
GB : restrictive covenant
D : einschränkende Bestimmung
I : accordo restrittivo

CONVENIR
F : convoquer
GB : convene
D : einberufen
I : convocare

CONVERSION
F : conversion
GB : conversion
D : Konversion
I : conversione

CONVERTIBLE
F : convertible
GB : convertible
D : konvertierbar
I : convertibile
S'applique à une monnaie qu'on peut échanger légalement contre de l'or ou toute autre devise

CONVERTIR
F : convertir
GB : convert
D : konvertieren
I : convertire

COOPERACION
F : coopération
GB : cooperation
D : Zusammenarbeit
I : cooperazione

COOPERATIVA
F : coopérative
GB : co-op
D : Genossenschaft
I : cooperativa
Association de personnes (à droits et obligations égales) qui conduisent et gèrent à leurs risques une entreprise commune

COOPERATIVA
F : société coopérative
GB : cooperative
D : Genossenschaft
I : cooperative
Voir Coopérative

COOPTAR
F : coopter
GB : co-opt
D : hinzuwählen
I : cooptare
Admettre dans une assemblée de nouveaux membres désignés par elle-même

COPIA
F : copie
GB : copy
D : Abschrift, Kopie
I : copia

COPIA AUTÉNTICA
F : copie certifiée
GB : *certified true copy*
D : beglaubigte Abschrift
I : *copia conforme*
Copie authentifiée par l'administration

COPIAR
F : transcrire
GB : *copy*
D : Kopieren
I : *copiare*

COPROPRIEDAD
F : copropriété
GB : *joint ownership*
D : Miteigentum
I : *comproprietà*

CORPORACION
F : corporation
GB : *corporation*
D : Körperschaft
I : *corporazione*

CORPORACION INTERNATIONAL DE FINANZAS
F : société financière internationale - SFI
GB : *international finance corporation*
D : Internationale Finanzkorporation
I : *corporazione finanziaria internationale*
Filiale de la BIRD créée en 1955 pour participer au financement des entreprises privées dans les pays en développement

CORPORATIVISMO
F : corporatisme
GB : *corporatism*
D : Körperschaftstum
I : *corporativismo*
Défense exclusive des intérêts d'une catégorie sociale ou socio-professionnelle

CORPORATIVO
F : corporatif
GB : *corporate*
D : köperschaftlich
I : *corporativo*
Relatif à une corporation

CORRECCION
F : correction
GB : *correction*
D : Berichtigung
I : *correzione*

CORREDOR
F : courtier
GB : *broker*
D : Makler
I : *sensale*
Intermédiaire commercial qui met en relation, contre rémunération, deux personnes désirant conclure un contrat

CORREDOR DE BOLSA
F : courtier en Bourse
GB : *stockbroker*
D : Börsenmakler
I : *agente di borsa*

CORREDOR DE MERCADERIAS
F : courtier en marchandises
GB : *commodity broker*
D : Makler für Verbrauchsgüter
I : *sensale di merci*

CORREDOR DE SEGUROS
F : courtier d'assurances
GB : *insurance broker*
D : Versicherungsmakler
I : *mediatore di assicurazioni*

CORREDURIA DE FINCAS
F : agence immobilière
GB : *estate agency (USA real estate agency)*
D : Immobilienbüro
I : *agenzia immobiliare*

CORREGIR
F : corriger
GB : *correct*
D : korrigieren
I : *correggere*

CORRELACIÓN
F : corrélation
GB : *correlation*
D : Zusammenhang
I : *correlazione*
Variations de même sens ou de sens opposé entre deux ou plusieurs grandeurs

CORREO
F : poste
GB : *mail*
D : Post
I : *posta*

CORREO AÉREO
F : poste aérienne
GB : *airmail*
D : Luftpost
I : *posta aerea*

CORRESPONDENCIA
F : correspondance
GB : *correspondence*
D : Briefwechsel
I : *corrispondenza*
Concordance de deux phénomènes qui varient symétriquement dans le même sens

CORRETAJE
F : courtage
GB : *brokerage*
D : Maklergebühr
I : *senseria*
Rémunération ou fonction du courtier

CORRIENTE
F : courant
GB : *current*
D : laufend
I : *corrente*

CORRIENTE ALTERNA
F : courant alternatif
GB : *alternating current (A.C.)*
D : alternativer Strom
I : *corrente alternata*
Courant électrique au sens de circulation alterné, dont l'intensité est fonction périodique du temps

CORRIENTE CONTINUA
F : courant continu
GB : *direct current*
D : Gleichstrom
I : *corrente continua*
Courant électrique d'intensité constante circulant toujours dans le même sens

CORTO PLAZO (A)
F : courte échéance (à)
GB : *short-dated*
D : kurzfristig
I : *a breve scadenza*

CORTO PLAZO (A)
F : court terme (à)
GB : *short-term*
D : kurzfristig
I : *a breve termine*

COSECHA
F : moisson
GB : *harvest*
D : Ernte
I : *raccolto*

COSECHA
F : récolte
GB : *harvest*
D : Ernte
I : *raccolto*

COSTAR
F : coûter
GB : *cost*
D : Kosten
I : *costare*

COSTE
F : coût
GB : *cost*
D : Kosten
I : *costo*

COSTE CONTABLE
F : prix de revient comptable
GB : *book cost*
D : Buchwert der Einkäufe
I : *costo contabile*
Tient compte de tous les frais indirects rattachés au prix de revient d'un produit

COSTE DE LA MANO DE OBRA
F : coût de la main-d'œuvre
GB : *cost of labour*
D : Lohnkosten
I : *costo di mano d'opera*

COSTE DE PRODUCION
F: coût de revient
GB: (production) cost
D: Herstellungskosten
I: costo d'acquisto, prezzo di costo
Coût total de produits ou services vendus

COSTE DE REPUESTO
F: coût de remplacement
GB: replacement cost
D: Weideranschaffungskosten
I: costo di rimpiazzo
Prix d'achat d'un équipement à payer pour une satisfaction équivalente à celle procurée par celui qui est usagé

COSTE DE VIDA
F: coût de la vie
GB: cost of living
D: Lebenshaltungskosten
I: costo della vita

COSTE DE VIDA MAS ALTO
F: renchérissement du coût de la vie
GB: increased cost of living
D: erhöhte Lebenshaltungskosten
I: aumentato costo della vita

COSTE DIRECTO
F: prix de revient direct
GB: direct cost
D: direkte Kosten
I: costo diretto
Ensemble des coûts directs de production d'un produit ou d'un service

COSTE FIJO
F: coût fixe
GB: fixed cost
D: Fixkosten
I: costo fisso
Coût indépendant d'une activité, dans une structure ou pour une période donnée

COSTE MARGINAL
F: coût marginal
GB: marginal cost
D: Fandkosten
I: costo marginale
Coût supplémentaire ou additionnel d'une unité entraîné par une augmentation de la production

COSTE PROMEDIO
F: coût moyen
GB: average cost
D: Durchschnittskosten
I: costo medio
Coût unitaire total à long terme, prix de revient unitaire

COSTE PUR UNIDAD, COSTE UNITARIO
F: coût unitaire
GB: unit cost
D: Einheitskosten, Stückkosten
I: costo unitario

COSTE SOCIAL
F: coût social
GB: social cost
D: Sozialkosten
I: costo sociale

COSTE UNITARIO
F: prix coûtant unitaire
GB: unit cost
D: Einheitskosten
I: costo unitario
Coûts de fabrication et de distribution par unité produite

COSTE VARIABLE
F: coût variable
GB: variable cost
D: variable Kosten
I: costo variabile
Composé de charges variables en fonction d'une activité

COSTE Y FLETE
F: coût et fret
GB: cost and freight (c&f)
D: Kosten und Fracht
I: costo e nolo
En matière de commerce extérieur, qualifie le prix total d'une marchandise dont l'exportateur assume les frais (sauf les assurances) jusqu'à sa destination

COSTE, SEGURO, Y FLETE
F: coût, assurance, fret (CAF)
GB: cost, insurance, and freight (cif)
D: Kosten, Versicherung, Fracht
I: costo, assicurazione, nolo
Qualifie le prix d'une marchandise dont l'exportateur prend en charge la totalité des frais (assurances comprises) jusqu'à sa destination

COSTES INCREMENTADOS
F: accroissement des coûts
GB: increased costs
D: erthöhte Kosten
I: costi aumentati

COSTES INDIRECTOS
F: frais indirects
GB: indirect costs
D: Gemeinkosten
I: costi indiretti
Charges qui nécessitent un calcul intermédiaire pour être imputées au coût d'un produit déterminé

COSTES OPERACIONALES
F: frais d'exploitation
GB: operating costs
D: Betriebsausgaben
I: spese di gestione
Ensemble des dépenses engagées lors du processus de production

COSTES, DESEMBOLSO
F: frais
GB: charges, expenditure
D: Kosten, Ausgaben
I: spesa, spese

COTIZACION
F: cotation
GB: quotation
D: Kostenanschlag
I: quotazione
Détermination du prix auquel les transactions se font sur un marché. Bourse: inscription à la cote du cours constaté pour une valeur mobilière

COTIZACIÓN SOCIAL
F: cotisation sociale
GB: payroll tax
D: Sozialbeitrag
I: versamento di oneri sociali
Versement obligatoire effectué à la Sécurité sociale ou à l'Etat par les employeurs et les travailleurs pour financer la protection sociale

COTIZAR
F: coter
GB: quote
D: (den Preis) angeben
I: quotare

COYUNTURA
F: conjoncture
GB: overall economic situation
D: Konjunktur
I: congiuntura
Situation (économique ou autre) d'un secteur, d'une branche ou d'un pays à un moment donné

CREATIVIDAD
F: créativité
GB: creativity
D: Kreativität
I: creatività

CRECIMIENTO
F: croissance
GB: growth
D: Entwicklung, Wachstum
I: crescita, sviluppo

CRECIMIENTO ECONOMICO
F: croissance économique
GB: economic growth
D: Wirtschaftswachstum
I: sviluppo economico

CRÉDITO
F: crédit
GB: credit
D: Kredit
I: credito

CRÉDITO A CORTO PLAZO
F : crédit à court terme
GB : *short-term credit*
D : kurzfristiger Kredit
I : *credito a breve termine*

CRÉDITO A LARGO PLAZO
F : crédit à long terme
GB : *long-term credit*
D : langfristiger Kredit
I : *credito a lungo termine*

CRÉDITO A MEDIANO PLAZO
F : crédit à moyen terme
GB : *medium-term credit*
D : mittelfristiger Kredit
I : *credito a medio termine*

CRÉDITO BANCARIO
F : crédit bancaire
GB : *bank credit*
D : Bankkredit
I : *credito bancario*

CRÉDITO DE CAMPAÑA
F : crédit de campagne
GB : *campaign credit*
D : Kampagnekredit
I : *finanziamento per acquisti agricoli*
Crédit de trésorerie couvrant les besoins liés à la saisonnalité de l'activité d'une entreprise

CRÉDITO DE COMPRADOR
F : crédit acheteur
GB : *buyer credit*
D : Käuferkredit
I : *credito d'acquisto*
Crédit à l'export octroyé par la banque du pays exportateur à l'importateur, qui peut payer comptant l'exportateur

CRÉDITO DE PROVEEDORES
F : crédit fournisseur
GB : *trading credit*
D : Lieferantenkredit
I : *credito fornitore*
Accordé à un exportateur par une banque de son pays pour lui permettre d'être payé dès la livraison à son importateur étranger

CRÉDITO DOCUMENTARIO
F : crédit documentaire
GB : *documentary credit*
D : Dokumenten-Akkreditiv
I : *credito documentario*
Technique de paiement à l'exportation. Le correspondant de la banque de l'importateur règle l'exportateur contre remise de documents prouvant l'opération

CRÉDITO EN DESCUBIERTO
F : crédit à découvert
GB : *open credit*
D : offener Kredit
I : *credito allo scoperto*

CREDITOS CONGELADOS
F : crédits bloqués
GB : *frozen credits*
D : eingefrorene Kredite
I : *crediti bloccati*

CRISIS ECONOMICA
F : crise économique
GB : *depression*
D : Wirtschaftskrise
I : *crisi*

CRUDO (PETRÓLEO)
F : brut (pétrole)
GB : *crude (oil)*
D : Rohöl
I : *greggio (petrolio)*
Pétrole non raffiné

CUADRO DE CONEXION
F : tableau de distribution
GB : *switchboard*
D : Schalttafel
I : *quadro di comando*

CUADRO DE MANDO
F : tableau de bord
GB : *operating report*
D : Geschäftsbericht
I : *quadro degli strumenti*

CUARENTENA
F : quarantaine
GB : *quarantine*
D : Quarantäne
I : *quarantena*

CUENTA
F : compte (en banque)
GB : *account*
D : Konto
I : *conto*

CUENTA (A)
F : à valoir
GB : *on account*
D : a conto, auf Abschlag
I : *in acconto*
Voir Acompte

CUENTA BANCARIA
F : compte en banque
GB : *bank account*
D : Bankkonto
I : *conto in banca*

CUENTA BLOQEADA
F : compte bloqué
GB : *blocked account*
D : gesperrtes Konto
I : *conto bloccato*

CUENTA COMERCIAL
F : compte commercial
GB : *trade account*
D : Handelskonto
I : *conto commerciale*
Balance commerciale, enregistrement des importations et des exportations de marchandises d'un pays au cours d'une période donnée

CUENTA COMUN
F : compte joint
GB : *joint account*
D : Gemeinschaftskonto
I : *conto in comune*
Compte dont deux titulaires se partagent également la jouissance

CUENTA CORRIENTE
F : compte courant
GB : *current account (USA checking account)*
D : Kontokorrent
I : *conto corrente*

CUENTA DE AGIO
F : compte d'agios
GB : *agio account*
D : Agiokonto
I : *conto d'aggio*

CUENTA DE AHORRAS
F : compte de dépôt
GB : *deposit account (USA interest-bearing account)*
D : Depositenkonto
I : *conto di deposito*

CUENTA DE ANTICIPOS
F : compte d'avances
GB : *advance account*
D : Darlehenskonto
I : *conto anticipo*

CUENTA DE APROPIACION
F : compte d'affectation
GB : *appropriation account*
D : Rückstellungskonto
I : *conto di stanziamento*
Eclaté en deux comptes, Revenu et Utilisation du revenu, il reprend le résultat brut d'exploitation et les ressources liées à la redistribution des revenus

CUENTA DE CAPITAL
F : compte de capital
GB : *capital account*
D : Kapitalkonto
I : *conto capitale*
Décrit la structure qu'un agent économique a donnée à la variation de son patrimoine

CUENTA DE EXPLOTACIÓN GENERAL
F : compte d'exploitation générale
GB : *operating statement*
D : Betriebskonto
I : *conto di esercizio generale*
Devenu en 1982 Compte de résultat

CUENTA DE GANACIAS Y PÉRIDAS
F : Compte de pertes et profits
GB : *profit and loss account*
D : Gewinn-und Verlustkonto
I : *conto profitti e perdite*
Ses opérations sont maintenant enregistrées dans le compte de résultat (Nouveau Plan comptable 1984).

Résulta d'exploitation corrigé par la prise en considération de tout ce qui n'est pas dû à la gestion normale de l'exercice

CUENTA DE PRÉSTAMOS
- F : compte de prêts
- GB : loan account
- D : Anleihekonto
- I : conto anticipazioni

CUENTA DE REGULARIZACIÓN
- F : compte de régularisation
- GB : accruals
- D : Wertberichtigungskonto
- I : risconti

Affectation à un exercice donné des dettes et des créances qui le concernent

CUENTA DE RESULTADO
- F : compte nominal
- GB : nominal account
- D : Firmenkonto
- I : conto d'ordine

CUENTA DE RESULTADOS
- F : compte de résultat
- GB : income statement
- D : Ergebniskonto
- I : conto spese e rendite

Regroupe les produits et les charges et permet de dégager le résultat net comptable d'un exercice

CUENTA IDENTIFICADA CON NUMERO
- F : compte identifié par numéro
- GB : numbered account
- D : numeriertes Konto
- I : conto identificato da numero

CUENTA PERSONAL
- F : compte personnel
- GB : charge account
- D : Kundenkonto
- I : conto personale

CUENTA RENDIDA
- F : compte rendu
- GB : account rendered
- D : zur Begleichung vorgelegte Rechnung
- I : conto reso

CUENTA SUSPENSA
- F : compte d'ordre
- GB : suspense account
- D : Übergangskonto
- I : conto sospeso

CUENTA, NOTA
- F : compte (note)
- GB : bill, account
- D : Rechnung
- I : conto, nota

CUENTA, NOTA
- F : note
- GB : bill, account
- D : Rechnung
- I : conto, nota

CUENTAS A PAGAR
- F : comptes à payer
- GB : accounts payable
- D : Kreditoren
- I : conti passivi

CUENTAS A RECIBIR
- F : créances (comptabilité)
- GB : accounts receivable
- D : Debitoren
- I : conti attivi

Inscrites au débit des comptes de tiers, elles apparaissent à l'actif du bilan

CUENTAS CONSOLIDADAS
- F : comptes consolidés
- GB : consolidated accounts
- D : Konsolidierter Kontenabschluß
- I : conti consolidati

Décrivent l'activité et le patrimoine d'un groupe d'entreprises ou d'un ensemble d'agents en annulant les opérations qu'ils effectuent entre eux

CUENTAS PENDIENTES
- F : comptes à recevoir
- GB : outstanding accounts
- D : ausstehende Schulden
- I : conti aperti

CUESTIONARIO
- F : questionnaire
- GB : questionnaire
- D : Fragebogen
- I : questionario

CUMPLIR
- F : remplir
- GB : fullfil
- D : erfüllen
- I : adempiere

CUOTA, CONTINGENTE
- F : quota
- GB : quota
- D : Quote
- I : quota

Limite quantitative, contingent

CUOTA, PARTE
- F : quote-part
- GB : quota, share
- D : Quote, Anteil
- I : quota, parte

Part qui revient à chacun (à payer ou à recevoir)

CUPO DE IMPORTACION
- F : contingent d'importation
- GB : import quota
- D : Einfuhrkontingent
- I : contingente d'importazione

CUPON
- F : coupon
- GB : coupon
- D : Kupon
- I : cedola

Partie détachable d'une valeur mobilière et droit d'en encaisser le dividende ou l'intérêt ou revenu

CUPON DE DIVIDENDOS
- F : dividende-warrant
- GB : dividend warrant
- D : Gewinnante Ischein
- I : cedola di dividendo

Dividende assorti d'un bon de souscription permettant l'achat ultérieur d'actions à un prix égal ou supérieur

CURSO DE BOLSA
- F : cours de Bourse
- GB : stock-exchange quotation
- D : Börsenkurs
- I : quotazione di borsa

CURVA DE RELACION DEMANDA
- F : courbe de la demande
- GB : demand curve
- D : Nachfragekurve
- I : curva della domanda

Représentation de l'évolution de quantités susceptibles d'être achetées pendant un temps donné

CUSTODIA
- F : bonne garde
- GB : safe custody
- D : sichere Verwahrung
- I : custodia

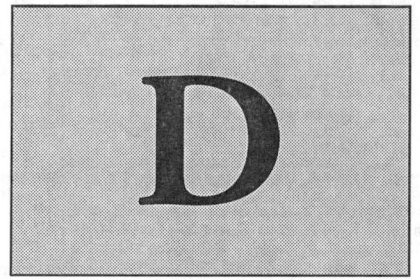

D

DANO
F : dommage
GB : *damage, injury*
D : Beschädigung, Schaden
I : *danno*

DANO CAUSADO POR EL AGUA
F : dégâts des eaux
GB : *water damage*
D : Wasserschaden
I : *danno causato dall'acqua*

DANOS
F : dommages-intérêts
GB : *damages*
D : Schadenersatz
I : *danni*
Indemnité de réparation d'un préjudice assortie des intérêts accumulés depuis qu'il a été subi

DANOS EN RUTA
F : avaries de route
GB : *damage in transit*
D : Beschädigung beim Transport
I : *danno durante trasporto*

DATOS
F : données
GB : *data*
D : Daten
I : *dati*
Eléments de base servant de point de départ à un raisonnement

DE ACUERDO CON
F : accord avec (d')
GB : *in agreement with*
D : im Einvermehmen mit
I : *d'accordo con*

DE BUENA FÉ
F : bonne foi (de)
GB : *in good faith*
D : auf Treu und Glauben
I : *in buona fede*

DE FABRICA
F : départ usine
GB : *ex works*
D : ab Werk
I : *franco fabbrica*

DE PRIMERA CALIDAD
F : première qualité (de)
GB : *top quality*
D : hochwertig
I : *de qualita superiore*

DÉBITO
F : débit
GB : *debit*
D : Debel, Soll
I : *debito, dare*

DÉBITO
F : doit
GB : *debit*
D : Debet, Soll
I : *debito, dare*

DECADENCIA
F : déclin
GB : *decline*
D : Niedergang
I : *declino*

DECENTRALIZAR
F : décentraliser
GB : *decentralize*
D : dezentralisieren
I : *decentralizzare*

DECIDIR
F : décider
GB : *decide*
D : entscheiden
I : *decidere*

DECIMAL
F : décimal
GB : *decimal*
D : dezimal
I : *decimale*

DECISION
F : décision
GB : *decision*
D : Entscheidung
I : *decisione*

DECLARACION
F : déclaration
GB : *declaration*
D : Erklärung
I : *dichiarazione*

DECLARACION DE ADUANA
F : déclaration en douane
GB : *customs declaration*
D : Zollerklärung
I : *dichiarazione doganale*
Document déposé à l'administration des Douanes pour toute marchandise importée ou exportée

DECLARACION DE EXPEDICION
F : déclaration d'expédition
GB : *declaration of shipment*
D : Absendungserklärung
I : *dichiarazione d'imbarco*

DECLARACION DE INGRESOS
F : déclaration d'impôt
GB : *tax return*
D : Steuereklärung
I : *dichiarazione fiscale*

DECLARACION DE INTENCION
F : déclaration d'intention
GB : *declaration of intent*
D : Willenserklärung
I : *dichiarazione d'intenzione*

DECLARACIÓN DE QUIEBRA
F : dépôt de bilan
GB : *petition in bankruptcy*
D : Konkursanmeldung
I : *deposito di bilancio*

DECLARACION FALSA
F : déclaration inexacte
GB : *misrepresentation*
D : Verdrehung
I : *dichiarazione falsa*

DECLARACION FISCAL
F : déclaration de revenu
GB : *income-tax return*
D : Einkommensteuererklärung
I : *dichiarazione del reddito*

DECLARACION JURADA
F : déclaration sous serment
GB : *affidavit*
D : beeidigte Erklärung
I : *dichiarazione giurata*
Affirmation écrite attestant la sincérité d'une déclaration

DECLARAR
F: déclarer
GB: declare
D: erklären
I: dichiarare

DECLARAR HUELGA
F: grève (faire)
GB: strike
D: streiken
I: scioperare

DECRECIENTE
F: décroissant
GB: diminishing
D: abnehmend
I: decrescente

DEDUCCIÓN
F: décote
GB: tax deduction
D: Unterbewertung
I: esonero degressivo
Abattement opéré par rapport à la valeur nominale d'un bien pour la rapprocher de la réalité du marché

DEDUCCIÓN
F: précompte
GB: estimate/deduction
D: einbehaltener Betrag
I: previa deduzione
Impôt payé par une société lorsqu'elle distribue des dividendes provenant de bénéfices n'ayant pas supporté l'impôt sur les sociétés

DEDUCCIONES FISCALES SOBRE INVERSIONES
F: déductions fiscales sur investissements
GB: capital allowances
D: Steuerbegünstigung auf Anlagen
I: deduzioni fiscali sugli investimenti

DEDUCIR
F: déduire
GB: deduct
D: abziehen
I: dedurre

DEDUCTIBLE DE IMPUESTOS
F: déductible de l'impôt
GB: tax deductible
D: steuerabsetzbar
I: deductible da tassa

DEFALCAR
F: détourner
GB: embezzle
D: unterschlagen
I: appropriarsi indebitamente

DEFALCO
F: détournement de fonds
GB: embezzlement
D: Unterschlagung
I: appropriazione indebita

DEFECTO LATENTE
F: vice caché
GB: latent defect
D: versteckter Mangel
I: difetto latente

DEFECTUOSO
F: défectueux
GB: faulty
D: fehlerhaft
I: difettoso

DEFICIENCIA
F: manque
GB: deficiency
D: Mangel
I: ammanco, insufficienza

DÉFICIT
F: déficit
GB: deficit
D: Defizit
I: deficit

DEFLACION
F: déflation
GB: deflation
D: Deflation
I: deflazione
Politique de restriction de la demande visant à freiner la hausse ou provoquer la baisse des prix

DELCREDERE
F: ducrcire
GB: decredere
D: Delkredere
I: del credere

DELEGACION
F: délégation
GB: delegation
D: Delegierung
I: delegazione
Décentralisation du pouvoir de décision aux échelons hiérarchiques inférieurs

DELEGADO
F: délégué
GB: delegate
D: Delegierte(r)
I: delegato

DELEGADO SINDICAL
F: délégué syndical
GB: shop steward
D: Unterbewertung
I: rappresentante sindacale

DEMANDA, SOLICITUD
F: demande
GB: inquiry, application
D: Nachfrage, Antrag
I: domanda

DEMOSTRAR, PROBAR
F: démonter
GB: establish, prove
D: beweisen
I: dimostrare, provare

DEPARTAMENTO
F: département
GB: department
D: Abteilung
I: dipartimento

DEPARTAMENTO DE CONTABILIDAD
F: service de comptabilité
GB: accounts department (USA accounting department)
D: Buchhaltung
I: ufficio contabilità

DEPARTAMENTO DE VENTAS
F: service ventes
GB: sales department
D: Verkaufsabteilung
I: ufficio vendite

DEPENDIENTE DE MUELLE
F: expéditionnaire
GB: shipping clerk
D: Expedient
I: commesso di spedizioniere
Qui se charge de l'expédition

DEPOSITANTE
F: déposant
GB: depositor
D: Einzahler
I: depositante

DEPOSITAR (EN EL BANCO)
F: déposer (à la banque)
GB: bank
D: einlegen, einzahlen
I: depositare (in una banca)

DEPOSITARIO
F: dépositaire
GB: depositary, bailee
D: Verwahrer, Gewahrsaminhaber
I: depositario

DEPOSITO
F: dépôt
GB: deposit
D: Depot
I: deposito

DEPOSITO A PLAZO FIJO
F: dépôt à terme (fixe)
GB: fixed deposit
D: Depoteinlage
I: deposito a termine fisso
Fonds que le déposant s'engage à réclamer à échéances fixes moyennant le versement d'un intérêt par la banque

DEPOSITO BANCARIO
F: dépôt bancaire
GB: bank deposit
D: Bankeinlage
I: deposito bancario

DEPOSITO EN CAJA FUERTE
F: dépôt en coffre-fort
GB: safe deposit
D: Verwahrung im Stahlfach
I: servizio de cassette di sicurezza

ESPAGNOL

DEPRECIACION
F : dépréciation
GB : *depreciation*
D : Entwertung, Abschreibung
I : *ammortamento*

DEPRECIACION ACELERADA
F : amortissement accéléré
GB : *accelerated depreciation*
D : beschleunigte Abschreibung
I : *deprezzamento accelerato*
Amortissement effectué à un taux plus élevé qu'à l'ordinaire, ou rendu plus rapide par l'augmentation des charges perçues au cours des premières années

DEPRECIACIÓN, MINUSVALÍA
F : moins-value
GB : *capital loss*
D : Minderwert
I : *deprezzamento*
Différence négative entre le prix de cession et le prix d'achat d'un bien ou d'un titre

DEPRECIAR
F : déprécier
GB : *depreciate*
D : entwerten
I : *deprezzare*

DERECHO DE ENTRADA
F : droit d'entrée
GB : *entrance free*
D : Eintrittsgebühr
I : *tassa d'entrata*
Droit d'importation, impôt à acquitter pour les marchandises à l'entrée dans un pays

DERECHO DE RETENCION
F : droit de retention
GB : *lien*
D : Pfandrecht
I : *diritti di sequestro*
Pour un créancier, droit de refuser de restituer un bien appartenant à son débiteur tant que celui-ci ne s'est pas acquitté de sa dette

DERECHOS
F : droits
GB : *rights*
D : Rechte
I : *diritti*

DERECHOS DE ADUANAS
F : droit de douane
GB : *customs duty*
D : Zoll
I : *diritti doganale*

DERECHOS DE AUTOR
F : droits d'auteur
GB : *copyright*
D : Urheberrech
I : *diritti d'autore*

DERECHOS DE REGISTRO
F : droit d'enregistrement
GB : *registration free*
D : Anmeldegebühr
I : *tassa di registrazione*
Impôt dû à l'occasion de certaines opérations donnant lieu à un acte écrit

DERECHOS DE SUCESSION
F : droits de succession
GB : *estate duty (USA estate tax)*
D : Nachlaßsteuer
I : *diritti successione*

DERECHOS DE SUSCRIPCIÓN
F : droits de souscription
GB : *application rights*
D : Zeichnungsberechtigung
I : *diritti di sottoscrizione*
Faculté ouverte à un actionnaire de recevoir des actions supplémentaires à l'occasion d'une augmentation de capital en numéraires

DERECHOS PAGADOS
F : acquitté (douane)
GB : *duty-paid*
D : verzollt
I : *dazio pagato*

DERECHOS PORTUARIOS
F : droits portuaires
GB : *port charges*
D : Hafengebühren
I : *diritti portuali*

DERECHOS PREFERENCIALES
F : tarif de faveur
GB : *preferential duty*
D : Vorzugssatz
I : *tariffa preferenziale*

DERECHOS, ALQUIER
F : redevance
GB : *royalty, rental*
D : Tantieme, Miete
I : *diritti, affitto*
Prix à payer en contrepartie de la concession d'un droit

DERECHOS, IMPUESTO
F : taxe
GB : *duty, tax*
D : Gebühr, Abgabe
I : *tassa, imposta*
Impôt. Coût d'un service rendu par une collectivité (acception première)

DESACUERDO
F : écart
GB : *discrepancy*
D : Abweichung
I : *divergenza*

DESALOJAR UN INQUILINO
F : expulser un locataire
GB : *evict a tenant*
D : einren Mieter entfermen
I : *sfrattare un lacatano*

DESCANSO
F : loisir
GB : *leisure*
D : Freizeit
I : *svago*

DESCARGAR UNA DEUDA
F : acquitter une dette
GB : *discharge a debt*
D : eine Schuld begleichen
I : *estinguere un debito*

DESCRIPCION
F : description
GB : *description*
D : Beschreibung
I : *descrizione*

DESCRIPCION DEL TRABAJO
F : description du travail
GB : *job description*
D : Arbeitsbeschreibung
I : *descrizione del lavoro*

DESCUENTO
F : discount
GB : *discount*
D : Discount
I : *ribasso, sconto*
Escompte, remise, rabais

DESCUENTO
F : escompte
GB : *discount*
D : Skonto
I : *sconto, ribasso*
Opération par laquelle une banque verse au porteur d'un effet de commerce le montant de sa créance avant son échéance

DESEMBOLSO INICIAL
F : arrhes
GB : *deposit*
D : Anzahlung
I : *caparra*
Lors d'une commande, somme partielle versée par l'acheteur au vendeur en garantie du marché

DESEMPLEO
F : chômage
GB : *unemployment*
D : Arbeitslosigkeit
I : *disoccupazione*

DESGRAVACION
F : dégrèvement
GB : *tax relief*
D : Steuereleichterung
I : *sgravio fiscale*
Suppression ou diminution de l'impôt accordées à titre contentieux (réduction) ou gracieux (remise)

DESHIPOTECADO
F : déshypothéqué
GB : *free from mortgage*
D : von Hypothek befreit
I : *libero d'ipoteca*
Bien dont on a levé l'hypothèque

DESHONESTE
F: malhonnête
GB: dishonest
D: unehrlich
I: disonesto

DESIGNACION POSTAL
F: code postal
GB: postcode (USA zip code)
D: Postleitzahl
I: codice postale

DESOLUCION
F: dissolution
GB: dissolution
D: Auflösung
I: scioglimento
Séparation, annulation légales

DESPACHO DE ADUANA
F: formalités douanières
GB: customs clearance
D: Verzollung
I: sdoganamento

DESPEDIR
F: congédier
GB: dismiss (USA fire)
D: entlassen
I: congedar

DESPEDIR
F: licencier
GB: dismiss, fire
D: Kündigen
I: licenziare

DESPEDIR A UN EMPLEADO
F: congédier un employé
GB: discharge an employee
(USA fire an employee)
D: einen Arbeitnehmer entlassen
I: licenziare un impiegato

DESPERDICIOS
F: déchets
GB: waste products
D: Abfallprodukt
I: prodotto di rifiuto

DESPIDO
F: licenciement
GB: layoff
D: Entlassung
I: licenziamento

DESPLAZAMIENTO
F: déplacement
GB: displacement
D: Tonnengehalt
I: dislocamento

DESTILERIA
F: distillerie
GB: distillery
D: Brennerei
I: distilleria

DESTINATARIO CONSIGNATARIO
F: destinataire
GB: adressee consignee
D: Adressat, Empfänger
I: destinatario consegnatario

DESTINO
F: destination
GB: destination
D: Bestimmungsort
I: destinazione

DESVALORIZACION DE LA MONEDA
F: dépréciation de la monnaie
GB: depreciation of money
D: Geldabwertung
I: svalutazione della moneta
Diminution, perte de sa valeur en terme de pouvoir d'achat

DESVIACIÓN ESTÁNDAR
F: écart type
GB: standard deviation
D: Streuung
I: scarto quadratico medio
Le plus utilisé des indicateurs de dispersion dans l'étude de la répartition d'une population statistique (la dispersion permet de mesurer l'écart entre les valeurs extrêmes prises par un caractère statistique)

DETALLADO
F: détaillé
GB: itemized
D: postenmäßig dargestellt
I: dettagliato

DETALLES
F: détails
GB: particulars
D: Einzelheiten, Angaben
I: particolari

DEUDA
F: créance
GB: debt
D: Schuld
I: debito
Contrepartie d'une dette

DEUDA CONTABILIZADA
F: dette comptable
GB: book debt
D: Buchschuld
I: debito attivo
Dettes monétaires inscrites au passif du bilan

DEUDA DE PAGO DUDOSO
F: créance douteuse
GB: doubtful debt
D: zweifelhafte Forderung
I: credito dubbio
Dont le recouvrement est incertain

DEUDA INCOBRABLE
F: créance irrécouvrable
GB: bad debt
D: uneinbringliche Schuld
I: credito inesigibile

DEUDA PUBLICA
F: dette publique
GB: national debt
D: Staatsschuld
I: debito pubblico
Ensemble des engagements à la charge de l'Etat

DEUDAS A CORTO PLAZO
F: dettes à court terme
GB: short-term debts
D: kurzfristige Schulden
I: debiti a breve scadenza

DEUDAS A LARGO PLAZO
F: dettes à long terme
GB: long-term debts
D: langfristige Schulden
I: debiti a lunga scadenza

DEUDOR
F: débiteur
GB: debtor
D: Schuldner
I: debitore

DEUDOR MOROSO
F: mauvais payeur
GB: slow payer
D: schlechter Zahler
I: cattivo pagatore

DEVALUACION
F: dévaluation
GB: devaluation
D: Währungsabwertung
I: svalutazione
Diminution de la valeur-or d'une monnaie et de sa valeur de change

DIA
F: jour
GB: day
D: Tag
I: giorno

DIA A DIA
F: au jour le jour
GB: day-to-day
D: täglich
I: di giorno in giorno

DIA DE FIESTA
F: jour férié
GB: public holiday
D: gesetzlicher Feiertag
I: giorno di festa

DIA DE LIQUIDACION
F: jour de liquidation
GB: account day (USA settlement date)
D: Abrechnungstag
I: giorno di liquidazione
Voir Liquidation

DIA DE LIQUIDACION
F: jour de règlement
GB: settlement day (USA due date)
D: Abrechnungstag
I: giorno della liquidazione

DIA DE MERCADO
F : jour de marché
GB : *(local) market day*
D : Markttag
I : *giomo di mercato*

DIA DE PAGO
F : jour de paiement
GB : *pay day*
D : Zahltag, Abrechnungstag
I : *giorno di paga*

DIA DE SALIDA
F : date de départ
GB : *sailing date*
D : Abgangstag
I : *data di partenza*

DIA LABORABLE
F : jour ouvrable
GB : *working day*
D : Arbeitstag
I : *giornata lavorativa*
Chaque jour de la semaine sauf les dimanches et jours fériés

DIA LIBRE
F : jour de congé
GB : *day off*
D : dienstfreier Tag
I : *giorno di riposo*

DIAGNÓSTICO
F : diagnostic
GB : *diagnosis*
D : Diagnose
I : *diagnosi*

DIAGRAMA
F : diagramme
GB : *diagram*
D : graphische Darstellung
I : *diagramma*
Graphique permettant de représenter un phénomène déterminé

DIAGRAMA DE FLUJO
F : ordinogramme
GB : *flow chart*
D : Flußdiagramm
I : *diagramma di flusso*
Schéma codifié représentant le déroulement d'un programme d'ordinateur

DIARIO
F : journal
GB : *journal*
D : Tagebuch
I : *giornale*

DIARIO DE ANUNCIOS LEGALES
F : journal d'annonces légales
GB : *egal notice gazette*
D : Bundesanzeiger
I : *gazzetta di annunci legali*
Journal habilité à publier des annonces administratives et judiciaires

DIARIO DE EMPRESA
F : journal d'entreprise
GB : *company newspaper*
D : Betriebszeitung
I : *giornale d'azienda*

DIAS DE GRACIA
F : délai supplémentaire
GB : *days of grace*
D : Nachfrist
I : *giomi de grazia*

DIBUJANTE
F : dessinateur
GB : *draughtsman*
D : Entwerfer
I : *disegnatore*

DICIADO
F : dictée
GB : *dictation*
D : Diktat
I : *dettato, dettatura*

DICTAR
F : dicter
GB : *dictate*
D : diktieren
I : *dettare*

DIETAS DE VIAJES
F : frais de déplacement
GB : *travelling expenses*
D : Reisekosten
I : *spese di viaggio*

DIFERENCIA
F : différence
GB : *difference*
D : Unterschied
I : *differenza*

DIFERENCIA DE PRECIO
F : différence de prix
GB : *difference in price*
D : Preisunterschied
I : *differenza di prezzo*

DIFERENCIAL
F : différentiel
GB : *differential*
D : Differenz, Differential
I : *differenziale*

DIFICIL
F : difficile
GB : *difficult*
D : schwierig
I : *difficile*

DIFICULTADES DE VENTAS
F : résistance à la vente
GB : *sales resistance*
D : Kaufabneigung
I : *difficoltà di vendita*

DIGNO DE CONFIANZA
F : digne de confiance
GB : *reliable*
D : zuverlässig
I : *fidato, attendibile*

DIMITIR
F : démettre (se)
GB : *resign*
D : zurücktreten
I : *dimettersi*

DINÁMICA DE GRUPO
F : dynamique de groupe
GB : *group dynamism*
D : Gruppendynamik
I : *dinamica di gruppo*
Etude expérimentale de l'évolution de petits groupes sous différents aspects : décision, productivité, communication etc.

DINERO
F : argent
GB : *money*
D : Geld
I : *denaro*

DINERO A LA VISTA
F : argent à vue
GB : *money on call*
D : Sichtgelder
I : *denaro a la vista*
Voir A vue

DINERO BARATO
F : argent bon marché
GB : *cheap money*
D : billiges Geld
I : *denaro a basso interesse*

DINERO CARO
F : argent cher
GB : *dear money*
D : teures Geld
I : *denaro ad alto interesse*

DINHERO CONTANTE
F : argent comptant
GB : *cash*
D : Bargeld
I : *denaro contante*

DIPLOMA
F : diplôme
GB : *diploma*
D : Diplom
I : *diploma*

DIRECCION
F : administration
GB : *management*
D : Vorstand
I : *direzione, amministrazione*

DIRECÇION
F : adresse
GB : *address*
D : Adresse
I : *indirizzo*

DIRECCION SUPERIOR
F : direction générale
GB : *top management*
D : Direktion
I : *direzione superiore*

DIRECCION TELEGRAFICA
F: adresse télégraphique
GB: *telegraphic address*
D: Telegrammadresse
I: *indirizzo telegrafico*

DIRECCIONAMIENTO
F: adressage
GB: *(marketing) mailing, addressing*
D: Adressierung
I: *indirizzamento*

DIRECTIVA
F: directive
GB: *directive*
D: verordnung
I: *direttivo*
Ensemble d'indications générales exprimées par une autorité à ses subordonnés

DIRECTIVO
F: dirigeant
GB: *executive*
D: Geschäftsleiter
I: *dirigente*

DIRECTOR
F: directeur (voir aussi chef)
GB: *manager, director*
D: Geschäftsleiter, Direktor
I: *direttore*

DIRECTOR EJECUTIVO
F: administrateur dirigeant
GB: *executive director (USA corporate officer)*
D: geschäftsführender Direktor
I: *amministratore dirigente*
Salarié, il occupe un poste de direction

DIRECTOR GERENTE
F: administrateur délégué
GB: *managing director (USA president)*
D: geschäftsleitender Direktor
I: *amministratore delegato*
Remplit les fonctions du président en cas d'empêchement (ou de décès) de celui-ci

DIRECTOR MERCANTIL
F: directeur du marketing
GB: *marketing director*
D: Absatzdirektor
I: *direttore di mercato*
Responsable de la détection des besoins et de l'adaptation en continu de la production et de la commercialisation afin de développer les ventes

DIRECTOR, ADMINISTRADOR
F: administrateur
GB: *director, administrator*
D: Direktor, Verwalter
I: *amministratore*
Membre du conseil d'administration d'une société anonyme

DISCRIMINATORIO
F: discriminatoire
GB: *discriminatory*
D: unterschiedlich
I: *discriminatorio*

DISEÑO
F: design
GB: *design*
D: Design
I: *design*
Conciliant l'esthétique et le fonctionnel, toutes les activités d'harmonisation des formes dans ce qui fait notre environnement et notre cadre de vie

DISENO
F: dessein
GB: *design*
D: Zeichnung
I: *disegno*

DISEÑO Y FABRICACIÓN ASISTIDOS POR ORDENADOR
F: conception et fabrication assistées par ordinateur
GB: *computer-aided design (CAD)*
D: Computer-Aided Manufactoring (CAM)
I: *progettazione/fabbricazione assistita da calcolatore (CAD/CAM)*

DISFRUTE
F: jouissance
GB: *right to interest/dividends*
D: Nutzungsrecht
I: *usufrutto*
Droit (et date à partir de laquelle il peut s'exercer) sur le revenu d'un capital

DISIDENTE
F: dissident
GB: *dissenting*
D: abweichend
I: *dissidente*

DISPOSICION
F: disposition
GB: *disposal*
D: Verfügung
I: *disposizione*
Point que règle une loi, un contrat

DISPUTA
F: contestation
GB: *dispute*
D: Streit
I: *disputa*

DISTANCIA
F: distance
GB: *distance*
D: Entfernung
I: *distanza*

DISTRIBUCION DE LAS FRECUENCIAS
F: distribution de fréquences
GB: *frequency distribution*
D: Häufigkeitsverteilung
I: *distribuzione delle frequenze*

DISTRIBUCIÓN EXCLUSIVA
F: distribution exclusive
GB: *sole distribution*
D: Ausschliesslichkeitsvertrieb
I: *distribuzione esclusiva*

DISTRIBUIDOR CONCESIONARIO
F: distributeur
GB: *distributor*
D: Verkaufsagent, Konzessionär
I: *distributore, concessionario*

DISTRIBUIR
F: distribuer
GB: *distribute*
D: vertreiben, verteilen
I: *distribuire*

DIVERSIFICACION
F: diversification
GB: *diversification*
D: Vervielfältigung der Produkte
I: *diversificazione*
Activité nouvelle ou implantation sur un nouveau marché

DIVIDENDO
F: dividende
GB: *dividend*
D: Dividende
I: *dividendo*
Bénéfice éventuellement distribué chaque année aux actionnaires d'une société de capitaux

DIVIDENDO PROVISIONAL
F: dividende intérimaire
GB: *intern dividend*
D: vorläufige Dividende
I: *acconto di dividendo*
Dividende distribué périodiquement aux actionnaires en acompte sur celui de l'exercice (dividende final)

DIVIDENDO SEMESTRAL
F: dividende semestriel
GB: *half-yearly dividend*
D: halbjährliche Dividende
I: *dividendo semestrale*

DIVISAS A TÉRMINO
F: change à terme
GB: *forward exchange*
D: Termindevisen
I: *cambio a termine*
Sur le marché à terme, opération pour laquelle règlement et livraison ont lieu à une date postérieure à la négociation

DIVISAS EXTRANJERAS
F : devises
GB : *foreign exchange, currencies*
D : Devisen
I : *valuta estera*
Moyens de paiement libellés dans une monnaie étrangère

DIVISION DEL TRABAJO
F : division du travail
GB : *division of labour*
D : Arbeitsteilung
I : *divisione del lavoro*

DIVISION, SECCION
F : division
GB : *division*
D : Teilung, Abteilung
I : *divisione*

DOCUMENTO
F : document
GB : *document*
D : Urkunde
I : *documento*

DOMICILIACIÓN
F : domiciliation
GB : *domiciliation*
D : Sitz
I : *domiciliazione*
Inscription sur un effet de commerce qui permet à un tiers (souvent une banque) d'en régler le montant au bénéficiaire. Lieu de paiement de l'effet de commerce

DOTACIÓN PARA AMORTIZACIONES
F : dotation aux amortissements
GB : *depreciation allowance*
D : Abschreibung auf Ausstattungen
I : *dotazione destinata agli ammortamenti*
Estimation de la perte irréversible de valeur subie par les éléments d'actif (charges correspondant en général à un amortissement annuel)

DOTAR
F : doter
GB : *endow*
D : ausstatten
I : *dotare*

DUPLICADO
F : duplicata
GB : *duplicate*
D : Duplikat
I : *duplicato*

DUPLICARO
F : double
GB : *duplicate*
D : Duplikat
I : *duplicato*

DURACION
F : durée
GB : *duration*
D : Dauer
I : *durata*

ECONOMETRIA
- F : éccnométrie
- GB : ecconometrics
- D : Ökonometrie
- I : econometria

Application des mathématiques à l'analyse des mécanismes économiques

ECONOMIA
- F : économie, économie politique
- GB : (the) economy, economics
- D : Wirtschaft, Volkswirtschaftslehre
- I : economia

La conception dominante l'assimile à la science économique, science des moyens, la politique étant le choix des fins

ECONOMIA DEL MERCADO LIBRE
- F : système économique du libre-échange
- GB : free economy
- D : freie Marktwirtschaft
- I : economia de mercado libero

Système qui vise à la suppression de tous les obstacles à la libre circulation des biens et des services

ECONOMIA EN FUNCION DE VOLUMEN
- F : économie d'échelle
- GB : economies of scale
- D : System der degressiven Koten
- I : economie in funzione della grandezze

Réduction des coûts unitaires par augmentation de la production et meilleure répartition des coûts fixes

ECONOMIA MIXTA
- F : économie mixte
- GB : mixed economy
- D : Gemischwirtschaft
- I : economia mista

Système dans lequel collaborent collectivités publiques et industrie privée

ECONOMIA PLANIFICADA
- F : économie planifiée
- GB : planned economy
- D : Planwirtschaft
- I : economia pianificata

ECONOMÍA SOCIAL
- F : économie sociale (ou tiers-secteur)
- GB : tertiary sector
- D : Sozialwirtschaft
- I : economia sociale

Regroupe principalement le secteur des coopératives, celui des mutuelles et celui des associations

ECONOMICO
- F : économique
- GB : economic
- D : wirtschaftlich
- I : economico

EFECTO DESCONTATO
- F : effet escompté
- GB : discounted bill
- D : Diskontwechsel
- I : cambiale scontata

Effet de commerce qui permet à son détenteur d'obtenir immédiatement des fonds en échange de sa créance

EFECTO DOCUMENTARIO
- F : traite documentaire
- GB : documentary bill
- D : Dokumentenwechsel
- I : tratta documentaria

Lettre de change tirée par le vendeur sur l'acheteur, accompagnée des documents d'expédition

EFECTOS
- F : effets
- GB : effects, securities
- D : Effekter
- I : effetti

EFECTOS NEGOCIABLES
- F : papier bancable
- GB : bankable bills
- D : diskontierbare Wechsel
- I : effetti scontabili

Effet de commerce escomptable par la Banque Centrale, auprès de laquelle une banque peut le réescompter

EFICACIA, EFICIENCIA
- F : efficacité
- GB : effectiveness efficiency
- D : Wirksamkeit, Leistungsfähigkeit
- I : efficacia, efficienza

EFLUENTES TOXICOS
- F : déchets toxiques
- GB : toxic waste
- D : giftiger Abfall
- I : rifius tossici

EJE (TASA POR)
- F : essieu (taxe à l')
- GB : axle tax
- D : Achsensteuer (Kfz-Steuer)
- I : asse di un veicolo (tassa proporzionale all')

Destinée à financer l'entretien des routes, elle frappe tous les camions de marchandises d'un poids total en charge de plus de 16 tonnes

EJECUCION
- F : exécution
- GB : execution
- D : Vollstreckung
- I : esecuzione

EJECUTAR
- F : exécuter
- GB : execute
- D : vollstrecken
- I : eseguire

EJECUTAR UN TESTAMENTO
- F : exécuter un testament
- GB : execute a will
- D : ein Testament vollstrecken
- I : eseguire un testamento

Accomplir les volontés de son auteur

EJERCICIO
- F : exercice
- GB : accounting period, financial year
- D : Abrechnungszeitraum, Geschäftsjahr
- I : esercizio

Période pour laquelle sont établies les prévisions ou dégagés les résultats financiers d'une organisation

ELASTICIDAD DE PRECIO
F : élasticité des prix
GB : *price elasticity*
D : Preisdehnbarkeit
I : *elasticità di prezzo*

ELECTRICIDAD
F : électricité
GB : *electricity*
D : Elektrizität
I : *elettricità*

ELECTRONICA
F : électronique nm
GB : *electronics*
D : Elektronik
I : *elettronica*

ELECTRONICO
F : électronique adj
GB : *electronic*
D : elektronisch
I : *elettronico*

EMBALAJE, ENVASE
F : emballage
GB : *packing*
D : Verpackung
I : *imballaggio*

EMBARCO, EMBARQUE
F : embarquement
GB : *embarcation, shipment*
D : Einschiffung, Verladung
I : *imbarco*

EMBOTELLAMIENTO
F : goulot d'étranglement
GB : *bottle-neck*
D : Engpaß
I : *strozzatura*
Insuffisance ou inadaptation d'un facteur de production à la demande d'un marché

EMBOTELLAMIENTO DE TRAFICO
F : encombrement de circulation
GB : *traffic jam*
D : Verkehrsstockung
I : *ingorgo stradale*

EMISION NO TOTALMENTE SUB-SCRITA
F : émission non couverte
GB : *undersubscribed issue*
D : nicht in voller Höhe gezeichnete Emission
I : *emissione non interamente sottoscritta*
Emission dont les titres n'ont pas été entièrement souscrits

EMITIR
F : émettre
GB : *issue*
D : ausgeben
I : *emettere*

EMITIR UN EMPRÉSTITO
F : émettre un emprunt
GB : *float a loan (USA raise a loan)*
D : eine Anldeihe begeben
I : *lanciare un prestito*

EMOLUMENTO
F : émoluments
GB : *emolument*
D : Bezüge
I : *emolumento*
Salaire

EMOLUMENTOS DE DIRECTORES
F : émoluments des administrateurs
GB : *directors' emoluments*
D : Direktorenbezüge
I : *emolumenti degli amministratori*

EMPLEADO
F : employé nm
GB : *employee*
D : Angestellte(r), Arbeitnehmer
I : *impiegato*
Catégorie socio-professionnelle de salariés de qualifications variées n'exerçant pas un travail manuel ou directement productif

EMPLEADO A SUELDO
F : appointé
GB : *salaried employee*
D : Angestellte(r)
I : *stipendiato*

EMPLEAR
F : employer vb
GB : *employ*
D : beschäftigen
I : *impiegare*

EMPLEO
F : emploi
GB : *employment, job*
D : Beschäftigung, Stellung
I : *impiego*

EMPRESA DE SERVICIOS PUBLI-COS
F : entreprise d'utilité publique
GB : *utility company*
D : gemeinnütziges Unternehmen
I : *società di servizi pubblici*
Qualité reconnue à certains organismes par l'administration qui leur donne une existence juridique

EMPRESA EN COMUN
F : société en participation
GB : *joint venture*
D : Gemeinschaftsbetrieb
I : *impresa in compartecipazione*
Contrat de société que l'on décide de ne pas faire immatriculer

EMPRESA INDIVIDUAL
F : entreprise individuelle
GB : *one-man business*
D : GbR, Einzelpersonengesellschaft
I : *impresa individuale*
Entreprise dont l'activité est exercée par une personne physique pour son propre compte, patrimoine professionnel et personnel confondus

EMPRESA NACIONALIZADA
F : entreprise nationalisée
GB : *nationalized company*
D : verstaatlichtes Unternehmen
I : *impresa nazionalizzata*
Entreprise qui est la propriété exclusive de l'Etat

EMPRESA PRIVADA
F : entreprise privée
GB : *private entreprise*
D : Privatunternehmen
I : *impresa privata*

EMPRESA PÚBLICA
F : entreprise publique
GB : *public sector company*
D : öffentliches Unternehmen
I : *azienda pubblica*
Entreprise dont tout ou partie du capital social appartient à l'Etat (ou à une collectivité publique) et dont l'objectif n'est pas la réalisation d'un profit

EMPRESA RESPONSABLE
F : maître d'oeuvre
GB : *general contractor*
D : Meister
I : *capo cantiere*

EMPRESARIO
F : chef d'entreprise
GB : *company manager*
D : Geschäftsführer
I : *capo d'azienda, imprenditore*

EMPRESARIO, CONTRASTISTA
F : entrepreneur
GB : *entrepreneur, contractor*
D : Unternehmer
I : *intraprenditore, impresario*

EMPRÉSTITO
F : emprunt
GB : *loan*
D : Anleihe
I : *prestito*

EMPRÉSTITO PUBLICO
F : emprunt public
GB : *government loan*
D : Staatsanleihe
I : *prestito pubblico*
En général, obligations émises par les collectivités publiques (titres d'emprunt d'Etat, bons du Trésor...)

EN ADUANAS
F: entrepôt (en)
GB: *in bond*
D: unter Zollverschluß
I: *sotto vincolo doganale*

EN ALMACÉN
F: dépôt (en)
GB: *at warehouse*
D: auf Lager
I: *in deposito*

EN ALMACÉN
F: magasin (en)
GB: *in stock*
D: vorrätig
I: *in magazzino*

EN BUEN ESTADO
F: état (en bon)
GB: *good repair*
D: in gutem Zustand
I: *in buone condizioni*

EN CASO DE INCUMPLIMIENTO
F: défaillance (en cas de)
GB: *in case of default*
D: bei Nichterfüllung
I: *in caso di inadempienza*

EN CONFORMIDAD CON
F: conforme à
GB: *in accordance with*
D: in Übereinstimmung mit
I: *in conformità con*

EN CONSIGNACION
F: consignation (en)
GB: *on consignment*
D: in Kommission
I: *in conto deposito*
En dépôt à titre de garantie ou en attendant la solution d'un litige

EN CONTRAPARTIDA
F: contrepartie (en)
GB: *per contra*
D: als Gegenrechnung
I: *in contropartita*

EN EL EXTRANJERO
F: étranger (à l')
GB: *abroad*
D: im Ausland
I: *all'estero*

EN ESPECIE
F: nature (en)
GB: *in kind*
D: in Waren
I: *in natura*
En produits, objets, et non en espèces.

EN PRÉSTAMO
F: forme de prêt (sous)
GB: *on loan*
D: darlehensweise
I: *in prestito*

EN SUSPENSO
F: suspens (en)
GB: *in abeyance*
D: in der Schwebe
I: *in sospeso*

EN TRANSITO
F: transit (en)
GB: *in transit*
D: im Durchgangsverkehr
I: *in transito*
Se dit de personnes ou de marchandises (dispensées alors de droits de douane) qui traversent une région ou un pays au cours d'un voyage ou pendant un transport

EN VIGOR
F: vigueur (en)
GB: *in force*
D: in Kraft
I: *in vigore*

ENCABEZAMIENTO DE GÓNDOLA
F: tête de gondole
GB: *gondola head*
D: Erstplatzierung
I: *lato più in vista dell'espositore (es. nei supermercati)*
Extrémité d'un meuble de présentation de produits dans un magasin en libre-service

ENCAMINAMIENTO
F: acheminement
GB: *dispatching, forwarding*
D: Beförderung
I: *inoltro*

ENCARECER
F: renchérir
GB: *advance in price*
D: teurer werden, steigen
I: *aumentare di prezzo*

ENCARECIMIENTO
F: renchérissement
GB: *advance in price*
D: Preiserhöhung
I: *rialzo*
Augmentation de prix d'une marchandise

ENCUESTA
F: enquête
GB: *inquiry*
D: Untersuchung
I: *inchiesta*

ENDEUDADO
F: redevable
GB: *indebted*
D: verbunden
I: *indebitato*
Qui est légalement tenu au paiement d'un impôt ou de toute autre redevance

ENDEUDAMIENTO
F: endettement
GB: *indebtedness*
D: Verschuldung
I: *indebitamento*

ENDOSAR
F: endosser
GB: *endorse*
D: indossieren
I: *girare*

ENDOSO
F: endossement
GB: *endorsement*
D: Indossament
I: *girata*
Apposition, par le porteur d'un effet de commerce à son ordre, de sa signature au dos pour le transmettre à un nouveau bénéficiaire

ENEMIGO
F: ennemi
GB: *enemy*
D: Feind
I: *nemico*

ENGAÑAR
F: tricher
GB: *cheat*
D: betrügen
I: *truffare*

ENGRANAJE
F: engrenage
GB: *gearing*
D: Getriebe
I: *ingranaggio*

ENJAMBRAZÓN
F: essaimage
GB: *spinning off*
D: spinning off, Zufallsbenefit
I: *apertura di succursali specializzate in attività nuove*
Ensemble des aides financières, techniques, juridiques par lesquelles une entreprise encourage ceux de ses salariés qui le souhaitent à créer leur propre entreprise

ENSAYO, PRUEBA
F: essai
GB: *test, trial*
D: Probe
I: *saggio, prova*

ENSEÑANZA SUPERIOR
F: enseignement supérieur
GB: *higher education*
D: Fortbildung
I: *insegnamento superiore*

ENTRADA
F: entrée
GB: *entry, admission*
D: Eintritt
I: *entrata*

ENTRADA GRATUITA
F: entrée gratuite
GB: *admission free*
D: Eintritt frei
I: *ingresso gratuito*

ENTRAR EN VIGOR
F: entrer en vigueur
GB: *become operative*
D: wirksam werden
I: *entrare in vigore*

ESPAÑOL

ENTREDICHO
F : injonction
GB : *injuction*
D : gerichtliche Verfügung
I : *ingiunzione*

ENTREGA
F : livraison
GB : *delivery*
D : Lieferung
I : *consegna*

ENTREGA CONTRA REEMBOLSO
F : paiement à la livraison
GB : *cash on delivery (COD)*
D : Lieferung gegen Nachnahme
I : *pagamento alla consegna*

ENTREGA DEFICIENTE
F : livraison incomplète
GB : *short delivery*
D : mangelhafte Lieferung
I : *consegna deficiente*

ENTREGA IMMEDIATA
F : livraison immédiate
GB : *prompt delivery*
D : sofortige Lieferung
I : *pronta consegna*

ENTREVISTA
F : entrevue
GB : *appointment, interview*
D : Verabredung, Interview
I : *intervista*
Rencontre concertée entre deux ou plusieurs personnes

ENTREVISTA
F : interview
GB : *interview*
D : Interview
I : *intervista, abboccamento*

ENTREVISTADOR
F : intervieweur
GB : *interviewer*
D : Interviewer
I : *intervistatore*

ENVOLTURA DESECHABLE
F : emballage perdu
GB : *disposable wrapping*
D : wegwerfbare Verpackung
I : *imballaggio a perdere*

EQUILIBRIO
F : équilibre
GB : *equilibrium*
D : Gleichgewicht
I : *equilibrio*

EQUIPAJE DE MANO
F : bagages à main
GB : *hand-luggage*
D : Handgepäck
I : *bagaglio a mano*

EQUIPO
F : appareillage
GB : *machinery*
D : Ausrüstung
I : *apparecchiatura*

EQUIPO
F : équipement
GB : *equipment*
D : Ausrüstung
I : *equipaggiamento*

EQUITATIVO
F : équitable
GB : *equitable*
D : billig
I : *equo*

ERGONOMIA
F : ergonomie
GB : *ergonomics*
D : Ergonomik
I : *ergonomica*
Science de l'adaptation des machines et du travail à l'homme

ERROR
F : erreur
GB : *error*
D : Fehler
I : *errore*

ESCALA
F : échelle
GB : *scale*
D : Maßstab
I : *scala*

ESCALA DE SALARIOS
F : grille des salaires
GB : *wage scale*
D : Gehaltsstruktur
I : *tabella salariale*

ESCALA MOVIL
F : échelle mobile
GB : *sliding scale*
D : gleitende Skala
I : *scala mobile*

ESCAPE
F : fuite
GB : *leakage*
D : Leck
I : *colaggio*

ESCASEZ DE CRÉDITOS
F : resserrement du crédit
GB : *credit squeeze*
D : Kreditklemme
I : *restrizione di credito*
Restriction du crédit (taux plus élevés) pour freiner la hausse des prix

ESCRITURA DE TRANSFERENCIA
F : acte de cession
GB : *transfer ded*
D : Übertragungsvertrag
I : *atto di trapasso*
Authentifie la transmission d'un bien ou d'un droit dont on est propriétaire ou titulaire

ESCRITURA DE VENTA
F : acte de vente
GB : *bill of sale*
D : Kaufvertrag
I : *contratto di vendita*
Authentifie l'échange d'un bien contre de la monnaie

ESPACIO PUBLICITARIO
F : espace publicitaire
GB : *advertising space*
D : Werbeplazierung
I : *spazio pubblicitario*

ESPECIALISTA
F : spécialiste
GB : *specialist, expert*
D : Sachverständige(r)
I : *specialista*

ESPECULAR
F : spéculer
GB : *speculate, job*
D : spekulieren
I : *speculare*
Acheter et revendre des biens ou des valeurs pour tirer profit de la fluctuation de leur cours

ESPERE AL APARATO
F : téléphone (ne quittez pas)
GB : *hold the line*
D : am Apparat bleiben
I : *restare in linea*

ESPIONAJE INDUSTRIAL
F : espionnage industriel
GB : *industrial espionage*
D : Wirtschaftsspionage
I : *spionaggio industriale*

ESPIRAL DE INFLACION
F : spirale inflationniste
GB : *inflationary spiral*
D : Inflationsspirale
I : *inflazione a spirale*
Processus cumulatif et auto entretenu de hausse générale des prix qui, non maitrisé, débouche sur une inflation galopante (2 chiffres) ou une hyperinflation (3 chiffres)

ESTABLECER, FORMAR
F : former
GB : *form*
D : gründen
I : *formare*

ESTABLECIMIENTO
F : établissement
GB : *establishment*
D : Gesellschaft
I : *azienda*
Unité de production, lieu physique (non doté de la personnalité juridique) où s'exerce l'activité d'une entreprise

ESTACION
F : saison
GB : *season*
D : Jahreszeit
I : *stagione*

ESTADISTICA
F : statistique nf
GB : *statistics*
D : Statistik
I : *statistica*
Ensemble des méthodes permettant d'analyser et de synthétiser une quantité importante de données chiffrées

ESPAÑOL

ESTAMPILLA
F : tampon
GB : stamp
D : Stempel
I : stampiglia

ESTANDARIZAR
F : standardiser
GB : standardize
D : standardisieren
I : standardizzare

ESTATUTARIO
F : statutaire adj
GB : statutory
D : gesetzlich
I : statutario

ESTATUTO
F : statut
GB : statute
D : Gesetz
I : statuto
Disposition législative ou réglementaire qui fixe la situation d'une catégorie de personnes, d'entreprises ou de collectivités

ESTIBAR
F : arrimer
GB : stow
D : verstauen
I : stivare

ESTILO DE VIDA
F : style de vie
GB : life style
D : Lebensstil
I : stile di vita

ESTIMAR
F : estimer
GB : estimate
D : einschätzen
I : stimare

ESTIMULO, INCENTIVO
F : incitation
GB : incentive
D : Anreiz
I : incentivo

ESTRATEGIA
F : stratégie
GB : strategy
D : Strategie
I : strategia

ESTUDIO DE VIABILIDAD
F : étude probatoire
GB : feasibility study
D : Durchführbarkeitsanalyse
I : studio delle possibilità
Destinée à démontrer la véracité d'une proposition, l'exactitude d'une hypothèse

ETIQUETA
F : etiquette
GB : label
D : Etikett
I : etichetta

ETIQUETA
F : label
GB : label
D : Marke
I : marchio
Marque distinctive d'un produit ou d'un service qui en garantit l'origine et les qualités spécifiques, voire la conformité avec des normes

EUROBLIGACIÓN
F : euro-obligation
GB : eurobond
D : Euroobligation
I : eurobbligazione
Titre d'emprunt émis en dehors de son pays d'origine et libellé en monnaie étrangère à ce pays) sur les marchés financiers internationaux

EVALUACION
F : évaluation
GB : appraisal, valuation
D : Abschätzung, Wertbestimmung
I : valutazione

EVALUAR
F : évaluer
GB : evaluate
D : bewerten
I : valutare

EVASION DE PAGO DE IMPUESTOS
F : fraude fiscale
GB : evasion of tax
D : Steuerhinterziehung
I : evasione d'imposta

EVIDENCIA
F : preuve
GB : evidence
D : Beweis
I : prova

EXAMEN MAS DETALLADO
F : examen plus attentif
GB : further consideration
D : Weiterüberlegung
I : essame piu attento

EXAMEN MÉDICO
F : examen médical
GB : medical examination
D : ärztliche Untersuchung
I : visita medical

EXAMINAR
F : examiner
GB : examine
D : untersuchen
I : esaminare

EXCEDENTE
F : excédent
GB : surplus
D : Überschuß
I : eccedenza
Solde comptable produits/charges, avoirs/dettes ou ressources/débouchés

EXCEDENTE
F : surplus
GB : surplus
D : Überschuß
I : eccesso
Différence de croissance, exprimée en valeur, entre le volume des produits et les facteurs de production, à prix constants pour une période connée

EXCESIVO
F : excessif
GB : excessive
D : übermäßig
I : eccessivo

EXCESO DE CAPACIDAD
F : surcapacité
GB : overcapacity
D : Überkapazität
I : capacità in eccedenza
Capacité de production supérieure aux besoins

EXCESO DE EQUIPAJE
F : excédent de bagages
GB : excess luggage
D : Übergepäck
I : bagaglio eccedente

EXCESO DE PRODUCCION
F : surproduction
GB : overproduction
D : Überproduktion
I : sovrapproduzione

EXCLUIR
F : exclure
GB : exclude
D : ausschließen
I : escludere

EXCLUSION
F : exclusion
GB : exclusion
D : Ausschluß
I : esclusione

EXENTO DE IMPUESTOS
F : libre de droits de douane
GB : duty-free
D : abgabenfrei
I : esente da dazio

EXENTO DE IMPUESTOS
F : libre d'impôts
GB : tax-free
D : steuerfrei
I : esente da tassa
Exempté de taxes

EXHIBICION EN VITRINA
F : étalage
GB : window-display
D : Fensterauslage
I : mostra in vetrina

EXHIBIDOR
F : exposant
GB : exhibitor
D : Aussteller
I : espositore

EXIGIBLE
F : exigible
GB : *payable*
D : forderlich
I : *esigibile*
Ensemble des dettes à court terme apparaissant au passif d'un bilan

EXISTENCIAS DE REGULARIZA-CION
F : stock de régularisation
GB : *buffer stocks*
D : buffer-stocks
I : *scorte di equilibrio*

EXONERACIÓN
F : exonération
GB : *exemption (from)*
D : Befreiung
I : *esonero*
Dispense légale, totale ou partielle, d'un impôt

EXORBITANTE
F : exorbitant
GB : *exorbitant, outrageous*
D : unmäßig, übertrieben
I : *esorbitante*

EXPEDICION, CONSIGNACION
F : envoi
GB : *despatch, consignment*
D : Versand, Versendung
I : *spedizione, consegna*

EXPEDIR, REMITIR
F : envoyer
GB : *send, forward*
D : expedieren, absenden
I : *spedire*

EXPEDIR, REMITIR
F : expédier
GB : *dispatch, forward*
D : absenden, expedieren
I : *spedire*

EXPERIENCIA
F : expérience
GB : *experience*
D : Erfahrung
I : *esperienza*

EXPERTO, ESPECIALISTA
F : expert
GB : *expert*
D : Sachkundige(r), Sach-verständige(r)
I : *esperto, perito*

EXPIRACION
F : expiration
GB : *expiry*
D : Ablauf
I : *termine*

EXPLOTACION
F : exploitation
GB : *development*
D : Erschließung
I : *valorizzazione*

EXPLOTAR
F : exploiter
GB : *exploit*
D : ausbeuten
I : *sfruttare*

EXPONENCIAL
F : exponentiel
GB : *exponential*
D : Exponential
I : *esponenziale*

EXPORTADOR
F : exportateur
GB : *exporter*
D : Exporteur
I : *exportatore*

EXPORTAR
F : exporter
GB : *export*
D : ausführen
I : *esportare*

EXPOSICION
F : exposition
GB : *exhibition*
D : Ausstellung
I : *esposizione*

EXPROPIACION
F : expropriation
GB : *expropriation*
D : Enteignung
I : *espropriazione*

EXTENDER UN CHEQUE
F : tirer un chèque
GB : *draw a cheque*
D : einen Scheck ausstellen
I : *emettere un assegno*
Emettre un chèque

EXTRACTO DE CUENTA
F : relevé de compte
GB : *statement of account*
D : Kontoauszug
I : *estratto conto*

EXTRACTO FINANCIERO
F : état financier
GB : *financial statement*
D : Finanzausweis
I : *relazione finanziaria*

EXTRANJERO
F : étranger adj
GB : *foreign, alien*
D : ausländisch, fremd
I : *straniero, estero*

EXTRANJERO
F : étranger nm
GB : *foreigner*
D : Ausländer
I : *straniero*

EXTRAPOLACIÓN
F : extrapolation
GB : *extrapolation*
D : Vorausschau
I : *estrapolazione*
Prolongation d'une série d'observations au-delà d'une période connue ou d'un domaine déjà exploré pour en estimer le résultat

EXTRAPOLAR
F : extrapoler
GB : *extrapolate*
D : extrapolieren
I : *estrapolare*

EXTRATO FINANCIERO PROVI-SIONAL
F : bilan intermédiaire
GB : *interim financial state-ment*
D : Zwischenbilanz
I : *rendiconto finanziario provisorio*
Bilan indicatif dressé à une date quelconque de l'exercice sans tenir compte des opérations d'inventaire

FABRICA
F : fabrique
GB : *factory*
D : Fabrik
I : *fabbrica*

FÁBRICA
F : usine
GB : *factory (USA plant)*
D : Fabrik
I : *fabbrica*

FABRICANTE
F : fabricant
GB : *manufacturer*
D : Erzeuger, Hersteller
I : *fabbricante*

FACHADA
F : façade
GB : *frontage*
D : Vorderfront
I : *facciata*

FACILIDADES
F : facilités
GB : *facilities*
D : Einrichtungen
I : *facilitazione*

FACILIDADES DE DESCUBIERTO
F : facilités de caisse
GB : *overdraft facilities (USA overdraw facility)*
D : Überziehungsdisposition
I : *facilitazione dio scoperto*
Avance sur un compte courant bancaire

FACTIBILIDAD
F : faisabilité
GB : *feasibility*
D : Machbarkeit
I : *fattibilità*
Ce qui est réalisable dans des conditions techniques et économiques définies

FACTOR
F : facteur
GB : *factor*
D : Umstand
I : *fattore*

FACTOR DE CONVERSION
F : facteur de conversion
GB : *conversion factor*
D : Umrechnungskoeffizient
I : *fattore di conversione*

FACTOR DE SEGURIDAD
F : facteur de sécurité
GB : *safety factor*
D : Sicherheitskoeffizient
I : *coefficiente di sicurezza*

FACTORING
F : affacturage
GB : *factoring*
D : Zuweisung
I : *riscossione crediti*
Gestion des créances des comptes clients d'une entreprise par un organisme extérieur

FACTURA
F : facture
GB : *invoice*
D : Faktura, Rechnung
I : *fattura*

FACTURA COMERCIAL
F : facture commerciale
GB : *commercial invoice*
D : Geschäftsfaktur
I : *fattura commerciale*
Pièce comptable datée établie et adressée par le vendeur à l'acheteur qui mentionne les marchandises vendues, leur prix unitaire et leur prix total

FACTURA FINAL
F : facture finale
GB : *final invoice*
D : Endrechnung
I : *fattura finale*

FACTURA PROFORMA
F : facture pro-forma
GB : *pro-forma invoice*
D : Pro-Forma-Rechnung
I : *fattura proforma*
Précède la facture proprement dite (dont elle reprend la forme et les termes) et permet à l'acheteur d'obtenir certaines autorisations

FACTURA PROFORMA
F : facture fictive
GB : *proforma invoice*
D : Proformarechnung
I : *fattura proforma*

FACTURAR
F : facturer
GB : *invoice*
D : fakturieren
I : *fatturare*

FALLAR, FALTAR
F : échouer
GB : *fail*
D : versagen, durchfallen
I : *mancare, fallire*

FALSIFICACION
F : contrefaçon
GB : *forgery*
D : Fälschung
I : *falsificazione*

FALSIFICADOR
F : faux-monnayeur
GB : *forger*
D : Fälscher
I : *falsificatore*

FALSO
F : truqué
GB : *fake*
D : gefälscht
I : *falso*

FALSO, FALSIFICADO
F : FAUX
GB : *false, counterfeit*
D : falsch, verfälscht
I : *falso, contraffatto*
Ecrit imité pour porter préjudice

FALTA
F : défaillance
GB : *default*
D : Nichteinhaltung
I : *mancanza*
Carence de paiement d'un débiteur. Situation d'une entreprise qui ne peut faire face à ses échéances

FALTA DE EXPERIENCIA
F : manque de pratique
GB : *inexperience*
D : Unerfahrenheit
I : *inesperienza*

FALTA DE PAGO
F : défaut de paiement
GB : *failure to pay*
D : Nichtzahlung
I : *mancato pagamento*
Non-exécution d'une obligation, non acquittement d'une dette

FALTA, DEFECTO
F : défaut
GB : *default, defect*
D : Nichteinhaltung, Mangel
I : *mancanza, difetto*

FAVOR
F : cavalerie (effet de)
GB : *accomodation*
D : Reiterei
I : *giro di cambiali a vuoto*
Voir Billet de complaisance

FECHA
F : date
GB : *date*
D : Datum
I : *data*

FECHA DE ENTREGA
F : date de livraison
GB : *delivery date*
D : Liefertermin
I : *data di consegna*

FECHA DE REEMBOLSO
F : date du remboursement
GB : *redemption date*
D : Einlösungstag
I : *data di rimborso*

FECHA DE VENCIMIENTO
F : date d'échéance
GB : *date of maturity*
D : Fälligkeitstag
I : *data di scadenza*
Date ultime de paiement d'une dette

FECHA TOPE
F : date limite
GB : *deadline*
D : Verfallstermin
I : *ultima data o ora possibile*

FEDERAL
F : fédéral
GB : *federal*
D : Bundes-
I : *federale*

FERIA
F : foire
GB : *fair*
D : Messe
I : *fiera*

FERIA DE MUESTRAS
F : foire commerciale
GB : *trade fair*
D : Handelsmesse
I : *fiera commerciale*
Foire où ce qui est exposé est proposé à la vente

FERRETERIA, QUINCALLERIA
F : quincaillerie
GB : *hardware, ironmongery*
D : Eisenwaren
I : *ferramenta*

FERROCARRIL
F : chemin de fer
GB : *raiway*
D : Eisenbahn
I : *ferrovia*

FIABILIDAD
F : fiabilité
GB : *reliability*
D : Zuverlässigkeit
I : *affidabilità*

FIANZA
F : gage
GB : *credit, pledge, security*
D : Pfand
I : *pegno, garanzia*
Bien mobilier remis à un créancier par son débiteur en garantie

FIANZA SOLIDARIA
F : caution solidaire
GB : *joint and several security*
D : Solidarkaution
I : *fideiussore (garante) solidale*
Caution qui peut être directement poursuivie par le créancier en cas de défaillance du débiteur

FIANZA, CARTA DE INDEMNIZA-CION
F : cautionnement
GB : *surety, letter of indemnity*
D : Bürge, Ausfallbürgschaft
I : *cauzione, lettera di garanzia*
Engagement pris par une caution

FIANZA, FIADOR
F : caution
GB : *bail, surety*
D : Haftkaution, Bürgschaft
I : *cauzione, garante*
Personne physique ou morale qui accepte de se substituer à une autre (cautionnée) au cas où celle-ci ne respecterait pas l'engagement pris vis-à-vis d'un bénéficiaire. Bien garantissant le respect de cet engagement

FIANZA, HIPOTECA
F : nantissement
GB : *security, hypothecation*
D : Nebenbürgschaft, Hypothek
I : *pegno, ipoteca*
Ou hypothèque mobilière. Dépôt, par un débiteur, d'un bien mobilier lui appartenant entre les mains de son créancier pour garantir le paiement de sa dette

FICHA
F : fiche
GB : *index card*
D : Indexkarte
I : *scheda*

FICHA DE ASISTENCIA
F : jeton de présence
GB : *director's fees*
D : Anwesenheitsmarke, Diäten
I : *gettone di presenza*
Rémunération annuelle éventuelle des membres du conseil d'administration ou du conseil de surveillance d'une société, votée par l'assemblée générale

FICHERO
F : classeur
GB : *filing cabinet*
D : Aktenschrank
I : *schedario*

FICTICIO
F : fictif
GB : *fictitious*
D : unecht, Schein-
I : *fittizio*

FIDEICOMISO DE INVERSIONES
F : société fiduciaire de placements
GB : *investment trust*
D : Investment-Trust
I : *consorzio per investimenti*

FIDELIDAD
F : fidélité
GB : *fidelity*
D : Treue
I : *fedeltà*

FIDUCIARIO
F : fiduciaire
GB : *fiduciary*
D : treuhänderisch
I : *fiduciario*
Voir Société fiduciaire

FIJO
F : fixe
GB : *fixed*
D : fest
I : *fisso, fissato*

FILIAL, EMPRESA SUBSIDIARIA
F : filiale
GB : *subsidary company*
D : Tochtergesellschaft
I : *fialiale*

FIN
- F: fin rf
- GB: *end*
- D: Ende
- I: *fine*

FINAL
- F: final
- GB: *final*
- D: endgültig
- I: *finale*

FINANCIAR
- F: financer
- GB: *finance*
- D: finanzieren
- I: *finanziare*

FINANCIERO
- F: financier adj
- GB: *financial*
- D: finanziell
- I: *finanziario*

FINANZA
- F: finance
- GB: *finance*
- D: Finanz
- I: *finanza*

FINCA
- F: bien
- GB: *estate, property*
- D: Vermögen
- I: *proprietà*

Produit matériel (objet de consommation ou moyen de production) de l'activité économique

FINIQUITO
- F: quitus
- GB: *quietus*
- D: Schlußbescheinigung
- I: *scarico, dichiarazione di scarico*

Décharge formelle de responsabilité donnée à un gestionnaire financier qui cesse ses fonctions. Approbation des comptes annuels d'une société par l'assemblée générale des actionnaires

FIRMA
- F: signature
- GB: *signature*
- D: Unterschrift
- I: *firme*

FIRMA EN BLANCO
- F: blanc-seing
- GB: *blank signature*
- D: Blankounterschrift
- I: *firme in bianco*

Papier dont le signataire laisse à quelqu'un d'autre le soin de le remplir à sa volonté

FIRMA, CASA
- F: firme
- GB: *firm, company*
- D: Firma
- I: *ditta*

FIRME
- F: ferme adj
- GB: *firm*
- D: fest
- I: *fermo*

Définitif

FIRME Y NO REVISABLE
- F: ferme et non révisable
- GB: *firm and not subject to alteration*
- D: fest und unveränderlich
- I: *fermo e non modificabile*

FISCAL
- F: fiscal
- GB: *fiscal*
- D: Finanz-
- I: *fiscale*

FISCALIZACION DE CAMBIOS
- F: contrôle des changes
- GB: *exchange control (USA currency control)*
- D: Devisenkontrolle
- I: *controllo sui cambi*

Subordination de toute conversion en devises à une autorisation administrative

FLETADOR
- F: affréteur
- GB: *charterer*
- D: Befrachter
- I: *noleggiatore*

FLETAMENTO
- F: affrètement
- GB: *chartering*
- D: Befrachtung
- I: *noleggio*

Le loueur (fréteur) met à la disposition d'un affréteur un moyen de transport de marchandises ou de personnes, contre rémunération et pour un temps donné

FLETE
- F: fret
- GB: *freight*
- D: Fracht
- I: *nolo*

FLETE AÉREO
- F: fret aérien
- GB: *air freight*
- D: Luftfracht
- I: *trasporto aereo*

FLETE MARÍTIMO
- F: fret maritime
- GB: *sea freight*
- D: Seefracht
- I: *trasporto marittimo di merce*

FLETE PAGADO
- F: fret payé d'avance
- GB: *freight pre-paid*
- D: Fracht vorausbezahlt
- I: *nolo prepagato*

FLEXIBLE
- F: flexible
- GB: *flexible*
- D: flexibel, anpassungsfähig
- I: *flessibile*

Apte à s'adapter aux changements de l'environnement

FLUCTUACION
- F: fluctuation
- GB: *fluctuation*
- D: Schwankung
- I: *fluttuazione*

FLUCTUACIONES ESTACIONALES
- F: variations saisonnières
- GB: *seasonal fluctuations*
- D: saisonbedingte Schwankungen
- I: *fluttuazioni stagionali*

Variations d'une grandeur qui tendent à se reproduire de manière régulière à un rythme inférieur ou égal à un an

FLUCTUANDO
- F: fluctuant
- GB: *fluctuating*
- D: schwankend
- I: *fluttuante*

Soumis à une variation alternative

FLUCTUAR
- F: fluctuer
- GB: *fluctuate*
- D: schwanken
- I: *fluttuare*

FLUIDEZ
- F: fluidité
- GB: *fluidity*
- D: Flüssigkeit
- I: *fluidità*

Caractérise un marché où l'offre s'adapte à la demande sans difficulté

FLUJO
- F: flux
- GB: *flow*
- D: Strom
- I: *flusso*

Ce que retracent les comptes d'exploitation et de pertes et profits de l'entreprise

FLUJO FINANCIERO
- F: flux financier
- GB: *financial flow*
- D: Finanzierungsfluß
- I: *flusso di capitali*

Transfert de fonds engendré par une opération économique

FOLLETO ANUAL
- F: plaquette annuelle
- GB: *annual report*
- D: Geschäftsbericht
- I: *opuscolo pubblicitario annuale di un'azienda*

FOLLETO PUBLICITARIO
F : prospectus publicitaire
GB : *advertising brochure*
D : Werbeschrift
I : *opuscolo pubblicitario*

FONDO
F : fonds
GB : *fund*
D : Fonds
I : *fondo*
Organisme de gestion de fonds en vue d'une utilisation déterminée

FONDO DE AMORTIZACION
F : fonds d'amortissement
GB : *sinking fund*
D : Tilgungsfonds
I : *fondo di ammortamento*

FONDO DE COMPENSACION
F : fonds de régularisation
GB : *equalization fund*
D : Ausgleichsfonds
I : *cassa di compensazione*

FONDO DE INVERSIÓN MOBILIA-RIA
F : fonds commun de placement
GB : *mutual fund*
D : gemeinschaftlicher Anlagefonds
I : *fondi comuni d'investimento*
Portefeuille de valeurs mobilières et de sommes placées à court ou long terme, détenu par une copropriété gérée par un dépositaire

FONDO EUROPEO
F : Fonds européen
GB : *European fund*
D : Europäischer Fonds
I : *Fondo europeo*
Organisme de gestion de fonds européens

FONDO MONETARIO INTERNACIONAL
F : Fonds monétaire international - FMI
GB : *International monetary fund (IMF)*
D : Internationaler Währungsfonds (IWF)
I : *Fondo monetario internazionale*
Organisme (comprenant la plupart des Etats membres de l'ONU) créé pour favoriser la stabilité des changes, promouvoir la coopération monétaire internationale et soutenir la croissance de la production et du commerce mondial

FONDOS DISPONIBLES
F : disponibilités
GB : *funds available*
D : flüssige Mittel
I : *fondi disponibili, disponibilità*
Voir Actif liquide (ou disponible)

FORMA
F : forme
GB : *form*
D : Form
I : *forma*

FORMACION PROFESIONAL
F : formation professionnelle
GB : *vocational training*
D : Berufsausbildung
I : *addestramento professionale*

FORMACIÓN PROFESIONAL OCUPACIONAL
F : formation continue
GB : *continuing education*
D : Weiterbildung
I : *formazione continua*

FORMAL
F : formel
GB : *formal*
D : formell
I : *formale*

FORMALIDAD
F : formalité
GB : *formality*
D : Formalität
I : *formalità*

FORMULA
F : formule
GB : *formula*
D : Formel
I : *formula*

FORMULARIO
F : formule (imprimée)
GB : *form*
D : Formular
I : *modulo*
Imprimé, formule administrative

FORMULARIO EN BLANCO
F : formulaire en blanc
GB : *blank form*
D : Blankoformular
I : *modulo in bianco*

FORMULARIO, IMPRESO
F : formulaire
GB : *printed form*
D : Vordruck
I : *modulo stampato*
Recueil de formules

FORZADO
F : forcé
GB : *forced*
D : Zwangs-
I : *forzato*

FRACCION
F : fraction
GB : *fraction*
D : Bruchteil
I : *frazione*

FRACCIONAMIENTO DE LA CARGA
F : rupture de charge
GB : *breaking bulk*
D : Löschen der Ladung
I : *inizio scarico*
Changement de véhicule ou de mode de transport

FRAGIL
F : fragile
GB : *fragile*
D : zerbrechlich
I : *fragile*

FRANCO A BORDO
F : franco à bord - FOB
GB : *free on board*
D : frei an Bord
I : *franco a bordo*
Dans les contrats de commerce international, signifie que le prix d'une marchandise n'inclut pas les frais de transport et d'assurance

FRANCO DE PORTE
F : franco
GB : *carriage free (USA FOB destination)*
D : frachtfrei
I : *porto franco*
Sans frais pour le destinataire

FRANCO EMBALAJE
F : franco d'emballage
GB : *including packing*
D : Verpackung inbegriffen
I : *imballaggio incluso*

FRANCO-COMISION
F : franco courtage
GB : *free of commission*
D : marklergebührenfrei
I : *franco mediazione*

FRANQUICIA
F : franchise
GB : *exemption*
D : Franchise
I : *franchigia*
Somme que l'assureur laisse à la charge de l'assuré pour certains dommages

FRAUDE
F : fraude
GB : *fraud*
D : Betrug
I : *frode*

FRAUDULENTO
F : frauduleux
GB : *fraudulent*
D : betrügerisch
I : *fraudolento*

FRECUENCIA
F : fréquence
GB : *frequency*
D : Häufigkeit
I : *frequenza*

FRONTERA
- F : frontière
- GB : *frontier*
- D : Grenze
- I : *frontiera*

FUEGO, INCENDIO
- F : incendie
- GB : *fire*
- D : Brand
- I : *incendio*

FUEL-OIL
- F : mazout
- GB : *fuel oil*
- D : Heizöl
- I : *petrolio da ardere*

FUERA DE ADUANAS
- F : acquitté (de droits de douane)
- GB : *ex bond*
- D : verzollt
- I : *sdoganato*

FUERA DE COTIZACIÓN
- F : hors cote
- GB : *unlisted*
- D : nicht amtlich notiert
- I : *non quotato*

Marché de la Bourse de Paris regroupant les valeurs mobilières non admises sur le Marché officiel

FUERTE PÉRDIDA, PÉRDIDA SENSIBLE
- F : lourde perte
- GB : *heavy loss*
- D : schwere Verluste
- I : *forte perdita*

FUERZA
- F : force
- GB : *force*
- D : Gewalt
- I : *forza*

Efficacité d'une campagne d'affichage publicitaire

FUERZAS ARMADAS
- F : forces armées
- GB : *armed forces*
- D : Streitkräfte
- I : *forze armate*

FUNCION
- F : fonction
- GB : *function*
- D : Aufgabe
- I : *funzione*

Rôle que joue une personne dans le fonctionnement d'une organisation. Ensemble des opérations permettant à l'entreprise d'atteindre ses objectifs

FUNCIONAL
- F : fonctionnel adj
- GB : *functional*
- D : sachlich, praktisch
- I : *funzionale*

FUNCIONARIO DEL GOBIERNO
- F : fonctionnaire
- GB : *civil servant (USA government employee)*
- D : Beamte(r)
- I : *impiegato statale*

FUNDADOR
- F : fondateur
- GB : *founder*
- D : Gründer
- I : *fondatore*

FUNDAR, CONSOLIDAR
- F : fonder (une créance)
- GB : *fund*
- D : fundieren
- I : *consolidare*

En justifier le bien-fondé

FUNDAR, ESTABLECER
- F : fonder (établir)
- GB : *establish, found*
- D : einrichten, gründen
- I : *fondare, istituire*

FURGON
- F : fourgon
- GB : *guard's van*
- D : Packwagen
- I : *bagagliaio*

FUSION
- F : fusion
- GB : *merger*
- D : Verschmelzung
- I : *fusione*

Mise en commun de tous les biens ou activités de plusieurs sociétés qui disparaissent juridiquement pour en créer une nouvelle, ou absorption de toutes les autres par l'une d'entre elles (qui subsiste)

FUTURO
- F : futur adj
- GB : *future*
- D : künftig
- I : *futuro, avvenire*

GABINETE (MINISTERIO)
F : cabinet (ministère)
GB : *minister's departmental staff*
D : Kabinett
I : *gabinetto (ministeriale)*
Ensemble des ministres groupés autour du chef du gouvernement

GANANCIA
F : gain
GB : *gain*
D : Gewinn
I : *guadagno*

GANANCIA BRUTA
F : bénéfice brut
GB : *gross profit*
D : Bruttogewinn
I : *utile lordo*
Excédent global des ventes sur les achats

GANANCIA NETA
F : bénéfice net
GB : *net profit*
D : Reingewinn
I : *utile netto*
Bénéfice brut diminué des frais généraux, charges, amortissement de l'actif social et provisions pour dépréciation. Se calcule avant ou après impôts

GANANCIA POR REALIZAR
F : profit fictif
GB : *paper profit*
D : imaginärer Gewinn
I : *utile sulla carta*
Définition prévue non donnée

GANANCIA, BENEFICIO
F : bénéfice
GB : *profit*
D : Gewinn
I : *utile, profitto*
Résultat final d'un exercice venant augmenter la richesse de l'entreprise

GANANCIA, BENEFICIO
F : profit
GB : *profit*
D : Gewinn, Profit
I : *utile, profitto*
Excédent de recettes sur des charges, bénéfice

GANANCIAS DE PRODUCTIVIDAD
F : gains de productivité
GB : *productivity gains*
D : Produktivitätserträge
I : *ricavo di produttività*
Surplus de productivité

GANAR
F : gagner
GB : *earn*
D : verdinen
I : *guadagnare*

GANGA
F : occasion
GB : *bargain*
D : Gelegenheitskauf
I : *accasione*

GARAJE
F : garage
GB : *garage*
D : Garage
I : *autorimessa*

GARANTE, FIADOR
F : garant
GB : *guarantor*
D : Bürge
I : *garante, avallante*

GARANTIA
F : garantie
GB : *guarantee, warranty*
D : Garantie
I : *garanzia*

GARANTIA BANCARIA
F : garantie bancaire
GB : *banker's indemnity (USA banker's guarantee)*
D : Bankgarantie
I : *garanzia bancaria*
Cautionnement bancaire

GARANTIZAR, AVALAR
F : garantir
GB : *guarantee*
D : Bürgschaft leisten, gewährleisten
I : *garantire, avallare*

GARGADOR DE MUELLE
F : docker
GB : *docker (USA longshoreman)*
D : Hafenarbeiter
I : *lavoratore del porto*

GAS
F : gaz
GB : *gas*
D : Gas
I : *gas*

GAS DE CIUDAD
F : gaz de ville
GB : *town gas*
D : Stadtgas
I : *gas di carbon fossile*

GAS NATURAL
F : gaz naturel
GB : *natural gas*
D : Erdgas
I : *gas naturale*

GASTOS DE ALMACENAJE
F : frais de stockage
GB : *storage charges*
D : Lagergeld
I : *spese di magazzinaggio*

GASTOS DE BANCO
F : frais bancaires
GB : *bank charges*
D : Bankspesen
I : *spese di banca*

GASTOS DE COBRANZA
F : frais d'encaissement
GB : *collection charges*
D : Einzugskosten
I : *spese di riscossione*

GASTOS DE CORREO
F : frais de port
GB : *postage, postal charges*
D : Postspesen
I : *spese postali*

GASTOS DE ESTABLECIMIENTO
F : frais d'établissement
GB : *set-up costs*
D : Ansiedlungskosten
I : *spese d'impianto*
Charges correspondant à des opérations qui conditionnent l'existence, l'activité ou le développement d'une société et dont la valeur réelle est nulle

GASTOS DE LOS NEGOCIOS
F : frais commerciaux
OD : *business expenses*
D : Geschäftskosten
I : *spese generali*

GASTOS DE MANUTENCION
F : frais de manutention
GB : *handling charges*
D : Umschlagspesen
I : *spese di gestione*

GASTOS DE REPRESENTACION
F : frais de représentation
GB : *entertainment expenses*
D : Repräsentationskosten
I : *spese di rappresentanza*

GASTOS DEDUCIBLES
F : dépense déductible
GB : *allowable expense*
D : abziehbare Unkosten
I : *spesa parmessa*

GASTOS DIRECTOS
F : frais directs
GB : *direct expenses*
D : Einzelkosten
I : *spese dirette*
Charges qu'on peut affecter sans calcul intermédiaire au coût d'un produit déterminé

GASTOS FUERTES
F : charges lourdes
GB : *heavy charges*
D : drückende Spesen
I : *forti spese*

GASTOS GENERALES
F : frais généraux
GB : *general expenses, overheads*
D : allgemeine Unkosten, Generalunkosten
I : *spese generali*
Ensemble des coûts se rapportant à l'activité d'une entreprise

GASTOS IMPREVISTOS
F : faux frais
GB : *incidental expenses*
D : Nebenkosten
I : *spese impreviste*
Dépenses supplémentaires non prévisibles

GASTOS PUBLICITARIOS
F : dépenses de publicité
GB : *advertising expenditure*
D : Werbekosten
I : *spese de pubblicità*

GASTOS VARIOS
F : frais divers
GB : *sundry expenses*
D : verschiedene Ausgaben
I : *spese varie*

GATT
F : GATT
GB : *GATT*
D : GATT
I : *GATT*
Voir Accord général sur les tarifs douaniers et le commerce

GENEROS DE PUNTO
F : bonneterie
GB : *knitted goods*
D : Strickwaren
I : *maglieria*

GERENTE DE NEGOCIOS
F : gérant
GB : *business manager*
D : Geschäftsfuhrer
I : *direttore commerciale*
Dirigeant d'une société en nom collectif, d'une SARL ou d'une société en commandite

GERENTE MAYORITARIO
F : gérant majoritaire
GB : *majority-owner manager*
D : Mehrheitsverwalter
I : *gerente maggioritario*

GERENTE MINORITARIO
F : gérant minoritaire
GB : *minority-owner manager*
D : Minderheitsverwalter
I : *gerente minoritario*

GESTIÓN PREVISIBLE
F : gestion prévisionnelle
GB : *previsionnal administration*
D : voraussichtliche Betriebsführung
I : *gestione di previsione*

GIRO BANCARIO
F : traite bancaire
GB : *banker's draft*
D : Banktratte
I : *tratta bancaria*
Traite émise par une banque

GIRO POSTAL
F : mandat-poste
GB : *postal order*
D : Postanweisung
I : *vaglia postale*
Titre remis par La Poste pour faire parvenir une somme d'argent à quelqu'un sans transport matériel de fonds

GIRO TELEGRAFICO
F : virement télégraphique
GB : *telegraphic transfer*
D : Kabelauszahlung
I : *rimessa telegrafica*
Ordre de virement transmis par télégramme entre deux centres de chèques postaux

GLOBAL
F : global
GB : *global*
D : Global-
I : *globale*

GOBIERNO
F : gouvernement
GB : *government*
D : Regierung
I : *governo*

GOODWILL
F : good will
GB : *goodwill*
D : Geschäftswert
I : *avviamento, valore d'avviamento*
Survaleur(plus-value liée à l'image d'une entreprise ou élément qualitatif qui contribue à sa valeur)

GRAFICO
F : graphique
GB : *chart, graph*
D : Tabelle, graphische Darstellung
I : *grafico*

GRANDES ALMACENES
F : grand magasin
GB : *department store*
D : Warenhaus, Kaufhaus
I : *grande magazzino*

GRANDES ALMACENES
F : grande surface
GB : *supermarket*
D : SB-Warenmarkt
I : *supermercato, ipermercato*

GRANEL (A)
F : vrac (en)
GB : *in bulk*
D : in großer Menge, unverpackt
I : *alla rinfusa*
Marchandises vendues non conditionnées ou expédiées sans être arrimées

GRATIFICACION
F : gratification
GB : *gratuity*
D : Gratifikation
I : *gratifica*
Somme versée en plus d'une rémunération régulière

GRUA
F : grue
GB : *crane*
D : Kran
I : *gru*

GRUPO DE PROGRESO
F : groupe de progrès
GB : *progress group*
D : Fortschrittsgruppe
I : *gruppo di progresso*
Voir Cercle de qualité

ESPAÑOL

GUARDA DE NOCHE
F : gardien de nuit
GB : *nightwatchman*
D : Nachtwächter
I : *guardiano notturno*

GUERRA
F : guerre
GB : *war*
D : Krieg
I : *guerra*

GUERRA DE PRECIOS
F : guerre des prix
GB : *price war*
D : Preiskrieg
I : *guerra dei prezzi*

GUIA
F : répertoire
GB : *directory*
D : Adreßbuch
I : *guida*

GUIA COMERCIAL
F : guide du commerce
GB : *trade directory*
D : Handelsadreßbuch
I : *guida commerciale*

GUIA DE CARGA
F : lettre de voiture
GB : *waybill*
D : Frachtbrief
I : *lettera di vettura*
Lettre de transport lorsque celui-ci
se fait par voie terrestre

HABER (FINANCIERO)
F: avoir (financier)
GB: *credit*
D: Finanzvermögen
I: *attivo, avere (finanziario)*
Créance reconnue par un vendeur à un acheteur et qui ne peut servir qu'à un nouvel achat ou qui se déduit d'une créance existante

HABER FISCAL
F: avoir fiscal
GB: *tax credit*
D: Steuerguthaben
I: *credito d'imposta*
Crédit d'impôt qui ne s'applique qu'aux seules actions (50 % du dividende net) et qui, ajouté au revenu imposable, est ensuite déduit du montant de l'impôt exigible

HACAR UN DEPOSITO
F: verser des arrhes
GB: *pay a deposit*
D: hinterlegen
I: *versare un deposito*
Voir Arrhes

HACER UN PEDIDO
F: commande (passer une)
GB: *order*
D: bestellen
I: *ordinare*

HACER UNA CITA
F: rendez-vous (prendre un)
GB: *make an appointment*
D: eine Verabredung treffen
I: *fissare un appuntamento*

HACER UNA CONTRAOERTA
F: faire une contre-offre
GB: *make a counteroffer*
D: ein Gegenangebot abgeben

I: *fare una controfferta*
Faire une contre-proposition de contrat à quelqu'un

HACER UNA OFERTA
F: faire une offre
GB: *make an offer*
D: eine Offerte machen
I: *fare una offerta*

HACIENDA
F: trésorerie
GB: *exchequer (USA tresury)*
D: Schatzamt
I: *tesoro*
Moyens de financement liquides ou à court terme

HECHO
F: fait
GB: *fact*
D: Tatsache
I: *fatto*

HEREDERO
F: héritier
GB: *heir*
D: Erbe
I: *erede*

HIERRO
F: fer
GB: *iron*
D: Eisen
I: *ferro*

HIPOTECA
F: hypothèque
GB: *mortgage*
D: Hypothek
I: *ipoteca*
Droit réel détenu par un créancier à titre de garantie sur le bien immobilier de son débiteur, sans qu'il en ait la propriété

HIPOTECAR
F: hypothéquer
GB: *hypothecate*
D: verpfänden
I: *ipotecare*

HIPOTESIS
F: hypothèse
GB: *hypothesis*
D: Hypothese
I: *ipotesi*

HISTOGRAMA
F: histogramme
GB: *histogram*
D: Histogramm
I: *istogramma*

Graphique représentant une succession de rectangles de base égale et de hauteur variable, où figurent en abscisse des périodes de même importance et en ordonnée les différentes valeurs d'une variable

HOGAR
F: ménage
GB: *household*
D: Haushalt
I: *famiglia*
Unité de consommation (une famille, un célibataire, une entreprise individuelle)

HOJA DE BALANCE
F: bilan consolidé
GB: *consolidated balance sheet*
D: konsolidierte Bilanz
I: *bilancio consolidato*
Bilan globalisé obtenu par agrégation des comptes de toutes les sociétés d'un groupe

HOJA ELECTRÓNICA DE CÁLCULO
F: tableur
GB: *spreadsheet*
D: Arbeitsblatt
I: *tabulatore*
Logiciel de création et de manipulation interactive de tableaux numériques visualisés

HOLDING
F: holding
GB: *holding*
D: Holdinggesellschaft
I: *holding*
Société financière ou industrielle dont l'objet consiste à prendre et détenir des participations dans des entreprises pour en contrôler l'activité

HOMBRE DE NEGOOIOS
F: homme d'affaires
GB: *businessman*
D: Geschäftsmann
I: *uomo d'affari*

HONARIO DE TRENES
F : indicateur des chemins de
fer
GB : *raliway timetable*
D : Eisenbahnfahrplan
I : *orario ferroviario*

HONESTO
F : honnête
GB : *honest*
D : ehrlich
I : *onesto*

HONORARIO
F : honoraires
GB : *fee*
D : Vergütung, Honorar
I : *onorario*
Revenus des professions libérales

HONORARIO.
F : horaire adj
GB : *honorary*
D : ehrenamtlich
I : *onorario*

HONRAR
F : honorer
GB : *honour*
D : honorieren
I : *onorare*
Respecter ses engagements

HORA
F : heure
GB : *hour*
D : Stunde
I : *ora*

HORA DEL ALMUERZO
F : déjeuner (pause)
GB : *lunch-hour*
D : Mittagspause
I : *ora di colazione*

HORA OFICIAL
F : heure légale
GB : *standard time*
D : Normalzeit
I : *ora legale*
Heure officielle qui règle la vie
civile, avant ou après laquelle cer-
tains actes ne peuvent être accomplis

HORA PUNTA
F : heures d'affluence
GB : *rush hour*
D : Hauptverkehrszeit
I : *ora di punta*

HORARIO DE COMERCIO
F : heures d'ouverture
GB : *business hours*
D : Geschäftszeit
I : *orario d'apertura*

HORARIO DE OFICINA
F : heures de bureau
GB : *office hours*
D : Geschäftsstunden
I : *orario d'ufficio*

HORAS EXTRAORDINARIAS
F : heures supplémentaires
GB : *overtime*
D : Überstunden
I : *lavoro straordinario*

HORAS PUNTA
F : heures de pointe
GB : *peak hours*
D : Verkehrsspitze
I : *ore di punta*
Moments où l'activité (consomma-
tion, intensité de la circulation,
affluence) est à son maximum

HORAS-HOMBRE
F : heures-homme
GB : *man-hours*
D : Erbeitsstunde pro Mann
I : *ore-uomo*
Heures de travail effectuées par indi-
vidu

HOTEL
F : hôtel
GB : *hotel*
D : Hotel
I : *albergo*

HUELGA
F : grève
GB : *strike*
D : Streik
I : *sciopero*

HUELGA (PREAVISO DE)
F : grève (préavis de)
GB : *strike notice*
D : Streikankündigung
I : *sciopero (preavviso di)*
Avertissement et délai réglementaires
précédant le démarrage d'une grève

HUELGA ALTERNATIVA
F : grève tournante
GB : *staggered strike*
D : Flackerstreik
I : *sciopero articolato*
Affecte successivement divers ate-
liers, usines ou catégories de person-
nels

HUELGA DE BRAZOS CAIDOS
F : grève avec occupation des
lieux
GB : *sit-down strike*
D : Sitzstreik
I : *sciopero bianco*

HUELGA DE CELO
F : grève du zèle
GB : *work-to-rule strike*
D : Bummelstreik
I : *sciopero bianco*
Application stricte du règlement
dans une administration

HUELGA DE PRODUCCION
F : grève perlée
GB : *go-slow strike (USA slow
down)*
D : Bummelstreik
I : *sciopero a singhiozzo*
Ralentissement concerté dans le tra-
vail

HUELGA ESPONTANEA
F : grève sauvage
GB : *wildcat strike*
D : wilder Streik
I : *sciopero selvaggio*

HUELGA GENERAL
F : grève générale
GB : *general strike*
D : Generalstreik
I : *sciopero generale*

HUELQUISTA
F : gréviste
GB : *striker*
D : Streikende(r)
I : *scioperante*

IDEA
F : idée
GB : *idea*
D : Idee
I : *idea*

IDENTIFICAR
F : Identifier
GB : *idntify*
D : identifizieren
I : *identificare*

ILEGAL
F : illégal
GB : *illegal*
D : ungesetzlich
I : *ilegale*

ILEGIBLE
F : illisible
GD : *illegible*
D : unleserlich
I : *ileggibile*

IMITACION
F : imitation
GB : *imitation*
D : Nachahmung
I : *imitazione*

IMPACTO
F : impact
GB : *impact*
D : Auswirkung
I : *impatto*

IMPARCIAL
F : impartial
GB : *impartial*
D : unparteiisch
I : *imparziale*

IMPEDIMENTO
F : empêchement
GB : *hindrance*
D : Hinderung
I : *impedimento*

IMPEUSTO SOBRE LAS GANAN-CIAS DE CAPITAL
F : impôt sur les plus-values en capital
GB : *capital gains tax*
D : Kapitalertragsteuer
I : *imposta sul plusvalore di capital*

IMPLICAR
F : impliquer
GB : *imply*
D : andeuten
I : *implicare*

IMPLICITO
F : implicite
GB : *implicit*
D : stillschweigend
I : *implicito*

IMPORTACION
F : importation
GB : *importation*
D : Einfuhr
I : *importazione*

IMPORTADOR
F : importateur
GB : *importer*
D : Importeur
I : *importatore*

IMPORTE BRUTO
F : montant brut
GB : *gross amount*
D : Bruttobetrag
I : *importo lordo*

IMPORTE NETO
F : montant net
GB : *net amount*
D : Nettobetrag
I : *importo netto*

IMPOSIBLE
F : impossible
GB : *impossible*
D : unmöglich
I : *impossibile*

IMPRODUCTIVO
F : improductif
GB : *unproductive*
D : unproduktiv
I : *improduttivo*

IMPUESTO
F : impôt
GB : *tax*
D : Steuer
I : *imposta*

IMPUESTO
F : prélèvement
GB : *levy*
D : Erthebung
I : *imposta*

IMPUESTO DE LUJO
F : impôt sur les produits de luxe
GB : *luxury tax*
D : Luxussteuer
I : *tassa sugli articoli di lusso*

IMPUESTO DEL TIMBRE
F : droit de timbre
GB : *stamp duty*
D : Stempelgebühr
I : *tassa di bollo*
Impôt indirect auquel sont soumis certains actes

IMPUESTO NO INCLUIDO
F : hors taxe (HT)
GB : *excluding tax*
D : außer Steuer
I : *tassa esclusa*
Avant impôts

IMPUESTO POR EMPLEADO
F : taxe sur les salaires
GB : *employment tax*
D : Lohnsummensteuer
I : *imposta sull'impiego*

ESPAGNOL

IMPUESTO SOBRE EL PATRIMO-NIO
F : impôt de solidarité sur la fortune (ISF)
GB : *wealth tax*
D : solidarische Vermögenssteuer
I : *imposta patrimoniale (di solidarietà)*
Impôt direct perçu sur les patrimoines à partir d'un montant minimum de 4,26 MF

IMPUESTO SOBRE LA PROPIEDAD
F : impôt foncier
GB : *property tax*
D : Grundsteuer
I : *imposta fondiaria*
Frappe les propriétaires de terrains, bâtis ou non

IMPUESTO SOBRE LA RENTA
F : impôt sur le revenu
GB : *income tax*
D : Einkommensteuer
I : *imposta sul reddito*
Touche le revenu des personnes physiques et les salaires, les bénéfices industriels et commerciaux des entrepreneurs non assujettis à l'impôt sur les sociétés

IMPUESTO SOBRE LA VENTA
F : taxe sur les ventes
GB : *sales tax*
D : Warenumsatzsteuer
I : *imposta sulle vendite*

IMPUESTO SOBRE RENTA DE LA SOCIEDAD
F : impôt sur les sociétés
GB : *corporation tax*
D : Körperschaftsteuer
I : *imposta sui proventi delle società*
Concerne avant tout les sociétés de capitaux. Dû sur le bénéfice net, il est exigible même en cas de non distribution (autofinancement)

IMPUESTO SOBRE VALOR ANADIDO
F : taxe sur la valeur ajoutée - TVA
GB : *value added tax (VAT)*
D : Mehrwertsteuer
I : *imposta sul valore aggiunto (IVA)*
Taxe sur le chiffre d'affaires qui concerne les entreprises industrielles et commerciales, les activités agricoles et libérales

IMPUTABLE
F : imputable
GB : *chargeable*
D : anrechenbar
I : *imputabile, imponibile*

IMPUTACIÓN
F : imputation
GB : *allocation/charging*
D : Anrechnung
I : *imputazione*
Affectation d'une écriture ou d'une opération au compte dont elles relèvent

INAUTORIZADO
F : autorisé (non)
GB : *unauthorized*
D : unbefugt
I : *non autorizzato*

INCERTIDUMBRE
F : incertitude
GB : *uncertainty*
D : Unsicherheit
I : *incertezza*

INCLUIDO, INCLUSIVE
F : inclus
GB : *inclusive*
D : einschließlich
I : *incluso, compreso*

INCOMPETENCIA
F : incapacité
GB : *inefficiency*
D : Unfähigkeit
I : *inefficienza*

INCOMPETENCIA
F : inefficacité
GB : *inefficiency*
D : Unfähigkeit
I : *inefficienza*

INCOMPLETO
F : incomplet
GB : *incomplete*
D : unvollständig
I : *incompleto*

INCORPORACION
F : incorporation (de réserves ou de bénéfices)
GB : *incorporation*
D : Eintragung (einer Gesellschaft)
I : *costituzione*
Augmentation du capital social d'une entreprise par intégration de tout ou partie des réserves ou des bénéfices réalisés

INCREMENTO
F : augmentation
GB : *accrual*
D : Zugang
I : *incremento*

INCREMENTO, AUMENTO
F : hausse
GB : *increase, rise*
D : Steigen, Zunahme
I : *incremento, crescita*

INCUMPLIMIENTO
F : non-exécution
GB : *nonfulfilment*
D : Nichterfüllung
I : *inadempienza*

INCUMPLIMIENTO DE LA GARANTIA
F : rupture de garantie
GB : *breach of warranty*
D : Verletzung der Gewährleistungspflich
I : *violazione di garanzia*
Cessation de garantie

INCUMPLIMIENTO DEL CONTRATO
F : rupture de contrat
GB : *breach of contract*
D : Vertragsverletzung
I : *rottura di contratto*

INDEMNIZAR, RESARCIR
F : dédommager
GB : *indemnify*
D : entschädigen
I : *indemnizzare,risarcire*

INDICADORES SOCIALES
F : indicateurs sociaux
GB : *social indicators*
D : soziale Indikatoren
I : *indicatori sociali*
Instruments de mesure des phénomènes sociaux, ils complètent les indicateurs économiques et permettent aux entreprises d'élaborer leur bilan social

INDICE
F : index
GB : *index*
D : Index
I : *indice*
Repère mobile permettant de lier une valeur à une autre qui sert de référence

INDICE
F : indice
GB : *index*
D : Index
I : *indice*
Mesure synthétique de l'évolution d'une grandeur dans le temps ou l'espace, ou du rapport de sa valeur par rapport à une valeur de base choisie comme référence

ÍNDICE DE PRECIOS
F : indice des prix
GB : *retail price index*
D : Preisindex
I : *indice dei prezzi*

INDMNIZACION
F : indemnité
GB : *indemnity*
D : Entschädigung
I : *indennità, garanzia*
Elément de rémunération ou de salaire destiné à rembourser des dépenses liées à l'exercice d'une profession ou à l'éxécution d'un travail

INDPENDIENTE
F : indépendant
GB : *independent*
D : selbständig
I : *indipendente*

INDUCIDO
F: induit
GB: *induced*
D: induziert
I: *indotto*
Se dit d'un phénomène entraîné par un autre

INDUSTRIA
F: industrie
GB: *industry*
D: Industrie, Gewerbe
I: *industria*

INDUSTRIA LIGERA
F: industrie légère
GB: *light industry*
D: Leichtindustrie
I: *industria leggera*
Transforme les matières premières brutes ou semi-ouvrées généralement en biens de consommation

INDUSTRIA PESEDA
F: industrie lourde
GB: *heavy industry*
D: Schwerindustrie
I: *industria pesante*
Celle qui élabore et traite les matières premières, produit de l'énergie et des biens d'équipement

INDUSTRIAL
F: industriel nm
GB: *industrialist*
D: Industrielle(r)
I: *industriale*

INDUSTRIAL
F: industriel adj
GB: *industrial*
D: industriell, Gewerbe-
I: *industriale*

INFLACION
F: inflation
GB: *inflation*
D: Inflation
I: *inflazione*
Déséquilibre économique caractérisé par la hausse du niveau général des prix et la dépréciation de la monnaie

INFORMACION
F: information
GB: *information*
D: Auskunft
I: *informazione*

INFORMAR, AVISAR
F: informer
GB: *inform*
D: benachrichtigen
I: *informare*

INFORMÁTICA
F: informatique
GB: *IT*
D: EDV, Informatik
I: *informatica*

INFORME DE LA ADMINISTRACION
F: rapport des administrateurs
GB: *directors' report*
D: Vorstandsbericht
I: *relazione degli amministratori*

INFORME DE LOS INTERVENTORES
F: rapport des commissaires aux comptes
GB: *auditors' report*
D: Bericht des Abschlußprüfers
I: *relazione sindici*

INFORME DEL ESPECIALISTA
F: expertise
GB: *expert's report*
D: Sachverständigengutachten
I: *perizia*

INFORME DEL MERCADO
F: analyse du marché
GB: *market report*
D: Marktbericht
I: *relazione sul mercato*

INFORME, RELACION
F: rapport
GB: *report, relation*
D: Bericht, Verhältnis
I: *relazione, rapporto*

INFRACCION
F: infraction
GB: *infringement*
D: Verltzung, Verstoß
I: *infrazione*

INFRACCION DE LOS DERECHOS DE AUTOR
F: contrefaçon littéraire
GB: *infringement of copyright*
D: Urheberrechtsverletzung
I: *infrazione dei diritti d'autore*

INGENIERIA
F: génie
GB: *enginering*
D: Maschinenbau
I: *ingegneria*
Arme et service de l'armée de terre chargés de la construction et de l'entretien des infrastructures terrestres

INGENIERÍA
F: ingénierie
GB: *engineering*
D: Werkzeugbau
I: *ingegneria*
Activité de conception, d'étude et de coordination qui précède la réalisation d'un projet ou la mise en service d'un ouvrage

INGENIERIA CIVIL
F: génie civil
GB: *civil engineering*
D: Ingenieurbau
I: *ingegneria civile*
Construction civile et corps des ingénieurs qui en a la responsabilité

INGENIERIA MECANICA
F: construction mécanique
GB: *mechanical engineering*
D: Maschinenbau
I: *ingegneria meccanica*

INGENIERO
F: ingénieur
GB: *engineer*
D: Ingenieur
I: *ingegnere*

INGRESO BRUTO
F: rendement brut
GB: *gross income*
D: Bruttoeinkommen
I: *reddito lordo*
Rendement d'un capital investi avant paiement des charges

INGRESO NETO
F: revenu net
GB: *net income*
D: Nettoeinkommen
I: *reddito netto*

INGRESOS NETOS
F: recettes nettes
GB: *net revenue*
D: Nettoeinnahmen
I: *entrata netta*

INGRESOS NO IMPONIBLES
F: revenu non imposable
GB: *non taxable income*
D: steuerfreies Einkommen
I: *reddito non tassabile*

INGRESOS, RÉDITO
F: revenu
GB: *income, revenue*
D: Einkommen, Einkünfte
I: *entrata, reddito*
Ce qui est perçu comme fruit du capital ou rémunération du travail

INICIADO
F: initié
GB: *insider*
D: Eingeweihter
I: *iniziato*
Détenteur privilégié d'informations sur le marché boursier

INICIAL, PRIMARIO
F: initial
GB: *initial*
D: Anfangs-
I: *iniziale*

INICIAR UN PROCESO CONTRA
F : intenter un procès à
GB : *institute proceedings against*
D : gerichtlich vorgehen gegen
I : *intentare un'azione legale contro*

INMIGRACION
F : immigration
GB : *immigration*
D : Einwanderung
I : *immigrazione*

INMOVILIZACIONES CORPO-RALES O INCORPORALES
F : immobilisations corporelles ou incorporelles
GB : *(tangible or intangible) assets*
D : immaterielle Vermögensgegenstände
I : *immobilizzazioni materiali o immateriali*
Comptes enregistrant la valeur des terrains, constructions, matériels... (immobilisations corporelles) ou la valeur des frais d'établissement, du fonds commercial, des frais de recherche... (immobilisations incorporelles)

INNOVACION
F : innovation
GB : *innovation*
D : Neuerung
I : *innovazione*

INQUILINO, ALQUILADOR, ARRENDATARIO
F : locataire
GB : *tenant, hirer, lessee*
D : Mieter
I : *affittuario, locatario, noleggiatore*

INSERTAR
F : insérer
GB : *insert*
D : einsetzen, inserieren
I : *inserire*

INSOLVENCIA
F : insolvabilité
GB : *insolvency*
D : Zahlungsunfähigkeit
I : *insolvenza*

INSOLVENTE, QUEBRADO
F : insolvable
GB : *insolvent*
D : zahlungsunfähig
I : *insolvente*

INSPECCION, EXAMEN
F : inspection
GB : *inspection*
D : Einsichtnahme
I : *ispezione*

INSPECTOR
F : inspecteur
GB : *inspector*
D : Aufsichtsbeamte(r)
I : *ispettore*

INSPECTOR DE FABRICA
F : inspecteur du travail
GB : *factory inspector*
D : Gewerbeaufsichtsbeamte(r)
I : *ispettore di fabbrica*
Fonctionnaire chargé de l'application de la législation du travail

INSTALACION
F : installation
GB : *installation*
D : Anlage
I : *impianto, installazione*

INSTALACION PILOTO
F : installation pilote
GB : *pilot plant*
D : Musteranlage
I : *impianto piloto*
Installation modèle

INSTALACIONES PORTUARIAS
F : installations portuaires
GB : *harbour installations*
D : Hafenanlagen
I : *impianti portuali*

INSTIGAR, PROVOCAR
F : provoquer
GB : *instigate*
D : anstiften
I : *provocare, istigare*

INSTITUCION, INSTITUTO
F : institut
GB : *institution*
D : Institut, Anstalt
I : *istituzione, istituto*
Etablissement de recherche scientifique ou d'enseignement ; corps constitué de gens de lettres, d'artistes, de savants

INSTITUCIONAL
F : institutionnel
GB : *institutional*
D : institutionnell
I : *istituzionale*
Relatif à une organisation, à la collectivité

INSTRUCCION
F : instruction
GB : *instruction*
D : Anleitung
I : *istruzione*

INSTRUMENTO
F : instrument
GB : *instrument*
D : Instrument
I : *strumento*

INSTRUMENTO DE ANALISIS
F : instrument d'analyse
GB : *analytical tool*
D : Analysenwerkzeug
I : *strumento d'analisi*

INTEGRACION
F : intégration
GB : *integration*
D : Eingliederung
I : *integrazione*
Voir Intégration verticale

INTEGRACION HORIZONTAL
F : intégration horizontale
GB : *horizontal integration*
D : horizontaler Zusammenschluß
I : *integracione orizzontale*
Groupement d'entreprises intervenant à différents stades du processus productif ou exerçant des activités différentes mais complémentaires

INTEGRACION VERTICAL
F : intégration verticale
GB : *vertical integration*
D : vertikaler Zusammenschluß

I : *intgrazione verticale*
Concentration d'entreprises participant au même stade d'un processus de production

INTERÈS
F : intérêt
GB : *interest*
D : Zinsen
I : *interesse*

INTERÉS ACUMULADO
F : intérêts cumulés
GB : *accrued interest*
D : aufgelaufene Zinsen
I : *interesse maturato*
Somme des intérêts perçus

INTERÉS BRUTO
F : intérêts bruts
GB : *gross interest*
D : Bruttozins
I : *interesse lordo*
Intérêts avant déduction de l'impôt sur la rémunération reçue

INTERÉS COMPUESTO
F : intérêts composés
GB : *compound interest*
D : Zinseszinsen
I : *interesse composto*
Intérêts simples additionnés de ceux qui s'appliquent à la somme capitalisée des intérêts déjà perçus

INTERÉS CREADO
F : droit acquis
GB : *vested interest*
D : festbegründetes Recht
I : *diritto acquisito*

INTERÉS MAYORITARIO
F : participation donnant le contrôle
GB : *controlling interest*
D : Mehrheitsbeteiligung
I : *intresse della parte maggioritaria*

ESPAÑOL

INTERÉS SIMPLE
F: intérêts simples
GB: *simple interest*
D: einfache Zinsen
I: *interesse semplice*
A la charge de l'emprunteur, ils correspondent au rapport entre le montant des intérêts dus pour l'année et le montant du capital prêté

INTERMEDIACION
F: médiation
GB: *mediation*
D: Vermittlung
I: *mediazione*

INTERMEDIARIO
F: intermédiaire
GB: *middle man*
D: Zwischenhändler
I: *intermediario*

INTERNACIONAL
F: international
GB: *international*
D: international
I: *internazionale*

INTERNO, INTERIOR
F: interne adj
GB: *internal*
D: innerlich, inländisch
I: *interno*

INTERPOLACION
F: interpolation
GB: *interpolation*
D: Einschaltung
I: *interpolazione*
Utilisation des résultats d'une série d'observations pour calculer le résultat d'une autre observation dans un même domaine d'exploration

INTERPONER
F: déposer
GB: *file*
D: einlegen
I: *depositare*

INTERPRETACION
F: interprétation
GB: *interpretation*
D: Auslegung
I: *interpretazione*

INTERVENTOR
F: contrôleur
GB: *controller*
D: Kontrolleur
I: *controllore*

INTERVENTOR
F: vérificateur des comptes
GB: *comptroller*
D: Rechnungsprüfer
I: *controllore*

INTRINSECO
F: intrinsèque
GB: *intrinsic*
D: innerlich, wahr
I: *intrinseco*
Voir Valeur intrinsèque

INUNDACION DE MERCANCIA BARATA
F: dumping
GB: *dumping*
D: Dumping
I: *dumping*
Ensemble de mesures destinées à abaisser les prix de produits exportés pour les rendre plus concurrentiels

INVALIDO
F: invalide
GB: *invalid*
D: ungültig
I: *invalido*
Non valable, légalement nul

INVENTARIO
F: inventaire
GB: *inventory*
D: Inventar
I: *inventario*
Relevé en volume et en valeur des éléments d'actif et de passif d'une entreprise à la clôture d'un exercice

INVENTARIO, BALANCE
F: levée d'inventaire
GB: *stocktaking*
D: Bestandsaufnahme
I: *compilazione dell'inventario*

INVENTO, INVENCION
F: invention
GB: *invention*
D: Erfindung
I: *invenzione*

INVERSION
F: investissement
GB: *investment*
D: Kapitalanlage, Investierung
I: *investimento*
Acquisition d'une immobilisation

INVERSIÓN
F: placement
GB: *investment*
D: Anlage
I: *investimento*
Affectation d'une épargne à un emploi (dissocié du processus de production) en vue d'en tirer profit

INVERSIÓN EXTRANJERA
F: investissement étranger
GB: *foreign investment*
D: Fremdkapital
I: *investimento estero*

INVERSIÓN PRIVADA
F: investissement privé
GB: *private investment*
D: Privatinvestition
I: *investimento privato*

INVERSIÓN PRODUCTIVA
F: investissement productif
GB: *productive investment*
D: produktive Investition
I: *investimento produttivo*
Investissement destiné à accroître la capacité de production de l'entreprise

INVERSIÓN PÚBLICA
F: investissement public
GB: *public investment*
D: gemeinwesen Investition
I: *investimento pubblico*

INVERSIONISTA
F: investisseur
GB: *investor*
D: Geldgeber
I: *capitalista*

INVERSOR INSTITUCIONAL
F: investisseur institutionnel
GB: *institutional investor*
D: institutioneller Anleger
I: *investitore istituzionale*
Organisme financier tenu, par sa nature ou son statut, de placer en valeurs mobilières la plus grande partie de l'épargne qu'il collecte

INVERTIR
F: investir
GB: *invest*
D: anlegen, investieren
I: *investire*

INVESTIGACION
F: investigation
GB: *investigation*
D: Untersuchung
I: *inchiesta, investigazione*

INVESTIGACION
F: recherche
GB: *research*
D: Forschung
I: *ricerca*

INVESTIGACION DE MOTIVACION
F: étude de motivation
GB: *motivational research*
D: Motivforschung
I: *indagine sulle motivazioni*
Destinée à définir les mobiles dominants qui influencent les comportements et les choix d'une clientèle existante ou potentielle

INVESTIGACION DEL MERCADO, ESTUDIO DE MERCADO
F: étude de marché
GB: *market research, market survey*
D: Marktforschung
I: *indagine di mercato, ricerca di mercato*

INVESTIGACION OPERACIONAL
 F : recherche opérationnelle
 GB : *operational research (OR)*
 D : Unternehmensforschung
 I : *indagine sul funziona-
mento*
Méthode d'analyse scientifique à
dominante mathématique visant à
définir une politique optimale de
gestion

INVESTIGACION Y DESARROLLO
 F : recherche-développement
 GB : *research and development
(R & D)*
 D : Zweckforschung, For-
schung und Entwicklung (F & E)
 I : *studi e sviluppi*
S'applique aux phases de la
recherche fondamentale, de la
recherche appliquée, et du dévelop-
pement

INVITACION
 F : invitation
 GB : *invitation*
 D : Einladung, Aufforderung
 I : *invito*

INVITAR
 F : inviter
 GB : *invite*
 D : einladen, auffordern
 I : *invitare*

IRRECUPERABLE
 F : irrécouvrable (créance)
 GB : *irrecoverable*
 D : unersetzlich, uneinbrin-
glich
 I : *irrecuperabile*
Créance qui ne peut être recouvrée

JEFE DE CONTABILIDAD
F: chef comptable
GB: *chief accountant*
D: Obertuchlalter
I: *ragioniere capo*

JEFE DE DEPARTAMENTO
F: chef de service
GB: *head of department*
D: Abteilungsleiter
I: *capo reparto*

JEFE DE FAMILIA
F: chef de famille
GB: *householder*
D: Hausherr
I: *capo-famiglia*

JEFE DE OFFICINA
F: chef de bureau
GB: *office manager*
D: Bürovorsteher
I: *capo ufficio*

JEFE DE PERSONAL
F: chef du personnel
GB: *personnel manager*
D: Personalchef
I: *direttore del personale*

JEFE DE PRODUCTO
F: chef de produit
GB: *product manager*
D: product manager
I: *capo di prodotto*
Responsable de la gestion stratégique d'un produit ou d'une ligne de produits

JEFE DE VENTAS
F: directeur commercial
GB: *sales manager*
D: Verkaufsleiter
I: *direttore commerciale*
Responsable de la commercialisation de produits ou services

JEFE DEL DEPARTAMENTO DE COMPRAS
F: chef des achats
GB: *head buyer*
D: Haupteinkäufer
I: *capo servizio acquisti*

JEFE EJECUTIVO
F: directeur général
GB: *chief executive*
D: Geschäftsführer
I: *direttore generale*

JORMADA LABORAL
F: durée du travail
GB: *hours of work*
D: Arbeitszeit
I: *ore lavorative*

JUEGO
F: assortiment
GB: *assortment, range, package*
D: Auswahl
I: *assortimento*

JUEZ
F: juge
GB: *judge*
D: Richter
I: *giudice*

JUGAR A LA BOLSA
F: bourse (jouer en)
GB: *gamble on the stock exchange*
D: an der Börse spekulieren
I: *giocare in Borsa*

JUICIO : ADJUDICACION
F: jugement
GB: *judgment*
D: Urteil
I: *giudizio*

JURADO
F: jury
GB: *jury*
D: die Geschworenen, Jury
I: *giuria*

JURISDICCION
F: juridiction
GB: *jurisdiction*
D: Rechtsprechung, Gerichtsbarkeit
I: *giurisdizione*

JUSTICIA
F: justice
GB: *justice*
D: Gerechtigkeit
I: *giustizia*

JUSTIFICABLE, LEGITIMO
F: légitime
GB: *justifiable, lawful*
D: gerechtfrtigt, gesetzlich
I: *giustificabile, legittimo*

JUSTO A TIEMPO
F: juste à temps
GB: *JIT (just in time)*
D: just in time
I: *just in time, flusso teso*
Méthode qui consiste à acheter ou produire en fonction des stricts besoins du moment

JUZGAR
F: juger
GB: *judge*
D: urteilen
I: *giudicare*

LABORATORIO DE IDIOMAS
F: laboratoire de langues
GB: *language laboratory*
D: Sprachlador
I: *laboratorio di linguaggio*

LANZAR
F: lancer sur le marché
GB: *launch*
D: auf den Markt bringen
I: *lanciare*

LARGO PLAZO (A)
F: long terme (à)
GB: *long-term*
D: langfristig
I: *a lunga scadenza*

LARGO PLAZO (A)
F: longue échéance (à)
GB: *long-dated*
D: langfristig
I: *a lunga scadenza*

ESPAÑOL

LEASING
F : leasing
GB : *leasing*
D : Leasing
I : *leasing*
Voir Crédit-bail

LEGAL, JURIDICO
F : légal
GB : *legal*
D : rechtsgültig, legal
I : *legale, giuridico*

LEGISLACION
F : législation
GB : *legislation*
D : Gesetzgebung
I : *legislazione*

LENGUAJE DE MAQUINA
F : langage machine
GB : *machine language*
D : Maschinensprache
I : *linguaggio di macchina*
Seul langage informatique à être directement utilisable par la machine, il décrit le fonctionnement binaire des circuits câblés

LETRA
F : traite
GB : *draft*
D : Tratte
I : *tratta*
Voir Lettre de change

LETRA A LA VISTA
F : effet exigible à vue
GB : *bill payable at sight*
D : Sichttratte
I : *effecto pagabile a vista*
Effet payable immédiatement dès qu'il est présenté

LETRA A LA VISTA
F : traite à vue
GB : *sight draft*
D : Sichttratte
I : *tratta a vista*
Payable aussitôt que le bénéficiaire désire en recouvrer le montant

LETRA DE ADJUDICACION
F : avis d'attribution
GB : *allotment letter*
D : Verteilungsbrief
I : *lettera da ripartizione*

LETRA DE CAMBIO
F : lettre de change
GB : *bill of exchange*
D : Wechsel, Tratte
I : *tratta cambiale*
Voir Effet de commerce

LETRA SOBRE EL EXTERIOR
F : lettre de change sur l'étranger
GB : *foreign bill*
D : Auslandswechsel
I : *cambiale sull' estero*

LETRAS A COBRAR
F : effets à recevoir
GB : *bills receivable*
D : Wechselforderungen
I : *effetti attivi*
Compte enregistrant des créances représentées par des effets de commerce

LETRAS PAGADERAS
F : effets à payer
GB : *bills payable*
D : Wechselschulden
I : *effetti passivi*
Compte enregistrant des dettes représentées par des effets de commerce

LETRERO
F : enseigne
GB : *sign/trade name*
D : Eintrague
I : *insegna*

LEY
F : loi
GB : *law*
D : Recht
I : *legge*

LEY ANTITRUST
F : loi anti-trust
GB : *restrictive trade practices law*
D : Kartellgesetz
I : *legge antitrust*
Loi (nationale ou internationale) qui contrôle les ententes et pénalise l'abus des positions dominantes

LIBERAR
F : libérer
GB : *free*
D : befreien
I : *liberare*

LIBRA ESTERLINA
F : livre sterling
GB : *pound sterling*
D : Pfund Sterling
I : *lira sterlina*

LIBRADO
F : tiré nm
GB : *drawee*
D : Bezogene(r)
I : *trattario*
Personne physique ou morale qui a reçu l'ordre de régler le montant d'un chèque ou d'une lettre de change à l'échéance

LIBRADOR
F : tireur
GB : *drawer*
D : Aussteller
I : *traente*
Personne physique ou morale qui émet un chèque ou une lettre de change et donne l'ordre de payer à l'échéance

LIBRE
F : libre
GB : *free*
D : frei
I : *libero*

LIBRE EMPRESA
F : libre entreprise
GB : *free entreprise*
D : freie Wirtschaft
I : *libertà d'iniziativa*

LIBRE ENTREGA
F : livré franco
GB : *delivery free*
D : portofreie Lieferung
I : *consegna franco*
Livré sans frais pour le destinataire

LIBRO DE CAJA
F : livre de caisse
GB : *cash book*
D : Kassenbuch
I : *libro cassa*
Document comptable recensant à un moment donné les encaissements et décaissements effectués par une entreprise

LIBRO DE CHEQUES
F : carnet de chèques
GB : *cheque book (USA check book)*
D : Scheckheft
I : *libretto assegni*

LIBRO DE CONSULTA
F : ouvrage de référence
GB : *reference book*
D : Nachschlagewerk
I : *libro di consultazione*

LIBRO DE CUENTAS
F : livre de comptes
GB : *account book*
D : Kontobuch
I : *libro di conti*

LIBRO DE PEDIDOS
F : livre de commandes
GB : *order book*
D : Auftragsbuch
I : *libro degli ordini*

LIBRO MAYOR
F : grand livre
GB : *ledger*
D : Hauptbuch
I : *libro mastro*
Ensemble des comptes ouverts dans l'entreprise où figurent toutes les opérations enregistrées par nature

LIBRO MAYOR DE COMPRAS
F : grand livre d'achats
GB : *bought ledger (USA purchase book)*
D : Einkaufsbuch
I : *mastro acquisti*

LIBRO MAYOR DE VENTAS
F : grand livre des ventes
GB : *sales ledger*
D : Verkaufskontenbuch
I : *partitario delle vendite*

LIBROS DE CUENTAS
F : livres comptables
GB : *books of account*
D : Geschäftsbücher
I : *libri contabili*
Ensemble de documents comptables

LICENCIA DE FABRICACIÓN
F : licence de fabrication
GB : *manufacturing licence*
D : Herstellungslizenz
I : *licenza di fabbricazione*

LICENCIA, PERMISO
F : licence
GB : *licence*
D : Erlaubnis, Lizenz
I : *licenza, permesso*
Autorisation administrative

LICITACIÓN
F : appel d'offre
GB : *call for tenders*
D : Angebotsausschreibung
I : *gara d'appalto*
Mise en concurrence de plusieurs entreprises avant la passation d'un marché

LICITO, LEGITIMO
F : licite
GB : *lawful, legal*
D : gesetzlich, rechtlich
I : *lecito, legittimo*
Permis par la loi

LÍDER
F : leader
GB : *leader*
D : Markeleader : Marktführer
I : *leader*

LIMITADO
F : limité
GB : *limited*
D : beschränkt
I : *limitato*

LIMITE
F : limite
GB : *limit*
D : Grenze
I : *limite*

LIMITE DE CRÉDITO
F : degré de solvabilité
GB : *credit rating*
D : Kreditwürdigkeit
I : *stima del credito*
Aptitude à tenir ses engagements sur l'ensemble de son patrimoine ou de son actif

LINEA (FERROVIARIA)
F : ligne (de chemin de fer)
GB : *(railway) line*
D : Linie, Eisenbahnlinie
I : *linea (ferroviaria)*

LINEA (TELEFONCIA)
F : ligne (de téléphone)
GB : *(telephone) line*
D : Leitung (Telefon)
I : *linea (telefonica)*

LINEA AÉREA
F : compagnie aérienne
GB : *air line*
D : Fluggesellschaft
I : *linea aerea*

LINEA DE MONTAJE
F : chaîne de montage
GB : *assembly line*
D : Montageband
I : *catene di montaggio*

LÍNEA DE PRODUCTOS
F : ligne de produits
GB : *product range*
D : Produktlinie
I : *linea di prodotti*
Ensemble des références de produits de même technologie visant la même application

LINGOTE
F : lingot
GB : *ingot*
D : Barren
I : *lingotto*

LINGUA
F : langue
GB : *language*
D : Sprache
I : *lingua*

LIQUIDACION
F : liquidation
GB : *liquidation*
D : Liquidation, Auflösung
I : *liquidazione*
Conséquence de la décision de dissolution d'une société en état de cessation de paiement, elle consiste à en réaliser l'actif, en régler les dettes selon un certain ordre et répartir entre les associés l'éventuel bonus de liquidation

LIQUIDACIÓN (BOLSA)
F : liquidation (Bourse)
GB : *settlement*
D : Regulierung (der Differenzgeschäfte)
I : *liquidazione (Borsa)*
Opérations de règlement et livraison sur un marché à terme

LIQUIDACION FORZOSA
F : liquidation forcée
GB : *compulsory winding-up (USA forced liquidation)*
D : Zwangsliquidation
I : *liquidazione forzata*

LIQUIDACIÓN JUDICIAL
F : liquidation judiciaire
GB : *liquidation*
D : gerichtliches Abwicklung
I : *liquidazione giudiziaria*
Liquidation d'une société décidée par un tribunal

LIQUIDADOR
F : liquidateur
GB : *liquidator*
D : Masseverwalter, Sachwalter
I : *liquidatore*
Chargé d'effectuer toutes les opérations de liquidation d'une société

LIQUIDEZ
F : liquidité
GB : *liquidity*
D : Liquidität
I : *liquidità*
Aptitude d'un bien à être transformé en espèces pour régler sans délai une dette. Aptitude d'une entreprise à faire face à ses engagements financiers

LISTA DE ESPRA
F : liste d'attente
GB : *waiting list*
D : Warteliste
I : *elenco delle prenotazioni*

LISTA NEGRA
F : liste noire
GB : *black list*
D : schwarze Liste
I : *lista nera*

LISTA, CUADRO
F : liste
GD : *list, schedule*
D : Liste, Tabelle
I : *lista, tabella*

LLAMADA (DE FONDS)
F : appel (de fonds)
GB : *call (for funds)*
D : Kündigung (von Geldern)
I : *richiesta (di fondi)*
Demande de fonds supplémentaires (à des actionnaires, des associés...)

LLAMADA INTERURBANA
F : appel téléphonique interurbain
GB : *trunk call (USA long distance call)*
D : Ferngespräch
I : *comunicazione interurbana*

LLAMADA TELEFONICA
F : appel téléphonique
GB : *telephone call*
D : Anruf
I : *chiamata telefonica*

ESPAÑOL

LLAMADA TELEFÓNICA DE LARGA DISTANCIA
F: appel téléphonique de longue distance
GB: *long distance phone call*
D: Ferngespräch
I: *telefonata intercontinentale (chiamata telefonica a lunga distanza)*

LLANO, PLANO
F: plat adj
GB: *flat*
D: flach
I: *piatto*

LLAVE, CLAVE
F: clé
GB: *key, code*
D: Schlüssel
I: *chiave, codice*

LLEGADA
F: arrivée
GB: *arrival*
D: Ankunft
I: *arrivo*

LLENO
F: plein adj
GB: *full*
D: voll
I: *pieno*

LLEVAR LA CONTABILIDAD
F: comptabilité (tenir la)
GB: *keep the accounts*
D: Konto führen
I: *tenere la contabilità*

LOGICA
F: logique
GB: *logic*
D: Logik
I: *logica*

LOGISTICA
F: logistique
GB: *logistics*
D: Logistik
I: *logistica*
Au-delà du transport, c'est l'organisation de l'approvisionnement, de la production et de la distribution, à la croisée des grandes fonctions traditionnelles de l'entreprise

LOGOTIPO
F: logotype
GB: *logotype*
D: Logo
I: *logo*
Représentation visuelle du nom d'une marque ou d'une organisation (logo)

LOTE
F: lot
GB: *batch*
D: Stoß
I: *lotto*

LUCRATIVO
F: lucratif
GB: *lucrative*
D: einträglich, gewinnbringend
I: *lucrativo*

LUCRO CESANTE
F: perte de bénéfices
GB: *loss of profits*
D: Gewinnausfall
I: *perdita di utili*

MALETÍN
- F : attaché-case
- GB : *attaché-case*
- D : Aktenkoffer
- I : *valigetta, ventiquattr'ore*

MANAGEMENT
- F : management
- GB : *management*
- D : Management
- I : *management*

Ensemble des techniques d'organisation mises en œuvre pour la gestion d'une entité économique

MANAGER
- F : manager nm
- GB : *manager*
- D : Manager
- I : *manager*

Désigne le dirigeant d'une grande entreprise (PDG, directeur, etc.)

MANANA
- F : demain
- GB : *tomorrow*
- D : morgen
- I : *domani*

MANDANTE
- F : mandant
- GB : *principal*
- D : Vollmachtgeber
- I : *mandante*

Qui donne à une autre personne, par mandat, le pouvoir d'agir en son nom

MANDANTE NO NOMBRATO
- F : mandant non divulgué
- GB : *undisclosed principal*
- D : nicht bekanntgegebener Auftraggeber
- I : *mandante non nominato*

MANDATO
- F : ordonnance
- GB : *warrant*
- D : Befugnis
- I : *mandato*

MANDOS
- F : cadres
- GB : *managerial staff*
- D : leitende Angestellte
- I : *management*

Catégorie socio-professionnelle de salariés exerçant un poste de responsabilité dans une entreprise ou la fonction publique

MANIFIESTO
- F : manifeste
- GB : *manifest*
- D : Ladungsverzeichnis
- I : *manifesto*

MANIPULACION
- F : manipulation
- GB : *manipulation*
- D : Schiebung
- I : *manipulazione*

MANO DE OBRA
- F : main-d'oeuvre
- GB : *manpower, labour force*
- D : Arbeitskräfte, menschliche Arbeitskraft
- I : *mano d'opera*

Personne chargée de réaliser une opération pour le compte d'un maître d'ouvrage

MANO DE OBRA EXTRANJERA
- F : main-d'oeuvre étrangère
- GB : *foreign labour*
- D : Fremdarbeiterschaft
- I : *mano d'opera straniera*

MANTENIMIENTO
- F : entretien
- GB : *maintenance*
- D : Instandhaltung
- I : *manutenzione*

Conversation suivie entre des interlocuteurs en présence ou non l'un de l'autre

MANTENIMIENTO
- F : maintenance
- GB : *maintenance*
- D : Instandhaltung
- I : *manutenzione*

Toutes les activités d'entretien de matériels et de machines (interventions préventives ou consécutives à une panne)

MANUAL
- F : manuel nm
- GB : *handbook*
- D : Handbuch
- I : *manuale*

MANUAL
- F : manuel adj
- GB : *manual*
- D : Hand-
- I : *manuale*

MAQUINA
- F : machine
- GB : *machine*
- D : Maschine
- I : *macchina*

MAQUINA DE ESCRIBIR
- F : machine à écrire
- GB : *typewriter*
- D : Schreibmaschine
- I : *macchina da scrivere*

MAQUINA DE FRANQUEAR
- F : machine à affranchir
- GB : *franking machine*
- D : Frankiermaschine
- I : *affrancatrice postale*

MAQUINA EXPENDEDORA
- F : distributeur automatique
- GB : *vending machine*
- D : Verkaufsautomat
- I : *macchina venditrice automatica*

MAQUINARIA
- F : machinerie
- GB : *machinery*
- D : Maschinerie
- I : *macchinario*

MARCA
F : marque
GB : *brand*
D : Handelsmarke
I : *marca*

MARCA DE DESTINO
F : marque de destination
GB : *port mark*
D : Benennung des Bestimmungshafens
I : *marche di destinazione*

MARCA DE FABRICA
F : marque de fabrique
GB : *trademark*
D : Warenzeichen
I : *marchio di fabbrica*
Signe distinctif apposé sur un produit pour en indiquer l'origine, elle est protégée légalement par son inscription obligatoire à l'Institut national de la propriété industrielle

MARCO
F : encadrement
GB : *management/control*
D : Rahmen
I : *gruppo dirigente*

MARGEN
F : marge
GB : *margin*
D : Spanne
I : *margine*

MARGEN BRUTO
F : marge brute
GB : *gross margin*
D : Bruttoverdienstspanne
I : *margine lordo*
Voir Bénéfice brut

MARGEN COMERCIAL
F : marge commerciale
GB : *trading margin*
D : Handelsspanne
I : *margine commerciale*
Différence entre le chiffre d'affaires hors taxes et le coût d'achat hors taxes des marchandises vendues

MARGEN DE BENEFICIO NETO
F : marge nette
GB : *net profit margin*
D : Reingewinnspanne
I : *margine di utile netto*
Voir Bénéfice net

MARITIMO
F : maritime
GB : *maritime*
D : See-
I : *marittimo*

MARKETING
F : marketing
GB : *marketing*
D : Marketing
I : *marketing*
Englobe à la fois les techniques d'analyse des besoins pour définir le produit correspondant, et les techniques de faire-savoir

MARKETING DIRECTO
F : marketing direct
GB : *direct marketing*
D : Direktmarketing
I : *marketing diretto*
Ensemble des techniques du marketing utilisant un mode de liaison direct avec le consommateur pour véhiculer un message ou un bien

MAS BARATO
F : meilleur marché
GB : *cheaper*
D : billiger
I : *meno caro*

MAS DETALLES
F : renseignements (plus amples)
GB : *further particulars*
D : nähere Umstände
I : *ulteriori particolari*

MAS DETALLES
F : renseignements complémentaires
GB : *further information*
D : weitere Auskunft
I : *ulteriori informazioni*

MASA OBRERA
F : effectifs
GB : *work force*
D : Belegschaft
I : *massa lavoratrice*

MATERIA
F : matière
GB : *material (substance)*
D : Material
I : *materia*

MATERIA PRIMA
F : matière première
GB : *raw material*
D : Rohstoff
I : *materia prima*

MATERIAL
F : essentiel
GB : *material*
D : wesentlich
I : *materiale*

MATRIZ
F : matrice
GB : *matrix*
D : Matrix
I : *ruolo d'imposta*
Tableau de nombres disposés en lignes et en colonnes permettant de faire de l'analyse stratégique ou d'étudier les possibilités de développement d'une entreprise

MAXIMO
F : maximum
GB : *maximum*
D : maximal
I : *massimo*

MAYORISTA
F : grossiste
GB : *wholesaler*
D : Großhändler, Grossist
I : *grossista*

MECANICO
F : mécanicien
GB : *mechanic*
D : Mechaniker
I : *meccanico*

MECANOGRAFA
F : dactylo
GB : *copy typist (USA transcriber)*
D : Abschreibtypistin
I : *dattilografa*

MECENAZGO
F : mécénat
GB : *commercial sponsorship*
D : Mätzenatentum
I : *mecenatismo*
Forme de communication d'entreprise fondée sur le financement et le soutien d'entreprises, projets, opérations et manifestations à caractère artistique et culturel

MEDIA ARITMÉTICA
F : moyenne arithmétique
GB : *arithmetic mean*
D : arithmetisches Mittel
I : *media aritmetica*

MEDIA PONDERADA
F : moyenne pondérée
GB : *weighted average*
D : gewogener Durchschnitt
I : *media ponderata*
Moyenne arithmétique dans laquelle des coefficients sont attribués à certains nombres en fonction de leur valeur relative

MEDIDA
F : mesure
GB : *measure*
D : Maß
I : *misura*

MEDIDOR DE CONTIDADES DE OBRA
F : métreur-vérificateur
GB : *quantity surveyor*
D : Massenberechner
I : *perito misuratore*

MEDIO
F : moitié (à)
GB : *half*
D : halb
I : *mezzo*

MEDIO DE PUBLICIDAD
F : support publicitaire
GB : *advertising medium*
D : Werbemittel
I : *mezzo pubblicitario*

MEDIO SALARIO
F : demi-salaire
GB : *half-pay*
D : Halbsold
I : *mezza paga*

MEDIOS DE INFORMACION
F : supports
GB : *media*
D : Werbeträger
I : *canali d'informazione*

MEDIR
F : mesurer
GB : *measure*
D : messen
I : *misurar*

MEERCADO DE FUTUROS
F : marché à terme
GB : *futures market*
D : Terminmarkt
I : *mercato a termine*
Marché sur lequel le jour de conclusion d'un contrat et celui de son exécution sont dissociés

MEJORA
F : amélioration
GB : *improvement*
D : Verbesserung
I : *miglioramento*

MEMBRETE
F : en-tête
GB : *letterhead*
D : Briefkopf
I : *intestazione*

MEMORIA ANUAL
F : rapport annuel
GB : *annual report*
D : Jahresbericht
I : *reluzione annuale*
Bilan de l'activité passée et projection dans l'avenir, il présente en priorité aux actionnaires les résultats et la situation financière de l'entreprise conformément au plan comptable ; sa publication est obligatoire pour les sociétés cotées en Bourse

MENSUALIDAD
F : mensualité
GB : *monthly instalment*
D : Monatsrate
I : *mensilità*

MERCADERIA, MERCANCIA
F : marchandise
GB : *commodity, merchandise*
D : Gut, Ware
I : *merce, prodotto*

MERCADO ALCISTA
F : marché orienté à la hausse
GB : *bull market*
D : Haussemarkt
I : *mercato tendente al rialzo*

MERCADO BAJISTA
F : marché orienté à la baisse
GB : *bear market, falling market*
D : Baissemarkt
I : *mercato tendente al ribasso*

MERCADO CERRADO
F : marché ferme
GB : *closed market*
D : gesperrter Markt
I : *mercato chiuso*

MERCADO COMUN
F : Marché commun
GB : *Common Market*
D : gemeinsamer Markt
I : *mercado comune*
Voir Communauté économique européenne - CEE

MERCADO DE DESCUENTOS
F : marché de l'escompte
GB : *discount market*
D : Diskontmarkt
I : *mercato di sconto*

MERCADO DE DINERO
F : marché monétaire
GB : *money market*
D : Geldmarkt
I : *mercato di denaro*
Marché des capitaux à court et à moyen terme, comprenant le marché interbancaire et le nouveau marché des titres de créances négociables

MERCADO DE MANO DE OBRA
F : marché du travail
GB : *labour market*
D : Arbeitsmarkt
I : *mercato della mano d'opera*

MERCADO DE MATERIAS PRIMAS
F : marché de matières premières
GB : *commodity market*
D : Rohstoffmarkt
I : *mercato di materie prime*

MERCADO DE PRODUCTOS
F : marché commercial
GB : *produce market*
D : Warenmarkt
I : *mercato commerciale*

MERCADO DE VALORES
F : marché des valeurs
GB : *share market (USA stock market)*
D : Aktienmarkt
I : *mercato azionario*

MERCADO EXCLUSIVO
F : marché exclusif
GB : *exclusive market*
D : ausschließlicher Markt
I : *mercato esclusivo*

MERCADO LIBRE
F : marché libre
GB : *open market*
D : freier Markt
I : *mercato libero*
Marché où se négocient librement des valeurs n'ayant pas de cotation officielle

MERCADO NEGRO
F : marché noir
GB : *black market*
D : schwarzer Markt
I : *mercato nero*

MERCADO PÚBLICO
F : marché public
GB : *procurement contract*
D : Vertrag über öffentlicher Arbeiten
I : *mercato pubblico*
Contrat liant une personne publique (Etat, administration, collectivité locale) à un entrepreneur ou un fournisseur de services

MERCADO, NEGOCIO
F : marché
GB : *market, deal*
D : Markt, Handel
I : *mercato, affare*

MERCANCIAS
F : marchandises
GB : *goods*
D : Güter
I : *merce*

MERCANCIAS AVERIADAS
F : marchandises avariées
GB : *damaged goods*
D : beschädigte Waren
I : *merce avariata*

MERCANCIAS DEVUELTAS
F : marchandises de retour
GB : *returned goods*
D : Retourware
I : *merce di ritorno*
Qui n'ont pas été vendues

MERCANCIAS EMBARGADES
F : biens saisis
GB : *distressed goods*
D : gepfändete Güter
I : *merce sequestrata*
Biens ayant fait l'objet d'une saisie

MERCANCIAS EN ADUANA
F : marchandises sous douane
GB : *bonded goods*
D : Waren unter Zollverschluß
I : *merci sotto vincolo doganale*
Pour lesquelles les droits ou taxes n'ont pas été encore acquittés

MERCANCIAS EN ALMACÉN
F : marchandises en magasin
GB : *stock in hand*
D : Vorrat auf Lager
I : *merce in magazzino*

ESPAGNOL

MERCANCIAS PELIGROSAS
F: marchandises dange-
reuses
GB: *dangerous goods*
D: gefährliche Waren
I: *merce pericolosa*

MERCANCIAS PERECEDERAS
F: marchandises périssables
GB: *perishable goods*
D: leich verderbliche Waren
I: *merci deperibili*

MERCANCIAS PRONTAS
F: marchandises disponibles
GB: *spot goods*
D: sofort lieferbare Waren
I: *merce pronta*

MERCANTIL
F: mercantile
GB: *mercantile*
D: Handels-
I: *mercantile*

MERCHANDISING
F: marchandisage
GB: *merchandising*
D: Handel
I: *merchandising*
Rattaché au marketing, il contrôle
toutes les techniques de présentation
d'un produit : l'aspect extérieur, le
conditionnement (en contact direct
ou non avec la marchandise)

**MIBOR (PRECIO DEL DINERO
EN EL MERCADO INTERBANCA-
RIO DE MADRID)**
F: TIOP
GB: *Paris Interbank Offered
Rate*
D: Französische Bank-an-Bank
Zinsenssatz
I: *Tasso Interbancario Offerto
a Parigi*
Taux interbancaire offert à Paris (en
anglais : PIBOR). Indicateur quoti-
dien des taux d'intérêt pratiqués entre
banques sur le marché monétaire

MICROECONOMÍA
F: micro-économie
GB: *microeconomics*
D: Mikroökonomie
I: *microeconomia*
Approche économique basée sur
l'étude des comportements des uni-
tés individuelles (l'entreprise, le
consommateur, l'entrepreneur indi-
viduel)

MIEMBRO FUNDADOR
F: membre fondateur
GB: *founder member*
D: Gründemitglied
I: *socio fondatore*

MIEMBRO, SOCIO
F: membre
GB: *member*
D: Mitglied
I: *membro, socio*

MILTAD DE PRECIO (A)
F: moitié prix (à)
GB: *half price*
D: zum halben Preis
I: *metà prezzo*

MINA
F: mine
GB: *mine*
D: Bergwerk
I: *minera*

MINERAL
F: minéral
GB: *mineral*
D: Mineral
I: *minerale*

MINERAL DE HIERRO
F: minerai de fer
GB: *iron ore*
D: Eisenrz
I: *minerale di ferro*

MINIMIZAR
F: minimiser
GB: *minimize*
D: minimieren
I: *minimizzare*

MINIMO
F: minimum
GB: *minimum*
D: minimal
I: *minimo*

MINISTERIO
F: ministère
GB: *ministry*
D: Ministerium
I: *ministero*

MINORÍA DE BLOQUEO
F: minorité de blocage
GB: *blocking minority*
D: Sperrminorität
I: *minoranza (dei soci) in
grado di influenzare le decisioni
dell'assemblea*
Fraction du capital social ou des
droits de vote d'une société détenue
par des actionnaires non majoritaires
leur permettant de s'opposer à cer-
taines décisions

MOBILIARIO
F: biens mobiliers
GB: *movable assets*
D: bewegliche Güter
I: *proprietà mobiliare*
Les meubles

MOCION
F: motion
GB: *motion*
D: Antrag
I: *mozione*
Proposition faite dans une assemblée
par un ou plusieurs de ses membres

MODELO
F: modèle
GB: *model*
D: Modell
I: *modello*

MODO
F: mode
GB: *mode*
D: Mode, Modus
I: *moda*

MODO DE EMPLEO
F: mode d'emploi
GB: *directions for use*
D: Gebrauchsanweisung
I: *istruzioni per l'uso*

MONEDA
F: monnaie
GB: *currency*
D: Währung
I: *valuta*

MONEDA
F: pièce (de monnaie)
GB: *coin*
D: Münze
I: *moneta*

MONEDA DE RESERVA
F: monnaie de réserve
GB: *reserve currency*
D: Reservewährung
I: *valuta di riserva*
Détenue par les banques centrales et
considérée comme réserve de change
en raison de la confiance que lui
attribue la communauté internatio-
nale

MONEDA DÉBIL
F: monnaie faible
GB: *soft currency*
D: schwache Währung
I: *valuta debole*

MONEDA FUERTA
F: monnaie forte
GB: *hard currency*
D: harte Währung
I: *valuta forte*

MONEDA LEGAL
F: monnaie légale
GB: *legal tender*
D: gesetzliches Zahlungsmit-
tel
I: *denaro a corso legale*
Dont le cours est légal en vertu de
dispositions légales

MONEDA SUELTA
F: petite monnaie
E: *small change*
D: Kleingeld
I: *spiccioli*

MONOPOLIO
F : monopole
GB : *monopoly*
D : Monopol
I : *monopolio*
Situation d'un marché sur lequel la concurrence n'existe pas du côté de l'offre (un seul vendeur)

MONTO GLOBAL
F : forfait
GB : *lump sum*
D : Pauschalbetrag
I : *forfait, prezzo forfettario*
Contrat dans lequel un prix est fixé à l'avance pour un montant invariable

MONTO GLOBAL
F : forfait (fiscalité)
GB : *lump sum*
D : Pauschalbetrag
I : *prezzo forfettario*
Régime d'imposition des PME qui ne sont pas en mesure de tenir une comptabilité détaillée

MORATORIO
F : moratoire
GB : *moratorium*
D : Zahlungsaufschub
I : *moratoria*
Disposition suspendant l'application d'un délai fixé par la loi ou par contrat

MORTALIDAD
F : taux de mortalité
GB : *death rate*
D : Sterblichkeitsziffer
I : *tasso di mortalità*
Rapport entre le nombre de décès observés pendant un temps déterminé et l'effectif de la population au milieu de cette période

MOSTRADOR
F : comptoir
GB : *counter*
D : Handelskontor
I : *succursale*

MOTIVACIÓN
F : motivation
GB : *motivation*
D : Motivation
I : *motivazione*

MOTOR DE PROPULSION A CHORRO
F : réacteur
GB : *jet engine*
D : Düsenmotor
I : *motore a reazione*

MOVILIDAD
F : mobilité
GB : *mobility*
D : Beweglichkeit
I : *mobilità*

MOVILIZACIÓN DE CRÉDITOS COMERCIALES
F : mobilisation de créances commerciales
GB : *assignment of trade receivables*
D : Refinanzierung von Forderungen
I : *mobilitazione dei crediti commerciali*
Utilisation de la technique de l'escompte qui permet à une entreprise d'obtenir des fonds en cédant à une banque les titres représentant les créances sur ses clients

MUEBLES
F : meubles nmp
GB : *furniture*
D : Möbel
I : *mobilia*

MUELLE
F : dock
GB : *dock*
D : Dock
I : *dock*
Quai de déchargement pour les navires, ou entrepôt destiné à recevoir leur cargaison

MUELLE
F : quai
GB : *quay, wharf*
D : Kai
I : *scalo*

MUERTE
F : mort
GB : *death*
D : Tod
I : *morte*

MUESTRA
F : échantillon
GB : *sample*
D : Probe, Muster
I : *campione*

MUESTRA EXHAUSTIVA
F : échantillon exhaustif
GB : *exhaustive sample*
D : Komplettmuster
I : *campione esauriente*
Echantillon qui n'a pas été prélevé dans une population mère

MUESTRA GRATUITA
F : échantillon gratuit
GB : *free sample*
D : Kostenlose Probe
I : *campione gratuito*

MUESTRA SIN VALOR
F : échantillon sans valeur
GB : *sample on no value*
D : Muster ohne Wert
I : *campione senza valore*

MULTA
F : pénalité
GB : *penalty*
D : Strafe
I : *penalità*
Sanction fiscale

MULTIPLICADOR
F : multiplicateur
GB : *multiplier*
D : Vervielfältiger
I : *moltiplicatore*

MULTIPLICAR
F : multiplier
GB : *multiply*
D : vervielfältigen
I : *moltiplicare*

MUNICIPAL
F : communal
GB : *municipal*
D : Kommunal-
I : *municipale*

MUTUALIDAD
F : mutuelle
GB : *mutual benefit society*
D : Versicherungsgesellschaft auf Gegenseitigkeit
I : *società mutualistica*
Organisme de prévoyance, de solidarité et d'entraide financée par les cotisations de ses membres

N-O

NACIONAL
F : national
GB : *national*
D : national
I : *nazionale*

NACIONALIDAD
F : nationalité
GB : *nationality*
D : Staatsangehörigkeit
I : *nazionalità*

NACIONALIZACION
F : nationalisation
GB : *nationalization*
D : Verstaatlichung
I : *nazionalizzazione*
Transfert à la collectivité nationale de certaines entreprises ou de l'exercice de certaines activités

NADA LUCRATIVO
F : profit (sans)
GB : *unprofitable*
D : unvorteilhaft
I : *poco proficuo*

NAVEGABLE
F : navigable
GB : *navigable*
D : schiffbar
I : *navigabile*

NECESIDADES EN FONDO DE OPERACIONES
F : besoin en fond de roulement
GB : *increase in working capital, excluding cash*
D : Bedarf an Betriebskapital
I : *fabbisogno di fondo di rotazione*
Besoin de financement permanent à court terme dû au décalage décaissement des dettes/encaissement des créances

NEGLIGENCIA
F : négligence
GB : *negligence*
D : Fahrlässigkeit
I : *negligenza*

NEGOCIABLE
F : négociable
GB : *negotiable*
D : begebbar
I : *negoziabile*
Transmissible sur un marché

NEGOCIACION
F : négociation
GB : *negotiation*
D : Verhandlung
I : *trattativa*

NEGOCIACIONES A TÉRMINO
F : opérations à terme
GB : *forward dealings*
D : Zeitgeschäfte
I : *operazioni a termine*
Opérations réalisées sur un marché à terme

NEGOCIAR
F : négocier
GB : *negotiate*
D : verhandeln
I : *negoziare*

NEGOCIO
F : affaire (c'est une)
GB : *deal*
D : Abschluß
I : *affare*

NEGOCIO
F : entreprise
GB : *enterprise*
D : Unternehmen
I : *impresa*

NEGOCIOS
F : affaires
GB : *business*
D : Geschäft
I : *affari*

NETO
F : net
GB : *net*
D : Netto-,Rein-
I : *netto*

NIVEL DE PRECIOS
F : niveau des prix
GB : *price level*
D : Preisebene
I : *livello dei prezzi*

NIVEL DE VIDA
F : niveau de vie
GB : *standard of living*
D : Lebenshaltung
I : *tenore di vita*
Ensemble des biens et services à la disposition d'un individu, d'un ménage ou d'un groupe social

NO ESTAR DE ACUERDO
F : être en désaccord
GB : *disagree*
D : nicht übereinstimmen
I : *essere in disaccordo*

NO NEGOCIABLE
F : négociable (non)
GB : *not negotiable*
D : nicht übertragbar
I : *non negoziabile*

NOMBRAR
F : nommer
GB : *appoint*
D : ernennen
I : *nominare*

NOMENCLATURA CONTABLE
F : nomenclature comptable
GB : *accounting terminology*
D : buchhalterische Nomenklatur
I : *nomenclatura contabile*
Liste méthodique des éléments entrant dans le champ de la comptabilité de l'entreprise

NOMENCLATURA DE BRUSELAS
F : Nomenclature de Bruxelles (NDB)
GB : *Brussels Nomenclature*
D : Brüsseler Verzeichnis
I : *Nomenclatura di Bruxelles*
Classification méthodique des termes, produits et éléments divers employés dans la comptabilité européenne

NOMINA DE PAGO
F : feuille de paie
GB : *payroll*
D : Lohnbuch
I : *libro paga*

NOMINAL
F : nominal
GB : *nominal*
D : nominell
I : *nominale*

NOMINATIVO
F : nominatif
GB : *registered*
D : namentlich
I : *nominativo*

NORMA, STANDARD
F : norme
GB : *standard, norm*
D : Standard, Norm
I : *norma*
Prescription technique (qui peut être définie par la loi) relative à la qualité d'un produit, à son contrôle, à sa sécurité et à son aptitude à l'emploi

NOTA DE CONTRATO
F : bon d'achat
GB : *contract note*
D : Schlußschein
I : *nota di contratto*

NOTA DE CRÉDITO
F : avis de crédit
GB : *credit note*
D : Gutschriftanzeige
I : *nota di credito*

NOTA DE DÉBITO
F : avis de débit
GB : *debit note*
D : Lastschrift
I : *nota di addebito*

NOTARIO PUBLICO
F : notaire
GB : *notary public*
D : Notar
I : *notaio pubblico*
Officier public chargé de recevoir, rédiger, authentifier et conserver les actes et contrats des particuliers

NOTIFICACION
F : notification
GB : *notification*
D : Mitteilung
I : *notifica*

NOTORIEDAD
F : notoriété
GB : *fame/recognition*
D : Bekanntheit
I : *notorietà*

NOTORIEDAD ESPONTÁNEA ASISTIDA
F : notoriété spontanée assistée
GB : *attended spontaneous*
D : unterstützte Spontanbekanntheit
I : *notorietà spontanea guidata*
NOTORIETE ASSISTEE: Caractérise une marque citée lors d'une enquête après avoir été choisie dans une liste présentée au consommateur. NOTORIETE SPONTANEE: Caractérise une marque citée de mémoire par un consommateur sans aucune aide extérieure

NÚCLEO FUERTE
F : noyaux durs
GB : *hard core shareholders*
D : harte Kerne
I : *zoccolo duro*
Noyaux stables d'actionnaires des sociétés privatisées, soumis au respect de certaines contraintes pour protéger celles-ci d'éventuelles prises de contrôle

NUDO
F : nœud
GB : *knot*
D : Knoten
I : *nodo*

NUEVA CLASIFICACIÓN DEL PERSONAL
F : reclassement du personnel
GB : *staff resettlement*
D : Umstellung
I : *riqualificazione del personale*

NULO
F : nul
GB : *void*
D : nichtig
I : *nullo*

NULO Y SIN VALOR
F : nul et non avenu
GB : *null and void*
D : null und nichtig
I : *nullo e senza effetto*
Considéré comme n'ayant jamais existé

NUMERO
F : numéro
GB : *number*
D : Nummer, Anzahl
I : *numero*

NUMERO DE TELÉFONO
F : numéro de téléphone
GB : *telephone number*
D : Telefonnummer
I : *numero di telefono*

OASIS TRIBUTARIO
F : paradis fiscal
GB : *tax heaven*
D : Steuerparadies
I : *paradiso fiscale*

OBJETIVO
F : but
GB : *target, purpose*
D : Ziel, Zweck
I : *bersaglio, scopo*

OBLIGACION
F : obligation
GB : *debenture, bond*
D : Obligation, Schuldverschreibung
I : *obbligazione*
Valeur mobilière, titre représentatif d'un emprunt contracté par une personne morale, pour un montant et une durée déterminés, auprès d'un souscripteur (personne physique ou morale) qui perçoit éventuellement un intérêt fixe

OBLIGACION A PERPETUIDAD
F : obligation perpétuelle
GB : *perpetual debenture*
D : Dauerschuldverschreibung
I : *obbligazione perpetua*
Emprunt à durée indéterminée n'ayant aucune échéance de remboursement

OBLIGACION AL PORTADOR
F : obligation au porteur
GB : *bearer debenture*
D : Inhaberobligation
I : *obbligazione al portatore*
Titre non nominatif de créance négociable manuellement

OBLIGACION AMORTIZABLE
F : obligation irremboursable
GB : *irredeemable debenture*
D : uneinlösbare Schuldverschreibung
I : *obbligazione irredimibile*

OBLIGACIÓN CONVERTIBLE EN ACCIÓN
F : obligation convertible en action
GB : *bond convertible into equity*
D : Wandelanleihe,
I : *obbligazione convertibile in azioni*
Obligation que le souscripteur peut, au terme d'un certain délai ou à une date déterminée, transformer en action

OBLIGACION DEL ESTADO
F : obligation d'Etat
GB : *government bond*
D : Staatsobligation
I : *obbligazione dello Stato*

ESPAÑOL

OBLIGACION GARANTIZADA
F: obligation garantie (ou cautionnée)
GB: *secured debenture*
D: gesicherte Schuldverschreibung
I: *obbligazione garantita*
Cautionnement donné par une banque permettant le paiement à crédit de certains impôts indirects au Trésor public

OBLIGACION HIPOTECARIA
F: obligation hypothécaire
GB: *mortgage debenture*
D: hypothekarisch gesicherte Schuldverschreibung
I: *obbligazione ipotecaria*
Obligation garantie par une hypothèque sur des biens immeubles

OBLIGACION IRREVOCABLE
F: convention irrévocable
GB: *binding agreement*
D: bindender Vertrag
I: *contratto vincolante*

OBLIGACION REEMBOLSABLE
F: obligation amortissable
GB: *redeemable bond*
D: Kündbare Obligation
I: *obbligazione redimibile*
Obligation remboursable

OBLIGACION SIN FECHA DE VENCIMIENTO
F: obligation sans date d'échéance
GB: *undated bond*
D: Schuldverschreibung ohne Fälligkeitsdatum
I: *obbligazione senza data discadenza*

OBLIGACIONES ASIMILABLES DEL TESORO
F: obligations assimilables du Trésor
GB: *treasury bond*
D: Bundesschatzanleihen
I: *obbligazioni assimilabili del Tesoro*
Ont pour caractéristiques un montant nominal de 2 000 F, une durée d'émission comprise entre 5 et 25 ans avec des échéances standards et des coupons annuels fixes ou variables

OBLIGACIONISTA
F: obligataire
GB: *bondholder*
D: Obligationär
I: *portatore di obbligazioni*
Détenteur d'une obligation ou qualificatif d'un emprunt sous forme d'émission d'obligations

OBLIGACIONISTA
F: porteur d'obligations
GB: *debenture holder*
D: Obligationsinhaber
I: *obbligazionista*

OBLIGATORIO
F: obligatoire
GB: *compulsory*
D: verbindlich
I: *obbligatorio*

OBRERO, TRABAJADOR
F: ouvrier
GB: *worker, workman*
D: Arbeiter
I: *operaio,lavoratore*

OBSOLESCENCIA
F: obsolescence
GB: *obsolescence*
D: Veralterung
I: *obsolescenza, invecchiamento dei mezzi produttivi*
Caractérise un matériel périmé par le progrès technique ou les produits nouveaux alors que le délai d'usure n'est pas atteint

OCUPACION, EMPLEO
F: occupation
GB: *occupation, job*
D: Beschäftigung
I: *occupazione, impiego*

OFERTA
F: offre
GB: *bid, offer*
D: Angebot, Offerte
I: *offerta*
Mise à la disposition du marché de biens ou de services. Par extension, leur volume par rapport à la demande

OFERTA
F: soumission
GB: *bid, tender*
D: Angebot
I: *offerta*
Engagement d'un entrepreneur à respecter le cahier des charges d'une adjudication, au prix qu'il a lui-même fixé.

OFERTA A PRIMA
F: offre à prime
GB: *premium offer*
D: Verkauf mit Zugaben
I: *offerta sopra la pari*
Forme de remise sur une vente ou de plus-value financière

OFERTA DE ADQUISICION
F: offre de rachat
GB: *take-over bid*
D: Übernahmeangebot
I: *offerta di acquisto*

OFERTA DE OCASION
F: offre exceptionnelle
GB: *bargain offer*
D: Sonderangebot
I: *offerta di occasione*

OFERTA EN FIRME
F: offre ferme
GB: *firm offer*
D: festes Angebot
I: *offerta ferma*

OFERTA ESPECIAL
F: offre spéciale
GB: *special offer*
D: Sonderangebot
I: *offerta speciale*

OFERTA PÚBLICA DE ADQUISICIÓN
F: offre publique d'achat - OPA
GB: *takeover bid*
D: öffentliches Ankaufsangebot
I: *offerta pubblica di acquisto*
Procédure boursière qui permet à une personne physique ou morale de prendre le contrôle d'une société cotée en proposant à ses actionnaires le rachat de leurs actions à un cours supérieur au cours de Bourse ou à la valeur réelle du titre

OFERTA PÚBLICA DE INTERCAMBIO
F: offre publique d'échange - OPE
GB: *tender offer*
D: öffentliches Wechselangebot
I: *offerta pubblica di scambio*
OPA pour laquelle les actions des actionnaires de la société cible sont échangées contre des titres (actions ou obligations) de celle qui achète

OFERTA Y DEMANDA
F: offre et demande
GB: *supply and demand*
D: Angebot und Nachfrage
I: *offerta e domanda*

OFERTANTE MAS ALTO
F: plus offrant
GB: *highest bidder*
D: Meistbietende(r)
I: *miglior offerente*

OFICIAL
F: officiel
GB: *official*
D: amtlich
I: *ufficiale*

OFICINA CENTRAL
F: siège social
GB: *head office*
D: Hauptbüro
I: *sede, ufficio centrale*
Domicile légal d'une personne morale

OFICINA CENTRAL DE COMPRAS
F: centrale d'achats
GB: *central buying office*
D: Einkaufszentrale
I: *ufficio centrale d'acquisti*

OFICINA DE CORREOS
F: bureau de poste
GB: *post office*
D: Postamt
I: *ufficio postale*

OFICINA SIN PARTICIONES
F: bureau paysager
GB: *open-plan office*
D: Großraumbüro
I: *ufficio senza divisioni*

OFICINA, MESA
F: bureau
GB: *office, desk*
D: Büro, Schreibitsch
I: *ufficio, scrittoio*

OFICINISTA, ASISTENTE
F: commis
GB: *clerk, assistant*
D: Angestellte(r), Assistent
I: *impiegato, assistente*
Employé dans un bureau ou une maison de commerce

OFICIO
F: métier
GB: *trade*
D: Beruf
I: *mestiere*

OFRECER
F: offrir
GB: *offer*
D: anbieten
I: *offrire*

OLIGOPOLIO
F: oligopole
GB: *oligopoly*
D: Oligopol
I: *oligopolio*
Situation d'un marché sur lequel la concurrence est imparfaite du fait que l'offre est réalisée par un petit nombre de grandes entreprises face à un grand nombre de demandeurs

OMISION
F: omission
GB: *omission*
D: Auslassung, Unterlassung
I: *omissione*

OPCION
F: option
GB: *option*
D: Option
I: *opzione*
Clause d'un contrat donnant à l'une des parties le droit de réaliser quelque chose à une date future et à des conditions fixées à la date du contrat

OPCION DE COMPRAS
F: option d'achat
GB: *call option*
D: Kaufoption
I: *premio d'acquisto*
Confère le droit (et non l'obligation) d'acheter des actifs à un prix fixé

OPCION DE VENTA
F: option de vente
GB: *put option*
D: Verkaufsoption
I: *premio a vendere*

OPCION DOBLE
F: double option
GB: *double option*
D: Stellagegeschäft
I: *opzione doppia*
Option du double. Type d'option supprimé en 1989 par la SBF

OPERACION (MERCANTIL)
F: opération (affaire)
GB: *transaction*
D: Transaktion, Abschluß
I: *operazione*

OPERACIÓN AL CONTADO
F: marché au comptant
GB: *spot market*
D: Kassageschäft
I: *mercato a contanti*
Marché boursier où les titres mobiliers échangés sont immédiatement payés au prix convenu

OPERACIÓN DE BOLSA
F: opération de Bourse
GB: *stock market transaction*
D: Börsengeschäft
I: *operazione di Borsa*

OPERACIONAL
F: opérationnel
GB: *operational*
D: operativ
I: *operativo*
Adapté à la tâche ou à la fonction à remplir. Désigne aussi une fonction se rapportant à l'activité principale de l'entreprise (par opposition aux tâches administratives)

OPERATIVO, ACTIVO
F: actif adj
GB: *operative*
D: wirksam
I: *attivo, operativo*

OPINION
F: opinion
GB: *opinion*
D: Meinung
I: *opinione*

ÓPTIMO
F: optimum
GB: *optimum*
D: Optimum
I: *ottimale*
Valeur d'une grandeur, ou d'un ensemble de grandeurs, jugée comme la plus adaptée à la réalisation d'un ou plusieurs objectifs

OPTION DE VENTA
F: option de vente
GB: *put option*
D: Verkaufoption
I: *premio a vendere*
Confère le droit (et non l'obligation) de vendre des actifs à un prix fixé

ORDEN BANCARIA
F: ordre bancaire
GB: *banker's order*
D: Bankauftrag
I: *ordine bancario*
Endossement par une banque

ORDEN DEL DIA
F: ordre du jour
GB: *agenda*
D: Tagesordnung
I: *ordine del giorno*

ORGANIGRAMA
F: organigramme
GB: *organization chart*
D: Organigramm
I: *organigramma*
Représentation graphique de la structure d'une organisation, montrant ses différents organes et leurs liaisons hiérarchiques

ORGANIZACION
F: organisation
GB: *organization*
D: Organisation
I: *organizzazione*

ORGANIZACION LABORAL INTERNACIONAL
F: Organisation internationale du travail - OIT
GB: *International labour organization (ILO)*
D: Internationale Arbeitsorganisation (IAO)
I: *Organizzazione internazionale del lavoro*

ORGANIZACION MUNDIAL DE LA SALUD (OMS)
F: Organisation mondiale de la santé - OMS
GB: *World health organization (WHO)*
D: Weltgesundheitsorganisation (WHO)
I: *Organizzazione mundiale della sanità (OMS)*
Organisation spécialisée de l'ONU dont le siège est à Genève, et qui a pour objet de créer les conditions pour « amener tous les peuples au degré de santé le plus élevé possible »

ORGANIZACION PARA COOPERACION Y DESARROLLO ECONOMICO
F: Organisation de coopération et de développement économiques - OCDE
GB: *Organization for economic cooperation and development (OECD)*
D: Organisation für wirtschaftliche Zusammenarbeit und Entwicklung (OECD)
I: *Organizzazione per la cooperazione e lo sviluppo economico*
Regroupe à Paris 25 pays en majorité européens ainsi que les Etats-Unis, le Canada, le Japon, l'Australie et la Nouvelle-Zélande. Son rôle depuis 1961 : favoriser l'expansion économique de ses membres ainsi que celle des pays en développement

ORIGEN
F: origine
GB: *origin*
D: Ursprung
I: *origine*

ORIGINAL
F: original (nm)
GB: *top copy*
D: Original
I: *originale*

ORO
F: or
GB: *gold*
D: Gold
I: *oro*

OTORGAR PODER NOTARIAL
F: conférer les pleins pouvoirs
GB: *execute a power of attorney*
D: eine Vollmacht erteilen
I: *conferire una procura*

PACKAGE
F : package
GB : *package*
D : Paket
I : *package*
Assemblage de produits offerts à la vente

PACTO
F : pacte
GB : *deed of covenant*
D : Pakt
I : *patto*

PAGA NETA
F : salaire net
GB : *take-home pay*
D : Nettolohn
I : *paga netta*
Rémunération après déduction des cotisations sociales

PAGADERO A LA VISTA
F : payable à vue
GB : *payable at sight*
D : zahlbar bei Sicht
I : *pagabile a vista*
Voir A vue

PAGADERO AL PORTADOR
F : payable au porteur
GB : *payable to bearer*
D : an den Inhaber zahlbar
I : *pagabile al portatore*
Document non nominatif payable à celui qui le présente

PAGADERO CON EL PEDIDO
F : payable à la commande
GB : *cash with order*
D : gegen Barzahlung
I : *pagamento con l'ordine*

PAGADERO, PAGABLE
F : payable
GB : *payable*
D : zahlbar
I : *pagabile*

PAGADO POR ADELANTADO
F : payé d'avance
GB : *prepaid*
D : vorausbezahlt
I : *pagato in anticipo*

PAGAR
F : payer
GB : *pay*
D : zahlen
I : *pagare*

PAGAR A PLAZOS MENSUALES (SEMANALES)
F : payer par termes mensuels (hebdomadaires)
GB : *pay by monthly (weekly) instalments*
D : monatlich (wöchentlich) in Raten zahlen
I : *pagare a rate mensili (settimanali)*

PAGARÉ
F : billet à ordre
GB : *promissory note*
D : Schuldschein
I : *paghero*
Effet de commerce par lequel un souscripteur s'engage à payer à un bénéficiaire une certaine somme à une date déterminée

PAGARÉ
F : reconnaissance de dette
GB : *IOU (I owe you)*
D : Schuldschein
I : *paghero*

PAGARÉ DE FAVOR
F : billet de complaisance (ou effet de cavalerie)
GB : *accommodation*
D : Gefälligkeitswechsel
I : *cambiale di favor*
Effet de commerce irrégulier émis pour obtenir frauduleusement des fonds par escompte

PAGO
F : versement
GB : *payment*
D : Zhlung
I : *pagamento*

PAGO A CUENTA
F : versement à compte
GB : *payment on account*
D : Anzahlung
I : *pagamento in conto*
Acompte

PAGO ANDELANTADO
F : paiement anticipé
GB : *prepayment*
D : Vorauszahlung
I : *pagamento anticipato*

PAGO APLAZADO
F : paiement différé
GB : *deferred payment*
D : gestundete Zahlung
I : *pagamento diffe'ito*

PAGO ATRASADO
F : rappel de traitement
GB : *back pay*
D : Lohnnachzahlung
I : *arretrati di paga*
Paiement d'une partie de salaire non encore versée

PAGO DE ENTRADA
F : acompte
GB : *down-payment*
D : Sofortzahlung
I : *acconto*
Paiement anticipé et partiel à valoir sur le montant d'une dette

PAGO DE LIBERACION
F : paiement libératoire
GB : *payment in full discharge*
D : Zahlung zum vollen Ausgleich
I : *pagamento a completa tacitazione*
Qui a pour effet de libérer un débiteur de sa dette

PAGO EN PLENO
F : libération intégrale
GB : *payment in full*
D : volle Zahlung
I : *pagamento in pieno*
Versement intégral d'un capital souscrit par des actionnaires

PAGO MENSUAL
F : règlement mensuel
GB : *monthly settlement*
D : monatliche Zahlung
I : *saldo, pagamento mensile*
Marché à terme des valeurs mobilières

PAGO PARCIAL
F : paiement partiel
GB : *part payment*
D : Ratenzahlung
I : *pagamento parziale*

PAGO POR RESULTADOS
F : salaire au rendement
GB : *payment by results*
D : Leistungslohn
I : *pagamento secondo risultati*

PAGO SOBRE PROTESTA
F : paiement sous protêt
GB : *payment under protest*
D : Zahlung unter Protest
I : *pagamento sotto protesto*
Effectué sous la contrainte d'un huissier qui constate le non-paiement d'un chèque, d'un billet à ordre ou d'une lettre de change

PAGOS TRIMESTRALES
F : paiements trimestriels
GB : *quarterly payments*
D : vierteljährliche Zahlungen
I : *pagamenti trimestrali*

PAGUESE AL PORTADOR
F : payer au porteur
GB : *pay to bearer*
D : zahlen bei Vorlage
I : *pagare al portatore*

PAIS
F : pays
GB : *country*
D : Land
I : *paese*

PAIS DE ORIGEN
F : pays de provenance
GB : *country of origin*
D : Herkunftsland
I : *paese di origine*

PAIS EN DESARROLLO
F : pays en voie de développement
GB : *developing country*
D : Entwicklungsland
I : *paese in via di sviluppo*
Successivement sous-développés (années 60) puis en voie de développement (années 70), les pays en développement sont classés comme tels par la Banque mondiale en fonction de leur revenu moyen annuel par habitant. Les plus pauvres, appelés pays moins avancés – PMA, ont un revenu annuel inférieur à 300 dollars par habitant

PAISES EN DESARROLLO
F : pays sous-développés
GB : *underdeveloped countries*
D : unterentwickelte Länder
I : *paesi sottosviluppati*

PALETIZACION
F : palettisation
GB : *palletization*
D : Palettieren
I : *palettizzazione*
Utiliser ou prévoir l'emploi de palettes pour la manutention de marchandises

PAPEL MILIMETRADO
F : papier millimétré
GB : *graph paper*
D : Millimeterpapier
I : *carta millimetrata*

PAPEL MONETARIO, PAPEL MONEDA
F : papier-monnaie
GB : *paper money*
D : Papiergeld
I : *carta moneta*

PAQUETE
F : paquet
GB : *parcel, package*
D : Paket
I : *pacco, collo*

PAQUETE DE PROGRAMAS
F : progiciel
GB : *software package*
D : Anwendersoftware
I : *pacchetto software*
Ensemble de logiciels standards répondant à une catégorie spécifique de besoins

PARADIGMA
F : paradigme
GB : *paradigm*
D : Musterwort
I : *paradigma*
Ensemble de faits, de propositions et de méthodes qui, à un moment donné, sont admis par une communauté scientifique et oriente son activité

PARÁMETRO
F : paramètre
GB : *parameter*
D : Parameter
I : *parametro*
Elément, coefficient constant attribué aux variables dans un modèle économétrique

PARCELA
F : parcelle
GB : *parcel (of land) (USA plot)*
D : Parzelle
I : *pezzo, lotto*

PARIDAD
F : parité
GB : *parity*
D : Parität
I : *parità*
Taux de change

PARIDAD FIJA
F : parité fixe
GB : *fixed parity*
D : feste Parität
I : *parità fissa*

PARO DE TEMPORADA
F : chômage saisonnier
GB : *seasonal unemployment*
D : jahreszeitlich bedingte Arbeitslosigkeit
I : *disoccupazione stagionale*

PARTE
F : part
GB : *share*
D : Teil
I : *parte*

PARTE LESIONADA
F : partie lésée
GB : *injured party*
D : Verletzte(r)
I : *parte lesa*

PARTICIPACION DE LA MINORIA, PARTICIPACIÓN MINORITARIA
F : participation minoritaire
GB : *minority interest, minority stake*
D : Minoritätsbeteiligung, Minderheitsbeteiligung
I : *interessenza di minoranza*

PARTICIPACION DEL MERCADO
F : part de marché
GB : *market share*
D : Marktanteil
I : *quota del mercado*

PARTICIPACION EN LOS BENEFICIOS
F : participation aux bénéfices
GB : *profit-sharing*
D : Gewinnbeteiligung
I : *partecipazione agli utili*

PARTICIPACIÓN EN LOS BENEFICIOS
F : intéressement
GB : *incentive scheme*
D : Beteiligung
I : *(co)interessenza*
Participation des travailleurs aux fruits de l'expansion de leur entreprise

PARTICIPAR
F : participer
GB : *participate*
D : beteiligen
I : *partecipare*

PARTIDA DE DEFUNCIÓN
F: extrait d'acte de décès
GB: *death certificate*
D: Totenschein, Sterbeurkunde
I: *certificato di morte, estratto d'atto di morte*

PASADO MANANA
F: après-demain
GB: *day after tomorrow*
D: ubermorgen
I: *dopodomani*

PASAJE
F: prix du voyage
GB: *fare*
D: Fahrgeld
I: *prozzo di viaggio*

PASAJE DE IDA
F: billet aller
GB: *single fare, single ticket (USA one way fare)*
D: einfache Fahrkarte
I: *biglietto d'andata*

PASAJE DE IDA Y VUELTA
F: billet aller et retour
GB: *return fare, return ticket (USA roundtrip fare)*
D: Rückfahrkarte
I: *biglietto di andata e ritorno*

PASAJERO
F: passager
GB: *passenger*
D: Reisende(r)
I: *passeggero*

PASAR DE CONTRABANDO
F: faire de la contrebande
GB: *smuggle*
D: schmuggeln
I: *contrabbandare*

PASIVO CIRCULANTE
F: passif circulant
GB: *current liabilities*
D: Umlaufvermögen
I: *passivo circolante*
Total des dettes à moins d'un an, dont on peut retrancher les dettes sur immobilisations, sur acquisitions de valeurs mobilières, les dettes fiscales et sociales et les comptes courants d'associés

PASIVO EXIGIBLE
F: passif exigible
GB: *current liabilities*
D: laufende Verbindlichkeiten
I: *passività esigibili*
Dettes à court terme

PASIVO TRANSITORIO
F: passif différé
GB: *deferred liabilities*
D: aufgeschobene Schulden
I: *passività differite*
Définition prévue non donnée

PASO DE ADUANAS
F: dédouanement
GB: *customs clearance*
D: Zollabfertigung
I: *sdoganamento*

PATENTE
F: brevet d'invention
GB: *patent*
D: Erfindungspatent
I: *brevetto*
Délivré par l'Etat à l'auteur d'une invention pour lui en assurer l'exploitation exclusive pendant un temps déterminé

PATENTE
F: patente
GB: *trading licence*
D: Gewerbeschein
I: *patente*
Voir Taxe professionnelle

PATENTE DE INVENCION
F: brevet
GB: *letters patent (USA patent)*
D: Patentukunde
I: *brevetto*
Droit de propriété d'une entreprise sur l'exploitation d'un procédé, d'une technique

PATRON ORO
F: étalon-or
GB: *gold standard*
D: Goldobligation
I: *base aurea*
Système de changes fixes où chaque monnaie est définie par rapport à un poids d'or (parité-or)

PATRONO
F: employeur
GB: *employer*
D: Arbeitgeber
I: *datore di lavoro*

PATRONO, PRINCIPAL
F: patron
GB: *employer, principal*
D: Arbeitgeber, Chef
I: *padrone, principale*

PEDIDO
F: commande
GB: *order*
D: Bestellung
I: *ordine*

PEDIDO DE EXPORTACION
F: commande d'exportation
GB: *export order*
D: Exportauftrag
I: *ordine per esportazione*

PEDIR UN PRÉSTAMO
F: emprunter
GB: *borrow*
D: entleihen
I: *prestare*

PELIGRO
F: péril
GB: *peril*
D: Gefahr
I: *pericolo*

PENETRACION EN EL MERCADO
F: pénétration du marché
GB: *market penetration*
D: Markteindringen
I: *penetrazione nel mercado*

PENSION
I: pensión
GB: *pension*
D: Pension, Rente
I: *pensione*
Cession temporaire d'effets négociables (qui servent de garantie) d'une banque à une autre pour obtenir des liquidités pour la durée nécessaire

PENSIONADO, PENSIONISTA
F: pensionnaire
GB: *pensioner*
D: Rentner
I: *pensionato*

PEQUEÑAS Y MEDIANAS EMPRESAS (PME)
F: petites et moyennes entreprises (PME)
GB: *small and medium-sized companies*
D: kleine und mittlere Unternehmen
I: *piccole e medie imprese (PMI)*
Entreprises employant de 10 à 500 salariés

PER (PRICE EARNING RATIO)
F: PER (price earning ratio)
GB: *p/e (price earnings ratio)*
D: Kurs/Gewinn Verhältnis
I: *rapporto cambio-utile*
Coefficient de capitalisation des résultats - CCR, par lequel il faut multiplier le bénéfice net par action pour en trouver le cours coté

PÉRDIDA
F: perte
GB: *loss*
D: Verlust
I: *perdita*

PÉRDIDA DE CAPITAL
F: perte de capital
GB: *capital loss*
D: Kapitalverlust
I: *perdita di capitale*

PÉRDIDA FISCAL
F: perte fiscale
GB: *tax loss*
D: Steuerverlust
I: *perdita a scopi fiscali*
Définition prévue non donnée

ESPAÑOL

PÉRDIDA INDIRECTA
F : perte indirecte
GB : *consequential loss*
D : Folgeschaden
I : *perdita indiretta*
Définition prévue non donnée

PÉRDIDA POR REALIZAR
F : perte fictive
GB : *paper loss*
D : imaginärer Verlust
I : *perdita sulla carta*
Définition prévue non donnée

PÉRDIDA TOTAL EFECTIVA
F : perte totale effective
GB : *actual total loss*
D : wirklicher Totalverlust
I : *perdita totale assoluta*

PÉRDIDAS Y GANANCIAS
F : pertes et profits
GB : *profit and loss*
D : Gewinne und Verluste
I : *profitti e perdite*
Voir Compte de pertes et profits

PERMISO
F : permis
GB : *permit*
D : Erlaubnis, Genehmigung
I : *permesso*

PERMISO DE EXPORTACION
F : autorisation d'exporter
GB : *export permit*
D : Ausfuhrgenehmigung
I : *permesso d'esportazione*

PERMISO DE IMPORTACION
F : licence d'importation
GB : *import licence*
D : Einfuhrerlaubnis
I : *permesso d'importazione*

PERMISO DE TRABAJO
F : permis de travail
GB : *work permit*
D : Arbeitserlaubnis
I : *permesso di lavoro*

PERSEGUIR
F : poursuivre
GB : *follow up*
D : weiterverfolgen
I : *seguitare*

PERSONAL
F : personnel nm
GB : *personnel*
D : Personal
I : *personale*

PERSONAL DE VENTAS
F : forces de vente
GB : *sales force*
D : Verkaufspersonal
I : *forze di vendita*
Ensemble de l'organisation et des
responsables de la vente

PESADO
F : lourd
GB : *heavy*
D : schwer
I : *pesante*

PESAR
F : peser
GB : *weigh*
D : wiegen
I : *pesare*

PESO
F : poids
GB : *weight*
D : Gewicht
I : *peso*

PESO BRUTO
F : poids brut
GB : *gross weight*
D : Bruttogewicht
I : *peso lordo*

PESO EXCEDENTE
F : excédent de poids
GB : *excess weight*
D : Übergewicht
I : *eccedenza di peso*

PESO NETO
F : poids net
GB : *net weight*
D : Reingewicht
I : *peso netto*

PESO O CUBICAJE
F : poids ou mesure
GB : *weight or measurement*
D : Maß oder Gewicht
I : *peso o volume*

PICTOGRAMA
F : pictogramme
GB : *pictogram*
D : Piktogramm
I : *pittogramma*
Signe ou dessin simplifié et norma-
lisé utilisé pour fournir une informa-
tion

PIEL DE IMITACION
F : simili cuir
GB : *imitation leather*
D : Kunstleder
I : *finta pelle*

PIEZA JUSTIFICATIVA
F : pièce justificative
GB : *voucher*
D : Belegstück
I : *pezza d'appoggio*

PIQUETE
F : piquet
GB : *picket*
D : Posten
I : *picchetto*
Pendant une grève, groupe de travai-
leurs placés à l'entrée du lieu de tra-
vail et qui veillent à l'exécution des
consignes

PISO AMUEBLADO
F : appartement meublé
GB : *furnished flat (USA furni-*
shed apartment)
D : möblierte Mietwohnung
I : *appartamento ammobiliato*

**PISO INDEPENDIENTE COM-
PLETO**
F : appartement indépendant
GB : *self-contained flat*
D : Einfamilienwohnung
I : *appartemento indipendente*

PLAN
F : plan nm
GB : *plan*
D : Plan
I : *progetto, piano*
Programmation macro-économique,
au niveau national, d'un ensemble
de prévisions et d'objectifs écono-
miques et définition des moyens
nécessaires à leur réalisation

PLAN CONTABLE
F : plan comptable
GB : *French accounting stan-*
dards
D : Kontenplan
I : *limite massimo di respon-*
sabilità cambiaria
Regroupement des principes et des
normes comptables

PLAN DE FINANCIACIÓN
F : plan de financement
GB : *financing plan*
D : Finanzierungsplan
I : *programma di finanzia-*
mento

PLAN DE INVERSIÓN
F : plan d'investissement
GB : *investment plan*
D : Investitionsplan
I : *programma d'investimenti*

PLAN DE PROPAGANDA
F : plan média
GB : *advertising schedule*
D : Werbeplan
I : *programma delle inserzioni*
Procédure de choix de média, puis
de supports selon des critères définis

PLAN DE RENTA
F : politique des salaires
GB : *incomes policy*
D : Lohnpolitik
I : *politica dei redditi*

PLANIFICACIÓN
F : ordonnancement
GB : *(Administration) order to*
pay/ (industrie) production sche-
duling
D : Zahlungsanweisung
I : *ordinativo*
Organisation, agencement métho-
dique. Acte administratif par lequel
ordre est donné de payer une dette
contractée par un organisme public

PLANNING
F : planning
GB : *schedule*
D : Terminierung
I : *pianificazione*
Schéma, plan représentant une prévision et son processus de réalisation

PLANTA BAJA
F : rez-de-chaussée
GB : *ground floor*
D : Erdgeschoß
I : *pianterreno*

PLEITO
F : action juridique
GB : *legal action*
D : Prozeß, Klage
I : *processo*

PLENAMENTE SUSCRITO
F : souscrit (intégralement)
GB : *fully subscribed*
D : vollgzeichnet
I : *interamente sottoscritto*
Se dit d'un emprunt, d'une émission dont tous les titres ont trouvé preneur

PLENO EMPLEO
F : plein emploi
GB : *full employment*
D : Vollbeschäftigung
I : *piena occupazione*
Situation d'un pays où la totalité de la main-d'œuvre disponible a la possibilité de trouver un emploi

PLUSVALÍA
F : plus-value
GB : *capital gain*
D : Mehrwert
I : *plusvalore*
Différence positive entre le prix de cession et le prix d'acquisition d'un bien ou d'un titre

PLV
F : PLV
GB : *POS advertising*
D : Verkaufsortwerbung
I : *promozione sui luoghi di vendita*
Publi-promotion sur le lieu de vente pour inciter le consommateur à l'achat

POBLACION
F : population
GB : *population*
D : Bevölkerung
I : *popolazione*

PODER
F : pouvoirs
GB : *power of attorney*
D : Vollmacht
I : *procura*
Documents écrits par lesquels des personnes donnent à des tiers la faculté de les représenter

PODER DE COMPRA
F : pouvoir d'achat
GB : *purchasing power*
D : Kaufkraft
I : *potere d'acquisto*
Quantité de biens ou services qu'une somme d'argent permet d'acheter

PODER DE NEGOCIACION
F : pouvoir de négociation
GB : *bargaining power*
D : Verhandlungsposition
I : *potere di contrattare*

PODER, PROCURACION
F : procuration
GB : *power of attorney, proxy*
D : Vollmacht, Stellvertretung
I : *procura*

POLITICA
F : politique
GB : *policy*
D : Politik
I : *politica*

POLITICA AGRICOLA COMUN
F : politique agricole commune
GB : *Common Agricultural Policy*
D : gemeinsame Agrarpolitik
I : *politica agricola comune*

POLITICA COMERCIAL COMUN
F : politique commerciale commune
GB : *Common Commercial Policy*
D : gemeinsame Handelspolitik
I : *politica commerciale comune*

POLITICA COMUN DE LA PESCA
F : politique commune de la pêche
GB : *Common Fisheries Policy*
D : gemeinsame Fischereipolitik
I : *politica comune della pesca*

POLITICA MONETARIA
F : politique monétaire
GB : *monetary policy*
D : Währungspolitik
I : *politica monetaria*

POLIZA DE SEGURO
F : police d'assurance
GB : *insurance policy*
D : Versicherungspolice
I : *polizza di assicurazione*

POLIZA DE SEGURO DE INCENDIOS
F : police incendie
GB : *fire insurance policy*
D : Feuerversicherungspolice
I : *polizza d'assicurazione incendio*

POLIZA DOTAL
F : assurance à terme fixe
GB : *endowment policy*
D : Erlebensversicherung
I : *assicurazione dotale*

POOL BANCARIO
F : pool bancaire
GB : *banking pool*
D : Bankenunion
I : *pool bancario*
Association de plusieurs organismes bancaires nationaux et/ou étrangers pour financer un projet important ou exploiter en commun un service offert à leur clientèle

POR AVION
F : avion (par)
GB : *by air*
D : per Luftpost
I : *per via aerea*

POR CABEZA
F : par tête
GB : *per capita*
D : pro Kopf
I : *a testa*

POR CIENTO
F : cent (pour) %
GB : *per cent*
D : Prozent
I : *per cento*

POR CORREO APARTE
F : pli séparé (sous)
GB : *under separate cover*
D : mit getrennter Post
I : *in piego a parte*

POR ESTO
F : par la présente
GB : *hereby*
D : hiermit
I : *col presente, con questo*

PORCENTAJE
F : pourcentage
GB : *percentage*
D : Prozentsatz
I : *percentuale*

PORTADOR
F : porteur
GB : *bearer*
D : Inhaber
I : *portatore*
Détenteur de titres

A PORTE DEBIDO
F : port dû (en)
GB : *carriage forward (USA FOB shipping point)*
D : Portonachnahme
I : *porto assegnato*
Les frais de port sont à la charge du destinataire

A PORTE PAGADO, FRANCO DE PORTE
F: port payé
GB: *carriage paid, postage paid*
D: franko, portofrei
I: *franco di porto, porto pagato*
Les frais de port sont acquittés au départ par l'expéditeur

POSDATA
F: post-scriptum
GB: *postscript*
D: Nachschrift
I: *poscritto*

POTENCIAL
F: potentiel adj
GB: *potential*
D: möglich, potentiel
I: *potenziale*

POTENCIAL NO UTILIZADO
F: potentiel non utilisé
GB: *idle capacity*
D: ungenutzte Ladefähigkeit
I: *potenzale non utilizzato*

PRATICABILIDAD
F: praticabilité
GB: *feasibility*
D: Durchführbarkeit
I: *fattibilità*

PREAVISO
F: préavis
GB: *advance notice*
D: Vorankündigung, Kündigung
I: *preavviso*
Lors de la rupture d'un contrat, avertissement que la partie qui prend l'initiative est tenue de donner à l'autre dans un délai et des conditions déterminés

PRECINTO INDUSTRIAL
F: domaine industriel
GB: *industrial estate (USA industrial park)*
D: Industriegebiet
I: *centro industriale*

PRECIO
F: prix
GB: *price*
D: Preis, Kurs
I: *prezzo*

PRECIO A TÉRMINO
F: cours à terme
GB: *forward price*
D: Terminnotierung
I: *prezzo per futura consegna*
Cours sur un marché à terme

PRECIO AL COMERCIANTE
F: prix marchand
GB: *trade price*
D: Handelspreis
I: *prezzo al commerciante*
Prix du marché ou prix de référence

PRECIO AL POR MENOR
F: prix de détail
GB: *retail price*
D: Einzelhandelspreis
I: *prezzo al minuto*

PRECIO CONTRACTUAL
F: prix contractuel
GB: *contract price*
D: Vertragspreis
I: *prezzo contrattuale*

PRECIO COTIZADO
F: prix coté
GB: *quoted price*
D: angegebener Preis
I: *prezzo quotato*
Prix d'une valeur boursière inscrite à la cote officielle

PRECIO DE CATALOGO, PRECIO CATÁLOGO
F: prix-catalogue
GB: *catalogue price, list price*
D: Listenpreis, Katalogpreis
I: *prezzo di catalogo*

PRECIO DE CESIÓN INTERNA
F: prix de cession interne
GB: *transfer price*
D: interner Abgabepreis
I: *prezzo di cessione interna*
Prix auquel sont facturées les cessions de produits ou services entre divisions d'une même entreprise ou établissements d'un même groupe

PRECIO DE CIERRE
F: cours de clôture
GB: *closing price*
D: Schlußnotierung
I: *prezzo di chiusura*
Cours de Bourse pratiqué en fin de séance journalière

PRECIO DE COMPRA
F: coût d'acquisition
GB: *acquisition cost*
D: Anschaffungskosten
I: *costo d'acquisto, prezzo di costo*

PRECIO DE COMPRA
F: prix d'achat
GB: *purchase price*
D: Kaufpreis
I: *prezzo d'acquisto*

PRECIO DE COSTE
F: prix de revient
GB: *cost price*
D: Einstandspreis
I: *prezzo di costo*
Ensemble des coûts, directs et indirects, variables et fixes, de production d'un bien ou d'un service

PRECIO DE INTERVENCION
F: prix d'intervention
GB: *intervention price*
D: Interventionspreis
I: *prezzo d'intervento*
Seuil de prix auquel les pouvoirs publics interviennent pour éviter qu'un marché ne s'effondre

PRECIO DE MERCADO
F: cours du marché
GB: *market price*
D: Marktpreis
I: *prezzo del mercato*
Cours déterminé par l'offre et la demande sur un marché

PRECIO DE OCASION
F: prix soldé
GB: *bargain price*
D: Spottpreis
I: *prezzo saldo*
Prix de vente réduit exceptionnellement

PRECIO DE PRODUCCIÓN
F: prix de production
GB: *production price*
D: Produktionspreis
I: *costo di produzione*

PRECIO DE REVENTA
F: prix de revente
GB: *resale price*
D: Wiederverkaufspreis
I: *prezzo di rivendita*

PRECIO DE TARIFA
F: prix courant
GB: *list price*
D: Listenpreis
I: *prezzo di listino*
Prix de l'année en cours, dans une évaluation en valeur

PRECIO DETALLISTA RECOMENDADO
F: prix de détail recommandé
GB: *recommended retail selling price*
D: empfohlener Ladenpreis
I: *prezzo al minuto indicativo*

PRECIO FACTURADO
F: prix facturé
GB: *invoice price*
D: fakturierter Preis
I: *prezzo di fattura*

PRECIO INCLUIDA ENTREGA
F: prix livraison incluse
GB: *delivered price*
D: Lieferpreis
I: *prezzo incluso consegna*

PRECIO MEDIO
F: cours moyen
GB: *middle price*
D: Mittelpreis, Mittelkurs
I: *prezzo medio*

PRECIO MEDIO
F : prix moyen
GB : *mean price*
D : Mittelkurs
I : *prezzo medio*

PRECIO MINIMO FIJADO
F : prix minimal
GB : *reserve price*
D : Mindestpreis
I : *prezzo minimo*

PRECIO NETO
F : prix net
GB : *net price*
D : Nettopreis, Nettokurs
I : *prezzo netto*

PRECIO RAZONABLE
F : prix raisonnable
GB : *fair price*
D : angemessener Preis
I : *prezzo equo*

PRECIO REBAJADO DESCONO-CIDO
F : démarque inconnue
GB : *shrinkage*
D : unbekannte Nachahmung
I : *rubata o danneggiata (es: in un supermercato)*
Différence entre inventaires théoriques et inventaires physiques due aux vols ou aux erreurs de gestion

PREFABRICAR
F : préfabriquer
GB : *prefabricate*
D : vorfabrizieren
I : *prefabbricare*

PREJUICIO, PERJUICIO
F : préjudice
GB : *prejudice*
D : Nachteil
I : *pregiudizio*

PRELIMINAR
F : préliminaire adj
GB : *preliminary*
D : vorläufig, einleitend
I : *preliminare*

PREPARACION DE ESCAPARATES
F : art de l'étalage
GB : *window-dressing*
D : Schaufensterdekoration
I : *allestimento delle vetrine*

PRESCRIPCIÓN
F : prescription (Fisc)
GB : *prescription*
D : Verjährung
I : *prescrizione*
Période à l'issue de laquelle une imposition ne peut plus être établie, une somme perçue, une restitution de droits accordée, des poursuites ou une instance engagées

PRESENTACION
F : présentoir
GB : *display unit*
D : Schaukasten
I : *mostra*

PRESENTAR LA DIMISION
F : démission (remettre sa)
GB : *hand in one's resignation*
D : den Rücktritt einreichen
I : *rassegnare le dimission*

PRESENTAR UNA LETRA PARA ACEPTACION
F : présenter une traite à l'acceptation
GB : *present a bill for acceptance*
D : einen Wechsel vortegen
I : *presentare una cambiale per accettazione*

PRESIDENTE
F : président
GB : *chairmain*
D : Vorsitzende(r)
I : *presidente*

PRESTACIÓN
F : prestation
GB : *allowance*
D : Beihilfe
I : *prestazione*
Fourniture d'un bien ou d'un service en contrepartie d'une somme d'argent ou d'une contre-prestation en nature

PRESTAMISTA
F : prêteur sur gage
GB : *pawnbroker*
D : Pfandleiher
I : *prestatore su pegno*

PRESTAMO BANCARIO
F : prêt bancaire
GB : *bank loan*
D : Bankdarlehen
I : *prestito bancario*

PRÉSTAMO EXTERIOR
F : emprunt international
GB : *external loan*
D : Auslandsanleihe
I : *presitio esterno*

PRESTAR
F : prêter
GB : *lend*
D : leihen
I : *prestare*

PRESTATARIO
F : emprunteur
GB : *borrower*
D : Kreditnehmer
I : *accattatore*

PRESUPUESTO
F : budget
GB : *budget*
D : Haushaltsplan
I : *biancio preventivo*
Etat prévisionnel et limitatif des dépenses et recettes à réaliser au cours d'une période donnée par un individu ou une collectivité

PRESUPUESTO
F : devis
GB : *estimate*
D : Kostenvoranschlag
I : *preventivo*
Description détaillée et montant estimatif de travaux à accomplir

PRESUPUESTO POR DEFECTO
F : sous-estimation
GB : *under-estimate*
D : Unterschätzung
I : *sottovalutazione*

PRESUPUESTO POR EXCESO
F : surestimation
GB : *over-estimate*
D : Überschätzung
I : *valutazione eccessiva*

PRESUPUESTO PRUDENTE
F : évaluation prudente
GB : *conservative estimate*
D : vorsichtige Schätzung
I : *valutazione prudente*

PREVIA CONDICION
F : condition suspensive
GB : *condition precedent*
D : aufschiebende Bedingung
I : *condizione sospensiva*
Qui suspend l'exécution d'un jugement, d'un contrat

PRIMA DE APLAZAMIENTO
F : déport
GB : *backwardation*
D : Kursabschlag
I : *deporto*
Différence entre le cours au comptant d'un actif et son cours à terme lorsque ce dernier est inférieur

PRIMA DE POLIZA DE SEGURO
F : prime d'assurance
GB : *insurance premium*
D : Versicherungsprämie
I : *premio di assicurazione*

PRIMA, PREMIO
F : prime
GB : *premium, bonus*
D : Prämie
I : *premio*
Forme de salaire destinée à encourager les travailleurs, ou de remise pour promouvoir une vente, ou encore de plus-value quand il s'agit de finance

ESPAGNOL

PRIMER DIA DEL TRIMESTRE
F : jour du terme
GB : *quarter day*
D : Quartalstag
I : *giorno della pigione*
Jour de l'échéance

PRIMER OFICIAL
F : second nm
GB : *(ship's) mate*
D : Maat
I : *primo ufficiale*

PRIMERA CLASE
F : première classe
GB : *first class*
D : erste Klasse
I : *prima classe*

PRINCIPAL
F : principal (capital) nm
GB : *principal (USA capital)*
D : Kapital
I : *capitale*
Elément principal d'une dette, par opposition aux intérêts

PRIORIDAD
F : priorité
GB : *priority*
D : Vorrecht
I : *priorità*

PRIVATIZACIÓN
F : privatisation
GB : *privatization*
D : Privatisierung
I : *privatizzazione*
Revente à des actionnaires privés des entreprises précédemment nationalisées ou créées par l'Etat

PROBABILIDAD
F : probabilité
GB : *probability*
D : Wahrscheinlichkeit
I : *probabilità*

PROCEDIMIENTO
F : procédure
GB : *procedure*
D : Verfahren
I : *procedura*
Ensemble des démarches à accomplir pour obtenir un certain résultat

PROCEDIMIENTO DE SUSPENSIÓN DE PAGOS
F : redressement judiciaire
GB : *tax adjustment*
D : zusätliche Steuerhöhung
I : *riparazione giudiziaria*
Procédure instituée pour les entreprises en état de cessation de paiement consistant à présenter un plan de redressement dont l'issue peut être la survie, la cession totale ou partielle, ou encore la liquidation judiciaire

PROCESO
F : processus
GB : *process*
D : Prozeß
I : *processo*
Déroulement dans le temps d'un phénomène, ou des différents stades dans la réalisation d'une opération

PROCESO, CAUSA
F : procès
GB : *lawsuit, trial*
D : Rechtsfall, Prozeß
I : *processo, causa*

PRODUCCION
F : production
GB : *production*
D : Erzeugung
I : *produzione*

PRODUCTIVIDAD
F : productivité
GB : *productivity*
D : Produktivität
I : *produttività*
Rapport entre la valeur d'un produit et le coût de ses facteurs de production

PRODUCTO
F : produit
GB : *product*
D : Produkt
I : *prodotto*

PRODUCTO DE ATRACCIÓN
F : produit d'appel
GB : *loss leader*
D : Lockprodukt
I : *prodotto civetta*
Vendu à un prix très avantageux (avec un bénéfice réduit ou nul) pour attirer la clientèle

PRODUCTO DERIVADO
F : sous-produit
GB : *by-product*
D : Nebenprodukt
I : *sottoprodotto*

PRODUCTO FINAL
F : produit final
GB : *end-product*
D : Endprodukt
I : *prodotto finale*

PRODUCTO INTERIOR BRUTO
F : produit intérieur brut (PIB)
GB : *gross domestic product (GDP)*
D : Bruttoinlandsprodukt
I : *prodotto interno lordo*
Ensemble des valeurs ajoutées créées en une année.par les entreprises et les administrations sur le territoire national

PRODUCTO NACIONAL BRUTO
F : produit national brut (PNB)
GB : *gross national product (GNP)*
D : Bruttosozialprodukt
I : *prodotto nazionale lordo*
PIB augmenté des revenus perçus à l'étranger et tranférés en métropole, et diminué de ceux perçus en métropole et transférés à l'étranger

PRODUCTOS DERIVADOS
F : produits dérivés
GB : *by-products*
D : Derivate
I : *prodotti derivati*

PRODUCTOS MANUFACTURADOS
F : produits manufacturés
GB : *manufactured products*
D : Fabrikate
I : *manufatti*

PROFESIÓN
F : profession
GB : *occupation*
D : Beruf
I : *professione*

PROGRAMA DE COMPUTADORA
F : programme d'ordinateur
GB : *computer program*
D : Computerprogramm
I : *programma di elaboratore*

PROGRAMAR
F : planifier
GB : *schedule*
D : planen
I : *programmare*

PROGRAMAR
F : programmer
GB : *program*
D : programmieren
I : *programmare*

PROMEDIO
F : moyenne nf
GB : *average*
D : Durchschnitt
I : *media*

PROMOÇION, ASCENSO
F : promotion
GB : *promotion*
D : Beförderung, Förderung
I : *promozione, avanzamento*

PROMOCION DE VENTAS
F : promotion de ventes
GB : *sales promotion*
D : Werbung, Verkaufsförderung
I : *sviluppo delle vendite*

PROMOTOR INMOBILIARIO
F : promoteur immobilier
GB : *property developer*
D : Immobilienmakler
I : *costruttore edile*

PROMOVER, ASCENDER
F: promouvoir
GB: *promote*
D: befördern, fördern
I: *promuovere, dare impulse*

PRONOSTICAR
F: prévoir
GB: *forecast*
D: vorhersehen
I: *pronosticare*

PRONOSTICO
F: prévision
GB: *forecasting*
D: Voraussage
I: *previsione*
Appréciation, chiffrée ou non, de l'évolution probable d'un phénomène, d'une grandeur ou d'un ensemble de grandeurs à plus ou moins long terme

PRONOSTICO DE VENTAS
F: prévision des ventes
GB: *sales forecast*
D: Verkaufsvoraussage
I: *previsione delle vendite*

PROPAGANDA DIRECTA POR CORREO
F: publicité directe (publi-postage)
GB: *direct mail*
D: Postversandwerbung
I: *pubblicità diretta*
Expédition par voie postale de prospectus, brochures, lettres, échantillons, etc.

PROPINA
F: pourboire
GB: *tip gratuity*
D: Trinkgeld
I: *mancia*
Gratification, élément de la rémunération dans certaines professions

PROPORCION
F: proportion
GB: *proportion*
D: Verhältnis, Anteil
I: *proporzione*

PROPORCIONALMENTE, A PRO-RATA
F: proportionnellement, au prorata
GB: *pro rata*
D: anteilsmäßig, pro rata
I: *proporzionalemente, pro-rata*

PROPIEDAD
F: propriété
GB: *property, ownership*
D: Eigentum
I: *proprietà*

PROPIEDAD ESTATAL
F: propriété publique
GB: *public ownership*
D: Staatsbesitz
I: *proprietà statale*

PROPRIETARIO DEL TERRENO
F: propriétaire foncier
GB: *ground-landlord*
D: Grundbesitzer
I: *proprietario del terreno*
Qui possède des terres, des terrains bâtis ou non

PROPRIETARIO, ARRENDADOR
F: propriétaire
GB: *owner, landlord*
D: Eigentümer, Vermieter
I: *proprietario, locatore*

PROPUESTA
F: proposition
GB: *proposal*
D: Vorschlag
I: *proposta*

PRORROGA DE CRÉDITO
F: prolongation d'un crédit
GB: *extension of credit*
D: Verlängerung eines Kredites
I: *proroga di credito*

PRORROGA DE PAGO
F: délai de paiement
GB: *extention of payment time*
D: Verlängerung einer Zahlungsfrist
I: *proroga di pagamento*

PROSPECTO
F: prospectus
GB: *prospectus*
D: Prospekt
I: *prospetto, programma*

PROTESTA
F: protêt
GB: *protest*
D: Protest
I: *protesto*
Acte authentique extra-judiciaire constatant le non-paiement à l'échéance ou le refus d'acceptation d'une traite

PROTESTAR (UNA LETRA)
F: faire protester (une lettre de change)
GB: *protest (a bill)*
D: (einen Wechsel) protestieren
I: *protestare (una cambiale)*
Faire constater par huissier le non-paiement d'un effet de commerce

PROTESTAR UNA LETRA
F: honorer un effet (ne pas)
GB: *dishonour a bill*
D: einen Wechsel nicht akzeptieren
I: *non onorare un effetto*
Ne pas s'acquitter d'une dette

PROTOTIPO
F: prototype
GB: *prototype*
D: Prototyp
I: *prototipo*

PROVEEDOR
F: fournisseur
GB: *supplier*
D: Lieferant
I: *fornitore*

PROVISION PARA AMORTIZA-CION
F: provision pour amortissement
GB: *depreciation allowance*
D: Abschreibung für Abnutzung (AfA)
I: *quota di ammortamento*

PROVISIONES EXISTENTES
F: ressources existantes
GB: *supplies on hand*
D: lieferfertiges Angebot
I: *forniture esistenti*

PROYECTO DE CONTRATO
F: projet de contrat
GB: *draft contract*
D: Vertragsentwurf
I: *progetto di contratto*

PROYECTO DE CONVENIO
F: projet de convention
GB: *draft agreement*
D: Entwurf eines Übereinkommens
I: *schema di contratto*

PRUEBA DOCUMENTAL
F: preuve écrite
GB: *documentary evidence*
D: Urkundenbeweis
I: *prova scritta*

PRUEBA GRATUITA
F: essai gratuit
GB: *free trial*
D: kostenlose Probe
I: *prova gratuita*

PUBLICIDAD
F: publicité
GB: *advertising, publicity*
D: Reklame, Werbung
I: *pubblicità*

PUBLICIDAD COMPARATIVA
F: publicité comparative
GB: *comparative advertising*
D: vergleichende Werbung
I: *pubblicità comparativa*
Compare les caractéristiques d'un produit d'une marque déterminée à celles d'un ou plusieurs produits de marques concurrentes, nommées ou identifiables

PUBLICO
F: public adj
GB: *public*
D: Öffentlich
I: *pubblico*

PUBLICO
F: public nm
GB: *public*
D: Öffentlichkeit
I: *pubblico*

PUBLICO EN GENERAL
F : grand public
GB : *general public*
D : Öffentlichkeit
I : *pubblico in genere*

PUERTO
F : port
GB : *port*
D : Hafen
I : *porto*

PUERTO DE MATRICULA
F : port d'attache
GB : *port of registration*
D : Heimathafen
I : *porto d'immatriculazione*

PUERTO LIBRE
F : port franc
GB : *free port*
D : Freihafen
I : *porto franco*
Port où les marchandises étrangères pénêtrent librement sans formalité ni paiement de droits

PUGNA DE INTERESES
F : opposition d'intérêts
GB : *conflict of interest*
D : widerstreitende Interessen
I : *conflitto d'interessi*

PUNTO DE IGUALDAD DE INGRE-SOS Y GASTOS
F : point mort (rentabilité)
GB : *break-even point*
D : Rentabilitätsgrenze
I : *punto di pareggio*
Seuil de rentabilité, niveau de chiffre d'affaires pour lequel il n'y a ni perte ni bénéfice

Q-R

QUEBRADO
F : failli
GB : *bankrupt*
D : Gemeinschuldner
I : *fallito*
Qui est déclaré en faillite

QUIBRA DE BANCO
F : krach d'une banque
GB : *bank crash*
D : Bankkrach
I : *crollo di banca*
Effondrement financier, banque-route

QUIEBRA, INSOLVENCIA
F : faillite
GB : *bankruptcy, insolvency*
D : Konkurs, Zahlungsunfähig-keit
I : *fallimento, insolvenza*
Constatation judiciaire et sanction personnelle d'un entrepreneur dont l'entreprise se trouve en cessation de paiement

QUIEN CONCIERNA (A)
F : à qui de droit
GB : *to whom it may concern*
D : an alle,die es angeht
I : *a tutti gli interessati*
A la personne compétente

QUILATE
F : carat
GB : *carat*
D : Karat
I : *carato, azione, caratura di società*
Quantité d'or fin contenue dans un alliage de ce métal (1/24ème de la masse totale)

RACION
F : ration
GB : *ration*
D : Ration
I : *razione*

RACIONALIZACION
F : rationalisation
GB : *rationalization*
D : Rationalisierung
I : *razionalizzazione*
Procédure d'adaptation efficace des moyens aux objectifs basée sur le calcul économique

RASONES ADICIONALES
F : raisons supplémentaires
GB : *further reasons*
D : weitere Gründe
I : *ulteriori motivi*

RATIFICACION
F : ratification
GB : *ratification*
D : Ratifizierung
I : *ratifica*

RATIFICAR
F : ratifier
GB : *ratify*
D : ratifizieren
I : *ratificare*

RATIO
F : ratio
GB : *ratio*
D : Verhältnis, Ratio
I : *rapporto*
Rapport entre deux grandeurs tirées des documents comptables d'une entreprise pour en apprécier la structure et l'évolution

RAZON SOCIAL
F : raison sociale
GB : *trade name*
D : Firmenname
I : *denominazione commerciale*
Nom sous lequel une société exerce son activité

REABRIR LA DISCUSION
F : discussion (rouvrir la)
GB : *re-open discussions*
D : Verhandlungen wiederauf-nehmen
I : *riaprire la discussione*

REALIZACION DE UTILIDADES
F : prise de bénéfices
GB : *profit-taking*
D : Gewinnrealisation
I : *realizzazione dell'utile*

REBAJA
F : remise
GB : *remission*
D : Rabatt
I : *rimessa, sconto*
Réduction habituelle du prix courant d'une vente compte tenu de l'importance de son volume ou de la profession du client

REBAJA
F : ristourne
GB : *rebate*
D : Rückerstattung
I : *ristorno, sconto, rimborso*
Réduction de prix calculée en proportion d'un montant d'achats et pour une période déterminée

REBAJA, BONIFICACION
F : rabais
GB : *rebate, allowance*
D : Nachlaß, Rabatt
I : *ribasso, abbuono*

REBUSCA DE INFORMACION
F : récupération de données
GB : *information retrieval*
D : Informationswiedergewinnung
I : *ricupero d'informazioni*

RECAUDADOR DE IMPUESTOS
F : percepteur (des impôts)
GB : *tax collector*
D : Steuereinnehmer
I : *esattore delle imposte*

RECESION
F : récession
GB : *recession*
D : Rezession
I : *recessione*

RECHAZO
F : acceptation (non)
GB : *nonacceptance*
D : Nichtannahme
I : *mancata accettazione*

RECHAZO
F : refus
GB : *rejection*
D : Ablehnung
I : *rifiuto*

RECIBO
F : quittance
GB : *quittance*
D : Quittung
I : *quietanza*
Document attestant qu'une dette a été payée

RECIBO DE DEPOSITO
F : récépissé de dépôt
GB : *deposit receipt*
D : Depositenschein
I : *certificato di deposito*
Certificat de dépôt de marchandises délivré par les Magasins généraux et transmissible par endossement

RECLAMACION
F : réclamation
GB : *claim*
D : Anspruch
I : *reclamo*

RECLAMACION DE SALARIO
F : revendication salariale
GB : *wage claim*
D : Lohnforderung
I : *rivendicazione salariale*

RECLAMACION DE SEGURO
F : indemnité d'assurance
GB : *insurance claim*
D : Versicherungsanspruch
I : *sinistro, reclamo d'indennizzo*

RECOGER UNA LETRA
F : payer une lettre de change
GB : *retire a bill*
D : eine Wechsel einlösen
I : *ritirare un effetto*
S'acquitter d'une dette à une date déterminée

RECOGIDA DE DATOS
F : saisie des données
GB : *data capture*
D : Datenerfassung
I : *raccolta dati*

RECONSTRUCCION
F : reconstruction
GB : *reconstruction*
D : Wiederaufbau
I : *ricostruzione*

RECONTAR (DEUDAS)
F : apurer (des dettes)
GB : *discharge, wipe off*
D : (Schulden) bereinigen
I : *verificare (dei debiti)*

RECONVERSIÓN EXTERNA
F : outplacement
GB : *outplacement*
D : Umschulung
I : *outplacement*
Financé par l'entreprise qui se sépare de collaborateurs, il est effectué par des sociétés spécialisées qui mettent à la disposition des salariés, pendant un temps déterminé, conseils et moyens divers pour leur recherche d'emploi

RECUPERACIÓN
F : redressement
GB : *turnaround*
D : Aufschwung
I : *rettifica, risollevamento*
Rectification par l'administration d'une déclaration dont elle a constaté les erreurs, les omissions ou les insuffisances

RECURSO PROVISIONAL
F : bouche-trou
GB : *stop-gap*
D : Überbrückung
I : *prowedimento temporaneo*

RECURSOS
F : ressources
GB : *resources*
D : Mittel
I : *risorse*
Biens, services ou capitaux dont on peut disposer ; ensemble des capitaux et dettes inscrits au passif d'un bilan

RED
F : réseau
GB : *network*
D : Netz
I : *rete*

REDACTAR UN CONTRATO
F : rédiger un contrat
GB : *draw up a contract*
D : einen Vertrag formulieren
I : *redigere un contratto*

REDACTOR
F : concepteur-rédacteur
GB : *copywriter*
D : Textverfasser
I : *redattore pubblicitario*

REDESCONTAR
F : réescompter
GB : *rediscount*
D : rediskontieren
I : *riscontare*
Pour une banque (la Banque centrale, le plus souvent), c'est acheter des titres de crédit à court terme à une autre banque qui les a déjà elle-même escomptés

REDIMIR, REEMBOLSAR
F : rembourser
GB : *redeem, reimburse*
D : tilgen, zurückzahlen
I : *redimere, rimborsare*

RÉDITO NETO
F : produit net
GB : *net proceeds*
D : Reinerlös
I : *ricavo netto*

REDONDEAR
F : arrondir
GB : *round up/down*
D : aufrunden
I : *arrotondare*

REDUCCION DE CAPITAL
F : réduction de capital
GB : *reduction of capital*
D : Kapitalherabsetzung
I : *riduzione del capitale*

REDUCCION DE PRECIOS
F : rabais sur les prix
GB : *price-cutting*
D : Preisherabsetzung
I : *riduzione dei prezzi*

REEMBOLSO
F : remboursement
GB : *refund*
D : Rückerstattung
I : *rimborso*

REEMBOLSO DE DERECHOS DE ADUANA
F : remboursement des droits d'importation
GB : *(customs) drawback*
D : Zollrückvergütung
I : *rimborso d'esportazione*

REEVALUACIÓN
F : réévaluation
GB : *revaluation*
D : Neubewertung
I : *rivalutazione*
Augmentation de la parité officielle d'une monnaie sur décision des autorités monétaires ; comptabilité : prise en compte de la dépréciation monétaire des éléments d'actif d'un bilan

REEXPORTACION
F : réexportation
GB : *re-exportation*
D : Wiederausfuhr
I : *riesporto*

REFERENCIA
F : référence
GB : *reference*
D : Referenz
I : *referenza*

REFERENCIA BANCARIA
F : référence bancaire
GB : *bankers' reference*
D : Bankzeugnis
I : *referenza bancaria*

REFERENCIA COMERCIAL
F: référence commerciale
GB: *trade reference*
D: Kreditauskunft
I: *referenze commerciali*
Ensemble des caractéristiques spécifiques d'un article ou d'une catégorie d'articles

REFINANCIACIÓN
F: refinancement
GB: *refunding*
D: Refinanzierung
I: *rifinanziamento*
Reconstitution des liquidités des banques pour qu'elles puissent accorder de nouveaux crédits, soit par le réescompte, soit par le recours au marché monétaire

REFORMAS
F: travaux de transformation
GB: *alterations*
D: Umbau
I: *modifiche*

REFORMAS Y REPARACIONES
F: transformations et réparations
GB: *alterations and repairs*
D: Änderungen und Reparaturen
I: *modifiche e riparazioni*

REFRENDAR
F: contresigner
GB: *countersign*
D: gegenzeichnen
I: *controfirmare*
Signer après celui dont l'acte émane

REGALO
F: don
GB: *gift*
D: Geschenk
I: *dono, donazione*

REGATEAR
F: marchander
GB: *haggle (USA bargain)*
D: feilschen
I: *mercanteggiare, cavillare*

REGION DEPRIMIDA
F: région sinistrée
GB: *distressed area*
D: Notstandsgebiet
I: *area indigente*

REGISTRAR
F: enregistrer
GB: *register*
D: registrieren
I: *registrare*

REGISTRO
F: enregistrement
GB: *registration*
D: Einschreiben
I: *registrazione (contabile)*
Inscription obligatoire dans les registres publics qui authentifie certains actes

REGISTRO DE LAS ACCIONES
F: registre des actionnaires
GB: *share register*
D: Liste der Aktionäre
I: *registro delle azioni*

REGLAMENTO, AJUSTE
F: règlement
GB: *regulation, settlement*
D: Verordnung, Abrechnung
I: *regolamento*

RELACIONES HUMANAS
F: relations humaines
GB: *human relations*
D: zwischenmenschliche Beziehungen
I: *relazioni umane*

RELACIONES HUMANAS INDUSTRIALES
F: relations humaines dans l'entreprise
GB: *industrial relations*
D: Arbeitsbeziehungen
I: *relazioni nell'industria*

RELACIONES PATRON-OBRERO
F: travail (relations du)
GB: *labour relations*
D: Arbeitsverhältnisse
I: *relazioni con la mano d'opera*
Relations sociales salariés/employeur + relations industrielles + relations professionnelles

RELACIONES PUBLICAS
F: relations publiques
GB: *public relations*
D: Public Relations
I: *pubbliche relazioni*
Ensemble des actions de diffusion de l'information à l'intérieur et à l'extérieur de l'entreprise, hors de toute préoccupation lucrative ou publicitaire

RELAMPAGO
F: foudre
GB: *lightning*
D: Blitz
I: *fulmine*
Tonneau de grande capacité

REMUNERACION
F: rémunération
GB: *remuneration*
D: Vergütung
I: *rimunerazione*
Revenu en nature ou/et en espèces reçu pour prix d'un service ou d'un travail

REMUNERACIÓN (ARTISTA)
F: cachet (d'artiste)
GB: *fee (artist's)*
D: Honorar
I: *cachet, compenso (artista)*
Rétribution d'une prestation

RENDIMIENTO NETO
F: rendement net
GB: *net yield*
D: Nettoertrag
I: *reddito netto*
Rendement d'un capital investi, déduction faite de toutes les charges

RENDIMIENTO, RÉDITO
F: rendement
GB: *output, yield*
D: Erzeugung, Rendite
I: *produzione, reddito*
Voir Productivité

RENDIMIENTOS DECRECIENTES
F: rendements décroissants
GB: *diminishing returns*
D: abnehmender Ertrag
I: *proventi decrescenti*
Phase de diminution de la productivité qui intervient après une phase de croissance lorsqu'on augmente la quantité d'un facteur de production

RENTA DE INVERSIONES
F: revenu de placements
GB: *investment income*
D: Einkommen aus Kapitalanlagen
I: *reddito degli investimenti*

RENTA DEL TERRENO
F: rente foncière
GB: *ground-rent*
D: Grundpacht
I: *affitto di terreno*
Revenu tiré de la terre, lié au degré de fertilité de celle-ci (rente différentielle)

RENTA DEL TRABAJO
F: revenu du travail
GB: *earned income*
D: Arbeitseinkommen
I: *reddito di lavoro*
Traitements et salaires

RENTA DISPONIBLE
F: revenu disponible
GB: *disposable income*
D: verfügbares Einkommen
I: *reddito disponibile*
Ensemble des salaires et des prestations sociales diminué des impôts et des cotisations sociales

RENTA IMPONIBLE
F: revenu imposable
GB: *taxable income*
D: steuerpflichtiges Einkommen
I: *reddito tassabile*

RENTA NACIONAL
F: revenu national
GB: *national income*
D: Nationaleinkommen
I: *reddito nazionale*
Ressources nationales en biens et services créées au cours d'une période donnée

ESPAGNOL

RENTABILIDAD
F : rentabilité
GB : *profitability*
D : Rentabilität
I : *redditività*
Capacité d'un capital placé ou investi à procurer des revenus exprimés en termes financiers

RENTAS
F : rentes
GB : *unearned income*
D : Kapitaleinkommen
I : *reddito di capitale*
Revenus assurés pour une longue période

RENUCIAR, TRANSFERIR
F : céder
GB : *give up, transfer*
D : aufgeben, überweisen
I : *cedere, trasferire*

RENUNCIA
F : déni
GB : *disclaimer*
D : Ablehnung
I : *rinunzia*
Refus de reconnaître un droit

RENUNCIA
F : renonciation
GB : *renunciation*
D : Verzicht
I : *rinunzia*

RENUNCIAR
F : renoncer à
GB : *renounce*
D : verzichten auf
I : *rinunziare*

REPARACION
F : réparation
GB : *repair*
D : Reparatur
I : *riparazione*

REPARAR, COMPONER
F : réparer
GB : *repair*
D : reparieren
I : *riparare, rifare*

REPARTIR
F : partager
GB : *share*
D : teilen
I : *dividere*

REPARTIR
F : répartir
GB : *distribute, apportion*
D : verteilen, zuteilen
I : *ripartire*

REPARTIR LA DIFERENCIA
F : partager la différence
GB : *split the difference*
D : einen strittigen Preisunterschied teilen
I : *dividere a metà la differenza*

REPARTO, DISTRIBUCION
F : distribution
GB : *distribution*
D : Verteilung, Vertrieb
I : *ripartizione, distribuzione*

REPRESENTANTE
F : représentant
GB : *representative*
D : Vertreter
I : *rappresentante*

REPRESENTANTE DEL PERSONAL
F : représentant du personnel
GB : *staff representative*
D : Arbeiternehmervertreter
I : *rappresentante del personale*

REPRESENTANTE LEGAL
F : représentant mandaté
GB : *legal representative*
D : Rechtsvertreter
I : *mandatario*

REPRESENTAR
F : représenter
GB : *represent*
D : vertreten
I : *rappresentare*

REQUISAR
F : réquisitionner
GB : *request*
D : verlangen
I : *requisire*

REQUISITO
F : qualification
GB : *qualification*
D : Qualifikation
I : *qualifica, requisito*

RESERVA DE CAPITAL
F : réserve de capitaux
GB : *capital reserves*
D : Kapitalreserve
I : *riserva di capitale*

RESERVA EN EFECTIVO
F : réserve en espèces
GB : *cash reserve*
D : Kassenreserve
I : *riserva in contanti*

RESERVA PARA DEUDAS INCOBRABLES
F : provision pour créances douteuses
GB : *bad debt reserve*
D : Dubiosenreserve
I : *riserva per crediti inesigibili*
Somme que l'entreprise affecte à la couverture de pertes éventuelles dues au non recouvrement de ces créances

RESERVAR
F : réserver
GB : *reserve*
D : vorbehalten
I : *riservare*

RESOLUCION
F : résolution
GB : *resolution*
D : Beschluß
I : *deliberazione*
Dissolution d'un contrat pour inexécution des conditions ; motion adoptée par une assemblée (simple vœu ou disposition d'un règlement)

RESOLUCION EXTRAORDINARIA
F : résolution extraordinaire
GB : *extraordinary resolution*
D : Sonderentschluß
I : *deliberazione straordinaria*

RESPONSABILIDAD
F : responsabilité
GB : *responsibility, liability*
D : Verantwortlichkeit
I : *responsabilità*

RESPONSABILIDAD DEL PATRONO
F : responsabilité patronale
GB : *employer's liability*
D : Haftpflicht des Arbeitgebers
I : *responsabilità del datore di lavoro*

RESPONSABILIDAD LEGAL
F : responsabilité légale
GB : *legal liability*
D : Rechtshaftung
I : *responsabilità legale*
Définie conformément à la loi

RESPUESTA
F : réponse
GB : *answer*
D : Antwort
I : *risposta*

RESPUESTA PAGADA
F : réponse payée
GB : *reply paid (USA post paid)*
D : Rückantwort bezahlt
I : *riposta pagata*

RESTRICCIONES DE IMPORTACION
F : restrictions d'importation
GB : *import restrictions*
D : Einfuhrbeschränkungen
I : *restrizioni delle importazioni*

RESULTADO
F : résultat
GB : *result*
D : Ergebnis
I : *risultato*
Différence positive ou négative entre un prix de vente et un coût de revient

RESULTADO DE LA EXPLOTACIÓN
F : résultat d'exploitation
GB : *operating income*
D : Betriebsergebnis
I : *utile d'esercizio*
Solde du compte d'exploitation

RESULTADO, PRESTACIÓN
F: performance
GB: *performance*
D: Leistung
I: *prestazione*

RESUMEN
F: résumé
GB: *abstract, summary*
D: Abriß
I: *riassunto*

RETENCIÓN EN ORIGEN
F: retenue à la source
GB: *witholding at source*
D: an der Quelle besteuert
I: *ritenuta diretta d'acconto*
Prélèvement et paiemet d'un impôt ou d'une charge par le distributeur d'un revenu au moment de son versement

RETENCIÓN EXIMENTE
F: prélèvement libératoire
GB: *standard deduction at source*
D: befreiender Abzug
I: *prelievo liberatorio*
Retenue à la source

RETIRAR DE ADUANAS
F: dédouaner
GB: *clear through customs*
D: verzollen
I: *sdoganare*
Acquitter les droits ou taxes qui frappent une marchandise

RETIRO
F: retraite
GB: *retirement, pension*
D: Rücktritt, Rente
I: *ritiro, pensione*

RETIRO CONTRIBUTIVO
F: retraite par cotisations
GB: *contributory pension*
D: Kassenpension
I: *pensione a contributi*
Base du système de retraite par capitalisation (chaque actif finance sa propre retraite par le placement de ses cotisations) ou par répartition (celles-ci sont immédiatement reversées aux retraités)

RETIRO DE VEJEZ
F: retraite vieillesse
GB: *old-age pension*
D: Altersversorgung
I: *pensione per la vecchiaia*
Revenu de remplacement versé, par le régime général ou les régimes complémentaires, à quiconque peut prétendre à la perception d'une retraite

RETRASO
F: retard
GB: *delay*
D: Verzug
I: *ritardo*

RETROACTIVO
F: rétroactif
GB: *retroactive*
D: rückwirkend
I: *retroattivo*

REUNION
F: réunion
GB: *meeting*
D: Versammlung
I: *riunione, assemblea*

REUNION DEL CONSEJO DE ADMINISTRACION
F: réunion de conseil d'administration
GB: *board meeting*
D: Vorstandssitzung
I: *riunione del consiglio d'amministrazione*

REVALORIZACION
F: revalorisation
GB: *revaluation*
D: Aufwertung
I: *rivalutazione*

REVELACION
F: révélation
GB: *disclosure*
D: Offenlegung
I: *rivelazione*

REVISAR
F: vérifier et certifier
GB: *audit*
D: prüfen
I: *rivedere*

REVISION (EXAMEN) DE CUENTAS
F: vérification comptable
GB: *audit*
D: Bücherrevision
I: *revisione dei conti*

REVISTA DE PRENSA
F: revue de presse
GB: *press review*
D: Presseschau
I: *rassegna stampa*

REVOCACION
F: révocation
GB: *revocation*
D: Widerruf
I: *revoca*

REVOCAR
F: révoquer
GB: *revoke*
D: widerrufen
I: *revocare*

REXPORTAR
F: réexporter
GB: *re-export*
D: wiederausführen
I: *riesportare*

RIESGO
F: risque
GB: *risk*
D: Risiko
I: *rischio*

RIESGO PROFESIONAL
F: risque professionnel
GB: *occupational hazard*
D: Berufsrisiko
I: *rischio del lavoro*

RIQUEZA
F: richesse
GB: *wealth*
D: Wohlstand
I: *ricchezza*

RIVAL
F: rival
GB: *rival*
D: Rivale
I: *rivale*

ROBO
F: vol avec effraction
GB: *burglary*
D: Einbruchdiebstahl
I: *furto con scasso*

ROBO, VUELO
F: vol
GB: *theft, flight*
D: Diebstahl, Flug
I: *furto, fuga*

ROBÓTICA
F: robotique
GB: *robotics*
D: Robotik
I: *robotica*
Ensemble des études et des techniques relatives à la conception et à la mise en œuvre de systèmes de production automatisés

ROTACIÓN
F: rotation
GB: *turnover*
D: Rotation
I: *rotazione*
Son taux se mesure à la fréquence des reconstitutions d'un facteur déterminé (capitaux, stocks, main-d'œuvre...), en général au cours d'une année

ROTACION DE CULTIVOS
F: assolement
GB: *rotation of crops*
D: Fruchtwechsel
I: *rotazione delle coltivazioni*

RÚBRICA
F: griffe
GB: *maker's label*
D: Marke
I: *firma, griffe*

RUBRICAR, PONER INICIALES A
F: parapher
GB: *initial*
D: paraphieren
I: *siglare*

RUPTURA DE LAS EXISTENCIAS
F: rupture de stock
GB: *inventory shortage*
D: Ausverkauf
I: *esaurimento delle scorte*

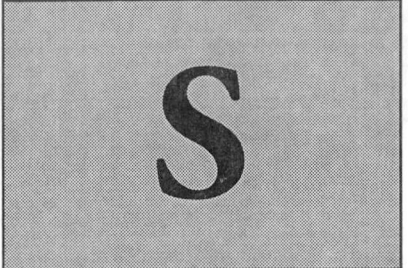

SACAR RESERVAS
F: prélever sur les réserves
GB: *draw on reserves*
D: die Reserven angreifen
I: *prelevare dalle riserve*

SALARIO
F: salaire
GB: *wages, earnings*
D: Lohn
I: *guadagni*
Rémunération prévue par le contrat de louage de services qui lie le salarié à l'employeur

SALARIO MÍNIMO
F: salaire minimum
GB: *minimum wage*
D: Mindestgehalt
I: *salario minimo*
En France, le SMIC - Salaire Minimum Interprofessionnel de Croissance, fixé par voie réglementaire et dont l'évolution est fonction de la croissance et de la hausse des prix

SALARIO-BASE
F: salaire de base
GB: *basic pay (USA base pay)*
D: Grundlohn
I: *salario fondamentale*
Celui qui est prévu dans le contrat d'engagement

SALDAR
F: brader
GB: *sell cheaply/off*
D: verschleudern
I: *svendere*
Se débarrasser à bas prix de marchandises

SALDAR UNA CUENTA
F: balancer un compte
GB: *balance an account*
D: eine Rechnung ausgleichen
I: *pareggiare un conto*
Etablir la balance débits/crédits d'une comptabilité

SALDO ACREEDOR
F: balance excédentaire
GB: *active balance*
D: Aktivsaldo
I: *saldo attivo*
Balance qui fait apparaître un solde positif

SALDO ACREEDOR
F: solde créditeur
GB: *credit balance*
D: Kreditsaldo
I: *saldo creditore*

SALDO ADVERSO
F: balance déficitaire
GB: *adverse balance (USA negative balance)*
D: Passivaldo
I: *saldo passivo*
Balance qui fait apparaître un solde négatif

SALDO DE BANCO
F: solde de banque
GB: *bank balance*
D: Bankguthaben
I: *saldo in banca*
Situation d'un compte bancaire à un moment donné

SALDO DE ENTRADA
F: report à nouveau
GB: *balance carried forward*
D: Saldovortrag, Gewinnvortrag, Verlustvortrag
I: *riporto in conto nuovo*
Excédent (positif ou négatif) de résultats non affectés à un exercice, transférés en l'état dans les comptes de l'exercice suivant

SALDO DEL DIVIDENDO
F: solde de dividende
GB: *final dividend*
D: Schlußdividende
I: *saldo del dividendo*

SALDO EN DÉBITO
F: solde débiteur
GB: *debit balance*
D: Sollsaldo
I: *saldo debitore*

SALDO FINAL
F: solde net
GB: *final balance*
D: Schlußbilanz
I: *saldo finale*
Bénéfices ou pertes dégagés à la ligne Résultat net de l'entreprise

SALDO NULO
F: solde nul
GB: *nil balance (USA zero balance)*
D: Nullsaldo
I: *saldo nullo*
Celui d'une balance commerciale ou d'un budget équilibrés

SALDO, LOTE SUELTO
F: solde
GB: *balance, odd lot*
D: Saldo, Restpartie
I: *saldo, partita spaiata*

SALIR FIADOS POR
F: garant de (se porter)
GB: *go bail for*
D: Haftkaution geben
I: *rendersi garante di*

SALVAMENTO
F: sauvetage
GB: *salvage*
D: Bergung
I: *salvataggio*

SALVAR
F: sauver
GB: *save*
D: retten
I: *salvare*

SALVO ERROR U OMISION
F: erreur ou omission (sauf)
GB: *errors and omissions excepted (e & oe)*
D: Irrtum vorbehalten
I: *salvo errori ed omissioni*

SANCION, MULTA
F : pénalité (amende)
GB : *fine*
D : Geldstrafe
I : *multa*
Amende recouvrée en cas de fraude
ou d'infraction fiscales

SANCIONES ECONOMICAS
F : sanctions économiques
GB : *economic sanctions*
D : wirtschaftliche Sanktionen
I : *sanzioni economiche*

**SANEAR (UNA RAMA DE ACTIVI-
DAD)**
F : assainir (une branche
d'activité)
GB : *turn around, stabilize*
D : (einen Wirtschaftszweig)
sanieren
I : *risanare (un settore d'atti-
vità)*

SATISFACCION
F : satisfaction
GB : *satisfaction*
D : Zufriedenstellung, Beglei-
chung
I : *soddisfazione*

SE SEGUNDA MANO
F : occasion (d')
GB : *second-hand*
D : aus zweiter Hand,
Gebraucht-
I : *di seconda mano*

SECRETARIO, SECRETARIA
F : secrétaire
GB : *(male or female) secretary*
D : Sekretär, Sekretärin
I : *segretario, segretaria*

SECRETO COMERCIAL
F : secret industriel
GB : *trade secret*
D : Betriebsgeheimmis
I : *segreto commerciale*

SECTOR PRIVADO
F : secteur privé
GB : *private sector*
D : Privatwirtschaft
I : *settore privato*

SECTOR PUBLICO
F : secteur public
GB : *public sector*
D : öffentliche Hand
I : *settore statale*

SEGUNDO MERCADO
F : second marché
GB : *French second-tier unlisted
securities market with reduced
reporting requirements*
D : Zweitmarkt
I : *mercato secondario*
Marché boursier créé par la loi du 3
janvier 1983 pour faciliter aux
entreprises moyennes l'accès à
l'épargne publique

SEGURIDAD
F : sécurité
GB : *security, safety*
D : Sicherheit
I : *sicurezza*

SEGURIDAD SOCIAL
F : sécurité sociale
GB : *social security*
D : Sozialversicherung
I : *sicurezza sociale*
Institution chargée de la protection
sociale et ensemble des organismes
chargés de prélever les cotisations et
verser les prestations

SEGURO
F : assurance
GB : *insurance, assurance*
D : Versicherung
I : *assicurazione*

SEGURO COMBINADO
F : assurance combinée
GB : *comprehensive insurance*
D : Kombinierte Versicherung
I : *assicurazione mista*

**SEGURO CONTRA RESPONSABI-
LIDAD CIVIL**
F : assurance responsabilité
civile - RC
GB : *third-party insurance*
D : Haftpflichtversicherung
I : *assicurazione contro terzi*

**SEGURO CONTRA RIESGO DE
GUERRA**
F : assurance risque de
guerre
GB : *war-risk insurance*
D : Kriegsrisikoversicherung
I : *assicurazione contro i
rischi di guerra*

SEGURO CREDITICIO
F : assurance crédit
GB : *credit insurance*
D : Kreditvresicherung
I : *assicurazion credito*
Permet à un créancier d'être indem-
nisé en cas de non-paiement de son
débiteur

SEGURO DE CASA
F : assurance familiale (domi-
cile)
GB : *household insurance*
D : Wohnungsversicherung
I : *assicurazione domestica*

SEGURO DE ENFERMEDAD
F : assurance maladie
GB : *health insurance*
D : Krankenversicherung
I : *assicurazione malattia*

SEGURO DE GRUPO
F : assurance de groupe
GB : *group insurance*
D : Gruppenversicherung
I : *assicurazione di gruppo*

SEGURO DE INCENDIOS
F : assurance incendie
GB : *fire insurance*
D : Feuerversicherung
I : *assicurazione incendio*

SEGURO DE VIDA
F : assurance vie
GB : *life assurance (USA life
insurance)*
D : Lebensversicherung
I : *assicurazione sulla vita*

SELLO
F : sceau
GB : *seal*
D : Siegel
I : *sigillo*

SELLO
F : timbre
GB : *stamp*
D : Stempel, Marke
I : *timbro, francobollo*
Marque ou vignette qui garantit
l'authenticité d'un document ou
atteste le paiement d'un droit

SELLO DE CORREOS
F : timbre-poste
GB : *postage stamp*
D : Briefmarke
I : *francobollo*

SELLO DE FECHA
F : dateur
GB : *date-stamp*
D : Tagesstempel
I : *timbro a data*

SEMESTRAL
F : semestriel
GB : *half-yearly*
D : halbjährlich
I : *semestrale*

SEMESTRE
F : semestre
GB : *half-year*
D : Semester
I : *semestre*

SENTENCIA ARBITRAL
F : sentence arbitrale
GB : *arbitration award*
D : Schiedsspruch
I : *lodo arbitrale*
Rendue dans le règlement à
l'amiable d'un litige, elle permet de
gagner du temps et de limiter l'en-
gorgement des tribunaux en échap-
pant au juge

SERVICIO DE AGRUPACION
F : groupage (service de)
GB : *groupage service*
D : Groupagedienst
I : *transporto a collettame*

SERVICIO DE SANIDAD
F : service de santé
GB : *health service*
D : Gesundheitsdienst
I : *servizio sanitario*

SIMBOLO
F : symbole
GB : *symbol*
D : Symbol
I : *simbolo*

SIMULACION
F : simulation
GB : *simulation*
D : Simulation
I : *simulazione*
Réalisation d'expériences fictives permettant d'étudier l'évolution de phénomènes complexes aux facteurs explicatifs multiples

SIN CEREMONIA
F : formalités (sans)
GB : *informal*
D : formlos
I : *senza formalità*

SIN CUPON, EX CUPÓN
F : ex-coupon
GB : *ex coupon*
D : ohne Koupon
I : *senza cedola, ex-cedola*
Titre qui ne comporte pas le montant du dividende à toucher (par opposition au coupon attaché)

SIN DIVIDENDO, EX DIVIDENDO
F : ex-dividende
GB : *ex dividend*
D : ohne Dividende
I : *senza dividendo, ex-dividendo*
Voir Ex-coupon

SIN FINOS LUCRATIVOS
F : lucratif (sans but)
GB : *nonprofitmarking*
D : ohne Gewinnabsicht
I : *senza scopo di lucro*

SIN PREJUICIO
F : réserves (sous toutes)
GB : *without prejudice (USA not binding)*
D : ohne Verbindlichkeit
I : *senza pregiudizio*
Sans garantie, sans engagement formel

SIN PRIVILEGIO, EX DERECHOS
F : ex-droits
GB : *ex rights*
D : ohne Bezugsrecht
I : *senza diritti, ex-diritti*
S'appliquent à une valeur négociée après le détachement d'un droit d'attribution ou d'un droit de souscription

SIN RECURSO
F : droits de recours (sans)
GB : *without recourse*
D : ohne Rückgriff
I : *senza ricorso*

SIN TRABAJO, PARADO
F : chômage (en)
GB : *unemployed*
D : arbeitsols
I : *senza lavoro*

SINDICATO
F : syndicat
GB : *syndicate, trade union*
D : Syndikat, Gewerkschaft
I : *sindicato*

SINDICATO DE SEGUROS
F : syndicat d'assureurs
GB : *underwriting syndicate (insurance)*
D : Versicherungssyndikat
I : *sindicato di assicuratori*

SINDICO
F : syndic de faillite
GB : *(official) receiver*
D : Konkursverwalter
I : *curatore*
Désigné par le tribunal, il représente les intérêts des créanciers d'une entreprise déclarée en faillite

SINERGIA
F : synergie
GB : *synergy*
D : Synergie
I : *sinergia*

SISTEMA
F : système
GB : *system*
D : System
I : *sistema*
Ensemble des dispositifs ou des solutions mis en œuvre pour atteindre un objectif donné

SISTEMA EXPERTO
F : système expert
GB : *expert system*
D : Expertensystem
I : *sistema esperto*
Logiciel élaboré à partir d'expertises reconnues, pour simuler le raisonnement humain dans des domaines spécifiques de la connaissance

SISTEMA MÉTRICO
F : système métrique
GB : *metric system*
D : metrisches System
I : *sistema metrico*

SITUACION DE NEGOCIAR
F : situation permettant de négocier
GB : *bargaining position*
D : Verhandlungslage
I : *situazione permettente di trattare*

SITUACIÓN NETA
F : situation nette
GB : *net worth*
D : Nettolage
I : *situazione netta*

SOBOMAR
F : corrompre
GB : *bribe*
D : bestechen
I : *corrompere*

SOBORNAR (A UNA PERSONA INFLUYENTE)
F : arroser (un personnage influent)
GB : *bribe*
D : (eine wichtige Persönlichkeit) berieseln
I : *corrompere (un personaggio influente)*

SOBORNO
F : corruption
GB : *bribery, corruption*
D : Bestechung
I : *corruzione*

SOBORNO
F : pot-de-vin
GB : *bribe*
D : Bestechungsgeld
I : *dono per corrompere*

SOBRANTE
F : solde en caisse
GB : *balance in hand*
D : verfügbarer Saldo
I : *saldo in cassa*

SOBRE
F : enveloppe
GB : *envelope*
D : Umschlag
I : *busta*

SOBRE DE VENTANILLA
F : enveloppe à fenêtre
GB : *window-envelope*
D : Fensterbriefumschlag
I : *busta con finestra*

SOBREESTADIA
F : surestarie
GB : *demurrage*
D : Überliegezeit
I : *controstallia*
Indemnité due à un armateur en cas de retard de chargement ou de déchargement

SOBREFACTURACIÓN
F : surfacturation
GB : *overbilling*
D : Überberechnung
I : *fatturazione eccessiva*
Fixation par une entreprise multinationale des prix des produits importés par une filiale de façon à rapatrier des profits

SOBREGIRO, SALDO DEUDOR
F : découvert
GB : *overdraft*
D : Überziehung
I : *scoperto*
Compte bancaire débiteur ; autorisation donnée par la banque de tirer des chèques pour un montant supérieur à la provision d'un compte

SOBRETASA
F: surtaxe
GB: surtax
D: Steuerzuschlag
I: soprattassa

SOCIEDAD ANONIMA (SA)
F: société anonyme (SA)
GB: public limited company
D: Aktiengesellschaft (AG)
I: società anonima (SA)
Dotée d'un capital social de 250 000 F, elle est composée de sept actionnaires au minimum et dirigée par un président issu du conseil d'administration ou par un directoire contrôlé par un conseil de surveillance

SOCIEDAD DE CAUCIÓN MUTUA
F: société de caution mutuelle
GB: mutual guarantee insurance company
D: gegenseitige Bürgschaftsgesellschaft
I: società di mutua garanzia
Société à capital variable dont l'objet est de garantir les crédits accordés à ses membres

SOCIEDAD DE PERSONAS
F: société de personnes
GB: partnership
D: Personengesellschaft
I: società di persone
Dans laquelle les associés sont responsables des dettes ; en font partie les sociétés en commandite simple ou en nom collectif, et les SARL

SOCIEDAD DE SOCORRO MUTUO
F: société de secours mutuel
GB: friendly society (USA lodge)
D: Versicherungsverein auf Gegenseitigkeit
I: società di mutuo soccorso
Voir Mutuelle

SOCIEDAD EN COMANDITA
F: société en commandite
GB: limited partnership
D: Kommanditgesellschaft
I: società in accomandita semplice
Forme de société exploitée par un entrepreneur (commanditaire) à laquelle un bailleur de fonds (commanditaire) a fait un apport en capital sans prendre part à sa gestion.

SOCIEDAD EXTINTA
F: société liquidée
GB: defunct company
D: erloschene Gesellschaft
I: società estinta
Voir Liquidation

SOCIEDAD FANTASMA
F: société fantôme
GB: bogus company (USA phantom operation)
D: Schwindelgesellschaft
I: società fasulla

SOCIEDAD GESTORA DEL FONDO DE INVERSIÓN MOBILIARIA
F: SICAV (société d'investissement à capital variable)
GB: mutual fund
D: Investitionsgesellschaft mit variablem Kapital
I: società d'investimento a capitale variabile
Exclusivement destinée à la gestion collective des placements de ses actionnaires (valeurs mobilières ou biens immobiliers)

SOCIEDAD REGULAR COLECTIVA (SRC)
F: société en nom collectif
GB: partnership
D: offene Handelsgesellschaft (OHG)
I: società in nome collettivo
Société de personnes, dont les parts sociales ne sont ni cessibles ni transmissibles librement, et qui sont indéfiniment et solidairement responsables des dettes

SOCIO
F: associé
GB: partner
D: Teilhaber
I: socio

SOCIO ACTIVO
F: associé actif
GB: working partner
D: aktiver Teilhaber
I: socio attivo
Participe au capital d'une entreprise et à la direction de celle-ci

SOCIO COMANDITARIO
F: commanditaire
GB: sleeping partner (USA silent partner)
D: stiller Gesellschafter
I: socio accomandante
Bailleur de fonds

SOFTWARE
F: logiciel
GB: software
D: Software
I: software

SOLARES
F: terrain à bâtir
GB: building land
D: Bauland
I: terreno edile

SOLICITADO
F: demandé
GB: in demand
D: gefragt
I: ricercato

SOLICITUD DE INSCRIPCION
F: feuille d'inscription
GB: entry-form
D: Antragsformular
I: bolletta d'entrata

SOLICITUD DE PEDIDO
F: bon de commande
GB: order-form
D: Bestellformular
I: foglio d'ordinazione

SOLVENCIA
F: solvabilité
GB: solvency
D: Zahlungsfähigkeit
I: solvibilità

SOLVENTE
F: solvable
GB: solvent
D: zahlungsfähig
I: solvibile

SOMETER (A UNA TASA)
F: assujettir (à une taxe)
GB: subject to
D: (mit einer Steuer) belegen
I: sottomettere
Astreindre quelqu'un à payer une taxe

SONDEO
F: sondage
GB: survey
D: Umfrage
I: sondaggio

STATUTOS, CARTA ORGANICA
F: statuts
GB: Memorandum and Articles of Association (USA articles of incorporation)
D: Statuten
I: atto costitutivo e statuto sociale
Ensemble de dispositions fixant les règles de fonctionnement interne d'une organisation (sociétés civiles et commerciales, en particulier)

STOCK
F: stock
GB: stock
D: Vorrat
I: stock
Ensemble des matières et produits mis en œuvre dans l'activité d'une entreprise et entreposés en attendant d'être utilisés ou vendus

SUB-ALQUITER
F: sous-location
GB: sub-letting
D: Untervermietung
I: subaffitto

SUB-DIRECTOR
F: sous-directeur
GB: assistant manager
D: Unterdirektor
I: vice-direttore

SUBALTERNO
F : subalterne
GB : *subordinate*
D : Untergebene(r)
I : *subalterno*

SUBASTA
F : enchères
GB : *auction sale*
D : Auktion
I : *incanto*

SUBASTADOR
F : commissaire-priseur
GB : *auctioneer*
D : Versteigerer
I : *venditore all'asta*
Officier ministériel chargé de l'estimation et de la vente aux enchères publiques

SUBIDA (EN VALOR), PLUSVALIA
F : appréciation
GB : *appreciation, betterment*
D : Wertsteigerung, Planungsgewinn
I : *aumento, plus-valore*
Hausse continue du cours d'une monnaie sur le marché des changes

SUBIR (EN VALOR)
F : apprécier
GB : *appreciate (in value)*
D : im Wert steigen
I : *aumentare (di valore)*

SUBROGACION
F : subrogation
GB : *subrogation*
D : Ersetzung
I : *surrogazione*
Droit : substitution d'une personne (subrogation personnelle) ou d'une chose (subrogation réelle) à une autre

SUBSIDIO
F : subvention
GB : *subsidy*
D : Subvention
I : *sussidio*
Aide ou prêt non remboursable de l'Etat ou d'une collectivité publique

SUBSIDIO A LAS EXPORTACIONES
F : prime à l'exportation
GB : *export bonus*
D : Ausfuhrprämie
I : *premio d'esportazione*
Subvention à l'exportation

SUBSIDIO DE PARO
F : indemnités de chômage
GB : *unemployment benefit*
D : Arbeitslosenunterstützung
I : *indennità di disoccupazione*

SUBSTRACCION
F : soustraction
GB : *substraction*
D : Subtraktion
I : *sottrazione*

SUBVENCION DE CAPITAL
F : subventions en capital
GB : *capital grants*
D : Kapitlhilfe
I : *sovvenzioni di capitale*

SUBVENCION DEL ESTADO
F : subvention d'Etat
GB : *government subsidy*
D : Staatszuschuß
I : *sovvenzione dello Stato*

SUCESION
F : succession
GB : *inheritance, estate*
D : Erbschaft, Nacklaß
I : *successione*

SUCURSAL DE CADENA DE ALMACENES
F : magasin à succursales multiples
GB : *chain store*
D : Kettengeschäft
I : *negozio a catena*

SUCURSAL DEL BANCO
F : banque (succursale de)
GB : *branch bank*
D : Filialbank, Zweigbank
I : *banca succursale*

SUCURSAL, FILIAL
F : succursale
GB : *branch, branch office*
D : Filiale, Zweigstelle
I : *succursale*
Etablissement sans individualité juridique qui concourt au même objet que celui dont il dépend

SUELDO
F : traitement
GB : *salary*
D : Gehalt
I : *stipendio*
Salaire

SUJETAPAPELES
F : presse-papier
GB : *paper clip*
D : Büroklammer
I : *fermacarte*

SUMA
F : somme
GB : *amount, sum*
D : Betrag, Summe
I : *ammontare*

SUMA GLOBAL
F : somme globale
GB : *lump sum*
D : Pauschalbetrag
I : *somma globale*

SUMA NOMINAL
F : montant nominal
GB : *nominal amount*
D : Nominalbetrag
I : *importo nominale*
Inscrit sur un titre, il est définitif quelles que soient les fluctuations de la valeur réelle ou marchande de celui-ci

SUMA PARA RIESGOS
F : prime de risque
GB : *danger money*
D : Gefahrenzulage
I : *compenso per il rischio*
Prime octroyée en rémunération d'une prise de risque

SUMAR
F : totaliser
GB : *add up*
D : addieren
I : *sommare*

SUPERDIVIDENDO
F : super-dividende
GB : *surplus dividend*
D : Extradividende
I : *dividendo straordinario*
Eventuellement décidé par l'assemblée générale, il s'ajoute au premier dividende

SUPERFICIE DE PISO
F : surface au sol
GB : *floor space*
D : Bodenfläche
I : *superficie di pavimento*

SUPERMERCADO
F : supermarché
GB : *supermarket*
D : Supermarkt
I : *supermercato*

SUPERVISOR
F : surveillant
GB : *supervisor*
D : Aufseher
I : *supervisore*

SUPLEMENTO
F : supplément
GB : *extra charge*
D : Zuschlagsgebühr
I : *spesa supplementare*

SURTIR
F : fournir
GB : *supply*
D : beliefern
I : *fornire*

SUSCRIPCION
F : souscription
GB : *subscription*
D : Zeichnung
I : *sottoscrizione*
Engagement irrévocable à recevoir des titres contre paiement à un prix convenu d'avance ; achat d'un titre au moment de son émission

SUSODICHO
F : susmentionné
GB : *above-mentioned*
D : obenerwähnt
I : *suddetto*

SUSPENDER EL PAGO DE UN CHEQUE
F : bloquer un chèque
GB : *stop a cheque (USA stop a check)*
D : einen Scheck sperren
I : *fermare un assegno*

SWAP
F : SWAP
GB : *SWAP*
D : SWAP
I : *SWAP*
Echange financier d'éléments de créances ou de dettes opéré entre deux ou plusieurs entités (banques, entreprises, Etats...)

SWIFT
F : SWIFT - Society for Worldwide Interbank Financial Telecommunication
GB : *SWIFT (Society for Worldwide Interbank Financial Telecommunication)*
D : SWIFT
I : *Rete Internazionale di Trasferimento Fondi e Informazioni Fra Banche*
Réseau bancaire international (50 banques françaises y sont connectées) permettant d'échanger des informations et d'accélérer les opérations sur le marché monétaire international

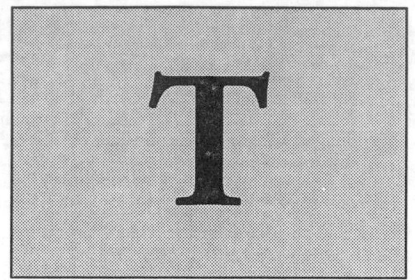

TACHAR, ANULAR
F : rayer
GB : *delete*
D : streichen
I : *cancellare*

TALON
F : talon
GB : *counterfoil (USA stub)*
D : Talon
I : *matrice*

TAMAÑO
F : taille
GB : *size*
D : Größe
I : *taglia*

TAQUIGRAFIA
F : sténographie
GB : *shorthand*
D : Kurzschrift
I : *stenografia*

TAQUIMECANOGRAFA
F : sténodactylographe
GB : *shorthand typist*
D : Stenotypistin
I : *stenodattilografa*

TARA
F : tare
GB : *tare*
D : Tara
I : *tara*

TARIFA
F : barème
GB : *scale (of fees, charges, etc.)*
D : Tarif
I : *tariffa*
Tableau des banques intervenant dans les opérations financières d'une société

TARIFA
F : tarif
GB : *tariff*
D : Tarif
I : *tariffa*

TARIFA DE SALARIOS
F : taux de salaires
GB : *wage rate*
D : Lohnsatz
I : *tariffa salariale*
Niveaux de salaires

TARIFA DIFERENCIAL
F : tarif discriminatoire
GB : *discriminating tariff*
D : diskriminierender Tarif
I : *tariffa discriminante*

TARIFA EXTERIOR COMÚN
F : tarif extérieur commun (UE)
GB : *common external tariff*
D : gemeinsamer Außentarif
I : *tariffa estera comune*
Il s'applique aux importations sur le territoire communautaire de marchandises provenant des pays tiers

TARIFA PARA ANUNCIOS, TARIFAS DE PUBLICIDAD
F : tarifs de publicité
GB : *advertising rates*
D : Werbetarif
I : *tariffe pubblicitarie*

TARIFA UNIFICADA
F : tarif uniforme
GB : *flat rate*
D : Einheitssatz
I : *tariffa uniforme*

TARJETA
F : carte
GB : *card*
D : Karte
I : *scheda*

TARJETA DE CRÉDITO
F : carte de crédit
GB : *credit card*
D : Kredikarte
I : *carta di credito*

TARJETA DE MEMORIA
F : carte à puce (ou à mémoire)
GB : *chip card*
D : Chip-Karte
I : *chip card*
Carte accréditive où l'identification du titulaire et les opérations qu'il effectue sont inscrites sous forme codée dans un microprocesseur

TARJETA MAGNÉTICA
F : carte magnétique
GB : *magnetic card*
D : Magnetkarte
I : *scheda magnetica*
Carte accréditive dont les informations sur l'identification du titulaire sont inscrites sous forme codée sur une ou plusieurs pistes magnétiques

TASA ACTUARIAL
F : taux actuariel
GB : *redemption yield*
D : Rendite
I : *tasso attuariale*
Rapport, pour une période donnée, entre le coût effectif d'un emprunt (ou le rendement effectif d'un prêt) et le montant du capital engagé

TASA ANUAL
F : taux annuel
GB : *annual rate*
D : Jahreskurs
I : *tasso annuale*

TASA DE DESCUENTO
F : taux d'escompte
GB : *discount rate*
D : Diskontsatz
I : *tasso di sconto*
Taux auquel est consenti un escompte

TASA, TIPO
F : taux
GB : *rate*
D : Satz, Kurs
I : *tasso, tariffa*
Expression arithmétique d'une variation dans le temps entre deux grandeurs (pourcentage, montant, coefficient)

TASABLE
F : taxable
GB : *dutiable*
D : abgabenpflichtig
I : *tassabile*

TASACION DIFERIDA
F : imposition différée
GB : *deferred taxation*
D : latente Steuerpflich
I : *tassazione differida*

TAXI
F : *taxi*
GB : *taxi*
D : Taxi
I : *tassi*

TECLA
F : touche (de machine à écrire)
GB : *key*
D : Taste
I : *tasto*

TÉCNICA
F : technique nf
GB : *technique*
D : Technik
I : *tecnica*
Procédé résultant de l'application de connaissances théoriques et scientifiques à une production

TECNOLOGIA
F : technologie
GB : *technology*
D : Technologie
I : *tecnologia*
Etude des techniques. Savoir-faire

TECNOLOGÍA DE PRODUCCIÓN AUTOMATIZADA
F : productique
GB : *automated production technology*
D : Automatisierungstechnik
I : *teoria applicata della produzione*
Ensemble des techniques concourant à l'automatisation de la production

TEJIDO
F : étoffe
GB : *material, cloth*
D : Stoff
I : *stoffa, tessuto*

TELÉFONO
F : téléphone
GB : *telephone*
D : Fernsprecher, Telefon
I : *telefono*

TELÉGRAFAR
F : télégraphier
GB : *telegraph*
D : telegrafieren
I : *telegrafare*

TELEGRAMA
F : télégramme
GB : *telegram*
D : Telegramm
I : *telegramma*

TELEMÁTICA
F : télématique
GB : *telematics*
D : Telematik
I : *telematica*
Transmission d'informations à distance par l'utilisation conjointe de l'informatique et des télécommunications

TÉLEX
F : telex
GB : *Telex*
D : Fernschreiber
I : *telex*
Transmission à distance de messages dactylographiés

TEMPORAL
F : provisoire
GB : *temporary*
D : einstweilig
I : *temporaneo*

TENEDOR LEGITIMO
F : porteur à titre onéreux
GB : *holder for value*
D : entgeltiger Besitzer
I : *detentore legittimo*
Définition prévue non donnée

TENENCIA DE ACCIONES POR MAYORIA
F : participation majoritaire
GB : *majority holding*
D : Mehrheitsbeteiligung
I : *partecipazione maggioritaria*

TENER
F : tenir
GB : *hold*
D : halten
I : *tenere*

TENER ACCIONES
F : détenir des actions
GB : *hold shares*
D : beteiligt sein, Aktien besitzen
I : *tenere azioni*

TENOR
F : teneur
GB : *tenor*
D : Laufzeit
I : *tenore*

TERCERO
F : tiers
GB : *third party*
D : Dritte(r)
I : *terzi*

TERMINAL DE AEROPUERTO
F : aérogare
GB : *air terminal*
D : Luftterminal
I : *aerostazione*

TÉRMINO
F : terme
GB : *due date*
D : Frist
I : *termine*
Echéance

TESTIGO
F : témoin
GB : *witness*
D : Zeuge
I : *testimone*

TEXTIL
F : textile
GB : *textile*
D : Webware
I : *tessile*

TEXTO MECANOGRAFIADO
F : manuscrit dactylographié
GB : *typescript*
D : Maschinenschrift
I : *dattiloscritto*

TIEMPO IMPRODUCTIVO
F : temps d'arrêt
GB : *down time*
D : Leelaufzeit
I : *tempo improduttivo*

TIEMPO IMPRODUCTIVO DE LA MAQUINA
F : temps de panne machine
GB : *machine down-time*
D : Maschinenstillstandzeit
I : *tempo passivo di macchina*

TIEMPO PARCIAL
F : temps partiel
GB : *part-time*
D : Teilzeit
I : *part-time*

TIENDA, ALMACÉN
F : magasin
GB : *shop, store*
D : Laden, Lager
I : *bottega, magazzino*

TIPO DE BASE BANCARIO
F : taux de base bancaire
GB : *M.L.R. (minimum lending rate)*
D : Lombardsatz
I : *tasso di base bancario*
Taux d'intérêt appliqué par une banque aux crédits consentis à ses meilleurs clients, qui constitue sa référence pour établir le barème de ses différents taux

TIPO DE CAMBIO
F : cours de change
GB : *rate of exchange*
D : Umrechnungskurs
I : *corso del cambio*
Taux de change

TIPO DE CAMBIO
F : taux de change
GB : *exchange rate*
D : Wechselkurs
I : *tasso di cambio*
Valeur de la monnaie nationale exprimée en monnaie étrangère

TIPO DE CAMBIO FLOTANTE
F : taux de change flottant
GB : *floating exchange rate*
D : flexibler Wechselkurs
I : *tasso del cambio fluttuante*

TIPO DE INTERÉS
F : taux d'intérêt
GB : *interest rate*
D : Zinsfuß
I : *tasso d'interesse*
Prix d'un placement ou d'un emprunt, exprimé en pourcentage, qui est le rapport entre le montant de l'intérêt dû pour l'année et celui du capital engagé

TIPO DE RÉDITO
F : taux de rendement
GB : *rate of return*
D : Ertragsrate
I : *tasso di reddito*
Rapport entre le revenu annuel que procure un placement et la valeur immédiate de celui-ci

TIPO OSCILANTE
F : taux variable
GB : *fluctuating rate*
D : schwankender Kurs
I : *tasso variabile*

TITULAR
F : détenteur
GB : *holder*
D : Inhaber
I : *titolare*

TITULO
F : titre
GB : *(legal) title, security*
D : Titel, Wertpapier
I : *titolo*
Document représentatif d'un droit de propriété ou d'une créance

TITULO A CORTO PLAZO
F : titre à court terme
GB : *short-dated security*
D : kurzfristiges Wertpapier
I : *titolo a breve scadenza*
Titre dont l'échéance est inférieure à deux ans

TITULO AL PORTADOR
F : bon au porteur
GB : *bearer bond*
D : Inhaberobligation
I : *titolo al portatore*
Bon dont le bénéficiaire n'est pas désigné nominativement

TITULO DE ACCION
F : certificat d'actions
GB : *share certificate (USA certificate of stock)*
D : Aktienzertifikat
I : *certificato azionario*
Titre délivré par une société attestant le dépôt d'un certain nombre de titres

TITULO DE ASIGNACION
F : acte attributif
GB : *deed of assignment*
D : Abtretungsvertrag
I : *atto di cessione*

TITULO DE PROPIEDAD
F : titre de propriété
GB : *title deed*
D : Eigentumstitel
I : *titolo di proprietà*

TITULO NEGOCIABLE
F : effet de commerce
GB : *negotiable instrument*
D : begebbares Wertpapier
I : *titulo negoziabile*
Titre de créance négociable et cessible par endossement (voir ce mot)

TITULO, ESCRITURA
F : acte
GB : *deed, document*
D : Urkunde
I : *atto*
Ecrit authentifiant un fait, une convention

TITULOS DE PRÉSTAMO
F : titres d'emprunt
GB : *loan stock*
D : Anteihewerte
I : *titoli di prestito*
Titres attestant l'existence d'une dette

TITULOS NO COTIZADOS
F : valeurs non cotées
GB : *unquoted securities*
D : nicht notierte Wert
I : *titoli non quotati*

TITULOS PUBLICOS
F : titres d'Etat
GB : *Government securities*
D : Regierungsschuldverschreibungen
I : *titoli di Stato*
Titres émis par l'Etat ou une collectivité publique

TITULOS, VALORES
F : titres
GB : *stock, securities*
D : Wertpapier, Effekten
I : *titoli, valori*

TODOS LOS RIESGOS
F : tous risques
GB : *all risks*
D : alle Gefahren
I : *tutti rischi*

TONELADA
F : tonne
GB : *tonne*
D : Tonne
I : *tonnellata*

TONELADA BRUTA
F : tonne forte
GB : *gross ton*
D : Bruttotonne
I : *tonnellata lorda*

TONELAJE
F : tonnage
GB : *tonnage*
D : Tonnengehalt
I : *tonnellaggio*

TOPE
F : plafond
GB : *ceiling*
D : Decke, Volumen
I : *limite massimo, tetto*

TOPE DE DEUDAS
F : plafond d'encours
GB : *debt ceiling*
D : Kreditgrenze
I : *limite massimo di responsabilità cambiaria*
Valeur totale maximum des titres représentatifs d'engagements financiers en circulation autorisée par une banque à un client

TOPE DE EMISIÓN
F : plafond d'émission
GB : *issue ceiling*
D : Notenkontingent
I : *limite massimo di emissione*
Montant maximum de monnaie que la Banque centrale est autorisée à émettre

TORMENTA
F : tempête
GB : *storm*
D : Sturm
I : *tempesta*

TRABAJADOR POR CUENTA PROPIA
F : travailleur indépendant
GB : *self-employed person*
D : selbständig Arbeitende(r)
I : *lavoratore indipendente*

TRABAJO
F : travail
GB : *work*
D : Arbeit
I : *lavoro*

TRABAJO A DESTAJO
F : travail à la tâche
GB : *piecework*
D : Akkordarbeit
I : *lavoro a cottimo*
Travail fixé d'avance à un prix convenu

TRABAJO CLANDESTINO
F : travail au noir
GB : *moonlighting*
D : Schwarzarbeit
I : *lavoro nero*
Qui est effectué au-delà de la durée maximum légale et dont la rémunération échappe aux cotisations sociales et à l'impôt

TRABAJO EN CURSO
F : travaux en cours
GB : *work-in-progress (USA work in process)*
D : Arbeit in der Ausführung
I : *lavoro in corso*
Non achevés au moment de la clôture de l'exercice, et dont la valeur figure dans les stocks

TRABAJO NOCTURNO
F : travail de nuit
GB : *nightwork*
D : Nachtarbeit
I : *lavoro notturno*

TRABAJO POR TORNO
F : travail par équipes
GB : *shifwork*
D : Schichtarbeit
I : *lavoro a turno*
Pratiqué de façon continue ou prolongée par des équipes successives

TRABAJO TEMPORAL
F : travail temporaire
GB : *temporary work*
D : befristete Arbeit
I : *lavoro temporaneo*
Travail intérimaire

TRAFICO AÉREO
F : trafic aérien
GB : *air traffic*
D : Lufverkehr
I : *traffico aereo*

TRANSACCION
F : transaction
GB : *transaction*
D : Transaktion
I : *transazione*
Echange, processus de négociation qui a abouti à un accord par concessions réciproques

TRANSBORDADOR
F : bac (bateau)
GB : *ferry-boat*
D : Fährboot
I : *nave traghetto*

TRANSBORDO
F : transbordement
GB : *transhipment*
D : Umladung
I : *trasbordo*
Transfert de marchandises ou de voyageurs d'un véhicule de transport à un autre

TRANSFERENCIA BANCARIA
F : virement bancaire
GB : *bank transfert*
D : Banküberweisung
I : *trasferimento bancario*

TRANSFERENCIA POSTAL
F : virement postal
GB : *mail transfer*
D : Postüberweisung
I : *trasferimento per posta*

TRANSFERIR
F : transférer
GB : *transfer*
D : überweisen
I : *trasferire*

TRANSPORTADOR A GRAND
F : transporteur de marchandises en vrac
GB : *bulk carrier*
D : Massenfrachtführer
I : *trasportatore di merce alla rinfusa*

TRANSPORTADOR, CONSIGNADOR
F : expéditeur
GB : *carrier, consignor*
D : Spediteur, Absender
I : *vettore, speditore*

TRANSPORTE
F : transport
GB : *transport*
D : Beförderung, Transport
I : *trasporto*

TRANSPORTE AÉREO
F : transport aérien
GB : *air transport*
D : Luftransport
I : *trasporto aereo*

TRAPASO DE PROPIEDAD
F : transmission de biens
GB : *conveyance of property*
D : Übertragung von Vermögen

I : *trasferimento di beni*

TRASPASO
F : pas-de-porte
GB : *key money*
D : Türschwelle
I : *avviamento commerciale*
Somme d'argent variable, et indépendante du loyer, versée par un locataire à celui qui l'a précédé ou au propriétaire d'un local commercial, lors de la conclusion du contrat de bail ou de cession de bail

TRATAMIENTO DE DATOS
F : traitement informatique
GB : *data processing*
D : Datenverarbeitung
I : *elaborazione dei dati*

TRATO AL CONTADO
F : transaction au comptant
GB : *cash deal*
D : Bargeschäft
I : *operazione a contanti*
Transaction qui a donné lieu à un règlement immédiat (en monnaie)

TRATO EQUITATIVO
F : affaire équitable
GB : *fair deal*
D : anständige Abmachung
I : *affare giusto*

TREN DE MERCANCIAS
F : train de marchandises
GB : *goods train (USA freight train)*
D : Güterzug
I : *treno merci*

TREN EXPRESO
F : train express
GB : *express train*
D : D-Zug, Schnellzug
I : *direttissimo, rapido*

TRIBUNAL
F : tribunal
GB : *court (of law)*
D : Gericht
I : *tribunale*

TRIBUNAL ARBITRAL
F : cour d'arbitrage
GB : *court of abitration*
D : Schiedsgericht
I : *corte arbitrale*

TRIBUNAL DE APELACION
F : Cour d'appel
GB : *court of appeal*
D : Berufungsgericht
I : *corte d'appello*
Tribunal chargé de juger en appel les décisions des juridictions de droit commun ou d'exception

TRIBUNAL DE CONCILIACIÓN LABORAL
F : prud'hommes
GB : *industrial tribunal*
D : Obmänner
I : *proboviri*
Juridiction d'exception paritaire de jugement ou de conciliation des litiges concernant le contrat individuel de travail

TRIBUTACION
F : imposition
GB : *taxation*
D : Besteuerung
I : *tassazione*

TRIMESTRAL
F : trimestriel
GB : *quarterly*
D : vierteljährlich
I : *trimestrale*

ESPAÑOL

TROCAR
F : troquer
GB : *barter*
D : Tauschhandel treiben
I : *barattare*
Echanger directement un bien contre un autre bien

TURNO
F : équipe
GB : *shift*
D : Schicht
I : *turno*

TURNO DE DIA
F : équipe de jour
GB : *day-shift*
D : Tagschicht
I : *turno di giorno*

TURNO DE NOCHE
F : équipe de nuit
GB : *night shift*
D : Nachtschicht
I : *turno di notte*

TUTOR
F : tuteur (d'un mineur)
GB : *guardian*
D : Vormund
I : *tutore*

U-V

ULTIMA ENTRADA, PRIMERA SALIDA
F: LIFO (last in, last out)
GB: *LIFO*
D: LIFO
I: *ultimo a entrare, primo a uscire*
Dernier entré, premier sorti . Méthode de valorisation des sorties de stocks fondée sur l'inverse de la chronologie des entrées

ULTIMO DIA
F: dernier jour
GB: *closing date*
D: Schlußtermin
I: *ultima data*

ULTIMO PLAZO
F: dernier versement
GB: *final instalment*
D: letzte Rate
I: *ultima rata*

UMBRAL DE RENTABILIDAD
F: seuil de rentabilité
GB: *breakeven point*
D: Gewinnschwelle
I: *soglia di redditività*
Point mort d'une entreprise ou niveau d'activité à partir duquel, toutes charges couvertes, elle commence à faire des bénéfices

UNIDAD
F: unité
GB: *unit*
D: Stück
I: *unità*

UNIDAD DE VISUALIZACION
F: unité de visualisation
GB: *visual-display unit (VDU)*
D: Bildschirmeinheit
I: *unità di visualizzazione*

UNION ADUANERA
F: union douanière
GB: *customs union*
D: Zollunion
I: *unione doganale*

USO COMERCIAL
F: usage commercial
GB: *custom of the trade*
D: Handelsgebrauch
I: *uso commerciale*

USO Y DESGASTE RAZONABLE
F: usure normale
GB: *fair wear and tear*
D: übliche Abnützung
I: *usura normale*

USUFRUCTO
F: usufruit
GB: *usufruct, beneficial interest*
D: Nießbrauchsrecht
I: *usufrutto*
Droit de jouir d'un bien et d'en percevoir les revenus pendant un temps déterminé (en général, la durée de vie de l'usufruitier)

USUFRUCTO VITALICIO
F: usufruit viager
GB: *life-interest*
D: lebenslängliche Nutznießung
I: *usufruto vitalizio*
Usufruit converti en rente viagère

USUFRUCTUARIO
F: usufruitier
GB: *beneficial owner*
D: Nießbrauchnutzer
I: *usufruttuario*

USURA
F: usure
GB: *usury*
D: Wucher
I: *usura*
Octroi d'un prêt à un taux supérieur à la coutume ou à la loi (délit)

VACACION
F: vacances
GB: *vacation, holiday*
D: Ferien, Urlaub
I: *vacanza*

VACACIONES DE VERANO, VERANEO
F: vacances d'été
GB: *summer-holidays*
D: Sommerferien
I: *vacanza estive*

VACACIONES RETRIBUIDAS
F: congés payés
GB: *holidays with pay*
D: bezahlter Urlaub
I: *vacanze retribuite*
Vacances accordées par la loi à tout salarié qui a travaillé au moins un mois en continu

VAGON DE FERROCARRIL
F: wagon de chemin de fer
GB: *railway carriage (USA railroad car)*
D: Eisenbahnwagen
I: *carrozza ferroviaria*

VALE DE RECIBO
F: bon de réception
GB: *delivery slip*
D: Empfangsschein
I: *bolla, buono di ricevuta*
L'exemplaire du bon de livraison signé par l'acheteur (et conservé par le vendeur) en tient lieu

VALIDACION DE LOS TESTAMENTOS
F: validation d'un testament
GB: *probate*
D: Testamentseröffnung, Bestätigung
I: *omologazione di testamento*
Testament considéré comme valable

VALIDO
F: valable
GB: *valid, good*
D: gültig, gut
I: *valido*

VALIOSO
F: valeur (de)
GB: *valuable*
D: wertvoll
I: *di valore*

VALOR
F : valeur
GB : *value*
D : Wert
I : *valore*

VALOR AGREGADO
F : valeur ajoutée
GB : *added value*
D : Mehrwert
I : *valore aggiunto*
Différence entre la valeur de la production et la valeur des biens utilisés à cet effet

VALOR AL PORTADOR
F : valeur au porteur
GB : *bearer security*
D : Inhabereffekten
I : *valore al portatore*
Valeur qui appartient à celui qui la détient

VALOR CAPITALIZADO
F : valeur capitalisée
GB : *capitalized value*
D : kapitalisierter Wert
I : *valore capitalizzato*
Montant des intérêts transformés en capital

VALOR CONTABLE
F : valeur comptable
GB : *book value*
D : Buchwert
I : *valore d'inventario*
Valeur d'une entreprise égale à la différence entre son actif et ses dettes

VALOR DE LA CLIENTELA
F : bon vouloir
GB : *goodwill*
D : Geschäftswert
I : *awiamento*

VALOR DE MERCADO
F : valeur marchande
GB : *market value*
D : Marktwert
I : *valore di mercato*
Valeur de commercialisation

VALOR DE RESCATE
F : valeur de rachat
GB : *surrender value*
D : Rückkaufswert
I : *valore di riscatto*

VALOR DECLARADO
F : valeur déclarée
GB : *declared value*
D : angegebener Zollwert
I : *valore dichiarato*

VALOR EN ACTIVO
F : valeur de l'actif
GB : *asset value*
D : Aktiwert
I : *valore in attivo*

VALOR INTRINSECO
F : valeur intrinsèque
GB : *intrinsic value*
D : innerlicher Wert
I : *valore intrinseco*
A un moment donné, écart entre le prix marché comptant d'un actif et le prix prévu si on fait jouer une option d'achat ou de vente

VALOR VENAL
F : valeur vénale
GB : *market value*
D : Verkaufswert
I : *valore venale*
Valeur comptable invariable d'un titre au moment de sa première émission

VALOR, VALOR NOMINAL
F : valeur nominale
GB : *nominal value, face value, denomination*
D : Nennwert, Stückelung
I : *valore nominale, taglio*
Valeur comptable invariable d'un titre au moment de sa première émission

VALORACION DEL TRABAJO
F : évaluation du travail
GB : *job evaluation*
D : Arbeitsbewertung
I : *valutazione del lavoro*
Détermination de la valeur relative de chaque poste de travail par rapport aux autres dans l'entreprise, et affectation à chacun d'une rémunération convenable

VALORES COTIZABLES
F : valeurs boursières
GB : *listed security*
D : an der Börse notierte Wertpapiere
I : *titoli quotati (in borsa)*

VALORES PRIVILEGIADOS CUMULATIVOS
F : actions de priorité cumulatives
GB : *cumulative preference shares*
D : kumulative Vorzugsaktien
I : *azioni preferenziali cumulative*
Actions de priorité dont le dividende non payé est reporté d'un exercice à l'autre lorsque les bénéfices sont insuffisants

VALORIZACIÓN
F : valorisation
GB : *valuation*
D : Aufwertung
I : *valorizzazione*

VARIACIÓN
F : variation
GB : *variation*
D : Veränderung
I : *variazione*

VEHICULO COMERCIAL
F : véhicule commercial
GB : *commercial vehicle*
D : Nutzfahrzeug
I : *veicolo commerciale*

VENCER
F : échoir
GB : *fall due*
D : faïllig dein
I : *scadere, essere pagabile*
Arriver à échéance

VENCIDO
F : arriéré
GB : *overdue*
D : rückständig
I : *scaduto*
Ce qui reste dû

VENCIDO
F : expiré
GB : *expired*
D : verfallen
I : *scaduto*

VENCIDO
F : périmé
GB : *out of date, expired*
D : verfallen
I : *scaduto*

VENCIMIENTO
F : échéance
GB : *maturity*
D : Fälligkeit
I : *scadenza*

VENDEDOR
F : vendeur
GB : *salesman, vender*
D : Verkäufer
I : *venditore, commesso*

VENDER
F : vendre
GB : *sell*
D : verkaufen
I : *vendere*

VENDIBLE
F : vendable
GB : *marketable*
D : marktfähig
I : *vendibile*

VENTA
F : vente
GB : *sale*
D : Verkauf
I : *vendita*

VENTA A DOMICILIO
F : vente à domicile
GB : *door-to-door selling*
D : Haus-zu-Haus-Verkauf
I : *vendita a domicilio*

VENTA A SUBASTA
F : vente aux enchères
GB : *sale by auction*
D : Versteigerung
I : *vendita all'asta*

VENTA AL CONTA
F : vente au comptant
GB : *cach sale*
D : Kassageschäft
I : *vendita a contanti*

VENTA DIRECTA
F : vente directe
GB : *direct selling*
D : Direktverkauf
I : *vendita diretta*
Sans intermédiaire

VENTA FORZOSA
F : vente forcée
GB : *forced sale*
D : Zwangsverkauf
I : *vendita forzosa*

VENTA O DEVOLUCION
F : vente avec faculté de retour
GB : *sale or return*
D : Rücksendung wenn unverkauft
I : *da vendere o rimandare*

VENTA SENCILLA
F : vente par des moyens discrets
GB : *soft sell*
D : unaufdringliches Verkaufen
I : *vendere senza forzare*

VENTAJOSO
F : avantageux
GB : *profitable, advantageous*
D : vorteilhaft
I : *vantaggioso, redditizio*

VENTAS DE EXPORTACION
F : ventes d'exportation
GB : *export sales*
D : Ausfuhrverkäufe
I : *vendite per esportazione*

VERIFICACION CONTABLE INTERNA
F : vérification interne
GB : *internal audit*
D : interne Revision
I : *verifica contabile interna*
Audit pratiqué par un salarié de l'entreprise

VERIFICAR
F : vérifier
GB : *verify*
D : nachprüfen
I : *verificare*

VIAJANTE
F : commis-voyageur
GB : *(commercial) traveller*
D : Geschäftsreisende(r)
I : *viaggiatore di commercio*
Représentant de commerce

VIAJANTE DE COMERCIO
F : VRP - voyageur-représentant-placier
GB : *sales representative*
D : Vertreter
I : *rappresentante*
Représentant de commerce

VIAJE
F : voyage
GB : *voyage*
D : Seereise
I : *viaggio*

VICE-PRESIDENTE
F : vice-prèsident
GB : *vice-chairman*
D : stellvertretender Vorsitzende(r)
I : *vicepresidente*

VISA
F : visa
GB : *visa*
D : Visum
I : *visto*

VISTA (A LA)
F : à vue
GB : *at sight*
D : bei Sicht
I : *a vista*
Clause qui, apposée sur un effet de commerce, le rend payable sur simple présentation

VISTA (A)
F : demande (sur)
GB : *on demand*
D : auf Verlangen
I : *a vista*

VOLUMEN DE VENTAS
F : chiffre d'affaires
GB : *turnover*
D : Umsatz
I : *giro d'affari*
Total des ventes de biens et services effectuées par une entreprise au cours d'une période donnée

VOLUNTARIO
F : volontaire adj
GB : *voluntary*
D : freiwillig
I : *volontario*

VOTAR
F : voter
GB : *vote*
D : stimmen
I : *votare*

VOTO DECISIVO
F : voix prépondérante
GB : *casting vote*
D : entscheidende Stimme
I : *voto decisivo*

VPC (VENTA POR CORRESPONDENCIA)
F : VPC (vente par correspondance)
GB : *mail-order selling*
D : Versandhandel
I : *vendita per corrispondenza*

ESPAGNOL

W-Y-Z

WARRANT
F : warrant
GB : *warrant*
D : Garantie
I : *warrant*
Bon de souscription d'action ou d'obligation attaché à un titre, au prix fixé et pour une période déterminée

YACIMIENTO AURIFERO
F : régions aurifères
GB : *gold fields*
D : Goldgrube
I : *terreni auriferi*

YACIMIENTO DE CARBON
F : bassin houiller
GB : *coal field*
D : Kohlenrevier
I : *bacino carbonifero*

YACIMIENTO DE PETROLEO
F : gisement pétrolifère
GB : *oilfield*
D : Ölfeld
I : *giacimento petrolifero*

ZONA
F : zone
GB : *zone*
D : Zone
I : *zona*

ZONA DE DESARROLLO
F : zone de développement
GB : *development area*
D : Ortsplanungsgebiet
I : *zona di sviluppo*
Région dans laquelle il a été décidé de favoriser par diverses mesures l'implantation d'industries et la création d'emplois

ZONA EUROPEA DE COMMERCIO LIBRE
F : Zone européenne de libre-échange
GB : *European free trade area (EFTA)*
D : Europäische Freihandelszone
I : *Zona europea di libero scambio*

ZONA MONETARIA
F : zone monétaire
GB : *currency area*
D : Währungsgebiet
I : *zona monetaria*
Ensemble de pays dont les monnaies (secondaires) sont étroitement liées à une monnaie principale (celle du pays centre) et convertibles entre elles

Dictionnaire
italien

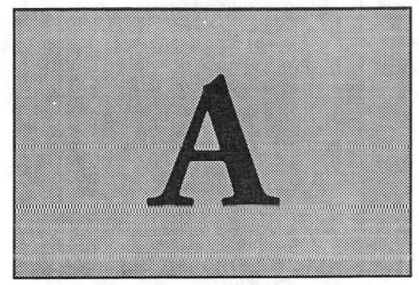

ABBONAMENTO
F: abonnement
GB: *subscription*
D: Abonnement
E: *abono*

ABROGARE
F: abroger
GB: *rescind, repeal*
D: aufheben
E: *abrogar*

ACCAPARRARE IL MERCATO
F: occuper le marché
GB: *corner a market*
D: den Markt beherrschen
E: *acaparar el mercado*

ACCASIONE
F: occasion
GB: *bargain*
D: Gelegenheitskauf
E: *ganga*

ACCATTATORE
F: emprunteur
GB: *borrower*
D: Kreditnehmer
E: *prestatario*

ACCESSO
F: accès
GB: *access (to)*
D: Zugang
E: *acceso*

ACCETTARE
F: accepter (une traite)
GB: *accept*
D: annehmen
E: *aceptar*

ACCETTARE UNA OFFERTA
F: accepter (une offre)
GB: *accept an offer*
D: ein Angebot annehmen
E: *aceptar una oferta*

ACCETTAZIONE
F: acceptation
GB: *acceptance*
D: Akzept
E: *aceptacion*
Engagement exprès d'un débiteur à observer une échéance

ACCETTAZIONE COMMERCIALE
F: acceptation commerciale
GB: *trade acceptance*
D: Handelsakzept
E: *acceptacion comercial*
Acceptation par une banque d'un effet de commerce tiré par le fournisseur d'un de ses clients pour faciliter une opération commerciale

ACCETTAZIONE CON RISERVA
F: acceptation conditionnelle
GB: *qualifed acceptance*
D. Annahme unter Vorbehalt
E: *aceptacion condicionada*

ACCIAIERIA
F: acierie
GB: *steel mill (USA steel plant)*
D: Stahlwerk
E: *aceria*

ACCLUSO
F: ci-joint
GB: *enclosed*
D: beiliegend
E: *adjunto*

ACCOGLIENZA
F: accueil
GB: *welcome*
D: Aufnahme
E: *atención*

ACCOMANDITA
F: commandite (société en)
GB: *limited partnership*
D: Kommanditgesellschaft
E: *comandita*
Société commerciale dans laquelle des associés apportent des capitaux sans prendre part à la gestion

ACCONTO
F: acompte
GB: *down-payment*
D: Sofortzahlung
E: *pago de entrada*
Paiement anticipé et partiel à valoir sur le montant d'une dette

ACCONTO DI DIVIDENDO
F: dividende intérimaire
GB: *intern dividend*
D: vorläufige Dividende
E: *dividendo provisional*
Dividende distribué périodiquement aux actionnaires en acompte sur celui de l'exercice (dividende final)

ACCORDO
F: accord
GB: *settlement (agreement)*
D: Vereinbarung
E: *acuerdo*

ACCORDO
F: convention
GB: *agreement*
D: Abkommen
E: *acuerdo*
Accord officiel passé entre des individus ou des groupes

ACCORDO DI COMMERCIO BILATERALE
F: accord de commerce bilatéral
GB: *bilateral trade agreement*
D: bilateraler Handelsvertrag
E: *contrato comercial bilateral*

ACCORDO DI MERCATO
F: accord de commercialisation
GB: *marketing agreement*
D: Absatzübereinkommen
E: *acuerdo mercantil*

ACCORDO DI RISERVA
F: accord réservé
GB: *stand-by agreement*
D: Notvereinbarung
E: *contrato de reserva*

ACCORDO DI SERVIZIO
F: contrat de service
GB: *service agreement*
D: Dienstvertrag
E: *contrato de servicio*

ITALIANO

ACCORDO GENERALE SULLE TARIFFE DOGANALI E SUL COMMERCIO
F: Accord général sur les tarifs douaniers et le commerce
GB: *General agreement on tariffs and trade (GATT)*
D: Allgemeines Zoll-und Handelsabkommen
E: *Acuerdo general sobre tarifas aduaneras y comercio*
Accord multilatéral et international sur l'harmonisation des politiques douanières. L'OMC - Organisation mondiale du commerce le remplace à partir de 1995

ACCORDO MONETARIO EUROPEO (AME)
F: Accord monétaire européen - AME
GB: *European monetary agreement*
D: Europäisches Währungsabkommen (EWA)
E: *Acuerdo monetario europeo (AME)*
A pris fin juridiquement en 1972. Remplacé par l'UEM - Union économique et monétaire : prévue par le traité de Maastricht, une monnaie unique doit voir le jour en 1997 ou 1999 au plus tard

ACCORDO MULTILATERALE
F: accord multilatéral
GB: *multilateral agreement*
D: multilaterales Abkommen
E: *acuerdo multilateral*

ACCORDO QUADRO
F: accord cadre
GB: *outline agreement (USA framework accord)*
D: Rahmenabkommen
E: *acuerdo marco*
Accord général conclu entre des partenaires sociaux et destiné à être précisé ultérieurement

ACCORDO RESTRITTIVO
F: accord restrictif
GB: *restrictive covenant*
D: einschränkende Bestimmung
E: *convenio restrictivo*

ACCORDO SECRETO
F: accord occulte
GB: *secret agreement*
D: Geheimvertrag
E: *acuerdo secreto*

ACCORDO SULLA PAROLA
F: convention verbale
GB: *gentleman's agreement*
D: Kavaliersabkommen
E: *acuerdo sobre palabra*

ACCORDO TACITO
F: convention tacite
GB: *tacit agreement*
D: stillschweigendes Übereinkommen
E: *acuerdo tacito*
Accord implicite

ACCORDO TARIFFARIO
F: accord tarifaire
GB: *tariff agreement*
D: Zollabkommen
E: *acuerdo tarifario*

ACCUMULARSI
F: accumuler
GB: *accrue*
D: auflaufen
E: *acumular*

ACCUSARE RICEVUTA DI
F: accuser réception de
GB: *acknowledge receipt of*
D: Empfang bestätigen
E: *acusar recibo de*

ACQUE TERRITORIALI
F: eaux territoriales
GB: *territorial waters*
D: Hoheitsgewässer
E: *aguas territoriales*
Zone maritime appartenant à un Etat et soumise à sa juridiction

ACQUISIZIONE
F: acquisition
GB: *purchase*
D: Erwerb
E: *adquisicion*

ACQUISTI
F: acquêt
GB: *acquest*
D: Erwerb
E: *adquisición*
Bien ou valeur achetés pendant le mariage par l'un, l'autre ou les deux époux

ADDESTRAMENTO PROFESSIONALE
F: formation professionnelle
GB: *vocational training*
D: Berufsausbildung
E: *formacion profesional*

ADDIZIONE
F: addition
GB: *addition*
D: Aufschlag
E: *adicion*

ADEMPIERE
F: remplir
GB: *fullfil*
D: erfüllen
E: *cumplir*

AEROPORTO
F: aéroport
GB: *airport*
D: Flughafen
E: *aeropuerto*

AEROSTAZIONE
F: aérogare
GB: *air terminal*
D: Luftterminal
E: *terminal de aeropuerto*

AFFARE
F: affaire (c'est une)
GB: *deal*
D: Abschluß
E: *negocio*

AFFARE GIUSTO
F: affaire équitable
GB: *fair deal*
D: anständige Abmachung
E: *trato equitativo*

AFFARI
F: affaires
GB: *business*
D: Geschäft
E: *negocios*

AFFIDABILITÀ
F: fiabilité
GB: *reliability*
D: Zuverlässigkeit
E: *fiabilidad*

AFFIDARE
F: confier
GB: *entrust*
D: anvertrauen
E: *confiar*

AFFITTO
F: bail
GB: *lease*
D: Verpachtung
E: *alquiler*
Contrat par lequel le propriétaire d'un bien en concède la jouissance à un tiers pour une durée et un prix déterminés

AFFITTO DI LOCAZIONE COMMERCIALE
F: bail commercial
GB: *regular lease*
D: Pacht
E: *arrendamiento comercial*
Concerne un local à usage artisanal, industriel ou commercial

AFFITTO DI TERRENO
F: rente foncière
GB: *ground-rent*
D: Grundpacht
E: *renta del terreno*
Revenu tiré de la terre, lié au degré de fertilité de celle-ci (rente différentielle)

AFFITTUARIO, LOCATARIO, NOLEGGIATORE
F: locataire
GB: *tenant, hirer, lessee*
D: Mieter
E: *inquilino, alquilador, arrendatario*

AFFRANCATRICE POSTALE
F : machine à affranchir
GB : *franking machine*
D : Frankiermaschine
E : *maquina de franquear*

AGENDA
F : agenda
GB : *diary*
D : Agenda
E : *agenda*

AGENTE
F : agent
GB : *agent*
D : Agent
E : *agente*

AGENTE ACCREDITATO
F : agent accrédité
GB : *accredited agent*
D : Handelsbevollmächtigte(r)
E : *agente acreditudo*
Qui a reçu la garantie d'un organisme, d'une autorité

AGENTE CON DEL CREDERE
F : agent ducroire
GB : *del credere agent*
D : Delkrederevertreter
E : *agente del crédere*
Spécialiste d'une technique de crédit concernant, en général, le commerce extérieur, qui garantit le vendeur contre le risque d'insolvabilité de l'acheteur

AGENTE DELLE IMPOSTE
F : expert-appréciateur
GB : *assessor*
D : Schätzer
E : *asesor*
Expert judiciaire nommé par le tribunal pour apprécier, évaluer un préjudice

AGENTE DI BORSA
F : courtier en Bourse
GB : *stockbroker*
D : Börsenmakler
E : *corredor de bolsa*

AGENTE DI BREVETTI
F : conseil en brevets
GB : *patent agent*
D : Patentanwalt
E : *agente de patentes*

AGENTE DI CAMBIO
F : agent de change
GB : *stockbroker*
D : Börsenmakler
E : *agente de cambio y bolsa*
Officier ministériel nommé par décret, exerçant, dans le cadre d'un monopole, le courtage des opérations de Bourse ; il est remplacé par les sociétés de Bourse depuis le 1er janvier 1988

AGENTE DI COMMERCIO
F : agent commercial
GB : *mercantile agent (USA sales agent)*
D : Handelsvertreter
E : *agente mercantil*
Mandataire indépendant qui négocie des actes commerciaux pour le compte d'une entreprise

AGENTE DI RICUPERO CREDITI
F : agent de recouvrement
GB : *debt collector*
D : Inkassobeauftragte(r)
E : *agente recaudador*
Chargé d'apurer une dette pour le compte du créancier

AGENTE UFFICIALE
F : agent attitré
GB : *appointed agent*
D : Handelsvertreter
E : *agente nombrado*
En titre, titulaire d'une fonction

AGENZIA
F : agence
GB : *agency*
D : Agentur
E : *agencia*

AGENZIA D'INFORMAZIONI
F : agence de presse
GB : *news agency*
D : Nachrichtenbüro
E : *agencia de prensa*

AGENZIA DI ASSICURAZIONI
F : agent d'assurances
GB : *insurance agent*
D : Versicherungsvertreter
E : *agente de seguros*

AGENZIA DI COLLOCAMENTO
F : agence de placement
GB : *employment agency*
D : Stellenvermittlungsbüro
E : *agencia de colocaciones*

AGENZIA DI VIAGGI
F : agence de voyages
GB : *travel agent*
D : Reisebüro
E : *agencia de viajes*

AGENZIA IMMOBILIARE
F : agence immobilière
GB : *estate agency (USA real estate agency)*
D : Immobilienbüro
E : *correduria de fincas*

AGENZIA PUBBLICITARIA
F : agence de publicité
GB : *advertising agency*
D : Werbebüro
E : *agencia de publicidad*

AGGIO
F : agio
GB : *bank commission*
D : Agio
E : *agio*
Rémunération de l'intermédiaire financier qui assure une opération d'escompte. Coût total d'un crédit

AGGIORNAMENTO
F : ajournement
GB : *adjournment*
D : Vertagug
E : *aplazamiento*

AGGIORNARE
F : ajourner
GB : *adjourn*
D : vertagen
E : *aplazar*

AGGIUDICAZIONE
F : adjudication
GB : *awarding, allocation*
D : Ausschreibung
E : *adjudicación*
Mise en libre concurrence de personnes ou d'entreprises candidates à l'acquisition d'un bien ou à la prise en charge de travaux, de fournitures

AGGIUNGERE
F : ajouter
GB : *add*
D : hinzufügen
E : *anadir*

AGGIUSTAMENTO, VARIAZIONE STAGIONALE
F : ajustement saisonnier
GB : *seasonal adjustment*
D : saisonale Bereinigung
E : *ajuste estacional*
Correction d'une grandeur statistique tendant à se reproduire de manière régulière pour obtenir une certaine continuité

AGRICOLTURA
F : agriculture
GB : *agriculture*
D : Landwirtschaft
E : *agricultura*

AIUTO
F : secours
GB : *help*
D : Hilfe
E : *ayuda*

AIUTO CONTABILE
F : aide-comptable
GB : *bookkeeper*
D : Buchhaltungsgehilfe
E : *auxiliar de contabilidad*

ALBERGO
F : hôtel
GB : *hotel*
D : Hotel
E : *hotel*

ALBERO DI DECISIONI
F : arbre de décision
GB : *decision tree*
D : Entscheidungsbaum
E : *árbol de decisiones*
Représentation graphique d'une suite d'actions alternatives et de leurs conséquences

ALEATORIO
F : aléatoire
GB : *(statistique) random, (résultat) hazardous*
D : zufällig
E : *aleatorio*
Lié à un événement imprévisible venant perturber un programme, une prévision

ALGORITMO
F : algorithme
GB : *algorithm*
D : Algorithmus
E : *algoritmo*
Processus de calcul permettant de résoudre un problème au moyen d'un nombre limité d'opérations

ALL'ESTERO
F : étranger (à l')
GB : *abroad*
D : im Ausland
E : *en el extranjero*

ALLA PARI
F : pair (au)
GB : *at par*
D : al pari
E : *al par*

ALLA RINFUSA
F : vrac (en)
GB : *in bulk*
D : in großer Menge, unverpackt
E : *granel (a)*
Marchandises vendues non conditionnées ou expédiées sans être arrimées

ALLEGATO
F : annexe
GB : *enclosure*
D : Beilage
E : *anexo*

ALLESTIMENTO DELLE VETRINE
F : art de l'étalage
GB : *window-dressing*
D : Schaufensterdekoration
E : *preparacion de escaparates*

ALTO, ELEVATO
F : haut
GB : *high*
D : hoch
E : *alto, elevado*

AMMANCO, INSUFFICIENZA
F : manque
GB : *deficiency*
D : Mangel
E : *deficiencia*

AMMASSARE
F : stocker
GB : *stockpile*
D : Vorratslager anlegen
E : *acumular existencias*

AMMASSO
F : thésaurisation
GB : *hoard*
D : Hortung
E : *atesoramiento*
Détention improductive de valeurs ou de créances soustraites aux circuits économiques et monétaires

AMMINISTRARE
F : administrer
GB : *administer*
D : verwalten
E : *administrar*

AMMINISTRATORE
F : administrateur
GB : *director, administrator*
D : Direktor, Verwalter
E : *director, administrador*
Membre du conseil d'administration d'une société anonyme

AMMINISTRATORE DELEGATO
F : administrateur délégué
GB : *managing director (USA president)*
D : geschäftsleitender Direktor
E : *director gerente*
Remplit les fonctions du président en cas d'empêchement (ou de décès) de celui-ci

AMMINISTRATORE DIRIGENTE
F : administrateur dirigeant
GB : *executive director (USA corporate officer)*
D : geschäftsführender Direktor
E : *director ejecutivo*
Salarié, il occupe un poste de direction

AMMINISTRAZIONE CENTRALE
F : administration centrale
GB : *central government*
D : Hauptverwaltung
E : *administración central*

AMMISSIONE IN FRANCHIGIA DOGANALE
F : admission en franchise
GB : *duty-free admission*
D : zollfreie Einfuhr
E : *admision libre de impuestos*

AMMONTANTE A
F : concurrence de (à)
GB : *amounting to*
D : hinauslaufend auf
E : *ascendiendo a*

AMMONTARE
F : somme
GB : *amount, sum*
D : Betrag, Summe
E : *suma*

AMMORTAMENTO
F : amortissement
GB : *redemption, amortization*
D : Tilgung, Amortisation
E : *amortizacion*
Echelonnement d'une charge dans le temps jusqu'à disparition de celle-ci

AMMORTAMENTO
F : dépréciation
GB : *depreciation*
D : Entwertung, Abschreibung
E : *depreciacion*

AMMORTAMENTO CUMULATO
F : amortissement cumulé
GB : *accumulated depreciation*
D : kumulierte Abschreibung
E : *amortización acumulada*
Amortissement combinant annuités dégressives et annuités constantes

AMMORTAMENTO FISSO
F : amortissement linéaire
GB : *straight line depreciation*
D : lineare Abschreibung
E : *amortización lineal*
Le taux appliqué est constant (montant de l'immobilisation divisé par le nombre d'années)

AMMORTAMENTO PER QUOTE DECRESCENTI
F : amortissement dégressif
GB : *depreciation on a reducing balance*
D : degressive Abschreibung
E : *amortización decreciente*
Amortissement par annuités décroissantes (permet de récupérer rapidement une partie importante des capitaux investis)

ANALISI
F : analyse
GB : *analysis*
D : Analyse
E : *analisis*

ANALISI D'INVESTIMENTO
F : analyse de placement
GB : *investment analysis*
D : Anlagenanalyse
E : *análisis de inversión*

ANALISI DEI COSTI
F : analyse des coûts
GB : *cost analysis*
D : Kostenanalyse
E : *analisis de costes*

ANALISI DEI COSTI E BENEFICI
F : analyse des coûts et rendements
GB : *cost benefit analysis*
D : Gewinnanalyse
E : *analisis de costes y beneficios*

ANALISI DELLA LINEA CRITICA
F: analyse du chemin critique
GB: *critical path analysis (c.p.a.)*
D: Netzplantechnik
E: *analisis de recorrido critico*

Analyse d'un ordonnancement de tâches pour définir celles qui détermineront la durée de l'ensemble d'un projet

ANALISI DELLE VENDITE
F: analyse des ventes
GB: *sales analysis*
D: Verkaufsanalyse
E: *analisis de ventas*

ANALISI DI SISTEMI
F: analyse de systèmes
GB: *systems analysis*
D: Systemanalyse
E: *analisis de sistemas*
Etude et formalisation, séparément et par couple, des interactions directes au sein d'un grand nombre de phénomènes

ANALISI FUNZIONALE
F: analyse fonctionnelle
GB: *functional job analysis*
D: Funktionsanalyse
E: *análisis funcional*
Recensement, ordonnancement, valorisation et hiérarchisation des fonctions remplies par un produit ou un service

ANALISI MARGINALE
F: analyse marginale
GB: *marginal analysis*
D: Randanalyse
E: *analisis marginal*
Analyse des bénéfices en fonction des marges

ANALISI TRANSAZIONALE
F: analyse transactionnelle
GB: *transactional analysis, AT*
D: Transaktionsanalyse
E: *análisis transaccional*
Technique de développement personnel basée sur l'analyse des processus de communication

ANALIZZATORE D'INVESTIMENTI
F: analyste d'investissements
GB: *investment analyst*
D: Investitionsanalyst
E: *analizador de inversiones*

ANALSI DELLA VARIAZIONE
F: analyse de variance
GB: *variance analysis*
D: Varianzanalyse
E: *analisis de variaciones*
Analyse de la dispersion, ou mesure de l'écart entre les valeurs extrêmes d'une donnée relative à une population statistique

ANNO FISCALE
F: exercice budgétaire
GB: *fiscal year*
D: Steuerjahr
E: *ano fiscal*
Période d'exécution du budget de l'Etat ou de l'administration

ANNO FISCALE
F: exercice fiscal
GB: *tax year*
D: Steuerjahr
E: *ano fiscal*
Période pour laquelle les résultats d'exploitation sont arrêtés (pas nécessairement l'année civile)

ANNO IN CORSO
F: année en cours
GB: *current year*
D: laufendes Jahr
E: *ano en curso*

ANNO SOLARE
F: année civile
GB: *calendar year*
D: Kalenderjahr
E: *ano civil*

ANNUALE
F: annuel
GB: *annual*
D: jährlich
E: *anual*

ANNUALITA
F: annuité
GB: *annuity*
D: Annuität
E: *anualidad*
Charge annuelle : remboursement d'un capital emprunté ou placé (amortissement) + paiement des intérêts

ANNULLAMENTO
F: annulation
GB: *annulment, cancellation*
D: Annullierung
E: *anulacion, cancelacion*

ANNULLARE UN CHEQUE
F: annuler un chèque
GB: *cancel a cheque (USA cancel a check)*
D: einen Scheck rückgängig machen
E: *anular un cheque*

ANNUNZIO
F: annonce
GB: *advertisement*
D: Anzeige
E: *anuncio*

ANONIMO
F: anonyme
GB: *(société) public limited company*
D: anonym
E: *anónimo*

ANTICIPARE
F: anticiper
GB: *anticipate*
D: vorgreifen
E: *anticipar*

ANTICIPARE
F: avancer
GB: *advance (USA prepay)*
D: vorschießen
E: *anticipar*

ANTICIPATO
F: anticipé
GB: *anticipated*
D: vorzeitig (bezahlt)
E: *anticipado*

ANTICIPAZIONE
F: avance
GB: *advance (USA prepayment)*
D: Vorschuß
E: *adelanto*

APERTURA DI SUCCURSALI SPECIALIZZATE IN ATTIVITÀ NUOVE
F: essaimage
GB: *spinning off*
D: spinning off, Zufallsbenefit
E: *enjambrazón*
Ensemble des aides financières, techniques, juridiques par lesquelles une entreprise encourage ceux de ses salariés qui le souhaitent à créer leur propre entreprise

APPARECCHIATURA
F: appareillage
GB: *machinery*
D: Ausrüstung
E: *equipo*

APPARECCHIO, IMPIANTO
F: appareil
GB: *appliance, plant (industrial)*
D: Gerät, Anlage
E: *aparato, planta*

APPARTAMENTO
F: appartement
GB: *flat (USA apartment)*
D: Etagenwohnung
E: *apartamento*

APPARTAMENTO AMMOBILIATO
F: appartement meublé
GB: *furnished flat (USA furnished apartment)*
D: möblierte Mietwohnung
E: *piso amueblado*

APPARTEMENTO INDIPENDENTE
F: appartement indépendant
GB: *self-contained flat*
D: Einfamilienwohnung
E: *piso independiente completo*

APPORTO
F : apport
GB : *contribution*
D : Beitrag
E : *aporte*

APPRENDISTA
F : apprenti
GB : *apprentice USA trainee)*
D : Lehrling
E : *aprendiz*

APPROPRIARSI INDEBITAMENLE
F : détourner
GB : *embezzle*
D : unterschlagen
E : *defalcar*

APPROPRIAZIONE INDEBITA
F : détournement de fonds
GB : *embezzlement*
D : Unterschlagung
E : *defalco*

APPROVVIGIONAMENTO
F : approvisionnement
GB : *procurement, (financier)
money paid into*
D : Belieferung
E : *abastecimiento*

APPROVVIGIONARE
F : avitailler
GB : *(re)fuel (ship, etc)*
D : bestücken
E : *abastecer*
Approvisionner navires et avions en
matières consommables à bord

ARBITRAGGIO, ARBITRATO
F : arbitrage
GB : *arbitrage, arbitration*
D : Kursvergleich, Schiedsge-
richtsverfahren
E : *arbitraje, arbitramento*
Substitution d'un titre à un autre
dans un portefeuille dans l'espoir de
bénéficier d'un rendement supérieur
ou d'une plus-value par le jeu des
différences de cours

ARBORESCENZA
F : arborescence
GB : *tree structure*
D : baumartige Form
E : *arborescencia*
Arbre dont l'un des sommets est
relié à tous les autres par un seul
chemin. Informatique : structure de
données, de programmes, en forme
d'arbre

ARCHITETTO
F : architecte
GB : *architect*
D : Architekt
E : *arquitecto*

ARCHIVIARE
F : classer
GB : *file*
D : aufreihen
E : *archivar*

ARCHIVIO
F : dossier
GB : *file*
D : Akte
E : *archivo*

AREA INDIGENTE
F : région sinistrée
GB : *distressed area*
D : Notstandsgebiet
E : *region deprimida*

ARGOMENTO
F : argument
GB : *argument*
D : Argument
E : *argumento*

ARRANGIAMENTO
F : arrangement
GB : *agreement, arrangement*
D : Vereinbarung
E : *arreglo*

ARRETRATI
F : arrérages
GB : *arrears*
D : Rückstand
E : *atrasos*
Versements périodiques d'une per-
sonne morale ou physique (débiren-
tier) au bénéficiaire d'une rente via-
gère ou d'une pension (crédirentier)

ARRETRATI DI PAGA
F : rappel de traitement
GB : *back pay*
D : Lohnnachzahlung
E : *pago atrasado*
Paiement d'une partie de salaire non
encore versée

ARRIVO
F : arrivée
GB : *arrival*
D : Ankunft
E : *llegada*

ARROTONDARE
F : arrondir
GB : *round up/down*
D : aufrunden
E : *redondear*

ARTICOLI DI LUSSO
F : articles de luxe
GB : *luxury goods*
D : Luxuswaren
E : *articulos de lujo*

ARTICOLI DI MARCA
F : articles de marque
GB : *branded goods*
D : Markenwaren
E : *articulos de marca*

ARTICOLI DI SPESA
F : poste de dépenses
GB : *items of expenditure*
D : Aufwendungsposten
E : *articulos de gasto*

ARTICOLI FANTASIA
F : nouveautés
GB : *fancy goods*
D : Modeartikel
E : *articulos de fantasia*

ARTIGIANALE
F : artisanal
GB : *(profession) craft industry,
(stade) small scale*
D : handwerklich
E : *artesanal*

ASCENSORE
F : ascenseur
GB : *lift (USA elevator)*
D : Aufzug
E : *ascensor*

ASCISSA
F : abscisse
GB : *abscissa*
D : Abszisse
E : *abscisa*
Coordonnée horizontale qui permet,
avec l'ordonnée (coordonnée verti-
cale), de situer un point dans un
plan

**ASSE DI UN VEICOLO (TASSA
PROPORZIONALE ALL')**
F : essieu (taxe à l')
GB : *axle tax*
D : Achsensteuer (Kfz-Steuer)
E : *eje (tasa por)*
Destinée à financer l'entretien des
routes, elle frappe tous les camions
de marchandises d'un poids total en
charge de plus de 16 tonnes

ASSEGNARE
F : attribuer
GB : *allot*
D : verteilen
E : *asignar*

ASSEGNATARIO, CESSIONARIO
F : concessionnaire
GB : *assignee, transferee*
D : Zessionar
E : *cesionario*

ASSEGNO
F : chèque
GB : *cheque (USA check)*
D : Scheck
E : *cheque*

ASSEGNO AL PORTATORE
F : chèque restaurant au por-
teur
GB : *cheque payable to bearer*
D : Inhaberscheck
E : *cheque al portador*
Ticket-repas non nominatif co-
financé par l'entreprise et le salarié

ASSEGNO ANTIDATATO
F : chèque anti-daté
GB : *antedated cheque*
D : vordatierter Scheck
E : *cheque con fecha adelan-
tada*

ASSEGNO FALSIFICATO
F: faux chèque (chèque en bois)
GB: *forged cheque*
D: gefälschter Scheck
E: *cheque falsificado*

ASSEGNO GARANTITO
F: chèque certifié
GB: *certified cheque*
D: bestätigter Scheck
E: *cheque certificado*
Voh Certified (un chèque)

ASSEGNO IN BIANCO
F: chèque en blanc
GB: *blank cheque*
D: Blankoscheck
E: *cheque en blanco*

ASSEGNO SBARRATO
F: chèque barré
GB: *crossed cheque*
D: Verrechnungsscheck
E: *cheque cruzado*
Les deux traits parallèles signifient que son montant ne peut qu'être versé sur un compte bancaire

ASSEGNO TURISTICO
F: chèque de voyage
GB: *traveller's cheque*
D: Reisescheck
E: *cheque de viajero*
A l'usage des touristes et payable partout où la banque émettrice a des correspondants

ASSEMBLEA GENERALE ANNUALE
F: assemblée d'actionnaires annuelle
GB: *annual general meeting (USA stockholder's meeting)*
D: Jahreshauptversammlung
E: *asambla general anual*
Assemblée générale ordinaire chargée d'examiner et approuver les comptes de l'exercice précédent, de décider de l'affectation du résultat, de nommer les administrateurs

ASSEMBLEA GENERALE STRAORDINARIA
F: assemblée générale extraordinaire
GB: *extraordinary general meting*
D: außerordentiche Generalversammlung
E: *asamblea general extraordinaria*
Convoquée expressément entre deux assemblées générales ordinaires, souvent pour modifier les statuts de la société

ASSEMBLEA GENERALE, ASSEMBLEA GENERALE ORDINARIA
F: assemblée générale
GB: *general meeting, ordinary general meeting*
D: Hauptversammlung, ordentliche Generalversammlung
E: *asamblea general, asamblea general ordinaria*
Réunion des actionnaires ou des associés d'une société, ou des membres d'une association

ASSENTE
F: manquant
GB: *absentee*
D: Abwesende(r)
E: *ausente*

ASSENTEISMO
F: absentéisme
GB: *absenteeism*
D: unerlaubte abwesenheit
E: *ausentismo*

ASSICURABILE
F: assurable
GB: *insurable*
D: versicherbar
E: *asegurable*

ASSICURARE
F: assurer
GB: *insure*
D: versichen
E: *asegurar*

ASSICURATO
F: assuré
GB: *insured*
D: Versicherter
E: *asegurado*

ASSICURATORE
F: assureur
GB: *insurer, underwriter*
D: Versicherer
E: *asegurador*

ASSICURAZION CREDITO
F: assurance crédit
GB: *gredit insurance*
D: Kreditvresicherung
E: *seguro crediticio*
Permet à un créancier d'être indemnisé en cas de non-paiement de son débiteur

ASSICURAZIONE
F: assurance
GB: *insurance, assurance*
D: Versicherung
E: *seguro*

ASSICURAZIONE CONTRO I RISCHI DI GUERRA
F: assurance risque de guerre
GB: *war-risk insurance*
D: Kriegsrisikoversicherung
E: *seguro contra riesgo de guerra*

ASSICURAZIONE CONTRO TERZI
F: assurance responsabilité civile - RC
GB: *third-party insurance*
D: Haftpflichtversicherung
E: *seguro contra responsabilidad civil*

ASSICURAZIONE DI GRUPPO
F: assurance de groupe
GB: *group insurance*
D: Gruppenversicherung
E: *seguro de grupo*

ASSICURAZIONE DOMESTICA
F: assurance familiale (domicile)
GB: *household insurance*
D: Wohnungsversicherung
E: *seguro de casa*

ASSICURAZIONE DOTALE
F: assurance à terme fixe
GB: *endowment policy*
D: Erlebensversicherung
E: *poliza dotal*

ASSICURAZIONE INCENDIO
F: assurance incendie
GB: *fire insurance*
D: Feuerversicherung
E: *seguro de incendios*

ASSICURAZIONE MALATTIA
F: assurance maladie
GB: *health insurance*
D: Krankenversicherung
E: *seguro de enfermedad*

ASSICURAZIONE MISTA
F: assurance combinée
GB: *comprehensive insurance*
D: Kombinierte Versicherung
E: *seguro combinado*

ASSICURAZIONE SULLA VITA
F: assurance vie
GB: *life assurance (USA life insurance)*
D: Lebensversicherung
E: *seguro de vida*

ASSISTENTE
F: assistant
GB: *assistant*
D: Assistent
E: *asistente*

ASSISTENTE PRIVATO
F: fonctionnel nm
GB: *personal assistant (PA) (USA administrative assistant)*
D: persönlicher Assistent
E: *asistente privado*
Qui occupe une fonction opérationnelle dans une organisation

ASSOCIAZIONE
F: association
GB: *association*
D: Verband
E: *asociacion*

ASSOCIAZIONE DI LIBERO SCAMBIO DELL'AMERICA LATINA
F : Association latino-américaine de libre-échange
GB : *Latin american free trade association (LAFTA)*
D : Lateinamerikanische Freihandelszone
E : *Asociacion de mercado libre de América Latina*
Devenue ALADI - Association latino-américaine d'intégration, en 1980. Regroupe Argentine, Bolivie, Brésil, Chili, Colombie, Equateur, Mexique, Paraguay, Pérou, Uruguay, Vénézuela

ASSORTIMENTO
F : assortiment
GB : *assortment, range, package*
D : Auswahl
E : *juego*

ASTENERSI
F : abstenir (s')
GB : *abstain*
D : seine Stimme enthalten
E : *abstenerse*

ATTIVO
F : actif nm
GB : *asset*
D : Aktivposten
E : *activo*
Ensemble des biens et créances appartenant à une personne physique ou morale

ATTIVO CONGELATO
F : fonds bloqués
GB : *frozen assets*
D : eingefroene Guthaben
E : *activos congelados*

ATTIVO E PASSIVO
F : actif et passif
GB : *assets and liabilities*
D : Aktiva und Passiva
E : *activo y passivo*
Etat du patrimoine et des dettes d'une entreprise à une date donnée

ATTIVO FITTIZIO
F : actif fictif
GB : *fictitious assets*
D : unechte Aktiva
E : *activo ficticio*
Actif immobilisé dont la valeur est nulle et qui conditionne l'existence, l'activité ou le développement de l'entreprise (frais d'établissement essentiellement)

ATTIVO LIQUIDO
F : actif circulant
GB : *current assets*
D : Umlaufvermögen
E : *activo realizable*
Eléments d'actif d'exploitation (stocks, créances clients...) + actifs financiers (valeurs mobilières de placement et disponibilités)

ATTIVO NETTO
F : actif net
GB : *net assets*
D : Reinvermögen
E : *activo neto*
Situation comptable nette de l'entreprise à une date donnée (valeur comptable nette de l'actif diminuée des dettes à court terme)

ATTIVO, AVERE (FINANZIARIO)
F : avoir (financier)
GB : *credit*
D : Finanzvermögen
E : *haber (financiero)*
Créance reconnue par un vendeur à un acheteur et qui ne peut servir qu'à un nouvel achat ou qui se déduit d'une créance existante

ATTIVO, OPERATIVO
F : actif adj
GB : *operative*
D : wirksam
E : *operativo, activo*

ATTO
F : acte
GB : *deed, document*
D : Urkunde
E : *titulo, escritura*
Ecrit authentifiant un fait, une convention

ATTO COSTITUTIVO E STATUTO SOCIALE
F : statuts
GB : *Memorandum and Articles of Association (USA articles of incorporation)*
D : Statuten
E : *statutos, carta organica*
Ensemble de dispositions fixant les règles de fonctionnement interne d'une organisation (sociétés civiles et commerciales, en particulier)

ATTO DI CESSIONE
F : acte attributif
GB : *deed of assignment*
D : Abtretungsvertrag
E : *titulo de asignacion*

ATTO DI CONCORDATO
F : concordat
GB : *deed of composition*
D : Vergleichsabkommen
E : *concordato*
Accord amiable ou judiciaire par lequel des créanciers consentent à leur débiteur un délai de paiement et/ou la remise partielle de sa dette

ATTO DI TRAPASSO
F : acte de cession
GB : *transfer ded*
D : Übertragungsvertrag
E : *escritura de transferencia*
Authentifie la transmission d'un bien ou d'un droit dont on est propriétaire ou titulaire

ATTO IPOTECARIO
F : lettre hypothécaire
GB : *letter of hypothecation*
D : Verpfändungsurkunde
E : *carta de hipoteca*

ATTUALE
F : actuel
GB : *current*
D : aktueller
E : *actual*

ATTUALE
F : additif
GB : *additional clause, rider*
D : Zusatz
E : *aditivo*
Complément d'un texte

ATTUARIALE
F : actuariel (taux)
GB : *actuarial*
D : versicherungsmathematisch
E : *actuarial*
Pour une période donnée, rapport coût effectif d'un emprunt (ou rendement effectif d'un pret)/montant du capital

ATTUARIO
F : actuaire
GB : *actuary*
D : Aktuar
E : *actuario*
Spécialiste de la statistique et du calcul des probabilités appliqués à l'assurance et aux opérations financières

AUDIO-VISIVO
F : audio-visuel
GB : *audio-visual*
D : audiovisuell
E : *audio-visual*

AUMENTARE (DI VALORE)
F : apprécier
GB : *appreciate (in value)*
D : im Wert steigen
E : *subir (en valor)*

AUMENTARE DI PREZZO
F : renchérir
GB : *advance in price*
D : teurer werden, steigen
E : *encarecer*

AUMENTARE, CRESCERE
F : augmenter
GB : *incrase, rise*
D : steigen, zunehmen
E : *aumentar, encarecer*

AUMENTATO COSTO DELLA VITA
F : renchérissement du coût de la vie
GB : *increased cost of living*
D : erhöhte Lebenshaltungskosten
E : *coste de vida mas alto*

AUMENTO DI CAPITALE
F : augmentation de capital
GB : *increase of capital*
D : Kapitalerhöhung
E : *aumento de capital*

AUMENTO, INCREMENTO
F : accroissement
GB : *increase, increment*
D : Erhöhung, Wertzuwachs
E : *aumento, incremento*

AUMENTO, PLUS-VALORE
F : appréciation
GB : *appreciation, betterment*
D : Wertsteigerung, Planungsgewinn
E : *subida (en valor), plusvalia*
Hausse continue du cours d'une monnaie sur le marché des changes

AUTENTICAZIONE
F : certification
GB : *certification, auditing*
D : Zertifizierung
E : *certificación*
Attestation de conformité à des normes délivrée à un produit, une organisation, par un organisme indépendant

AUTENTICO (ATTO)
F : authentique (acte)
GB : *notarial (deed)*
D : urkundlich
E : *auténtico (documento)*
Ecrit présentant les formes légales requises

AUTOFINANZIAMENTO
F : autofinancement
GB : *internal financing*
D : Selbstfinanzierung
E : *autofinanciación*
Epargne d'une entreprise utilisée pour financer ses investissements

AUTOMAZIONE
F : automation
GB : *automation*
D : Automation
E : *automatizacion*
Fonctionnement automatique d'un système de production sous le contrôle d'un programme unique

AUTOMOBILE, MACCHINA
F : voiture
GB : *car*
D : Auto, Wagen
E : *coche*

AUTORIMESSA
F : garage
GB : *garage*
D : Garage
E : *garaje*

AUTORITÀ, MANDATO
F : mandat
GB : *authority, agency*
D : Vollmacht, Verretung
E : *autoridad, mandato*
Pouvoir qu'une personne donne à une autre d'agir en son nom. Titre de représentation

AVALLARE
F : avaliser (une traite)
GB : *back*
D : gegenzeichnen
E : *avalar*
Donner son aval

AVALLO
F : aval
GB : *endorsement*
D : Wechselbürgschaft
E : *aval*
Signature par laquelle un tiers garantit à un bénéficiaire tout ou partie du paiement d'un effet de commerce

AVANTIERI
F : avant-hier
GB : *day before yesterday*
D : vorgestern
E : *anteayer*

AVARIA
F : avarie
GB : *average (marine insurance)*
D : Havarie
E : *averia*

AVIOGETTO
F : avion à réaction
GB : *jet aircraft*
D : Düsenflugzeug
E : *avion jet*

AVVIAMENTO COMMERCIALE
F : pas-de-porte
GB : *key money*
D : Türschwelle
E : *traspaso*
Somme d'argent variable, et indépendante du loyer, versée par un locataire à celui qui l'a précédé ou au propriétaire d'un local commercial, lors de la conclusion du contrat de bail ou de cession de bail

AVVIAMENTO, VALORE D'AVVIAMENTO
F : good will
GB : *goodwill*
D : Geschäftswert
E : *goodwill*
Survaleur(plus-value liée à l'image d'une entreprise ou élément qualitatif qui contribue à sa valeur)

AWIAMENTO
F : bon vouloir
GB : *goodwill*
D : Geschäftswert
E : *valor de la clientela*

AWISO DI RECEZIONE
F : accusé de réception
GB : *acknowledgment of receipt*
D : Empfangsbestätigung
E : *aviso de reception*

AWISO, PREAWISO
F : avis
GB : *notice*
D : Benachrichtigung
E : *aviso*

AWOCATO
F : avocat
GB : *lawyer, barrister, counsel (USA attorney)*
D : Anwalt
E : *abogado*

AZIENDA
F : établissement
GB : *establishment*
D : Gesellschaft
E : *establecimiento*
Unité de production, lieu physique (non doté de la personnalité juridique) où s'exerce l'activité d'une entreprise

AZIENDA PUBBLICA
F : entreprise publique
GB : *public sector company*
D : öffentliches Unternehmen
E : *empresa pública*
Entreprise dont tout ou partie du capital social appartient à l'État (ou à une collectivité publique) et dont l'objectif n'est pas la réalisation d'un profit

AZIONE
F : action
GB : *share*
D : Aktie
E : *acción*
Titre de propriété d'une fraction du capital d'une société qui procure une quote-part des bénéfices variable et des droits spécifiques en cas de liquidation

AZIONE ORDINARIA
F : action ordinaire
GB : *ordinary share*
D : Stammaketie
E : *accion ordinaria*
Confère à son détenteur des droits normaux de participation

AZIONE PRIVILEGIATA
F : action privilégiée (ou prioritaire)
GB : *preference share*
D : Vorzugsaktie
E : *accion preferente*
Action qui confère à son propriétaire un droit de priorité, par exemple dans la distribution des bénéfices

ITALIEN

AZIONI CON DIRITTO A VOTO
F : actions avec droit de vote
GB : *voting shares*
D : stimmberechtigte Aktien
E : *acciones con derecho de voto*
Permettent de participer aux assemblées générales et de prendre part aux votes

AZIONI DEL FONDATORE
F : actions (ou parts) de fondateur
GB : *founder's shares*
D : Gründeraktien
E : *acciones del fundador*
Titres négociables sans valeur nominale donnant certains droits aux fondateurs d'une société sans leur conférer la qualité d'associés (leur émission est interdite en France depuis 1966)

AZIONI DI GODIMENTO
F : actions d'attribution (ou de jouissance)
GB : *bonus shares (USA : stock dividend)*
D : Gratisaktien
E : *acciones dadas como primas*
Dont la valeur nominale a été entièrement remboursée à l'actionnaire par prélèvement sur les bénéfices ou les réserves de la société

AZIONI POSTERGATE
F : actions différées
GB : *deferred shares*
D : Nachzugsaktien
E : *acciones aplazados*
Ne sont rémunérées que lorsque d'autres types d'actions (privilégiées, ordinaires) l'ont été

AZIONI PREFERENZIALI CUMULATIVE
F : actions de priorité cumulatives
GB : *cumulative preference shares*
D : kumulative Vorzugsaktien
E : *valores privilegiados cumulativos*
Actions de priorité dont le dividende non payé est reporté d'un exercice à l'autre lorsque les bénéfices sont insuffisants

AZIONI PREFERENZIALI REDIMIBILI
F : actions privilégiées amortissables
GB : *redeemable preference shares*
D : ablösbare Vorzugsaktien
E : *acciones preferentes amortizables*
Actions privilégiées dont la valeur nominale peut être remboursée à l'actionnaire par la société émettrice

AZIONI SENZA DIRITTO A VOTO
F : actions sans droit de vote
GB : *non-voting shares*
D : Aktien ohne stimmrecht
E : *acciones sin derecho de voto*
Ne donnent pas le droit de voter lors des assemblées générales

AZIONISTA
F : actionnaire
GB : *shareholder (USA : stockholder)*
D : Aktionär
E : *accionista*

AZIONISTA
F : détenteur de titres
GB : *stockholder*
D : Aktieninhaber
E : *accionista*

BACINO CARBONIFERO
F: bassin houiller
GB: *coal field*
D: Kohlenrevier
E: *yacimiento de carbon*

BAGAGLIAIO
F: fourgon
GB: *guard's van*
D: Packwagen
E: *furgon*

BAGAGLIO A MANO
F: bagages à main
GB: *hand-luggage*
D: Handgepäck
E: *equipaje de mano*

BAGAGLIO ECCEDENTE
F: excédent de bagages
GB: *excess luggage*
D: Ubergepäck
E: *exceso de equipaje*

BALANCIO ANNUALE
F: bilan annuel
GB: *annual accounts*
D: Jahresabschluß
E: *balance anual*

BANCA
F: banque
GB: *bank*
D: Bank
E: *banco*

BANCA (DI) DATI
F: banque de données
GB: *databank*
D: Datenbank
E: *banco de datos*
Stock centralisé d'informations thématiques, organisées et accessibles directement par ordinateur

BANCA AGRICOLA
F: banque agricole
GB: *land bank*
D: Landbank
E: *banco agricola*

BANCA ASSIOCIATA ALLA STANZA DI COMPENSAÇÃO
F: banque de virement
GB: *clearing-bank*
D: Girobank
E: *banco de compensacion*

BANCA COMMERCIALE
F: banque commerciale
GB: *merchant bank*
D: Handelsbank
E: *banco mercantil*
Banque dont les principales fonctions sont de recevoir des dépôts et d'accorder des crédits aux entreprises

BANCA D'INVESTIMENTI
F: banque d'affaires
GB: *investment bank*
D: Finanzbank
E: *banco de inversiones*
Essentiellement chargée de monter des opérations financières (prise et gestion de participations, émission d'obligations...) et rémunérée par les commissions

BANCA DI EMISSIONE
F: banque d'émission
GB: *issuing bank*
D: Notenbank
E: *banco emisor*
Etablissement doté du privilège d'émettre des billets de banque

BANCA DI PRESTITI
F: banque de prêts
GB: *lending bank*
D: Kreditbank
E: *banco de préstamos*

BANCA EUROPEA D'INVESTIMENTI
F: Banque européenne d'investissement - BEI
GB: *European investment bank*
D: Europäische Investitionsbank
E: *Banco europeo e inversiones*
Institution de la CEE chargée de favoriser, par l'octroi de prêts, le développement, l'intégration et la coopération

BANCA INTERNAZIONALE PER LA RICOSTRUZIONE E LO SVILUPPO
F: Banque internationale pour la reconstruction et le développement - BIRD ou Banque mondiale
GB: *International bank for reconstruction and development*
D: Internationale Bank für Wiederaufbau und Wirtschaftsförderung
E: *Banco internacional para reconstruccion y desarrollo*
Institution internationale qui finance essentiellement les grands travaux d'infrastructure industrielle dans les pays en voie de développement

BANCA PRIVATA
F: banque privée
GB: *private bank*
D: Privatbank
E: *banco privado*

BANCA SUCCURSALE
F: banque (succursale de)
GB: *branch bank*
D: Filialbank, Zweigbank
E: *sucursal del banco*

BANCAROTTA
F: banqueroute
GB: *bankruptcy*
D: Konkurs
E: *bancarrota*

BANCHIERE
F: banquier
GB: *banker*
D: Bankier
E: *banquero*

BANDIERA
F: pavillon (drapeau)
GB: *flag*
D: Flage
E: *bandera*

BARATTARE
F : troquer
GB : *barter*
D : Tauschhandel treiben
E : *trocar*
Echanger directement un bien
contre un autre bien

BARATTERIA
F : barateria
GB : *barratry*
D : Baratterie
E : *barateria*
Préjudice volontairement causé aux
armateurs, chargeurs ou assureurs
d'un navire par le patron ou un
membre de l'équipage

BARILE
F : baril
GB : *barrel*
D : Faß
E : *barril*
Unité de volume (159 litres) utilisée
surtout pour le pétrole

BAROMETRO
F : baromètre
GB : *barometer*
D : Barometer
E : *barómetro*

BARREIRA COMMERCIALE
F : barrière commerciale
GB : *trade barrier*
D : Handelsschranke
E : *barreira comercial*
Tout obstacle à la libre circulation
des biens et des services

BARRIERA DOGANALE
F : barrière douanière
GB : *customs barrier*
D : Zollschranke
E : *barrera aduanera*
Ensemble des taxes qui frappent les
marchandises à l'entrée ou à la sortie
d'un territoire et permettent d'en
réglementer la circulation

BASE
F : base
GB : *base*
D : Basis
E : *base*
Référence. Différence cours à
terme/cours au comptant d'un titre
coté sur un marché à terme
(Bourse). Infrastructure

BASE AUREA
F : étalon-or
GB : *gold standard*
D : Goldobligation
E : *patron oro*
Système de changes fixes où chaque
monnaie est définie par rapport à un
poids d'or (parité-or)

BASE DI DATI
F : base de données
GB : *database*
D : Angabensammlung
E : *base de datos*
Ensemble de références automatisées
permettant d'accéder ensuite aux
informations elles-mêmes

BENEFICIARIO
F : bénéficiaire
GB : *beneficiary, payee*
D : Begünstigte(r), Zahlungsbe-
rechtigte(r)
E : *beneficiario*
Personne physique ou morale au
profit de qui est émis un effet de
commerce ou un prêt

BENI DI CONSUMO
F : biens de consommation
GB : *consumer goods*
D : Konsumgüter
E : *bienes de consumo*
Produits et services destinés à la
satisfaction directe des consomma-
teurs

BENI IMMOBILI
F : biens immobiliers
GB : *real estate, tangible assets*
D : unbwegliches Vermögen,
Immobilien
E : *bienes inmuebles*

BENI INCORPORALI
F : actif incorporel
GB : *intangible assets*
D : nich greifbare Aktiven
E : *activo intangible*
Actif immobilisé n'ayant pas d'exis-
tence physique (brevets, licences...)

BENI STRUMENTALI
F : biens d'équipement
GB : *capital goods*
D : Anlagegüter
E : *bienes de produccion*
Biens durables (machines et maté-
riels divers) achetés par l'entreprise
pour assurer la production courante

BERSAGLIO, SCOPO
F : but
GB : *target, purpose*
D : Ziel, Zweck
E : *objetivo*

BIANCIO PREVENTIVO
F : budget
GB : *budget*
D : Haushaltsplan
E : *presupuesto*
Etat prévisionnel et limitatif des
dépenses et recettes à réaliser au
cours d'une période donnée par un
individu ou une collectivité

BIGLIETTO D'ANDATA
F : billet aller
GB : *single fare, single ticket*
(USA one way fare)
D : einfache Fahrkarte
E : *pasaje de ida*

**BIGLIETTO DI ANDATA E
RITORNO**
F : billet aller et retour
GB : *return fare, return ticket*
(USA roundtrip fare)
D : Rückfahrkarte
E : *pasaje de ida y vuelta*

BIGLIETTO DI BANCA
F : billet de banque
GB : *banknote (USA bill)*
D : Banknote
E : *billete de banco*

BIGLIETTO GRATUITO
F : billet de faveur
GB : *free ticket*
D : Freikarte
E : *billete gratuito*
Qui confère certains droits ou avan-
tages

BILANCIA COMMERCIALE
F : balance commerciale
GB : *trade balance*
D : Handelsbilanz
E : *balanza comercial*
Solde importations/exportations de
marchandises d'un pays pour une
période donnée

BILANCIA DEI PAGAMENTI
F : balance des paiements (ou
des comptes)
GB : *balance of payments*
D : Zahlungsbilanz
E : *balanza de pagos*
Balance de tous les mouvements
monétaires qui accompagnent les
transactions

BILANCIO
F : bilan
GB : *balance sheet*
D : Bilanz
E : *balance*
Balance établie périodiquement
entre l'actif et le passif d'une entre-
prise

BILANCIO CONSOLIDATO
F : bilan consolidé
GB : *consolidated balance sheet*
D : konsolidierte Bilanz
E : *hoja de balance*
Bilan globalisé obtenu par agréga-
tion des comptes de toutes les socié-
tés d'un groupe

BILANCIO PREVENTIVO
F : bilan prévisionnel
GB : *forecasted balance sheet*
D : Bilanzhochrechnung
E : *balance previsible*
Prévision de situation financière à
une date future compte tenu des
objectifs et des contraintes de l'en-
treprise

BILANCIO RIPORTATO
F : solde à reporter
GB : *balance carried forward*
D : Ubertrag
E : *balance a cuerta nueva*
Solde débiteur ou créditeur à la fin
d'un exercice et qui est repris au
début du suivant

BILANCIO SOCIALE
F : bilan social
GB : *social report*
D : soziale Bilanz
E : *balance social*
Ensemble d'indicateurs sociaux rela-
tifs à la vie de l'entreprise présentés
et diffusés conformément à la loi
(12 juillet 1977)

BILANCIO, SALDO, BILANCIA
F : balance
GB : *balance, scales*
D : Saldo, Waage
E : *balance, saldo, balanza*
Tableau récapitulatif et périodique
des comptes créditeurs et débiteurs
de l'entreprise

BIMENSUALE
F : bimestriel
GB : *twice monthly*
D : Zweimonatlich
E : *bimensual*
Qui paraît ou qui a lieu tous les
deux mois

BISETTIMANALE
F : bi-hebdomadaire
GB : *twice-weekly*
D : zweimal wöchentlich
E : *bisemanal*
Qui paraît ou qui a lieu deux fois
par semaine

BLOCCO
F : blocus
GB : *blockade*
D : Blockade
E : *bloqueo*
Investissement d'une ville, d'une
position, d'un pays afin de lui inter-
dire toute communication avec l'ex-
térieur

BLOCCO DEI DIVIDENDI
F : blocage des dividendes
GB : *dividend limitation*
D : Dividendenstopp
E : *bloqueo de dividendos*
Non distribution de dividendes

BLOCCO DEI SALARI
F : blocage des salaires
GB : *wage-freeze*
D : Lohnstopp
E : *bloqueo de salarios*

BOICOTTAGGIO
F : boycottage
GB : *boycott, blacking*
D : Boykott
E : *boicoteo*
Refus collectif et systématique d'en-
tretenir des relations économiques
avec un groupe de personnes, une
nation, afin d'exercer sur eux une
pression ou des représailles

BOLLA, BUONO DI RICEVUTA
F : bon de réception
GB : *delivery slip*
D : Empfangsschein
E : *vale de recibo*
L'exemplaire du bon de livraison
signé par l'acheteur (et conservé par
le vendeur) en tient lieu

BOLLETTA D'ENTRATA
F : feuille d'inscription
GB : *entry-form*
D : Antragsformular
E : *solicitud de inscripcion*

BOLLETTINO DI SPEDIZIONE
F : bon d'expédition
GB : *despatch note*
D : Versandschein
E : *aviso de expedicion*

BONUS, CREDITO D'IMPOSTA
F : bonus
GB : *bonus, premium*
D : Bonus
E : *bonificación*
Remise consentie dans la pratique
commerciale, ainsi que lors du paie-
ment d'une prime d'assurance

BORDO (A)
F : bord (à)
GB : *aboard*
D : an Bord
E : *bordo (a)*
Se dit d'une marchandise prise en
charge à bord d'un navire au port de
déchargement

BORSA
F : bourse
GB : *stock exchange*
D : Börse
E : *bolsa*

BORSA NERA
F : bourse (ou caisse) noire
GB : *black maket (securities)*
D : schwarse Börse
E : *bolsa negra*
Fonds utilisables sans contrôle et qui
n'apparaissent pas en comptabilité

BOTTEGA, MAGAZZINO
F : magasin
GB : *shop, store*
D : Laden, Lager
E : *tienda, almacén*

BOZZA, PROGETTO
F : projet
GB : *draft, plan*
D : Konzept, Plan
E : *borrador, plan*

BREVE SCADENZA (A)
F : courte échéance (à)
GB : *short-dated*
D : kurzfristig
E : *corto plazo (a)*

BREVE TERMINE (A)
F : court terme (à)
GB : *short-term*
D : kurzfristig
E : *corto plazo (a)*

BREVETTO
F : brevet d'invention
GB : *patent*
D : Erfindungspatent
E : *patente*
Délivré par l'Etat à l'auteur d'une
invention pour lui en assurer l'ex-
ploitation exclusive pendant un
temps déterminé

BREVETTO
F : brevet
GB : *letters patent (USA patent)*
D : Patentukunde
E : *patente de invencion*
Droit de propriété d'une entreprise
sur l'exploitation d'un procédé,
d'une technique

BROGLIACCIO CONTABILE
F : brouillard comptable (ou
brouillon ou main-courante)
GB : *day book*
D : Kladde
E : *borrador contable*
Registre où on inscrit les opérations
comptables dans l'ordre où elles se
présentent

BROKERAGGIO PUBBLICITARIO
F : régie publicitaire
GB : *advertising agency*
D : Werberegie
E : *agencia, administración de
publicidad*
Organisation dont le rôle est de
commercialiser l'espace publicitaire
des supports dont elle a la charge

BRUTTA COPIA
F : brouillon
GB : *rough copy (USA draft)*
D : Entwurf
E : *borrador*

A BUON MERCATO
F : bon marché
GB : *cheap*
D : billig
E : *barato*

BUONI UFFICI
F : bons offices
GB : *good offices*
D : Freundschaftsdienste
E : *buenos servicios*
Services, assistance

BUONO DEL TESORO
F : bon du Trésor
GB : *exchequer bond (USA trea-sury bond)*
D : Schatzwechsel
E : *bono de tesoreria*
Effet émis par l'Etat, représentatif d'une dette contractée par lui

BUONO, OBLIGAZIONE
F : bon
GB : *bond, voucher*
D : Obligation, Gutschein
E : *bono, obligacion*
Billet qui autorise à toucher de l'argent ou des objets en nature

BUSTA
F : enveloppe
GB : *envelope*
D : Umschlag
E : *sobre*

BUSTA CON FINESTRA
F : enveloppe à fenêtre
GB : *window-envelope*
D : Fensterbriefumschlag
E : *sobre de ventanilla*

CABOTAGGIO
F : cabotage
GB : *cabotage*
D : Küstenschiffahrt
E : *cabotaje*
Navigation marchande de port en port et à proximité des côtes

CACHET, COMPENSO (ARTISTA)
F : cachet (d'artiste)
GB : *fee (artist's)*
D : Honorar
E : *remuneración (artista)*
Rétribution d'une prestation

CADERE, RIBASSARE
F : baisser
GB : *fall*
D : stüzen
E : *caer, bajar*

CADUTA, RIBASSO
F : baisse
GB : *fall*
D : Sturz
E : *baja, caida*

CAFFÈ
F : café
GB : *coffee*
D : Kaffee
E : *café*

CALCOLARE
F : calculer
GB : *calculate*
D : berechnen
E : *calcular*

CALCOLATRICE
F : machine à calculer
GB : *calculator*
D : Rechenmaschine
E : *calculadora*

CALCOLAZIONE
F : calcul
GB : *calculation*
D : Berechnung
E : *calculo*

CALCOLO DEL PREZZO DI COSTO
F : calcul de coût de revient
GB : *costing*
D : Ertragskalkulation
E : *cálculo de precio de coste*

CALCOLO DI REDDITIVITÀ
F : calcul de rentabilité
GB : *profitability allocation*
D : Rentabilitätsrechnung
E : *calculo de rentabilidad*
Evolution, exprimée en termes financiers, de la capacité d'un capital à procurer des revenus

CALCOLO ERRATO
F : erreur de calcul
GB : *miscalculation*
D : Rechenfehler
E : *calculo erroneo*

CALENDARIO
F : calendrier
GB : *calendar*
D : Kalender
E : *calendario*

CALIBRARE
F : calibrer
GB : *calibrate*
D : kalibrieren
E : *calibrar*
Mesurer le diamètre d'un objet sphérique pour pouvoir le classer

CAMBIALE DI FAVOR
F : billet de complaisance (ou effet de cavalerie)
GB : *accommodation*
D : Gefälligkeitswechsel
E : *pagaré de favor*
Effet de commerce irrégulier émis pour obtenir frauduleusement des fonds par escompte

CAMBIALE SCONTATA
F : effet escompté
GB : *discounted bill*
D : Diskontwechsel
E : *efecto descontato*
Effet de commerce qui permet à son détenteur d'obtenir immédiatement des fonds en échange de sa créance

CAMBIALE SULL' ESTERO
F : lettre de change sur l'étranger
GB : *foreign bill*
D : Auslandswechsel
E : *letra sobre el exterior*

CAMBIAVALUTE
F : cambiste
GB : *foreign exchange dealer/ broker*
D : Wechselmakler
E : *cambista*
Agent d'établissement bancaire spécialisé dans le commerce des devises

CAMBIO
F : échange
GB : *exchange*
D : Tausch
E : *cambio*

CAMBIO A TERMINE
F : change à terme
GB : *forward exchange*
D : Termindevisen
E : *divisas a término*
Sur le marché à terme, opération pour laquelle règlement et livraison ont lieu à une date postérieure à la négociation

CAMERA DELL'ARTIGIANATO
F : Chambre des métiers
GB : *Chamber of trade*
D : Handwerkskammer
E : *Cámara de gremios*
Etablissement public départemental représentant les intérêts collectifs des artisans

CAMERA DI COMMERCIO INTER-NAZIONALE
F : Chambre de commerce internationale
GB : *International chamber of commerce*
D : Internationale Handeiskammer
E : *Camara internacional de comercio*

CAMERA DI COMMERCIO, DELL'INDUSTRIA
F : Chambre de commerce et d'industrie
GB : *Chamber of commerce and industry*
D : Industrie-und-Handelskammer
E : *Cámara de comercio y de industria*

CAMPAGNA
F : campagne
GB : *campaign*
D : Kampagne
E : *campana*

CAMPAGNA PUBBLICITARIA
F : campagne publicitaire
GB : *advertising campaign, publicity campaign*
D : Werbefeldzug
E : *campana publicitaria*

CAMPIONE
F : échantillon
GB : *sample*
D : Probe, Muster
E : *muestra*

CAMPIONE ESAURIENTE
F : échantillon exhaustif
GB : *exhaustive sample*
D : Komplettmuster
E : *muestra exhaustiva*
Echantillon qui n'a pas été prélevé dans une population mère

CAMPIONE GRATUITO
F : échantillon gratuit
GB : *free sample*
D : Kostenlose Probe
E : *muestra gratuita*

CAMPIONE SENZA VALORE
F : échantillon sans valeur
GB : *sample on no value*
D : Muster ohne Wert
E : *muestra sin valor*

CANALE
F : canal
GB : *canal*
D : Kanal
E : *canal*

CANALI D'INFORMAZIONE
F : supports
GB : *media*
D : Werbeträger
E : *medios de informacion*

CANCELLARE
F : annuler
GB : *cancel*
D : annullieren
E : *cancelar*

CANCELLARE
F : rayer
GB : *delete*
D : streichen
E : *tachar, anular*

CANCELLARE UN CREDITO
F : amortir une créance
GB : *write off a debt*
D : eine Schuld erlassen
E : *cancelar una deuda*
Annuler une créance

CANCELLARE UNA PERDITA
F : amortir une perte
GB : *write off a loss*
D : eine Verlust abschreiben
E : *cancelar una pérdida*
Etaler celle-ci sur plusieurs années pour éviter un déficit important lorsqu'une entreprise démarre (tolérance de l'administration fiscale)

CANDIDATO
F : candidat
GB : *applicant*
D : Bewerber
E : *candidato*

CAPACITA
F : capacité
GB : *capacity*
D : Fähigkeit, Inhalt
E : *capacidad*

CAPACITÀ D'INDEBITAMENTO
F : capacité d'endettement
GB : *borrowing power*
D : Verschuldungskapazität
E : *capacidad de endeudamiento*
Capacité à rembourser des dettes mesurée notamment par la capacité d'autofinancement

CAPACITÀ IN ECCEDENZA
F : surcapacité
GB : *overcapacity*
D : Überkapazität
E : *exceso de capacidad*
Capacité de production supérieure aux besoins

CAPACITA IN ECCESSO
F : capacité excédentaire
GB : *excess capacity*
D : übrige Ladefähigkeit
E : *capacidad en exceso*
Capacité d'autofinancement. Excédents et besoins en fonds de roulement

CAPARRA
F : arrhes
GB : *deposit*
D : Anzahlung
E : *desembolso inicial*
Lors d'une commande, somme partielle versée par l'acheteur au vendeur en garantie du marché

CAPITALE
F : capital
GB : *capital*
D : Kapital
E : *capital*
Elément principal d'une dette. Patrimoine possédé susceptible de rapporter un revenu

CAPITALE
F : principal (capital) nm
GB : *principal (USA capital)*
D : Kapital
E : *principal*
Elément principal d'une dette, par opposition aux intérêts

CAPITALE A BREVE TERMINE
F : capitaux à court terme
GB : *short-term capital*
D : kurzfristiges Kapital
E : *capital a corto plazo*
Balance des paiements : flux de créances et d'engagements au plus égaux à un an contractés à l'extérieur par différents secteurs économiques

CAPITALE AUTORIZZADO
F : capital autorisé
GB : *authorized capital*
D : genehmigtes Kapital
E : *capital autorizado*
Nombre d'actions que le conseil d'administration d'une société peut émettre conformément à ses statuts lors de sa constitution

CAPITALE AZIONARIO
F : capital social
GB : *share capital (USA stock capital)*
D : Aktienkapital
E : *capital en acciones*
Montant des apports prévus par les propiétaires d'une société par actions, égal à la valeur nominale de la totalité des actions émises

CAPITALE CONSOLIDATO A LUNGA SCADENZA
F : capitaux à long terme
GB : *long-term capital*
D : langfristiges Kapital
E : *capital a largo plazo*
Balance des paiements : flux des crédits commerciaux d'une échéance initiale supérieure à un an et des investissements (directs et de portefeuille) des résidents séjournant à l'étranger ou des non résidents séjournant dans le pays

CAPITALE D'ESERCIZIO
F : fonds de roulement
GB : *trading capital*
D : Betriebskapital
E : *capital de explotacion*
Partie des capitaux permanents utilisés pour le financement des actifs circulants de l'entreprise

CAPITALE DI SPECULAZIONE
F : capitaux spéculatifs (ou fébriles)
GB : *risk capital*
D : Spekulationskapital
E : *capital de speculacion*
Qui passent d'une place financière à l'autre, prêts à se placer à court terme suivant la variation des taux d'intérêt et l'appréciation des risques de change

CAPITALE EMESSO, CAPITALE VERSATO
F : capital versé (ou libéré)
GB : *issued capital, paid-up capital*
D : ausgegebenes Kapital, eingezahltes Kapital
E : *capital emitido, capital desembolsado*
Capital souscrit effectivement versé par les associés d'une société

CAPITALE FISSO
F : actif immobilisé
GB : *capital asset (USA : fixed asset)*
D : Vermögensanlage
E : *activo fijo*
Éléments d'actif dont l'entreprise se sert de manière durable pour exercer son activité (matériels, brevets, titres de participation...)

CAPITALE NOMINALE
F : capital nominal
GB : *nominal capital*
D : Nennkapital
E : *capital nominal*
Voir Capital social

CAPITALE NON EMESSO
F : capitaux non encore émis
GB : *unissued capital*
D : nicht ausgegebenes Kapital
E : *capital no emitido*
Qui ne font pas encore l'objet de transactions sur le marché des émissions

CAPITALE NON RICHIAMATO
F : capital non appelé
GB : *uncalled capital*
D : nicht eingerufenes Kapital
E : *capital de reserva*
Montant des apports qu'une société anonyme n'a pas encore demandé à ses actionnaires de verser mais que le conseil d'administration ou le directoire peuvent réclamer à tout moment

CAPITALE PRESO A PRESTITO
F : capitaux empruntés
GB : *borrowed capital*
D : Fremdkapital
E : *capital a préstamo*
Dette financière d'une entreprise, fonds mis à sa disposition par des tiers

CAPITALE RICHIAMATO
F : capital appelé
GB : *called-up capital*
D : eingefordertes Kapital
E : *capital llamado*
Montant du capital fixé par les statuts lors de la constitution d'une société

CAPITALE SOTTOSCRITTO
F : capital souscrit
GB : *subscribed capital*
D : gezeichnetes Kapital
E : *capital subscrito*
Montant des apports en numéraires que les associés s'engagent à verser à la demande de la société

CAPITALI PERMANENTI
F : capitaux permanents (ou ressources permanentes)
GB : *invested capital*
D : Festkapital
E : *capitales permanentes*
Regroupent les capitaux dont l'entreprise dispose de manière définitive (apports des actionnaires) ou pour une longue période (emprunts à moyen et long terme)

CAPITALI PROPRI
F : capitaux propres (ou fonds propres)
GB : *owners'/shareholders' equity*
D : Eigenkapital
E : *capitales propios*
Ressources d'une entreprise qui appartiennent aux propriétaires ou aux associés, provenant de leurs apports et des profits non distribués mis en réserves

CAPITALISMO
F : capitalisme
GB : *capitalism*
D : Kapitalismus
E : *capitalismo*
Système économique fondé sur la dissociation entre les propriétaires des moyens de production (dont le but est la réalisation d'un profit), et les travailleurs qui les mettent en œuvre contre un salaire, les « lois du marché » assurant la régulation du système

CAPITALISTA
F : investisseur
GB : *investor*
D : Geldgeber
E : *inversionista*

CAPITALIZZARE
F : capitaliser
GB : *capitalize*
D : Kapitalisieren
E : *capitalizar*

CAPITALIZZAZIONE
F : capitalisation
GB : *capitalization*
D : Kapitalisierung
E : *capitalizacion*
Incorporation d'intérêts pour la constitution ou l'accroissement d'un capital existant

CAPITANO DI NAVE
F : capitaine
GB : *master of a ship*
D : Kapitän
E : *capitan de navio*

CAPO CANTIERE
F : maître d'oeuvre
GB : *general contractor*
D : Meister
E : *empresa responsable*

CAPO D'AZIENDA, IMPRENDITORE
F : chef d'entreprise
GB : *company manager*
D : Geschäftsführer
E : *empresario*

CAPO DI PRODOTTO
F : chef de produit
GB : *product manager*
D : product manager
E : *jefe de producto*
Responsable de la gestion stratégique d'un produit ou d'une ligne de produits

CAPO OFFICINA
F : chef d'atelier
GB : *head foreman*
D : Werkmeister
E : *capataz jefe*

CAPO OPERAIO, CAPO SQUADRA
F : contremaître
GB : *foreman*
D : Vorarbeiter
E : *capataz*
Personne qui dirige le travail d'un groupe d'ouvriers

CAPO REPARTO
F : chef de service
GB : *head of department*
D : Abteilungsleiter
E : *jefe de departamento*

CAPO SERVIZIO ACQUISTI
F : chef des achats
GB : *head buyer*
D : Haupteinkäufer
E : *jefe del departamento de compras*

CAPO UFFICIO
F : chef de bureau
GB : *office manager*
D : Bürovorsteher
E : *jefe de officina*

CAPO-FAMIGLIA
F : chef de famille
GB : *householder*
D : Hausherr
E : *jefe de familia*

CARATO, AZIONE, CARATURA DI SOCIETÀ
F : carat
GB : *carat*
D : Karat
E : *quilate*
Quantité d'or fin contenue dans un alliage de ce métal (1/24ème de la masse totale)

CARATTERISTICA
F : particularité
GB : *feature*
D : Merkmal
E : *caracteristica*

CARBONE
F : houille
GB : *coal*
D : Kohle
E : *carbon*

CARBONE
F : charbon
GB : *coal, charcoal*
D : Kohle, Holzkohle
E : *carbon, carbonde lena*

CARBONILE
F : soute
GB : *bunker*
D : Bunker
E : *carbonera*

CARENZA
F : carence
GB : *shortage, deficiency, (débiteur) insolvency*
D : Mangel
E : *carencia*

CARICO
F : cargaison
GB : *cargo*
D : Ladung
E : *carga*

CARICO ALLA RINFUSA
F : cargaison en vrac
GB : *bulk cargo*
D : Schüttgut
E : *carga en granel*
Marchandises transportées sans arrimage ni emballage

CARICO, CARICAMENTO
F : chargement
GB : *loading*
D : Ladung
E : *carga*
Partie de la prime d'assurance servant à couvrir les frais pesant sur l'assureur

CARICO, ONERE PREVISTO
F : charge constatée d'avance
GB : *prepaid expense*
D : kalkulierte Kosten
E : *carga comprobada con anticipación*
Charge enregistrée durant un exercice mais ne s'y rapportant pas (concerne l'activité de l'exercice suivant)

CARO
F : cher
GB : *expensive*
D : kostspielig, teuer
E : *caro*

CARRIERA
F : carrière
GB : *career*
D : Karriere
E : *carrera*

CARROZZA FERROVIARIA
F : wagon de chemin de fer
GB : *railway carriage (USA railroad car)*
D : Eisenbahnwagen
E : *vagon de ferrocarril*

CARTA D'IDENTITÀ
F : carte d'identité
GB : *identity card*
D : Personalausweis
E : *carnet de identidad*

CARTA DI CREDITO
F : carte de crédit
GB : *credit card*
D : Kredikarte
E : *tarjeta de crédito*

CARTA MILLIMETRATA
F : papier millimétré
GB : *graph paper*
D : Millimeterpapier
E : *papel milimetrado*

CARTA MONETA
F : papier-monnaie
GB : *paper money*
D : Papiergeld
E : *papel monetario, papel moneda*

CARTELLA
F : chemise
GB : *folder*
D : Mappe
E : *carpeta*

CARTELLO
F : cartel
GB : *cartel*
D : Kartell
E : *cartel*
Entente entre des entreprises indépendantes les unes des autres en vue de limiter ou supprimer les risques de la concurrence

CARTELLO, INTESA
F : entente
GB : *agreement*
D : Übereinkunft
E : *acuerdo*

CARTELLONE, MANIFESTO
F : affiche
GB : *(publicité) poster, (information) notice*
D : Plakat
E : *anuncio*

CARTONE
F : carton
GB : *carton*
D : Karton
E : *carton*

CASA
F : maison
GB : *house*
D : Haus
E : *casa*

CASA DI VECCHIA FONDAZIONE
F : maison solide
GB : *old-established business*
D : alteingeführtes Geschäft
E : *casa solida*

CASA EDITRICE
F : maison d'édition
GB : *publishing house*
D : Verlag
E : *casa editorial*

CASH FLOW, FLUSSO DELLE DISPONIBILITÀ
F : cash flow
GB : *cash flow*
D : Cash Flow
E : *cash flow*
Solde recettes courantes/dépenses courantes de l'entreprise

CASSA AUTOMATICA
F : distributeur automatique bancaire
GB : *cash dispenser*
D : Bargeldauszahlungsautomat
E : *caja automatica*

CASSA DI COMPENSAZIONE
F : fonds de régularisation
GB : *equalization fund*
D : Ausgleichsfonds
E : *fondo de compensacion*

CASSA DI RISPARMIO
F : caisse d'épargne
GB : *savings bank*
D : Sparkasse
E : *caja de ahorros*

CASSA, CASSETTA
F : caisse
GB : *cash-desk, cash-box*
D : Kasse, Geldkassette
E : *caja*
Compte retraçant les opérations effectuées en espèces ou en numéraire

CASSAFORTE
F : coffre-fort
GB : *sale*
D : Geldschrank
E : *caja fuerte*

CASSETTA POSTALE
F : boîte aux lettres
GB : *letter-box (USA mail-box)*
D : Briefkasten
E : *buzon*

CASSIERE
F : caissier
GB : *cashier (USA teller)*
D : Kassierer
E : *cajero*

CATALOGO
F : catalogue
GB : *catalogue*
D : Katalog
E : *catalogo*

CATASTO
F : cadastre
GB : *land registry*
D : Kataster
E : *catastro*
Administration et ensemble des documents qui permettent de déterminer les propriétés foncières d'un territoire

CATENE DI MONTAGGIO
F : chaîne de montage
GB : *assembly line*
D : Montageband
E : *linea de montaje*

CATTIVO PAGATORE
F : mauvais payeur
GB : *slow payer*
D : schlechter Zahler
E : *deudor moroso*

CAUZIONE, GARANTE
F : caution
GB : *bail, surety*
D : Haftkaution, Bürgschaft
E : *fianza, fiador*
Personne physique ou morale qui accepte de se substituer à une autre (cautionnée) au cas où celle-ci ne respecterait pas l'engagement pris vis-à-vis d'un bénéficiaire. Bien garantissant le respect de cet engagement

CAUZIONE, LETTERA DI GARANZIA
F : cautionnement
GB : *surety, letter of indemnity*
D : Bürge, Ausfallbürgschaft
E : *fianza, carta de indemnizacion*
Engagement pris par une caution

CAVALLO
F : cheval-vapeur (cv)
GB : *horse-power (hp)*
D : Pferdestärke (PS)
E : *caballo de vapor (cv)*
Unité de puissance équivalant à 75 kilogrammètres/seconde (736 watts environ)

CEDENTE
F : cèdant
GB : *assignor, transferor*
D : Überträger, Zedent
E : *cesionista*
Détenteur d'un effet de commerce qui l'escompte auprès d'une banque

CEDERE, TRASFERIRE
F : céder
GB : *give up, transfer*
D : aufgeben, überweisen
E : *renuciar, transferir*

CEDOLA
F : coupon
GB : *coupon*
D : Kupon
E : *cupon*
Partie détachable d'une valeur mobilière et droit d'en encaisser le dividende ou l'intérêt du revenu

CEDOLA DI DIVIDENDO
F : dividende-warrant
GB : *dividend warrant*
D : Gewinnanteilschein
E : *cupon de dividendos*
Dividende assorti d'un bon de souscription permettant l'achat ultérieur d'actions à un prix égal ou supérieur

CENSIMENTO
F : recensement
GB : *census*
D : Volkszählung
E : *censo*

CENTRALE TELEFONICA
F : central téléphonique
GB : *telephone exchange*
D : Fernsprechamt
E : *central telephonica*

CENTRALIZZAZIONE
F : centralisation
GB : *centralization*
D : Zentralisierung
E : *centralizacion*

CENTRO
F : centre
GB : *centre (USA center)*
D : Mitte
E : *centro*

CENTRO DI GESTIONE ACCREDITATO
F : centre de gestion agréé
GB : *chartered financial management agency*
D : anerkanntes Verwaltungsbüro
E : *centro de gestión autorizado*
Association d'aide aux PME pour la tenue de leur comptabilité et qui leur permet de bénéficier d'avantages fiscaux

CENTRO DI PROFITTO
F : centre de profit
GB : *profit centre*
D : Profit Center
E : *centro de beneficio*
Centre de responsabilité pour lequel a été fixé un objectif de profit. Regroupement réel ou fictif d'activités d'une entreprise permettant d'en déterminer le résultat

CENTRO INDUSTRIALE
F : domaine industriel
GB : *industrial estate (USA industrial park)*
D : Industriegebiet
E : *precinto industrial*

CERTIFICARE
F : certifier (un chèque)
GB : *certify*
D : bescheinigen
E : *certificar*
Garantie donnée par une banque que la provision correspondante est affectée au paiement de ce chèque pendant le délai d'encaissement

CERTIFICATO
F : certificat
GB : *certificate, warrant*
D : Bescheinigung
E : *certificado*

CERTIFICATO AZIONARIO
F : certificat d'actions
GB : *share certificate (USA certificate of stock)*
D : Aktienzertifikat
E : *titulo de accion*
Titre délivré par une société attestant le dépôt d'un certain nombre de titres

CERTIFICATO D'ORIGINE
F : certificat d'origine
GB : *certificate of origin*
D : Ursprungszeugnis
E : *certificado de origen*
Document émanant d'une autorité qualifiée et attestant l'origine d'une marchandise (utilisé surtout en matière de commerce extérieur)

CERTIFICATO DI ASSICURAZIONE
F : certificat d'assurance
GB : *insurance certificate*
D : Versicherungsschein
E : *certificado de seguro*

CERTIFICATO DI DEPOSITO
F : récépissé de dépôt
GB : *deposit receipt*
D : Depositenschein
E : *recibo de deposito*
Certificat de dépôt de marchandises délivré par les Magasins généraux et transmissible par endossement

CERTIFICATO DI MORTE, ESTRATTO D'ATTO DI MORTE
F : extrait d'acte de décès
GB : *death certificate*
D : Totenschein, Sterbeurkunde
E : *partida de defunción*

CESSIONE
F : cession
GB : *assignment*
D : Übertragung
E : *cesion*

CESSIONE
F : transfert
GB : *transfer*
D : Überweisung
E : *cesion*

CHIAMATA TELEFONICA
F : appel téléphonique
GB : *telephone call*
D : Anruf
E : *llamada telefonica*

CHIATTA
F : péniche
GB : *barge*
D : Lastkahn
E : *barcaza*

CHIATTA
F : allège
GB : *lighter*
D : Leichter
E : *barcaza, gabarra*

CHIAVE, CODICE
F : clé
GB : *key, code*
D : Schlüssel
E : *llave, clave*

CHIP CARD
F : carte à puce (ou à mémoire)
GB : *chip card*
D : Chip-Karte
E : *tarjeta de memoria*
Carte accréditive où l'identification du titulaire et les opérations qu'il effectue sont inscrites sous forme codée dans un microprocesseur

CIBERNETICA
F : cybernétique
GB : *cybernetics*
D : Kybernetik
E : *cibernética*
Science des mécanismes de la communication et du contrôle

CICLO D'AFFARI
F : cycle économique
GB : *business cycle*
D : Konjunkturzyklus
E : *ciclo economico*
Alternance de périodes d'expansion et de récession ou de dépression, entrecoupées de crises économiques

CICLO DEGLI AFFARI
F : cycle de commerce
GB : *trade cycle*
D : Handelszyklus
E : *ciclo del negocio*

CIFRA
F : chiffre
GB : *figure*
D : Zahl
E : *cifra*

CILINDRATA
F : cyclindrée
GB : *cubic capacity*
D : Hubraum
E : *cilindrada*

CIRCOLO DI QUALITÀ
F : cercle de qualité
GB : *quality circle*
D : Qualitätszirkel
E : *círculo de calidad*
Structure permanente ou temporaire de cinq à dix salariés volontaires chargés de résoudre les problèmes d'amélioration de la qualité des produits et des conditions de travail

CIRCUITO DI DISTRIBUZIONE
F : circuit de distribution
GB : *distribution channel*
D : Vertriebsweg
E : *circuito de distribución*

CITAZIONE
F : assignation
GB : *writ*
D : Vorladung
E : *auto, orden*
Sommation, délivrée par huissier, à comparaître à date fixe devant une juridiction. Fixation des parts quand il y a partage

CLAUSOLA
F : clause
GB : *clause*
D : Klausel
E : *clausula*
Disposition particulière d'un acte, d'un contrat

CLAUSOLA DI PENALITÀ PER INADEMPIENZA
F : clause de dédit
GB : *forfeit clause*
D : Bußklausel
E : *clausula de decomiso*
Clause prévoyant le versement d'une somme en cas de non respect d'un engagement

CLAUSOLA PENALE
F : clause pénale
GB : *penalty clause*
D : Strafklausel
E : *clausula de multa*
Clause qui fixe le montant des dommages-intérêts dus en cas de non-exécution d'un contrat

CLAUSOLA RISOLUTIVA
F : clause de résiliation
GB : *escape clause*
D : Rücktrittsklausel
E : *clausula evasiva*
Clause prévoyant l'annulation d'un contrat par la volonté de l'une ou des deux parties

CLAUSOLA RISOLUTIVA
F : clause résolutoire
GB : *determination clause*
D : Rückltrittsklausel
E : *clausula resolutiva*
Prévoit l'annulation automatique d'un acte en cas de non respect des engagements par l'une des parties ou si un événement imprévisible survient

CLIENTE
F : client
GB : *client*
D : Kunde
E : *cliente*

CLIENTE POTENZIALE
F : prospect
GB : *prospective customer*
D : Kundenakquise
E : *cliente potencial*
Client potentiel

CLIENTELA
F : clientèle
GB : *custom, clientele*
D : Kundschaft
E : *clientela*

CLIMA SOCIALE
F : climat social
GB : *climat social*
D : soziales Klima
E : *ambiente laboral*

CODICE
F : code
GB : *code*
D : Ordnung
E : *codigo*

CODICE POSTALE
F : code postal
GB : *postcode (USA zip code)*
D : Postleitzahl
E : *designacion postal*

COEFFICIENTE DI SICUREZZA
F : facteur de sécurité
GB : *safety factor*
D : Sicherheitskoeffizient
E : *factor de seguridad*

COGESTIONE
F : cogestion
GB : *co-management*
D : Gemeinverwaltung
E : *cogestión*
Forme de participation des salariés à la gestion de l'entreprise

COL PRESENTE, CON QUESTO
F : par la présente
GB : *hereby*
D : hiermit
E : *por esto*

COLAGGIO
F : fuite
GB : *leakage*
D : Leck
E : *escape*

COLIABORARE
F : collaborer
GB : *collaborate*
D : mitarbeiten
E : *colaborar*

COLONNA
F : colonne
GB : *column*
D : Spalte
E : *columna*

COLONNA SONORA
F : bande son
GB : *sound track*
D : Tonband
E : *banda sonora*

COMITATO
F : comité
GD : *committee*
D : Kommission, Ausschuß
E : *comité*
Réunion de personnes chargées d'étudier certains problèmes, d'exercer un certain pouvoir

COMITATO D'AZIENDA
F : comité d'entreprise
GB : *works council*
D : Betriebsrat
E : *comité de empresa*

COMITATO DI GESTIONE
F : comité de gestion
GB : *board of management*
D : Verwaltungsrat
E : *comité de gestión*

COMMERCIANTE AL MINUTO
F : commerçant (détaillant)
GB : *retailer*
D : Einzelhändler, Kleinhändler
E : *comerciante al por menor*

COMMERCIO
F : commerce
GB : *commerce*
D : Handel
E : *comercio*

COMMERCIO AL MINUTO
F : commerce de détail
GB : *retail trade*
D : Einzelhandel
E : *comercio al por menor*

COMMERCIO ALL'INGROSSO
F : commerce de gros
GB : *wholesale trade*
D : Großhandel
E : *comercio al por mayor*

COMMERCIO ESTERO
F : commerce extérieur
GB : *foreign trade*
D : Außenhandel
E : *comercio exterior*

COMMERCIO INTERNO
F : commerce intérieur
GB : *home trade (USA domestic sales)*
D : Binnenhandel
E : *comercio interior*

COMMERCIO MULTILATERALE
F : commerce multilatéral
GB : *multilateral trade*
D : mehrseitiges-Handeln
E : *comercio multilateral*

COMMESSO DI SPEDIZIONIERE
F : expéditionnaire
GB : *shipping clerk*
D : Expedient
E : *dependiente de muelle*
Qui se charge de l'expédition

COMMISSIONARIO
F : commissionnaire
GB : *commission agent*
D : Kommissionär
E : *comisionista*

COMMISSIONE EUROPEA
F : Commission des communautés européennes
GB : *European commission*
D : Europäische Kommission
E : *Comision europeu*
Organe exécutif de l'Union européenne

COMPAGNIA DI ASSICURAZIONE
F : compagnie d'assurances
GB : *insurance compagny*
D : Versicherungsgesellschaft
E : *compania de seguros*

COMPENSARE
F : compenser
GB : *compensate*
D : vergüten
E : *compensar*

COMPENSO
F : compensation
GB : *compensation*
D : Entschädigung
E : *compensacion*
Comptabilisation du solde final, donnant lieu à règlement, des dettes et créances échangées mutuellement

par deux ou plusieurs banques pendant une période donnée

COMPENSO PER IL RISCHIO
F : prime de risque
GB : *danger money*
D : Gefahrenzulage
E : *suma para riesgos*
Prime octroyée en rémunération d'une prise de risque

COMPETERE
F : concurrencer
GB : *compete*
D : Konkurrenz machen
E : *competir*

COMPIACENZA, FAVORE
F : complaisance
GB : *convenience*
D : Entgegenkommen
E : *complacencia*

COMPILAZIONE DELL'INVENTARIO
F : levée d'inventaire
GB : *stocktaking*
D : Bestandsaufnahme
E : *inventario, balance*

COMPLESSO (MILITARE-INDUSTRIALE)
F : complexe (militaro-industriel)
GB : *military-industrial complex*
D : militärisch-industrieller Komplex
E : *complejo (militarindustrial)*
Champ des relations armée/industries d'armement

COMPRA ACQUISTI (PL.)
F : achat
GB : *purchase*
D : Kauf, Einkauf
E : *compra adquisitiones (pl.)*

COMPRARE
F : acheter
GB : *buy*
D : kaufen
E : *comprar*

COMPRATORE
F : acheteur
GB : *buyer*
D : Käufer
E : *comprador*

COMPRENSIVO
F : exhaustif
GB : *comprehensive*
D : umfassend
E : *completo*

COMPROPRIETÀ
F : copropriété
GB : *joint ownership*
D : Miteigentum
E : *copropriedad*

COMUNE ACCORDO
F: accord mutuel
GB: *mutual agreement*
D: gegenseitiges Einvermehmen
E: *acuerdo comun*

COMUNICAZIONE INTERURBANA
F: appel téléphonique interurbain
GB: *trunk call (USA long distance call)*
D: Ferngespräch
E: *llamada interurbana*

COMUNICIAZIONE
F: communication
GB: *communication*
D: Benachrichtigung
E: *comunicacion*

COMUNITÀ
F: communauté
GB: *community*
D: Gemeinschaft
E: *comunidad*

COMUNITÀ ECONOMICA EUROPEIA
F: Communauté économique européenne - CEE
GB: *European economic community*
D: Europäische Wirtschaftsgemeinschaft
E: *Comunidad economica europea*
Devenue l'Union européenne - UE (traité de Maastricht 7 révrier 92),elle passe de 12 à 15 membres avec l'adhésion de l'Autriche, de la Finlande et de la Suède début 1995

COMUNITA EUROPEA DEL CARBONE E ACCIACIO
F: Communauté européenne du charbon et de l'acier - CECA
GB: *European coal and steel community*
D: Europäische Gemeinschaft für Kohle und Stahl
E: *Comunidad europea de carbon y acero*
La plus ancienne des communautés européennes, instituée pour 50 ans par le traité de Paris (1951)

COMUNITA EUROPEA DELL'ENERGIA ATOMICA
F: Communauté européenne de l'énergie atomique - Euratom
GB: *European atomic energy community*
D: Europäische Atomgemeinschaft
E: *Comunidad europea de energia atomica*
L'une des trois communautés européennes, créée en 1958 pour coordonner le développement des industries nucléaires de l'Union européenne

CON AVERIA
F: avarié
GB: *with average (WA)*
D: havariert
E: *con averia*

CON DIVIDENDO
F: droit attaché
GB: *cum dividend*
D: mit Dividende
E: *con dividendo*
Valeur mobilière sur laquelle le droit d'attribution ou de souscription qui l'accompagne n'a pas encore été exercé

CON RISORSO
F: droits de recours (avec)
GB: *with recourse*
D: mit Rückgriff
E: *con recurso*
Qui comporte une disposition permettant de déférer une décision administrative à son auteur

CONCEDERE (UN SCONTO)
F: consentir (une remise)
GB: *allow (a discount)*
D: gewähren (einen Rabatt)
E: *conceder (un descuento)*

CONCEDERE I DANNI
F: adjuger des dommages-intérêts
GB: *award damages*
D: Schadenersatz zugestehen
E: *conceder danos*
Attribuer par jugement une indemnité en réparation d'un préjudice causé

CONCEDERE LA LIBERTÀ PROVVISORIA SU CAUZIONE
F: admettre une caution
GB: *grant bail*
D: gegen Haftkaution freigeben
E: *conceder fianza*
Accepter qu'une personne physique ou morale se porte caution d'une autre

CONCENTRAZIONE
F: concentration
GB: *concentration*
D: Konzentration
E: *concentración*

CONCESSIONE
F: concession
GB: *concession*
D: Konzession
E: *concession*
Autorisation d'exploitation ou de gestion, représentation exclusive

CONCESSIONE (DI BREVETTO)
F: délivrance (d'un brevet)
GB: *grat (of a patent)*
D: Erteilung (eines Patentes)
E: *concesion (de una patente)*

CONCESSIONE MINERARIA
F: concession minière
GB: *mineral concession*
D: Bergwerkskonzession
E: *concession minera*
Gisement qu'une personne physique ou morale a reçu l'autorisation d'exploiter pour une période déterminée

CONCESSIONE RECIPROCA
F: concessions mutuelles
GB: *give and take*
D: Geben und Nehmen
E: *concesion reciproca*

CONCETTO
F: concept
GB: *concept*
D: Konzept
E: *concepto*

CONCILIAZIONE
F: conciliation
GB: *concillation*
D: Schlichtung
E: *conciliacion*

CONCORRENZA
F: concurrence
GB: *competition*
D: Wettbewerb
E: *competicion*

CONDIZIONALE
F: conditionnel
GB: *conditional*
D: bedingt
E: *condicional*

CONDIZIONAMENTO DELL'ARIA
F: climatisation
GB: *air-conditioning*
D: Klimatidierung
E: *acondicionamiento de aire*

CONDIZIONE (A)
F: réserves (sous)
GB: *on condition*
D: vorausgesetzt
E: *condicion (a)*

CONDIZIONE SOSPENSIVA
F: condition suspensive
GB: *condition precedent*
D: aufschiebende Bedingung
E: *previa condicion*
Qui suspend l'exécution d'un jugement, d'un contrat

CONDIZIONI
F: conditions
GB: *terms*
D: Bedingungen
E: *condiciones*

CONDIZIONI DEL MERCATO
F: état du marché
GB: *state of the market*
D: Marktumstände, Marktlage
E: *condiciones del mercado, situación del mercado*

CONDIZIONI DI LAVORO
F : conditions de travail
GB : *working conditions*
D : Arbeitsbedingungen
E : *conditiciones de trabajo*

CONDIZIONI DI PAGAMENTO
F : conditions de paiement
GB : *payment terms*
D : Zahlungsbedingungen
E : *condiciones de pago*

CONFERENZA
F : conférence
GB : *conference*
D : Kongreß
E : *conferencia*

CONFERIRE UNA PROCURA
F : conférer les pleins pouvoirs
GB : *execute a power of attorney*
D : eine Vollmacht erteilen
E : *otorgar poder notarial*

CONFERMA
F : confirmation
GB : *confirmation*
D : Bestätigung
E : *confirmacion*

CONFERMARE
F : confirmer
GB : *confirm*
D : bestätigen
E : *confirmar*

CONFERMARE PER ISCRITTO
F : confirmer par écrit
GB : *confirm in writing*
D : schriftlich bestätigen
E : *confirmar por escrito*

CONFLITTO
F : conflit
GB : *conflict*
D : Konflikt
E : *conflicto*

CONFLITTO D'INTERESSI
F : opposition d'intérêts
GB : *conflict of interest*
D : widerstreitende Interessen
E : *pugna de intereses*

CONGEDAR
F : congédier
GB : *dismiss (USA fire)*
D : entlassen
E : *despedir*

CONGETTURA
F : conjecture
GB : *guess-work*
D : Mutmaßung
E : *conjetura*
Supposition plus ou moins fondée, hypothèse

CONGIUNTURA
F : conjoncture
GB : *overall economic situation*
D : Konjunktur
E : *coyuntura*
Situation (économique ou autre) d'un secteur, d'une branche ou d'un pays à un moment donné

CONOSCENZA
F : connaissance
GB : *knowledge*
D : Kenntnis
E : *conocimientos*

CONSEGNA
F : livraison
GB : *delivery*
D : Lieferung
E : *entrega*

CONSEGNA DEFICIENTE
F : livraison incomplète
GB : *short delivery*
D : mangelhafte Lieferung
E : *entrega deficiente*

CONSEGNA FRANCO
F : livré franco
GB : *delivery free*
D : portofreie Lieferung
E : *libre entrega*
Livré sans frais pour le destinataire

CONSEGNARE
F : consigner
GB : *consign*
D : konsignieren, übersenden
E : *consignar*

CONSENSO, AUTORIZZAZIONE
F : agrément
GB : *consent (to)*
D : Zustimmung
E : *aprobación*
Autorisation de faire, accordée par l'administration

CONSIGLIO CONSULTIVO
F : comité consultatif
GB : *advisory board*
D : Beratungsausschuß
E : *consejo consultivo*
Comité appelé seulement à donner un avis

CONSIGLIO D'AMMINISTRAZIONE
F : conseil d'administration
GB : *board of directors*
D : Vorstand
E : *consejo de administracion*

CONSIGLIO DI DIRETTORIO
F : conseil du directoire
GB : *board of directors*
D : Vorstand
E : *consejo de directorio*
Organisme collégial de 5 membres au plus (pas nécessairement actionnaires), il remplace le conseil d'administration dans certaines sociétés anonymes

CONSIGLIO DI SORVEGLIANZA
F : conseil de surveillance
GB : *watchdog committee/(créancier) committee of inspection*
D : Aufsichtsrat
E : *consejo de vigilancia*
Elu par l'assemblée générale, chargé de contrôler (non de gérer) le directoire d'une société anonyme

CONSIGLIO, CONSULENTE
F : conseil
GB : *council, consultant*
D : Rat, Berater
E : *consejo, consultor*

CONSOLATO
F : consulat
GB : *consulate*
D : Konsulat
E : *consulado*

CONSOLE
F : consul
GB : *consul*
D : Konsul
E : *consul*
Fonctionnaire chargé à l'étranger de la protection des ressortissants de son pays (dont il n'est pas le représentant)

CONSOLIDARE
F : fonder (une créance)
GB : *fund*
D : fundieren
E : *fundar, consolidar*
En justifier le bien-fondé

CONSOLIDATO
F : consolidé
GB : *consolidated*
D : konsolidiert
E : *consolidado*

CONSORZIO
F : consortium
GB : *consortium*
D : Konsortium
E : *consorcio*
Entreprises ou banques regroupées pour réaliser des opérations qui dépassent les possibilités et les compétences de chacune

CONSORZIO PER INVESTIMENTI
F : société fiduciaire de placements
GB : *investment trust*
D : Investment-Trust
E : *fideicomiso de inversiones*

CONSULENTE DI PUBBLICITÀ
F : conseil en publicité
GB : *advertising consultant*
D : Werbeberater
E : *consultor de publicidad*

ITALIEN

CONSULTENTE DI DIREZIONE AZIENDALE
F : ingénieur-conseil en organisation
GB : *management consultant*
D : Geschäftsführungsberater
E : *aseor administrativo*
Spécialiste du conseil, de l'expertise, qui intervient à titre personnel au niveau de l'organisation de l'entreprise, du travail

CONSULTIVO
F : consultatif
GB : *advisory*
D : Beratung
E : *consultivo*

CONSUMATORE
F : consommateur
GB : *consumer*
D : Verbraucher, Konsument
E : *consumidor*

CONSUMO
F : consommation
GB : *consumption*
D : Verbrauch
E : *consumicion*

CONTABILE
F : commis-comptable
GB : *ledger clerk (USA bookkeeper)*
D : Buchhalter
E : *contable*

CONTABILE
F : comptable
GB : *accountant*
D : Bucchalter
E : *contador*

CONTABILITÀ
F : comptabilité
GB : *book-keeping, accountancy*
D : Buchhaltung
E : *contabilidad*

CONTABILITÀ ANALITICA
F : comptabilité analytique
GB : *cost accounting*
D : analytische Buchführung
E : *comptabilidad analítica*
Saisie et traitement de l'information permettant l'analyse et le contrôle des coûts dans l'entreprise, à l'aide des documents internes qui en suivent les flux

CONTABILITÀ PER MATERIA
F : comptabilité matière
GB : *stock accounting*
D : Bestandsbuchführung
E : *contabilidad materiales*
Porte sur les matières premières, les produits finis et semi-finis

CONTAINERIZATION
F : containerisation
GB : *containerization*
D : Containerisation
E : *contenedorizacion*

CONTANTI CONTRO DOCUMENTI
F : comptant contre documents
GB : *cash against documents (c.a.d.)*
D : bar gegen Versandpapiere
E : *al contado contra documentos*

CONTENUTO
F : contenu
GB : *contents*
D : Inhalt
E : *contenido*

CONTI APERTI
F : comptes à recevoir
GB : *outstanding accounts*
D : ausstehende Schulden
E : *cuentas pendientes*

CONTI ATTIVI
F : créances (comptabilité)
GB : *accounts receivable*
D : Debitoren
E : *cuentas a recibir*
Inscrites au débit des comptes de tiers, elles apparaissent à l'actif du bilan

CONTI CONSOLIDATI
F : comptes consolidés
GB : *consolidated accounts*
D : Konsolidierter Kontenaschluß
E : *cuentas consolidadas*
Décrivent l'activité et le patrimoine d'un groupe d'entreprises ou d'un ensemble d'agents en annulant les opérations qu'ils effectuent entre eux

CONTI PASSIVI
F : comptes à payer
GB : *accounts payable*
D : Kreditoren
E : *cuentas a pagar*

CONTINGENTE D'IMPORTAZIONE
F : contingent d'importation
GB : *import quota*
D : Einfuhrkontingent
E : *cupo de importacion*

CONTINGENZA
F : contingence
GB : *contingency*
D : Eventualität
E : *contingencia*
Corrélation entre deux caractères qualitatifs ou quantitatifs

CONTO
F : compte (en banque)
GB : *account*
D : Konto
E : *cuenta*

CONTO ANTICIPAZIONI
F : compte de prêts
GB : *loan account*
D : Anleihekonto
E : *cuenta de préstamos*

CONTO ANTICIPO
F : compte d'avances
GB : *advance account*
D : Darlehenskonto
E : *cuenta de anticipos*

CONTO BLOCCATO
F : compte bloqué
GB : *blocked account*
D : gesperrtes Konto
E : *cuenta bloqeada*

CONTO CAPITALE
F : compte de capital
GB : *capital account*
D : Kapitalkonto
E : *cuenta de capital*
Décrit la structure qu'un agent économique a donnée à la variation de son patrimoine

CONTO COMMERCIALE
F : compte commercial
GB : *trade account*
D : Handelskonto
E : *cuenta comercial*
Balance commerciale, enregistrement des importations et des exportations de marchandises d'un pays au cours d'une période donnée

CONTO CORRENTE
F : compte courant
GB : *current account (USA checking account)*
D : Kontokorrent
E : *cuenta corriente*

CONTO D'AGGIO
F : compte d'agios
GB : *agio account*
D : Agiokonto
E : *cuenta de agio*

CONTO D'ORDINE
F : compte nominal
GB : *nominal account*
D : Firmenkonto
E : *cuenta de resultado*

CONTO DI DEPOSITO
F : compte de dépôt
GB : *deposit account (USA interest-bearing account)*
D : Depositenkonto
E : *cuenta de ahorros*

CONTO DI ESERCIZIO GENERALE
F : compte d'exploitation générale
GB : *operating statement*
D : Betriebskonto
E : *cuenta de explotación general*
Devenu en 1982 Compte de résultat

CONTO DI STANZIAMENTO
F: compte d'affectation
GB: *appropriation account*
D: Rückstellungskonto
E: *cuenta de apropiacion*
Eclaté en deux comptes, Revenu et Utilisation du revenu, il reprend le résultat brut d'exploitation et les ressources liées à la redistribution des revenus

CONTO IDENTIFICATO DA NUMERO
F: compte identifié par numéro
GB: *numbered account*
D: numeriertes Konto
E: *cuenta identificada con numero*

CONTO IN BANCA
F: compte en banque
GB: *bank account*
D: Bankkonto
E: *cuenta bancaria*

CONTO IN COMUNE
F: compte joint
GB: *joint account*
D: Gemeinschaftskonto
E: *cuenta comun*
Compte dont deux titulaires se partagent également la jouissance

CONTO PERSONALE
F: compte personnel
GB: *charge account*
D: Kundenkonto
E: *cuenta personal*

CONTO PROFITTI E PERDITE
F: Compte de pertes et profits
GB: *profit and loss account*
D: Gewinn- und Verlustkonto
E: *cuenta de ganacias y péridas*
Ses opérations sont maintenant enregistrées dans le compte de résultat (Nouveau Plan comptable 1984). Résultat d'exploitation corrigé par la prise en considération de tout ce qui n'est pas dû à la gestion normale de l'exercice

CONTO RESO
F: compte rendu
GB: *account rendered*
D: zur Begleichung vorgelegte Rechnung
E: *cuenta rendida*

CONTO SOSPESO
F: compte d'ordre
GB: *suspense account*
D: Übergangskonto
E: *cuenta suspensa*

CONTO SPESE E RENDITE
F: compte de résultat
GB: *income statement*
D: Ergebniskonto
E: *cuenta de resultados*
Regroupe les produits et les charges et permet de dégager le résultat net comptable d'un exercice

CONTO, NOTA
F: compte (note)
GB: *bill, account*
D: Rechnung
E: *cuenta, nota*

CONTO, NOTA
F: note
GB: *bill, account*
D: Rechnung
E: *cuenta, nota*

CONTRABBANDARE
F: faire de la contrebande
GB: *smuggle*
D: schmuggeln
E: *pasar de contrabando*

CONTRABBANDO
F: contrebande
GB: *contraband*
D: Schmuggelware
E: *contrabando*

CONTRATTAZIONE COLLETTIVO
F: négociations de conventions collectives
GB: *collective bargaining*
D: Tarifvertragsverhandlung
E: *contratacion collectiva*

CONTRATTO
F: contrat
GB: *contract*
D: Vertrag
E: *contrato*

CONTRATTO COLLETTIVO
F: convention collective
GB: *labour agreement*
D: Tarifvertrag
E: *convenio colectivo*
Accord relatif aux conditions de travail conclu entre syndicats de travailleurs et employeurs

CONTRATTO DI VENDITA
F: acte de vente
GB: *bill of sale*
D: Kaufvertrag
E: *escritura de venta*
Authentifie l'échange d'un bien contre de la monnaie

CONTRATTO GLOBALE
F: marché global
GB: *package deal*
D: Globalgeschäft
E: *contrato global*
Pratique des opérateurs qui consiste à négocier tout au long des 24 heures d'une journée

CONTRATTO VINCOLANTE
F: convention irrévocable
GB: *binding agreement*
D: bindender Vertrag
E: *obligacion irrevocable*

CONTRATTUALE
F: contractuel adj
GB: *contractual*
D: vertraglich
E: *contractual*

CONTRIBUENTE FISCALE
F: contribuable
GB: *tax payer*
D: Steuezahler
E: *contribuyente*

CONTRIBUIRE
F: contribuer
GB: *contribute*
D: beitragen
E: *contribuir*

CONTRIBUTO
F: contribution
GB: *contribution*
D: Beitrag
E: *contribuccion*
Impôt

CONTROFIRMARE
F: contresigner
GB: *countersign*
D: gegenzeichnen
E: *refrendar*
Signer après celui dont l'acte émane

CONTROLLO
F: contrôle
GB: *control*
D: Aufsicht
E: *control*

CONTROLLO (ES. DEI CONTI, DEL BILANCIO...)
F: audit
GB: *audit*
D: Wirtschaftsprüfung
E: *auditoria*
Activité de contrôle et de conseil destinée, par la vérification de documents ou du processus, à mesurer l'efficacité d'une entreprise et/ou de ses dirigeants

CONTROLLO A BILANCIO PREVENTIVO
F: contrôle budgétaire
GB: *budgetary control*
D: Haushaltskontrolle
E: *control presupuestario*
Contrôle de gestion par comparaison objectifs/résultats

CONTROLLO DI GESTIONE
F: contrôle de gestion
GB: *management audit*
D: Controlling
E: *control de gestión*
Etude, préparation et coordination des décisions de gestion permettant à l'entreprise d'atteindre efficacement ses objectifs

ITALIEN

CONTROLLO DI QUALITÀ
F : contrôle de qualité
GB : *quality control*
D : Qualitätskontrolle
E : *control de calidad*

CONTROLLO SUI CAMBI
F : contrôle des changes
GB : *exchange control (USA currency control)*
D : Devisenkontrolle
E : *fiscalizacion de cambios*
Subordination de toute conversion en devises à une autorisation administrative

CONTROLLO SUI PREZZI
F : contrôle des prix
GB : *price control*
D : Preiskontrolle
E : *control de precios*

CONTROLLORE
F : contrôleur
GB : *controller*
D : Kontrolleur
E : *interventor*

CONTROLLORE
F : vérificateur des comptes
GB : *comptroller*
D : Rechnungsprüfer
E : *interventor*

CONTROLLORE (ES. DEI CONTI...)
F : auditeur
GB : *auditor*
D : Wirtschaftsprüfer
E : *auditor*
Responsable d'un audit (salarié de l'entreprise ou conseil externe)

CONTROPARTITA
F : contrepartie (Bourse)
GB : *counterpart*
D : Gegenzug
E : *contrapartida*
Offre correspondant à une demande déterminée ou inversement. Ne peut être effectuée que par un contrepartiste

CONTROSTALLIA
F : surestarie
GB : *demurrage*
D : Überliegezeit
E : *sobreestadia*
Indemnité due à un armateur en cas de retard de chargement ou de déchargement

CONVERSIONE
F : conversion
GB : *conversion*
D : Konversion
E : *conversion*

CONVERTIBILE
F : convertible
GB : *convertible*
D : konvertierbar
E : *convertible*
S'applique à une monnaie qu'on peut échanger légalement contre de l'or ou toute autre devise

CONVERTIRE
F : convertir
GB : *convert*
D : konvertieren
E : *convertir*

CONVOCARE
F : convoquer
GB : *convene*
D : einberufen
E : *convenir*

CONVOCAZIONE DEI CREDITORI
F : réunion de créanciers
GB : *meeting of creditors*
D : Gläubigerversammlung
E : *concurso de acreedores*

COOPERATIVA
F : coopérative
GB : *co-op*
D : Genossenschaft
E : *cooperativa*
Association de personnes (à droits et obligations égales) qui conduisent et gèrent à leurs risques une entreprise commune

COOPERATIVA
F : société coopérative
GB : *cooperative*
D : Genossenschaft
E : *cooperativa*
Voir Coopérative

COOPERAZIONE
F : coopération
GB : *cooperation*
D : Zusammenarbeit
E : *cooperacion*

COOPTARE
F : coopter
GB : *co-opt*
D : hinzuwählen
E : *cooptar*
Admettre dans une assemblée de nouveaux membres désignés par elle-même

COPERTURA
F : couverture
GB : *cover*
D : Deckung
E : *cobertura*
Montant d'une transaction consignée en garantie jusqu'au dénouement ultérieur de celle-ci (sur un marché à terme)

COPERTURA PROVVISORIA
F : couverture temporaire
GB : *temporary cover*
D : temporäre Deckung
E : *cobertura provisional*

COPIA
F : copie
GB : *copy*
D : Abschrift, Kopie
E : *copia*

COPIA CONFORME
F : copie certifiée
GB : *certified true copy*
D : beglaubigte Abschrift
E : *copia auténtica*
Copie authentifiée par l'administration

COPIARE
F : transcrire
GB : *copy*
D : Kopieren
E : *copiar*

CORPORATIVISMO
F : corporatisme
GB : *corporatism*
D : Körperschaftstum
E : *corporativismo*
Défense exclusive des intérêts d'une catégorie sociale ou socio-professionnelle

CORPORATIVO
F : corporatif
GB : *corporate*
D : köperschaftlich
E : *corporativo*
Relatif à une corporation

CORPORAZIONE
F : corporation
GB : *corporation*
D : Körperschaft
E : *corporacion*

CORPORAZIONE FINANZIARIA INTERNAZIONALE
F : société financière internationale - SFI
GB : *international finance corporation*
D : Internationale Finanzkorporation
E : *corporacion international de finanzas*
Filiale de la BIRD créée en 1955 pour participer au financement des entreprises privées dans les pays en développement

CORREGGERE
F : corriger
GB : *correct*
D : korrigieren
E : *corregir*

CORRELAZIONE
F : corrélation
GB : *correlation*
D : Zusammenhang
E : *correlación*
Variations de même sens ou de sens opposé entre deux ou plusieurs grandeurs

CORRENTE
F : courant
GB : *current*
D : laufend
E : *corriente*

CORRENTE ALTERNATA
F : courant alternatif
GB : *alternating current (A.C.)*
D : alternativer Strom
E : *corriente alterna*
Courant électrique au sens de circulation alterné, dont l'intensité est fonction périodique du temps

CORRENTE CONTINUA
F : courant continu
GB : *direct current*
D : Gleichstrom
E : *corriente continua*
Courant électrique d'intensité constante circulant toujours dans le même sens

CORREZIONE
F : correction
GB : *correction*
D : Berichtigung
E : *correccion*

CORRISPONDENZA
F : correspondance
GB : *correspondence*
D : Briefwechsel
E : *correspondencia*
Concordance de deux phénomènes qui varient symétriquement dans le même sens

CORROMPERE
F : corrompre
GB : *bribe*
D : bestechen
E : *sobornar*

CORROMPERE (UN PERSONAGGIO INFLUENTE)
F : arroser (un personnage influent)
GB : *bribe*
D : (eine wichtige Persönlichkeit) berieseln
E : *sobornar (a una persona influyente)*

CORRUZIONE
F : corruption
GB : *bribery, corruption*
D : Bestechung
E : *soborno*

CORSO DEL CAMBIO
F : cours de change
GB : *rate of exchange*
D : Umrechnungskurs
E : *tipo de cambio*
Taux de change

CORTE ARBITRALE
F : cour d'arbitrage
GB : *court of abitration*
D : Schiedsgericht
E : *tribunal arbitral*

CORTE D'APPELLO
F : Cour d'appel
GB : *court of appeal*
D : Berufungsgericht
E : *tribunal de apelacion*
Tribunal chargé de juger en appel les décisions des juridictions de droit commun ou d'exception

COSTARE
F : coûter
GB : *cost*
D : Kosten
E : *costar*

COSTI AUMENTATI
F : accroissement des coûts
GB : *increased costs*
D : erthöhte Kosten
E : *costes incrementados*

COSTI INDIRETTI
F : frais indirects
GB : *indirect costs*
D : Gemeinkosten
E : *costes indirectos*
Charges qui nécessitent un calcul intermédiaire pour être imputées au coût d'un produit déterminé

COSTITUIRE
F : constituer
GB : *form, constitute*
D : bilden
E : *constituir*

COSTITUZIONE
F : incorporation (de réserves ou de bénéfices)
GB : *incorporation*
D : Eintragung (einer Gesellschaft)
E : *incorporacion*
Augmentation du capital social d'une entreprise par intégration de tout ou partie des réserves ou des bénéfices réalisés

COSTO
F : coût
GB : *cost*
D : Kosten
E : *coste*

COSTO CONTABILE
F : prix de revient comptable
GB : *book cost*
D : Buchwert der Einkäufe
E : *coste contable*
Tient compte de tous les frais indirects rattachés au prix de revient d'un produit

COSTO D'ACQUISTO, PREZZO DI COSTO
F : coût de revient
GB : *(production) cost*
D : Herstellungskosten
E : *coste de producion*
Coût total de produits ou services vendus

COSTO D'ACQUISTO, PREZZO DI COSTO
F : coût d'acquisition
GB : *acquisition cost*
D : Anschaffungskosten
E : *precio de compra*

COSTO DELLA VITA
F : coût de la vie
GB : *cost of living*
D : Lebenshaltungskosten
E : *coste de vida*

COSTO DI MANO D'OPERA
F : coût de la main-d'œuvre
GB : *cost of labour*
D : Lohnkosten
E : *coste de la mano de obra*

COSTO DI PRODUZIONE
F : prix de production
GB : *production price*
D : Produktionspreis
E : *precio de producción*

COSTO DI RIMPIAZZO
F : coût de remplacement
GB : *replacement cost*
D : Weideranschaffungskosten
E : *coste de repuesto*
Prix d'achat d'un équipement à payer pour une satisfaction équivalente à celle procurée par celui qui est usagé

COSTO DIRETTO
F : prix de revient direct
GB : *direct cost*
D : direkte Kosten
E : *coste directo*
Ensemble des coûts directs de production d'un produit ou d'un service

COSTO E NOLO
F : coût et fret
GB : *cost and freight (c&f)*
D : Kosten und Fracht
E : *coste y fleto*
En matière de commerce extérieur, qualifie le prix total d'une marchandise dont l'exportateur assume les frais (sauf les assurances) jusqu'à sa destination

COSTO FISSO
F : coût fixe
GB : *fixed cost*
D : Fixkosten
E : *coste fijo*
Coût indépendant d'une activité, dans une structure ou pour une période donnée

COSTO MARGINALE
F : coût marginal
GB : *marginal cost*
D : Randkosten
E : *coste marginal*
Coût supplémentaire ou additionnel d'une unité entraîné par une augmentation de la production

ITALIEN

COSTO MEDIO
F : coût moyen
GB : *average cost*
D : Durchschnittskosten
E : *coste promedio*
Coût unitaire total à long terme, prix de revient unitaire

COSTO SOCIALE
F : coût social
GB : *social cost*
D : Sozialkosten
E : *coste social*

COSTO UNITARIO
F : coût unitaire
GB : *unit cost*
D : Einheitskosten, Stückkosten
E : *coste pur unidad, coste unitario*

COSTO UNITARIO
F : prix coûtant unitaire
GB : *unit cost*
D : Einheitskosten
E : *coste unitario*
Coûts de fabrication et de distribution par unité produite

COSTO VARIABILE
F : coût variable
GB : *variable cost*
D : variable Kosten
E : *coste variable*
Composé de charges variables en fonction d'une activité

COSTO, ASSICURAZIONE, NOLO
F : coût, assurance, fret (CAF)
GB : *cost, insurance, and freight (cif)*
D : Kosten, Versicherung, Fracht
E : *coste, seguro, y flete*
Qualifie le prix d'une marchandise dont l'exportateur prend en charge la totalité des frais (assurances comprises) jusqu'à sa destination

COSTRIZIONE
F : contrainte
GB : *duress*
D : Zwang
E : *compulsion*

COSTRUTTORE EDILE
F : promoteur immobilier
GB : *property developer*
D : Immobilienmakler
E : *promotor inmobiliario*

CREATIVITÀ
F : créativité
GB : *creativity*
D : Kreativität
E : *creatividad*

CREDITI BLOCCATI
F : crédits bloqués
GB : *frozen credits*
D : eingefrorene Kredite
E : *creditos congelados*

CREDITO
F : crédit
GB : *credit*
D : Kredit
E : *crédito*

CREDITO A BREVE TERMINE
F : crédit à court terme
GB : *short-term credit*
D : kurzfristiger Kredit
E : *crédito a corto plazo*

CREDITO A LUNGO TERMINE
F : crédit à long terme
GB : *long-term credit*
D : langfristiger Kredit
E : *crédito a largo plazo*

CREDITO A MEDIO TERMINE
F : crédit à moyen terme
GB : *medium-term credit*
D : mittelfristiger Kredit
E : *crédito a mediano plazo*

CREDITO ALLO SCOPERTO
F : crédit à découvert
GB : *open credit*
D : offener Kredit
E : *crédito en descubierto*

CREDITO BANCARIO
F : crédit bancaire
GB : *bank credit*
D : Bankkredit
E : *crédito bancario*

CREDITO D'ACQUISTO
F : crédit acheteur
GB : *buyer credit*
D : Käuferkredit
E : *crédito de comprador*
Crédit à l'export octroyé par la banque du pays exportateur à l'importateur, qui peut payer comptant l'exportateur

CREDITO D'IMPOSTA
F : bonus de liquidation
GB : *premium*
D : Bonus
E : *borrador*
Lors de la liquidation d'une société, surplus de la valeur de cession de l'actif sur la valeur des dettes et du capital social. En général réparti entre les associés

CREDITO D'IMPOSTA
F : avoir fiscal
GB : *tax credit*
D : Steuerguthaben
E : *haber fiscal*
Crédit d'impôt qui ne s'applique qu'aux seules actions (50 % du dividende net) et qui, ajouté au revenu imposable, est ensuite déduit du montant de l'impôt exigible

CREDITO DOCUMENTARIO
F : crédit documentaire
GB : *documentary credit*
D : Dokumenten-Akkreditiv
E : *crédito documentario*
Technique de paiement à l'exportation. Le correspondant de la banque de l'importateur règle l'exportateur contre remise de documents prouvant l'opération

CREDITO DUBBIO
F : créance douteuse
GB : *doubtful debt*
D : zweifelhafte Forderung
E : *deuda de pago dudoso*
Dont le recouvrement est incertain

CREDITO FORNITORE
F : crédit fournisseur
GB : *trading credit*
D : Lieferantenkredit
E : *crédito de proveedores*
Accordé à un exportateur par une banque de son pays pour lui permettre d'être payé dès la livraison à son importateur étranger

CREDITO IN CONTO CORRENTE
F : avance en compte courant
GB : *overdraft*
D : Kontokorrentvorschuß
E : *adelanto en cuenta corriente*
Somme apportée par un tiers à une entreprise et portée au crédit d'un compte ouvert à son nom

CREDITO INESIGIBILE
F : créance irrécouvrable
GB : *bad debt*
D : uneinbringliche Schuld
E : *deuda incobrable*

CREDITORE
F : créancier
GB : *creditor*
D : Gläubiger
E : *acreedor*

CREDITORE
F : créditeur
GB : *creditor*
D : Gläubiger
E : *acreedor*

CREDITORE NON GARANTITO
F : créancier chirographaire
GB : *unsecured creditor*
D : nicht gesicherter Gläubiger
E : *acreedor no garantizado*
Qui ne possède aucune garantie pour le recouvrement de son dû

CREDITORE PRIVILEGIATO
F : créancier privilégié
GB : *preferential creditor*
D : bevorrechtigter Gläubiger
E : *acreedor privilegiado*
Créancier bénéficiant d'une priorité de paiement

CREDITORI DIVERSI
F: créditeurs divers
GB: *sundry creditors*
D: Kreditoren
E: *acreedores varios*

CRESCITA, SVILUPPO
F: croissance
GB: *growth*
D: Entwicklung, Wachstum
E: *crecimiento*

CRISI
F: crise économique
GB: *depression*
D: Wirtschaftskrise
E: *crisis economica*

CROLLO DI BANCA
F: krach d'une banque
GB: *bank crash*
D: Bankkrach
E: *quibra de banco*
Effondrement financier, banque-route

CURATORE
F: curateur
GB: *administrator (of an estate)*
D: Nachlaßverwalter
E: *administrador*
Nommé par le juge des tutelles qui détermine sa mission, il assiste le majeur sous curatelle (incapacité partielle ou réduite) pour les opérations importantes

CURATORE
F: syndic de faillite
GB: *(official) receiver*
D: Konkursverwalter
E: *sindico*
Désigné par le tribunal, il représente les intérêts des créanciers d'une entreprise déclarée en faillite

CURVA DELLA DOMANDA
F: courbe de la demande
GB: *demand curve*
D: Nachfragehurve
E: *curva de relacion demanda*

Représentation de l'évolution de quantités susceptibles d'être achetées pendant un temps donné

CUSTODIA
F: bonne garde
GB: *safe custody*
D: sichere Verwahrung
E: *custodia*

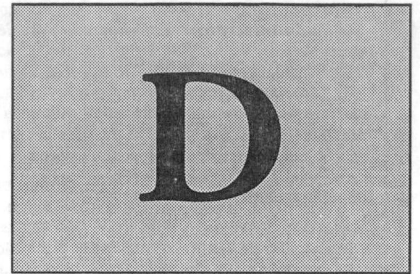

D'ACCORDO CON
F : accord avec (d')
GB : *in agreement with*
D : im Einvermehmen mit
E : *de acuerdo con*

DA VENDERE O RIMANDARE
F : vente avec faculté de retour
GB : *sale or return*
D : Rücksendung wenn unverkauft
E : *venta o devolucion*

DANNI
F : dommages-intérêts
GB : *damages*
D : Schadenersatz
E : *danos*
Indemnité de réparation d'un préjudice assortie des intérêts accumulés depuis qu'il a été subi

DANNO
F : dommage
GB : *damage, injury*
D : Beschädigung, Schaden
E : *dano*

DANNO CAUSATO DALL'ACQUA
F : dégâts des eaux
GB : *water damage*
D : Wasserschaden
E : *dano causado por el agua*

DANNO DURANTE TRASPORTO
F : avaries de route
GB : *damage in transit*
D : Beschädigung beim Transport
E : *danos en ruta*

DATA
F : date
GB : *date*
D : Datum
E : *fecha*

DATA DI CONSEGNA
F : date de livraison
GB : *delivery date*
D : Liefertermin
E : *fecha de entrega*

DATA DI PARTENZA
F : date de départ
GB : *sailing date*
D : Abgangstag
E : *dia de salida*

DATA DI RIMBORSO
F : date du remboursement
GB : *redemption date*
D : Einlösungstag
E : *fecha de reembolso*

DATA DI SCADENZA
F : date d'échéance
GB : *date of maturity*
D : Fälligkeitstag
E : *fecha de vencimiento*
Date ultime de paiement d'une dette

DATI
F : données
GB : *data*
D : Daten
E : *datos*
Eléments de base servant de point de départ à un raisonnement

DATORE DI LAVORO
F : employeur
GB : *employer*
D : Arbeitgeber
E : *patrono*

DATTILOGRAFA
F : dactylo
GB : *copy typist (USA transcriber)*
D : Abschreibtypistin
E : *mecanografa*

DATTILOSCRITTO
F : manuscrit dactylographié
GB : *typescript*
D : Maschinenschrift
E : *texto mecanografiado*

DAZIO PAGATO
F : acquitté (douane)
GB : *duty-paid*
D : verzollt
E : *derechos pagados*

DE QUALITA SUPERIORE
F : première qualité (de)
GB : *top quality*
D : hochwertig
E : *de primera calidad*

DEBITI A BREVE SCADENZA
F : dettes à court terme
GB : *short-term debts*
D : kurzfristige Schulden
E : *deudas a corto plazo*

DEBITI A LUNGA SCADENZA
F : dettes à long terme
GB : *long-term debts*
D : langfristige Schulden
E : *deudas a largo plazo*

DEBITO
F : créance
GB : *debt*
D : Schuld
E : *deuda*
Contrepartie d'une dette

DEBITO ATTIVO
F : dette comptable
GB : *book debt*
D : Buchschuld
E : *deuda contrabilizada*
Dettes monétaires inscrites au passif du bilan

DEBITO PUBBLICO
F : dette publique
GB : *national debt*
D : Staatsschuld
E : *deuda publica*
Ensemble des engagements à la charge de l'Etat

DEBITO, DARE
F : débit
GB : *debit*
D : Debel, Soll
E : *débito*

DEBITO, DARE
F : doit
GB : *debit*
D : Debet, Soll
E : *débito*

ITALIEN

DEBITORE
F : débiteur
GB : *debtor*
D : Schuldner
E : *deudor*

DECENTRALIZZARE
F : décentraliser
GB : *decentralize*
D : dezentralisieren
E : *decentralizar*

DECIDERE
F : décider
GB : *decide*
D : entscheiden
E : *decidir*

DECIMALE
F : décimal
GB : *decimal*
D : dezimal
E : *decimal*

DECISIONE
F : décision
GB : *decision*
D : Entscheidung
E : *decision*

DECLINO
F : déclin
GB : *decline*
D : Niedergang
E : *decadencia*

DECRESCENTE
F : décroissant
GB : *diminishing*
D : abnehmend
E : *decreciente*

DEDUCTIBLE DA TASSA
F : déductible de l'impôt
GB : *tax deductible*
D : steuerabsetzbar
E : *deductible de impuestos*

DEDURRE
F : déduire
GB : *deduct*
D : abziehen
E : *deducir*

DEDUZIONE
F : abattement
GB : *discount, tax credit*
D : Abschlag
E : *bonificación*
Minoration conventionnelle de la base d'imposition

DEDUZIONI FISCALI SUGLI INVESTIMENTI
F : déductions fiscales sur investissements
GB : *capital allowances*
D : Steuerbegünstigung auf Anlagen
E : *deducciones fiscales sobre inversiones*

DEFICIT
F : déficit
GB : *deficit*
D : Defizit
E : *déficit*

DEFLAZIONE
F : déflation
GB : *deflation*
D : Deflation
E : *deflacion*
Politique de restriction de la demande visant à freiner la hausse ou provoquer la baisse des prix

DEL CREDERE
F : ducroire
GB : *decredere*
D : Delkredere
E : *delcredere*

DELEGATO
F : délégué
GB : *delegate*
D : Delegierte(r)
E : *delegado*

DELEGAZIONE
F : délégation
GB : *delegation*
D : Delegierung
E : *delegacion*
Décentralisation du pouvoir de décision aux échelons hiérarchiques inférieurs

DELIBERAZIONE
F : résolution
GB : *resolution*
D : Beschluß
E : *resolucion*
Dissolution d'un contrat pour inexécution des conditions ; motion adoptée par une assemblée (simple vœu ou disposition d'un règlement)

DELIBERAZIONE STRAORDINARIA
F : résolution extraordinaire
GB : *extraordinary resolution*
D : Sonderentschluß
E : *resolucion extraordinaria*

DELOCALIZZAZIONE
F : délocalisation
GB : *delocalization*
D : Entlokalisierung
E : *cambio de sitio*
Changement d'implantation géographique de tout ou partie des activités d'une entreprise

DENARO
F : argent
GB : *money*
D : Geld
E : *dinero*

DENARO A BASSO INTERESSE
F : argent bon marché
GB : *cheap money*
D : billiges Geld
E : *dinero barato*

DENARO A CORSO LEGALE
F : monnaie légale
GB : *legal tender*
D : gesetzliches Zahlungsmittel
E : *moneda legal*
Dont le cours est légal en vertu de dispositions légales

DENARO A LA VISTA
F : argent à vue
GB : *money on call*
D : Sichtgelder
E : *dinero a la vista*
Voir A vue

DENARO AD ALTO INTERESSE
F : argent cher
GB : *dear money*
D : teures Geld
E : *dinero caro*

DENARO CONTANTE
F : argent comptant
GB : *cash*
D : Bargeld
E : *dinhero contante*

DENOMINAZIONE COMMERCIALE
F : raison sociale
GB : *trade name*
D : Firmenname
E : *razon social*
Nom sous lequel une société exerce son activité

DEPORTO
F : déport
GB : *backwardation*
D : Kursabschlag
E : *prima de aplazamiento*
Différence entre le cours au comptant d'un actif et son cours à terme lorsque ce dernier est inférieur

DEPOSITANTE
F : déposant
GB : *depositor*
D : Einzahler
E : *depositante*

DEPOSITARE
F : déposer
GB : *file*
D : einlegen
E : *interponer*

DEPOSITARE (IN UNA BANCA)
F : déposer (à la banque)
GB : *bank*
D : einlegen, einzahlen
E : *depositar (en el banco)*

DEPOSITARIO
F : dépositaire
GB : *depositary, bailee*
D : Verwahrer, Gewahrsaminhaber
E : *depositario*

DEPOSITO
F : dépôt
GB : *deposit*
D : Depot
E : *deposito*

DEPOSITO A TERMINE FISSO
F : dépôt à terme (fixe)
GB : *fixed deposit*
D : Depositeneinlage
E : *deposito a plazo fijo*
Fonds que le déposant s'engage à réclamer à échéances fixes moyennant le versement d'un intérêt par la banque

DEPOSITO BANCARIO
F : dépôt bancaire
GB : *bank deposit*
D : Bankeinlage
E : *deposito bancario*

DEPOSITO DI BILANCIO
F : dépôt de bilan
GB : *petition in bankruptcy*
D : Konkursanmeldung
E : *declaración de quiebra*

DEPOSITO NOTTURNO
F : coffre de nuit
GB : *night safe*
D : Nachttresor
E : *caja de seguridad nocturna*

DEPREZZAMENTO
F : moins-value
GB : *capital loss*
D : Minderwert
E : *depreciación, minusvalía*
Différence négative entre le prix de cession et le prix d'achat d'un bien ou d'un titre

DEPREZZAMENTO ACCELERATO
F : amortissement accéléré
GB : *accelerated depreciation*
D : beschleunigte Abschreibung
E : *depreciacion acelerada*
Amortissement effectué à un taux plus élevé qu'à l'ordinaire, ou rendu plus rapide par l'augmentation des charges perçues au cours des premières années

DEPREZZARE
F : déprécier
GB : *depreciate*
D : entwerten
E : *depreciar*

DESCRIZIONE
F : description
GB : *description*
D : Beschreibung
E : *descripcion*

DESCRIZIONE DEL LAVORO
F : description du travail
GB : *job description*
D : Arbeitsbeschreibung
E : *descripcion del trabajo*

DESIGN
F : design
GB : *design*
D : Design
E : *diseño*
Conciliant l'esthétique et le fonctionnel, toutes les activités d'harmonisation des formes dans ce qui fait notre environnement et notre cadre de vie

DESTINATARIO CONSEGNATARIO
F : destinataire
GB : *addressee consignee*
D : Adressat, Empfänger
E : *destinatario consignatario*

DESTINAZIONE
F : destination
GB : *destination*
D : Bestimmungsort
E : *destino*

DETENTORE LEGITTIMO
F : porteur à titre onéreux
GB : *holder for value*
D : entgeltigter Besitzer
E : *tenedor legitimo*
Définition prévue non donnée

DETTAGLIATO
F : détaillé
GB : *intemized*
D : postenmäßig dargestellt
E : *detallado*

DETTARE
F : dicter
GB : *dictate*
D : diktieren
E : *dictar*

DETTATO, DETTATURA
F : dictée
GB : *dictation*
D : Diktat
E : *diciado*

DI GIORNO IN GIORNO
F : au jour le jour
GB : *day-to-day*
D : täglich
E : *dia a dia*

DI QUALITÀ INFERIORE
F : qualité inférieure (de)
GB : *low-grade*
D : minderwertig
E : *baja calidad*

DI SECONDA MANO
F : occasion (d')
GB : *second-hand*
D : aus zweiter Hand, Gebraucht-
E : *se segunda mano*

DI VALORE
F : valeur (de)
GB : *valuable*
D : wertvoll
E : *valioso*

DIAGNOSI
F : diagnostic
GB : *diagnosis*
D : Diagnose
E : *diagnóstico*

DIAGRAMMA
F : diagramme
GB : *diagram*
D : graphische Darstellung
E : *diagrama*
Graphique permettant de représenter un phénomène déterminé

DIAGRAMMA DI FLUSSO
F : ordinogramme
GB : *flow chart*
D : Flußdiagramm
E : *diagrama de flujo*
Schéma codifié représentant le déroulement d'un programme d'ordinateur

DICHIARARE
F : déclarer
GB : *declare*
D : erklären
E : *declarar*

DICHIARAZIONE
F : déclaration
GB : *déclaration*
D : Erklärung
E : *declaracion*

DICHIARAZIONE D'IMBARCO
F : déclaration d'expédition
GB : *declaration of shipment*
D : Absendungserklärung
E : *declaracion de expedicion*

DICHIARAZIONE D'INTENZIONE
F : déclaration d'intention
GB : *declaration of intent*
D : Willenserklärung
E : *declaracion de intencion*

DICHIARAZIONE DEL REDDITO
F : déclaration de revenu
GB : *income-tax return*
D : Einkommensteuererklärung
E : *declaracion fiscal*

DICHIARAZIONE DOGANALE
F : déclaration en douane
GB : *customs declaration*
D : Zollerklärung
E : *declaracion de aduana*
Document déposé à l'administration des Douanes pour toute marchandise importée ou exportée

DICHIARAZIONE FALSA
F : déclaration inexacte
GB : *misrepresentation*
D : Verdrehung
E : *declaracion falsa*

DICHIARAZIONE FISCALE
F : déclaration d'impôt
GB : *tax return*
D : Steuereklärung
E : *declaracion de ingresos*

DICHIARAZIONE GIURATA
F : déclaration sous serment
GB : *affidavit*
D : beeidigte Erklärung
E : *declaracion jurada*
Affirmation écrite attestant la sincérité d'une déclaration

DIFETTO LATENTE
F : vice caché
GB : *latent defect*
D : versteckter Mangel
F : *defecto latente*

DIFETTOSO
F : défectueux
GB : *faulty*
D : fehlerhaft
E : *defectuoso*

DIFFERENZA
F : différence
GB : *difference*
D : Unterschied
E : *diferencia*

DIFFERENZA DI PREZZO
F : différence de prix
GB : *difference in price*
D : Preisunterschied
E : *diferencia de precio*

DIFFERENZIALE
F : différentiel
GB : *differential*
D : Differenz, Differential
E : *diferencial*

DIFFERIRE
F : différer
GB : *hold over, defer*
D : aufschieben, zurückstellen
E : *aplazar, diferir*

DIFFICILE
F : difficile
GB : *difficult*
D : schwierig
E : *dificil*

DIFFICOLTÀ DI VENDITA
F : résistance à la vente
GB : *sales resistance*
D : Kaufabneigung
E : *dificultades de ventas*

DIMETTERSI
F : démettre (se)
GB : *resign*
D : zurücktreten
E : *dimitir*

DIMOSTRARE, PROVARE
F : démonter
GB : *establish, prove*
D : beweisen
E : *demonstrar, probar*

DINAMICA DI GRUPPO
F : dynamique de groupe
GB : *group dynamism*
D : Gruppendynamik
E : *dinámica de grupo*
Etude expérimentale de l'évolution de petits groupes sous différents aspects : décision, productivité, communication etc.

DIPARTIMENTO
F : département
GB : *department*
D : Abteilung
E : *departamento*

DIPLOMA
F : diplôme
GB : *diploma*
D : Diplom
E : *diploma*

DIRETTISSIMO, RAPIDO
F : train express
GB : *express train*
D : D-Zug, Schnellzug
E : *tren expreso*

DIRETTIVO
F : directive
GB : *directive*
D : verordnung
E : *directiva*
Ensemble d'indications générales exprimées par une autorité à ses subordonnés

DIRETTORE
F : directeur (voir aussi chef)
GB : *manager, director*
D : Geschäftsleiter, Direktor
E : *director*

DIRETTORE COMMERCIALE
F : gérant
GB : *business manager*
D : Geschäftsführer
E : *gerente de negocios*
Dirigeant d'une société en nom collectif, d'une SARL ou d'une société en commandite

DIRETTORE COMMERCIALE
F : directeur commercial
GB : *sales manager*
D : Verkaufsleiter
E : *jefe de ventas*
Responsable de la commercialisation de produits ou services

DIRETTORE DEL PERSONALE
F : chef du personnel
GB : *personnel manager*
D : Personalchef
E : *jefe de personal*

DIRETTORE DI MERCATO
F : directeur du marketing
GB : *marketing director*
D : Absatzdirektor
E : *director mercantil*
Responsable de la détection des besoins et de l'adaptation en continu de la production et de la commercialisation afin de développer les ventes

DIRETTORE GENERALE
F : directeur général
GB : *chief executive*
D : Geschäftsführer
E : *jefe ejecutivo*

DIREZIONE SUPERIORE
F : direction générale
GB : *top management*
D : Direktion
E : *direccion superior*

DIREZIONE, AMMINISTRAZIONE
F : administration
GB : *management*
D : Vorstand
E : *direccion*

DIRIGENTE
F : dirigeant
GB : *executive*
D : Geschäftsleiter
E : *directivo*

DIRITTI
F : droits
GB : *rights*
D : Rechte
E : *derechos*

DIRITTI D'AUTORE
F : droits d'auteur
GB : *copyright*
D : Urheberrech
E : *derechos de autor*

DIRITTI DI SEQUESTRO
F : droit de retention
GB : *lien*
D : Pfandrecht
E : *derecho de retencion*
Pour un créancier, droit de refuser de restituer un bien appartenant à son débiteur tant que celui-ci ne s'est pas acquitté de sa dette

DIRITTI DI SOTTOSCRIZIONE
F : droits de souscription
GB : *application rights*
D : Zeichnungsberechtigung
E : *derechos de suscripción*
Faculté ouverte à un actionnaire de recevoir des actions supplémentaires à l'occasion d'une augmentation de capital en numéraires

DIRITTI DOGANALI
F : droit de douane
GB : *customs duty*
D : Zoll
E : *derechos de aduanas*

DIRITTI PORTUALI
F : droits portuaires
GB : *port charges*
D : Hafengebühren
E : *derechos portuarios*

DIRITTI SUCCESSIONE
F : droits de succession
GB : *estate duty (USA estate tax)*
D : Nachlaßsteuer
E : *derechos de sucession*

DIRITTI, AFFITTO
F : redevance
GB : *royalty, rental*
D : Tantieme, Miete
E : *derechos, alquier*
Prix à payer en contrepartie de la concession d'un droit

DIRITTO ACQUISITO
F : droit acquis
GB : *vested interest*
D : festbegründetes Recht
E : *interés creado*

DISCRETO PROFITTO
F : rendement équitable
GB : *fair return*
D : angemessener Ertrag
E : *beneficio razonable*

DISCRIMINATORIO
F : discriminatoire
GB : *discriminatory*
D : unterschiedlich
E : *discriminatorio*

DISEGNATORE
F : dessinateur
GB : *draughtsman*
D : Entwerfer
E : *dibujante*

DISEGNO
F : dessein
GB : *design*
D : Zeichnung
E : *diseno*

DISLOCAMENTO
F : déplacement
GB : *displacement*
D : Tonnengehalt
E : *desplazamiento*

DISOCCUPAZIONE
F : chômage
GB : *unemployment*
D : Arbeitslosigkeit
E : *desempleo*

DISOCCUPAZIONE STAGIONALE
F : chômage saisonnier
GB : *seasonal unemployment*
D : jahreszeitlich bedingte Arbeitslosigkeit
E : *paro de temporada*

DISONESTO
F : malhonnête
GB : *dishonest*
D : unehrlich
E : *deshoneste*

DISPONIBILITÀ, ATTIVITÀ LIQUIDA
F : actif liquide (ou disponible)
GB : *liquid assets*
D : flüssige Aktiven
E : *activo liquido*
Fonds détenus en caisse, sur les comptes, et toutes valeurs immédiatement convertibles en espèces pour leur valeur nominale

DISPOSIZIONE
F : disposition
GB : *disposal*
D : Verfügung
E : *disposicion*
Point que règle une loi, un contrat

DISPUTA
F : contestation
GB : *dispute*
D : Streit
E : *disputa*

DISSIDENTE
F : dissident
GB : *dissenting*
D : abweichend
E : *disitente*

DISTANZA
F : distance
GB : *distance*
D : Entfernung
E : *distancia*

DISTILLERIA
F : distillerie
GB : *distillery*
D : Brennerei
E : *destileria*

DISTRIBUIRE
F : distribuer
GB : *distribute*
D : vertreiben, verteilen
E : *distribuir*

DISTRIBUTORE, CONCESSIONARIO
F : distributeur
GB : *distributor*
D : Verkaufsagent, Konzessionär
E : *distribuidor concesionario*

DISTRIBUZIONE DELLE FREQUENZE
F : distribution de fréquences
GB : *frequency distribution*
D : Häufigkeitsverteilung
E : *distribucion de las frecuencias*

DISTRIBUZIONE ESCLUSIVA
F : distribution exclusive
GB : *sole distribution*
D : Ausschliesslichkeitsvertrieb
E : *distribución exclusiva*

DITTA
F : firme
GB : *firm, company*
D : Firma
E : *firma, casa*

DITTAFONISTA
F : dictaphoniste
GB : *audio-typist (USA dictaphone operator)*
D : Audiotypistin
E : *audio-mecanografa*
Personne qui transcrit sous la dictée d'un magnétophone

DIVERGENZA
F : écart
GB : *discrepancy*
D : Abweichung
E : *desacuerdo*

DIVERSIFICAZIONE
F : diversification
GB : *diversification*
D : Vervielfältigung der Produkte
E : *diversificacion*
Activité nouvelle ou implantation sur un nouveau marché

DIVIDENDO
F : dividende
GB : *dividend*
D : Dividende
E : *dividendo*
Bénéfice éventuellement distribué chaque année aux actionnaires d'une société de capitaux

DIVIDENDO SEMESTRALE
F : dividende semestriel
GB : *half-yearly dividend*
D : halbjährliche Dividende
E : *dividendo semestral*

DIVIDENDO STRAORDINARIO
F : super-dividende
GB : *surplus dividend*
D : Extradividende
E : *superdividendo*
Eventuellement décidé par l'assemblée générale, il s'ajoute au premier dividende

DIVIDERE
F : partager
GB : *share*
D : teilen
E : *repartir*

DIVIDERE A METÀ LA DIFFERENZA
F : partager la différence
GB : *split the difference*
D : einen strittigen Preisunterschied teilen
E : *repartir la diferencia*

DIVISIONE
F : division
GB : *division*
D : Teilung, Abteilung
E : *division, seccion*

DIVISIONE DEL LAVORO
F: division du travail
GB: *division of labour*
D: Arbeitsteilung
E: *division del trabajo*

DOCK
F: dock
GB: *dock*
D: Dock
E: *muelle*
Quai de déchargement pour les navires, ou entrepôt destiné à recevoir leur cargaison

DOCUMENTO
F: document
GB: *document*
D: Urkunde
E: *documento*

DOGANA
F: douane
GB: *customs*
D: Zoll
E: *aduana*

DOMANDA
F: demande
GB: *inquiry, application*
D: Nachfrage, Antrag
E: *demanda, solicitud*

DOMANI
F: demain
GB: *tomorrow*
D: morgen
E: *manana*

DOMICILIAZIONE
F: domiciliation
GB: *domiciliation*
D: Sitz
E: *domiciliación*
Inscription sur un effet de commerce qui permet à un tiers (souvent une banque) d'en régler le montant au bénéficiaire. Lieu de paiement de l'effet de commerce.

DONO PER CORROMPERE
F: pot-de-vin
GB: *bribe*
D: Bestechungsgeld
E: *soborno*

DONO, DONAZIONE
F: don
GB: *gift*
D: Geschenk
E: *regalo*

DOPODOMANI
F: après-demain
GB: *day after tomorrow*
D: übermorgen
E: *pasado manana*

DOTARE
F: doter
GB: *endow*
D: ausstatten
E: *dotar*

DOTAZIONE DESTINATA AGLI AMMORTAMENTI
F: dotation aux amortissements
GB: *depreciation allowance*
D: Abschreibung auf Ausstattungen
E: *dotación para amortizaciones*
Estimation de la perte irréversible de valeur subie par les éléments d'actif (charges correspondant en général à un amortissement annuel)

DUE SETTIMANALE
F: bi-mensuel
GB: *fortnightly*
D: Halbmonatlich
E: *bisemanal*
Qui paraît ou qui a lieu deux fois par mois

DUMPING
F: dumping
GB: *dumping*
D: Dumping
E: *inundacion de mercancia barata*
Ensemble de mesures destinées à abaisser les prix de produits exportés pour les rendre plus concurrentiels

DUPLICATO
F: duplicata
GB: *duplicate*
D: Duplikat
E: *duplicado*

DUPLICATO
F: double
GB: *duplicate*
D: Duplikat
E: *duplicaro*

DURATA
F: durée
GB: *duration*
D: Dauer
E: *duracion*

ECCEDENZA
F : excédent
GB : *surplus*
D : Überschuß
E : *excedente*
Solde comptable produits/charges, avoirs/dettes ou ressources/débouchés

ECCEDENZA DI PESO
F : excédent de poids
GB : *excess weight*
D : Übergewicht
E : *peso excedente*

ECCESSIVO
F : excessif
GB : *excessive*
D : übermäßig
E : *excesivo*

ECCESSO
F : surplus
GB : *surplus*
D : Überschuß
E : *excedente*
Différence de croissance, exprimée en valeur, entre le volume des produits et les facteurs de production, à prix constants pour une période donnée

ECONOMETRIA
F : économétrie
GB : *econometrics*
D : Ökonometrie
E : *econometria*
Application des mathématiques à l'analyse des mécanismes économiques

ECONOMIA
F : économie, économie politique
GB : *(the) economy, economics*
D : Wirtschaft, Volkswirtschaftslehre
E : *economia*
La conception dominante l'assimile à la science économique, science des moyens, la politique étant le choix des fins

ECONOMIA DI MERCATO LIBERO
F : système économique du libre-échange
GB : *free economy*
D : freie Marktwirtschaft
E : *economia del mercado libre*

Système qui vise à la suppression de tous les obstacles à la libre circulation des biens et des services

ECONOMIA MISTA
F : économie mixte
GB : *mixed economy*
D : Gemischwirtschaft
E : *economia mixta*
Système dans lequel collaborent collectivités publiques et industrie privée

ECONOMIA PIANIFICATA
F : économie planifiée
GB : *planned economy*
D : Planwirtschaft
E : *economia planificada*

ECONOMIA SOCIALE
F : économie sociale (ou tiers-secteur)
GB : *tertiary sector*
D : Sozialwirtschaft
E : *economía social*
Regroupe principalement le secteur des coopératives, celui des mutuelles et celui des associations

ECONOMICO
F : économique
GB : *economic*
D : wirtschaftlich
E : *economico*

ECONOMIE IN FUNZIONE DELLA GRANDEZZA
F : économie d'échelle
GB : *economies of scale*
D : System der degressiven Koten
E : *economia en funcion de volumen*
Réduction des coûts unitaires par augmentation de la production et meilleure répartition des coûts fixes

EFFETTO PAGABILE A VISTA
F : effet exigible à vue
GB : *bill payable at sight*
D : Sichttratte
E : *letra a la vista*
Effet payable immédiatement dès qu'il est présenté

EFFETTI
F : effets
GB : *effects, securities*
D : Effekten
E : *efectos*

EFFETTI ATTIVI
F : effets à recevoir
GB : *bills receivable*
D : Wechselforderungen
E : *letras a cobrar*
Compte enregistrant des créances représentées par des effets de commerce

EFFETTI PASSIVI
F : effets à payer
GB : *bills payable*
D : Wechselschulden
E : *letras pagaderas*
Compte enregistrant des dettes représentées par des effets de commerce

EFFETTI SCONTABILI
F : papier bancable
GB : *bankable bills*
D : diskontierbare Wechsel
E : *efectos negociables*
Effet de commerce escomptable par la Banque Centrale, auprès de laquelle une banque peut le réescompter

EFFICACIA, EFFICIENZA
F : efficacité
GB : *effectiveness, efficiency*
D : Wirksamkeit, Leistungsfähigkeit
E : *eficacia, eficiencia*

ELABORATORE, CALCOLATORE
F : ordinateur
GB : *computer*
D : Rechner, Computer
E : *computadora*

ELABORAZIONE DEI DATI
F: traitement informatique
GB: *data processing*
D: Datenverarbeitung
E: *tratamiento de datos*

ELASTICITÀ DI PREZZO
F: élasticité des prix
GB: *price elasticity*
D: Preisdehnbarkeit
E: *elasticidad de precio*

ELENCO DELLE PRENOTAZIONI
F: liste d'attente
GB: *waiting list*
D: Warteliste
E: *lista de espra*

ELETTRICITÀ
F: électricité
GB: *electricity*
D: Elektrizität
E: *electricidad*

ELETTRODOMESTICI
F: électroménager
GB: *household electrical goods*
D: elektrische Haushaltsgüter
E: *aparatos eléctricos de casa*

ELETTRONICA
F: électronique nm
GB: *electronics*
D: Elektronik
E: *electronica*

ELETTRONICO
F: électronique adj
GB: *electronic*
D: elektronisch
E: *electronico*

ELIMINAZIONE DELLE VARIABILI ALEATORIE
F: lissage
GB: *smoothing*
D: Glättung
E: *alisado*
Méthode mathématique employée pour extraire d'une série statistique des variations dues à des phénomènes de faible importance ou aléatoires

EMETTERE
F: émettre
GB: *issue*
D: ausgeben
E: *emitir*

EMETTERE UN ASSEGNO
F: tirer un chèque
GB: *draw a cheque*
D: einen Scheck ausstellen
E: *extender un cheque*
Emettre un chèque

EMISSIONE NON INTERAMENTE SOTTOSCRITTA
F: émission non couverte
GB: *undersubscribed issue*
D: nicht in voller Höhe gezeichnete Emission
E: *emision no totalmente subscrita*
Emission dont les titres n'ont pas été entièrement souscrits

EMOLUMENTI DEGLI AMMINISTRATORI
F: émoluments des administrateurs
GB: *directors' emoluments*
D: Direktorenbezüge
E: *emolumentos de directores*

EMOLUMENTO
F: émoluments
GB: *emolument*
D: Bezüge
E: *emolumento*
Salaire

ENTRARE IN VIGORE
F: entrer en vigueur
GB: *become operative*
D: wirksam werden
E: *entrar en vigor*

ENTRATA
F: entrée
GB: *entry, admission*
D: Eintritt
E: *entrada*

ENTRATA NETTA
F: recettes nettes
GB: *net revenue*
D: Nettoeinnahmen
E: *ingresos netos*

ENTRATA, REDDITO
F: revenu
GB: *income, revenue*
D: Einkommen, Einkünfte
E: *ingresos, rédito*
Ce qui est perçu comme fruit du capital ou rémunération du travail

EQUILIBRIO
F: équilibre
GB: *equilibrium*
D: Gleichgewicht
E: *equilibrio*

EQUIPAGGIAMENTO
F: équipement
GB: *equipment*
D: Ausrüstung
E: *equipo*

EQUO
F: équitable
GB: *equitable*
D: billig
E: *equitativo*

EREDE
F: héritier
GB: *heir*
D: Erbe
E: *heredero*

ERGONOMICA
F: ergonomie
GB: *ergonomics*
D: Ergonomik
E: *ergonomia*
Science de l'adaptation des machines et du travail à l'homme

ERRORE
F: erreur
GB: *error*
D: Fehler
E: *error*

ESAMINARE
F: examiner
GB: *examine*
D: untersuchen
E: *examinar*

ESATTORE DELLE IMPOSTE
F: percepteur (des impôts)
GB: *tax collector*
D: Steuereinnehmer
E: *recaudador de impuestos*

ESAURIMENTO DELLE SCORTE
F: rupture de stock
GB: *inventory shortage*
D: Ausverkauf
E: *ruptura de las existencias*

ESCLUDERE
F: exclure
GB: *exclude*
D: ausschließen
E: *excluir*

ESCLUSIONE
F: exclusion
GB: *exclusion*
D: Ausschluß
E: *exclusion*

ESECUZIONE
F: exécution
GB: *execution*
D: Vollstreckung
E: *ejecucion*

ESEGUIRE
F: exécuter
GB: *execute*
D: vollstrecken
E: *ejecutar*

ESEGUIRE UN TESTAMENTO
F: exécuter un testament
GB: *execute a will*
D: ein Testament vollstrecken
E: *ejecutar un testamento*
Accomplir les volontés de son auteur

ESENTE DA DAZIO
F: libre de droits de douane
GB: *duty-free*
D: abgabenfrei
E: *exento de impuestos*

ESENTE DA TASSA
F : libre d'impôts
GB : *tax-free*
D : steuerfrei
E : *exento de impuestos*
Exempté de taxes

ESERCIZIO
F : exercice
GB : *accounting period, financial year*
D : Abrechnungszeitraum, Geschäftsjahr
E : *ejercicio*
Période pour laquelle sont établies les prévisions ou dégagés les résultats financiers d'une organisation

ESIGIBILE
F : exigible
GB : *payable*
D : forderlich
E : *exigible*
Ensemble des dettes à court terme apparaissant au passif d'un bilan

ESONERO
F : exonération
GB : *exemption (from)*
D : Befreiung
E : *exoneración*
Dispense légale, totale ou partielle, d'un impôt

ESONERO DEGRESSIVO
F : décote
GB : *tax deduction*
D : Unterbewertung
E : *deducción*
Abattement opéré par rapport à la valeur nominale d'un bien pour la rapprocher de la réalité du marché

ESORBITANTE
F : exorbitant
GB : *exorbitant, outrageous*
D : unmäßig, übertrieben
E : *exorbitante*

ESPERIENZA
F : expérience
GB : *experience*
D : Erfahrung
E : *experiencia*

ESPERTO, PERITO
F : expert
GB : *expert*
D : Sachkundige(r), Sachverständige(r)
E : *experto, especialista*

ESPONENZIALE
F : exponentiel
GB : *exponential*
D : Exponential
E : *exponencial*

ESPORTARE
F : exporter
GB : *export*
D : ausführen
E : *exportar*

ESPOSITORE
F : exposant
GB : *exhibitor*
D : Aussteller
E : *exhibidor*

ESPOSIZIONE
F : exposition
GB : *exhibition*
D : Ausstellung
E : *exposicion*

ESPROPRIAZIONE
F : expropriation
GB : *expropriation*
D : Enteignung
E : *expropiacion*

ESSAME PIU ATTENTO
F : examen plus attentif
GB : *further consideration*
D : Weiterüberlegung
E : *examen mas detallado*

ESSERE IN DISACCORDO
F : être en désaccord
GB : *disagree*
D : nicht übereinstimmen
E : *no estar de acuerdo*

ESTINGUERE UN DEBITO
F : acquitter une dette
GB : *discharge a debt*
D : eine Schuld begleichen
E : *descargar una deuda*

ESTRAPOLARE
F : extrapoler
GB : *extrapolate*
D : extrapolieren
E : *extrapolar*

ESTRAPOLAZIONE
F : extrapolation
GB : *extrapolation*
D : Vorausschau
E : *extrapolación*
Prolongation d'une série d'observations au-delà d'une période connue ou d'un domaine déjà exploré pour en estimer le résultat

ESTRATTO CONTO
F : relevé de compte
GB : *statement of account*
D : Kontoauszug
E : *extracto de cuenta*

ETICHETTA
F : étiquette
GB : *label*
D : Etikett
E : *etiqueta*

EUROBBLIGAZIONE
F : euro-obligation
GB : *eurobond*
D : Euroobligation
E : *euroobligación*
Titre d'emprunt émis en dehors de son pays d'origine (et libellé en monnaie étrangère à ce pays) sur les marchés financiers internationaux

EVASIONE D'IMPOSTA
F : fraude fiscale
GB : *evasion of tax*
D : Steuerhinterziehung
E : *evasion de pago de impuestos*

EXPORTATORE
F : exportateur
GB : *exporter*
D : Exporteur
E : *exportador*

FABBISOGNO DI FONDO DI ROTAZIONE
F : besoin en fond de roulement
GB : *increase in working capital, excluding cash*
D : Bedarf an Betriebskapital
E : *necesidades en fondo de operaciones*
Besoin de financement permanent à court terme dû au décalage décaissement des dettes/encaissement des créances

FABBRICA
F : fabrique
GB : *factory*
D : Fabrik
E : *fabrica*

FABBRICA
F : usine
GB : *factory (USA plant)*
D : Fabrik
E : *fábrica*

FABBRICA DI BIRRA
F : brasserie
GB : *brewery*
D : Brauerei
E : *cervecería*

FABBRICANTE
F : fabricant
GB : *manufacturer*
D : Erzeuger, Hersteller
E : *fabricante*

FABBRICATO DI APPARTAMENTI
F : immeuble
GB : *block of flats (USA apartment house)*
D : Wohnungsgebäude
E : *bloque de pisos*

FACCIATA
F : façade
GB : *frontage*
D : Vorderfront
E : *fachada*

FACILITAZIONE
F : facilités
GB : *facilities*
D : Einnchtungen
E : *facilidades*

FACILITAZIONE DIO SCOPERTO
F : facilités de caisse
GB : *overdraft facilities (USA overdraw facility)*
D : Überziehungsdisposition
E : *facilidades de descubierto*
Avance sur un compte courant bancaire

FALLIMENTO, INSOLVENZA
F : faillite
GB : *bankruptcy, insolvency*
D : Konkurs, Zahlungsunfähigkeit
E : *quiebra, Insolvencia*
Constatation judiciaire et sanction personnelle d'un entrepreneur dont l'entreprise se trouve en cessation de paiement

FALLIRE
F : faire faillite
GB : *go bankrupt*
D : Konkurs anmelden
E : *caer en quiebra*

FALLITO
F : failli
GB : *bankrupt*
D : Gemeinschuldner
E : *quebrado*
Qui est déclaré en faillite

FALSIFICATORE
F : faux-monnayeur
GB : *forger*
D : Fälscher
E : *falsificador*

FALSIFICAZIONE
F : contrefaçon
GB : *forgery*
D : Fälschung
E : *falsificacion*

FALSO
F : truqué
GB : *fake*
D : gefälscht
E : *falso*

FALSO, CONTRAFFATTO
F : FAUX
GB : *false, counterfeit*
D : falsch, verfälscht
E : *falso, falsificado*
Ecrit Imité pour porter préjudice

FAMIGLIA
F : ménage
GB : *household*
D : Haushalt
E : *hogar*
Unité de consommation (une famille, un célibataire, une entreprise individuelle)

FARE UNA CONTROFFERTA
F : faire une contre-offre
GB : *make a counteroffer*
D : ein Gegenangebot abgeben
E : *hacer una contraoerta*
Faire une contre-proposition de contrat à quelqu'un

FARE UNA OFFERTA
F : faire une offre
GB : *make an offer*
D : eine Offerte machen
E : *hacer una oferta*

FATTIBILITÀ
F : faisabilité
GB : *feasibility*
D : Machbarkeit
E : *factibilidad*
Ce qui est réalisable dans des conditions techniques et économiques définies

FATTIBILITÀ
F : praticabilité
GB : *feasibility*
D : Durchführbarkeit
E : *praticabilidad*

FATTO
F : fait
GB : *fact*
D : Tatsache
E : *hecho*

FATTORE
F : facteur
GB : *factor*
D : Umstand
E : *factor*

FATTORE DI CONVERSIONE
F : facteur de conversion
GB : *conversion factor*
D : Umrechnungskoeffizient
E : *factor de conversión*

FATTURA
F : facture
GB : *invoice*
D : Faktura, Rechnung
E : *factura*

FATTURA COMMERCIALE
F : facture commerciale
GB : *commercial invoice*
D : Geschäftsfaktur
E : *factura comercial*
Pièce comptable datée établie et adressée par le vendeur à l'acheteur qui mentionne les marchandises vendues, leur prix unitaire et leur prix total

FATTURA FINALE
F : facture finale
GB : *final invoice*
D : Endrechnung
E : *factura final*

FATTURA PROFORMA
F : facture pro-forma
GB : *pro-forma invoice*
D : Pro-Forma-Rechnung
E : *factura proforma*
Précède la facture proprement dite (dont elle reprend la forme et les termes) et permet à l'acheteur d'obtenir certaines autorisations

FATTURA PROFORMA
F : facture fictive
GB : *proforma invoice*
D : Proformarechnung
E : *factura proforma*

FATTURARE
F : facturer
GB : *invoice*
D : fakturieren
E : *facturar*

FATTURAZIONE ECCESSIVA
F : surfacturation
GB : *overbilling*
D : Überberechnung
E : *sobrefacturación*
Fixation par une entreprise multinationale des prix des produits importés par une filiale de façon à rapatrier des profits

FEDELTÀ
F : fidélité
GB : *fidelity*
D : Treue
E : *fidelidad*

FEDERALE
F : fédéral
GB : *federal*
D : Bundes-
E : *federal*

FERMACARTE
F : presse-papier
GB : *paper clip*
D : Büroklammer
E : *sujetapapeles*

FERMARE UN ASSEGNO
F : bloquer un chèque
GB : *stop a cheque (USA stop a check)*
D : einen Scheck sperren
E : *suspender el pago de un cheque*

FERMO
F : ferme adj
GB : *firm*
D : fest
E : *firme*
Définitif

FERMO E NON MODIFICABILE
F : ferme et non révisable
GB : *firm and not subject to alteration*
D : fest und unveränderlich
E : *firme y no revisable*

FERRAMENTA
F : quincaillerie
GB : *hardware, ironmongery*
D : Eisenwaren
E : *ferreteria, quincalleria*

FERRO
F : fer
GB : *iron*
D : Eisen
E : *hierro*

FERROVIA
F : chemin de fer
GB : *raiway*
D : Eisenbahn
E : *ferrocarril*

FIALIALE
F : filiale
GB : *subsidary company*
D : Tochtergesellschaft
E : *filial, empresa subsidiaria*

FIDATO, ATTENDIBILE
F : digne de confiance
GB : *reliable*
D : zuverlässig
E : *digno de confianza*

FIDEIUSSORE (GARANTE) SOLIDALE
F : caution solidaire
GB : *joint and several security*
D : Solidarkaution
E : *fianza solidaria*
Caution qui peut être directement poursuivie par le créancier en cas de défaillance du débiteur

FIDUCIARIO
F : fiduciaire
GB : *fiduciary*
D : treuhänderisch
E : *fiduciario*
Voir Société fiduciaire

FIERA
F : foire
GB : *fair*
D : Messe
E : *feria*

FIERA COMMERCIALE
F : foire commerciale
GB : *trade fair*
D : Handelsmesse
E : *feria de muestras*
Foire où ce qui est exposé est proposé à la vente

FINALE
F : final
GB : *final*
D : endgültig
E : *final*

FINANZA
F : finance
GB : *finance*
D : Finanz
E : *finanza*

FINANZIAMENTO PER ACQUISTI AGRICOLI
F : crédit de campagne
GB : *campaign credit*
D : Kampagnekredit
E : *crédito de campaña*
Crédit de trésorerie couvrant les besoins liés à la saisonnalité de l'activité d'une entreprise

FINANZIARE
F : financer
GB : *finance*
D : finanzieren
E : *financiar*

FINANZIARIO
F : financier adj
GB : *financial*
D : finanziell
E : *financiero*

FINE
F : fin nf
GB : *end*
D : Ende
E : *fin*

FINTA PELLE
F : simili cuir
GB : *imitation leather*
D : Kunstleder
E : *piel de imitacion*

FIRMA
F : signature
GB : *signature*
D : Unterschrift
E : *firma*

FIRMA IN BIANCO
F : blanc seing
GB : *blank signature*
D : Blankounterschriff
E : *firma en blanco*
Papier dont le signataire laisse à quelqu'un d'autre le soin de le remplir à sa volonté

FIRMA, GRIFFE
F : griffe
GB : *maker's label*
D : Marke
E : *rúbrica*

FISCALE
F : fiscal
GB : *fiscal*
D : Finanz-
E : *fiscal*

FISSARE
F : engager
GB : *engage (USA hire)*
D : anstellen
E : *apalabrar*

FISSARE UN APPUNTAMENTO
F : rendez-vous (prendre un)
GB : *make an appointment*
D : eine Verabredung treffen
E : *hacer una cita*

FISSO, FISSATO
F : fixe
GB : *fixed*
D : fest
E : *fijo*

FITTIZIO
F : fictif
GB : *fictitious*
D : unecht, Schein-
E : *ficticio*

FLESSIBILE
F : flexible
GB : *flexible*
D : flexibel, anpassungsfähig
E : *flexible*
Apte à s'adapter aux changements de l'environnement

FLUIDITÀ
F : fluidité
GB : *fluidity*
D : Flüssigkeit
E : *fluidez*
Caractérise un marché où l'offre s'adapte à la demande sans difficulté

FLUSSO
F : flux
GB : *flow*
D : Strom
E : *flujo*
Ce que retracent les comptes d'exploitation et de pertes et profits de l'entreprise

FLUSSO DI CAPITALI
F : flux financier
GB : *financial flow*
D : Finanzierungsfluß
E : *flujo financiero*
Transfert de fonds engendré par une opération économique

FLUTTUANTE
F : fluctuant
GB : *fluctuating*
D : schwankend
E : *fluctuando*
Soumis à une variation alternative

FLUTTUARE
F : fluctuer
GB : *fluctuate*
D : schwanken
E : *fluctuar*

FLUTTUAZIONI STAGIONALI
F : variations saisonnières
GB : *seasonal fluctuations*
D : saisonbedingte Schwankungen
E : *fluctuaciones estacionales*
Variations d'une grandeur qui tendent à se reproduire de manière régulière à un rythme inférieur ou égal à un an

FOGLIO D'ORDINAZIONE
F : bon de commande
GB : *order-form*
D : Bestellformular
E : *solicitud de pedido*

FONDARE, ISTITUIRE
F : fonder (établir)
GB : *establish, found*
D : einrichten, gründen
E : *fundar, establecer*

FONDATORE
F : fondateur
GB : *founder*
D : Gründer
E : *fundador*

FONDERSI
F : fusionner
GB : *amalgamate (USA merge)*
D : fusionieren
E : *amalgamar*

FONDI COMUNI D'INVESTIMENTO
F : fonds commun de placement
GB : *mutual fund*
D : gemeinschaftlicher Anlagefonds
E : *fondo de inversión mobiliaria*
Portefeuille de valeurs mobilières et de sommes placées à court ou long terme, détenu par une copropriété gérée par un dépositaire

FONDI DISPONIBILI, DISPONIBILITÀ
F : disponibilités
GB : *funds available*
D : flüssige Mittel
E : *fondos disponibles*
Voir Actif liquide (ou disponible)

FONDI PATRIMONIALI
F : fonds de commerce
GB : *business*
D : Laden
E : *comercio*
Eléments mobiliers corporels (clientèle, droit au bail, licences...) ou incorporels (matériels, outillages...) servant à l'exploitation d'une entreprise

FONDO
F : fonds
GB : *fund*
D : Fonds
E : *fondo*
Organisme de gestion de fonds en vue d'une utilisation déterminée

FONDO DI AMMORTAMENTO
F : fonds d'amortissement
GB : *sinking fund*
D : Tilgungsfonds
E : *fondo de amortizacion*

FONDO EUROPEO
F : Fonds européen
GB : *European fund*
D : Europäischer Fonds
E : *Fondo europeo*
Organisme de gestion de fonds européens

FONDO MONETARIO INTERNAZIONALE
F : Fonds monétaire international - FMI
GB : *International monetary fund (IMF)*
D : Internationaler Währungsfonds (IWF)
E : *Fondo monetario internacional*
Organisme (comprenant la plupart des Etats membres de l'ONU) créé pour favoriser la stabilité des changes, promouvoir la coopération monétaire internationale et soutenir la croissance de la production et du commerce mondial

FORFAIT, PREZZO FORFETTARIO
F : forfait
GB : *lump sum*
D : Pauschalbetrag
E : *monto global*
Contrat dans lequel un prix est fixé à l'avance pour un montant invariable

FORMA
F : forme
GB : *form*
D : Form
E : *forma*

FORMALE
F : formel
GB : *formal*
D : formell
E : *formal*

FORMALITÀ
F : formalité
GB : *formality*
D : Formalität
E : *formalidad*

FORMARE
F : former
GB : *form*
D : gründen
E : *establecer, formar*

FORMAZIONE CONTINUA
F : formation continue
GB : *continuing education*
D : Weiterbildung
E : *formación profesional ocupacional*

FORMULA
F : formule
GB : *formula*
D : Formel
E : *formula*

FORNIRE
F : fournir
GB : *supply*
D : beliefern
E : *surtir*

FORNITORE
F : fournisseur
GB : *supplier*
D : Lieferant
E : *proveedor*

FORNITURE ESISTENTI
F : ressources existantes
GB : *supplies on hand*
D : lieferfertiges Angebot
E : *provisiones existentes*

FORTE PERDITA
F : lourde perte
GB : *heavy loss*
D : schwere Verluste
E : *fuerte pérdida, pérdida sensible*

FORTI SPESE
F : charges lourdes
GB : *heavy charges*
D : drückende Spesen
E : *gastos fuertes*

FORZA
F : force
GB : *force*
D : Gewalt
E : *fuerza*
Efficacité d'une campagne d'affichage publicitaire

FORZATO
F : forcé
GB : *forced*
D : Zwangs-
E : *forzado*

FORZE ARMATE
F : forces armées
GB : *armed forces*
D : Streitkräfte
E : *fuerzas armadas*

FORZE DI VENDITA
F : forces de vente
GB : *sales force*
D : Verkaufspersonal
E : *personal de ventas*
Ensemble de l'organisation et des responsables de la vente

FRAGILE
F : fragile
GB : *fragile*
D : zerbrechlich
E : *fragil*

FRANCHIGIA
F : franchise
GB : *exemption*
D : Franchise
E : *franquicia*
Somme que l'assureur laisse à la charge de l'assuré pour certains dommages

FRANCO A BORDO
F : franco à bord - FOB
GB : *free on board*
D : frei an Bord
E : *franco a bordo*
Dans les contrats de commerce international, signifie que le prix d'une marchandise n'inclut pas les frais de transport et d'assurance

FRANCO DI PORTO, PORTO PAGATO
F : port payé
GB : *carriage paid, postage paid*
D : franko, portofrei
E : *porte pagado (a), franco de porte*
Les frais de port sont acquittés au départ par l'expéditeur

FRANCO FABBRICA
F : départ usine
GB : *ex works*
D : ab Werk
E : *de fabrica*

FRANCO MEDIAZIONE
F : franco courtage
GB : *free of commission*
D : marklergebührenfrei
E : *franco-comision*

FRANCOBOLLO
F : timbre-poste
GB : *postage stamp*
D : Briefmarke
E : *sello de correos*

FRAUDOLENTO
F : frauduleux
GB : *fraudulent*
D : betrügerisch
E : *fraudulento*

FRAZIONE
F : fraction
GB : *fraction*
D : Bruchteil
E : *fraccion*

FREQUENZA
F : fréquence
GB : *frequency*
D : Häufigkeit
E : *frecuencia*

FRODE
F : fraude
GB : *fraud*
D : Betrug
E : *fraude*

FRONTIERA
F : frontière
GB : *frontier*
D : Grenze
E : *frontera*

FULMINE
F : foudre
GB : *lightning*
D : Blitz
E : *relampago*
Tonneau de grande capacité

FUNZIONALE
F : fonctionnel adj
GB : *functional*
D : sachlich, praktisch
E : *funcional*

FUNZIONE
F : fonction
GB : *function*
D : Aufgabe
E : *funcion*
Rôle que joue une personne dans le fonctionnement d'une organisation. Ensemble des opérations permettant à l'entreprise d'atteindre ses objectifs

FURTO CON SCASSO
F : vol avec effraction
GB : *burglary*
D : Einbruchdiebstahl
E : *robo*

FURTO, FUGA
F : vol
GB : *theft, flight*
D : Diebstahl, Flug
E : *robo, vuelo*

FUSIONE
F : fusion
GB : *merger*
D : Verschmelzung
E : *fusion*
Mise en commun de tous les biens ou activités de plusieurs sociétés qui disparaissent juridiquement pour en créer une nouvelle, ou absorption de toutes les autres par l'une d'entre elles (qui subsiste)

FUTURO, AVVENIRE
F : futur adj
GB : *future*
D : künftig
E : *futuro*

GABINETTO (MINISTERIALE)
F : cabinet (ministère)
GB : *minister's departmental staff*
D : Kabinett
E : *gabinete (ministerio)*
Ensemble des ministres groupés autour du chef du gouvernement

GARA D'APPALTO
F : appel d'offre
GB : *call for tenders*
D : Angebotsausschreibung
E : *licitación*
Mise en concurrence de plusieurs entreprises avant la passation d'un marché

GARANTE, AVALLANTE
F : garant
GB : *guarantor*
D : Bürge
E : *garante, fiador*

GARANTIRE, AVALLARE
F : garantir
GB : *guarantee*
D : Bürgschaft leisten, gewährleisten
E : *garantizar, avalar*

GARANZIA
F : garantie
GB : *guarantee, warranty*
D : Garantie
E : *garantia*

GARANZIA BANCARIA
F : garantie bancaire
GB : *banker's indemnity (USA banker's guarantee)*
D : Bankgarantie
E : *garantia bancaria*
Cautionnement bancaire

GAS
F : gaz
GB : *gas*
D : Gas
E : *gas*

GAS DI CARBON FOSSILE
F : gaz de ville
GB : *town gas*
D : Stadtgas
E : *gas de ciudad*

GAS NATURALE
F : gaz naturel
GB : *natural gas*
D : Erdgas
E : *gas natural*

GATT
F : GATT
GB : *GATT*
D : GATT
E : *GATT*
Voir Accord général sur les tarifs douaniers et le commerce

GAZZETTA DI ANNUNCI LEGALI
F : journal d'annonces légales
GB : *egal notice gazette*
D : Bundesanzeiger
E : *diario de anuncios legales*
Journal habilité à publier des annonces administratives et judiciaires

GENERI ALIMENTARI
F : alimentation
GB : *foodstuffs*
D : Eßwaren
E : *comestibles*

GERENTE MAGGIORITARIO
F : gérant majoritaire
GB : *majority-owner manager*
D : Mehrheitsverwalter
E : *gerente mayoritario*

GERENTE MINORITARIO
F : gérant minoritaire
GB : *minority-owner manager*
D : Minderheitsverwalter
E : *gerente minoritario*

GESTIONE
F : gestion
GB : *administration*
D : Verwaltung
E : *administracion*

GESTIONE DELLE SCORTE
F : gestion des stocks
GB : *stock control*
D : Lagerverwaltung
E : *administración de existencias*
Gestion des approvisionnements et de leurs conditions de stockage

GESTIONE DI PREVISIONE
F : gestion prévisionnelle
GB : *previsionnal administration*
D : voraussichtliche Bertriebsführung
E : *gestión previsible*

GETTONE DI PRESENZA
F : jeton de présence
GB : *director's fees*
D : Anwesenheitsmarke, Diäten
E : *ficha de asistencia*
Rémunération annuelle éventuelle des membres du conseil d'administration ou du conseil de surveillance d'une société, votée par l'assemblée générale

GIACIMENTO PETROLIFERO
F : gisement pétrolifère
GB : *oilfield*
D : Ölfeld
E : *yacimiento de petroleo*

GIOCARE IN BORSA
F : bourse (jouer en)
GB : *gamble on the stock exchange*
D : an der Börse spekulieren
E : *jugar a la Bolsa*

GIOMI DE GRAZIA
F : délai supplémentaire
GB : *days of grace*
D : Nachfrist
E : *dias de gracia*

GIOMO
F : jour
GB : *day*
D : Tag
E : *dia*

GIOMO DI MERCATO
F : jour de marché
GB : *(local) market day*
D : Markttag
E : *dia de mercado*

GIORMO DI LIQUIDAZIONE
F : jour de liquidation
GB : *account day (USA settlement date)*
D : Abrechnungstag
E : *dia de liquidacion*
Voir Liquidation

GIORNALE
F : journal
GB : *journal*
D : Tagebuch
E : *diario*

GIORNALE D'AZIENDA
F : journal d'entreprise
GB : *company newspaper*
D : Betriebszeitung
E : *diario de empresa*

GIORNATA LAVORATIVA
F : jour ouvrable
GB : *working day*
D : Arbeitstag
E : *dia laborable*
Chaque jour de la semaine sauf les dimanches et jours fériés

GIORNO DELLA LIQUIDAZIONE
F : jour de règlement
GB : *settlement day (USA due date)*
D : Abrechnungstag
E : *dia de liquidacion*

GIORNO DELLA PIGIONE
F : jour du terme
GB : *quarter day*
D : Quartalstag
E : *primer dia del trimestre*
Jour de l'échéance

GIORNO DI FESTA
F : jour férié
GB : *public holiday*
D : gesetzlicher Feiertag
E : *dia de fiesta*

GIORNO DI PAGA
F : jour de paiement
GB : *pay day*
D : Zahltag, Abrechnungstag
E : *dia de pago*

GIORNO DI RIPOSO
F : jour de congé
GB : *day off*
D : dienstfreier Tag
E : *dia libre*

GIRARE
F : endosser
GB : *endorse*
D : indossieren
E : *endosar*

GIRATA
F : endossement
GB : *endorsement*
D : Indossament
E : *endoso*
Apposition, par le porteur d'un effet de commerce à son ordre, de sa signature au dos pour le transmettre à un nouveau bénéficiaire

GIRO D'AFFARI
F : chiffre d'affaires
GB : *turnover*
D : Umsatz
E : *volumen de ventas*
Total des ventes de biens et services effectuées par une entreprise au cours d'une période donnée

GIRO DI CAMBIALI A VUOTO
F : cavalerie (effet de)
GB : *accomodation*
D : Reiterei
E : *favor*
Voir Billet de complaisance

GIUDICARE
F : juger
GB : *judge*
D : urteilen
E : *juzgar*

GIUDICE
F : juge
GB : *judge*
D : Richter
E : *juez*

GIUDIZIO
F : jugement
GB : *judgment*
D : Urteil
E : *juicio:adjudicacion*

GIURIA
F : jury
GB : *jury*
D : die Geschworenen, Jury
E : *jurado*

GIURISDIZIONE
F : juridiction
GB : *jurisdiction*
D : Rechtsprechung, Gerichtsbarkeit
E : *jurisdiccion*

GIUSTIFICABILE, LEGITTIMO
F : légitime
GB : *justifiable, lawful*
D : gerechtfrtigt, gesetzlich
E : *justificable, legitimo*

GIUSTIZIA
F : justice
GB : *justice*
D : Gerechtigkeit
E : *justicia*

GLOBALE
F : global
GB : *global*
D : Global-
E : *global*

GOVERNO
F : gouvernement
GB : *government*
D : Regierung
E : *gobierno*

GRAFICO
F : graphique
GB : *chart, graph*
D : Tabelle, graphische Darstellung
E : *grafico*

GRANDE MAGAZZINO
F : grand magasin
GB : *department store*
D : Warenhaus, Kaufhaus
E : *grandes almacenes*

GRATIFICA
F : gratification
GB : *gratuity*
D : Gratifikation
E : *gratificacion*
Somme versée en plus d'une rémunération régulière

GREGGIO (PETROLIO)
F : brut (pétrole)
GB : *crude (oil)*
D : Rohöl
E : *crudo (petróleo)*
Pétrole non raffiné

GROSSISTA
F : grossiste
GB : *wholesaler*
D : Großhändler, Grossist
E : *mayorista*

GRU
F : grue
GB : *crane*
D : Kran
E : *grua*

GRUPPO D'INTERESSE ECONOMICO (GIE)
F : groupement d'intérêt économique (GIE)
GB : *economic interest grouping*
D : Interessenverband
E : *agrupación de interés económico*
Personne morale, sans capital social, constituée par des entreprises juridiquement indépendantes (mais solidairement responsables de leurs dettes) pour développer et améliorer leurs performances

GRUPPO DI PROGRESSO
F : groupe de progrès
GB : *progress group*
D : Fortschrittsgruppe
E : *grupo de progreso*
Voir Cercle de qualité

GRUPPO DIRIGENTE
F : encadrement
GB : *management/control*
D : Rahmen
E : *marco*

GUADAGNARE
F : gagner
GB : *earn*
D : verdinen
E : *ganar*

GUADAGNI
F : salaire
GB : *wages, earnings*
D : Lohn
E : *salario*

Rémunération prévue par le contrat de louage de services qui lie le salarié à l'employeur

GUADAGNO
F : gain
GB : *gain*
D : Gewinn
E : *ganancia*

GUARDIANO NOTTURNO
F : gardien de nuit
GB : *nightwatchman*
D : Nachtwächter
E : *guarda de noche*

GUERRA
F : guerre
GB : *war*
D : Krieg
E : *guerra*

GUERRA DEI PREZZI
F : guerre des prix
GB : *price war*
D : Preiskrieg
E : *guerra de precios*

GUIDA
F : répertoire
GB : *directory*
D : Adreßbuch
E : *guia*

GUIDA COMMERCIALE
F : guide du commerce
GB : *trade directory*
D : Handelsadreßbuch
E : *guia comercial*

H-I

HOLDING
F : holding
GB : *holding*
D : Holdinggesellschaft
E : *holding*
Société financière ou industrielle dont l'objet consiste à prendre et détenir des participations dans des entreprises pour en contrôler l'activité

IDEA
F : idée
GB : *idea*
D . Idee
E : *idea*

IDENTIFICARE
F : identifier
GB : *idntify*
D : identifizieren
E . *identificar*

IERI
F : hier
GB : *yesterday*
D : gestem
E : *ayer*

ILEGALE
F : illégal
GB : *illegal*
D : ungesetzlich
E : *ilegal*

ILEGGIBILE
F : illisible
GB : *illegible*
D : unleserlich
E : *ilegible*

IMBALLAGGIO
F : emballage
GB : *packing*
D : Verpackung
E : *embalaje, envase*

IMBALLAGGIO A PERDERE
F : emballage perdu
GB : *disposable wrapping*
D : wegwerfbare Verpackung
E : *envoltura desechable*

IMBALLAGGIO INCLUSO
F : franco d'emballage
GB : *including packing*
D : Verpackung inbegriffen
E : *franco embalaje*

IMBARCO
F : embarquement
GB : *embarcation, shipment*
D : Einschiffung, Verladung
E : *embarco, embarque*

IMITAZIONE
F : imitation
GB : *imitation*
D : Nachahmung
E : *imitacion*

IMMAGAZZINARE
F : emmagasiner
GB : *store*
D : lagern
E : *almacenar*

IMMIGRAZIONE
F : immigration
GB : *Immigration*
D : Einwanderung
E : *inmigracion*

IMMOBILIZZAZIONI MATERIALI O IMMATERIALI
F : immobilisations corporelles ou incorporelles
GB : *(tangible or intangible) assets*
D : immaterielle Vermögensgegenstände
E : *inmovilizaciones corporales o incorporales*
Comptes enregistrant la valeur des terrains, constructions, matériels...(immobilisations corporelles) ou la valeur des frais d'établissement, du fonds commercial, des frais de recherche...(immobilisations incorporelles)

IMMOBILIZZAZIONI, ATTIVO FISSO
F : immobilisations
GB : *fixed assets*
D : Anlagevermögen
E : *activo fijo*
Ensemble des biens de toute nature (hormis ceux destinés à être transformés ou vendus), acquis ou créés par l'entreprise qui les utilise pour exercer son activité

IMPARZIALE
F : impartial
GB : *impartial*
D : unparteiisch
E : *imparcial*

IMPATTO
F : impact
GB : *impact*
D : Auswirkung
E : *impacto*

IMPEDIMENTO
F : empêchement
GB : *hindrance*
D : Hinderung
E : *impedimento*

IMPIANTI PORTUALI
F : installations portuaires
GB : *harbour installations*
D : Hafenanlagen
E : *instalaciones portuarias*

IMPIANTO PILOTO
F : installation pilote
GB : *pilot plant*
D : Musteranlage
E : *instalacion piloto*
Installation modèle

IMPIANTO, INSTALLAZIONE
F : installation
GB : *installation*
D : Anlage
E : *instalacion*

IMPIEGARE
F : employer vb
GB : *employ*
D : beschäftigen
E : *emplear*

IMPIEGATO
F : employé nm
GB : *employee*
D : Angestellte(r), Arbeitnehmer
E : *empleado*
Catégorie socio-professionnelle de salariés de qualifications variées n'exerçant pas un travail manuel ou directement productif

IMPIEGATO STATALE
F : fonctionnaire
GB : *civil servant (USA government employee)*
D : Beamte(r)
E : *funcionario del gobierno*

IMPIEGATO, ASSISTENTE
F : commis
GB : *clerk, assistant*
D : Angestellte(r), Assistent
E : *oficinista, asistente*
Employé dans un bureau ou une maison de commerce

IMPIEGO
F : emploi
GB : *employment, job*
D : Beschäftigung, Stellung
E : *empleo*

IMPLICARE
F : impliquer
GB : *imply*
D : andeuten
E : *implicar*

IMPLICITO
F : implicite
GB : *implicit*
D : stillschweigend
E : *implicito*

IMPORTATORE
F : importateur
GB : *importer*
D : Importeur
E : *importador*

IMPORTAZIONE
F : importation
GB : *importation*
D : Einfuhr
E : *importacion*

IMPORTO LORDO
F : montant brut
GB : *gross amount*
D : Bruttobetrag
E : *importe bruto*

IMPORTO NETTO
F : montant net
GB : *net amount*
D : Nettobetrag
E : *importe neto*

IMPORTO NOMINALE
F : montant nominal
GB : *nominal amount*
D : Nominalbetrag
E : *suma nominal*
Inscrit sur un titre, il est définitif quelles que soient les fluctuations de la valeur réelle ou marchande de celui-ci

IMPOSSIBILE
F : impossible
GB : *impossible*
D : unmöglich
E : *imposible*

IMPOSTA
F : impôt
GB : *tax*
D : Steuer
E : *impuesto*

IMPOSTA
F : prélèvement
GB : *levy*
D : Erthebung
E : *impuesto*

IMPOSTA FONDIARIA
F : impôt foncier
GB : *property tax*
D : Grundsteuer
E : *impuesto sobre la propiedad*
Frappe les propriétaires de terrains, bâtis ou non

IMPOSTA PATRIMONIALE (DI SOLIDARIETÀ)
F : impôt de solidarité sur la fortune (ISF)
GB : *wealth tax*
D : solidarische Vermögenssteuer
E : *impuesto sobre el patrimonio*
Impôt direct perçu sur les patrimoines à partir d'un montant minimum de 4,26 MF

IMPOSTA SUI PROVENTI DELLE SOCIETÀ
F : impôt sur les sociétés
GB : *corporation tax*
D : Körperschaftsteuer
E : *impuesto sobre renta de la sociedad*
Concerne avant tout les sociétés de capitaux. Dû sur le bénéfice net, il est exigible même en cas de non distribution (autofinancement)

IMPOSTA SUL PLUSVALORE DI CAPITAL
F : impôt sur les plus-values en capital
GB : *capital gains tax*
D : Kapitalertragsteuer
E : *impeusto sobre las ganancias de capital*

IMPOSTA SUL REDDITO
F : impôt sur le revenu
GB : *income tax*
D : Einkommensteuer
E : *impuesto sobre la renta*
Touche le revenu des personnes physiques et les salaires, les bénéfices industriels et commerciaux des entrepreneurs non assujettis à l'impôt sur les sociétés

IMPOSTA SUL VALORE AGGIUNTO (IVA)
F : taxe sur la valeur ajoutée - TVA
GB : *value added tax (VAT)*
D : Mehrwertsteuer
E : *impuesto sobre valor anadido*
Taxe sur le chiffre d'affaires qui concerne les entreprises industrielles et commerciales, les activités agricoles et libérales

IMPOSTA SULL'IMPIEGO
F : taxe sur les salaires
GB : *employment tax*
D : Lohnsummensteuer
E : *impuesto por empleado*

IMPOSTA SULLE VENDITE
F : taxe sur les ventes
GB : *sales tax*
D : Warenumsatzsteuer
E : *impuesto sobre la venta*

IMPOSTE DIRETTE
F : contributions directes
GB : *direct taxation*
D : direkte Steuern
E : *contribuciones directas*

IMPOSTE INDIRETTE
F : contributions indirectes
GB : *indirect taxation*
D : indirekte Steuern
E : *contribuciones indirectas*

IMPRESA
F : entreprise
GB : *enterprise*
D : Unternehmen
E : *negocio*

IMPRESA EDILE
F : entrepreneur en bâtiment
GB : *building contractor*
D : Bauunternehmer
E : *contratista de obras*

IMPRESA IN COMPARTECIPAZIONE
F : société en participation
GB : *joint venture*
D : Gemeinschaftsbetrieb
E : *empresa en comun*
Contrat de société que l'on décide de ne pas faire immatriculer

IMPRESA INDIVIDUALE
F: entreprise individuelle
GB: *one-man business*
D: GbR, Einzelpersonengesellschaft
E: *empresa individual*
Entreprise dont l'activité est exercée par une personne physique pour son propre compte, patrimoine professionnel et personnel confondus

IMPRESA NAZIONALIZZATA
F: entreprise nationalisée
GB: *nationalized company*
D: verstaatlichtes Unternehmen
E: *empresa nacionalizada*
Entreprise qui est la propriété exclusive de l'Etat

IMPRESA PRIVATA
F: entreprise privée
GB: *private entreprise*
D: Privatunternehmen
E: *empresa privada*

IMPRODUTTIVO
F: improductif
GB: *unproductive*
D: unproduktiv
E: *improductivo*

IMPUTABILE, IMPONIBILE
F: imputable
GB: *chargeable*
D: anrechenbar
E: *imputable*

IMPUTAZIONE
F: imputation
GB: *allocation/charging*
D: Anrechnung
E: *imputación*
Affectation d'une écriture ou d'une opération au compte dont elles relèvent

IN ACCONTO
F: à valoir
GB: *on account*
D: a conto, auf Abschlag
E: *cuenta (a)*
Voir Acompte

IN BUONA FEDE
F: bonne foi (de)
GB: *in good faith*
D: auf Treu und Glauben
E: *de buena fé*

IN BUONE CONDIZIONI
F: état (en bon)
GB: *good repair*
D: in gutem Zustand
E: *en buen estado*

IN CASO DI INADEMPIENZA
F: défaillance (en cas de)
GB: *in case of default*
D: bei Nichterfüllung
E: *en caso de incumplimiento*

IN CONCORRENZA
F: compétitif
GB: *competitive*
D: wetteifernd
E: *competidor*

IN CONFORMITÀ CON
F: conforme à
GB: *in accordance with*
D: in Übereinstimmung mit
E: *en conformidad con*

IN CONTO DEPOSITO
F: consignation (en)
GB: *on consignment*
D: in Kommission
E: *en consignacion*
En dépôt à titre de garantie ou en attendant la solution d'un litige

IN CONTROPARTITA
F: contrepartie (en)
GB: *per contra*
D: als Gegenrechnung
E: *en contrapartida*

IN DEPOSITO
F: dépôt (en)
GB: *at warehouse*
D: auf Lager
E: *en almacén*

IN MAGAZZINO
F: magasin (en)
GB: *in stock*
D: vorrätig
E: *en almacén*

IN NATURA
F: nature (en)
GB: *in kind*
D: in Waren
E: *en especie*
En produits, objets, et non en espèces.

IN PIEGO A PARTE
F: pli séparé (sous)
GB: *under separate cover*
D: mit getrennter Post
E: *por correo aparte*

IN PRESTITO
F: forme de prêt (sous)
GB: *on loan*
D: darlehensweise
E: *en préstamo*

IN SOSPESO
F: suspens (en)
GB: *in abeyance*
D: in der Schwebe
E: *en suspenso*

IN TRANSITO
F: transit (en)
GB: *in transit*
D: im Durchgangsverkehr
E: *en transito*
Se dit de personnes ou de marchandises (dispensées alors de droits de douane) qui traversent une région ou un pays au cours d'un voyage ou pendant un transport

IN VIGORE
F: vigueur (en)
GB: *in force*
D: in Kraft
E: *en vigor*

INADEMPIENZA
F: non-exécution
GB: *nonfulfilment*
D: Nichterfüllung
E: *incumplimiento*

INCANTO
F: enchères
GB: *auction sale*
D: Auktion
E: *subasta*

INCASSARE
F: encaisser
GB: *cash*
D: einkassieren
E: *cobrar*

INCASSARE UN ASSEGNO
F: toucher un chèque
GB: *cash a cheque (USA cash a check)*
D: einen Scheck einlösen
E: *cobrar un cheque*

INCASSO
F: encaissement
GB: *collection*
D: Einkassieren
E: *cobro*

INCENDIO
F: incendie
GB: *fire*
D: Brand
E: *fuego, incendio*

INCENTIVO
F: incitation
GB: *incentive*
D: Anreiz
E: *estimulo, incentivo*

INCERTEZZA
F: incertitude
GB: *uncertainty*
D: Unsicherheit
E: *incertidumbre*

INCHIESTA
F: enquête
GB: *inquiry*
D: Untersuchung
E: *encuesta*

INCHIESTA, INVESTIGAZIONE
F: investigation
GB: *investigation*
D: Untersuchung
E: *investigacion*

INCLUSO, COMPRESO
F: inclus
GB: *inclusive*
D: einschließlich
E: *incluido, inclusive*

INCOMPLETO
F : incomplet
GB : *incomplete*
D : unvollständig
E : *incompleto*

INCREMENTO
F : augmentation
GB : *accrual*
D : Zugang
E : *incremento*

INCREMENTO, CRESCITA
F : hausse
GB : *increase, rise*
D : Steigen, Zunahme
E : *incremento, aumento*

INDAGINE DI MERCATO, RICERCA DI MERCATO
F : étude de marché
GB : *market research, market survey*
D : Marktforschung
E : *investigacion del mercado, estudio de mercado*

INDAGINE SUL FUNZIONAMENTO
F : recherche opérationnelle
GB : *operational research (OR)*
D : Unternehmensforschung
E : *investigacion operacional*
Méthode d'analyse scientifique à dominante mathématique visant à définir une politique optimale de gestion

INDAGINE SULLE MOTIVAZIONI
F : étude de motivation
GB : *motivational research*
D : Motivforschung
E : *investigacion de motivacion*
Destinée à définir les mobiles dominants qui influencent les comportements et les choix d'une clientèle existante ou potentielle

INDEBITAMENTO
F : endettement
GB : *indebtedness*
D : Verschuldung
E : *endeudamiento*

INDEBITATO
F : redevable
GB : *indebted*
D : verbunden
E : *endeudado*
Qui est légalement tenu au paiement d'un impôt ou de toute autre redevance

INDENNIZZARE,RISARCIRE
F : dédommager
GB : *indemnify*
D : entschädigen
E : *indemnizar, resarcir*

INDENNITÀ DI DISOCCUPAZIONE
F : indemnités de chômage
GB : *unemployment benefit*
D : Arbeitslosenunterstützung
E : *subsidio de paro*

INDENNITÀ, GARANZIA
F : indemnité
GB : *indemnity*
D : Entschädigung
E : *indmnizacion*
Elément de rémunération ou de salaire destiné à rembourser des dépenses liées à l'exercice d'une profession ou à l'éxécution d'un travail

INDICATORI SOCIALI
F : indicateurs sociaux
GB : *social indicators*
D : soziale Indikatoren
E : *indicadores sociales*
Instruments de mesure des phénomènes sociaux, ils complètent les indicateurs économiques et permettent aux entreprises d'élaborer leur bilan social

INDICE
F : index
GB : *index*
D : Index
E : *indice*
Repère mobile permettant de lier une valeur à une autre qui sert de référence

INDICE
F : indice
GB : *index*
D : Index
E : *indice*
Mesure synthétique de l'évolution d'une grandeur dans le temps ou l'espace, ou du rapport de sa valeur par rapport à une valeur de base choisie comme référence

INDICE DEI PREZZI
F : indice des prix
GB : *retail price index*
D : Preisindex
E : *índice de precios*

INDIPENDENTE
F : indépendant
GB : *independent*
D : selbständig
E : *indpendiente*

INDIRIZZAMENTO
F : adressage
GB : *(marketing) mailing, addressing*
D : Adressierung
E : *direccionamiento*

INDIRIZZO
F : adresse
GB : *address*
D : Adresse
E : *direcçion*

INDIRIZZO TELEGRAFICO
F : adresse télégraphique
GB : *telegraphic address*
D : Telegrammadresse
E : *direccion telegrafica*

INDOTTO
F : induit
GB : *induced*
D : induziert
E : *inducido*
Se dit d'un phénomène entraîné par un autre

INDUSTRIA
F : industrie
GB : *industry*
D : Industrie, Gewerbe
E : *industria*

INDUSTRIA LEGGERA
F : industrie légère
GB : *light industry*
D : Leichtindustrie
E : *industria ligera*
Transforme les matières premières brutes ou semi-ouvrées générale-ment en biens de consommation

INDUSTRIA PESANTE
F : industrie lourde
GB : *heavy industry*
D : Schwerindustrie
E : *industria peseda*
Celle qui élabore et traite les matières premières, produit de l'énergie et des biens d'équipement

INDUSTRIALE
F : industriel nm
GB : *industrialist*
D : Industrielle(r)
E : *industrial*

INDUSTRIALE
F : industriel adj
GB : *industrial*
D : industriell, Gewerbe-
E : *industrial*

INEFFICIENZA
F : incapacité
GB : *inefficiency*
D : Unfähigkeit
E : *incompetencia*

INEFFICIENZA
F : inefficacité
GB : *inefficiency*
D : Unfähigkeit
E : *incompetencia*

INESPERIENZA
F : manque de pratique
GB : *inexperience*
D : Unerfahrenheit
E : *falta de experiencia*

INFLAZIONE
F : inflation
GB : *inflation*
D : Inflation
E : *inflacion*
Déséquilibre économique caractérisé par la hausse du niveau général des prix et la dépréciation de la monnaie

INFLAZIONE A SPIRALE
F: spirale inflationniste
GB: *inflationary spiral*
D: Inflationsspirale
E: *espiral de inflacion*
Processus cumulatif et auto entretenu de hausse générale des prix qui, non maitrisé, débouche sur une inflation galopante (2 chiffres) ou une hyperinflation (3 chiffres)

INFORMARE
F: informer
GB. *Inform*
D: benachrichtigen
E: *informar, avisar*

INFORMATICA
F: informatique
GB: *IT*
D: EDV, Informatik
E: *informática*

INFORMAZIONE
F: information
GB: *information*
D: Auskunft
E: *informacion*

INFORTUNIO SUL LAVORO
F: accident de travail
GB: *industrial accident*
D: Arbeitsunfall
E: *accidente de trabajo*

INFRAZIONE
F: infraction
GB: *infringement*
D: Verletzung, Verstoß
E: *infraccion*

INFRAZIONE DEI DIRITTI D'AUTORE
F: contrefaçon littéraire
GB: *infringement of copyright*
D: Urheberrechtsverletzung
E: *infraccion de los derechos de autor*

INGEGNERE
F: ingénieur
GB: *engineer*
D: Ingenieur
E: *ingeniero*

INGEGNERIA
F: génie
GB: *enginering*
D: Maschinenbau
E: *ingenieria*
Arme et service de l'armée de terre chargés de la construction et de l'entretien des infrastructures terrestres

INGEGNERIA
F: ingénierie
GB: *engineering*
D: Werkzeugbau
E: *ingeniería*
Activité de conception, d'étude et de coordination qui précède la réalisation d'un projet ou la mise en service d'un ouvrage

INGEGNERIA CIVILE
F: génie civil
GB: *civil engineering*
D: Ingenieurbau
E: *ingenieria civil*
Construction civile et corps des ingénieurs qui en a la responsabilité

INGEGNERIA MECCANICA
F: construction mécanique
GB: *mechanical engineering*
D: Maschinenbau
E: *ingenieria mecanica*

INGIUNZIONE
F: injonction
GB: *injuction*
D: gerichtliche Verfügung
E: *entredicho*

INGORGO STRADALE
F: encombrement de circulation
GB: *traffic jam*
D: Verkehrsstockung
E: *embotellamiento de trafico*

INGRANAGGIO
F: engrenage
GB: *gearing*
D: Getriebe
E: *engranaje*

INGRESSO GRATUITO
F: entrée gratuite
GB: *admission free*
D: Eintritt frei
E: *entrada gratuita*

INIZIALE
F: initial
GB: *initial*
D: Anfangs-
E: *inicial, primario*

INIZIATO
F: initié
GB: *insider*
D: Eingeweihter
E: *iniciado*
Détenteur privilégié d'informations sur le marché boursier

INIZIO SCARICO
F: rupture de charge
GB: *breaking bulk*
D: Löschen der Ladung
E: *fraccionamiento de la carga*
Changement de véhicule ou de mode de transport

INNOVAZIONE
F: innovation
GB: *innovation*
D: Neuerung
E: *innovacion*

INOLTRO
F: acheminement
GB: *dispatching, forwarding*
D: Beförderung
E: *encaminamiento*

INSEGNA
F: enseigne
GB: *sign/trade name*
D: Eintrague
E: *letrero*

INSEGNAMENTO SUPERIORE
F: enseignement supérieur
GB: *higher education*
D: Fortbildung
E: *ensenanza superior*

INSERIRE
F: insérer
GB. *Insert*
D: einsetzen, inserieren
E: *insertar*

INSERZIONISTA
F: annonceur
GB: *advertiser*
D: Anzeiger
E: *anunciante*
Tout individu ou organisme qui achète de la publicité pour se faire connaître ou promouvoir son activité. Acheteur d'espaces médias

INSOLVENTE
F: insolvable
GB: *insolvent*
D: zahlungsunfähig
E: *insolvente, quebrado*

INSOLVENZA
F: insolvabilité
GB: *insolvency*
D: Zahlungsunfähigkeit
E: *insolvencia*

INTEGRACIONE ORIZZONTALE
F: intégration horizontale
GB: *horizontal integration*
D: horizontaler Zusammenschluß
E: *integracion horizontal*
Groupement d'entreprises intervenant à différents stades du processus productif ou exerçant des activités différentes mais complémentaires

INTEGRAZIONE
F: intégration
GB: *integration*
D: Eingliederung
E: *integracion*
Voir Intégration verticale

INTENTARE UN'AZIONE LEGALE CONTRO
F: intenter un procès à
GB: *institute proceedings against*
D: gerichtlich vorgehen gegen
E: *iniciar un proceso contra*

INTERAMENTE SOTTOSCRITTO
F: souscrit (intégralement)
GB: *fully subscribed*
D: vollgezeichnet
E: *plenamente suscrito*
Se dit d'un emprunt, d'une émission dont tous les titres ont trouvé preneur

INTERESSE
F : intérêt
GB : *interest*
D : Zinsen
E : *interès*

INTERESSE COMPOSTO
F : intérêts composés
GB : *compound interest*
D : Zinseszinsen
E : *interés compuesto*
Intérêts simples additionnés de ceux qui s'appliquent à la somme capitalisée des intérêts déjà perçus

INTERESSE LORDO
F : intérêts bruts
GB : *gross interest*
D : Bruttozins
E : *interés bruto*
Intérêts avant déduction de l'impôt sur la rémunération reçue

INTERESSE MATURATO
F : intérêts cumulés
GB : *accrued interest*
D : aufgelaufene Zinsen
E : *interés acumulado*
Somme des intérêts perçus

INTERESSE SEMPLICE
F : intérêts simples
GB : *simple interest*
D : einfache Zinsen
E : *interés simple*
A la charge de l'emprunteur, ils correspondent au rapport entre le montant des intérêts dus pour l'année et le montant du capital prêté

(CO)INTERESSENZA
F : intéressement
GB : *incentive scheme*
D : Beteiligung
E : *participación en los beneficios*
Participation des travailleurs aux fruits de l'expansion de leur entreprise

INTERESSENZA DI MINORANZA
F : participation minoritaire
GB : *minority interest, minority stake*
D : Minoritätsbeteiligung, Minderheitsbeteiligung
E : *participacion de la minoria, participación minoritaria*

INTERMEDIARIO
F : intermédiaire
GB : *middle man*
D : Zwischenhändler
E : *intermediario*

INTERNAZIONALE
F : international
GB : *international*
D : international
E : *internacional*

INTERNO
F : interne adj
GB : *internal*
D : innerlich, inländisch
E : *interno, interior*

INTERPOLAZIONE
F : interpolation
GB : *interpolation*
D : Einschaltung
E : *interpolacion*
Utilisation des résultats d'une série d'observations pour calculer le résultat d'une autre observation dans un même domaine d'exploration

INTERPRETAZIONE
F : interprétation
GB : *interpretation*
D : Auslegung
E : *interpretacion*

INTERVISTA
F : entrevue
GB : *appointment, interview*
D : Verabredung, Interview
E : *entrevista*
Rencontre concertée entre deux ou plusieurs personnes

INTERVISTA, ABBOCCAMENTO
F : interview
GB : *interview*
D : Interview
E : *entrevista*

INTERVISTATORE
F : intervieweur
GB : *interviewer*
D : Interviewer
E : *entrevistador*

INTESTAZIONE
F : en-tête
GB : *letterhead*
D : Briefkopf
E : *membrete*

INTGRAZIONE VERTICALE
F : intégration verticale
GB : *vertical integration*
D : vertikaler Zusammenschluß
E : *integracion vertical*

Concentration d'entreprises participant au même stade d'un processus de production

INTIMAZIONE
F : mise en demeure
GB : *formal notice*
D : Inverzugsetzung
E : *aviso oficial*

INTRAPRENDITORE, IMPRESARIO
F : entrepreneur
GB : *entrepreneur, contractor*
D : Unternehmer
E : *empresario, contrastista*

INTRESSE DELLA PARTE MAGGIORITARIA
F : participation donnant le contrôle
GB : *controlling interest*
D : Mehrheitsbeteiligung
E : *interés mayoritario*

INTRINSECO
F : intrinsèque
GB : *intrinsic*
D : innerlich, wahr
E : *intrinseco*
Voir Valeur intrinsèque

INVALIDO
F : invalide
GB : *invalid*
D : ungültig
E : *invalido*
Non valable, légalement nul

INVENTARIO
F : inventaire
GB : *inventory*
D : Inventar
E : *inventario*
Relevé en volume et en valeur des éléments d'actif et de passif d'une entreprise à la clôture d'un exercice

INVENZIONE
F : invention
GB : *invention*
D : Erfindung
E : *invento, invencion*

INVESTIMENTO
F : investissement
GB : *investment*
D : Kapitalanlage, Investierung
E : *inversion*
Acquisition d'une immobilisation

INVESTIMENTO
F : placement
GB : *investment*
D : Anlage
E : *inversión*
Affectation d'une épargne à un emploi (dissocié du processus de production) en vue d'en tirer profit

INVESTIMENTO ESTERO
F : investissement étranger
GB : *foreign investment*
D : Fremdkapital
E : *inversión extranjera*

INVESTIMENTO PRIVATO
F : investissement privé
GB : *private investment*
D : Privatinvestition
E : *inversión privada*

INVESTIMENTO PRODUTTIVO
F : investissement productif
GB : *productive investment*
D : produktive Investition
E : *inversión productiva*
Investissement destiné à accroître la capacité de production de l'entreprise

ITALIEN

INVESTIMENTO PUBBLICO
  F : investissement public
  GB : *public investment*
  D : gemeinwesen Investition
  E : *inversión pública*

INVESTIRE
  F : investir
  GB : *invest*
  D : anlegen, investieren
  E : *invertir*

INVESTITORE ISTITUZIONALE
  F : investisseur institutionnel
  GB : *institutional investor*
  D : institutioneller Anleger
  E : *inversor institucional*
Organisme financier tenu, par sa nature ou son statut, de placer en valeurs mobilières la plus grande partie de l'épargne qu'il collecte

INVITARE
  F : inviter
  GB : *invite*
  D : einladen, auffordern
  E : *invitar*

INVITO
  F : invitation
  GB : *invitation*
  D : Einladung, Aufforderung
  E : *invitacion*

IPOTECA
  F : hypothèque
  GB : *mortgage*
  D : Hypothek
  E : *hipoteca*
Droit réel détenu par un créancier à titre de garantie sur le bien immobilier de son débiteur, sans qu'il en ait la propriété

IPOTECARE
  F : hypothéquer
  GB : *hypothecate*
  D : verpfänden
  E : *hipotecar*

IPOTESI
  F : hypothèse
  GB : *hypothesis*
  D : Hypothese
  E : *hipotesis*

IRRECUPERABILE
  F : irrécouvrable (créance)
  GB : *irrecoverable*
  D : unersetzlich, uneinbringlich
  E : *irrecuperable*
Créance qui ne peut être recouvrée

ISPETTORE
  F : inspecteur
  GB : *inspector*
  D : Aufsichtsbeamte(r)
  E : *inspector*

ISPETTORE DI FABBRICA
  F : inspecteur du travail
  GB : *factory inspector*
  D : Gewerbeaufsichtsbeamte(r)
  E : *inspector de fabrica*
Fonctionnaire chargé de l'application de la législation du travail

ISPEZIONE
  F : inspection
  GB : *inspection*
  D : Einsichtnahme
  E : *inspeccion, examen*

ISTITUZIONALE
  F : institutionnel
  GB : *institutional*
  D : institutionnell
  E : *institucional*
Relatif à une organisation, à la collectivité

ISTITUZIONE, ISTITUTO
  F : institut
  GB : *institution*
  D : Institut, Anstalt
  E : *institucion, instituto*
Etablissement de recherche scientifique ou d'enseignement ; corps constitué de gens de lettres, d'artistes, de savants

ISTOGRAMMA
  F : histogramme
  GB : *histogram*
  D : Histogramm
  E : *histograma*
Graphique représentant une succession de rectangles de base égale et de hauteur variable, où figurent en abscisse des périodes de même importance et en ordonnée les différentes valeurs d'une variable

ISTRUZIONE
  F : instruction
  GB : *instruction*
  D : Anleitung
  E : *instruccion*

ISTRUZIONI PER L'USO
  F : mode d'emploi
  GB : *directions for use*
  D : Gebrauchsanweisung
  E : *modo de empleo*

J-L

JUST IN TIME, FLUSSO TESO
F : juste à temps
GB : *JIT (just in time)*
D : just in time
E : *justo a tiempo*
Méthode qui consiste à acheter ou produire en fonction des stricts besoins du moment

LABORATORIO DI LINGUAGGIO
F : laboratoire de langues
GB : *language laboratory*
D : Sprachlador
E : *laboratorio de idiomas*

LANCIARE
F : lancer sur le marché
GB : *launch*
D : auf den Markt bringen
E : *lanzar*

LANCIARE UN PRESTITO
F : émettre un emprunt
GB : *float a loan (USA raise a loan)*
D : eine Anldeihe begeben
E : *emitir un empréstito*

LATO PIÙ IN VISTA DELL'ESPOSITORE (ES. NEI SUPERMERCATI)
F : tête de gondole
GB : *gondola head*
D : Erstplatzierung
E : *encabezamiento de góndola*
Extrémité d'un meuble de présentation de produits dans un magasin en libre-service

LAVORATORE DEL PORTO
F : docker
GB : *docker (USA longshoreman)*
D : Hafenarbeiter
E : *gargador de muelle*

LAVORATORE INDIPENDENTE
F : travailleur indépendant
GB : *self-employed person*
D : selbständig Arbeitende(r)
E : *trabajador por cuenta propia*

LAVORO
F : travail
GB : *work*
D : Arbeit
E : *trabajo*

LAVORO A COTTIMO
F : travail à la tâche
GB : *piecework*
D : Akkordarbeit
E : *trabajo a destajo*
Travail fixé d'avance à un prix convenu

LAVORO A TURNO
F : travail par équipes
GB : *shifwork*
D : Schichtarbeit
E : *trabajo por torno*
Pratiqué de façon continue ou prolongée par des équipes successives

LAVORO IN CORSO
F : travaux en cours
GB : *work-in-progress (USA work in process)*
D : Arbeit in der Ausführung
E : *trabajo en curso*
Non achevés au moment de la clôture de l'exercice, et dont la valeur figure dans les stocks

LAVORO NERO
F : travail au noir
GB : *moonlighting*
D : Schwarzarbeit
E : *trabajo clandestino*
Qui est effectué au-delà de la durée maximum légale et dont la rémunération échappe aux cotisations sociales et à l'impôt

LAVORO NOTTURNO
F : travail de nuit
GB : *nightwork*
D : Nachtarbeit
E : *trabajo nocturno*

LAVORO STRAORDINARIO
F : heures supplémentaires
GB : *overtime*
D : Überstunden
E : *horas extraordinarias*

LAVORO TEMPORANEO
F : travail temporaire
GB : *temporary work*
D : befristete Arbeit
E : *trabajo temporal*
Travail intérimaire

LEADER
F : leader
GB : *leader*
D : Markeleader : Marktführer
E : *líder*

LEASING
F : crédit bail
GB : *leasing*
D : Pachtkredit
E : *arrendamiento financiero*
Location assortie d'une promesse de vente au profit du locataire à l'échéance du contrat

LEASING
F : leasing
GB : *leasing*
D : Leasing
E : *leasing*
Voir Crédit-bail

LECITO, LEGITTIMO
F : licite
GB : *lawful, legal*
D : gesetzlich, rechtlich
E : *licito, legitimo*
Permis par la loi

LEGALE, GIURIDICO
F : légal
GB : *legal*
D : rechtsgültig, legal
E : *legal, juridico*

LEGGE
F : loi
GB : *law*
D : Recht
E : *ley*

LEGGE ANTITRUST
F : loi anti-trust
GB : *restrictive trade practices law*
D : Kartellgesetz
E : *ley antitrust*
Loi (nationale ou internationale) qui contrôle les ententes et pénalise l'abus des positions dominantes

LEGISLAZIONE
F : législation
GB : *legislation*
D : Gesetzgebung
E : *legislacion*

LETTERA
F : lettre
GB : *letter*
D : Brief
E : *carta, letra*

LETTERA AEREA
F : aérogramme
GB : *air letter*
D : Luftpostbrief
E : *carta por avion*
Lettre envoyée par avion à un tarif forfaitaire

LETTERA DA RIPARTIZIONE
F : avis d'attribution
GB : *allotment letter*
D : Verteilungsbrief
E : *letra de adjudicación*

LETTERA DI CREDITO
F : lettre de crédit
GB : *letter of credit*
D : Kreditbrief
E : *carta de crédito*
Document bancaire accréditant un client pour lui permettre d'accroître le volume de son crédit ou d'obtenir une avance

LETTERA DI CREDITO CONFERMATA
F : lettre de crédit confirmée
GB : *confirmed letter of credit*
D : bestätigter Kreditbrief
E : *carta de crédito confirmada*
Crédit documentaire dans lequel la banque du vendeur ajoute son propre engagement à payer ou à négocier les documents présentés

LETTERA DI CREDITO CONFERMATA IRREVOCABILE
F : lettre de crédit irrévocable confirmée
GB : *confirmed irrevocable letter of credit*
D : bestätigter unwiderruflicher Kreditbrief
E : *carta de crédito irrevocable confirmada*
Lettre de crédit irrévocable pour laquelle la banque du vendeur assure une obligation de paiement indépendante et ferme en plus de celle de la banque émettrice

LETTERA DI CREDITO IRREVOCABILE
F : lettre de crédit irrévocable
GB : *irrevocable letter of credit*
D : unwiderruflicher Kreditbrief
E : *carta de credito irrevocable*
Pour laquelle la banque émettrice s'engage irrévocablement vis-à-vis du bénéficiaire à effectuer la prestation prévue par les termes du crédit

LETTERA DI VETTURA
F : lettre de voiture
GB : *waybill*
D : Frachtbrief
E : *guia de carga*
Lettre de transport lorsque celui-ci se fait par voie terrestre

LETTERA ESPRESSO
F : lettre exprès
GB : *express letter (USA special delivery)*
D : Eilbrief
E : *carta urgente*

LETTERA RACCOMANDATA
F : lettre recommandée
GB : *registered letter*
D : eingeschriebener Brief
E : *carta certificada*

LIBERARE
F : libérer
GB : *free*
D : befreien
E : *liberar*

LIBERO
F : libre
GB : *free*
D : frei
E : *libre*

LIBERO D'IPOTECA
F : déshypothéqué
GB : *free from mortgage*
D : von Hypothek befreit
E : *deshipotecado*
Bien dont on a levé l'hypothèque

LIBERO SCAMBIO
F : libre-échange
GB : *free trade*
D : Freihandel
E : *comercio libre*
Organisation entre plusieurs pays de la libre circulation des marchandises produites sur leur territoire

LIBERTÀ D'INIZIATIVA
F : libre entreprise
GB : *free entreprise*
D : freie Wirtschaft
E : *libre empresa*

LIBRETTO ASSEGNI
F : carnet de chèques
GB : *cheque book (USA check book)*
D : Scheckheft
E : *libro de cheques*

LIBRI CONTABILI
F : livres comptables
GB : *books of account*
D : Geschäftsbücher
E : *libros de cuentas*
Ensemble de documents comptables

LIBRO CASSA
F : livre de caisse
GB : *cash book*
D : Kassenbuch
E : *libro de caja*
Document comptable recensant à un moment donné les encaissements et décaissements effectués par une entreprise

LIBRO DEGLI ORDINI
F : livre de commandes
GB : *order book*
D : Auftragsbuch
E : *libro de pedidos*

LIBRO DI CONSULTAZIONE
F : ouvrage de référence
GB : *reference book*
D : Nachschlagewerk
E : *libro de consulta*

LIBRO DI CONTI
F : livre de comptes
GB : *account book*
D : Kontobuch
E : *libro de cuentas*

LIBRO MASTRO
F : grand livre
GB : *ledger*
D : Hauptbuch
E : *libro mayor*
Ensemble des comptes ouverts dans l'entreprise où figurent toutes les opérations enregistrées par nature

LIBRO PAGA
F : feuille de paie
GB : *payroll*
D : Lohnbuch
E : *nomina de pago*

LICENZA DI FABBRICAZIONE
F : licence de fabrication
GB : *manufacturing licence*
D : Herstellungslizenz
E : *licencia de fabricación*

LICENZA LICEALE, MATURITÀ
F : baccalauréat
GB : *French university-entrance exam*
D : Abitur
E : *bachillerato*

LICENZA, PERMESSO
F : licence
GB : *licence*
D : Erlaubnis, Lizenz
E : *licencia, permiso*
Autorisation administrative

LICENZIAMENTO
F : licenciement
GB : *layoff*
D : Entlassung
E : *despido*

LICENZIARE
F : licencier
GB : *dismiss, fire*
D : Kündigen
E : *despedir*

LICENZIARE UN IMPIEGATO
F : congédier un employé
GB : *discharge an employee
(USA fire an employee)*
D : einren Arbeitnehmer ent-
lassen
E : *despedir a un empleado*

LICITAZIONE PRIVATA
F : marché de gré à gré
GB : *mutual agreement*
D : freihändiger Handel
E : *acuerdo recíproco*
Contrat conclu sans adjudication
préalable

LIMITATO
F : limité
GB : *limited*
D : beschränkt
E : *limitado*

LIMITE
F : limite
GB : *limit*
D : Grenze
E : *limite*

LIMITE MASSIMO DI EMISSIONE
F : plafond d'émission
GB : *issue ceiling*
D : Notenkontingent
E : *tope de emisión*
Montant maximum de monnaie que
la Banque centrale est autorisée à
émettre

**LIMITE MASSIMO DI RESPONSA-
BILITÀ CAMBIARIA**
F : plan comptable
GB : *French accounting stan-
dards*
D : Kontenplan
E : *plan contable*
Regroupement des principes et des
normes comptables

**LIMITE MASSIMO DI RESPONSA-
BILITÀ CAMBIARIA**
F : plafond d'encours
GB : *debt ceiling*
D : Kreditgrenze
E : *tope de deudas*
Valeur totale maximum des titres
représentatifs d'engagements finan-
ciers en circulation autorisée par une
banque à un client

LIMITE MASSIMO, TETTO
F : plafond
GB : *ceiling*
D : Decke, Volumen
E : *tope*

LINEA (FERROVIARIA)
F : ligne (de chemin de fer)
GB : *(railway) line*
D : Linie, Eisenbahnlinie
E : *linea (ferroviaria)*

LINEA (TELEFONICA)
F : ligne (de téléphone)
GB : *(telephone) line*
D : Leitung (Telefon)
E : *linea (telefoncia)*

LINEA AEREA
F : compagnie aérienne
GB : *air line*
D : Fluggesellschaft
E : *linea aérea*

LINEA DI PRODOTTI
F : ligne de produits
GB : *product range*
D : Produktlinie
E : *línea de productos*
Ensemble des références de produits
de même technologie visant la
même application

LINGOTTO
F : lingot
GB : *ingot*
D : Barren
E : *lingote*

LINGUA
F : langue
GB : *language*
D : Sprache
E : *lingua*

LINGUAGGIO DI MACCHINA
F : langage machine
GB : *machine language*
D : Maschinensprache
E : *lenguaje de maquina*
Seul langage informatique à être
directement utilisable par la
machine, il décrit le fonctionnement
binaire des circuits câblés

LIQUIDATORE
F : liquidateur
GB : *liquidator*
D : Masseverwalter, Sachwalter
E : *liquidador*
Chargé d'effectuer toutes les opéra-
tions de liquidation d'une société

LIQUIDAZIONE
F : liquidation
GB : *liquidation*
D : Liquidation, Auflösung
E : *liquidacion*
Conséquence de la décision de dis-
solution d'une société en état de ces-
sation de paiement, elle consiste à en
réaliser l'actif, en régler les dettes
selon un certain ordre et répartir
entre les associés l'éventuel bonus de
liquidation

LIQUIDAZIONE (BORSA)
F : liquidation (Bourse)
GB : *settlement*
D : Regulierung (der Differenz-
geschäfte)
E : *liquidación (Bolsa)*
Opérations de règlement et livraison
sur un marché à terme

LIQUIDAZIONE FORZATA
F : liquidation forcée
GB : *compulsory winding-up
(USA forced liquidation)*
D : Zwangsliquidation
E : *liquidacion forzosa*

LIQUIDAZIONE GIUDIZIARIA
F : liquidation judiciaire
GB : *liquidation*
D : gerichtliches Abwicklung
E : *liquidación judicial*
Liquidation d'une société décidée
par un tribunal

LIQUIDITÀ
F : liquidité
GB : *liquidity*
D : Liquidität
E : *liquidez*
Aptitude d'un bien à être transformé
en espèces pour régler sans délai une
dette. Aptitude d'une entreprise à
faire face à ses engagements finan-
ciers

LIRA STERLINA
F : livre sterling
GB : *pound sterling*
D : Pfund Sterling
E : *libra esterlina*

LISTA NERA
F : liste noire
GB : *black list*
D : schwarze Liste
E : *lista negra*

LISTA, TABELLA
F : liste
GB : *list, schedule*
D : Liste, Tabelle
E : *lista, cuadro*

LIVELLO DEI PREZZI
F : niveau des prix
GB : *price level*
D : Preisebene
E : *nivel de precios*

LOCATORE
 F : bailleur
 GB : *lessor*
 D : Vermieter
 E : *arrendador*
Propriétaire, celui qui donne à bail

LODO ARBITRALE
 F : sentence arbitrale
 GB : *arbitration award*
 D : Schiedsspruch
 E : *sentencia arbitral*
Rendue dans le règlement à l'amiable d'un litige, elle permet de gagner du temps et de limiter l'engorgement des tribunaux en échappant au juge

LOGICA
 F : logique
 GB : *logic*
 D : Logik
 E : *logica*

LOGISTICA
 F : logistique
 GB : *logistics*
 D : Logistik
 E : *logistica*
Au-delà du transport, c'est l'organisation de l'approvisionnement, de la production et de la distribution, à la croisée des grandes fonctions traditionnelles de l'entreprise

LOGO
 F : logotype
 GB : *logotype*
 D : Logo
 E : *logotipo*
Représentation visuelle du nom d'une marque ou d'une organisation (logo)

LORDO
 F : brut
 GB : *gross*
 D : brutto
 E : *bruto*
Qualifie une grandeur évaluée sans aucune déduction

LOTTO
 F : lot
 GB : *batch*
 D : Stoß
 E : *lote*

LUCRATIVO
 F : lucratif
 GB : *lucrative*
 D : einträglich, gewinnbringend
 E : *lucrativo*

MACCHINA
- F : machine
- GB : *machine*
- D : Maschine
- E : *maquina*

MACCHINA DA SCRIVERE
- F : machine à écrire
- GB : *typewriter*
- D : Schreibmaschine
- E : *maquina de escribir*

MACCHINA VENDITRICE AUTO-MATICA
- F : distributeur automatique
- GB : *vending machine*
- D : Verkaufsautomat
- E : *maquina expendedora*

MACCHINARIO
- F : machinerie
- GB : *machinery*
- D : Maschinerie
- E : *maquinaria*

MAGAZZINAGGIO
- F : emmagasinage
- GB : *storage*
- D : Lagerung
- E : *almacenamiento*

MAGAZZINO
- F : entrepôt
- GB : *warehouse*
- D : Warenlager
- E : *almacén*

MAGAZZINO DOGANALE
- F : entrepôt (sous douane)
- GB : *bonded warehouse*
- D : Lager unter Zollverschluß
- E : *almacén de aduanas*

Lieu de dépôt temporaire des marchandises qui n'ont pas encore acquitté droits et taxes d'entrée. Régime douanier suspensif de ces droits

MAGLIERIA
- F : bonneterie
- GB : *knitted goods*
- D : Strickwaren
- E : *géneros de punto*

MANAGEMENT
- F : management
- GB : *management*
- D : Management
- E : *management*

Ensemble des techniques d'organisation mises en œuvre pour la gestion d'une entité économique

MANAGEMENT
- F : cadres
- GB : *managerial staff*
- D : leitende Angestellte
- E : *mandos*

Catégorie socio-professionnelle de salariés exerçant un poste de responsabilité dans une entreprise ou la fonction publique

MANAGER
- F : manager nm
- GB : *manager*
- D : Manager
- E : *manager*

Désigne le dirigeant d'une grande entreprise (PDG, directeur, etc.)

MANCANZA
- F : défaillance
- GB : *default*
- D : Nichteinhaltung
- E : *falta*

Carence de paiement d'un débiteur. Situation d'une entreprise qui ne peut faire face à ses échéances

MANCANZA, DIFETTO
- F : défaut
- GB : *default, defect*
- D : Nichteinhaltung, Mangel
- E : *falta, defecto*

MANCARE, FALLIRE
- F : échouer
- GB : *fail*
- D : versagen, durchfallen
- E : *fallar, faltar*

MANCATA ACCETTAZIONE
- F : acceptation (non)
- GB : *nonacceptance*
- D : Nichtannahme
- E : *rechazo*

MANCATO PAGAMENTO
- F : défaut de paiement
- GB : *failure to pay*
- D : Nichtzahlung
- E : *falta de pago*

Non-exécution d'une obligation, non acquittement d'une dette

MANCIA
- F : pourboire
- GB : *tip gratuity*
- D : Trinkgeld
- E : *propina*

Gratification, élément de la rémuration dans certaines professions

MANDANTE
- F : mandant
- GB : *principal*
- D : Vollmachtgeber
- E : *mandante*

Qui donne à une autre personne, par mandat, le pouvoir d'agir en son nom

MANDANTE NON NOMINATO
- F : mandant non divulgué
- GB : *undisclosed principal*
- D : nicht bekanntgegebener Auftraggeber
- E : *mandante no nombrato*

MANDATARIO
- F : mandataire
- GB : *attomey*
- D : Bevollmächtigte(r)
- E : *apoderado*

Qui a reçu mandat ou procuration pour agir au nom de quelqu'un d'autre

MANDATARIO
- F : représentant mandaté
- GB : *legal representative*
- D : Rechtsvertreter
- E : *representante legal*

MANDATO
- F : ordonnance
- GB : *warrant*
- D : Befugnis
- E : *mandato*

MANIFESTO
F : manifeste
GB : *manifest*
D : Ladungsverzeichnis
E : *manifiesto*

MANIPULAZIONE
F : manipulation
GB : *manipulation*
D : Schiebung
E : *manipulacion*

MANO D'OPERA
F : main-d'oeuvre
GB : *manpower, labour force*
D : Arbeitskräfte, menschliche Arbeitskraft
E : *mano de obra*
Personne chargée de réaliser une opération pour le compte d'un maître d'ouvrage

MANO D'OPERA STRANIERA
F : main-d'oeuvre étrangère
GB : *foreign labour*
D : Fremdarbeiterschaft
E : *mano de obra extranjera*

MANUALE
F : manuel nm
GB : *handbook*
D : Handbuch
E : *manual*

MANUALE
F : manuel adj
GB : *manual*
D : Hand-
E : *manual*

MANUFATTI
F : produits manufacturés
GB : *manufactured products*
D : Fabrikate
E : *productos manufacturados*

MANUTENZIONE
F : entretien
GB : *maintenance*
D : Instandhaltung
E : *mantenimiento*
Conversation suivie entre des interlocuteurs en présence ou non l'un de l'autre

MANUTENZIONE
F : maintenance
GB : *maintenance*
D : Instandhaltung
E : *mantenimiento*
Toutes les activités d'entretien de matériels et de machines (interventions préventives ou consécutives à une panne)

MARCA
F : marque
GB : *brand*
D : Handelsmarke
E : *marca*

MARCHE DI DESTINAZIONE
F : marque de destination
GB : *port mark*
D : Benennung des Bestimmungshafens
E : *marca de destino*

MARCHIO
F : label
GB : *label*
D : Marke
E : *etiqueta*
Marque distinctive d'un produit ou d'un service qui en garantit l'origine et les qualités spécifiques, voire la conformité avec des normes

MARCHIO DI FABBRICA
F : marque de fabrique
GB : *trademark*
D : Warenzeichen
E : *marca de fabrica*
Signe distinctif apposé sur un produit pour en indiquer l'origine, elle est protégée légalement par son inscription obligatoire à l'Institut national de la propriété industrielle

MARGINE
F : marge
GB : *margin*
D : Spanne
E : *margen*

MARGINE COMMERCIALE
F : marge commerciale
GB : *trading margin*
D : Handelsspanne
E : *margen comercial*
Différence entre le chiffre d'affaires hors taxes et le coût d'achat hors taxes des marchandises vendues

MARGINE DI UTILE NETTO
F : marge nette
GB : *net profit margin*
D : Reingewinnspanne
E : *margen de beneficio neto*
Voir Bénéfice net

MARGINE LORDO
F : marge brute
GB : *gross margin*
D : Bruttoverdienstspanne
E : *margen bruto*
Voir Bénéfice brut

MARITTIMO
F : maritime
GB : *maritime*
D : See-
E : *maritimo*

MARKETING
F : marketing
GB : *marketing*
D : Marketing
E : *marketing*
Englobe à la fois les techniques d'analyse des besoins pour définir le produit correspondant, et les techniques de faire-savoir

MARKETING DIRETTO
F : marketing direct
GB : *direct marketing*
D : Direktmarketing
E : *marketing directo*
Ensemble des techniques du marketing utilisant un mode de liaison direct avec le consommateur pour véhiculer un message ou un bien

MASSA LAVORATRICE
F : effectifs
GB : *work force*
D : Delegschaft
E : *masa obrera*

MASSAIA
F : ménagère
GB : *housewife*
D : Hausfrau
E : *ama de casa*

MASSIMO
F : maximum
GB : *maximum*
D : maximal
E : *maximo*

MASTRO ACQUISTI
F : grand livre d'achats
GB : *bought ledger (USA purchase book)*
D : Einkaufsbuch
E : *libro mayor de compras*

MATERIA
F : matière
GB : *material (substance)*
D : Material
E : *materia*

MATERIA PRIMA
F : matière première
GB : *raw material*
D : Rohstoff
E : *materia prima*

MATERIALE
F : essentiel
GB : *material*
D : wesentlich
E : *material*

MATRICE
F : talon
GB : *counterfoil (USA stub)*
D : Talon
E : *talon*

MATURAZIONE
F : accumulation
GB : *accrual*
D : Auflaufen
E : *acumulacion*

MECCANICO
F : mécanicien
GB : *mechanic*
D : Mechaniker
E : *mecanico*

ITALIEN

MECENATISMO
F : mécénat
GB : *commercial sponsorship*
D : Mätzenatentum
E : *mecenazgo*
Forme de communication d'entreprise fondée sur le financement et le soutien d'entreprises, projets, opérations et manifestations à caractère artistique et culturel

MEDIA
F : moyenne nf
GB : *average*
D : Durchschnitt
E : *promedio*

MEDIA ARITMETICA
F : moyenne arithmétique
GB : *arithmetic mean*
D : arithmetisches Mittel
E : *media aritmética*

MEDIA PONDERATA
F : moyenne pondérée
GB : *weighted average*
D : gewogener Durchschnitt
E : *media ponderada*
Moyenne arithmétique dans laquelle des coefficients sont attribués à certains nombres en fonction de leur valeur relative

MEDIATORE DI ASSICURAZIONI
F : courtier d'assurances
GB : *insurance broker*
D : Versicherungsmakler
E : *corredor de seguros*

MEDIAZIONE
F : médiation
GB : *mediation*
D : Vermittlung
E : *intermediacion*

MEMBRO, SOCIO
F : membre
GB : *member*
D : Mitglied
E : *miembro, socio*

MENO CARO
F : meilleur marché
GB : *cheaper*
D : billiger
E : *mas barato*

MENSILITÀ
F : mensualité
GB : *monthly instalment*
D : Monatsrate
E : *mensualidad*

MERCADO COMUNE
F : Marché commun
GB : *Common Market*
D : gemeinsamer Markt
E : *mercado comun*
Voir Communauté économique européenne - CEE

MERCANTEGGIARE, CAVILLARE
F : marchander
GB : *haggle (USA bargain)*
D : feilschen
E : *regatear*

MERCANTILE
F : mercantile
GB : *mercantile*
D : Handels-
E : *mercantil*

MERCATO A CONTANTI
F : marché au comptant
GB : *spot market*
D : Kassageschäft
E : *operación al contado*
Marché boursier où les titres mobiliers échangés sont immédiatement payés au prix convenu

MERCATO A TERMINE
F : marché à terme
GB : *futures market*
D : Terminmarkt
E : *meercado de futuros*
Marché sur lequel le jour de conclusion d'un contrat et celui de son exécution sont dissociés

MERCATO AZIONARIO
F : marché des valeurs
GB : *share market (USA stock market)*
D : Aktienmarkt
E : *mercado de valores*

MERCATO CHIUSO
F : marché ferme
GB : *closed market*
D : gesperrter Markt
E : *mercado cerrado*

MERCATO COMMERCIALE
F : marché commercial
GB : *produce market*
D : Warenmarkt
E : *mercado de productos*

MERCATO DELLA MANO D'OPERA
F : marché du travail
GB : *labour market*
D : Arbeitsmarkt
E : *mercado de mano de obra*

MERCATO DI DENARO
F : marché monétaire
GB : *money market*
D : Geldmarkt
E : *mercado de dinero*
Marché des capitaux à court et à moyen terme, comprenant le marché interbancaire et le nouveau marché des titres de créances négociables

MERCATO DI MATERIE PRIME
F : marché de matières premières
GB : *commodity market*
D : Rohstoffmarkt
E : *mercado de materias primas*

MERCATO DI SCONTO
F : marché de l'escompte
GB : *discount market*
D : Diskontmarkt
E : *mercado de descuentos*

MERCATO ESCLUSIVO
F : marché exclusif
GB : *exclusive market*
D : ausschleißlicher Markt
E : *mercado exclusivo*

MERCATO LIBERO
F : marché libre
GB : *open market*
D : freier Markt
E : *mercado libre*
Marché où se négocient librement des valeurs n'ayant pas de cotation officielle

MERCATO NERO
F : marché noir
GB : *black market*
D : schwarzer Markt
E : *mercado negro*

MERCATO PUBBLICO
F : marché public
GB : *procurement contract*
D : Vertrag über öffentlicher Arbeiten
E : *mercado público*
Contrat liant une personne publique (Etat, administration, collectivité locale) à un entrepreneur ou un fournisseur de services

MERCATO SECONDARIO
F : second marché
GB : *French second-tier unlisted securities market with reduced reporting requirements*
D : Zweitmarkt
E : *segundo mercado*
Marché boursier créé par la loi du 3 janvier 1983 pour faciliter aux entreprises moyennes l'accès à l'épargne publique

MERCATO TENDENTE AL RIALZO
F : marché orienté à la hausse
GB : *bull market*
D : Haussemarkt
E : *mercado alcista*

MERCATO TENDENTE AL RIBASSO
F : marché orienté à la baisse
GB : *bear market, falling market*
D : Baissemarkt
E : *mercado bajista*

MERCATO, AFFARE
F : marché
GB : *market, deal*
D : Markt, Handel
E : *mercado, negocio*

MERCE
F : marchandises
GB : *goods*
D : Güter
E : *mercancias*

MERCE AVARIATA
F : marchandises avariées
GB : *damaged goods*
D : beschädigte Waren
E : *mercancias averiadas*

MERCE DI RITORNO
F : marchandises de retour
GB : *returned goods*
D : Retourware
E : *mercancias devueltas*
Qui n'ont pas été vendues

MERCE IN MAGAZZINO
F : marchandises en magasin
GB : *stock in hand*
D : Vorrat auf Lager
E : *mercancias en almacén*

MERCE PERICOLOSA
F : marchandises dangereuses
GB : *dangerous goods*
D : gefährliche Waren
E : *mercancias peligrosas*

MERCE PRONTA
F : marchandises disponibles
GB : *spot goods*
D : sofort lieferbare Waren
E : *mercancias prontas*

MERCE SEQUESTRATA
F : biens saisis
GB : *distressed goods*
D : gepfändete Güter
E : *mercancias embargades*
Biens ayant fait l'objet d'une saisie

MERCE, PRODOTTO
F : marchandise
GB : *commodity, marchandise*
D : Gut, Ware
F : *mercaderia, mercancia*

MERCHANDISING
F : marchandisage
GB : *merchandising*
D : Handel
E : *merchandising*
Rattaché au marketing, il contrôle toutes les techniques de présentation d'un produit : l'aspect extérieur, le conditionnement (en contact direct ou non avec la marchandise)

MERCI DEPERIBILI
F : marchandises périssables
GB : *perishable goods*
D : leich verderbliche Waren
E : *mercancias perecederas*

MERCI SOTTO VINCOLO DOGANALE
F : marchandises sous douane
GB : *bonded goods*
D : Waren unter Zollverschluß
E : *mercancias en aduana*
Pour lesquelles les droits ou taxes n'ont pas été encore acquittés

MESTIERE
F : métier
GB : *trade*
D : Beruf
E : *oficio*

METÀ PREZZO
F : moitié prix (à)
GB : *half price*
D : zum halben Preis
E : *miltad de precio (a)*

MEZZA PAGA
F : demi-salaire
GB : *half-pay*
D : Halbsold
E : *medio salario*

MEZZO
F : moitié (à)
GB : *half*
D : halb
E : *medio*

MEZZO PUBBLICITARIO
F : support publicitaire
GB : *advertising medium*
D : Werbemittel
E : *medio de publicidad*

MICROECONOMIA
F : micro-économie
GD : *microeconomics*
D : Mikroökonomie
E : *microeconomía*
Approche économique basée sur l'étude des comportements des unités individuelles (l'entreprise, le consommateur, l'entrepreneur individuel)

MIGLIOR OFFERENTE
F : plus offrant
GB : *highest bidder*
D : Meistbietende(r)
E : *ofertante mas alto*

MIGLIORAMENTO
F : amélioration
GB : *improvement*
D : Verbesserung
E : *mejora*

MINERA
F : mine
GB : *mine*
D : Bergwerk
E : *mina*

MINERALE
F : minéral
GB : *mineral*
D : Mineral
E : *mineral*

MINERALE DI FERRO
F : minerai de fer
GB : *iron ore*
D : Eisenrz
E : *mineral de hierro*

MINIMIZZARE
F : minimiser
GB : *minimize*
D : minimieren
E : *minimizar*

MINIMO
F : minimum
GB : *minimum*
D : minimal
E : *minimo*

MINISTERO
F : ministère
GB : *ministry*
D : Ministerium
E : *ministerio*

MINORANZA (DEI SOCI) IN GRADO DI INFLUENZARE LE DECISIONI DELL'ASSEMBLEA
F : minorité de blocage
GB : *blocking minority*
D : Sperrminorität
E : *minoría de bloqueo*
Fraction du capital social ou des droits de vote d'une société détenue par des actionnaires non majoritaires leur permettant de s'opposer à certaines décisions

MISURA
F : mesure
GB : *measure*
D : Maß
E : *medida*

MISURAR
F : mesurer
GB : *measure*
D : messen
E : *medir*

MOBILIA
F : meubles nmp
GB : *furniture*
D : Möbel
E : *muebles*

MOBILITÀ
F : mobilité
GB : *mobility*
D : Beweglichkeit
E : *movilidad*

MOBILITAZIONE DEI CREDITI COMMERCIALI
F : mobilisation de créances commerciales
GB : *assignment of trade receivables*
D : Refinanzierung von Forderungen
E : *movilización de créditos comerciales*
Utilisation de la technique de l'escompte qui permet à une entreprise d'obtenir des fonds en cédant à une banque les titres représentant les créances sur ses clients

ITALIEN

MODA
F : mode
GB : *mode*
D : Mode, Modus
E : *modo*

MODELLO
F : modèle
GB : *model*
D : Modell
E : *modelo*

MODIFICHE
F : travaux de transformation
GB : *alterations*
D : Umbau
E : *reformas*

MODIFICHE E RIPARAZIONI
F : transformations et réparations
GB : *alterations and repairs*
D : Änderungen und Reparaturen
E : *reformas y reparaciones*

MODULO
F : formule (imprimée)
GB : *form*
D : Formular
E : *formulario*
Imprimé, formule administrative

MODULO IN BIANCO
F : formulaire en blanc
GB : *blank form*
D : Blankoformular
E : *formulario en blanco*

MODULO STAMPATO
F : formulaire
GB : *printed form*
D : Vordruck
E : *formulario, impreso*
Recueil de formules

MOLTIPLICARE
F : multiplier
GB : *multiply*
D : vervielfältigen
E : *multiplicar*

MOLTIPLICATORE
F : multiplicateur
GB : *multiplier*
D : Vervielfältiger
E : *multiplicador*

MONETA
F : pièce (de monnaie)
GB : *coin*
D : Münze
E : *moneda*

MONOPOLIO
F : monopole
GB : *monopoly*
D : Monopol
E : *monopolio*
Situation d'un marché sur lequel la concurrence n'existe pas du côté de l'offre (un seul vendeur)

MORATORIA
F : moratoire
GB : *moratorium*
D : Zahlungsaufschub
E : *moratorio*
Disposition suspendant l'application d'un délai fixé par la loi ou par contrat

MORTE
F : mort
GB : *death*
D : Tod
E : *muerte*

MOSTRA
F : présentoir
GB : *display unit*
D : Schaukasten
E : *presentacion*

MOSTRA IN VETRINA
F : étalage
GB : *window-display*
D : Fensterauslage
E : *exhibicion en vitrina*

MOTIVAZIONE
F : motivation
GB : *motivation*
D : Motivation
E : *motivación*

MOTORE A REAZIONE
F : réacteur
GB : *jet engine*
D : Düsenmotor
E : *motor de propulsion a chorro*

MOZIONE
F : motion
GB : *motion*
D : Antrag
E : *mocion*
Proposition faite dans une assemblée par un ou plusieurs de ses membres

MULTA
F : pénalité (amende)
GB : *fine*
D : Geldstrafe
E : *sancion, multa*
Amende recouvrée en cas de fraude ou d'infraction fiscales

MUNICIPALE
F : communal
GB : *municipal*
D : Kommunal-
E : *municipal*

MUTUA ASSICURAZIONE
F : assurance mutuelle
GB : *mutual insurance*
D : Versicherung auf Gegenseitigkeit
E : *coaseguro*

N-O

NAVE
F : navire
GB : ship
D : Schiff
E : barco

NAVE DA CONTENITORI
F : navire porte-containers
GB : container ship
D : Containerschiff
E : barco de contenedores

NAVE MERCANTILE
F : navire marchand
GB : merchant ship
D : Handelsschiff
E : barco mercante

NAVE TRAGHETTO
F : bac (bateau)
GB : ferry-boat
D : Fährboot
E : transbordador

NAVIGABILE
F : navigable
GB : navigable
D : schiffbar
E : navegable

NAZIONALE
F : national
GB : national
D : national
E : nacional

NAZIONALITÀ
F : nationalité
GB : nationality
D : Staatsangehörigkeit
E : nacionalidad

NAZIONALIZZAZIONE
F : nationalisation
GB : nationalization
D : Verstaatlichung
E : nacionalizacion
Transfert à la collectivité nationale de certaines entreprises ou de l'exercice de certaines activités

NEGLIGENZA
F : négligence
GB : negligence
D : Fahrlässigkeit
E : negligencia

NEGOZIABILE
F : négociable
GB : negotiable
D : begebbar
E : negociable
Transmissible sur un marché

NEGOZIANTE, COMMERCIANTE
F : négociant
GB : dealer, merchant
D : Händler, Kaufmann
E : comerciante
Intermédiaire entre fabricants et utilisateurs, il cherche auprès de nombreux fournisseurs les meilleures conditions de prix. Il intervient en amont, en aval ou parallèlement au grossiste

NEGOZIARE
F : négocier
GB : negotiate
D : verhandeln
E : negociar

NEGOZIO A CATENA
F : magasin à succursales multiples
GB : chain store
D : Kettengeschäft
E : sucursal de cadena de almacenes

NEMICO
F : ennemi
GB : enemy
D : Feind
E : enemigo

NETTO
F : net
GB : net
D : Netto-,Rein-
E : neto

NODO
F : nœud
GB : knot
D : Knoten
E : nudo

NOLEGGIARE, EFFITARE
F : louer
GB : hire, rent
D : mieten, vermieten
E : alquilar

NOLEGGIATORE
F : affréteur
GB : charterer
D : Befrachter
E : fletador

NOLEGGIO
F : affrètement
GB : chartering
D : Befrachtung
E : fletamento
Le loueur (fréteur) met à la disposition d'un affréteur un moyen de transport de marchandises ou de personnes, contre rémunération et pour un temps donné

NOLO
F : fret
GB : freight
D : Fracht
E : flete

NOLO PREPAGATO
F : fret payé d'avance
GB : freight pre-paid
D : Fracht vorausbezahlt
E : flete pagado

NOMENCLATURA CONTABILE
F : nomenclature comptable
GB : accounting terminology
D : buchhalterische Nomenklatur
E : nomenclatura contable
Liste méthodique des éléments entrant dans le champ de la comptabilité de l'entreprise

NOMENCLATURA DI BRUXELLES
F: Nomenclature de Bruxelles (NDB)
GB: *Brussels Nomenclature*
D: Brüsseler Verzeichnis
E: *Nomenclatura de Bruselas*
Classification méthodique des termes, produits et éléments divers employés dans la comptabilité européenne

NOMINALE
F: nominal
GB: *nominal*
D: nominell
E: *nominal*

NOMINARE
F: nommer
GB: *appoint*
D: ernennen
E: *nombrar*

NOMINATIVO
F: nominatif
GB: *registered*
D: namentlich
E: *nominativo*

NON AUTORIZZATO
F: autorisé (non)
GB: *unauthorized*
D: unbefugt
E: *inautorizado*

NON NEGOZIABILE
F: négociable (non)
GB: *not negotiable*
D: nicht übertragbar
E: *no negociable*

NON ONORARE UN EFFETTO
F: honorer un effet (ne pas)
GB: *dishonour a bill*
D: einen Wechsel nicht akzeptieren
E: *protestar una letra*
Ne pas s'acquitter d'une dette

NON QUOTATO
F: hors cote
GB: *unlisted*
D: nicht amtlich notiert
E: *fuera de cotización*
Marché de la Bourse de Paris regroupant les valeurs mobilières non admises sur le Marché officiel

NORMA
F: norme
GB: *standard, norm*
D: Standard, Norm
E: *norma, standard*
Prescription technique (qui peut être définie par la loi) relative à la qualité d'un produit, à son contrôle, à sa sécurité et à son aptitude à l'emploi

NOTA DI ADDEBITO
F: avis de débit
GB: *debit note*
D: Lastschrift
E: *nota de débito*

NOTA DI CONSEGNA
F: bon de livraison
GB: *delivery note*
D: Lieferschein
E: *aviso de entrega*
Document remis par le vendeur à l'acheteur avec la marchandise livrée, sans mention de prix

NOTA DI CONTRATTO
F: bon d'achat
GB: *contract note*
D: Schlußschein
E: *nota de contrato*

NOTA DI CREDITO
F: avis de crédit
GB: *credit note*
D: Gutschriftanzeige
E: *nota de crédito*

NOTAIO PUBBLICO
F: notaire
GB: *notary public*
D: Notar
E: *notario publico*
Officier public chargé de recevoir, rédiger, authentifier et conserver les actes et contrats des particuliers

NOTIFICA
F: notification
GB: *notification*
D: Mittelung
E: *notificacion*

NOTORIETÀ
F: notoriété
GB: *fame/recognition*
D: Bekanntheit
E: *notoriedad*

NOTORIETÀ SPONTANEA GUIDATA
F: notoriété spontanée assistée
GB: *attended spontaneous*
D: unterstützte Spontanbekanntheit
E: *notoriedad espontánea asistida*
NOTORIETE ASSISTEE: Caractérise une marque citée lors d'une enquête après avoir été choisie dans une liste présentée au consommateur. NOTORIETE SPONTANEE: Caractérise une marque citée de mémoire par un consommateur sans aucune aide extérieure

NULLO
F: nul
GB: *void*
D: nichtig
E: *nulo*

NULLO E SENZA EFFETTO
F: nul et non avenu
GB: *null and void*
D: null und nichtig
E: *nulo y sin valor*
Considéré comme n'ayant jamais existé

NUMERO
F: numéro
GB: *number*
D: Nummer, Anzahl
E: *numero*

NUMERO DI TELEFONO
F: numéro de téléphone
GB: *telephone number*
D: Telefonnummer
E: *numero de téléfono*

OBBLIGATORIO
F: obligatoire
GB: *compulsory*
D: verbindlich
E: *obligatorio*

OBBLIGAZIONE
F: obligation
GB: *debenture, bond*
D: Obligation, Schuldverschreibung
E: *obligacion*
Valeur mobilière, titre représentatif d'un emprunt contracté par une personne morale, pour un montant et une durée déterminés, auprès d'un souscripteur (personne physique ou morale) qui perçoit éventuellement un intérêt fixe

OBBLIGAZIONE AL PORTATORE
F: obligation au porteur
GB: *bearer debenture*
D: Inhaberobligation
E: *obligacion al portador*
Titre non nominatif de créance négociable manuellement

OBBLIGAZIONE CONVERTIBILE IN AZIONI
F: obligation convertible en action
GB: *bond convertible into equity*
D: Wandelanleihe,
E: *obligación convertible en acción*
Obligation que le souscripteur peut, au terme d'un certain délai ou à une date déterminée, transformer en action

OBBLIGAZIONE DELLO STATO
F: obligation d'Etat
GB: *government bond*
D: Staatsobligation
E: *obligacion del Estado*

OBBLIGAZIONE FONDIARIA
F: obligation foncière
GB: *property bond*
D: Grund-und Gebäude-obligation
E: *cédula hipotecaria*
Obligation à revenu fixe émise par une banque de crédit hypothécaire et destinée à financer des prêts immobiliers

OBBLIGAZIONE GARANTITA
F : obligation garantie (ou cautionnée)
GB : *secured debenture*
D : gesicherte Schuldverschreibung
E : *obligacion garantizada*
Cautionnement donné par une banque permettant le paiement à crédit de certains impôts indirects au Trésor public

OBBLIGAZIONE IPOTECARIA
F : obligation hypothécaire
GB : *mortgage debenture*
D : hypothekarisch gesicherte Schuldverschreibung
E : *obligacion hipotecaria*
Obligation garantie par une hypothèque sur des biens immeubles

OBBLIGAZIONE IRREDIMIBILE
F : obligation irremboursable
GB : *irredeemable debenture*
D : uneinlösbare Schuldverschreibung
E : *obligacion amortizable*

OBBLIGAZIONE PERPETUA
F : obligation perpétuelle
GB : *perpetual debenture*
D . Dauerschuldverschreibung
E : *obligacion a perpetuidad*
Emprunt à durée indéterminée n'ayant aucune échéance de remboursement

OBBLIGAZIONE REDIMIBILE
Γ : obligation amortissable
GB : *redeemable bond*
D : Kündbare Obligation
E : *obligacion reembolsable*
Obligation remboursable

OBBLIGAZIONE SENZA DATA DI SCADENZA
F : obligation sans date d'échéance
GB : *undated bond*
D : Schuldverschreibung ohne Fälligkeitsdatum
E : *obligacion sin fecha de vencimiento*

OBBLIGAZIONI ASSIMILABILI DEL TESORO
F : obligations assimilables du Trésor
GB : *treasury bond*
D : Bundesschatzanleihen
E : *obligaciones asimilables del Tesoro*
Ont pour caractéristiques un montant nominal de 2 000 F, une durée d'émission comprise entre 5 et 25 ans avec des échéances standards et des coupons annuels fixes ou variables

OBBLIGAZIONISTA
F : porteur d'obligations
GB : *debenture holder*
D : Obligationsinhaber
E : *obligacionista*

OBSOLESCENZA, INVECCHIAMENTO DEI MEZZI PRODUTTIVI
F : obsolescence
GB : *obsolescence*
D : Veralterung
E : *obsolescencia*
Caractérise un matériel périmé par le progrès technique ou les produits nouveaux alors que le délai d'usure n'est pas atteint

OCCUPAZIONE, IMPIEGO
F : occupation
GB : *occupation, job*
D : Beschäftigung
E : *ocupacion, empleo*

OFFERTA
F : offre
GB : *bid, offer*
D : Angebot, Offerte
E : *oferta*
Mise à la disposition du marché de biens ou de services. Par extension, leur volume par rapport à la demande

OFFERTA
F : soumission
GB : *bid, tender*
D : Angebot
E : *oferta*
Engagement d'un entrepreneur à respecter le cahier des charges d'une adjudication, au prix qu'il a lui-même fixé

OFFERTA DI ACQUISTO
F : offre de rachat
GB : *take-over bid*
D : Übernahmeangebot
E : *oferta de adquisicion*

OFFERTA DI OCCASIONE
F : offre exceptionnelle
GB : *bargain offer*
D : Sonderangebot
E : *oferta de ocasion*

OFFERTA E DOMANDA
F : offre et demande
GB : *supply and demand*
D : Angebot und Nachfrage
E : *oferta y demanda*

OFFERTA FERMA
F : offre ferme
GB : *firm offer*
D : festes Angebot
E : *oferta en firme*

OFFERTA PUBBLICA DI ACQUISTO
F : offre publique d'achat - OPA
GB : *takeover bid*
D : öffentliches Ankaufsangebot
E : *oferta pública de adquisición*
Procédure boursière qui permet à une personne physique ou morale de prendre le contrôle d'une société cotée en proposant à ses actionnaires le rachat de leurs actions à un cours supérieur au cours de Bourse ou à la valeur réelle du titre

OFFERTA PUBBLICA DI SCAMBIO
F : offre publique d'échange - OPE
GB : *tender offer*
D : öffentliches Wechselangebot
E : *oferta pública de intercambio*
OPA pour laquelle les actions des actionnaires de la société cible sont échangées contre des titres (actions ou obligations) de celle qui achète

OFFERTA SOPRA LA PARI
F : offre à prime
GB : *premium offer*
D : Verkauf mit Zugaben
E : *oferta a prima*
Forme de remise sur une vente ou de plus-value financière

OFFERTA SPECIALE
F : offre spéciale
GB : *special offer*
D : Sonderangebot
E : *oferta especial*

OFFRIRE
F : offrir
GB : *offer*
D : anbieten
E : *ofrecer*

OLIGOPOLIO
F : oligopole
GB : *oligopoly*
D : Oligopol
E : *oligopolio*
Situation d'un marché sur lequel la concurrence est imparfaite du fait que l'offre est réalisée par un petit nombre de grandes entreprises face à un grand nombre de demandeurs

OMISSIONE
F : omission
GB : *omission*
D : Auslassung, Unterlassung
E : *omision*

OMOLOGAZIONE DI TESTAMENTO
F : validation d'un testament
GB : *probate*
D : Testamentseröffnung, Bestätigung
E : *validacion de los testamentos*
Testament considéré comme valable

ONERE, CARICO
F : charge
GB : *charge*
D : Kosten
E : *carga*

ONERI SOCIALI
F : charges sociales
GB : *payroll taxes*
D : soziale Kosten
E : *cargas sociales*
Cotisations patronales et salariales liées au salaire et imposées aux entreprises pour financer la protection sociale

ONESTO
F : honnête
GB : *honest*
D : ehrlich
E : *honesto*

ONORARE
F : honorer
GB : *honour*
D : honorieren
E : *honrar*
Respecter ses engagements

ONORARIO
F : honoraires
GB : *fee*
D : Vergütung, Honorar
E : *honorario*
Revenus des professions libérales

ONORARIO
F : horaire adj
GB : *honorary*
D : ehrenamtlich
E : *honorario*

OPERAIO,LAVORATORE
F : ouvrier
GB : *worker, workman*
D : Arbeiter
E : *obrero, trabajador*

OPERATIVO
F : opérationnel
GB : *operational*
D : operativ
E : *operacional*
Adapté à la tâche ou à la fonction à remplir. Désigne aussi une fonction se rapportant à l'activité principale de l'entreprise (par opposition aux tâches administratives)

OPERATORE ECONOMICO
F : acteur économique
GB : *economic agent*
D : wirtschaftlicher Akteur
E : *actor económico*

OPERAZIONE
F : opération (affaire)
GB : *transaction*
D : Transaktion, Abschluß
E : *operacion (mercantil)*

OPERAZIONE A CONTANTI
F : transaction au comptant
GB : *cash deal*
D : Bargeschäft
E : *trato al contado*
Transaction qui a donné lieu à un règlement immédiat (en monnaie)

OPERAZIONE DI BORSA
F : opération de Bourse
GB : *stock market transaction*
D : Börsengeschäft
E : *operación de Bolsa*

OPERAZIONI A TERMINE
F : opérations à terme
GB : *forward dealings*
D : Zeitgeschäfte
E : *negociaciones a término*
Opérations réalisées sur un marché à terme

OPINIONE
F : opinion
GB : *opinion*
D : Meinung
E : *opinion*

OPUSCOLO PUBBLICITARIO
F : prospectus publicitaire
GB : *advertising brochure*
D : Werbeschrift
E : *folleto publicitario*

OPUSCOLO PUBBLICITARIO ANNUALE DI UN'AZIENDA
F : plaquette annuelle
GB : *annual report*
D : Geschäftsbericht
E : *folleto anual*

OPZIONE
F : option
GB : *option*
D : Option
E : *opcion*
Clause d'un contrat donnant à l'une des parties le droit de réaliser quelque chose à une date future et à des conditions fixées à la date du contrat

OPZIONE DOPPIA
F : double option
GB : *double option*
D : Stellagegeschäft
E : *opcion doble*
Option du double. Type d'option supprimé en 1989 par la SBF

ORA
F : heure
GB : *hour*
D : Stunde
E : *hora*

ORA DI COLAZIONE
F : déjeuner (pause)
GB : *lunch-hour*
D : Mittagspause
E : *hora del almuerzo*

ORA DI PUNTA
F : heures d'affluence
GB : *rush hour*
D : Hauptverkehrszeit
E : *hora punta*

ORA LEGALE
F : heure légale
GB : *standard time*
D : Normalzeit
E : *hora oficial*
Heure officielle qui règle la vie civile, avant ou après laquelle certains actes ne peuvent être accomplis

ORARIO D'APERTURA
F : heures d'ouverture
GB : *business hours*
D : Geschäftszeit
E : *horario de comercio*

ORARIO D'UFFICIO
F : heures de bureau
GB : *office hours*
D : Geschäftsstunden
E : *horario de oficina*

ORARIO FERROVIARIO
F : indicateur des chemins de fer
GB : *railway timetable*
D : Eisenbahnfahrplan
E : *honario de trenes*

ORDINARE
F : commande (passer une)
GB : *order*
D : bestellen
E : *hacer un pedido*

ORDINATIVO
F : ordonnancement
GB : *(Administration) order to pay/ (industrie) production scheduling*
D : Zahlungsanweisung
E : *planificación*
Organisation, agencement méthodique. Acte administratif par lequel ordre est donné de payer une dette contractée par un organisme public

ORDINE
F : commande
GB : *order*
D : Bestellung
E : *pedido*

ORDINE BANCARIO
F : ordre bancaire
GB : *banker's order*
D : Bankauftrag
E : *orden bancaria*
Endossement par une banque

ORDINE DEL GIORNO
F : ordre du jour
GB : *agenda*
D : Tagesordnung
E : *orden del dia*

ORDINE PER ESPORTAZIONE
F : commande d'exportation
GB : *export order*
D : Exportauftrag
E : *pedido de exportacion*

ORE DI PUNTA
F : heures de pointe
GB : *peak hours*
D : Verkehrsspitze
E : *horas punta*
Moments où l'activité (consommation, intensité de la circulation, affluence) est à son maximum

ORE LAVORATIVE
F : durée du travail
GB : *hours of work*
D : Arbeitszeit
E : *jormada laboral*

ORE-UOMO
F : heures-homme
GB : *man-hours*
D : Erbeitsstunde pro Mann
E : *horas-hombre*
Heures de travail effectuées par individu

ORGANIGRAMMA
F : organigramme
GB : *organization chart*
D : Organigramm
E : *organigrama*
Représentation graphique de la structure d'une organisation, montrant ses différents organes et leurs liaisons hiérarchiques

ORGANIZZAZIONE
F : organisation
GB : *organization*
D : Organisation
E : *organizacion*

ORGANIZZAZIONE INTERNAZIONALE DEL LAVORO
F : Organisation Internationale du travail - OIT
GB : *International labour organization (ILO)*
D : Internationale Arbeitsorganisation (IAO)
E : *Organizacion laboral internacional*

ORGANIZZAZIONE MUNDIALE DELLA SANITÀ (OMS)
F : Organisation mondiale de la santé - OMS
GB : *World health organization (WHO)*
D : Weltgesundheitsorganisation (WHO)
E : *Organizacion mundial de la salud (OMS)*
Organisation spécialisée de l'ONU dont le siège est à Genève, et qui a pour objet de créer les conditions pour « amener tous les peuples au degré de santé le plus élevé possible »

ORGANIZZAZIONE PER LA COOPERAZIONE E LO SVILUPPO ECONOMICO
F : Organisation de coopération et de développement économiques - OCDE
GB : *Organization for economic cooperation and development (OECD)*
D : Organisation für wirtschaftliche Zusammenarbeit und Entwicklung (OECD)
E : *Organizacion para cooperacion y desarrollo economico*
Regroupe à Paris 25 pays en majorité européens ainsi que les Etats-Unis, le Canada, le Japon, l'Australie et la Nouvelle-Zélande. Son rôle depuis 1961 : favoriser l'expansion économique de ses membres ainsi que celle des pays en développement

ORIGINALE
F : original (nm)
GB : *top copy*
D : Original
E : *original*

ORIGINE
F : origine
GB : *origin*
D : Ursprung
E : *origen*

ORO
F : or
GB : *gold*
D : Gold
E : *oro*

OTTENERE (UN'ORDINAZIONE, UNA COMMESSA)
F : accrocher (une commande)
GB : *pull off (an order)*
D : (eine Bestellung) ergattern
E : *conseguir (un pedido)*

OTTIMALE
F : optimum
GB : *optimum*
D : Optimum
E : *óptimo*
Valeur d'une grandeur, ou d'un ensemble de grandeurs, jugée comme la plus adaptée à la réalisation d'un ou plusieurs objectifs

OUTPLACEMENT
F : outplacement
GB : *outplacement*
D : Umschulung
E : *reconversión externa*
Financé par l'entreprise qui se sépare de collaborateurs, il est effectué par des sociétés spécialisées qui mettent à la disposition des salariés, pendant un temps déterminé, conseils et moyens divers pour leur recherche d'emploi

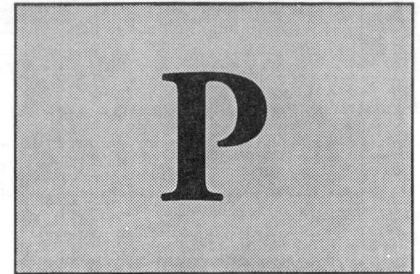

PACCHETTO SOFTWARE
F : progiciel
GB : *software package*
D : Anwendersoftware
E : *paquete de programas*
Ensemble de logiciels standards répondant à une catégorie spécifique de besoins

PACCO, COLLO
F : paquet
GB : *parcel, package*
D : Paket
E : *paquete*

PACKAGE
F : package
GB : *package*
D : Paket
E : *package*
Assemblage de produits offerts à la vente

PADRONE, PRINCIPALE
F : patron
GB : *employer, principal*
D : Arbeitgeber, Chef
E : *patrono, principal*

PAESE
F : pays
GB : *country*
D : Land
E : *pais*

PAESE DI ORIGINE
F : pays de provenance
GB : *country of origin*
D : Herkunftsland
E : *pais de origen*

PAESE IN VIA DI SVILUPPO
F : pays en voie de développement
GB : *developing country*
D : Entwicklungsland
E : *pais en desarrollo*
Successivement sous-développés (années 60) puis en voie de développement (années 70), les pays en développement sont classés comme tels par la Banque mondiale en fonc-

tion de leur revenu moyen annuel par habitant. Les plus pauvres, appelés pays moins avanc

PAESI SOTTOVILUPPATI
F : pays sous-développés
GB : *underdeveloped countries*
D : unterentwickelte Länder
E : *paises en desarrollo*

PAGA NETTA
F : salaire net
GB : *take-home pay*
D : Nettolohn
E : *paga neta*
Rémunération après déduction des cotisations sociales

PAGABILE
F : payable
GB : *payable*
D : zahlbar
E : *pagadero, pagable*

PAGABILE A VISTA
F : payable à vue
GB : *payable at sight*
D : zahlbar bei Sicht
E : *pagadero a la vista*
Voir A vue

PAGABILE AL PORTATORE
F : payable au porteur
GB : *payable to bearer*
D : an den Inhaber zahlbar
E : *pagadero al portador*
Document non nominatif payable à celui qui le présente

PAGAMENTI TRIMESTRALI
F : paiements trimestriels
GB : *quarterly payments*
D : vierteljährliche Zahlungen
E : *pagos trimestrales*

PAGAMENTO
F : versement
GB : *payment*
D : Zhlung
E : *pago*

PAGAMENTO A COMPLETA TACITAZIONE
F : paiement libératoire
GB : *payment in full discharge*
D : Zahlung zum vollen Ausgleich
E : *pago de liberacion*
Qui a pour effet de libérer un débiteur de sa dette

PAGAMENTO ALLA CONSEGNA
F : paiement à la livraison
GB : *cash on delivery (COD)*
D : Lieferung gegen Nachnahme
E : *entrega contra reembolso*

PAGAMENTO ANTICIPATO
F : paiement par anticipation
GB : *advance payment*
D : Vorauszahlung
E : *anticipo*

PAGAMENTO ANTICIPATO
F : paiement anticipé
GB : *prepayment*
D : Vorauszahlung
E : *pago andelantado*

PAGAMENTO CON L'ORDINE
F : payable à la commande
GB : *cash with order*
D : gegen Barzahlung
E : *pagadero con el pedido*

PAGAMENTO DIFFE'ITO
F : paiement différé
GB : *deferred payment*
D : gestundete Zahlung
E : *pago aplazado*

PAGAMENTO IN CONTO
F : versement à compte
GB : *payment on account*
D : Anzahlung
E : *pago a cuenta*
Acompte

PAGAMENTO IN PIENO
F: libération intégrale
GB: *payment in full*
D: volle Zahlung
E: *pago en pleno*
Versement intégral d'un capital souscrit par des actionnaires

PAGAMENTO PARZIALE
F: paiement partiel
GB: *part payment*
D: Ratenzahlung
E: *pago parcial*

PAGAMENTO SECONDO RISULTATI
F: salaire au rendement
GB: *payment by results*
D: Leistungslohn
E: *pago por resultados*

PAGAMENTO SOTTO PROTESTO
F: paiement sous protêt
GB: *payment under protest*
D: Zahlung unter Protest
E: *pago sobre protesta*
Effectué sous la contrainte d'un huissier qui constate le non-paiement d'un chèque, d'un billet à ordre ou d'une lettre de change

PAGARE
F: payer
GB: *pay*
D: zahlen
E: *pagar*

PAGARE A RATE MENSILI (SETTIMANALI)
F: payer par termes mensuels (hebdomadaires)
GB: *pay by monthly (weekly) instalments*
D: monatlich (wöchentlich) in Raten zahlen
E: *pagar a plazos mensuales (semanales)*

PAGARE AL PORTATORE
F: payer au porteur
GB: *pay to bearer*
D: zahlen bei Vorlage
E: *paguese al portador*

PAGATO IN ANTICIPO
F: payé d'avance
GB: *prepaid*
D: vorausbezahlt
E: *pagado por adelantado*

PAGHERO
F: billet à ordre
GB: *promissory note*
D: Schuldschein
E: *pagaré*
Effet de commerce par lequel un souscripteur s'engage à payer à un bénéficiaire une certaine somme à une date déterminée

PAGHERO
F: reconnaissance de dette
GB: *IOU (I owe you)*
D: Schuldschein
E: *pagaré*

PALETTA
F: palette
GB: *pallet*
D: Palette
E: *bandeja*

PALETTIZZAZIONE
F: palettisation
GB: *palletization*
D: Palettieren
E: *paletizacion*
Utiliser ou prévoir l'emploi de palettes pour la manutention de marchandises

PARADIGMA
F: paradigme
GB: *paradigm*
D: Musterwort
E: *paradigma*
Ensemble de faits, de propositions et de méthodes qui, à un moment donné, sont admis par une communauté scientifique et oriente son activité

PARADISO FISCALE
F: paradis fiscal
GB: *tax heaven*
D: Steuerparadies
F: *oasis tributario*

PARAMETRO
F: paramètre
GB: *parameter*
D: Parameter
E: *parámetro*
Elément, coefficient constant attribué aux variables dans un modèle économétrique

PAREGGIARE UN BILANCIO
F: équilibrer un budget
GB: *balance a budget*
D: einen Haushaltsplan ins Gleichgewicht bringen
E: *balancear el presupuesto*

PAREGGIARE UN CONTO
F: balancer un compte
GB: *balance an account*
D: eine Rechnung ausgleichen
E: *saldar una cuenta*
Etablir la balance débits/crédits d'une comptabilité

PARITÀ
F: parité
GB: *parity*
D: Parität
E: *paridad*
Taux de change

PARITÀ FISSA
F: parité fixe
GB: *fixed parity*
D: feste Parität
E: *paridad fija*

PART-TIME
F: temps partiel
GB: *part-time*
D: Teilzeit
E: *tiempo parcial*

PARTE
F: part
GB: *share*
D: Teil
E: *parte*

PARTE LESA
F: partie lésée
GB: *injured party*
D: Verletzte(r)
E: *parte lesionada*

PARTECIPARE
F: participer
GB: *participate*
D: beteiligen
E: *participar*

PARTECIPAZIONE AGLI UTILI
F: participation aux bénéfices
GB: *profit-sharing*
D: Gewinnbeteiligung
E: *participacion en los beneficios*

PARTECIPAZIONE MAGGIORITARIA
F: participation majoritaire
GB: *majority holding*
D: Mehrheitsbeteiligung
E: *tenencia de acciones por mayoria*

PARTICOLARI
F: détails
GB: *particulars*
D: Einzelheiten, Angaben
E: *detalles*

PARTITARIO DELLE VENDITE
F: grand livre des ventes
GB: *sales ledger*
D: Verkaufskontenbuch
E: *libro mayor de ventas*

PASSEGGERO
F: passager
GB: *passenger*
D: Reisende(r)
E: *pasajero*

PASSIVITÀ DIFFERITE
F: passif différé
GB: *deferred liabilities*
D: aufgeschobene Schulden
E: *pasivo transitorio*
Définition prévue non donnée

PASSIVITÀ ESIGIBILI
F: passif exigible
GB: *current liabilities*
D: laufende Verbindlichkeiten
E: *pasivo exigible*
Dettes à court terme

PASSIVO CIRCOLANTE
F: passif circulant
GB: *current liabilities*
D: Umlaufvermögen
E: *pasivo circulante*
Total des dettes à moins d'un an, dont on peut retrancher les dettes sur immobilisations, sur acquisitions de valeurs mobilières, les dettes fiscales et sociales et les comptes courants d'associés

PATENTE
F : patente
GB : *trading licence*
D : Gewerbeschein
E : *patente*
Voir Taxe professionnelle

PATTO
F : pacte
GB : *deed of covenant*
D : Pakt
E : *pacto*

PEGNO, GARANZIA
F : gage
GB : *credit, pledge, security*
D : Pfand
E : *fianza*
Bien mobilier remis à un créancier par son débiteur en garantie

PEGNO, IPOTECA
F : nantissement
GB : *security, hypothecation*
D : Nebenbürgschaft, Hypothek
E : *fianza, hipoteca*
Ou hypothèque mobilière. Dépôt, par un débiteur, d'un bien mobilier lui appartenant entre les mains de son créancier pour garantir le paiement de sa dette

PENALITÀ
F : pénalité
GB : *penalty*
D : Strafe
E : *multa*
Sanction fiscale

PENETRAZIONE NEL MERCADO
F : pénétration du marché
GB : *market penetration*
D : Markteindringen
E : *penetracion en el mercado*

PENSIONATO
F : pensionnaire
GB : *pensioner*
D : Rentner
E : *pensionado, pensionista*

PENSIONE
F : pension
GB : *pension*
D : Pension, Rente
E : *pension*
Cession temporaire d'effets négociables (qui servent de garantie) d'une banque à une autre pour obtenir des liquidités pour la durée nécessaire

PENSIONE A CONTRIBUTI
F : retraite par cotisations
GB : *contributory pension*
D : Kassenpension
E : *retiro contributivo*
Base du système de retraite par capitalisation (chaque actif finance sa propre retraite par le placement de ses cotisations) ou par répartition (celles-ci sont immédiatement reversées aux retraités)

PENSIONE PER LA VECCHIAIA
F : retraite vieillesse
GB : *old-age pension*
D : Altersversorgung
E : *retiro de vejez*
Revenu de remplacement versé, par le régime général ou les régimes complémentaires, à quiconque peut prétendre à la perception d'une retraite

PER CENTO
F : cent (pour) %
GB : *per cent*
D : Prozent
E : *por ciento*

PER VIA AEREA
F : avion (par)
GB : *by air*
D : per Luftpost
E : *por avion*

PERCENTUALE
F : pourcentage
GB : *percentage*
D : Prozentsatz
E : *porcentaje*

PERDITA
F : perte
GB : *loss*
D : Verlust
E : *pérdida*

PERDITA A SCOPI FISCALI
F : perte fiscale
GB : *tax loss*
D : Steuerverlust
E : *pérdida fiscal*
Définition prévue non donnée

PERDITA DI CAPITALE
F : perte de capital
GB : *capital loss*
D : Kapitalverlust
E : *pérdida de capital*

PERDITA DI UTILI
F : perte de bénéfices
GB : *loss of profits*
D : Gewinnausfall
E : *lucro cesante*

PERDITA INDIRETTA
F : perte indirecte
GB : *consequential loss*
D : Folgeschaden
E : *pérdida indirecta*
Définition prévue non donnée

PERDITA SULLA CARTA
F : perte fictive
GB : *paper loss*
D : imaginärer Verlust
E : *pérdida por realizar*
Définition prévue non donnée

PERDITA TOTALE ASSOLUTA
F : perte totale effective
GB : *actual total loss*
D : wirklicher Totalverlust
E : *pérdida total efectiva*

PERICOLO
F : péril
GB : *peril*
D : Gefahr
E : *peligro*

PERIFERIA
F : banlieue
GB : *suburb*
D : Vorort
E : *afueras*

PERITO MISURATORE
F : métreur-vérificateur
GB : *quantity surveyor*
D : Massenberechner
E : *medidor de contidades de obra*

PERIZIA
F : expertise
GB : *expert's report*
D : Sachverständigengutachten
E : *informe del especialista*

PERMESSO
F : permis
GB : *permit*
D : Erlaubnis, Genehmigung
E : *permiso*

PERMESSO D'ESPORTAZIONE
F : autorisation d'exporter
GB : *export permit*
D : Ausfuhrgenehmigung
E : *permiso de exportacion*

PERMESSO D'IMPORTAZIONE
F : licence d'importation
GB : *import licence*
D : Einfuhrerlaubnis
E : *permiso de importacion*

PERMESSO DI LAVORO
F : permis de travail
GB : *work permit*
D : Arbeitserlaubnis
E : *permiso de trabajo*

PERSONALE
F : personnel nm
GB : *personnel*
D : Personal
E : *personal*

PESANTE
F : lourd
GB : *heavy*
D : schwer
E : *pesado*

PESARE
F : peser
GB : *weigh*
D : wiegen
E : *pesar*

PESO
F : poids
GB : *weight*
D : Gewicht
E : *peso*

PESO LORDO
F: poids brut
GB: *gross weight*
D: Bruttogewicht
E: *peso bruto*

PESO NETTO
F: poids net
GB: *net weight*
D: Reingewicht
E: *peso neto*

PESO O VOLUME
F: poids ou mesure
GB: *weight or measurement*
D: Maß oder Gewicht
E: *peso o cubicaje*

PETROLIO DA ARDERE
F: mazout
GB: *fuel oil*
D: Heizöl
E: *fuel-oil*

PEZZA D'APPOGGIO
F: pièce justificative
GB: *voucher*
D: Belegstück
E: *pieza justificativa*

PEZZO, LOTTO
F: parcelle
GB: *parcel (of land) (USA plot)*
D: Parzelle
E: *parcela*

PIANIFICAZIONE
F: planning
GB: *schedule*
D: Terminierung
E: *planning*
Schéma, plan représentant une prévision et son processus de réalisation

PIANTERRENO
F: rez-de-chaussée
GB: *ground floor*
D: Erdgeschoß
E: *planta baja*

PIATTO
F: plat adj
GB: *flat*
D: flach
E: *llano, plano*

PICCHETTO
F: piquet
GB: *picket*
D: Posten
E: *piquete*
Pendant une grève, groupe de travailleurs placés à l'entrée du lieu de travail et qui veillent à l'exécution des consignes

PICCOLA PUBBLICITÀ
F: petite annonce
GB: *classified advertisement*
D: Kleinanzeige
E: *anuncio por palabras*

PICCOLE E MEDIE IMPRESE (PMI)
F: petites et moyennes entreprises (PME)
GB: *small and medium-sized companies*
D: kleine und mittlere Unternehmen
E: *pequeñas y medianas empresas (PME)*
Entreprises employant de 10 à 500 salariés

PIENA OCCUPAZIONE
F: plein emploi
GB: *full employment*
D: Vollbeschäftigung
E: *pleno empleo*
Situation d'un pays où la totalité de la main-d'œuvre disponible a la possibilité de trouver un emploi

PIENO
F: plein adj
GB: *full*
D: voll
E: *lleno*

PIGIONE, AFFITTO
F: loyer
GB: *rent*
D: Miete
E: *alquiler*

PITTOGRAMMA
F: pictogramme
GB: *pictogram*
D: Piktogramm
E: *pictograma*
Signe ou dessin simplifié et normalisé utilisé pour fournir une information

PLACCATO IN ORO
F: plaqué or
GB: *gold-plated*
D: vergoldet
E: *chapado en oro*

PLUSVALORE
F: plus-value
GB: *capital gain*
D: Mehrwert
E: *plusvalía*
Différence positive entre le prix de cession et le prix d'acquisition d'un bien ou d'un titre

POCO PROFICUO
F: profit (sans)
GB: *unprofitable*
D: unvorteilhaft
E: *nada lucrativo*

POLITICA
F: politique
GB: *policy*
D: Politik
E: *politica*

POLITICA AGRICOLA COMUNE
F: politique agricole commune
GB: *Common Agricultural Policy*
D: gemeinsame Agrarpolitik
E: *politica agricola comun*

POLITICA COMMERCIALE COMUNE
F: politique commerciale commune
GB: *Common Commercial Policy*
D: gemeinsame Handelspolitik
E: *politica comercial comun*

POLITICA COMUNE DELLA PESCA
F: politique commune de la pêche
GB: *Common Fisheries Policy*
D: gemeinsame Fischereipolitik
E: *politica comun de la pesca*

POLITICA DEI REDDITI
F: politique des salaires
GB: *Incomes policy*
D: Lohnpolitik
E: *plan de renta*

POLITICA MONETARIA
F: politique monétaire
GB: *monetary policy*
D: Währungspolitik
E: *politica monetaria*

POLIZZA D'ASSICURAZIONE INCENDIO
F: police incendie
GB: *fire insurance policy*
D: Feuerversicherungspolice
E: *poliza de seguro de incendios*

POLIZZA DI ASSICURAZIONE
F: police d'assurance
GB: *insurance policy*
D: Versicherungspolice
E: *poliza de seguro*

POLIZZA DI CARICO
F: connaissement
GB: *bill of lading*
D: Konossement
E: *conocimiento (de embarque)*
Document maritime qui vaut reçu de marchandises et contrat de transport

POOL BANCARIO
F: pool bancaire
GB: *banking pool*
D: Bankenunion
E: *pool bancario*
Association de plusieurs organismes bancaires nationaux et/ou étrangers pour financer un projet important ou exploiter en commun un service offert à leur clientèle

POPOLAZIONE
F : population
GB : *population*
D : Bevölkerung
E : *poblacion*

PORTAFOGLIO
F : portefeuille (d'un ministre)
GB : *portfolio*
D : Portefeuille, Geschäftsbereich
E : *cartera*

PORTAFOGLIO TITOLI
F : portefeuille d'investissements
GB : *investment portfolio*
D : investitionsportefeuille
E : *cartera de inversiones*

PORTATORE
F : porteur
GB : *bearer*
D : Inhaber
E : *portador*
Détenteur de titres

PORTATORE DI OBBLIGAZIONI
F : obligataire
GB : *bondholder*
D : Obligationär
E : *obligacionista*
Détenteur d'une obligation ou qualificatif d'un emprunt sous forme d'émission d'obligations

PORTIERE
F : concierge
GB : *hall-porter*
D : Hausmeister
E : *conserje*

PORTO
F : port
GB : *port*
D : Hafen
E : *puerto*

PORTO ASSEGNATO
F : port dû (en)
GB : *carriage forward (USA FOB shipping point)*
D : Portonachnahme
E : *porte debido (a)*
Les frais de port sont à la charge du destinataire

PORTO D'IMMATRICULAZIONE
F : port d'attache
GB : *port of registration*
D : Heimathafen
E : *puerto de matricula*

PORTO FRANCO
F : franco
GB : *carriage free (USA FOB destination)*
D : frachtfrei
E : *franco de porte*
Sans frais pour le destinataire

PORTO FRANCO
F : port franc
GB : *free port*
D : Freihafen
E : *puerto libre*
Port où les marchandises étrangères pénêtrent librement sans formalité ni paiement de droits

POSCRITTO
F : post-scriptum
GB : *postscript*
D : Nachschrift
E : *posdata*

POSTA
F : poste
GB : *mail*
D : Post
E : *correo*

POSTA AEREA
F : poste aérienne
GB : *airmail*
D : Luftpost
E : *correo aéreo*

POSTILLA
F : apostille
GB : *footnote*
D : Fußnote
E : *apostilla*
Addition faite en marge d'un acte

POTENZALE NON UTILIZZATO
F : potentiel non utilisé
GB : *idle capacity*
D : ungenutzte Ladefähigkeit
E : *potencial no utilizado*

POTENZIALE
F : potentiel adj
GB : *potential*
D : möglich, potentiel
E : *potencial*

POTERE D'ACQUISTO
F : pouvoir d'achat
GB : *purchasing power*
D : Kaufkraft
E : *poder de compra*
Quantité de biens ou services qu'une somme d'argent permet d'acheter

POTERE DI CONTRATTARE
F : pouvoir de négociation
GB : *bargaining power*
D : Verhandlungsposition
E : *poder de negociacion*

PREAVVISO
F : préavis
GB : *advance notice*
D : Vorankündigung, Kündigung
E : *preaviso*
Lors de la rupture d'un contrat, avertissement que la partie qui prend l'initiative est tenue de donner à l'autre dans un délai et des conditions déterminés

PREFABBRICARE
F : préfabriquer
GB : *prefabricate*
D : vorfabrizieren
E : *prefabricar*

PREGIUDIZIO
F : préjudice
GB : *prejudice*
D : Nachteil
E : *prejuicio, perjuicio*

PRELEVARE DALLE RISERVE
F : prélever sur les réserves
GB : *draw on reserves*
D : die Reserven angreifen
E : *sacar reservas*

PRELIEVO LIBERATORIO
F : prélèvement libératoire
GB : *standard deduction at source*
D : befreiender Abzug
E : *retención eximente*
Retenue à la source

PRELIMINARE
F : préliminaire adj
GB : *preliminary*
D : vorläufig, einleitend
E : *preliminar*

PREMIO
F : prime
GB : *premium, bonus*
D : Prämie
E : *prima, premio*
Forme de salaire destinée à encourager les travailleurs, ou de remise pour promouvoir une vente, ou encore de plus-value quand il s'agit de finance

PREMIO A VENDERE
F : option de vente
GB : *put option*
D : Verkaufoption
E : *option de venta*
Confère le droit (et non l'obligation) de vendre des actifs à un prix fixé

PREMIO D'ACQUISTO
F : option d'achat
GB : *call option*
D : Kaufoption
E : *opcion de compras*
Confère le droit (et non l'obligation) d'acheter des actifs à un prix fixé

PREMIO D'ESPORTAZIONE
F : prime à l'exportation
GB : *export bonus*
D : Ausfuhrprämie
E : *subsidio a las exportaciones*
Subvention à l'exportation

PREMIO DI ASSICURAZIONE
F : prime d'assurance
GB : *insurance premium*
D : Versicherungsprämie
E : *prima de poliza de seguro*

PRESCRIZIONE
F : prescription (Fisc)
GB : *prescription*
D : Verjährung
E : *prescripción*
Période à l'issue de laquelle une imposition ne peut plus être établie, une somme perçue, une restitution de droits accordée, des poursuites ou une instance engagées

PRESENTARE UNA CAMBIALE PER ACCETTAZIONE
F : présenter une traite à l'acceptation
GB : *present a bill for acceptance*
D : einen Wechsel vortegen
E : *presentar una letra para aceptacion*

PRESIDENTE
F : présldent
GB : *chairmain*
D : Vorsitzende(r)
E : *presidente*

PRESITIO ESTERNO
F : emprunt international
GB : *external loan*
D : Auslandsanleihe
E : *préstamo exterior*

PRESTARE
F : emprunter
GB : *borrow*
D : entleihen
E : *pedir un préstamo*

PRESTARE
F : prêter
GB : *lend*
D : leihen
E : *prestar*

PRESTATORE SU PEGNO
F : prêteur sur gage
GB : *pawnbroker*
D : Pfandleiher
E : *prestamista*

PRESTAZIONE
F : prestation
GB : *allowance*
D : Beihilfe
E : *prestación*
Fourniture d'un bien ou d'un service en contrepartie d'une somme d'argent ou d'une contre-prestation en nature

PRESTAZIONE
F : performance
GB : *performance*
D : Leistung
E : *resultado, prestación*

PRESTITO
F : emprunt
GB : *loan*
D : Anleihe
E : *empréstito*

PRESTITO BANCARIO
F : prêt bancaire
GB : *bank loan*
D : Bankdarlehen
E : *préstamo bancario*

PRESTITO PUBBLICO
F : emprunt public
GB : *government loan*
D : Staatsanleihe
E : *empréstito publico*
En général, obligations émises par les collectivités publiques (titres d'emprunt d'Etat, bons du Trésor...)

PREVENTIVO
F : devis
GB : *estimate*
D : Kostenvoranschlag
E : *presupuesto*
Description détaillée et montant estimatif de travaux à accomplir

PREVENTIVO RIVEDUTO
F : devis rectifié
GB : *revised estimate*
D : überarbeitete Schätzung
E : *calculo revisado*

PREVENTIVO SUPPLEMENTARE
F : devis supplémentaire
GB : *supplementary estimate*
D : Nachschätzung
E : *calculo suplementarlo*

PREVIA DEDUZIONE
F : précompte
GB : *estimate/deduction*
D : einbehaltener Betrag
E : *deducción*
Impôt payé par une société lorsqu'elle distribue des dividendes provenant de bénéfices n'ayant pas supporté l'impôt sur les sociétés

PREVISIONE
F : prévision
GB : *forecasting*
D : Voraussage
E : *pronostico*
Appréciation, chiffrée ou non, de l'évolution probable d'un phénomène, d'une grandeur ou d'un ensemble de grandeurs à plus ou moins long terme

PREVISIONE DELLE VENDITE
F : prévision des ventes
GB : *sales forecast*
D : Verkaufsvoraussage
E : *pronostico de ventas*

PREZZO
F : prix
GB : *price*
D : Preis, Kurs
E : *precio*

PREZZO AL COMMERCIANTE
F : prix marchand
GB : *trade price*
D : Handelspreis
E : *precio al comerciante*
Prix du marché ou prix de référence

PREZZO AL MINUTO
F : prix de détail
GB : *retail price*
D : Einzelhandelspreis
E : *precio al por menor*

PREZZO AL MINUTO INDICATIVO
F : prix de détail recommandé
GB : *recommended retail selling price*
D : empfohlener Ladenpreis
E : *precio detallista recomendado*

PREZZO CONTRATTUALE
F : prix contractuel
GB : *contract price*
D : Vertragspreis
E : *precio contractual*

PREZZO D'ACQUISTO
F : prix d'achat
GB : *purchase price*
D : Kaufpreis
E : *precio de compra*

PREZZO D'INTERVENTO
F : prix d'intervention
GB : *intervention price*
D : Interventionspreis
E : *precio de intervencion*
Seuil de prix auquel les pouvoirs publics interviennent pour éviter qu'un marché ne s'effondre

PREZZO DEL MERCATO
F : cours du marché
GB : *markat prica*
D : Marktpreis
E : *precio de mercado*
Cours déterminé par l'offre et la demande sur un marché

PREZZO DI CATALOGO
F : prix-catalogue
GB : *catalogue price, list price*
D : Listenpreis, Katalogpreis
E : *precio de catalogo, precio catálogo*

PREZZO DI CESSIONE INTERNA
F : prix de cession interne
GB : *transfer price*
D : interner Abgabepreis
E : *precio de cesion interna*
Prix auquel sont facturées les cessions de produits ou services entre divisions d'une même entreprise ou établissements d'un même groupe

PREZZO DI CHIUSURA
F : cours de clôture
GB : *closing price*
D : Schlußnotierung
E : *precio de cierre*
Cours de Bourse pratiqué en fin de séance journalière

PREZZO DI COSTO
F : prix de revient
GB : *cost price*
D : Einstandspreis
E : *precio de coste*
Ensemble des coûts, directs et indirects, variables et fixes, de production d'un bien ou d'un service

PREZZO DI FATTURA
F : prix facturé
GB : *invoice price*
D : fakturierter Preis
E : *precio facturado*

PREZZO DI LISTINO
F : prix courant
GB : *list price*
D : Listenpreis
E : *precio de tarifa*
Prix de l'année en cours, dans une évaluation en valeur

PREZZO DI RIVENDITA
F : prix de revente
GB : *resale price*
D : Wiederverkaufspreis
E : *precio de reventa*

PREZZO EQUO
F : prix raisonnable
GB : *fair price*
D : angemessener Preis
E : *precio razonable*

PREZZO FORFETTARIO
F : forfait (fiscalité)
GB : *lump sum*
D : Pauschalbetrag
E : *monto global*
Régime d'imposition des PME qui ne sont pas en mesure de tenir une comptabilité détaillée

PREZZO INCLUSO CONSEGNA
F : prix livraison incluse
GB : *delivered price*
D : Lieferpreis
E : *precio incluida entrega*

PREZZO MEDIO
F : cours moyen
GB : *middle price*
D : Mittelpreis, Mittelkurs
E : *precio medio*

PREZZO MEDIO
F : prix moyen
GB : *mean price*
D : Mittelkurs
E : *precio medio*

PREZZO MINIMO
F : prix minimal
GB : *reserve price*
D : Mindestpreis
E : *precio minimo fijado*

PREZZO NETTO
F : prix net
GB : *net price*
D : Nettopreis, Nettokurs
E : *precio neto*

PREZZO PER FUTURA CONSEGNA
F : cours à terme
GB : *forward price*
D : Terminnotierung
E : *precio a término*
Cours sur un marché à terme

PREZZO QUOTATO
F : prix coté
GB : *quoted price*
D : angegebener Preis
E : *precio cotizado*
Prix d'une valeur boursière inscrite à la cote officielle

PREZZO SALDO
F : prix soldé
GB : *bargain price*
D : Spottpreis
E : *precio de ocasion*
Prix de vente réduit exceptionnellement

PRIMA CLASSE
F : première classe
GB : *first class*
D : erste Klasse
E : *primera clase*

PRIMO UFFICIALE
F : second nm
GB : *(ship's) mate*
D : Maat
E : *primer oficial*

PRIORITÀ
F : priorité
GB : *priority*
D : Vorrecht
E : *prioridad*

PRIVATIZZAZIONE
F : privatisation
GB : *privatization*
D : Privatisierung
E : *privatización*
Revente à des actionnaires privés des entreprises précédemment nationalisées ou créées par l'Etat

PROBABILITÀ
F : probabilité
GB : *probability*
D : Wahrscheinlichkeit
E : *probabilidad*

PROBOVIRI
F : prud'hommes
GB : *industrial tribunal*
D : Obmänner
E : *tribunal de conciliación laboral*
Juridiction d'exception paritaire de jugement ou de conciliation des litiges concernant le contrat individuel de travail

PROCEDURA
F : procédure
GB : *procedure*
D : Verfahren
E : *procedimiento*
Ensemble des démarches à accomplir pour obtenir un certain résultat

PROCESSO
F : action juridique
GB : *legal action*
D : Prozeß, Klage
E : *pleito*

PROCESSO
F : processus
GB : *process*
D : Prozeß
E : *proceso*
Déroulement dans le temps d'un phénomène, ou des différents stades dans la réalisation d'une opération

PROCESSO, CAUSA
F : procès
GB : *lawsuit, trial*
D : Rechtsfall, Prozeß
E : *proceso, causa*

PROCURA
F : pouvoirs
GB : *power of attorney*
D : Vollmacht
E : *poder*
Documents écrits par lesquels des personnes donnent à des tiers la faculté de les représenter

PROCURA
F : procuration
GB : *power of attorney, proxy*
D : Vollmacht, Stellvertretung
E : *poder, procuracion*

PROCURATORE (COMMERCIALE)
F : fondé de pouvoir
GB : *authorized representative*
D : Prokurist
E : *apoderado*
Personne habilitée à agir au nom d'une autre ou au nom d'une entreprise

PRODOTTI DERIVATI
F : produits dérivés
GB : *by-products*
D : Derivate
E : *productos derivados*

PRODOTTO
F : produit
GB : *product*
D : Produkt
E : *producto*

PRODOTTO CIVETTA
F : produit d'appel
GB : *loss leader*
D : Lockprodukt
E : *producto de atracción*
Vendu à un prix très avantageux (avec un bénéfice réduit ou nul) pour attirer la clientèle

PRODOTTO FINALE
F : produit final
GB : *end-product*
D : Endprodukt
E : *producto final*

PRODOTTO INTERNO LORDO
F : produit intérieur brut (PIB)
GB : *gross domestic product (GDP)*
D : Bruttoinlandsprodukt
E : *producto interior bruto*
Ensemble des valeurs ajoutées créées en une année.par les entreprises et les administrations sur le territoire national

PRODOTTO NAZIONALE LORDO
F : produit national brut (PNB)
GB : *gross national product (GNP)*
D : Bruttosozialprodukt
E : *producto nacional bruto*
PIB augmenté des revenus perçus à l'étranger et tranférés en métropole, et diminué de ceux perçus en métropole et transférés à l'étranger

PRODUTTIVITÀ
F : productivité
GB : *productivity*
D : Produktivität
E : *productividad*
Rapport entre la valeur d'un produit et le coût de ses facteurs de production

PRODUTTO DI RIFIUTO
F : déchets
GB : *waste products*
D : Abfallprodukt
E : *desperdicios*

PRODUZIONE
F : production
GB : *production*
D : Erzeugung
E : *produccion*

PRODUZIONE, REDDITO
F : rendement
GB : *output, yield*
D : Erzeugung, Rendite
E : *rendimiento, rédito*
Voir Productivité

PROFESSIONE
F : profession
GB : *occupation*
D : Beruf
E : *profesión*

PROFITATORE
F : profiteur
GB : *profiteer*
D : Gewinnler
E : *acaparador*

PROFITTI E PERDITE
F : pertes et profits
GB : *profit and loss*
D : Gewinne und Verluste
E : *pérdidas y ganancias*
Voir Compte de pertes et profits

PROFITTI NON COMMERCIALI
F : bénéfices non commerciaux - BNC
GB : *non commercial profit*
D : Unhandelsgewunn
E : *beneficios no comerciales (BNC)*
Ceux des professions libérales, des charges et offices dont les titulaires n'ont pas qualité de commerçants, de toutes occupations lucratives

PROFITTI NON DISTRIBUITI
F : bénéfices non distribués
GB : *undistributed profits*
D : unverteilte Gewinne
E : *beneficios no distribuidos*
Dividendes que ne perçoivent pas les actionnaires et qui sont réinvestis dans l'entreprise

PROFITTI PER AZIONE
F : bénéfice par titre
GB : *earnings per share*
D : Gewinn pro Aktie
E : *beneficios por accion*

PROGETTAZIONE/FABBRICAZIONE ASSISTITA DA CALCOLATORE (CAD/CAM)
F : conception et fabrication assistées par ordinateur
GB : *computer-aided design (CAD)*
D : Computer-Aided Manufactoring (CAM)
E : *diseño y fabricación asistidos por ordenardor*

PROGETTO DI CONTRATTO
F : projet de contrat
GB : *draft contract*
D : Vertragsentwurf
E : *proyecto de contruto*

PROGETTO, PIANO
F : plan nn
GB : *plan*
D : Plan
E : *plan*
Programmation macro-économique, au niveau national, d'un ensemble de prévisions et d'objectifs économiques et définition des moyens nécessaires à leur réalisation

PROGRAMMA D'INVESTIMENTI
F : plan d'investissement
GB : *investment plan*
D : Investitionsplan
E : *plan de inversión*

PROGRAMMA DELLE INSERZIONI
F : plan média
GB : *advertising schedule*
D : Werbeplan
E : *plan de propaganda*
Procédure de choix de média, puis de supports selon des critères définis

PROGRAMMA DI ELABORATORE
F : programme d'ordinateur
GB : *computer program*
D : Computerprogramm
E : *programa de computadora*

PROGRAMMA DI FINANZIAMENTO
F : plan de financement
GB : *financing plan*
D : Finanzierungsplan
E : *plan de financiación*

PROGRAMMARE
F : planifier
GB : *schedule*
D : planen
E : *programar*

PROGRAMMARE
F : programmer
GB : *program*
D : programmieren
E : *programar*

PROMOZIONE SUI LUOGHI DI VENDITA
F : PLV
GB : *POS advertising*
D : Verkaufsortwerbung
E : *PLV*
Publi-promotion sur le lieu de vente pour inciter le consommateur à l'achat

PROMOZIONE, AVANZAMENTO
F : promotion
GB : *promotion*
D : Beförderung, Förderung
E : *promoçcion, ascenso*

PROMUOVERE
F : donner de l'avancement à
GB : *promote*
D : befördem
E : *ascender*

PROMUOVERE, DARE IMPLUSE
F : promouvoir
GB : *promote*
D : befördern, fördern
E : *promover, ascender*

PRONOSTICARE
F : prévoir
GB : *forecast*
D : vorhersehen
E : *pronosticar*

PRONTA CONSEGNA
F : livraison immédiate
GB : *prompt delivery*
D : sofortige Lieferung
E : *entrega immediata*

PROPORZIONALEMENTE, PRORATA
F : proportionnellement, au prorata
GB : *pro rata*
D : anteilsmäßig, pro rata
E : *proporcionalmente, a prorata*

ITALIE

PROPORZIONE
F : proportion
GB : *proportion*
D : Verhältnis, Anteil
E : *proporcion*

PROPOSTA
F : proposition
GB : *proposal*
D : Vorschalg
E : *propuesta*

PROPRIETÀ
F : bien
GB : *estate, property*
D : Vermögen
E : *finca*
Produit matériel (objet de consommation ou moyen de production) de l'activité économique

PROPRIETÀ
F : propriété
GB : *property, ownership*
D : Eigentum
E : *propiedad*

PROPRIETÀ MOBILIARE
F : biens mobiliers
GB : *movable assets*
D : bewegliche Güter
E : *mobiliario*
Les meubles

PROPRIETÀ STATALE
F : propriété publique
GB : *public ownership*
D : Staatsbesitz
E : *propriedad estatal*

PROPRIETARIO DEL TERRENO
F : propriétaire foncier
GB : *ground-landlord*
D : Grundbesitzer
E : *proprietario del terreno*
Qui possède des terres, des terrains bâtis ou non

PROPRIETARIO, LOCATORE
F : propriétaire
GB : *owner, landlord*
D : Eigentümer, Vermieter
E : *proprietario, arrendador*

PROROGA DI CREDITO
F : prolongation d'un crédit
GB : *extension of credit*
D : Verlängerung eines Kredites
E : *prorroga de crédito*

PROROGA DI PAGAMENTO
F : délai de paiement
GB : *extention of payment time*
D : Verlängerung einer Zahlungsfrist
E : *prorroga de pago*

PROSPETTO, PROGRAMMA
F : prospectus
GB : *prospectus*
D : Prospekt
E : *prospecto*

PROTESTARE (UNA CAMBIALE)
F : faire protester (une lettre de change)
GB : *protest (a bill)*
D : (einen Wechsel) protestieren
E : *protestar (una letra)*
Faire constater par huissier le non-paiement d'un effet de commerce

PROTESTO
F : protêt
GB : *protest*
D : Protest
E : *protesta*
Acte authentique extra-judiciaire constatant le non-paiement à l'échéance ou le refus d'acceptation d'une traite

PROTOTIPO
F : prototype
GB : *prototype*
D : Prototyp
E : *prototipo*

PROVA
F : preuve
GB : *evidence*
D : Beweis
E : *evidencia*

PROVA GRATUITA
F : essai gratuit
GB : *free trial*
D : kostenlose Probe
E : *prueba gratuita*

PROVA SCRITTA
F : preuve écrite
GB : *documentary evidence*
D : Urkundenbeweis
E : *prueba documental*

PROVENTI DECRESCENTI
F : rendements décroissants
GB : *diminishing returns*
D : abnehmender Ertrag
E : *rendimientos decrecientes*
Phase de diminution de la productivité qui intervient après une phase de croissance lorsqu'on augmente la quantité d'un facteur de production

PROVOCARE, ISTIGARE
F : provoquer
GB : *instigate*
D : anstiften
E : *instigar, provocar*

PROWEDIMENTO TEMPORANEO
F : bouche-trou
GB : *stop-gap*
D : Überbrückung
E : *recurso provisional*

PROWIGIONE
F : commission
GB : *commission*
D : Provision
E : *comision*

PROZZO DI VIAGGIO
F : prix du voyage
GB : *fare*
D : Fahrgeld
E : *pasaje*

PUBBLICHE RELAZIONI
F : relations publiques
GB : *public relations*
D : Public Relations
E : *relaciones publicas*
Ensemble des actions de diffusion de l'information à l'intérieur et à l'extérieur de l'entreprise, hors de toute préoccupation lucrative ou publicitaire

PUBBLICITÀ
F : publicité
GB : *advertising, publicity*
D : Reklame, Werbung
E : *publicidad*

PUBBLICITÀ COMPARATIVA
F : publicité comparative
GB : *comparative advertising*
D : vergleichende Werbung
E : *publicidad comparativa*
Compare les caractéristiques d'un produit d'une marque déterminée à celles d'un ou plusieurs produits de marques concurrentes, nommées ou identifiables

PUBBLICITÀ DIRETTA
F : publicité directe (publipostage)
GB : *direct mail*
D : Postversandwerbung
E : *propaganda directa por correo*
Expédition par voie postale de prospectus, brochures, lettres, échantillons, etc.

PUBBLICO
F : public adj
GB : *public*
D : Öffentlich
E : *publico*

PUBBLICO
F : public nm
GB : *public*
D : Öffentlichkeit
E : *publico*

PUBBLICO IN GENERE
F : grand public
GB : *general public*
D : Öffentlichkeit
E : *publico en general*

PUNTO DI PAREGGIO
F : point mort (rentabilité)
GB : *break-even point*
D : Rentabilitätsgrenze
E : *punto de igualdad de ingresos y gastos*
Seuil de rentabilité, niveau de chiffre d'affaires pour lequel il n'y a ni perte ni bénéfice

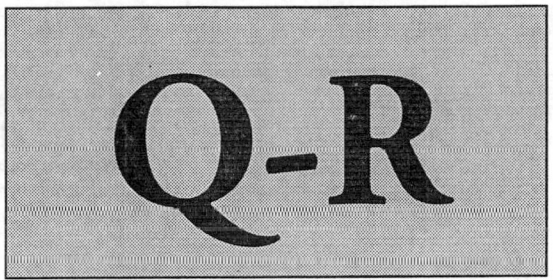

QUADRO DEGLI STRUMENTI
F : tableau de bord
GB : *operating report*
D : Geschäftsbericht
E : *cuadro de mando*

QUADRO DI COMANDO
F : tableau de distribution
GB : *switchboard*
D : Schalttafel
E : *cuadro de conexion*

QUALIFICA, REQUISITO
F : qualification
GB : *qualification*
D : Qualifikation
E : *requisito*

QUALIFICAZIONE PROFESSIO-NALE
F : qualification profession-nelle
GB : *professional qualification*
D : Berufsausbildung
E : *capacitación profesional*
Ensemble des connaissances profes-sionnelles d'un individu (formation, expérience, qualités personnelles)

QUALITÀ
F : qualité
GB : *quality*
D : Qualität
E : *calidad*

QUALITÀ
F : qualité (non qualité)
GB : *quality*
D : Qualität
E : *calidad*
Ecart entre la qualité souhaitée par les utilisateurs et celle qu'a conçue l'entreprise et/ou entre la qualité conçue et la qualité effective d'un produit

QUANTITÀ
F : quantité
GB : *quantity*
D : Menge
E : *cantidad*

QUARANTENA
F : quarantaine
GB : *quarantine*
D : Quarantäne
E : *cuarentena*

QUESTIONARIO
F : questionnaire
GB : *questionnaire*
D : Fragebogen
E : *cuestionario*

QUIETANZA
F : quittance
GB : *quittance*
D : Quittung
E : *recibo*
Document attestant qu'une dette a été payée

QUOTA
F : quota
GB : *quota*
D : Quote
E : *cuota, contingente*
Limite quantitative, contingent

QUOTA DEL MERCATO
F : part de marché
GB : *market share*
D : Marktanteil
E : *participacion del mercado*

QUOTA DI AMMORTAMENTO
F : provision pour amortisse-ment
GB : *depreciation allowance*
D : Abschreibung für Abnut-zung (AfA)
E : *provision para amortiza-cion*

QUOTA, PARTE
F : quote-part
GB : *quota, share*
D : Quote, Anteil
E : *cuota, parte*
Part qui revient à chacun (à payer ou à recevoir)

QUOTARE
F : coter
GB : *quote*
D : (den Preis) angeben
E : *cotizar*

QUOTAZIONE
F : cotation
GB : *quotation*
D : Kostenanschlag
E : *cotizacion*
Détermination du prix auquel les transactions se font sur un marché.
Bourse : inscription à la cote du cours constaté pour une valeur mobilière

QUOTAZIONE DI BORSA
F : cours de Bourse
GB : *stock-exchange quotation*
D : Börsenkurs
E : *curso de bolsa*

RABITRO
F : arbitre
GB : *arbitrator*
D : Schiedsrichter
E : *arbitrador*

RACCOLTA DATI
F : saisie des données
GB : *data capture*
D : Datenerfassung
E : *recogida de datos*

RACCOLTO
F : moisson
GB : *harvest*
D : Ernte
E : *cosecha*

RACCOLTO
F : récolte
GB : *harvest*
D : Ernte
E : *cosecha*

RAGIONIERE CAPO
F : chef comptable
GB : *chief accountant*
D : Obertuchlalter
E : *jefe de contabilidad*

RAGIONIERE DIPLOMATO
F : expert-comptable
GB : *qualifed accountant*
D : Wirtschaftsprüfer
E : *contador habilitado*
Professionnel spécialisé dans l'analyse, le contrôle et l'organisation des comptabilités

RAPPORTO
F : ratio
GB : *ratio*
D : Verhältnis, Ratio
E : *ratio*
Rapport entre deux grandeurs tirées des documents comptables d'une entreprise pour en apprécier la structure et l'évolution

RAPPORTO CAMBIO-UTILE
F : PER (price earning ratio)
GB : *p/e (price earnings ratio)*
D : Kurs/Gewinn Verhältnis
E : *PER (price earning ratio)*
Coefficient de capitalisation des résultats - CCR, par lequel il faut multiplier le bénéfice net par action pour en trouver le cours coté

RAPPRESENTANTE
F : représentant
GB : *representative*
D : Vertreter
E : *representante*

RAPPRESENTANTE
F : VRP - voyageur-représentant-placier
GB : *sales representative*
D : Vertreter
E : *viajante de comercio*
Représentant de commerce

RAPPRESENTANTE DEL PERSONALE
F : représentant du personnel
GB : *staff representative*
D : Arbeiternehmervertreter
E : *representante del personal*

RAPPRESENTANTE ESCLUSIVO
F : agent exclusif
GB : *sole agent*
D : Alleinvertreter
E : *agente exclusivo*

RAPPRESENTANTE SINDACALE
F : délégué syndical
GB : *shop steward*
D : Unterbewertung
E : *delegado sindical*

RAPPRESENTARE
F : représenter
GB : *represent*
D : vertreten
E : *representar*

RASSEGNA STAMPA
F : revue de presse
GB : *press review*
D : Presseschau
E : *revista de prensa*

RASSEGNARE LE DIMISSION
F : démission (remettre sa)
GB : *hand in one's resignation*
D : den Rücktritt einreichen
E : *presentar la dimision*

RATIFICA
F : ratification
GB : *ratification*
D : Ratifizierung
E : *ratificacion*

RATIFICARE
F : ratifier
GB : *ratify*
D : ratifizieren
E : *ratificar*

RAZIONALIZZAZIONE
F : rationalisation
GB : *rationalization*
D : Rationalisierung
E : *racionalizacion*
Procédure d'adaptation efficace des moyens aux objectifs basée sur le calcul économique

RAZIONE
F : ration
GB : *ration*
D : Ration
E : *racion*

REALIZZAZIONE DELL'UTILE
F : prise de bénéfices
GB : *profit-taking*
D : Gewinnrealisation
E : *realizacion de utilidades*

RECESSIONE
F : récession
GB : *recession*
D : Rezession
E : *recesion*

RECLAMO
F : réclamation
GB : *claim*
D : Anspruch
E : *reclamacion*

REDATTORE PUBBLICITARIO
F : concepteur-rédacteur
GB : *copywriter*
D : Textverfasser
E : *redactor*

REDDITIVITÀ
F : rentabilité
GB : *profitability*
D : Rentabilität
E : *rentabilidad*
Capacité d'un capital placé ou investi à procurer des revenus exprimés en termes financiers

REDDITO DEGLI INVESTIMENTI
F : revenu de placements
GB : *investment income*
D : Einkommen aus Kapitalanlagen
E : *renta de inversiones*

REDDITO DEL CAPITALE
F : rémunération du capital
GB : *return on capital*
D : Kapitalertrag
E : *beneficio sobre capital*
Intérêts du capital prêté

REDDITO DI CAPITALE
F : rentes
GB : *unearned income*
D : Kapitaleinkommen
E : *rentas*
Revenus assurés pour une longue période

REDDITO DI LAVORO
F : revenu du travail
GB : *earned income*
D : Arbeitseinkommen
E : *renta del trabajo*
Traitements et salaires

REDDITO DISPONIBILE
F : revenu disponible
GB : *disposable income*
D : verfügbares Einkommen
E : *renta disponible*
Ensemble des salaires et des prestations sociales diminué des impôts et des cotisations sociales

REDDITO LORDO
F : rendement brut
GB : *gross income*
D : Bruttoeinkommen
E : *ingreso bruto*
Rendement d'un capital investi avant paiement des charges

REDDITO NAZIONALE
F : revenu national
GB : *national income*
D : Nationaleinkommen
E : *renta nacional*
Ressources nationales en biens et services créées au cours d'une période donnée

REDDITO NETTO
F : revenu net
GB : *net income*
D : Nettoeinkommen
E : *ingreso neto*

REDDITO NETTO
F : rendement net
GB : *net yield*
D : Nettoertrag
E : *rendimiento neto*
Rendement d'un capital investi, déduction faite de toutes les charges

REDDITO NON TASSABILE
F : revenu non imposable
GB : *non taxable income*
D : steuerfreies Einkommen
E : *ingresos no imponibles*

REDDITO TASSABILE
F : revenu imposable
GB : *taxable income*
D : steuerpflichtiges Einkommen
E : *renta imponible*

REDIGERE UN CONTRATTO
F : rédiger un contrat
GB : *draw up a contract*
D : einen Vertrag formulieren
E : *redactar un contrato*

REDIMERE, RIMBORSARE
F : rembourser
GB : *redeem, reimburse*
D : tilgen, zurückzahlen
E : *redimir, reembolsar*

REFERENZA
F : référence
GB : *reference*
D : Referenz
E : *referencia*

REFERENZA BANCARIA
F : référence bancaire
GB : *bankers' reference*
D : Bankzeugnis
E : *referencia bancaria*

REFERENZE COMMERCIALI
F : référence commerciale
GB : *trade reference*
D : Kreditauskunft
E : *referencia comercial*
Ensemble des caractéristiques spécifiques d'un article ou d'une catégorie d'articles

REGISTRARE
F : enregistrer
GB : *register*
D : registrieren
E : *registrar*

REGISTRAZIONE
F : inscription
GB : *entry*
D : Eintragung
E : *asiento*

REGISTRAZIONE (CONTABILE)
F : enregistrement
GB : *registration*
D : Einschreiben
E : *registro*
Inscription obligatoire dans les registres publics qui authentifie certains actes

REGISTRO DELLE AZIONI
F : registre des actionnaires
GB : *share register*
D : Liste der Aktionäre
E : *registro de las acciones*

REGOLAMENTO
F : règlement
GB : *regulation, settlement*
D : Verordnung, Abrechnung
E : *reglamento, ajuste*

RELAZIONE ANNUALE
F : rapport annuel
GB : *annual report*
D : Jahresbericht
E : *memoria anual*
Bilan de l'activité passée et projection dans l'avenir, il présente en priorité aux actionnaires les résultats et la situation financière de l'entreprise conformément au plan comptable ; sa publication est obligatoire pour les sociétés cotées en Bourse

RELAZIONE DEGLI AMMINISTRATORI
F : rapport des administrateurs
GB : *directors' report*
D : Vorstandsbericht
E : *informe de la administración*

RELAZIONE FINANZIARIA
F : état financier
GB : *financial statement*
D : Finanzausweis
E : *extracto financiero*

RELAZIONE SINDICI
F : rapport des commissaires aux comptes
GB : *auditors' report*
D : Bericht des Abschlußprüfers
E : *informe de los interventores*

RELAZIONE SUL MERCATO
F : analyse du marché
GB : *market report*
D : Marktbericht
E : *informe del mercado*

RELAZIONE, RAPPORTO
F : rapport
GB : *report, relation*
D : Bericht, Verhältnis
E : *informe, relación*

RELAZIONI CON LA MANO D'OPERA
F : travail (relations du)
GB : *labour relations*
D : Arbeitsverhältnisse
E : *relaciones patron-obrero*
Relations sociales salariés/employeur + relations industrielles + relations professionnelles

RELAZIONI NELL'INDUSTRIA
F : relations humaines dans l'entreprise
GB : *industrial relations*
D : Arbeitsbeziehungen
E : *relaciones humanas industriales*

RELAZIONI UMANE
F : relations humaines
GB : *human relations*
D : zwischenmenschliche Beziehungen
E : *relaciones humanas*

RENDERSI GARANTE DI
F : garant de (se porter)
GB : *go bail for*
D : Haftkaution geben
E : *salir fiados por*

RENDICONTO FINANZIARIO PROVISORIO
F : bilan intermédiaire
GB : *interim financial statement*
D : Zwischenbilanz
E : *extrato financiero provisional*
Bilan indicatif dressé à une date quelconque de l'exercice sans tenir compte des opérations d'inventaire

RENDITA VITALIZIA DIFFERITA
F : annuité différée
GB : *deferred annuity*
D : Anwartschaff auf Leibrente
E : *anualidad aplazada*

REQUISIRE
F : réquisitionner
GB : *request*
D : verlangen
E : *requisar*

RESPONSABILITÀ
F : responsabilité
GB : *responsibility, liability*
D : Verantwortlichkeit
E : *responsabilidad*

RESPONSABILITÀ DEL DATORE DI LAVORO
F : responsabilité patronale
GB : *employer's liability*
D : Haftpflicht des Arbeitgebers
E : *responsabilidad del patrono*

RESPONSABILITÀ LEGALE
F : responsabilité légale
GB : *legal liability*
D : Rechtshaftung
E : *responsabilidad legal*
Définie conformément à la loi

RESTARE IN LINEA
F : téléphone (ne quittez pas)
GB : *hold the line*
D : am Apparat bleiben
E : *espere al aparato*

RESTRIZIONE DI CREDITO
F : resserrement du crédit
GB : *credit squeeze*
D : Kreditklemme
E : *escasez de créditos*
Restriction du crédit (taux plus élevés) pour freiner la hausse des prix

RESTRIZIONI DELLE IMPORTAZIONI
F : restrictions d'importation
GB : *import restrictions*
D : Einfuhrbeschränkungen
E : *restricciones de importación*

507

RETE
F: réseau
GB: *network*
D: Netz
E: *red*

RETE INTERNAZIONALE DI TRASFERIMENTO FONDI E INFORMAZIONI FRA BANCHE
F: SWIFT - Society for Worldwide Interbank Financial Telecommunication
GB: *SWIFT (Society for Worldwide Interbank Financial Telecommunication)*
D: SWIFT
E: *SWIFT*
Réseau bancaire international (50 banques françaises y sont connectées) permettant d'échanger des informations et d'accélérer les opérations sur le marché monétaire international

RETROATTIVO
F: rétroactif
GB: *retroactive*
D: rückwirkend
E: *retroactivo*

RETTIFICA, RISOLLEVAMENTO
F: redressement
GB: *turnaround*
D: Aufschwung
E: *recuperación*
Rectification par l'administration d'une déclaration dont elle a constaté les erreurs, les omissions ou les insuffisances

REVISIONE DEI CONTI
F: vérification comptable
GB: *audit*
D: Bücherrevision
E: *revision (examen) de cuentas*

REVOCA
F: révocation
GB: *revocation*
D: Widerruf
E: *revocacion*

REVOCARE
F: révoquer
GB: *revoke*
D: widerrufen
E: *revocar*

RIALZISTA
F: haussier adj
GB: *bullish*
D: steigend
E: *alcista*
Opérateur boursier spéculant à la hausse

RIALZO
F: hausse (forte)
GB: *boom*
D: Hausse
E: *bonanza*

RIALZO
F: renchérissement
GB: *advance in price*
D: Preiserhöhung
E: *encarecimiento*
Augmentation de prix d'une marchandise

RIAPRIRE LA DISCUSSIONE
F: discussion (rouvrir la)
GB: *re-open discussions*
D: Verhandlungen wiederaufnehmen
E: *reabrir la discusion*

RIASSUNTO
F: résumé
GB: *abstract, summary*
D: Abriß
E: *resumen*

RIBASSISTA
F: orienté à la baisse
GB: *bearish*
D: flau
E: *bajista*

RIBASSO, ABBUONO
F: rabais
GB: *rebate, allowance*
D: Nachlaß, Rabatt
E: *rebaja, bonificacion*

RIBASSO, SCONTO
F: discount
GB: *discount*
D: Discount
E: *descuento*
Escompte, remise, rabais

RICAVO DI PRODUTTIVITÀ
F: gains de productivité
GB: *productivity gains*
D: Produktivitätserträge
E: *ganancias de productividad*
Surplus de productivité

RICAVO NETTO
F: produit net
GB: *net proceeds*
D: Reinerlös
E: *rédito neto*

RICCHEZZA
F: richesse
GB: *wealth*
D: Wohlstand
E: *riqueza*

RICERCA
F: recherche
GB: *research*
D: Forschung
E: *investigacion*

RICERCATO
F: demandé
GB: *in demand*
D: gefragt
E: *solicitado*

RICHIESTA (DI FONDI)
F: appel (de fonds)
GB: *call (for funds)*
D: Kündigung (von Geldern)
E: *llamada (de fonds)*
Demande de fonds supplémentaires (à des actionnaires, des associés...)

RICOSTRUZIONE
F: reconstruction
GB: *reconstruction*
D: Wiederaufbau
E: *reconstruccion*

RICUPERO D'INFORMAZIONI
F: récupération de données
GB: *information retrieval*
D: Informationswiedergewinnung
E: *rebusca de informacion*

RIDUZIONE DEI PREZZI
F: rabais sur les prix
GB: *price-cutting*
D: Preisherabsetzung
E: *reduccion de precios*

RIDUZIONE DEL CAPITALE
F: réduction de capital
GB: *reduction of capital*
D: Kapitalherabsetzung
E: *reduccion de capital*

RIESPORTARE
F: réexporter
GB: *re-export*
D: wiederausführen
E: *rexportar*

RIESPORTO
F: réexportation
GB: *re-exportation*
D: Wiederausfuhr
E: *reexportacion*

RIFINANZIAMENTO
F: refinancement
GB: *refunding*
D: Refinanzierung
E: *refinanciación*
Reconstitution des liquidités des banques pour qu'elles puissent accorder de nouveaux crédits, soit par le réescompte, soit par le recours au marché monétaire

RIFIUS TOSSICI
F: déchets toxiques
GB: *toxic waste*
D: giftiger Abfall
E: *efluentes toxicos*

RIFIUTO
F: refus
GB: *rejection*
D: Ablehnung
E: *rechazo*

RIMBORSO
F: remboursement
GB: *refund*
D: Rückerstattung
E: *reembolso*

RIMBORSO D'ESPORTAZIONE
F : remboursement des droits d'importation
GB : *(customs) drawback*
D : Zollrückvergütung
E : *reembolso de derechos de aduana*

RIMESSA TELEGRAFICA
F : virement télégraphique
GB : *telegraphic transfer*
D : Kabelauszahlung
E : *giro telegrafico*
Ordre de virement transmis par télégramme entre deux centres de chèques postaux

RIMESSA, SCONTO
F : remise
GB : *remission*
D : Rabatt
E : *rebaja*
Réduction habituelle du prix courant d'une vente compte tenu de l'importance de son volume ou de la profession du client

RIMUNERAZIONE
F : rémunération
GB : *remuneration*
D : Vergütung
E : *remuneracion*
Revenu en nature ou/et en espèces reçu pour prix d'un service ou d'un travail

RINUNZIA
F : déni
GB : *disclaimer*
D : Ablehnung
E : *renuncia*
Refus de reconnaître un droit

RINUNZIA
F : renonciation
GB : *renunciation*
D : Verzicht
E : *renuncia*

RINUNZIARE
F : renoncer à
GB : *renounce*
D : verzichten auf
E : *renunciar*

RIPARARE, RIFARE
F : réparer
GB : *repair*
D : reparieren
E : *reparar, componer*

RIPARAZIONE
F : réparation
GB : *repair*
D : Reparatur
E : *reparacion*

RIPARAZIONE GIUDIZIARIA
F : redressement judiciaire
GB : *tax adjustment*
D : zusätliche Steuerhöhung
E : *procedimiento de suspensión de pagos*
Procédure instituée pour les entreprises en état de cessation de paiement consistant à présenter un plan de redressement dont l'issue peut être la survie, la cession totale ou partielle, ou encore la liquidation judiciaire

RIPARTIRE
F : répartir
GB : *distribute, apportion*
D : verteilen, zuteilen
E : *repartir*

RIPARTIZIONE
F : attribution
GB : *allotment*
D : Verteilung
E : *adjudicacion*
Octroi d'actions supplémentaires à un actionnaire lorsqu'une augmentation de capital se fait par incorporation de réserves

RIPARTIZIONE DELLA TASSAZIONE
F : assiette de l'impôt
GB : *tax base*
D : Steuerveranlagung
E : *base contributiva*
Base de calcul de l'imposition

RIPARTIZIONE, DISTRIBUZIONE
F : distribution
GB : *distribution*
D : Verteilung, Vertrieb
E : *reparto, distribucion*

RIPORTO IN CONTO NUOVO
F : report à nouveau
GB : *balance carried forward*
D : Saldovortrag, Gewinnvortrag, Verlustvortrag
E : *saldo de entrada*
Excédent (positif ou négatif) de résultats non affectés à un exercice, transférés en l'état dans les comptes de l'exercice suivant

RIPOSTA PAGATA
F : réponse payée
GB : *reply paid (USA post paid)*
D : Rückantwort bezahlt
E : *respuesta pagada*

RIQUALIFICAZIONE DEL PERSONALE
F : reclassement du personnel
GB : *staff resettlement*
D : Umstellung
E : *nueva clasificación del personal*

RISANARE (UN SETTORE D'ATTIVITÀ)
F : assainir (une branche d'activité)
GB : *turn around, stabilize*
D : (einen Wirtschaftszweig) sanieren
E : *sanear (una rama de actividad)*

RISCALDAMENTO CENTRALE
F : chauffage central
GB : *central heating*
D : Zentralheizung
E : *calefaccion central*

RISCHIO
F : hasard
GB : *hazard*
D : Wagnis
E : *azar, riesgo*

RISCHIO
F : risque
GB : *risk*
D : Risiko
E : *riesgo*

RISCHIO DEL LAVORO
F : risque professionnel
GB : *occupational hazard*
D : Berufsrisiko
E : *riesgo profesional*

RISCONTARE
F : réescompter
GB : *rediscount*
D : rediskontieren
E : *redescontar*
Pour une banque (la Banque centrale, le plus souvent), c'est acheter des titres de crédit à court terme à une autre banque qui les a déjà elle-même escomptés

RISCONTI
F : compte de régularisation
GB : *accruals*
D : Wertberichtigungskonto
E : *cuenta de regularización*
Affectation à un exercice donné des dettes et des créances qui le concernent

RISCOSSIONE CREDITI
F : affacturage
GB : *factoring*
D : Zuweisung
E : *factoring*
Gestion des créances des comptes clients d'une entreprise par un organisme extérieur

RISERVA DI CAPITALE
F : réserve de capitaux
GB : *capital reserves*
D : Kapitalreserve
E : *reserva de capital*

RISERVA IN CONTANTI
F : réserve en espèces
GB : *cash reserve*
D : Kassenreserve
E : *reserva en efectivo*

RISERVA PER CREDITI INESIGIBILI
 F : provision pour créances douteuses
 GB : *bad debt reserve*
 D : Dubiosenreserve
 E : *reserva para deudas inco-brables*
Somme que l'entreprise affecte à la couverture de pertes éventuelles dues au non recouvrement de ces créances

RISERVARE
 F : réserver
 GB : *reserve*
 D : vorbehalten
 E : *reservar*

RISORSE
 F : ressources
 GB : *resources*
 D : Mittel
 E : *recursos*
Biens, services ou capitaux dont on peut disposer ; ensemble des capitaux et dettes inscrits au passif d'un bilan

RISPARMIARE, ECONOMIZZARE
 F : épargner
 GB : *save*
 D : aufsparen
 E : *ahorrar, esconomizar*

RISPOSTA
 F : réponse
 GB : *answer*
 D : Antwort
 E : *respuesta*

RISTORNO, SCONTO, RIMBORSO
 F : ristourne
 GB : *rebate*
 D : Rückerstattung
 E : *rebaja*
Réduction de prix calculée en proportion d'un montant d'achats et pour une période déterminée

RISULTATO
 F : résultat
 GB : *result*
 D : Ergebnis
 E : *resultado*
Différence positive ou négative entre un prix de vente et un coût de revient

RISULTATO PRIMA (DOPO) DELLE IMPOSTE
 F : bénéfice avant (après) impôt
 GB : *pre-tax (after-tax) profit*
 D : Nettogewinn vor (nach) Steuern
 E : *beneficio antes (después) de impuestos*
Bénéfice avant (ou après) paiement de l'impôt sur les sociétés

RITARDO
 F : retard
 GB : *delay*
 D : Verzug
 E : *retraso*

RITENUTA DIRETTA D'ACCONTO
 F : retenue à la source
 GB : *witholding at source*
 D : an der Quelle besteuert
 E : *retención en origen*
Prélèvement et paiemet d'un impôt ou d'une charge par le distributeur d'un revenu au moment de son versement

RITIRARE UN EFFETTO
 F : payer une lettre de change
 GB : *retire a bill*
 D : eine Wechsel einlösen
 E : *recoger una letra*
S'acquitter d'une dette à une date déterminée

RITIRO, PENSIONE
 F : retraite
 GB : *retirement, pension*
 D : Rücktritt, Rente
 E : *retiro*

RIUNIONE DEL CONSIGLIO D'AMMINISTRAZIONE
 F : réunion de conseil d'administration
 GB : *board meeting*
 D : Vorstandssitzung
 E : *reunion del consejo de administracion*

RIUNIONE, ASSEMBLEA
 F : réunion
 GB : *meeting*
 D : Versammlung
 E : *reunion*

RIVALE
 F : rival
 GB : *rival*
 D : Rivale
 E : *rival*

RIVALUTAZIONE
 F : réévaluation
 GB : *revaluation*
 D : Neubewertung
 E : *reevaluación*
Augmentation de la parité officielle d'une monnaie sur décision des autorités monétaires ; comptabilité : prise en compte de la dépréciation monétaire des éléments d'actif d'un bilan

RIVALUTAZIONE
 F : revalorisation
 GB : *revaluation*
 D : Aufwertung
 E : *revalorizacion*

RIVEDERE
 F : vérifier et certifier
 GB : *audit*
 D : prüfen
 E : *revisar*

RIVELAZIONE
 F : révélation
 GB : *disclosure*
 D : Offenlegung
 E : *revelacion*

RIVENDICAZIONE SALARIALE
 F : revendication salariale
 GB : *wage claim*
 D : Lohnforderung
 E : *reclamacion de salario*

ROBOTICA
 F : robotique
 GB : *robotics*
 D : Robotik
 E : *robótica*
Ensemble des études et des techniques relatives à la conception et à la mise en œuvre de systèmes de production automatisés

ROTAZIONE
 F : rotation
 GB : *turnover*
 D : Rotation
 E : *rotación*
Son taux se mesure à la fréquence des reconstitutions d'un facteur déterminé (capitaux, stocks, main-d'œuvre...), en général au cours d'une année

ROTAZIONE DELLE COLTIVAZIONI
 F : assolement
 GB : *rotation of crops*
 D : Fruchtwechsel
 E : *rotacion de cultivos*

ROTTURA DI CONTRATTO
 F : rupture de contrat
 GB : *breach of contract*
 D : Vertragsverletzung
 E : *incumplimiento del contrato*

RUBATA O DANNEGGIATA (ES: IN UN SUPERMERCATO)
 F : démarque inconnue
 GB : *shrinkage*
 D : unbekannte Nachahmung
 E : *precio rebajado descono-cido*
Différence entre inventaires théoriques et inventaires physiques due aux vols ou aux erreurs de gestion

RUOLO D'IMPOSTA
 F : matrice
 GB : *matrix*
 D : Matrix
 E : *matriz*
Tableau de nombres disposés en lignes et en colonnes permettant de faire de l'analyse stratégique ou d'étudier les possibilités de développement d'une entreprise

SAGGIO, PROVA
F : essai
GB : *test, trial*
D : Probe
E : *ensayo, prueba*

SALARIATO
F : salarié
GB : *wage earner*
D : Lohnempfänger
E : *asalariado*

SALARIO FONDAMENTALE
F : salaire de base
GB : *basic pay (USA base pay)*
D : Grundlohn
E : *salario-base*
Celui qui est prévu dans le contrat
d'engagement

SALARIO MINIMO
F : salaire minimum
GB : *minimum wage*
D : Mindestgehalt
E : *salario mínimo*
En France, le SMIC - Salaire Mini-
mum Interprofessionnel de Crois-
sance, fixé par voie réglementaire et
dont l'évolution est fonction de la
croissance et de la hausse des prix

SALDO ATTIVO
F : balance excédentaire
GB : *active balance*
D : Aktivsaldo
E : *saldo acreedor*
Balance qui fait apparaître un solde
positif

SALDO CREDITORE
F : solde créditeur
GB : *credit balance*
D : Kreditsaldo
E : *saldo acreedor*

SALDO DEBITORE
F : solde débiteur
GB : *debit balance*
D : Sollsaldo
E : *saldo en débito*

SALDO DEL DIVIDENDO
F : solde de dividende
GB : *final dividend*
D : Schlußdividende
E : *saldo del dividendo*

SALDO DOVUTO
F : solde dû
GB : *balance due*
D : Ausgleichssaldo
E : *balance vencido*
Ce qui reste à payer

SALDO FINALE
F : solde net
GB : *final balance*
D : Schlußbilanz
E : *saldo final*
Bénéfices ou pertes dégagés à la
ligne Résultat net de l'entreprise

SALDO IN BANCA
F : solde de banque
GB : *bank balance*
D : Bankguthaben
E : *saldo de banco*
Situation d'un compte bancaire à un
moment donné

SALDO IN CASSA
F : solde en caisse
GB : *balance in hand*
D : verfügbarer Saldo
E : *sobrante*

SALDO NULLO
F : solde nul
GB : *nil balance (USA zero
balance)*
D : Nullsaldo
E : *saldo nulo*
Celui d'une balance commerciale ou
d'un budget équilibrés

SALDO PASSIVO
F : balance déficitaire
GB : *adverse balance (USA
negative balance)*
D : Passivaldo
E : *saldo adverso*
Balance qui fait apparaître un solde
négatif

SALDO, PAGAMENTO MENSILE
F : règlement mensuel
GB : *monthly settlement*
D : monatliche Zahlung
E : *pago mensual*
Marché à terme des valeurs mobi-
lières

SALDO, PARTITA SPAIATA
F : solde
GB : *balance, odd lot*
D : Saldo, Restpartie
E : *saldo, lote suelto*

SALVARE
F : sauver
GB : *save*
D : retten
E : *salvar*

SALVATAGGIO
F : sauvetage
GB : *salvage*
D : Bergung
E : *salvamento*

SALVO ERRORI ED OMISSIONI
F : erreur ou omission (sauf)
GB : *errors and omissions
excepted (e & oe)*
D : Irrtum vorbehalten
E : *salvo error u omision*

SANZIONI ECONOMICHE
F : sanctions économiques
GB : *economic sanctions*
D : wirtschaftliche Sanktionen
E : *sanciones economicas*

LUNGA SCADENZA (A)
F : long terme (à)
GB : *long-term*
D : langfristig
E : *largo plazo (a)*

LUNGA SCADENZA (A)
F : longue échéance (à)
GB : *long-dated*
D : langfristig
E : *largo plazo (a)*

ITALIEN

SCADENZA
F : échéance
GB : *maturity*
D : Fälligkeit
E : *vencimiento*

SCADERE, ESSERE PAGABILE
F : échoir
GB : *fall due*
D : faïllig dein
E : *vencer*
Arriver à échéance

SCADUTO
F : arriéré
GB : *overdue*
D : rückständig
E : *vencido*
Ce qui reste dû

SCADUTO
F : expiré
GB : *expired*
D : verfallen
E : *vencido*

SCADUTO
F : périmé
GB : *out of date, expired*
D : verfallen
E : *vencido*

SCALA
F : échelle
GB : *scale*
D : Maßstab
E : *escala*

SCALA MOBILE
F : échelle mobile
GB : *sliding scale*
D : gleitende Skala
E : *escala movil*

SCALO
F : quai
GB : *quay, wharf*
D : Kai
E : *muelle*

SCARICO, DICHIARAZIONE DI SCARICO
F : quitus
GB : *quietus*
D : Schlußbescheinigung
E : *finiquito*
Décharge formelle de responsabilité donnée à un gestionnaire financier qui cesse ses fonctions. Approbation des comptes annuels d'une société par l'assemblée générale des actionnaires

SCARTO QUADRATICO MEDIO
F : écart type
GB : *standard deviation*
D : Streuung
E : *desviación estándar*
Le plus utilisé des indicateurs de dispersion dans l'étude de la répartition d'une population statistique (la dispersion permet de mesurer l'écart entre les valeurs extrêmes prises par un caractère statistique)

SCENARIO
F : scénario
GB : *scenario*
D : Szenario
E : *caso, argumento*
Dans une démarche prospective, ensemble d'hypothèses pouvant servir de cadre à la définition d'options stratégiques

SCHEDA
F : fiche
GB : *index card*
D : Indexkarte
E : *ficha*

SCHEDA
F : carte
GB : *card*
D : Karte
E : *tarjeta*

SCHEDA MAGNETICA
F : carte magnétique
GB : *magnetic card*
D : Magnetkarte
E : *tarjeta magnética*
Carte accréditive dont les informations sur l'identification du titulaire sont inscrites sous forme codée sur une ou plusieurs pistes magnétiques

SCHEDARIO
F : fichier
GB : *card-index file*
D : Kartei
E : *archivo de fichas*

SCHEDARIO
F : classeur
GB : *filing cabinet*
D : Aktenschrank
E : *fichero*

SCHEMA CRITICO
F : chemin critique
GB : *critical path*
D : kritischer Weg
E : *camino crítico*
Voir Analyse du chemin critique

SCHEMA DI CONTRATTO
F : projet de convention
GB : *draft agreement*
D : Entwurf eines Übereinkommens
E : *proyecto de convenio*

SCIOGLIMENTO
F : dissolution
GB : *dissolution*
D : Auflösung
E : *desolucion*
Séparation, annulation légales

SCIOPERANTE
F : gréviste
GB : *striker*
D : Streikende(r)
E : *huelguista*

SCIOPERARE
F : grève (faire)
GB : *strike*
D : streiken
E : *declarar huelga*

SCIOPERO
F : grève
GB : *strike*
D : Streik
E : *huelga*

SCIOPERO (PREAVVISO DI)
F : grève (préavis de)
GB : *strike notice*
D : Streikankündingung
E : *huelga (preaviso de)*
Avertissement et délai réglementaires précédant le démarrage d'une grève

SCIOPERO A SINGHIOZZO
F : grève perlée
GB : *go-slow strike (USA slow down)*
D : Bummelstreik
E : *huelga de produccion*
Ralentissement concerté dans le travail

SCIOPERO ARTICOLATO
F : grève tournante
GB : *staggered strike*
D : Flackerstreik
E : *huelga alternativa*
Affecte successivement divers ateliers, usines ou catégories de personnels

SCIOPERO BIANCO
F : grève avec occupation des lieux
GB : *sit-down strike*
D : Sitzstreik
E : *huelga de brazos caidos*

SCIOPERO BIANCO
F : grève du zèle
GB : *work-to-rule strike*
D : Bummelstreik
E : *huelga de celo*
Application stricte du règlement dans une administration

SCIOPERO GENERALE
F : grève générale
GB : *general strike*
D : Generalstreik
E : *huelga general*

SCIOPERO SELVAGGIO
F : grève sauvage
GB : *wildcat strike*
D : wilder Streik
E : *huelga espontanea*

SCONTO, RIBASSO
F: escompte
GB: *discount*
D: Skonto
E: *descuento*
Opération par laquelle une banque verse au porteur d'un effet de commerce le montant de sa créance avant son échéance

SCOPERTO
F: découvert
GB: *overdraft*
D: Überziehung
E: *sobregiro, saldo deudor*
Compte bancaire débiteur ; autorisation donnée par la banque de tirer des chèques pour un montant supérieur à la provision d'un compte

SCORTE DI EQUILIBRIO
F: stock de régularisation
GB: *buffer stocks*
D: buffer-stocks
E: *existencias de regularizacion*

SDOGANAMENTO
F: formalités douanières
GB: *customs clearance*
D: Verzollung
E: *despacho de aduana*

SDOGANAMENTO
F: dédouanement
GB: *customs clearance*
D: Zollabfertigung
E: *paso de aduanas*

SDOGANARE
F: dédouaner
GB: *clear through customs*
D: verzollen
E: *retirar de aduanas*
Acquitter les droits ou taxes qui frappent une marchandise

SDOGANATO
F: acquitté (de droits de douane)
GB: *ex bond*
D: verzollt
E: *fuera de aduanas*

SEDE, UFFICIO CENTRALE
F: siège social
GB: *head office*
D: Hauptbüro
E: *oficina central*
Domicile légal d'une personne morale

SEGRETARIO, SEGRETARIA
F: secrétaire
GB: *(male or female) secretary*
D: Sekretär, Sekretärin
E: *secretario, secretaria*

SEGRETO COMMERCIALE
F: secret industriel
GB: *trade secret*
D: Betriebsgeheimmis
E: *secreto comercial*

SEGUITARE
F: poursuivre
GB: *follow up*
D: weiterverfolgen
E: *perseguir*

SEMESTRALE
F: semestriel
GB: *half-yearly*
D: halbjährlich
E: *semestral*

SEMESTRE
F: semestre
GB: *half-year*
D: Semester
E: *semestre*

SENSALE
F: courtier
GB: *broker*
D: Makler
E: *corredor*
Intermédiaire commercial qui met en relation, contre rémunération, deux personnes désirant conclure un contrat

SENSALE DI MERCI
F: courtier en marchandises
GB: *commodity broker*
D: Makler für Verbrauchsgüter
E: *corredor de mercaderias*

SENSERIA
F: courtage
GB: *brokerage*
D: Maklergebühr
E: *corretaje*
Rémunération ou fonction du courtier

SENZA CEDOLA, EX-CEDOLA
F: ex-coupon
GB: *ex coupon*
D: ohne Koupon
E: *sin cupon, ex cupón*
Titre qui ne comporte pas le montant du dividende à toucher (par opposition au coupon attaché)

SENZA DIRITTI, EX-DIRITTI
F: ex-droits
GB: *ex rights*
D: ohne Bezugsrecht
E: *sin privilegio, ex derechos*
S'appliquent à une valeur négociée après le détachement d'un droit d'attribution ou d'un droit de souscription

SENZA DIVIDENDO, EX-DIVIDENDO
F: ex-dividende
GB: *ex dividend*
D: ohne Dividende
E: *sin dividendo, ex dividendo*
Voir Ex-coupon

SENZA FORMALITÀ
F: formalités (sans)
GB: *informal*
D: formlos
E: *sin ceremonia*

SENZA LAVORO
F: chômage (en)
GB: *unemployed*
D: arbeitsols
E: *sin trabajo, parado*

SENZA PREGIUDIZIO
F: réserves (sous toutes)
GB: *without prejudice (USA not binding)*
D: ohne Verbindlichkeit
E: *sin prejuicio*
Sans garantie, sans engagement formel

SENZA RICORSO
F: droits de recours (sans)
GB: *without recourse*
D: ohne Rückgriff
E: *sin recurso*

SENZA SCOPO DI LUCRO
F: lucratif (sans but)
GB: *nonprofitmarking*
D: ohne Gewinnabsicht
E: *sin finos lucrativos*

SERRATA
F: lock-out
GB: *lock-out*
D: Aussperrung
E: *cierre*
Fermeture momentanée d'une unité de production décidée par la direction au cours d'un conflit collectif

SERVIRSI DA SÈ
F: libre-service
GB: *self-service*
D: Selbstbedienung
E: *auto-servicio*

SERVIZIO DE CASSETTE DI SICUREZZA
F: dépôt en coffre-fort
GB: *safe deposit*
D: Verwahrung im Stahlfach
E: *deposito en cuju fuerte*

SERVIZIO SANITARIO
F: service de santé
GB: *health service*
D: Gesundheitsdienst
E: *servicio de sanidad*

SETTORE PRIVATO
F: secteur privé
GB: *private sector*
D: Privatwirtschaft
E: *sector privado*

SETTORE STATALE
F: secteur public
GB: *public sector*
D: öffentliche Hand
E: *sector publico*

SFRATTARE UN LACATANO
F: expulser un locataire
GB: *evict a tenant*
D: einren Mieter entfernen
E: *desalojar un inquilino*

SFRUTTARE
F : exploiter
GB : *exploit*
D : ausbeuten
E : *explotar*

SGRAVIO FISCALE
F : dégrèvement
GB : *tax relief*
D : Steuererleichterung
E : *desgravacion*
Suppression ou diminution de l'impôt accordées à titre contentieux (réduction) ou gracieux (remise)

SICUREZZA
F : sécurité
GB : *security, safety*
D : Sicherheit
E : *seguridad*

SICUREZZA SOCIALE
F : sécurité sociale
GB : *social security*
D : Sozialversicherung
E : *seguridad social*
Institution chargée de la protection sociale et ensemble des organismes chargés de prélever les cotisations et verser les prestations

SIGILLO
F : sceau
GB : *seal*
D : Siegel
E : *sello*

SIGLARE
F : parapher
GB : *initial*
D : paraphieren
E : *rubricar, poner iniciales a*

SIMBOLO
F : symbole
GB : *symbol*
D : Symbol
E : *simbolo*

SIMULAZIONE
F : simulation
GB : *simulation*
D : Simulation
E : *simulacion*
Réalisation d'expériences fictives permettant d'étudier l'évolution de phénomènes complexes aux facteurs explicatifs multiples

SINDICATO
F : syndicat
GB : *syndicate, trade union*
D : Syndikat, Gewerkschaft
E : *sindicato*

SINDICATO DI ASSICURATORI
F : syndicat d'assureurs
GB : *underwriting syndicate (insurance)*
D : Versicherungssyndikat
E : *sindicato de seguros*

SINERGIA
F : synergie
GB : *synergy*
D : Synergie
E : *sinergia*

SINISTRO, RECLAMO D'INDENNIZZO
F : indemnité d'assurance
GB : *insurance claim*
D : Versicherungsanspruch
E : *reclamacion de seguro*

SISTEMA
F : système
GB : *system*
D : System
E : *sistema*
Ensemble des dispositifs ou des solutions mis en œuvre pour atteindre un objectif donné

SISTEMA ESPERTO
F : système expert
GB : *expert system*
D : Expertensystem
E : *sistema experto*
Logiciel élaboré à partir d'expertises reconnues, pour simuler le raisonnement humain dans des domaines spécifiques de la connaissance

SISTEMA METRICO
F : système métrique
GB : *metric system*
D : metrisches System
E : *sistema métrico*

SITUAZIONE NETTA
F : situation nette
GB : *net worth*
D : Nettolage
E : *situación neta*

SITUAZIONE PERMETTENTE DI TRATTARE
F : situation permettant de négocier
GB : *bargaining position*
D : Verhandlungslage
E : *situacion de negociar*

SOCIETÀ
F : société
GB : *company*
D : Gesellschaft
E : *compania, sociedad*
Association contractuelle de personnes physiques ou morales qui conviennent de mettre en commun des biens, des valeurs ou du travail dans un but lucratif

SOCIETÀ A RESPONSABILITÀ LIMITATA (SRL)
F : société à responsabilité limitée - SARL
GB : *private limited company*
D : Gesellschaft mit beschränkter Haftung (GMBH)
E : *compania privada*
Dirigée par un ou des gérants, elle associe des personnes (1 à 50) qui ne sont responsables qu'à concurrence de leur apport, s'engagent personnellement et ne peuvent céder librement leur part

SOCIETÀ ANONIMA (SA)
F : société anonyme (SA)
GB : *public limited company*
D : Aktiengesellschaft (AG)
E : *sociedad anonima (SA)*
Dotée d'un capital social de 250 000 F, elle est composée de sept actionnaires au minimum et dirigée par un président issu du conseil d'administration ou par un directoire contrôlé par un conseil de surveillance

SOCIETÀ D'IMPRESE
F : société d'exploitation
GB : *development company, operating company*
D : Erschließungsgesellschaft, Betrieb
E : *compania de explotacion*
Ou de gestion ; SA créée pour diriger une ou plusieurs entreprises

SOCIETÀ D'INVESTIMENTO A CAPITALE VARIABILE
F : SICAV (société d'investissement à capital variable)
GB : *mutual fund*
D : Investitionsgesellschaft mit variablem Kapital
E : *sociedad gestora del fondo de inversión mobiliaria*
Exclusivement destinée à la gestion collective des placements de ses actionnaires (valeurs mobilières ou biens immobiliers)

SOCIETÀ DI LEASING
F : société de leasing
GB : *leasing company*
D : Leasinggesellschaft
E : *compania arrendataria*
Société de crédit-bail

SOCIETÀ DI MUTUA GARANZIA
F : société de caution mutuelle
GB : *mutual guarantee insurance company*
D : gegenseitige Bürgschaftsgesellschaft
E : *sociedad de caución mutua*
Société à capital variable dont l'objet est de garantir les crédits accordés à ses membres

SOCIETÀ DI MUTUO SOCCORSO
F : société de secours mutuel
GB : *friendly society (USA lodge)*
D : Versicherungsverein auf Gegenseitigkeit
E : *sociedad de socorro mutuo*
Voir Mutuelle

SOCIETÀ DI NAVIGAZIONE
F: compagnie de navigation
GB: *shipping line*
D: Reederei
E: *compania navièra*

SOCIETÀ DI PERSONE
F: société de personnes
GB: *partnership*
D: Personengesellschaft
E: *sociedad de personas*
Dans laquelle les associés sont responsables des dettes ; en font partie les sociétés en commandite simple ou en nom collectif, et les SARL

SOCIETÀ DI SERVIZI PUBBLICI
F: entreprise d'utilité publique
GB: *utility company*
D: gemeinnütziges Unternehmen
E: *empresa de servicios publicos*
Qualité reconnue à certains organismes par l'administration qui leur donne une existence juridique

SOCIETÀ DIRETTRICE
F: société directrice
GB: *controlling company*
D: Gesellschaft mit Kontrollbefugnis
E: *compania directriz*

SOCIETÀ ESTINTA
F: société liquidée
GB: *defunct company*
D: erloschene Gesellschaft
E: *sociedad extinta*
Voir Liquidation

SOCIETÀ FASULLA
F: société fantôme
GB: *bogus company (USA phantom operation)*
D: Schwindelgesellschaft
E: *sociedad fantasma*

SOCIETÀ FIDUCIARIA
F: société fiduciaire
GB: *trust company*
D: Treuhandgesellschaft
E: *banco fideicomisario*
Gestion : société spécialisée dans l'administration de biens pour le compte de tiers ; comptabilité : cabinet d'expertise comptable

SOCIETÀ FINANZIARIA
F: société de financement
GB: *finance company*
D: Finanzierungsgesellschaft
E: *compania de crédito comercial*

SOCIETÀ HOLDING
F: société holding
GB: *holding company*
D: Dachgesellschaft
E: *compania tenedora*
Voir Holding

SOCIETÀ IN ACCOMANDITA SEMPLICE
F: société en commandite
GB: *limited partnership*
D: Kommanditgesellschaft
E: *sociedad en comandita*
Forme de société exploitée par un entrepreneur (commanditaire) à laquelle un bailleur de fonds (commanditaire) a fait un apport en capital sans prendre part à sa gestion.

SOCIETÀ IN NOME COLLETTIVO
F: société en nom collectif
GB: *partnership*
D: offene Handelsgesellschaft (OHG)
E: *sociedad regular colectiva (SRC)*
Société de personnes, dont les parts sociales ne sont ni cessibles ni transmissibles librement, et qui sont indéfiniment et solidairement responsables des dettes

SOCIETÀ MADRE
F: société mère
GB: *parent company*
D: Muttergesellschaft
E: *compania matriz*
Qui détient plus de la moitié du capital d'une ou plusieurs autres filiales

SOCIETÀ MUTUALISTICA
F: mutuelle
GB: *mutual benefit society*
D: Versicherungsgesellschaft auf Gegenseitigkeit
E: *mutualidad*
Organisme de prévoyance, de solidarité et d'entraide financée par les cotisations de ses membres

SOCIETÀ PER INVESTIMENTI
F: société de placement
GB: *investment company*
D: Investierungsgesellschaft
E: *compania inversionista*
Voir Placement

SOCIETÀ QUOTATA IN BORSA
F: société cotée en Bourse
GB: *quoted company*
D: Gesellschaft notiert an der Börse
E: *compania cotizada en bolsa*

SOCIETÀ SORELLA
F: société soeur (associée)
GB: *sister company*
D: Schwestergesellschaft
E: *compania asociada*
L'une des filiales de la société mère

SOCIO
F: associé
GB: *partner*
D: Teilhaber
E: *socio*

SOCIO ACCOMANDANTE
F: commanditaire
GB: *sleeping partner (USA silent partner)*
D: stiller Gesellschafter
E: *socio comandario*
Bailleur de fonds

SOCIO ATTIVO
F: associé actif
GB: *working partner*
D: aktiver Teilhaber
E: *socio activo*
Participe au capital d'une entreprise et à la direction de celle-ci

SOCIO FONDATORE
F: membre fondateur
GB: *founder member*
D: Gründmitglied
E: *miembro fundador*

SOCIO MAGGIORITARIO
F: associé majoritaire
GB: *senior partner*
D: Mehrheitsteilhaber
E: *asociado mayoritario*
Détient la majorité des parts du capital d'une entreprise

SOCIO MINORITARIO
F: associé minoritaire
GB: *junior partner*
D: Minderheitsteilhaber
E: *asociado minoritario*

SODDISFAZIONE
F: satisfaction
GB: *satisfaction*
D: Zufriedenstellung, Begleichung
E: *satisfaccion*

SOFTWARE
F: logiciel
GB: *software*
D: Software
E: *software*

SOGLIA DI REDDITIVITÀ
F: seuil de rentabilité
GB: *breakeven point*
D: Gewinnschwelle
E: *umbral de rentabilidad*
Point mort d'une entreprise ou niveau d'activité à partir duquel, toutes charges couvertes, elle commence à faire des bénéfices

SOLVIBILE
F: solvable
GB: *solvent*
D: zahlungsfähig
E: *solvente*

SOLVIBILITÀ
F: solvabilité
GB: *solvency*
D: Zahlungsfähigkeit
E: *solvencia*

SOMMA GLOBALE
F: somme globale
GB: *lump sum*
D: Pauschalbetrag
E: *suma global*

SOMMARE
F: totaliser
GB: *add up*
D: addieren
E: *sumar*

SONDAGGIO
F: sondage
GB: *survey*
D: Umfrage
E: *sondeo*

SOPRATTASSA
F: surtaxe
GB: *surtax*
D: Steuerzuschlag
E: *sobretasa*

SOTTO VINCOLO DOGANALE
F: entrepôt (en)
GB: *in bond*
D: uniter Zollverschluß
E: *en aduanas*

SOTTOMETTERE
F: assujettir (à une taxe)
GB: *subject to*
D: (mit einer Steuer) belegen
E: *someter (a una tasa)*
Astreindre quelqu'un à payer une taxe

SOTTOPRODOTTO
F: sous-produit
GB: *by-product*
D: Nebenprodukt
E: *producto derivado*

SOTTOSCRIZIONE
F: souscription
GB: *subscription*
D: Zeichnung
E: *suscripcion*
Engagement irrévocable à recevoir des titres contre paiement à un prix convenu d'avance ; achat d'un titre au moment de son émission

SOTTOVALUTAZIONE
F: sous-estimation
GB: *under-estimate*
D: Unterschätzung
E: *presupuesto por defecto*

SOTTRAZIONE
F: soustraction
GB: *substraction*
D: Subtraktion
E: *substraccion*

SOVRAPPRODUZIONE
F: surproduction
GB: *overproduction*
D: Überproduktion
E: *exceso de produccion*

SOVVENZIONE DELLO STATO
F: subvention d'Etat
GB: *government subsidy*
D: Staatszuschuß
E: *subvencion del Estado*

SOVVENZIONI DI CAPITALE
F: subventions en capital
GB: *capital grants*
D: Kapitlhilfe
E: *subvencion de capital*

SPAZIO PUBBLICITARIO
F: espace publicitaire
GB: *advertising space*
D: Werbeplazierung
E: *espacio publicitario*

SPECIALISTA
F: spécialiste
GB: *specialist, expert*
D: Sachverständige(r)
E: *especialista*

SPECULARE
F: spéculer
GB: *speculate, job*
D: spekulieren
E: *especular*
Acheter et revendre des biens ou des valeurs pour tirer profit de la fluctuation de leur cours

SPEDIRE
F: envoyer
GB: *send, forward*
D: expedieren, absenden
E: *expedir, remitir*

SPEDIRE
F: expédier
GB: *dispatch, forward*
D: absenden, expedieren
E: *expedir, remitir*

SPEDIZIONE, CONSEGNA
F: envoi
GB: *despatch, consignment*
D: Versand, Versendung
E: *expedicion, consignacion*

SPEDIZIONIERE
F: transitaire
GB: *forwarding agent*
D: Spediteur
E: *agente expedidor*
Commerçant, commissionnaire en marchandises chargé des opérations de transit

SPESA PERMESSA
F: dépense déductible
GB: *allowable expense*
D: abziehbare Unkosten
E: *gastos deducibles*

SPESA SUPPLEMENTARE
F: supplément
GB: *extra charge*
D: Zuschlagsgebühr
E: *suplemento*

SPESA, SPESE
F: frais
GB: *charges, expenditure*
D: Kosten, Ausgaben
E: *costes, desembolso*

SPESE ACCESSORIE
F: charges annexes
GB: *incidental charges*
D: Nebenkosten
E: *cargos imprevitos*

SPESE D'IMPIANTO
F: frais d'établissement
GB: *set-up costs*
D: Ansiedlungskosten
E: *gastos de establecimiento*
Charges correspondant à des opérations qui conditionnent l'existence, l'activité ou le développement d'une société et dont la valeur réelle est nulle

SPESE DE PUBBLICITÀ
F: dépenses de publicité
GB: *advertising expenditure*
D: Werbekosten
E: *gastos publicitarios*

SPESE DI BANCA
F: frais bancaires
GB: *bank charges*
D: Bankspesen
E: *gastos de banco*

SPESE DI GESTIONE
F: frais d'exploitation
GB: *operating costs*
D: Betriebsausgaben
E: *costes operacionales*
Ensemble des dépenses engagées lors du processus de production

SPESE DI GESTIONE
F: frais de manutention
GB: *handling charges*
D: Umschlagspesen
E: *gastos de manutencion*

SPESE DI MAGAZZINAGGIO
F: frais de stockage
GB: *storage charges*
D: Lagergeld
E: *gastos de almacenaje*

SPESE DI RAPPRESENTANZA
F: frais de représentation
GB: *entertainment expenses*
D: Repräsentationskosten
E: *gastos de representacion*

SPESE DI RISCOSSIONE
F: frais d'encaissement
GB: *collection charges*
D: Einzugskosten
E: *gastos de cobranza*

SPESE DI VIAGGIO
F: frais de déplacement
GB: *travelling expenses*
D: Reisekosten
E: *dietas de viajes*

SPESE DIRETTE
F : frais directs
GB : *direct expenses*
D : Einzelkosten
E : *gastos directos*
Charges qu'on peut affecter sans calcul intermédiaire au coût d'un produit déterminé

SPESE FISSE
F : charges fixes
GB : *standing charges*
D : Fixkosten
E : *cargas fijas*
Liées à l'existence même de l'outil de production, elles sont indépendantes du niveau d'activité de l'entreprise

SPESE GENERALI
F : frais commerciaux
GB : *business expenses*
D : Geschäftskosten
E : *gastos de los negocios*

SPESE GENERALI
F : frais généraux
GB : *general expenses, overheads*
D : allgemeine Unkosten, Generalunkosten
E : *gastos generales*
Ensemble des coûts se rapportant à l'activité d'une entreprise

SPESE IMPREVISTE
F : faux frais
GB : *incidental expenses*
D : Nebenkosten
E : *gastos imprevistos*
Dépenses supplémentaires non prévisibles

SPESE POSTALI
F : frais de port
GB : *postage, postal charges*
D : Postspesen
E : *gastos de correo*

SPESE VARIE
F : frais divers
GB : *sundry expenses*
D : verschiedene Ausgaben
E : *gastos varios*

SPICCIOLI
F : petite monnaie
GB : *small change*
D : Kleingeld
E : *moneda suelta*

SPIONAGGIO INDUSTRIALE
F : espionnage industriel
GB : *industrial espionage*
D : Wirtschaftsspionage
E : *espionaje industrial*

STAGIONE
F : saison
GB : *season*
D : Jahreszeit
E : *estacion*

STAMPIGLIA
F : tampon
GB : *stamp*
D : Stempel
E : *estampilla*

STANDARDIZZARE
F : standardiser
GB : *standardize*
D : standardisieren
E : *estandarizar*

STANZA DI COMPENSAZIONE
F : chambre de compensation
GB : *clearing house*
D : Verrechnungsstelle
E : *camara de compensaciones*
A Paris, elle effectue la grande majorité des opérations de compensation.En province, les succursales de la Banque de France en tiennent lieu

STANZIAMENTO
F : affectation
GB : *appropriation*
D : Zuführung
E : *apropiacion*
Destinations de moyens ou ressources à un usage déterminé

STANZIARE
F : affecter
GB : *allocate (credits), (nommer) post, (avoir un impact) affect*
D : zuweisen
E : *asignar*

STATISTICA
F : statistique nf
GB : *statistics*
D : Statistik
E : *estadistica*
Ensemble des méthodes permettant d'analyser et de synthétiser une quantité importante de données chiffrées

STATUTARIO
F : statutaire adj
GB : *statutory*
D : gesetzlich
E : *estatutario*

STATUTO
F : statut
GB : *statute*
D : Gesetz
E : *estatuto*
Disposition législative ou réglementaire qui fixe la situation d'une catégorie de personnes, d'entreprises ou de collectivités

STATUTO SOCIALE
F : contrat de société
GB : *articles of association (USA articles of incorporation)*
D : Gesellschaftsvertrag
E : *articulos de associacion*
Des associés conviennent de mettre en commun des apports en vue de partager un bénéfice ou de profiter d'une économie

STENODATTILOGRAFA
F : sténodactylographe
GB : *shorthand typist*
D : Stenotypistin
E : *taquimecanografa*

STENOGRAFIA
F : sténographie
GB : *shorthand*
D : Kurzschrift
E : *taquigrafia*

STILE DI VITA
F : style de vie
GB : *life style*
D : Lebensstil
E : *estilo de vida*

STIMA DEL CREDITO
F : degré de solvabilité
GB : *credit rating*
D : Kreditwürdigkeit
E : *limite de crédito*
Aptitude à tenir ses engagements sur l'ensemble de son patrimoine ou de son actif

STIMARE
F : estimer
GB : *estimate*
D : einschätzen
E : *estimar*

STIPENDIATO
F : appointé
GB : *salaried employee*
D : Angestellte(r)
E : *empleado a sueldo*

STIPENDIO
F : traitement
GB : *salary*
D : Gehalt
E : *sueldo*
Salaire

STIVA
F : cale
GB : *hold*
D : Laaderaum
E : *bodega*

STIVARE
F : arrimer
GB : *stow*
D : verstauen
E : *estibar*

STOCK
F : stock
GB : *stock*
D : Vorrat
E : *stock*
Ensemble des matières et produits mis en œuvre dans l'activité d'une entreprise et entreposés en attendant d'être utilisés ou vendus

STOFFA, TESSUTO
F : étoffe
GB : *material, cloth*
D : Stoff
E : *tejido*

STORNARE
F : extourner
GB : *to reverse*
D : umgehen
E : *anular*
Pour une banque, rembourser des agios à un client auquel elle a accordé une ristourne ou qui a été victime d'une erreur de sa part

STRANIERO
F : étranger nm
GB : *foreigner*
D : Ausländer
E : *extranjero*

STRANIERO, ESTERO
F : étranger adj
GB : *foreign, alien*
D : ausländisch, fremd
E : *extranjero*

STRATEGIA
F : stratégie
GB : *strategy*
D : Strategie
E : *estrategia*

STROZZATURA
F : goulot d'étranglement
GB : *bottle-neck*
D : Engpaß
E : *embotellamiento*

STRUMENTO
F : instrument
GB : *instrument*
D : Instrument
E : *instrumento*

STRUMENTO D'ANALISI
F : instrument d'analyse
GB : *analytical tool*
D : Analysenwerkzeug
E : *instrumento de analisis*

STUDI E SVILUPPI
F : recherche-développement
GB : *research and development (R & D)*
D : Zweckforschung, Forschung und Entwicklung (F & E)
E : *investigacion y desarrollo*
S'applique aux phases de la recherche fondamentale, de la recherche appliquée, et du développement

STUDIO DELLE POSSIBILITÀ
F : étude probatoire
GB : *feasibility study*
D : Durchführbarkeitsanalyse
E : *estudio de viabilidad*
Destinée à démontrer la véracité d'une proposition, l'exactitude d'une hypothèse

SUBAFFITTO
F : sous-location
GB : *sub-letting*
D : Untervermietung
E : *sub-alquiter*

SUBALTERNO
F : subalterne
GB : *subordinate*
D : Untergebene(r)
E : *subalterno*

SUCCESSIONE
F : succession
GB : *inheritance, estate*
D : Erbschaft, Nacklaß
E : *sucesion*

SUCCURSALE
F : comptoir
GB : *counter*
D : Handelskontor
E : *mostrador*

SUCCURSALE
F : succursale
GB : *branch, branch office*
D : Filiale, Zweigstelle
E : *sucursal, filial*
Etablissement sans individualité juridique qui concourt au même objet que celui dont il dépend

SUDDETTO
F : susmentionné
GB : *above-mentioned*
D : obenerwähnt
E : *susodicho*

SUPERFICIE DI PAVIMENTO
F : surface au sol
GB : *floor space*
D : Bodenfläche
E : *superficie de piso*

SUPERMERCATO
F : supermarché
GB : *supermarket*
D : Supermarkt
E : *supermercado*

SUPERMERCATO, IPERMERCATO
F : grande surface
GB : *supermarket*
D : SB-Warenmarkt
E : *grandes almacenes*

SUPERVISORE
F : surveillant
GB : *supervisor*
D : Aufseher
E : *supervisor*

SURROGAZIONE
F : subrogation
GB : *subrogation*
D : Ersetzung
E : *subrogacion*
Droit : substitution d'une personne (subrogation personnelle) ou d'une chose (subrogation réelle) à une autre

SUSSIDIO
F : subvention
GB : *subsidy*
D : Subvention
E : *subsidio*
Aide ou prêt non remboursable de l'Etat ou d'une collectivité publique

SVAGO
F : loisir
GB : *leisure*
D : Freizeit
E : *descanso*

SVALUTAZIONE
F : dévaluation
GB : *devaluation*
D : Währungsabwertung
E : *devaluacion*
Diminution de la valeur-or d'une monnaie et de sa valeur de change

SVALUTAZIONE DELLA MONETA
F : dépréciation de la monnaie
GB : *depreciation of money*
D : Geldabwertung
E : *desvalorizacion de la moneda*
Diminution, perte de sa valeur en terme de pouvoir d'achat

SVENDERE
F : brader
GB : *sell cheaply/off*
D : verschleudern
E : *saldar*
Se débarrasser à bas prix de marchandises

SVILUPPO DELLE VENDITE
F : promotion de ventes
GB : *sales promotion*
D : Werbung, Verkaufsförderung
E : *promocion de ventas*

SVILUPPO ENONOMICO
F : croissance économique
GB : *economic growth*
D : Wirtschaftswachstum
E : *crecimiento economico*

SWAP
F : SWAP
GB : *SWAP*
D : SWAP
E : *SWAP*
Echange financier d'éléments de créances ou de dettes opéré entre deux ou plusieurs entités (banques, entreprises, Etats...)

TABELLA SALARIALE
F : grille des salaires
GB : *wage scale*
D : Gehaltsstruktur
E : *escala de salarios*

TABULATORE
F : tableur
GB : *spreadsheet*
D : Arbeitsblatt
E : *hoja electrónica de cálculo*
Logiciel de création et de manipulation interactive de tableaux numériques visualisés

TAGLIA
F : taille
GB : *size*
D : Größe
E : *tamaño*

TARA
F : tare
GB : *tare*
D : Tara
E : *tara*

TARIFFA
F : barème
GB : *scale (of fees, charges, etc.)*
D : Tarif
E : *tarifa*
Tableau des banques intervenant dans les opérations financières d'une société

TARIFFA
F : tarif
GB : *tariff*
D : Tarif
E : *tarifa*

TARIFFA DI LISTINO
F : tarif-catalogue
GB : *trade catalogue, catalogue rate*
D : Katalogpreis
E : *catalogo comercial, tarifa catálogo*

TARIFFA DISCRIMINANTE
F : tarif discriminatoire
GB : *discriminating tariff*
D : diskriminierender Tarif
E : *tarifa diferencial*

TARIFFA ESTERA COMUNE
F : tarif extérieur commun (UE)
GB : *common external tariff*
D : gemeinsamer Außentarif
E : *tarifa exterior comun*
Il s'applique aux importations sur le territoire communautaire de marchandises provenant des pays tiers

TARIFFA PREFERENZIALE
F : tarif de faveur
GB : *preferential duty*
D : Vorzugssatz
E : *derechos preferenciales*

TARIFFA SALARIALE
F : taux de salaires
GB : *wage rate*
D : Lohnsatz
E : *tarifa de salarios*
Niveaux de salaires

TARIFFA UNIFORME
F : tarif uniforme
GB : *flat rate*
D : Einheitssatz
E : *tarifa unificada*

TARIFFE PUBBLICITARIE
F : tarifs de publicité
GB : *advertising rates*
D : Werbetarif
E : *tarifa para anuncios, tarifas de publicidad*

TASSA COMUNALE
F : taxes municipales
GB : *rates (USA realty tax)*
D : Gemeindesteuer
E : *contribucion municipal*

TASSA D'ENTRATA
F : droit d'entrée
GB : *entrance free*
D : Eintrittsgebühr
E : *derecho de entrada*
Droit d'importation, impôt à acquitter pour les marchandises à l'entrée dans un pays

TASSA DI BOLLO
F : droit de timbre
GB : *stamp duty*
D : Stempelgebühr
E : *impuesto del timbre*
Impôt indirect auquel sont soumis certains actes

TASSA DI REGISTRAZIONE
F : droit d'enregistrement
GB : *registration free*
D : Anmeldegebühr
E : *derechos de registro*
Impôt dû à l'occasion de certaines opérations donnant lieu à un acte écrit

TASSA ESCLUSA
F : hors taxe (HT)
GB : *excluding tax*
D : außer Steuer
E : *impuesto no incluido*
Avant impôts

TASSA SUGLI ARTICOLI DI LUSSO
F : impôt sur les produits de luxe
GB : *luxury tax*
D : Luxussteuer
E : *impuesto de lujo*

TASSA, IMPOSTA
F : taxe
GB : *duty, tax*
D : Gebühr, Abgabe
E : *derechos, impuesto*
Impôt. Coût d'un service rendu par une collectivité (acception première)

TASSABILE
F : taxable
GB : *dutiable*
D : abgabenpflichtig
E : *tasable*

ITALIEN

TASSAZIONE
F : imposition
GB : *taxation*
D : Besteuerung
E : *tributacion*

TASSAZIONE DIFFERIDA
F : imposition différée
GB : *deferred taxation*
D : latente Steuerpflich
E : *tasacion diferida*

TASSI
F : taxi
GB : *taxi*
D : Taxi
E : *taxi*

TASSO ANNUALE
F : taux annuel
GB : *annual rate*
D : Jahreskurs
E : *tasa anual*

TASSO ATTUARIALE
F : taux actuariel
GB : *redemption yield*
D : Rendite
E : *tasa actuarial*
Rapport, pour une période donnée, entre le coût effectif d'un emprunt (ou le rendement effectif d'un prêt) et le montant du capital engagé

TASSO D'INTERESSE
F : taux d'intérêt
GB : *interest rate*
D : Zinsfuß
E : *tipo de interés*
Prix d'un placement ou d'un emprunt, exprimé en pourcentage, qui est le rapport entre le montant de l'intérêt dû pour l'année et celui du capital engagé

TASSO DEL CAMBIO FLUT-TUANTE
F : taux de change flottant
GB : *floating exchange rate*
D : flexibler Wechselkurs
E : *tipo de cambio flotante*

TASSO DI BASE BANCARIO
F : taux de base bancaire
GB : *M.L.R. (minimum lending rate)*
D : Lombardsatz
E : *tipo de base bancario*
Taux d'intérêt appliqué par une banque aux crédits consentis à ses meilleurs clients, qui constitue sa référence pour établir le barème de ses différents taux

TASSO DI CAMBIO
F : taux de change
GB : *exchange rate*
D : Wechselkurs
E : *tipo de cambio*
Valeur de la monnaie nationale exprimée en monnaie étrangère

TASSO DI MORTALITÀ
F : taux de mortalité
GB : *death rate*
D : Sterblichkeitsziffer
E : *mortalidad*
Rapport entre le nombre de décès observés pendant un temps déterminé et l'effectif de la population au milieu de cette période

TASSO DI REDDITO
F : taux de rendement
GB : *rate of return*
D : Ertragsrate
E : *tipo de rédito*
Rapport entre le revenu annuel que procure un placement et la valeur immédiate de celui-ci

TASSO DI SCONTO
F : taux d'escompte
GB : *discount rate*
D : Diskontsatz
E : *tasa de descuento*
Taux auquel est consenti un escompte

TASSO INTERBANCARIO OFFERTO A PARIGI
F : TIOP
GB : *Paris Interbank Offered Rate*
D : Französiche Bank-an-Bank Zinsenssatz
E : *MIBOR (precio del dinero en el mercado interbancario de Madrid)*
Taux interbancaire offert à Paris (en anglais : PIBOR). Indicateur quotidien des taux d'intérêt pratiqués entre banques sur le marché monétaire

TASSO VARIABILE
F : taux variable
GB : *fluctuating rate*
D : schwankender Kurs
E : *tipo oscilante*

TASSO, TARIFFA
F : taux
GB : *rate*
D : Satz, Kurs
E : *tasa, tipo*
Expression arithmétique d'une variation dans le temps entre deux grandeurs (pourcentage, montant, coefficient)

TASTO
F : touche (de machine à écrire)
GB : *key*
D : Taste
E : *tecla*

TECNICA
F : technique nf
GB : *technique*
D : Technik
E : *técnica*
Procédé résultant de l'application de connaissances théoriques et scientifiques à une production

TECNOLOGIA
F : technologie
GB : *technology*
D : Technologie
E : *tecnologia*
Etude des techniques. Savoir-faire

TELEFONATA INTERCONTINEN-TALE (CHIAMATA TELEFONICA A LUNGA DISTANZA)
F : appel téléphonique de longue distance
GB : *long distance phone call*
D : Ferngespräch
E : *llamada telefónica de larga distancia*

TELEFONO
F : téléphone
GB : *telephone*
D : Fernsprecher, Telefon
E : *teléfono*

TELEGRAFARE
F : télégraphier
GB : *telegraph*
D : telegrafieren
E : *telégrafar*

TELEGRAMMA
F : télégramme
GB : *telegram*
D : Telegramm
E : *telegrama*

TELEMATICA
F : télématique
GB : *telematics*
D : Telematik
E : *telemática*
Transmission d'informations à distance par l'utilisation conjointe de l'informatique et des télécommunications

TELEX
F : telex
GB : *Telex*
D : Fernschreiber
E : *télex*
Transmission à distance de messages dactylographiés

TEMPESTA
F : tempête
GB : *storm*
D : Sturm
E : *tormenta*

TEMPO IMPRODUTTIVO
F : temps d'arrêt
GB : *down time*
D : Leelaufzeit
E : *tiempo improductivo*

TEMPO PASSIVO DI MACCHINA
F : temps de panne machine
GB : *machine down-time*
D : Maschinenstillstandzeit
E : *tiempo improductivo de la maquina*

TEMPORANEO
F : provisoire
GB : *temporary*
D : einstweilig
E : *temporal*

TENERE
F : tenir
GB : *hold*
D : halten
E : *tener*

TENERE AZIONI
F : détenir des actions
GB : *hold shares*
D : beteiligt sein, Aktien besitzen
E : *tener acciones*

TENERE LA CONTABILITÀ
F : comptabilité (tenir la)
GB : *keep the accounts*
D : Konto führen
E : *llevar la contabilidad*

TENERE UNA RIUNIONE
F : assemblée (tenir une)
GB : *hold a meeting*
D : eine Versammlung abhalten
E : *celebrar una reunion*

TENORE
F : teneur
GB : *tenor*
D : Laufzeit
E : *tenor*

TENORE DI VITA
F : niveau de vie
GB : *standard of living*
D : Lebenshaltung
E : *nivel de vida*
Ensemble des biens et services à la disposition d'un individu, d'un ménage ou d'un groupe social

TEORIA APPLICATA DELLA PRODUZIONE
F : productique
GB : *automated production technology*
D : Automatisierungstechnik
E : *tecnología de producción automatizada*
Ensemble des techniques concourant à l'automatisation de la production

TERMINE
F : expiration
GB : *expiry*
D : Ablauf
E : *expiracion*

TERMINE
F : terme
GB : *due date*
D : Frist
E : *término*
Echéance

TERRENI AURIFERI
F : régions aurifères
GB : *gold fields*
D : Goldgrube
E : *yacimiento aurifero*

TERRENO EDILE
F : terrain à bâtir
GB : *building land*
D : Bauland
E : *solares*

TERZI
F : tiers
GB : *third party*
D : Dritte(r)
E : *tercero*

TESORO
F : trésorerie
GB : *exchequer (USA tresury)*
D : Schatzamt
E : *hacienda*
Moyens de financement liquides ou à court terme

TESSILE
F : textile
GB : *textile*
D : Webware
E : *textil*

TESTA (A)
F : par tête
GB : *per capita*
D : pro Kopf
E : *por cabeza*

TESTIMONE
F : témoin
GB : *witness*
D : Zeuge
E : *testigo*

TIMBRO A DATA
F : dateur
GB : *date-stamp*
D : Tagesstempel
E : *sello de fecha*

TIMBRO, FRANCOBOLLO
F : timbre
GB : *stamp*
D : Stempel, Marke
E : *sello*
Marque ou vignette qui garantit l'authenticité d'un document ou atteste le paiement d'un droit

TIROCINIO
F : apprentissage
GB : *apprenticeship (USA trainee period)*
D : Lehre
E : *aprendizaje*

TITOLARE
F : détenteur
GB : *holder*
D : Inhaber
E : *titular*

TITOLI DI PRESTITO
F : titres d'emprunt
GB : *loan stock*
D : Anteilewerte
E : *titulos de préstamo*
Titres attestant l'exIstence d'une dette

TITOLI DI STATO
F : titres d'Etat
GB : *Government securities*
D : Regierungsschuldverschreibungen
E : *titulos publicos*
Titres émis par l'Etat ou une collectivité publique

TITOLI NON QUOTATI
F : valeurs non cotées
GB : *unquoted securities*
D : nicht notierte Wert
E : *titulos no cotizados*

TITOLI QUOTATI (IN BORSA)
F : valeurs boursières
GB : *listed security*
D : an der Börse notierte Wertpapiere
E : *valores cotizables*

TITOLI, VALORI
F : titres
GB : *stock, securities*
D : Wertpapier, Effekten
E : *titulos, valores*

TITOLO
F : titre
GB : *(legal) title, security*
D : Titel, Wertpapier
E : *titulo*
Document représentatif d'un droit de propriété ou d'une créance

TITOLO A BREVE SCADENZA
F : titre à court terme
GB : *short-dated security*
D : kurzfristiges Wertpapier
E : *titulo a corto plazo*
Titre dont l'échéance est inférieure à deux ans

TITOLO AL PORTATORE
F : bon au porteur
GB : *bearer bond*
D : Inhaberobligation
E : *titulo al portador*
Bon dont le bénéficiaire n'est pas désigné nominativement

TITOLO DI PROPRIETÀ
F : titre de propriété
GB : *title deed*
D : Eigentumstitel
E : *titulo de propiedad*

TITULO NEGOZIABILE
F : effet de commerce
GB : *negotiable instrument*
D : begebbares Wertpapier
E : *titulo negociable*
Titre de créance négociable et cessible par endossement (voir ce mot)

TONNELLAGGIO
F : tonnage
GB : *tonnage*
D : Tonnengehalt
E : *tonelaje*

TONNELLATA
F : tonne
GB : *tonne*
D : Tonne
E : *tonelada*

TONNELLATA LORDA
F : tonne forte
GB : *gross ton*
D : Bruttotonne
E : *tonelada bruta*

TRAENTE
F : tireur
GB : *drawer*
D : Aussteller
E : *librador*
Personne physique ou morale qui émet un chèque ou une lettre de change et donne l'ordre de payer à l'échéance

TRAFFICO AEREO
F : trafic aérien
GB : *air traffic*
D : Lufverkehr
E : *trafico aéreo*

TRANSAZIONE
F : transaction
GB : *transaction*
D : Transaktion
E : *transaccion*
Echange, processus de négociation qui a abouti à un accord par concessions réciproques

TRANSPORTO A COLLETTAME
F : groupage (service de)
GB : *groupage service*
D : Groupagedienst
E : *servicio de agrupacion*

TRASBORDO
F : transbordement
GB : *transhipment*
D : Umladung
E : *transbordo*
Transfert de marchandises ou de voyageurs d'un véhicule de transport à un autre

TRASFERIMENTO BANCARIO
F : virement bancaire
GB : *bank transfert*
D : Banküberweisung
E : *transferencia bancaria*

TRASFERIMENTO DI BENI
F : transmission de biens
GB : *conveyance of property*
D : Übertragung von Vermögen
E : *trapaso de propiedad*

TRASFERIMENTO PER POSTA
F : virement postal
GB : *mail transfer*
D : Postüberweisung
E : *transferencia postal*

TRASFERIRE
F : transférer
GB : *transfer*
D : überweisen
E : *transferir*

TRASPORTATORE DI MERCE ALLA RINFUSA
F : transporteur de marchandises en vrac
GB : *bulk carrier*
D : Massenfrachtführer
E : *transportador a grand*

TRASPORTO
F : transport
GB : *transport*
D : Beförderung, Transport
E : *transporte*

TRASPORTO AEREO
F : fret aérien
GB : *air freight*
D : Luftfracht
E : *flete aéreo*

TRASPORTO AEREO
F : transport aérien
GB : *air transport*
D : Luftransport
E : *transporte aéreo*

TRASPORTO MARITTIMO DI MERCE
F : fret maritime
GB : *sea freight*
D : Seefracht
E : *flete marítimo*

TRATTA
F : traite
GB : *draft*
D : Tratte
E : *letra*
Voir Lettre de change

TRATTA A VISTA
F : traite à vue
GB : *sight draft*
D : Sichttratte
E : *letra a la vista*
Payable aussitôt que le bénéficiaire désire en recouvrer le montant

TRATTA BANCARIA
F : traite bancaire
GB : *banker's draft*
D : Banktratte
E : *giro bancario*
Traite émise par une banque

TRATTA CAMBIALE
F : lettre de change
GB : *bill of exchange*
D : Wechsel, Tratte
E : *letra de cambio*
Voir Effet de commerce

TRATTA DOCUMENTARIA
F : traite documentaire
GB : *documentary bill*
D : Dokumentenwechsel
E : *efecto documentario*
Lettre de change tirée par le vendeur sur l'acheteur, accompagnée des documents d'expédition

TRATTARIO
F : tiré nm
GB : *drawee*
D : Bezogene(r)
E : *librado*
Personne physique ou morale qui a reçu l'ordre de régler le montant d'un chèque ou d'une lettre de change à l'échéance

TRATTATIVA
F : négociation
GB : *negotiation*
D : Verhandlung
E : *negociacion*

TRENO MERCI
F : train de marchandises
GB : *goods train (USA freight train)*
D : Güterzug
E : *tren de mercancias*

TRIBUNALE
F : tribunal
GB : *court (of law)*
D : Gericht
E : *tribunal*

TRIMESTRALE
F : trimestriel
GB : *quarterly*
D : vierteljährlich
E : *trimestral*

TRUFFARE
F : tricher
GB : *cheat*
D : betrügen
E : *enganar*

TURNO
F : équipe
GB : *shift*
D : Schicht
E : *turno*

TURNO DI GIORNO
F : équipe de jour
GB : *day-shift*
D : Tagschicht
E : *turno de dia*

TURNO DI NOTTE
F : équipe de nuit
GB : *night shift*
D : Nachtschicht
E : *turno de noche*

ITALIEN

TUTORE
F : tuteur (d'un mineur)
GB : *guardian*
D : Vormund
E : *tutor*

TUTTI RISCHI
F : tous risques
GB : *all risks*
D : alle Gefahren
E : *todos los riesgos*

TUTTI GLI INTERESSATI (A)
F : à qui de droit
GB : *to whom it may concern*
D : an alle,die es angeht
E : *quien concierma (a)*
A la personne compétente

TUTTO VENDUTO
F : tout vendu
GB : *sold out*
D : ausverkauft
E : *agatado*

UFFICIALE
F : officiel
GB : *official*
D : amtlich
E : *oficial*

UFFICIO CENTRALE D'ACQUISTI
F : centrale d'achats
GB : *central buying office*
D : Einkaufszentrale
E : *oficina central de compras*

UFFICIO CONTABILITÀ
F : service de comptabilité
GB : *accounts department (USA accounting department)*
D : Buchlaltung
E : *departamento de contabilidad*

UFFICIO DI COLLOCAMENTO
F : bureau de placement
GB : *employment exchange (USA state employment agency)*
D : Arbeitsnachweisstelle
E : *bolsa de trabajo*

UFFICIO POSTALE
F : bureau de poste
GB : *post office*
D : Postamt
E : *oficina de correos*

UFFICIO SENZA DIVISIONI
F : bureau paysager
GB : *open-plan office*
D : Großraumbüro
E : *oficina sin particiones*

UFFICIO VENDITE
F : service ventes
GB : *sales department*
D : Verkaufsabteilung
E : *departamento de ventas*

UFFICIO, SCRITTOIO
F : bureau
GB : *office, desk*
D : Büro, Schreibtisch
E : *oficina, mesa*

ULTERIORI INFORMAZIONI
F : renseignements complémentaires
GB : *further information*
D : weitere Auskunft
E : *mas detalles*

ULTERIORI MOTIVI
F : raisons supplémentaires
GB : *further reasons*
D : weitere Gründe
E : *rasones adicionales*

ULTERIORI PARTICOLARI
F : renseignements (plus amples)
GB : *further particulars*
D : nähere Umstände
E : *mas detalles*

ULTIMA DATA
F : dernier jour
GB : *closing date*
D : Schlußtermin
E : *ultimo dia*

ULTIMA DATA O ORA POSSIBILE
F : date limite
GB : *deadline*
D : Verfallstermin
E : *fecha tope*

ULTIMA RATA
F : dernier versement
GB : *final instalment*
D : letzte Rate
E : *ultimo plazo*

ULTIMO A ENTRARE, PRIMO A USCIRE
F : LIFO (last in, last out)
GB : *LIFO*
D : LIFO
E : *ultima entrada, primera salida*
Dernier entré, premier sorti .
Méthode de valorisation des sorties de stocks fondée sur l'inverse de la chronologie des entrées

UNIONE COMMERCIALE
F : bloc commercial
GB : *trade bloc*
D : Handelsblock
E : *bloque comercial*

UNIONE DOGANALE
F : union douanière
GB : *customs union*
D : Zollunion
E : *union aduanera*

UNITÀ
F : unité
GB : *unit*
D : Stück
E : *unidad*

UNITÀ DI VISUALIZZAZIONE
F : unité de visualisation
GB : *visual-display unit (VDU)*
D : Bildschirmeinheit
E : *unidad de visualizacion*

UOMO D'AFFARI
F : homme d'affaires
GB : *businessman*
D : Geschäftsmann
E : *hombre de negocios*

USO COMMERCIALE
F : usage commercial
GB : *custom of the trade*
D : Handelsgebrauch
E : *uso comercial*

USUFRUTO VITALIZIO
F : usufruit viager
GB : *life-interest*
D : lebenslängliche Nutznießung
E : *usufructo vitalicio*
Usufruit converti en rente viagère

USUFRUTTO
F : jouissance
GB : *right to interest/dividends*
D : Nutzungsrecht
E : *disfrute*
Droit (et date à partir de laquelle il peut s'exercer) sur le revenu d'un capital

USUFRUTTO
F : usufruit
GB : *usufruct, beneficial interest*
D : Nießbrauchsrecht
E : *usufructo*
Droit de jouir d'un bien et d'en percevoir les revenus pendant un temps déterminé (en général, la durée de vie de l'usufruitier)

USUFRUTTUARIO
F : usufruitier
GB . *beneficial owner*
D : Nießbrauchnutzer
E : *usufructuario*

USURA
F : usure
GB : *usury*
D : Wucher
E : *usura*
Octroi d'un prêt à un taux supérieur à la coutume ou à la loi (délit)

USURA NORMALE
F : usure normale
GB : *fair wear and tear*
D : übliche Abnützung
E : *uso y desgaste razonable*

UTILE D'ESERCIZIO
F : résultat d'exploitation
GB : *operating income*
D : Betriebsergebnis
E : *resultado de la explotación*
Solde du compte d'exploitation

UTILE LORDO
F : bénéfice brut
GB : *gross profit*
D : Bruttogewinn
E : *ganancia bruta*
Excédent global des ventes sur les achats

UTILE NETTO
F : bénéfice net
GB : *net profit*
D : Reingewinn
E : *ganancia neta*
Bénéfice brut diminué des frais généraux, charges, amortissement de l'actif social et provisions pour dépréciation. Se calcule avant ou après impôts

UTILE SULLA CARTA
F : profit fictif
GB : *paper profit*
D : imaginärer Gewinn
E : *ganancia por realizar*
Définition prévue non donnée

UTILE, PROFITTO
F : bénéfice
GB : *profit*
D : Gewinn
E : *ganancia, beneficio*
Résultat final d'un exercice venant augmenter la richesse de l'entreprise

UTILE, PROFITTO
F : profit
GB : *profit*
D : Gewinn, Profit
E : *ganancia, beneficio*
Excédent de recettes sur des charges, bénéfice

VACANZA
F : vacances
GB : *vacation, holiday*
D : Ferien, Urlaub
E : *vacacion*

VACANZA ESTIVE
F : vacances d'été
GB : *summer-holidays*
D : Sommerferien
E : *vacaciones de verano, veraneo*

VACANZE RETRIBUITE
F : congés payés
GB : *holidays with pay*
D : bezahlter Urlaub
E : *vacaciones retribuidas*
Vacances accordées par la loi à tout salarié qui a travaillé au moins un mois en continu

VAGLIA POSTALE
F : mandat-poste
GB : *postal order*
D : Postanweisung
E : *giro postal*
Titre remis par La Poste pour faire parvenir une somme d'argent à quelqu'un sans transport matériel de fonds

VALIDO
F : valable
GB : *valid, good*
D : gültig, gut
E : *valido*

VALIGETTA, VENTIQUATTR'ORE
F : attaché-case
GB : *attaché-case*
D : Aktenkoffer
E : *maletín*

VALORE
F : valeur
GB : *value*
D : Wert
E : *valor*

VALORE AGGIUNTO
F : valeur ajoutée
GB : *added value*
D : Mehrwert
E : *valor agregado*
Différence entre la valeur de la production et la valeur des biens utilisés à cet effet

VALORE AL PORTATORE
F : valeur au porteur
GB : *bearer security*
D : Inhabereffekten
E : *valor al portador*
Valeur qui appartient à celui qui la détient

VALORE CAPITALIZZATO
F : valeur capitalisée
GB : *capitalized value*
D : kapitalisierter Wert
E : *valor capitalizado*
Montant des intérêts transformés en capital

VALORE D'INVENTARIO
F : valeur comptable
GB : *book value*
D : Buchwert
E : *valor contable*
Valeur d'une entreprise égale à la différence entre son actif et ses dettes

VALORE DI MERCATO
F : valeur marchande
GB : *market value*
D : Marktwert
E : *valor de mercado*
Valeur de commercialisation

VALORE DI RISCATTO
F : valeur de rachat
GB : *surrender value*
D : Rückkaufswert
E : *valor de rescate*

VALORE DICHIARATO
F : valeur déclarée
GB : *declared value*
D : angegebener Zollwert
E : *valor declarado*

VALORE IN ATTIVO
F : valeur de l'actif
GB : *asset value*
D : Aktiwert
E : *valor en activo*

VALORE INTRINSECO
F : valeur intrinsèque
GB : *intrinsic value*
D : innerlicher Wert
E : *valor intrinseco*
A un moment donné, écart entre le prix marché comptant d'un actif et le prix prévu si on fait jouer une option d'achat ou de vente

VALORE NOMINALE, TAGLIO
F : valeur nominale
GB : *nominal value, face value, denomination*
D : Nennwert, Stückelung
E : *valor, valor nominal*
Valeur comptable invariable d'un titre au moment de sa première émission

VALORE VENALE
F : valeur vénale
GB : *market value*
D : Verkaufswert
E : *valor venal*
Valeur comptable invariable d'un titre au moment de sa première émission

VALORI AURIFERI
F : valeurs aurifères
GB : *gold shares, gold-bearing stock*
D : Aktien von Goldbergwerken, Goldwerte
E : *acciones auriferas, valores auriferos*

VALORIZZAZIONE
F : exploitation
GB : *development*
D : Erschließung
E : *explotacion*

VALORIZZAZIONE
F : valorisation
GB : *valuation*
D : Aufwertung
E : *valorización*

VALUTA
F : monnaie
GB : *currency*
D : Währung
E : *moneda*

VALUTA DEBOLE
F : monnaie faible
GB : *soft currency*
D : schwache Währung
E : *moneda débil*

VALUTA DI RISERVA
F : monnaie de réserve
GB : *reserve currency*
D : Reservewährung
E : *moneda de reserva*
Détenue par les banques centrales et considérée comme réserve de change en raison de la confiance que lui attribue la communauté internationale

VALUTA ESTERA
F : devises
GB : *foreign exchange, currencies*
D : Devisen
E : *divisas extranjeras*
Moyens de paiement libellés dans une monnaie étrangère

VALUTA FORTE
F : monnaie forte
GB : *hard currency*
D : harte Währung
E : *moneda fuerta*

VALUTARE
F : évaluer
GB : *evaluate*
D : bewerten
E : *evaluar*

VALUTAZIONE
F : évaluation
GB : *appraisal, valuation*
D : Abschätzung, Wertbestimmung
E : *evaluacion*

VALUTAZIONE DEL LAVORO
F : évaluation du travail
GB : *job evaluation*
D : Arbeitsbewertung
E : *valoracion del trabajo*
Détermination de la valeur relative de chaque poste de travail par rapport aux autres dans l'entreprise, et affectation à chacun d'une rémunération convenable

VALUTAZIONE ECCESSIVA
F : surestimation
GB : *over-estimate*
D : Überschätzung
E : *presupuesto por exceso*

VALUTAZIONE PRUDENTE
F : évaluation prudente
GB : *conservative estimate*
D : vorsichtige Schätzung
E : *presupuesto prudente*

VANTAGGI ACCESSORI
F : avantages accessoires
GB : *fringe benefits*
D : Sozialleistungen
E : *beneficios suplementarios*

VANTAGGIOSO, REDDITIZIO
F : avantageux
GB : *profitable, advantageous*
D : vorteilhaft
E : *ventajoso*

VARIAZIONE
F : variation
GB : *variation*
D : Veränderung
E : *variación*

VEICOLO COMMERCIALE
F : véhicule commercial
GB : *commercial vehicle*
D : Nutzfahrzeug
E : *vehiculo comercial*

VENDERE
F : vendre
GB : *sell*
D : verkaufen
E : *vender*

VENDERE SENZA FORZARE
F : vente par des moyens discrets
GB : *soft sell*
D : unaufdringliches Verkaufen
E : *venta sencilla*

VENDIBILE
F : vendable
GB : *marketable*
D : marktfähig
E : *vendible*

VENDITA
F : vente
GB : *sale*
D : Verkauf
E : *venta*

VENDITA A CONTANTI
F : vente au comptant
GB : *cach sale*
D : Kassageschäft
E : *venta al conta*

VENDITA A DOMICILIO
F : vente à domicile
GB : *door-to-door selling*
D : Haus-zu-Haus-Verkauf
E : *venta a domicilio*

VENDITA A RATE
F : location-vente
GB : *hire-purchase*
D : Ratenkauf
E : *compra a plazos*
Voir Crédit-bail, Leasing

VENDITA A RATE
F : vente à tempérament
GB : *hire-purchase*
D : Ratenverkauf
E : *compra a plazos*
Vente à crédit

VENDITA ALL'ASTA
F : vente aux enchères
GB : *sale by auction*
D : Versteigerung
E : *venta a subasta*

VENDITA DIRETTA
F : vente directe
GB : *direct selling*
D : Direktverkauf
E : *venta directa*
Sans intermédiaire

VENDITA FORZOSA
F : vente forcée
GB : *forced sale*
D : Zwangsverkauf
E : *venta forzosa*

VENDITA PER CORRISPONDENZA
F : VPC (vente par correspondance)
GB : *mail-order selling*
D : Versandhandel
E : *VPC (venta por correspondencia)*

VENDITE PER ESPORTAZIONE
F : ventes d'exportation
GB : *export sales*
D : Ausfuhrverkäufe
E : *ventas de exportacion*

VENDITORE ALL'ASTA
F : commissaire-priseur
GB : *auctioneer*
D : Versteigerer
E : *subastador*
Officier ministériel chargé de l'estimation et de la vente aux enchères publiques

VENDITORE, COMMESSO
F : vendeur
GB : *salesman, vender*
D : Verkäufer
E : *vendedor*

VERBALE
F : procès-verbal
GB : *minutes*
D : Protokoll
E : *actas*

VERIFICA CONTABILE INTERNA
F : vérification interne
GB : *internal audit*
D : interne Revision
E : *verificacion contable interna*
Audit pratiqué par un salarié de l'entreprise

VERIFICARE
F : vérifier
GB : *verify*
D : nachprüfen
E : *verificar*

VERIFICARE (DEI DEBITI)
F : apurer (des dettes)
GB : *discharge, wipe off*
D : (Schulden) bereingen
E : *recontar (deudas)*

VERSAMENTO DI ONERI SOCIALI
F : cotisation sociale
GB : *payroll tax*
D : Sozialbeitrag
E : *cotización social*
Versement obligatoire effectué à la Sécurité sociale ou à l'Etat par les employeurs et les travailleurs pour financer la protection sociale

VERSARE UN DEPOSITO
F : verser des arrhes
GB : *pay a deposit*
D : hinterlegen
E : *hacar un deposito*
Voir Arrhes

VERTENZA DI LAVORO
F : conflit du travail
GB : *trade dispute*
D : Arbeitsstreitigkeit
E : *conflicto loboral*

VETTORE, SPEDITORE
F : expéditeur
GB : *carrier, consignor*
D : Spediteur, Absender
E : *transportador, consignador*

VIAGGIATORE DI COMMERCIO
F : commis-voyageur
GB : *(commercial) traveller*
D : Geschäftsreisende(r)
E : *viajante*
Représentant de commerce

VIAGGIO
F : voyage
GB : *voyage*
D : Seereise
E : *viaje*

VICE-DIRETTORE
F : sous-directeur
GB : *assistant manager*
D : Unterdirektor
E : *sub-director*

VICEPRESIDENTE
F : vice-président
GB : *vice-chairman*
D : stellvertretender Vorsitzende(r)
E : *vice-presidente*

VIOLAZIONE DI GARANZIA
F : rupture de garantie
GB : *breach of warranty*
D : Verletzung der Gewährleistungspflich
E : *incumplimiento de la garantia*
Cessation de garantie

VISITA MEDICAL
F : examen médical
GB : *medical examination*
D : ärztliche Untersuchung
E : *examen médico*

VISTA (A)
F : à vue
GB : *at sight*
D : bei Sicht
E : *vista (a la)*
Clause qui, apposée sur un effet de commerce, le rend payable sur simple présentation

VISTA (A)
F : demande (sur)
GB : *on demand*
D : auf Verlangen
E : *vista (a)*

VISTO
F : visa
GB : *visa*
D : Visum
E : *visa*

VOLONTARIO
F : volontaire adj
GB : *voluntary*
D : freiwillig
E : *voluntario*

VOLUME
F : volume
GB : *cubic, capacity*
D : Kubikinhalt
E : *capacidad cubica*

VOTARE
F : voter
GB : *vote*
D : stimmen
E : *votar*

VOTO DECISIVO
F : voix prépondérante
GB : *casting vote*
D : entscheidende Stimme
E : *voto decisivo*

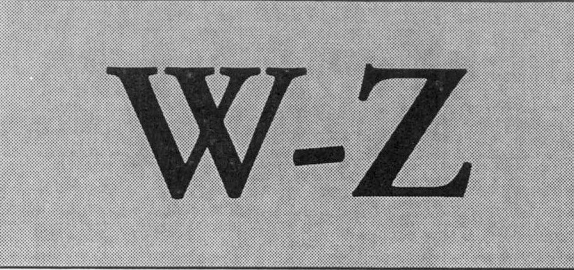

W-Z

WARRANT
F : warrant
GB : *warrant*
D : Garantie
E : *warrant*
Bon de souscription d'action ou d'obligation attaché à un titre, au prix fixé et pour une période déterminée

ZOCCOLO DURO
F : noyaux durs
GB : *hard core shareholders*
D : harte Kerne
E : *núcleo fuerte*
Noyaux stables d'actionnaires des sociétés privatisées, soumis au respect de certaines contraintes pour protéger celles-ci d'éventuelles prises de contrôle

ZONA
F : zone
GB : *zone*
D : Zone
E : *zona*

ZONA DEGLI ACQUISITI
F : centre commercial
GB : *shopping centre*
D : Geschäftszentrum
E : *centro de negocios*

ZONA DI SVILUPPO
F : zone de développement
GB : *development area*
D : Ortsplanungsgebiet
E : *zona de desarrollo*
Région dans laquelle il a été décidé de favoriser par diverses mesures l'implantation d'industries et la création d'emplois

ZONA EUROPEA DI LIBERO SCAMBIO
F : Zone européenne de libre-échange
GB : *European free trade area (EFTA)*
D : Europäische Freihandelszone
E : *Zona europea de commercio libre*

ZONA MONETARIA
F : zone monétaire
GB : *currency area*
D : Währungsgebiet
E : *zona monetaria*
Ensemble de pays dont les monnaies (secondaires) sont étroitement liées à une monnaie principale (celle du pays centre) et convertibles entre elles

Achevé d'imprimer par
Brodard & Taupin
en juin 1995

Dépôt légal : juin 1995
N° d'impression : 6898 L-5

ITALIEN